A PRACTICAL
CANTONESE - ENGLISH
DICTIONARY

BY
SIDNEY LAU

實用粵英詞典
劉錫祥編著

PRINTED AND PUBLISHED BY
THE GOVERNMENT PRINTER
HONG KONG
1977

"A PRACTICAL CANTONESE-ENGLISH DICTIONARY"

First edition—August, 1976.

ii

FOREWORD

Mr. Sidney LAU has spent many years in the Hong Kong Government teaching Cantonese and producing a series of text-books, at the Elementary, Intermediate and Advanced Level, for courses organised in the Chinese Language Section of the Government Training Division. This Cantonese to English dictionary puts the seal on a very whorthwhile project which Government has been pleased to support because it fills a gap in learning Cantonese that no other institution has tried to do since the late 40s. We hope and expect that it will meet the long-awaited need for an up-to-date, practical and extensive dictionary for both students and teachers.

W. J. K. ELLIS
Principal Assistant Secretary
for the Civil Service (Training)

PREFACES

Language students in general owe a great debt of gratitude to those who have provided them with suitable textbooks and dictionaries. This is particularly so with a language like Cantonese where the spoken and written forms are so far apart.

Mr. LAU is already well known throughout Hong Kong for his excellent series of Cantonese textbooks, and he has now crowned his labours in this field by producing a Cantonese dictionary.

Actually there is no shortage of Chinese/English dictionaries, but most of these presuppose a reading knowledge of Chinese characters which makes them unsuitable for beginners. Moreover, the Chinese used in such dictionaries is normally based on contemporary Mandarin, the National Language of China, which differs considerably in both vocabulary and grammar from spoken Chinese.

It is in this context that Mr. LAU's new dictionary of the Cantonese dialect is to be welcomed, particularly since it contains so many terms that have entered the language in recent years. Special features of the dictionary are the way in which it indicates how each word or expression can be used (noun, verb, adjective, etc.) and the setting in which it is generally found (formal, abusive, jocular, etc.). It also shows the forms that are distinctly Mandarin, while providing at the same time liberal samples of many pithy expressions and phrases which permeate the Cantonese language.

For the sake of those who are not used to Mr. LAU's system of romanization a table showing its relation to other systems has been included in his dictionary, and I am confident that a coming generation of Cantonese students will find in this dictionary a life-long companion and friend.

W. P. W. McVEY

* * * * *

Mr. Sidney LAU, the compiler of this dictionary, has been teaching Cantonese to both beginners and advanced students for over thirty years. Drawing upon his long experience in teaching, he has published several Cantonese textbooks. To supplement his previous works, he has now produced this dictionary which comprises a careful selection of words, idiomatic expressions, compounds and phrases which are currently and widely used among the Cantonese-speaking community in Hong Kong. Furthermore, the inclusion of Chinese characters makes it useful to a greater range of readers. I believe this dictionary will be warmly welcomed by students and teachers alike.

D. K. DOWDING, B.A. (Oxon), M.A. (Oxon)

Hong Kong
August, 1976.

v

INTRODUCTION

It was my primary ideas, as I publicised on the back cover of my *"Advanced Cantonese Vol. I"* last year, to compile a *"Comprehensive Glossary"* so that each of the three Cantonese textbooks I produced would be accompanied by a separate index volume. For this purpose I had prepared and collected some 5,000 lexical cards in Cantonese—1,500 from *"Elementary Cantonese"*, 1,700 from *"Intermediate Cantonese"* and 2,500 from *"Advanced Cantonese"*.

However, when I was about to start this rather straightforward job of putting all these cards in order and compiling a glossary, my old friend Mr. W. P. W. MCVEY advised me to work on a "dictionary" instead of a glossary. He stressed that serious students of Cantonese have for the past 20 years been eagerly waiting for a practical and up-to-date Cantonese dictionary. He added that the series of textbooks I had produced would not be sufficient and complete without the support of a dictionary.

I would never pretend to say I am qualified to do this work. It was mainly the sense of duty that made me determined to accept the challenge when Mr. W. J. K. ELLIS, Principal Assistant Secretary in charge of the Government Training Division, kindly agreed to this project and allocated 15 months for the job.

The dictionary has some 22,000 Cantonese entries which are four times more than the material originally prepared for a *"Comprehensive Glossary"*. They are based on about 3,600 main words of which some are the same characters with different pronunciations. This book is for those wishing to learn spoken Cantonese. It contains very many colloquial Cantonese expressions commonly heard in the local community. Chinese characters are included for advanced students who have already some knowledge of written Chinese. For their benefit some useful terms in literature, religion, politics, etc., are also introduced. I have no intention of glossing over the inevitable deficiencies and inaccuracies of the dictionary as my knowledge in both Chinese and English is limited, and I had to endeavour to prepare the first manuscript virtually on my own. It would be a great pleasure to me if users of the dictionary would favour me with their reactions and criticisms.

I wish to thank Mr. ELLIS whom I have mentioned earlier, and Mr. D. K. DOWDING, a Government Administrative Officer, for their invaluable corrections of my typed version. I am also grateful to Mrs. Louisa CHUNG, Miss Christina CHAN and Miss Ada CHENG for their clerical work and the tedious job of copying my draft; particular reference must be made to Miss CHENG's full-time and efficient assistance during the last few months. Last but not least I am indebted to the aforesaid Mr. MCVEY, who has already given me his unfailing help during the past few years, for his patience and perseverance in going through my manuscript. This dictionary would not have been possible without his initial advice and encouragement.

SIDNEY LAU, B.A. (Sun Yat-sen)

Hong Kong
August, 1976.

CANTONESE SOUNDS AND TONES

(Cantonese sounds and tones are here represented according to Sidney LAU's system of romanization used in his *"Kwang Tung Wah"* (i.e. "Cantonese-by-Radio") Intermediate Series. For detailed explanations of this system it is suggested to see his *"Elementary Cantonese"* and *"Intermediate Cantonese"*, both published by the Government Printer and available at all local leading bookshops.)

I. Cantonese Initials

TABLE 1

A Complete List of Cantonese Initials

Initial	Pronounced as in the English word	Cantonese example		Meaning in Cantonese
B	Baby	Baat³	八	Eight
D	Dot	Da¹°	打	A dozen
G	Gun	Gaai¹°	街	A street
P	Park	Peng⁴	平	Inexpensive
T	Team	Tim⁴	甜	Sweet
K	Kick	Kat¹°ᶜ	咳	To cough
L	Long	Lo⁶	路	A road
M	My	Ma⁵	馬	A horse
N	Nail	Ning¹	擰	To take
Ng	Singing or dancing	Ngoh⁵	我	I, me
F	Father	Fa¹°	花	A flower
H	House	Ha¹°	蝦	A shrimp
S	Sand	Sa¹°	沙	Sand
J	Jaw	Joh²	左	Left
Ch	Church	Chat¹°	七	Seven
Gw	Gwendoline	Gwai³	貴	Expensive
Kw	Quick	Kwan⁴	裙	A skirt
W	Win	Wan²	搵	To look for
Y	Young	Yau⁵	有	To have

ix

II. Cantonese Finals

TABLE 2

Group No. 1 · The Single "a" Finals

Final	Pronounced as in the English word	Cantonese example		Meaning in Cantonese
A	Father	Fa[1]°	花	A flower
Ai	Fight	Sai[3]	細	Small
Au	Shout	Gau[3]	夠	Enough
Am	Sum	Sam[1]	心	A heart
An	Sun	San[1]	新	New
Ang	Rung	Dang[2]	等	To wait for
Ap	Sup	Sap[6]	十	Ten
At	But	Mat[1]°	乜	What
Ak	Duck	Hak[1]°	黑	Black

TABLE 3

Group No. 2 · The Double "a" Finals

Final	Pronounced as in the English word	Cantonese example		Meaning in Cantonese
Aai	Aisle	Maai[5]	買	To buy
Aau	Now	Gaau[3]	教	To teach
Aam	Arm	Saam[1]	三	Three
Aan	Aunt	Daan[1]°	單	A bill
Aang	No equivalent ("aan" + "ng")	Haang[4]	行	To walk
Aap	Harp	Aap[3]	鴨	A duck
Aat	Art	Baat[3]	八	Eight
Aak	Ark	Baak[3]	百	Hundred

x

TABLE 4

Group No. 3   The "e" Finals

Final	Pronounced as in the English word	Cantonese example	Meaning in Cantonese
E	Cherry	Che[1°] 車	A car
Eng	Length	Leng[3] 靚	Beautiful
Ek	Neck	Tek[3] 踢	To kick
—			
Ei	Day	Dei[6] 地	Land
—			
Euh	Her	Heuh[1] 靴	A boot
Eung	No equivalent, ("lear(ni)ng")	Leung[5] 兩	A couple
Euk	Work	Geuk[3] 脚	A leg

TABLE 5

Group No. 4   The "i" Finals

Final	Pronounced as in the English word	Cantonese example	Meaning in Cantonese
I	See	Si[3] 試	To try out
Iu	No equivalent, ("ee" + "oo")	Siu[3] 笑	To smile
Im	Seem	Tim[4] 甜	Sweet
In	Seen	Min[6] 麪	Noodles
Ing	Sing	Sing[3] 姓	A surname
Ip	Jeep	Jip[3] 接	To meet
It	Seat	Yit[6] 熱	Hot
Ik	Sick	Sik[6] 食	To eat

TABLE 6

Group No. 5   The "o" Finals

Final	Pronounced as in the English word	Cantonese example		Meaning in Cantonese
Oh	Law	Loh[2]	攞	To get
On	Lawn	Gon[1]	乾	Dry
Ot	Bought	Hot[3]	渴	Thirsty
—				
O	Go (Scottish)	Go[1]	高	Tall
—				
Oi	Boy	Hoi[1]	開	To open
Ong	Long	Mong[4]	忙	Busy
Ok	Lock	Lok[6]	落	To descend

TABLE 7

Group No. 6   The Double "o" Finals

Final	Pronounced as in the English word	Cantonese example		Meaning in Cantonese
Oo	Mood	Gwoo[2]	估	To guess
Ooi	Ruin	Gwooi[6]	攰	Tired
Oon	Soon	Woon[2]	碗	A bowl
Oot	Foot	Foot[3]	闊	Wide

TABLE 8

Group No. 7   The "u" Finals

Final	Pronounced as in the word	Cantonese example		Meaning in Cantonese
Ui	Deuil (French)	Dui[3]	對	A pair of
Un	Nation (English)	Sun[3]	信	A letter
Ut	Put (English), but shorter	Chut[1o]	出	To go out
—				
Ung	Achtung (German) Tongue (N. English)	Tung[3]	痛	Painful
Uk	Book (English)	Luk[6]	六	Six

TABLE 9

Group No. 8   The "ue" Finals

Final	Pronounced as in the French word	Cantonese example	Meaning in Cantonese
Ue	Dessus	Sue¹ 書	A book
Uen	Une	Suen¹ 酸	Sour
Uet	Chute	Suet³ 雪	Snow

TABLE 10

Group No. 9   The Nasal Finals

Final	Pronounced as in the English word	Cantonese example	Meaning in Cantonese
M	Mmm	M⁴ 唔	Not
Ng	No equivalent	Ng⁵ 五	Five

III. Cantonese Tones

There are in name ten Cantonese tones. As shown in Table 11 below from left to right they are:

High Level, High Clipped, High Falling;

Middle Rising, Middle Level, Middle Clipped;

Low Falling, Low Rising, Low Level and Low Clipped.

TABLE 11

Nomenclature of Tones

Tone	High Level	High Clipped	High Falling	Middle Rising	Middle Level	Middle Clipped	Low Falling	Low Rising	Low Level	Low Clipped
Tone No.	1°	1°	1	2	3	3	4	5	6	6
Example	Sam¹° 心	Sap¹° 濕	Sam¹ 心	Sam² 審	Sam³ 滲	(Sap³)	Sam⁴ 岑	(Sam⁵)	Sam⁶ 甚	Sap⁶ 十
	(Wan¹°)	Wat¹° 屈	Wan¹ 溫	Wan² 搵	Wan³ 韞	(Wat³)	Wan⁴ 雲	Wan⁵ 允	Wan⁶ 運	Wat⁶ 核
	Deng¹° 釘	(Dek¹°)	Deng¹ 釘	Deng² 頂	Deng³ 掟	Dek³ 趯	(Deng⁴)	(Deng⁵)	Deng⁶ 定	Dek⁶ 笛

N.B. Cantonese examples in parenthesis are only meaningless sounds.

In actual fact, however, there are only seven Cantonese tones, because High Clipped, Middle Clipped and Low Clipped coincide in pronunciation with High Level, Middle Level and Low Level respectively, and because they are not "tones" but only "Clipped Sounds" as briefly mentioned in a paragraph explaining the pronunciation of the finals ending with a plosive consonant "p", "t" or "k". For practical purposes, the number of basic tones are further reduced to six as contained in Table 12 below. The question of High Level tone has been fully dealt with in the two previous textbooks.

TABLE 12

Six Basic Cantonese Tones

Tone	High Falling	Middle Rising	Middle Level	Low Falling	Low Rising	Low Level
Tone No.	1	2	3	4	5	6
Example	Wan¹ 溫	Wan² 搵	Wan³ 醞	Wan⁴ 雲	Wan⁵ 允	Wan⁶ 運

NOTES

(1) When an asterisk "*" is placed immediately after a tone number, it indicates that the tone should be modified into and pronounced with a Middle Rising Tone regardless of its original tone and its tone number.

(2) When a little circle "o" is placed immediately after a tone number, it indicates that the tone should be modified into and pronounced with a High Level Tone regardless of its original tone and its tone number.

(3) When a Cantonese syllable ends with a consonant "p", "t" or "k", the syllable is regarded as a Level Tone though it is sometimes termed as a Clipped Tone.

IV. Comparison with Other Systems of Romanization

The following are tables denoting differences between Sidney LAU's (hereafter shortened as SL) system of romanization used in this series of Cantonese textbooks and three other systems, i.e. the Barnett-Chao (B-C), Meyer-Wempe (M-W) and Yale systems.

TABLE 13

Differences in Initials

SL	B-C	M-W	Yale	SL	B-C	M-W	Yale
B	B	P	B	F	F	F	F
D	D	T	D	H	X	H	H
G	G	K	G	S	S	S, Sh	S
P	P	P′	P	J	Z	Ch, Ts	J
T	T	T′	T	Ch	C	Ch′, Ts′	Ch
K	K	K′	K	Gw	Gw	Kw	Gw
L	L	L	L	Kw	Kw	K′w	Kw
M	M	M	M	W	W	W	W
N	N	N	N	Y	J	Y	Y
Ng	Ng	Ng	Ng				

TABLE 14

Differences in Finals

SL	B-C	M-W	Yale	SL	B-C	M-W	Yale
A	A	A	A	Ing	Ing	Ing	Ing
Ai	Ai	Ai	Ai	Ip	Ip	Ip	Ip
Au	Au	Au	Au	It	It	It	It
Am	Am	Am, Om	Am	Ik	Ik	Ik	Ik
An	An	An	An	—	—	—	—
Ang	Ang	Ang	Ang	Oh	O	Oh	O
Ap	Ap	Ap, Op	Ap	On	On	On	On
At	At	At	At	Ot	Ot	Ot	Ot
Ak	Ak	Ak	Ak	—	—	—	—
—	—	—	—	O	Ou	O	Ou
Aai	Aai	Aai	Aai	—	—	—	—
Aau	Aau	Aau	Aau	Oi	Oi	Oi	Oi
Aam	Aam	Aam	Aam	Ong	Ong	Ong	Ong
Aan	Aan	Aan	Aan	Ok	Ok	Ok	Ok
Aang	Aang	Aang	Aang	—	—	—	—
Aap	Aap	Aap	Aap	Oo	Uu	Oo	U
Aat	Aat	Aat	Aat	Ooi	Uui	Ooi	Ui
Aak	Aak	Aak	Aak	Oon	Uun	Oon	Un
—	—	—	—	Oot	Uut	Oot	Ut
E	Ea	E	E	—	—	—	—
Eng	Eang	Eng	Eng	Ui	Eoi	Ui	Eui
Ek	Eak	Ek	Ek	Un	Eon	Un	Eun
—	—	—	—	Ut	Eot	Ut	Eut
Ei	Ei	Ei	Ei	—	—	—	—
—	—	—	—	Ung	Ung	Ung	Ung
Euh	Eo	Oeh	Eu	Uk	Uk	Uk	Uk
Euk	Eok	Euk	Euk	—	—	—	—
Eung	Eong	Eung	Eung	Ue	Y	Ue	Yu
—	—	—	—	Uen	Yn	Uen	Yun
I	I	I	I	Uet	Yt	Uet	Yut
Iu	Iu	Iu	Iu	—	—	—	—
Im	Im	Im	Im	M	M	M	M
In	In	In	In	Ng	Ng	Ng	Ng

Table 15

Differences in Nomenclature of Tones

SL	B-C	M-W	Yale
High Level : $a^{1°}$	High Level : ha	Upper Even : a	High Level : ā
High Falling : a^1	High Falling : hah	Upper Even : a	High Falling : à
Middle Rising : a^2	Middle Rising : ar	Upper Rising : á	High Rising : á
Middle Level : a^3	Middle Level : a	Upper Going : à	Middle Level: a
Low Falling : a^4	Low Falling : rah	Lower Even : ā	Low Falling : àh
Low Rising : a^5	Low Rising : rar	Lower Rising : ǎ	Low Rising : áh
Low Level : a^6	Low Level : ra	Lower Level : â	Low Level : ah
High Clipped : $at^{1°}$	High Clipped : hat	Upper Entering : at	High Level : āt
Middle Clipped: at^3	Middle Clipped: at	Middle Entering: àt	Middle Level: at
Low Clipped : at^6	Low Clipped : rat	Lower Entering : ât	Low Level : aht

EXPLANATORY NOTES

This is mainly a dictionary for students of Cantonese dialect. Characters included in the book are for those at advanced level and/or with some previous knowledge of written Chinese. The entries are therefore arranged in a strictly alphabetical order according to the system of romanization used in Sidney LAU's Cantonese textbooks.

When a character has two or more different tones, it is regarded as two words listed separately in the natural order of Cantonese tones from "1" to "6". For example, the character "華" can be pronounced "wa⁴" meaning "China" or "wa⁶" meaning "a Chinese surname or the name of a Chinese mountain", so the former with its word number 3151 precedes the latter with its word number 3152.

The tone of a character is sometimes modified to a high level (indicated by a small circle "°") or to a middle rising (marked by an asterisk "*"). The word number of the original tone generally comes before a modified tone. For instance, the character "包" is originally pronounced "baau¹" meaning "to pack up", and also can be modified into "baau¹°" meaning "a pack". The former with its word number 52 precedes the latter with its word number 53. Similarly, the character "帶" is pronounced "daai³" meaning "to bring" or modified into "daai³*" meaning "a belt", so "daai³" is No. 449 and "daai³*" No. 450.

When a character is pronounced in two or more sounds, the different sounds are represented in romanised form and also appear separately in alphabetical order. For example, the character "伴" can be pronounced "boon⁶" meaning "to accompany" which is found as word number 155, or "poon⁵" meaning "companion" found as No. 2576. In this case, a vertical stroke is placed beside the character in the "Index of Chinese Characters" with the different prounciations and word numbers put on the other side of the character.

Classifiers are given after all nouns except those that take "goh³ 個", the most common of all classifiers.

Abbreviations used in the dictionary are explained in the following list.

LIST OF ABBREVIATIONS USED

Adj	Adjective	Lit.	Literally
Adv	Adverb	Mdn.	Mandarin
AL	Abusive Language	N	Noun
AP	Also Pronounced	N.B.	Note well
Asp.	Aspect	Ono.	Onomatopoeia
AV	Auxiliary Verb	Opp.	Opposed
Bk.	Bookish	P	Particle
CC	Cantonese Character	PL	Polite Language
Cf.	Compare	PN	Partitive Noun
Cl.	Classifier	PP	Post-Position
Coll.	Colloquial	Prep	Preposition
Conj	Conjunction	Pron	Pronoun
CP	Colloquial Pronunciation	ROT	Refers only to
Ctmp.	Contemptuous	RT	Refers to
Der.	Derogatory	Sat.	Satirical
e.g.	For example	sb	somebody
FE	Full Expression	SE	Set Expression
Fig.	Figurative	SF	Simplified Form
Fml.	Formal	Sl.	Slang
FP	Final Particle	SM	Same Meaning
FW	Foreign Word	ssp	such and such a place
Gen.	Generally	sth	something
Gr.	Grammar	Sy.	Saying
GRT	Generally refers to	Tr.	Transliteration
IC	Idiomatic Construction	V	Verb
i.e.	That is	Vul.	Vulgar
Itj	Interjection	‡	Generally used in combination with another word
Joc.	Jocular		

CONTENTS

CONTENTS

A

a¹° 丫   **1**   (N) *fork of a tree.* ‡

— cha¹° — 乂   (N) *forked stick.* (*Cl.* ji¹枝 *or* goh³個)

a¹° 吖   **2**   (FP) *expresses idea of disagreeing or contradicting.*
CC

— ma³ — 嗎   (FP) *expresses idea of contradicting or disagreeing— gen. used in questions.*

a¹ 鴉   **3**   (N) *crow; raven.* ‡ (*Cl.* jek³隻)

— pin³ (yin¹°) — 片 (烟)   (N) *Opium.* **Tr.** (*portion:* jung¹°盅)

a² 啞   **4**   (Adj) *dumb.* ‡

— ge³ — 嘅   (Adj) *dumb.* **FE**
— yan⁴ — 人   (N) *the dumb; dumb person.*

a³ 阿   **5**   (P) *used as a prefix to surnames and personal (given) names, also in combination that represent a polite or friendly form of address.* **AP oh¹ see 2420.**

— baak³ — 伯   (N) *uncle (i.e. father's elder brother); polite form of address to an elderly man.* **FE**
— fei¹° — 飛   (N) *juvenile delinquent.* **FE**
— fuk¹° (tau⁴) — 福 (頭)   (N) *dupe; fool; "sucker"; simpleton.* **Sl.**
— — tau⁴ ngok⁶ yue⁴ dai² — — 頭鱷魚底   (SE) *crook who poses as a simpleton.*
⁵ — goh¹° — 哥   (N) *elder brother.* **FE**
— gung¹ — 公   (N) *grandfather; grandpa. (i.e. mother's father)* **FE**
A- Laai¹° Baak³ 阿剌伯   (N) *Arabia.* **Tr.** (Adj) *Arabian; Arabic.* **Tr.**
— — — yan⁴ — — — 人   (N) *Arab; Arabian.* **Tr.**
a- ma⁴ 阿嬤   (N) *grandmother; grandma. (i.e. father's mother)* **FE**

10 — poh⁴ — 婆   (N) *grandmother or grandma (i.e. mother's mother); old lady.* **FE**

— sam² — 嬸   (N) *aunt (i.e. wife of father's younger brother); polite form of address to a middle-aged woman.* **FE**

— so² — 嫂   (N) *sister-in-law (i.e. brother's wife); polite form of address to a friend's wife.* **FE**

— suk¹° — 叔   (N) *uncle (i.e. father's younger brother); polite form of address to a middle-aged man.* **FE**

— yat¹° (goh¹°) — — (哥)   (N) *leader; "chief".* **Sl.**

15 — ye⁴ — 爺   (N) *grandfather; grandpa. (i.e. father's father)* **FE**

— yi⁴° — 姨   (N) *Aunt (i.e. mother's younger sister); polite form of address to a young woman by a small child.* **FE**

a³亞   6   (Adj) *secondary; second.* **Fml. SF** ‡ (P) *Used in transliterations.*

A— Gaai¹ Lo⁵ Gaai¹°— 皆老街   (N) *Argyle Street.* **Tr.** *(Cl.* tiu⁴ 條)

a— gwan¹° — 軍   (N) *the second place. (ROT competitions, races, etc.)*

A— Jau¹ — 洲   (N) *Asia.* (Adj) *Asian.* **Tr.**

— — gwok³ ga¹ — — 國家   (N) *Asian country.*

— — Yan⁴ — — 人   (N) *Asian.*

— Sai³ A³ — 細亞   (N) *Asia.* **Tr. FE Fml.**

a³呀   7   (FP) *expresses idea of enquiring (in questions), emphasizing (in positive statements), or warning (in negative statements).* **AP:** *(1)* a⁴ *see* 8; *(2)* a⁶ *see* 9.

a⁴呀   8   (FP) *transforms statements into questions that indicate doubt or surprise.* **AP:** *(1)* a³ *see* 7; *(2)* a⁶ *see* 9.

a⁶呀   9   (P) *used frequently for "ten" instead of the normal "sap⁶"* † ; *also used in enumerating of a number of persons or things.* (Itj) *"Oh!"; "By the way!".* **AP:** *(1)* a³ *see* 7; *(2)* a⁴ *see* 8.

"—, hai⁶ lak⁶!"   "—, 係嘞!"   (SE) *"Oh, yes!"*

aai¹ 挨 **10**   (V) *lean on.* ‡ (Adv) *close to.* ‡ **AP ngaai⁴ see 2304.**

— jue⁶ — 住   (V) *lean on.* **FE** (Adv) *close to.* **FE**

— maan⁵ — 晚   (Adv) *in the evening,* (N) *evening.* *(No. Cl.)*

aai¹ 埃 **11**   (N) *dust.* **CP SF** ‡ (P) *used in transliterations.* **CP**
AP oi¹ see 2425.

A— Kap⁶ — 及   (N) *Egypt.* **CP Tr.**

— — Yan⁴ — — 人   (N) *Egyptian.* **CP**   **Tr.**

aai³ 欸 **12**   (P) *used to represent the sound of oars.* **Ono.** ‡ **Mdn.**

— oi² — 乃   (SE) *creaking sound of oars.* **FE Ono. Mdn.**

aai³ 嗌 **13**   (V) *shout; yell; say sth loudly.*
            CC

— gaau¹° — 交   (V) *shout at each other; quarrel.*

— gau³ meng⁶ — 救命   (V) *cry for help.*

aan³ 晏 **14**   (Adj) *late (in the day time).* (N) *lunch.* (Cl. chaan¹餐)

— cha⁴ — 茶   (N) *lunch (Chinese style).* (Cl. chaan¹ 餐)

— jau³ — 晝   (N) *lunch.* (Cl. chaan¹ 餐) (N) *afternoon.* (Adv) *in the
afternoon; p.m.*

aap³* 鴨 **15**   (N) *duck.* (Cl. jek³ 隻)

aat³ 壓 **16**   (V) *press; oppress.* ‡

— baak¹° — 迫   (V) *oppress.* **FE** (N) *oppression.* **FE** (Cl. jung²種)
CP aat³ bik¹°—see 38.

— lik⁶ — 力   (N) *pressure.* **FE** (Cl. jung²種)

aau² 拗(拗) **17**   (V) *bend; break*.   **AP aau³ see 18.**

— sau² gwa¹° — 手瓜   (V) *compete*.   **Coll.**

aau³ 拗(拗) **18**   (V) *argue*.   **SF**   **AP aau² see 17.**

— geng² — 頸   (V) *argue*.   **FE**
— sat⁶ — 實   (V) *insist*.   **Coll.**

ai¹ ya¹° 哎吔 **19**   (Itj) *Wow!—a cry of pain.*
              CC   **Ono.**   **AP ai⁶ ya⁶ see 20.**

ai⁶ ya⁶ 哎吔 **20**   (Itj) *"Oh dear!"; "Dear me!".*
              CC   **Ono.**   **AP ai¹ ya¹° see 19.**

ai² 矮 **21**   (Adj) *short (in height)*.

— ai² die⁶* — 矮地   (Adj) *shortish*.   **Coll.**

ak¹° 呃 **22**   (V) *cheat; deceive; tease*.   **AP ak³ see 23.**
          CC

— . . . seung⁵ sau² — . . . 上手   (IC) *catch sb in a trap.*

ak³ 呃 **23**   (FP) *expresses idea that a suggestion, offer or invitation is*
          CC *acceptable, or that an accusation is denied.*   **AP ak¹° see 22.**

ak¹° 握 **24**   (V) *grasp*.   **Bk.** ‡

— sau² — 手   (V) *shake hands.*

am³ 暗 **25**   (Adj) *gloomy; dark*.   (Adj) *secret; private*. ‡

— biu¹° — 標   (N) *secret tender; private bid*.   (Cl. jeung¹ 張)
— cham⁴ cham⁴ — 沉沉   (SE) *very, very gloomy.*
— poon⁴* — 盤   (N) *secret bidding; "under the counter".*

4

au¹ 歐   26   (N) *Europe.*   **Tr.**   **SF**   ‡   (N) *surname.*

— Jau¹ — 洲   (N) *Europe.*   **Tr.**   **FE**

— — (ge³) — — (嘅)   (Adj) *European.*

— — gwok³ ga¹ — — 國家   (N) *European country*

— — yan⁴ — — 人   (N) *European.*   **Fml.**

⁵ — Jin³ — 戰   (N) *European War; World War I.*   (*Cl.* chi³次)

— Loh⁴ Ba¹° — 羅巴   (N) *Europe.*   **Tr.**   **FE**   **Eml.**

au² 毆   27   (V) *assault; beat; fight.*   ‡   **Fml.**

— da² — 打   (V) *assault; beat; fight.*   **FE**   **Fml.**

au² 嘔   28   (V) *vomit.*

— to³ — 吐   (V) *vomit.*   **FE**

B

ba¹ 巴   **29**   (V) *hope for.*   **Bk.**   ‡

                (P) *used frequently in transliterations.*

— bai³ — 閉   (Adj) *hurried; noisy; showy (ref. to character); high and mighty.*   **Sl.**

B— Gei¹ Si¹ Taan² 巴基斯坦   (N) *Pakistan.*   **Tr.**

— — — — yan⁴ — — — — 人   (N) *Pakistani.*

b— git³ 巴結   (V) *curry favour; flatter.*

— git³ . . . gei² gui³ — 結 . . . 幾句   (IC) *pay sb a compliment or flatter sb.*

B— Lai⁴ 巴黎   (N) *Paris.*   **Tr.**

— Lak⁶ Si¹ Taan² — 勒斯坦   (N) *Palestine.*   **Tr.**

b— si⁶* 巴士   (N) *bus.*   **Tr.**   (Cl. ga³ 架)

— — fei¹° — — 飛   (N) *bus fare (No Cl.); bus ticket.*   (Cl. jeung¹ 張)

10   — — jaam⁶ — — 站   (N) *bus stop.*

ba¹ 吧   **30**   (N) *bar (for drinks).*   **Tr.**   (Cl. gaan¹ 間)

— nui⁵* — 女   (N) *barmaid; bargirl.*

ba¹ 爸   **31**   (N) *pa.*   **Mdn.**   **AP ba⁴ SM see 32.**

— ba¹ — 爸   (N) *papa.*   **Mdn.**

ba⁴ 爸   **32**   (N) *pa.*   **Coll.**   **AP ba¹ SM see 31.**

— ba¹° — 爸   (N) *papa.*   **Coll.**

ba² 把   **33**   (Cl) *for knives and scissors; for umbrellas; for padlocks, etc.*

                (V) *take; hold.*   ‡

— ak¹° — 握   (N) *confidence; guarantee.*

— sau² — 守   (V) *keep guard; stand guard.*

ba⁶ 罷   34   (V) *cease; discontinue.* ‡ **AP ba⁶* see 35.**

— foh³ — 課   (N) *strike by students.* (*Cl.* chi³ 次)
— gaau³ — 教   (N) *strike by teachers.* (*Cl.* chi³ 次)
— gung¹ — 工   (N) *labour strike.* (*Cl.* chi³ 次)   (V) *go on strike.*
— si⁵ — 市   (N) *strike of shopkeepers.* (*Cl.* chi³ 次)

ba⁶* 罷   35   (P) *used always with some other words to form final particles.* ‡ **AP ba⁶ see 34.**

— la¹° — 啦   (FP) *expresses idea of advocating or advising.*
— la³ — 喇   (FP) *expresses idea of conceding or yielding.*
— lak³ — 嘞   (FP) *ditto.*
— lok³ — 咯   (FP) *ditto.*

baai² 擺   36   (V) *display; arrange; set a table.* ‡

— cheung⁴ lung⁴ — 長龍   (V) *queue up; line up.*
— dong³ — 檔   (V) *run a stall on a street.*
— (hei²) jau² — (喜)酒   (V) *give a formal Chinese dinner for some kind of celebration.*
— git³ fan¹ jau² — 結婚酒   (V) *give a wedding reception.*
⁵ — toi⁴* — 枱   (V) *set a table.* **FE**
— wai⁶* — 位   (V) *set a table.*

baai³ 拜   37   (V) *greet; worship; pay tribute to.*

— nin⁴ — 年   (V) *greet people during the New Year; give New Year greetings.*
— fong² — 訪   (V) *visit a person.* **PL**
— saan¹ — 山   (V) *visit or pay tribute to a (friend's or relative's) grave as a traditional Chinese custom during Ching Ming Festival.*
— tok³ — 托   (V) *entrust to sb; request sb.*

baai⁶ 敗   38   (V) *defeat; be defeated; ruin; fail.* ‡

— bing¹ — 兵   (N) *defeated troops.*
— ga¹ — 家   (V) *ruin a family.*

—　— jai²　—— 仔　(N) *spendthrift; prodigal son; black sheep of the family.*

— huet³ beng⁶　— 血病　(N) *septicaemia; blood-poisoning.*

5　— lui⁶　— 類　(N) *bad elements of a class.*

baak¹° 迫　39　(V) *oppress; press.* ‡ **AP bik**¹° 逼 **SM see 91.**

— hoi⁶　— 害　(V) *oppress.* (N) *oppression.* (*Cl.* jung²種)

— nau²　— 鈕　(N) *press stud.* (*Cl.* nap¹°粒)

baak³ 伯　40　(N) *uncle (i.e. father's elder brother); polite form of address to an elderly man.*

— baak³　— 伯　(N) *"uncle"—a polite form of address to male friends of one's father or older men in general.*

— neung⁴　— 娘　(N) *aunt (i.e. wife of father's elder brother).*

— ye⁴° gung¹°　— 爺公　(N) *old man; aged man.*

— ye⁴° poh⁴*　— 爺婆　(N) *old woman; aged woman.*

baak³ 百　41　(N) *hundred.* (*No. Cl.*) (Adj) *hundred.*

— fan⁶ yi¹ . . .　— 份之. . .　(N) *percent; %; one hundredth.* (*No Cl.*)

— foh³　— 貨　(N) *commodity.* **Fml.** (*No Cl.*)

— foh³ gung¹ si¹°　— 貨公司　(N) *department store; emporium.* (*Cl.* gaan¹ 間)

— foh³ seung¹ cheung⁴　— 貨商場　(N) *department store; bazaar; shopping centre.* (*Cl.* gaan¹ 間)

5　— maan⁶　— 萬　(N) *million.* (*No Cl.*) (Adj) *million.*

—　— foo³ yung¹°　—— 富翁　(N) *millionaire.*

— mat⁶ tang⁴ gwai³　— 物騰貴　(SE) *price spiral.*

— mo⁴ yat¹° sat¹°　— 無一失　(SE) *never lose out; always succeed in doing sth.*

— yim³　— 厭　(Adj) *naughty; playful.*

8

baak⁶ 白   42

(Adj) *white.* (N) *white; symbol of funerals, bad luck, bad news, etc.* ‡ *(No Cl.)* (Adv) *in vain; for nothing.* ‡

— baak³ — 白   (Adv) *in vain; for nothing.* **FE**

— — dei⁶* — — 地   (Adj) *whitish.*

— cheuk³ — 灼   (V) *cook by soaking in boiling water.* **Coll.** **FE**

— — ha¹° — — 蝦   (N) *boiled shrimps.* (*Cl.* jek³ 隻 *; catty:* gan¹ 斤 .)

5 — chit³ gai¹° — 切鶏   (N) *boiled chicken.* (*Cl.* jek³ 隻 *; course:* dip⁶ 碟.)

— choi³ — 菜   (N) *cabbage; "pak choi".* (*Cl.* poh¹ 氝)

— dau⁶ gok³ — 荳角   (N) *white string beans.* (*Cl.* tiu⁴ 條)

— faan⁶ — 飯   (N) *cooked rice (commonly used in a restaurant).* (*Bowl:* woon² 碗)

— fan² — 粉   (N) *white powder; heroin.* (*Pack:* baau¹ 包 *; Pound:* bong⁶ 磅)

10 — gap³ — 鴿   (N) *pigeon.* (*Cl.* "jek³" 隻)

— — lung⁴ — — 籠   (N) *dove-cote.* (Fig) *over-crowded dwelling place; dwelling in which people are packed like sardines.*

— gwa¹° — 瓜   (N) *white cucumber.*

— haang⁴ — 行   (SE) *fruitless journey; go on a useless journey or errand.*

— jong⁶ — 撞   (N) *impostor.*

15 — — yue⁵ — — 雨   (N) *sudden shower.* (*Cl.* jan⁶ 陣)

— laan⁴° dei⁶* — 蘭地   (N) *brandy.* (*Bottle:* ji¹ 枝 *or* jun¹ 樽 *; Glass:* booi¹ 杯.)

— leng⁵ (gaai¹ kap¹°) — 領(階級)   (N) *white collar worker; office worker.*

— mai⁵ — 米   (N) *husked rice.* (*Grain:* nap¹° 粒)

"— paai⁴*" (che¹°) "—牌"(車)   (N) *"pak pai".* (*ROT private cars used for illegal hire*) **Tr.** (*Cl.* ga³ 架)

20 B— Sa¹ Waan¹° — 沙灣   (N) *Hebe Haven.*

b— sik¹° — 色   (Adj) *white.* **FE** (N) *white.* **FE**

— — ge³ — — 嘅   (Adj) *white.* **FE**

— sik⁶ — 食   (SE) *have a free meal; one who has a free meal.*

— suet³° suet³° — 雪雪   (Adj) *snow-white.*

baan¹ 班 43 (N) *group of people.* *(No Cl.)* (V) *send for sb.; call for people in an emergency.* **AP baan¹° see 44.**

— ma⁵* — 碼 (V) *call for reimforcements.* **Sl.**

baan¹° 班 44 (N) *class; form; course; scheduled flight.* *(No Cl.)* **AP baan¹ see 43.**

— gei¹ — 機 (N) *scheduled flight.* **FE** *(No Cl.)*

— so³ — 數 (N) *number of classes.*

baan¹ 斑 45 (Adj) *striped; variegated.* **SF ‡**

— dim² — 點 (N) *spots; dots.* *(No Cl.)*

— ma⁵ — 馬 (N) *zebra.* *(Cl. jek³ 隻 or pat¹° 匹)*

— — sin³ — — 綫 (N) *zebra crossing.* *(Cl. tiu⁴ 條)*

baan² 版 46 (N) *paye of a newspaper; edition or version of a book.* **SF**

— boon² — 本 (N) *edition; version.* **FE**

— kuen⁴ — 權 (N) *copyright.* *(No Cl.)*

— sui³ — 稅 (N) *royalty.* *(No Cl.)*

baan² 板 47 (N) *board.* **SF** *(Cl. faai³ 塊)*

— gaan³ fong⁴* — 間房 (N) *room partitioned by sheets of wood, fibreboard, etc.* *(Cl. gaan¹ 間)*

— kau⁴ — 球 (N) *cricket.* *(Cl. goh³ 個 ; Game: cheung⁴ or guk⁶ 局 .)*

baan⁶ 辦 48 (V) *run or manage (an institution); attend to (business)* ‡ **AP baan⁶* see 49.**

— chai⁴ — 齊 (V) *attend to a matter satisfactorily.*

— faat³ — 法 (N) *method; means; way.*

— gwoon² — 館 (N) *provisions store.* *(Cl. gaan¹ 間)*

— hok⁶ — 學 (SE) *operate or run a school.*

5 — lei⁵ — 理 (V) *attend to (business); run or manage (an institution).* **FE**

baan⁶* 辦   49   (N) *sample of goods.* (*Cl.* jung² 種 *or* yeung⁶ 樣) AP **baan⁶ see 48.**

baan⁶ 扮   50   (V) *disguise; act as.*

— jue¹° sik⁶ lo⁵ foo²   —   豬食老虎   (SE) *wolf in sheep's clothing (a).*

baat³ 八(捌)   51   (N) *eight.* (Adj) *eight.*

— gwa³   —   卦   (Adj) *superstitious.* (N) *sign denoting the eight diagrams of the Book of Changes.*

— ji⁶ so¹   —   字鬚   (N) *moustache.* (*Cl.* jap¹° 執)

— jit³   —   折   (N) *20 % discount; 20 % less.*

— kap¹°   —   級   (SE) *"grade 8"; "class 8".* (*RT ranks or exam. results of some kind*)

5   Baat³ yuet⁶ 八月   (N) *August.*

— — Jit³ — — 節   (N) *"Mid-Autumn Festival" (the); "Moon Cake Festival" (the).*

baau¹ 包   52   (V) *pack up; wrap up; take overall charge; mastermind; charter; guarantee; contract for.* AP **baau¹° see 53.**

— aau³ geng²   —   拗頸   (SE) *quarrelsome; disputatious.*

— ding² geng²   —   頂頸   (SE) *ditto.*

— baan⁶   —   辦   (V) *take overall charge; mastermind.*

— bei³   —   庇   (V) *harbour sb. for wrongdoing.*

5   — bo²   —   保   (V) *guarantee that . . .*

— — mo⁵ si — — 冇事   (SE) *guarantee that there will be no trouble.*

— che¹°   —   車   (V) *charter a train/bus.*

— faan⁶   —   飯   (V) *board at a fixed price.*

— foh² sik⁶   —   伙食   (V) *board at a fixed price; cater for food.*

10   — fuk⁶   —   袱   (N) *cloth-wrapper (Chinese style); burden* (**Fig**).

— gei¹   —   機   (V) *charter an air-craft.* (N) *chartered flight.* (*Cl.* chi³ 次 *or* ga³ 架)

— gung¹   —   工   (V) *contract for labour.*

— — jai³ — — 制   (SE) *piece-work system (the)*.

— jo¹ — 租   (V) *be a principal tenant*.

15   — — gung¹° — — 公   (N) *principal tenant—male*. **Coll.**

— — poh⁴* — — 婆   (N) *principal tenant—female*. **Coll.**

— jue⁶ — 住   (V) *pack up; wrap up*. **FE**

— kwoot³ — 括   (V) *include*.

— kwoot³ . . . joi⁶ noi⁶ — 括 . . . 在內   (IC) *include* . . .

20   — liu⁶* — 料   (V) *contract for material*.

— sai² — 使   (V) *guarantee suitable*.

— — baau¹ yung⁶ — — 包用   (V) *ditto*.

— yung⁶ — 用   (V) *ditto*.

— suen⁴ — 船   (V) *charter a ship/boat*.

25   — wai⁴ — 圍   (V) *beseige; encircle; surround*. **FE** (N) *seige*. **FE**
(*Cl.* chi³ 次)

— woon⁶ — 換   (V) *guarantee to exchange if unsuitable*.

— yi¹ — 醫   (V) *guarantee to cure*.

baau¹° 包   53   (N) *pack; packet; package*. (PN) *quantity held by a pack, packet or package*. *(No Cl.)* **AP baau¹ see 52.**

— gwoh² — 裹   (N) *parcel*.

baau⁶ 鮑   54   (N) *abalone*. ‡ (*Cl.* jek³ 隻) **AP Baau¹ as a surname.**

— po² — 甫   (N) *dried abalone*. (*Cl.* jek³ 隻) **CP baau¹ po¹.**

— yue⁴ — 魚   (N) *abalone*. **FE** (*Cl.* jek³ 隻) **CP baau¹ yue⁴.**

baau¹° 飽   55   (N) *bun; dumpling*. **AP baau² see 56.**

"— saan¹" "— 山"   (N) *"bun hill"—kind of sacrifice offered during the Sea Goddess Festival in Cheung Chau.*

baau² 飽   56   (Adj) *full up*. **AP baau¹° see 55.**

— nuen⁵ — 暖   (SE) *well-fed and well-clad*.

— sau⁶ hui¹ ging¹ — 受虛惊   (V) *receive or get a false alarm; receive a shock; suffer from nervous fears.*

baau¹ 胞 57 (N) *the womb.* SF ‡

— hing¹ dai⁶ — 兄弟 (N) *brothers of the same mother.*

— ji² mooi⁶ — 姊妹 (N) *sisters of the same mother.*

— toi¹ — 胎 (N) *the womb.* FE

baau³ 爆 58 (V) *explode.* ‡ (N) *explosion.* ‡ (*Cl.* chi³ 次)

— ja³ — 炸 (V) *explode.* FE (N) *explosion.* FE (*Cl.* chi³ 次)

— — ban² — — 品 (N) *explosive; dynamite.* (*No Cl.*)

— — sing³ — — 性 (Adj) *dynamic; explosive.*

— paang⁴ — 棚 (Adj) *filled to capacity; full house.* Sl.

5 — sit³ — 竊 (N) *burglary.* (*Cl.* chi³ 次)

— — on³ — — 案 (N) *ditto.*

— taai¹° — 呔 (N) *flat tyre; punctured tyre.* (*Cl.* chi³ 次) (V) *have a flat tyre; have a punctured tyre.*

— to⁵ — 肚 (V) *deliver an unprepared lecture/speech.* Sl.

— wok⁶ daai⁶ ye⁵ — 鑊大嘢 (Sl) *expose a scandal or crime.*

10 — — git⁶ ye⁵ — — 杰嘢 (Sl) *ditto.*

bai¹ 跛 59 (Adj) *lame.* ‡

— ge³ — 嘅 (Adj) *lame.*

— geuk³ ge³ — 脚嘅 (Adj) *ditto.*

— — — yan⁴ — — — 人 (N) *cripple; lame person.*

— yan⁴ — 人 (N) *ditto.*

bai³ 閉 60 (V) *close; stop up.* ‡

— ai³ — 翳 (Adj) *worried; vexed.*

— git³ — 結 (V) *constipate.* (N) *constipation.* (*No Cl.*)

— gwaan¹ ji⁶ sau² — 關自守 (SE) *live in isolation.*

— mok⁶ — 幕 (V) *curtain falls (at end of plays, exhibitions, etc.).*

— sak¹° — 塞 (V) *stop up.* FE (Adj) *hidebound.* FE

13

bai⁶ 弊   **61**   (Adj) *bad.* *(GRT condition or circumstance)*   (Itj) *Oh! Oh dear! Dear me!*

— beng⁶   —   病   (N) *corrupt practices.*   (Cl. jung² 種)

— duen¹   —   端   (N) *ditto.*

— dak¹° doh¹   —   得多   (SE) *much worse.*

— la³   —   喇   (Itj) *Oh dear! Dear me! My goodness!*

5   — lak³   —   嘞   (Itj) *ditto.*

— lok³   —   咯   (Itj) *ditto.*

bai⁶ 幣   **62**   (N) *currency; coin.*   ‡

— jai³   —   制   (N) *monetary system.*   **FE**   (Cl. jung² 種)

bak¹° 北   **63**   (N) *north.*   *(No Cl.)*   (Adj) *northern.*

B— Au¹   —   歐   (N) *North Europe.*

— boon³ kau⁴   —   半球   (N) *the northern hemisphere.*

— fong¹   —   方   (N) *northern regions.*

— — yan⁴   — —   人   (N) *northerner.*   *(GRT northern Chinese)*

5   — fung¹   —   風   (N) *cold wind; north wind.*   (Cl. jan⁶ 陣)

B— Gau² Lung⁴ Choi⁴ Poon³ Si¹° Chue⁵   —   九龍裁判司署   (N) *North Kowloon Magistracy.*   (Cl. gaan¹ 間)

— Ging¹   —   京   (N) *Peking.*

— — tin⁴ aap³*   — —   塡鴨   (N) *Peking duck.*   (Cl. jek³ 隻)

— Gok³   —   角   (N) *North Point.*

10   b— gwoo¹°   —   菰   (N) *dried mushroom.*   (Cl. jek³ 隻)

B— Hoi²   —   海   (N) *North Sea.*

— Hon⁴   —   韓   (N) *North Korea.*

— Mei⁵ (Jau¹)   —   美 (洲)   (N) *North America.*

b— wai⁵ (sin³)   —   緯 (綫)   (N) *northern latitudes.*   (Cl. do⁶ 度 *or* tiu⁴ 條)

15   B— Yuet⁶   —   越   (N) *North Vietnam.*

bam¹° 泵   64   (V) *pump.* **Tr.**   (N) *pump.*   **Tr.**
           CC   **AP dam¹ see 486.**

— ba² — 把   (N) *bumper (of a car).*   **Tr.**

— ba² pung³ bam¹ ba² — 把碰泵把   (SE) *bumper-to-bumper.*

— yap⁶ hui³ — 入去   (V) *pump into; pump through.*

ban¹ 賓   65   (N) *guest.*   ‡

— haak³ — 客   (N) *guest.*   **FE**

— jue² — 主   (SE) *guest and host.*

ban² 品   66   (N) *goods; character (of a person).*   ‡   *(No Cl.)*

— hang⁶ — 行   (N) *conduct; behaviour.*   *(No Cl.)*

— jat¹° — 質   (N) *character of a person; quality of goods.*   **FE**   *(No Cl.)*

— jung² — 種   (N) *kinds of goods.*

ban³ 儐   67   (V) *entertain guests.*   **Bk.**   ‡

— seung³ — 相   (N) *best man (at wedding); bridesmaid.*

ban³ 殯   68   (V) *shroud a corpse; bury.*   ‡

— jong³ — 葬   (V) *shroud a corspe; bury.*   **FE**

— lim⁵ — 殮   (V) *shroud a corspe.*   **FE**

— yi⁴ gwoon² — 儀館   (N) *funeral parlour.*   *(Cl. gaan¹ 間)*

ban⁶ 笨   69   (Adj) *slow-witted; clumsy; stupid.*

— ban⁶ dei⁶* — 笨地   (Adj) *clumsy.*

— daan⁶* — 蛋   (N) *idiot.*   **Der.**

— sau² ban⁶ geuk³ — 手笨脚   (SE) *clumsy-handed.*

— yan⁴ — 人   (N) *stupid person.*

bang¹ 崩   **70**   (V) *slip down; fall in ruins.*   (Adj) *broken; ruined.*

— hau² — 口   (V) *hare lip.*

— nga⁴ — 牙   (N) *broken tooth.*   (*Cl.* jek³ 隻)

bang¹ 繃(繃)   **71**   (V) *bind up.*   ‡   **AP maang¹ SM see 2062.**

— daai³* — 帶   (N) *bandage.*   (*Cl.* tiu⁴ 條)

bat¹°不   **72**   (Adv) *not.*   **Mdn.**   ‡

— cheung⁴ — 祥   (Adj) *unfortunate; unlucky.*   **Fml.**

— daan⁶ — 但   (Conj) *not only.*

— — . . ., yi⁴ che² . . . do¹° — — . . ., 而且 . . .   (IC) *not only . . . but also . . .*

— dak¹° liu⁵ — 得了   (Adj) *wonderful; high and mighty; too bad.*

5   — gau² — 久   (Adv) *before long.*   **Fml.**

— ging² (hei³) — 景 (氣)   (N) *depression in business.*   (*Cl.* chi³ 次)

— gok³ — 覺   (Adv) *unconsciously; without being aware; without noticing.*   **SE**

— ji¹ bat¹° gok³ — 知不覺   (Adv) *ditto.*   **FE**

— gwoh³ — 過   (Conj) *but.*   (Adv) *only.*

10   — — . . . je¹° — — . . . 啫   (IC) *only.*

— — . . . jek¹° — — . . . 唧   (IC) *ditto.*

— hang⁶ — 幸   (Adv) *unfortunately.*

— hoh² yat¹° sai³ — 可一世   (SE) *hoity-toity; haughty; high and mighty.*

— jun² — 准   (V) *not allow.*   **Fml.** ‡

15   — — diu⁶ tau⁴ — — 掉頭   (N) *"no "U" turn".*

— — huen¹ tau⁴ — — 圈頭   (N) *ditto.*

— — paak³ che¹ — — 泊車   (N) *"no parking".*   (No Cl.)

— — sai² yap⁶ — — 駛入   (N) *"no entry".*   (No Cl.)

— — ting⁴ che¹° dang² hau⁶ — — 停車等候   (N) *"no waiting".*   (No Cl.)

20   — lau¹° — 留   (Adv) *hitherto; until now.*

—— do¹° mo⁵ —— 都冇   (Adv) *never before.*

— lun⁶ — 論   (Conj) *no matter.* ‡

——..., do¹° ——..., 都   (IC) *no matter ...; no matter whether ... or not.*

—— bin¹° + Cl. ..., do¹° —— 邊 + Cl. ..., 都   (IC) *no matter which ...; whichever.*

25 ——— goh³ ..., do¹° ——— 個..., 都   (IC) *no matter who ...; whoever.*

——— sue³ ..., do¹° ——— 處..., 都   (IC) *no matter where ...; wherever.*

—— dim² yeung⁶* ..., do¹° —— 點樣..., 都   (IC) *no matter how ...*

—— gei² dim² jung¹° ..., do¹° —— 幾點鐘..., 都   (IC) *no matter what time ...; whenever.*

——— doh¹° ..., do¹° ——— 多..., 都   (IC) *no matter how much or how many ...*

30 ——— si⁴* ... do¹° ——— 時..., 都   (IC) *no matter when ...; whenever.*

—— mat¹° ye⁵ ..., do¹° —— 乜嘢..., 都   (IC) *no matter what ...; whatever.*

— si⁴ — 時   (Adv) *from time to time; on and off; off and on.*

— siu² — 少   (SE) *quite a few.*

— siu² sam¹ ga³ sai² — 小心駕駛   (N) *careless driving.*   (*Cl.* chi³ 次)

35 — ting⁴ gam³ lai⁴ — 停咁嚟   (SE) *without end; it never comes to an end.*

— tung⁴ — 同   (Adj) *different.* **Fml.**

— yeuk³ yi⁴ tung⁴ — 約而同   (SE) *unanimous; unanimously.*

— yi⁶ ga³ — 二價   (SE) *fixed price.*

—yue⁴ — 如   (SE) *had better.* (Adv) *not as good as.*

40 —— ... ba⁶* la¹ —— ... 罷啦   (IC) *you'd better ...*

bat¹° 筆 73   (N) *writing instruments in general; pen.* (*Cl.* ji¹ 枝)
(Cl) *for accounts, sums etc.*

— gei³ — 記   (V) *take down in writing.* (N) *notes (of lectures, reading). (No Cl.)*

—— bo⁶* —— 簿   (N) *note book.* (*Cl.* boon² 本)

17

— jik¹° — 跡   (N) *handwriting.* *(No Cl.)*
— si³ — 試   (N) *written examination.* (*Cl.* chi³次)
⁵ — waak⁶ — 畫   (N) *strokes in writing characters.* **FE** *(No Cl.)*
— yau⁵ — 友   (N) *pen friend.*

bat¹° 畢 74   (V) *finish.* ‡

— yip⁶ — 業   (V) *graduate; successfully complete some stage of one's education; master the skill of a profession or trade.* (N) *graduation.* (*Cl.* chi³次 *or* gaai³屆)
— — din² lai⁵ — — 典禮   (N) *graduation ceremony.* (*Cl.* chi³次 *or* gaai³屆)
— — jing³ sue¹° — — 証書   (N) *school certificate.* (*Cl.* jeung¹張)
— — man⁴ pang⁴ — — 文憑   (N) *diploma.* (*Cl.* jeung¹張)
— — sang¹° — — 生   (N) *graduate; one who has completed a certain stage of his education.*

be¹° 啤 75   (N) *pear; beer.* **Tr.** ‡ **AP: (1)** bi¹° see 89; **(2)** bi⁴ see 90. **CC**

— jau² — 酒   (N) *beer.* **Tr.** **FE** (*Bottle* ji¹ 枝 *or* jun¹樽 ; *Glass:* booi¹ 杯.)
— lei⁴* — 梨   (N) *pear.* *(GRT the kind imported from Australia)* **Tr.** **FE**

bei¹ 碑 76   (N) *stone table; gravestone.* (*Cl.* faai³塊)

— sek⁶ — 石   (N) *stone tablet; gravestone.* **FE** (*Cl.* faai³塊 *or* gau⁶ 嚿)
— tip⁶* — 帖   (N) *rubbings from tablets.* (*Cl.* boon²本)

bei¹ 悲 77   (Adj) *tragic; sad; miserable.* **SF**

— chaam² — 慘   (Adj) *tragic; sad; miserable.* **FE** **Fml.**
— gwoon¹ — 觀   (Adj) *pessimistic.*
— — ge³ yan⁴ — — 嘅人   (N) *pessimist.*
— kek⁶ — 劇   (N) *tragedy.*

18

bei² 俾   **78**   (V) *give; pay (salary or wages); serve with (sugar, salt,*
       CC   *etc.); allow; permit.* (Prep) *to (in the sense of "giving").*

— bo² woo⁶ fai³ — 保護費   (V) *pay protection money.*

— faan¹ — 返   (V) *return or give back (what has been taken); repay (debt).*

— — . . . gwoh³ — — . . . 過   (IC) *return or give back (what has been taken) to sb; repay (debt) to sb.*

— go¹ mo⁶ . . . daai³ — 高帽 . . . 戴   (IC) *flatter sb.; toady to sb.*

5   — . . . gwoh³ — . . . 過   (IC) *give . . . to.*

— hau² gung¹ — 口供   (V) *give a statement; give evidence in court.*

— jo¹ — 租   (V) *pay the rent.*

— min⁶* — 面   (SE) *do sb a favour.* **Coll.**

— sam¹ gei¹ — 心機   (V) *pay attention.*

10   — san¹ sui² — 薪水   (V) *pay salary.*

— sui³ — 稅   (V) *pay tax.*

— tong⁴ — 糖   (V) *put in sugar; serve food or drink with sugar.*

— yan⁴ ching⁴ — 人情   (SE) *do a favour; give permission.*

— — gung¹ — — 工   (V) *pay wages.*

15   — yim⁴ — 鹽   (V) *put in salt; serve food or drink with salt.*

bei² 彼   **79**   (Adj) *that.* **Bk.** ‡

— chi² — 此   (Adv) *one another; each other; that and this.*

bei² 比   **80**   (V) *compare.* **SF** ‡

— choi³ — 賽   (V) *compete; race.* **FE**   (N) *competition; race.* (*Cl.* chi³ 次)

— gaau³ — 較   (Adv) *comparatively; relatively.* (V) *compare.* **FE** (N) *comparison.* *(No Cl.)*   (Adj) *comparative.*

— lut⁶ — 率   (N) *ratio.*

— yue⁶ — 喻   (V) *equate with; it's like being.* (N) *simile; metaphor.*

bei³ 秘 **81**   (Adj) *secret; private.* ‡

— mat⁶ — 密   (Adj) *secret.* **FE** (N) *secret.* (Adv) *secretly; in secret.*

— — se⁵ wooi⁶* — — 社會   (N) *secret society.*

— — tau⁴ biu¹° — — 投標   (V) *make a sealed bid; put in a secret tender for sth.*

— sue¹° — 書   (N) *secretary (personal).*

bei⁶ 被 **82**   (P) *used as sign of the passive.* **Fml.** ‡ **AP:** (1) bei⁶ see 83; (2) pei⁵ see 2490.

— go³ (yan⁴) — 告(人)   (N) *defendant; the accused.*

— hoi⁶ — 害   (V) *be injured.*

— saai² ji³ — 徙置   (V) *be re-housed or resettled.*

— saat³ — 殺   (V) *be killed.*

bei⁶* 被 **83**   (Prep) *by (in the passive).* **CP Coll.** ‡ **AP:** (1) bei⁶ see 82; (2) pei⁵ see 2490.

— . . . baau¹ jo¹ — . . . 包租   (IC) *let . . . be a principal tenant.*

— foh² siu¹ — 火燒   (V) *be burnt.*

— yan⁴ siu³ — 人笑   (V) *be laughed at.*

bei⁶ 避 **84**   (V) *avoid.* ‡

— daan⁶* — 彈   (Adj) *bullet-proof.*

— — yi¹° — — 衣   (N) *bullet-proof jacket.* (*Cl.* gin⁶ 件)

— fung¹ tong⁴ — 風塘   (N) *typhoon shelter.*

— min⁵ — 免   (V) *avoid.* **FE**

⁵ — naan⁶ — 難   (V) *seek refuge.*

— — soh² — — 所   (N) *refuge; shelter.*

— yan⁶ — 孕   (V) *prevent conception.* (N) *contraception.* (*Cl.* chi³ 次)

— — yuen⁴* — — 丸   (N) *contraceptive (pill).* (*Cl.* nap¹° 粒)

— yue⁵ — 雨   (V) *take cover from rain; get under cover during rain.*

bei⁶ 鼻   85   (N) *nose.*

— goh¹° — 哥   (N) *nose.*   **FE**   **Coll.**

— (—) lung⁴° — (—) 窿   (N) *nostril.*

— hon⁴ — 鼾   (N) *snore.*   *(No Cl.)*

— sak¹° — 塞   (SE) *the nose stuffed up.*

beng² 餅   86   (N) *cake.*   *(Cl.* gin⁶ 件*)*

— dim³ — 店   (N) *cake-shop.*   *(Cl.* gaan¹ 間*)*

— po³* — 舖   (N) *ditto.*

— gon¹° — 乾   (N) *biscuit.*   *(Cl.* gin⁶ 件 *or* faai³ 塊 ; *Tin:* gwoon³ 罐*.)*

beng³ 柄   87   (N) *handle (of knives, umbrellas, etc.).*   **Fml.**

beng⁶ 病   88   (Adj) *ill; sick.* ‡ **Coll.** (N) *illness; sickness; disease; symptoms.* ‡ **Coll.** AP bing⁶ SM see 105.

— chong⁴ — 床   (N) *bed for a patient.*   *(Cl.* jeung¹ 張*)*

— ga³ — 假   (N) *sick leave.*   *(Cl.* chi³ 次 *or* tong³ 趟*)*

— ho² joh² — 好咗   (V) *recover from an illness.*

— jing¹ — 徵   (N) *symptoms of disease.*

5   — jing³ — 症   (N) *ditto.*

— joh² — 咗   (V) *fall sick.*

— jong⁶ — 狀   (N) *condition of a patient.*

— sei² — 死   (N) *die of a disease.*

— tung³ — 痛   (SE) *illness; disease.*   **FE**   *(No Cl.)*

10   — yan⁴ — 人   (N) *patient; sick person.*

bi¹° 啤   89   (P) *used frequently in transliterations.*   AP: **(1)** be¹° see 75; **CC**   **(2)** bi⁴ see 90.

— bi¹° — 啤   (N) *police whistle.*   **Coll.**   **Ono.**   **Der.**

bi⁴啤 90   (P) *used frequently in transliterations.* **AP: (1) be¹° see 75;**
     CC   **(2) bi¹° see 89.**

— bi¹° jai² — 啤仔   (N) *baby boy.* **Tr. Coll.**

— — nui⁵* — 啤女   (N) *baby girl.* **Tr. Coll.**

bik¹°逼 91   (V) *compel; force; rush to get sth; force one's way into*
                 some kind of transport. (Adj) *crowded; congested.* **SF**
                 AP baak¹° 迫 SM see 39.

— ba¹° si⁶* — 巴士   (V) *force one's way into a bus; rush to get a seat*
     (in bus).

— baak¹° — 迫   (V) *persecute.* **Bk.**

— bat¹° dak¹° yi⁵ — 不得已   (SE) *reluctant; reluctantly.*

— yue¹ mo⁴ noi⁶ — 於無奈   (SE) *ditto.*

5   — che¹° — 車   (Adj) *congested.* **FE** (V) *force one's way into a car.*

— chin¹ — 遷   (V) *evict a tenant.* (N) *eviction.* (*Cl.* chi³ 次)

— din⁶ che¹° — 電車   (V) *force one's way into a tram car; rush to get*
     a seat (in a tram car).

— leung⁴ wai⁴ cheung¹ — 良爲娼   (SE) *force a good girl into*
     prostitution.

— yan⁴ — 人   (Adj) *crowded.* **FE**

bin¹邊 92   (N) *side; one half (ROT size). (No Cl.)* (N) *frontier;*
                 border. ‡ **AP bin¹° see 93.**

— fong⁴ — 防   (N) *frontier-defence.* (*Cl.* jung² 種)

— gaai³ — 界   (N) *boundary; border; border line.* **FE** (*Cl.* tiu⁴條)

— geung¹ — 疆   (N) *frontier region.* (*Cl.* sue³處)

— ging² — 境   (N) *frontier; border.* **FE** (*Cl.* sue³處)

bin¹°邊 93   (Adj) *which?* **Coll.** ‡ **AP bin¹ see 92.**
     CC

— bin⁶ — 便   (Pron) *which side?*

— — do¹° — — 都   (Pron) *any side.*

— + Cl. — + Cl.   (Pron) *which one?*

— + Cl. do¹° — + Cl.   (Pron) *whichever.*

5 — di¹° — 啲 (Pron) *which? which ones? (qualifying persons or things in the plural number).*

— — do¹° — — 都 (Pron) *whichever.*

— — dei⁶ fong¹ — — 地方 (Pron) *where? which places?*

— — — — do¹° — — — — 都 (Pron) *wherever; any places.*

— do⁶ (dei⁶ fong¹) — 度 (地方) (Adv) *where? which place?*

10 — — (— —) do¹° — — (— —) 都 (Adv) *anywhere; wherever.*

— — . . . dai¹° hei² a³? — — . . . 得起呀? (IC) *How can (sb) afford . . .?*

— — hoh² yi⁵ . . . a³? — — 可以 . . .呀 ? (IC) *ditto.*

— — yau⁵ dak¹° maai⁶ a³? — — 有得賣呀 (IC) *where can I buy it?*

— goh³ — 個 (Pron) *who? whom? which?*

15 — — do¹° — — 都 (Pron) *whoever; anybody; whichever.*

— sue³ (dei⁶ fong¹) — 處 (地方) (Adv) *where? which place?*

— — (— —) do¹° — — (— —) 都 (Adv) *wherever; anywhere.*

— — . . . dak¹° hei² a³? — — . . .得起呀 ? (IC) *how can (sb) afford . . .?*

— — hoh² yi⁵ . . . a³? — — 可以 . . .呀 ? (IC) *ditto.*

20 — — yan⁵ dak¹° maai⁶ a³? — — 有得賣呀? (IC) *where can I buy that?*

— yat¹° + Cl. — — + Cl. (Pron) *which? which one? (qualifying a person or a thing in the singular number)*

— — + Cl. do¹° — — + Cl. 都 (Pron) *anyone; whichever.*

— — di¹° — — 啲 (Pron) *which ones?*

— — — do¹° — — — 都 (Pron) *anyone; anything.*

25 — yat¹° goh³ — 一個 (Pron) *who? whom? which?*

— — — do¹° — — — 都 (Pron) *anyone; anything.*

— — wai⁶* — — 位 (Pron) *who? whom? which (lady/gentleman)?*
PL

— — — do¹° — — — 都 (Pron) *anyone; any (lady/gentleman).*
PL

bin¹° 辮 **94** (N) *queue; braid.* (*Cl.* tiu⁴ 條)

bin¹鞭   95   (N) *whip.* (*Cl.* tiu⁴條) (V) *flog with a whip.*

— da² — 打   (V) *flog with a whip.* **FE**

bin¹蝙   96   (N) *bat (as a mouse-like animal).* ‡ (*Cl.* jek³只)

— fuk¹° — 蝠   (N) *bat (as a mouse-like animal).* **FE** (*Cl.* jek³只)

bin²扁   97   (Adj) *flat.* **AP pin¹ see 2498.**

— bei⁶ — 鼻   (N) *flat nose; snub nose.*
— — ge³ — — 嘅   (Adj) *snub-nosed.*
— to⁴ sin³ — 桃腺   (N) *tonsils.* (*Cl.* tiu⁴ 條)
— — — faat³ yim⁴ — — — 發炎   (N) *tonsilitis.* (*Cl.* chi³次)

bin²貶   98   (V) *devalue; disparage.* ‡

— dai¹ — 低   (V) *disparage.* **FE**
— jik⁶ — 值   (N) *devaluation of currency.* (*Cl.* chi³ 次) (V) *devalue.*

bin³變   99   (V) *change; transform; change from one thing to anther.* ‡

— aat³ hei³ — 壓器   (N) *transformer.*
— chin¹ — 遷   (V) *alter; rearrange.* (N) *alteration; rearrangement.* (*Cl.* jung²種)
— dung⁶ — 動   (V) *ditto.* (N) *ditto.*
— gang¹ — 更   (V) *ditto.* (N) *ditto.*
5 — fa³ — 化   (V) *change; transform; change from one thing to another.* **FE**
— gwa³ — 卦   (V) *retract; change one's mind.* **Coll.**
— jo⁶ — 做   (V) *become; change into.*
— sing⁴ — 成   (V) *ditto.*
— wai⁴ — 爲   (V) *ditto.*
10 — joh² — 咀   (V) *have become; have changed into.* (*RT things or to people's character*)

—————————————————————————————

— luen⁶ — 亂   (N) *rebellion; turmoil.* (*Cl.* chi³次)

— sam¹ — 心   (V) *alter one's view.* (N) *apostasy; change of heart.* (*Cl.* chi³次)

— seung³ — 相   (Adj) *disguised; camouflaged; transformed.*

— sik¹° — 色   (V) *change colour; change countenance.*

15 — sing³ — 性   (V) *change sex.*

— taai³ — 態   (Adj) *abnormal.*

— — sam¹ lei⁵ — — 心理   (N) *abnormal psychology.* (*Cl.* jung²種)

— — — — hok⁶ — — — — 學   (N) *ditto.* *(as an academic subject).* (*Cl.* foh¹°科)

bin⁶便 100   (N) *side.* ‡ *(No Cl.)* (Adj) *convenient.* ‡ **AP pin⁴** 便 see 2506.

— bai³ — 閉   (N) *constipation.* **SF** *(No Cl.)*

— bei³ — 秘   (N) *ditto.*

— faan⁶ — 飯   (N) *informal dinner.* (*Cl.* chaan¹餐)

— fuk⁶ — 服   (N) *informal dress; ordinary clothes.* (*Cl.* to³套)

5 — jong¹° — 裝   (N) *plain-clothes detective.*

— yi¹ (jing¹ taam³) — 衣 (偵探)   (N) *ditto.*

— jung¹° — 中   (Adv) *at your convenience.*

— lei⁶ — 利   (Adj) *convenient; serviceable.*

— tiu⁴ — 條   (N) *short note; memo.* (*Cl.* jeung¹張)

10 — yan⁴ — 人   (N) *convenient person (for some errand).*

bin⁶辯 101   (V) *debate; argue; advocate; defend.* ‡

— bok³ — 駁   (V) *answer back; argue.* **FE Fml.**

— lun⁶ — 論   (V) *debate.* **FE** (N) *debate.* (*Cl.* chi³次)

— woo⁶ — 護   (V) *advocate; defend.* **FE**

bing¹兵 102   (N) *soldier.* (Adj) *military.* ‡

— fong⁴ — 房   (N) *barracks.* **Coll.**

— gung¹ chong² — 工廠   (N) *arsenal.* (*Cl.* gaan¹間)

— joi¹ — 災   (N) *distress caused by war.* (*Cl.* chi³次)

— yik⁶ — 役   (N) *military service.* (*Cl.* chi³次; *year:* nin⁴年.)

bing¹ 冰(氷) 103   (N) *ice.*   *(No Cl.)*

— dung³ — 凍   (Adj) *freezing cold; ice-cold.*
— saan¹ — 山   (N) *iceberg.*
— sat¹° — 室   (N) *soda-fountain.*   (*Cl.* gaan¹ 間)
— sui² — 水   (N) *iced water.*   **Fml.**   *(No Cl.)*

bing¹ 乒 104   (N) *ping-pong; table-tennis; bubble.*   ‡   **AP** ping¹ **see 2507.**

— bam¹° — 乓   (N) *bubble.*   **FE**   **Coll.**
— — boh¹° — — 波   (N) *ping-pong; table-tennis.*   **FE**   **Coll.**   (*Cl.* goh³ 個; *Game:* guk⁶ 局 *or* cheung⁴ 場.)

bing⁶ 病 105   (N) *illness; sickness; disease; symptoms.*   **Fml.**   ‡ (Adj) *ill; sick.*   **Fml.**   ‡   **AP** beng⁶ **SM see 88.**

bing⁶ 并 106   (Adv) *and; moreover.*   **Bk.**   ‡

— che² — 且   (Adv) *moreover.*   **FE**   **Fml.**
— fei¹ — 非   (Adv) *not at all.*   **FE**   **Fml.**

bit¹° 必 107   (Adv) *surely; certainly; beyond all doubt.*   ‡

— ding⁶ — 定   (Adv) *surely; certainly; beyond all doubt.*   **FE**   **Fml.**
— sui¹ — 需   (N) *necessity; must.*   **SF**   (*Cl.* jung² 種 *or* yeung⁶ 樣)
— — ban² — — 品   (N) *ditto.*   **FE**

bit⁶ 別 108   (Adj) *other; another.*   ‡   (V) *distinguish; take departure from.*   ‡   (N) *difference.*   ‡

— di¹° yan⁴ — 啲人   (N) *some other people; sb else.*   *(No Cl.)*
— yan⁴ — 人   (N) *ditto.*
— ho⁶ — 號   (N) *another name used by sb; alias.*   **Fml.**
— ji⁶* — 字   (N) *ditto.*
— sui⁵ — 墅   (N) *villa; apartment house (of the disresputable type).*   (*Cl.* gaan¹ 間)

biu¹ 標 109　　(N) *make; standard.* ‡ **AP biu¹° see 110.**

— boon² — 本　(N) *specimen.*

— cheng¹° — 青　(Adj) *outstanding; distinguished.* **Coll.**

— dim² — 點　(N) *punctuation.* *(No Cl.)*

— — foo⁴ ho⁶ — — 符號　(N) *punctuation mark.*

5 — gei³ — 記　(N) *marking.* **FE**

— jun² — 準　(N) *standard; level.* **FE** (Adj) *standardized; typical.*

— — fa³ — — 化　(Adj) *standardized.* (V) *standardize.*

— sam¹° — 參　(V) *kidnap.*

— yue⁵ — 語　(N) *slogan; catchword.* (*Cl.* gui³ 句)

biu¹° 標 110　　(N) *A tender for sth.* (*Cl.* jeung¹ 張) (*see* am³ biu¹° *in* 25/1.) **AP biu¹ see 109.**

biu¹° 鏢(鑣) 111　　(N) *spear; dart.* (*Cl.* ji¹ 枝)

— cheung¹° — 鎗　(N) *spear.* **FE** (*Cl.* ji¹ 枝)

— guk⁶* — 局　(N) *firm furnishing armed escort (professional).* (*Cl.* gaan¹ 間)

— si¹° — 師　(N) *armed escort (professional).*

biu¹° 錶 112　　(N) *watch; meter.*
　　　　　CC

biu² 表 113　　(Adj) *prefix which denotes family connections other than through one's father's brothers, such relatives mostly having a different surname.* (N) *watch; meter.* **Mdn.** (N) *form; table.* (*Cl.* jeung¹ 張) (V) *show.* **Fml.** ‡

— dai⁶ — 弟　(N) *younger male cousins other than the children of one's father's brothers.*

— goh¹° — 哥　(N) *older male cousins other than the children of one's father's brothers.*

— hing¹ — 兄　(N) *ditto.*

— — dai⁶ — — 弟　(N) *male cousins other than the children of one's father's brothers.*

5 — je² — 姐   (N) *older female cousins other than the children of one's father's brothers.*

  — kuet⁵ — 決   (V) *show by vote.* **FE**

  — min⁶ — 面   (N) *surface.*

  — — seung⁶ — — 上   (Adv) *superficially.*

  — mooi⁶* — 妹   (N) *younger female cousins other than the children of one's father's brothers.*

10 — ji² mooi⁶* — 姊妹   (N) *female cousins other than the children of one's father's brothers.* (*Cl.* goh³ 個)

  — si⁶ — 示   (V) *indicate; show; express; symbolize.* (N) *indication; hint.* (*Cl.* jung² 種 *or* goh³ 個)

  — — . . . ge³ yi³ si³ — — . . . 嘅意思   (IC) *express sb's gratitude or appreciation.*

  — so² — 嫂   (N) *female cousins other than the children of one's father's brothers; wives of* "biu² hing¹ dai⁶" 表兄弟.

  — yin² — 演   (N) *floor show.* (*Cl.* cheung⁴ 場) (V) *perform a floor show.*

  — yin⁶ — 現   (V) *show; reflect; perform.* (N) *show; performance.* (*Cl.* jung²)

  — — chut¹° lai⁴ — — 出嚟   (SE) *show; reflect.*

bo¹ 褒 (襃) 114   (V) *praise.* **Fml.** ‡ (N) *bow-tie.* **Tr.** ‡

  — jeung² — 獎   (V) *praise.* **FE Fml.**

  — taai¹° — 呔   (N) *bow-tie.* **FE Fml.**

bo¹ 煲 115   (V) *Boil.* **AP bo¹° see 116.**
          CC

  — sui² — 水   (V) *boil water.*

bo¹° 煲 116   (N) *kettle.* **AP bo¹ see 115.**
          CC

bo² 寶 117   (Adj) *precious; valuable.* ‡ (N) *treasure; jewel.* ‡

  — guen³ — 眷   (N) *your esteemed family.* **PL** (*No Cl.*)

  — ho⁶ — 號   (N) *your shop.* **PL** (*Cl.* gaan¹ 間)

— jong⁶ — 藏 (N) *treasury.* **Fml. FE**

B— Sang¹° Ngan⁴ Hong⁴ — 生銀行 (N) *The Bo Sang Bank.* **Tr.** (*Cl.* gaan¹ 間)

5 b— sek⁶ — 石 (N) *precious stone.* (*Cl.* nap¹° 粒 *or* faai³ 塊)

— — dim³ — — 店 (N) *jewellery shop.* (*Cl.* gaan¹ 間)

bo² 補 118 (V) *mend; repair; make up a loss.*

— chung¹ — 充 (V) *supplement.*

— — gaau³ choi⁴ — — 教材 (N) *supplementary teaching material.* (*Cl.* jung2 種)

— gau³ — 救 (V) *vectify shortcomings.*

— haai⁴ — 鞋 (V) *mend shoes.*

5 — — lo² — — 佬 (N) *cobbler.*

— jaap⁶ — 習 (V) *prepare sb. for an examination; coach.* (N) *private lessons for an examination; coaching.* (*No Cl.*)

— — lo⁵ si¹ — — 老師 (N) *coach who prepares sb for an examination.*

— — sin¹ saang¹ — — 先生 (N) *ditto.*

— joh⁶ — 助 (V) *subsidize.*

10 — — hok⁶ haau⁶ — — 學校 (V) *grant-in-aid school (local term).* (*Cl.* gaan¹ 間)

— kap¹° — 給 (V) *supply.* (N) *supply.* (*Cl.* jung² 種)

— — sin³ — — 綫 (N) *supply line.* (*Cl.* tiu⁴ 條)

— saam¹° — 衫 (V) *mend clothing.*

— san¹° — 身 (V) *build up the body.*

15 — so³ — 數 (V) *make up a loss.* **FE**

— taai¹° — 呔 (V) *repair a tyre/tube.*

— yeuk⁶ — 藥 (N) *tonics.* (*Cl.* jung² 種)

bo² 保 119 (V) *protect; insure; reserve; guard; guarantee; keep; maintain.* ‡

— biu¹° — 鑣 (鏢) (N) *body-guard.*

— chi⁴ — 持 (V) *keep; maintain.* **FE**

— — din⁶ wa⁶* luen⁴ lok³ — — 電話聯絡 (SE) *keep up telephone conversations; keep in contact by phone.*

— — luen⁴ lok³ — — 聯絡 (SE) *keep in contact ; keep in touch.*

5 — him² — 險 (N) *insurance.* (*Cl.* jung² 種 *or* yeung⁶ 樣) (V) *insure.* **FE**

— him² daan¹° — 險單 (N) *insurance policy.* (*Cl.* jeung¹ 張)

— — gung¹ si¹° — — 公司 (N) *insurance company.* (*Cl.* gaan¹ 間)

— jeung³ — 障 (V) *protect in the legal sense.* **FE** (N) *protection ; legal protection.* (*Cl.* jung² 種)

— jin³ — 荐 (V) *recommend sb for a job or post.*

10 — — sun³ — — 信 (N) *letter of recommendation.* **Fml.** (*Cl.* fung¹ 封)

— jing³ — 証 (V) *guarantee.* (N) *guarantee.* (*Cl.* jung² 種)

— — sue¹ — — 書 (N) *guarantee or undertaking in writing.* (*Cl.* fung¹ 封)

— — yan⁴ — — 人 (N) *guarantor.*

— lau⁴ — 留 (V) *keep ; leave ; reserve ; retain.* **FE**

15 — — (yat¹° chai³) kuen⁴ lei⁶ — — (一切) 權利 (SE) *all right reserved.*

— ling⁴ — 齡 (N) *bowling.* **Tr.** (*Cl.* goh³ 個 ; *game :* cheung⁴ 場 .)

— — kau⁴ — — 球 (N) *ditto.*

— — — cheung⁴ — — — 場 (N) *bowling centre.*

— mo⁵ — 姆 (N) *nanny ; governess.*

20 — sau² — 守 (Adj) *old-fashioned ; conservative.*

— wai⁶ — 衛 (V) *protect ; guard.* **FE** (N) *armed protection.* (*Cl.* jung² 種)

— woo⁶ — 護 (N) *protect.* (N) *protection in general.* (*Cl.* jung² 種)

— — fai³ — — 費 (N) *protection fee.* (*Sum :* bat¹° 筆)

—yeung⁵ — 養 (V) *nourish.*

bo³ 報 120 (V) *report ; announce ; requite (good or evil).* ‡ (N) *newspaper ; report ; announcement.* ‡ *(No Cl.)*

— daap³ — 答 (V) *requite (usually for good).* **FE** (N) *requital.* (*Cl.* jung² 種)

— do⁶ — 導 (V) *report sth. to the public.* (N) *report.* **FE** (*Cl.* chi³ 次 *or* goh³ 個)

— go³ — 告 (N) *report ; announcement.* **FE** (V) *report ; announce.* **FE**

— — sue¹° — — 書   (N) *a report in writing.*

⁵ — gaai³ — 界   (N) *the press.* *(No Cl.)*

— ji² — 紙   (N) *newspaper.*   (*Cl.* jeung¹ 張 *or* fan⁶ 份)

— (ji²) gwoon² — (紙) 館   (N) *newspaper office.*   (*Cl.* gaan¹ 間)

— — jai² — — 仔   (N) *news boy.*   (*Cl.* goh³ 個)

— — lo² — — 佬   (N) *newsman* (**Coll.**)*; news-vendor.*

¹⁰ — — taan¹° (dong³) — — 攤 (檔)   (N) *news-stand.*

— on³ — 案   (V) *report to the police.*

— sau⁴ — 仇   (V) *avenge.* (N) *revenge; vengeance.*   (*Cl.* chi³ 次)

— — gam³ bo³ — — 咁報   (SE) *do sth against sb out of vengeance.*

— sui³ — 稅   (V) *declare dutiable goods; make income tax return.*

¹⁵ — ying³ — 應   (V) *be repaid for the evil one has done; get one's deserts.*

bo³ 布   **121**   (N) *cotton cloth; calico.*   (*piece:* faai³ 塊; *Bolt:* pat¹° 疋)

— ding¹° — 丁   (N) *pudding.* **Tr.**   (*piece:* faai³ 塊 *or* gin⁶ 件; *Cl.* goh³ 個)

— doi°* — 袋   (N) *calico bag/sack.*

— pat¹° — 疋   (N) *piece-goods.* *(No Cl.)*

— saam¹° — 衫   (N) *cotton garment.*   (*Cl.* gin⁶ 件)

bo³ 佈   **122**   (V) *arrange; extend; notify.* ‡

— do⁶ — 道   (V) *evangelize.* (N) *evangelization.*   (*Cl.* chi³ 次)

— — (daai⁶) wooi⁶* — — (大) 會   (N) *evangelical crusade.*   (*Cl.* goh³ 個 *or* chi³ 次)

— go³ — 告   (N) *notice.*   (*Cl.* jeung¹ 張)

— — baan² — — 板   (N) *notice-board.*   (*Cl.* faai³ 塊)

⁵ — ji³ — 置   (V) *arrange; put in order.* **FE**

bo⁶ 暴   **123**   (Adj) *violent; brutal; cruel; sudden.* ‡ (N) *violence; brutality; cruelty.* ‡

— dung⁶ — 動   (N) *riot.*   (*Cl.* chi³ 次)

— — fan⁶ ji² — — 份子   (N) *rioter.*

— faat³ woo⁶* — 發戶   (N) *upstart.*

— foo³ — 富   (N) *sudden wealth*. *(No Cl.)*

5 — fung¹ yue⁵ — 風雨   (N) *tempest*. *(Cl.* cheung⁴ 塲*)*

— hang⁴ — 行   (N) *brutality; cruelty*. **FE** *(Cl.* jung² 種*)*

— laang⁵ — 冷   (N) *the sudden cold*. *(No Cl.)*

— lik⁶ — 力   (N) *violence; use of force*. *(Cl.* jung² 種*)*

— lo⁶ — 露   (V) *expose; reveal*.

10 — to⁴ — 徒   (N) *hoodlum; desperado; roughneck*.

bo⁶ 部 124   *(Cl.) for books, magazines, etc.* (N) *counter (of a department store); department (of a government).* ‡

— dui⁶* — 隊   (N) *troops*.

— fan⁶ — 份   (N) *counter (of a department store); department (of a government); part (of sth)*. **FE**

— lok⁶ — 落   (N) *aboriginal tribe*.

— moon⁴ — 門   (N) *government department*. **FE**

— sau² — 首   (N) *radical for Chinese Characters*.

bo⁶ 簿 125   (N) *register; book*. ‡ **AP bo⁶* see 126.**

— gei³ — 記   (N) *book-keeping*. *(No Cl.)*

— — yuen⁴ — — 員   (N) *book-keeper*.

bo⁶* 簿 126   (N) *book (for writing exercises, notes, accounts, etc.)*. **Coll.** *(Cl.* boon² 本 *or* goh³ 個 *)* **AP bo⁶ see 125.**

bo⁶ 步 127   (N) *step; pace*. *(No Cl.)*

— bing¹ — 兵   (N) *infantry*.

— bo⁶ wai⁴ ying⁴ — 步爲營   (SE) *take precautions at every step*.

— haang⁴ — 行   (V) *go on foot*.

bo⁶ 捕 128   (V) *catch*. **Fml.** ‡

— fung¹ yuk³° ying² — 風捉影   (SE) *use one's imagination excessively; trump up an imaginary story*.

— ying⁴ ji² — 蠅紙   (N) *fly-paper*. *(Cl.* jeung¹ 張 *)*

yue⁴ — 魚   (V) *catch fish*. **Fml.**

boh¹波   129   (N) *wave.* ‡ AP boh¹° see 130.

— cheung⁴ — 長   (N) *wave-length.*
— long⁶ — 浪   (N) *wave.* **FE**
B— Laan⁴ — 蘭   (N) *Poland.* **Tr.**
— Si¹° — 斯   (N) *Persia.* **Tr.**
⁵ — — Waan¹° — — 灣   (N) *Persian Gulf.* **Tr.**

boh¹°波   130   (N) *ball (Tr.); gear.* AP boh¹ see 129.

— seung¹° — 箱   (N) *gear box.*
— si⁶* — 士   (N) *boss; employer; proprietor.* **Tr.**

boh¹菠   131   (N) *spinach.* ‡

— choi³ — 菜   (N) *spinach.* **FE** (*Cl.* poh¹ 苛)
— loh⁴ — 蘿   (N) *pineapple; bomb (Sl.).*

boh¹°玻   132   (N) *glass (the substance).* ‡

— lei⁴° — 璃   (N) *glass (the substance).* **FE** (*Cl.* faai³ 塊)
— — booi¹° — — 杯   (N) *glass (a vessel); tumbler.* (*Cl.* jek³ 隻 *or* goh³ 個)
— — si¹ mat⁶ — — 絲襪   (N) *nylon stocking.* (*Cl.* jek³ 隻 ; *Pair:* dui³ 對 .)
— — jun¹° — — 樽   (N) *glass bottle.*

boh³播   133   (V) *broadcast; sow.* ‡

— chut¹° — 出   (V) *broadcast.* **FE**
— jung² — 種   (V) *sow seed.* **FE**
— yam¹° — 音   (V) *broadcast.* **FE** (N) *broadcast; broadcasting* (*Cl.* chi³ 次 *or* goh³ 個)
— — toi⁴ — — 台   (N) *broadcasting station; radio station.*

boh³嘥   134   (EP) *express idea of repeating or reminding.*
            CC

bok³ 博   135   (Adj) *extensive; ample.* **Bk.** ‡   (V) *gamble.* ‡

— choi² — 彩   (V) *gamble (local term).*   (N) *gambling (local term).*
    (*Cl.* jung² 種)
— hok⁶ — 學   (Adj) *learned.*   (N) *extensive learning.*   *(No Cl.)*
— laam⁵ wooi⁶* — 覽會   (N) *exposition.*
— mat⁶ gwoon² — 物館   (N) *museum.*   (*Cl.* gaan¹ 間)
— si⁶ — 士   (N) *doctorate; doctor (as of science; laws, etc.).*

bok³ 駁   136   (V) *argue, talk back; contradict.*   **SF**

— do² — 倒   (V) *worst sb in argument.*
— hau² — 口   (V) *contradict; talk back.*   **FE**
— jui² — 咀   (V) *ditto.*

bok³ 膊   137   (N) *shoulder.*   **SF** ‡

— tau⁴ — 頭   (N) *shoulder.*   **FE**
— — gwat¹° — — 骨   (N) *shoulder-blade.*

bok³ 搏   138   (V) *seize; spring on.*

— meng⁶ — 命   (Adj) *with one's life at stake; at great risk.*   **Coll.**
    (V) *risk one's life.*   **Coll.**

bok⁶ 薄   139   (Adj) *thin; light.*

— hoh⁴ — 荷   (N) *peppermint.*   *(No Cl.)*
— yeuk⁶ — 弱   (Adj) *weak; sickly.*   **FE**
— yung⁴* — 絨   (N) *light-weight worsted cloth.*   (*Yard:* ma⁵ 碼)

bong¹ 邦   140   (N) *country; nation; state.*   **Fml.** ‡

— gaau¹ — 交   (N) *diplomatic relationships between nations.*   *(No Cl.)*

bong¹ 幫   141   (Prep) *on behalf of; for.*   (V) *help; assist.*   **SF**

— baan⁶* — 辦   (N) *inspector (local term).*

— — jai² — — 仔   (N) *probationary inspector (local term).*   **Der.**

— bo² — 補   (V) *help financially; subsidize.*

— — ga¹ yung⁶ — — 家用   (V) *supplement family income; help out with household expenses.*

5   — chan³ — 襯   (V) *buy; patronise.*   **Fml.**

— . . . daai³ — . . . 帶   (IC) *take or bring (sth) for (sb).*

— ha⁵ — 吓   (V) *help; assist.*   **Coll.**

— heng¹ — 輕   (V) *eke out; help financially; relieve (burden or difficulty).*

— hung¹ — 兇   (N) *accomplice in a murder or crime.*

10   — joh⁶ — 助   (V) *help; assist.*   **FE**   **Fml.**

— . . . maai⁵ — . . . 買   (IC) *buy sth on behalf of sb.*

— . . . — bo² him² — . . . — 保險   (V) *insure sb else or sth (against).*

— . . . — yin³ soh¹° — . . . — 燕梳   (V) *ditto.*

— . . . ning¹ — . . . 擰   (IC) *take or bring sth for sb.*

15   — sau² — 手   (V) *help; give a hand; assist.*   **FE**   **Coll.**   (N) *helping hand; assistant.*

— . . . sau² — . . . 手   (IC) *help sb; give sb a hand.*

— wooi⁶* — 會   (N) *secret societies in general.*

bong² 綁   142   (V) *tie up.*   **SF**

— jue⁶ — 住   (V) *tie up.*   **FE**

— — ngaan⁵ — — 眼   (V) *blindfold.*   (Adv) *blindfold.*

— piu³ — 票   (V) *kidnap.*   **Fml.**

bong² 榜   143   (N) *example; list of successful candidates in an examination.*   ‡

— seung⁶ mo⁵ ming⁴ — 上無名   (SE) *fail in an examination.*

— — yau⁵ ming⁴ — — 有名   (SE) *pass an examination.*

— yeung⁶ — 樣   (N) *example.*   **FE**

bong⁶磅　144　(N) *pound (in weight)*.　**Tr.**　*(No Cl.)*　(V) *weigh; be weighed*.　**AP: (1) bong⁶* see 145.**

bong⁶*磅　145　(N) *scale which gives the weight in avoirdupois*.　**AP bong⁶ see 144.**

bong⁶鎊　146　(N) *pound (as unit of money)*.　**Tr.**　*(No Cl.)*

bong⁶傍　147　(V) *sponge on sb.*　‡

— jue⁶ — 住　(V) *sponge on sb.*　**FE**

— yau⁵ — 友　(N) *sponger.*　**Coll.**

booi¹杯(盃)　148　(PN) *cupful; quantity held by a cup, glass or tumbler.*　*(No Cl.)*　**AP booi¹° see 149.**

— got³ — 葛　(V) *boycott; refuse to trade with; refuse to have anything to do with.*

— sui² che¹ san¹ — 水車薪　(SE) *utterly inadequate.*　*(Lit. a cup of water for a cartload of burning firewood)*

booi¹°杯(盃)　149　(N) *glass; tumbler; cup.*　*(Cl.* jek³ 隻 *or* goh³ 個)　**AP booi¹ see 148.**

booi³背　150　(N) *back.*　‡　(V) *turn the back on.*　‡

— boon⁶ — 叛　(V) *revolt.*

— hau⁶ — 後　(Adv) *behind.*

— ging² — 景　(N) *background.*

— jek³ — 脊　(N) *back.*　**FE**

5 — sam¹° — 心件)　(N) *waistcoat; vest; singlet without sleeves.*　*(Cl.* gin⁶

boon¹搬　151　(V) *move house; remove.*　**SF**

— chin¹ — 遷　(V) *move house; move to ssp.*　**Fml.**　**FE**

— hoi¹ — 開　(V) *move away.*

— sung³ — 餸   (V) *take cooked food from kitchen to dining table.*

— uk¹° — 屋   (V) *move house.* **Coll. FE**

boon²本   152   (Cl) *for books, magazines, etc.* (Adj) *this; this very.*
‡   (N) *capital (in form of money).* ‡

— chin⁴ — 錢   (N) *capital (in form of money).* **FE** (*Cl.* bat¹°筆)

— dei⁶ — 地   (Adj) *local; locally-made; native.*

— — foh³ — — 貨   (N) *native products; locally-made goods.* *(No Cl.)*

— — faan¹ gwai² — — 番鬼   (SE) *a Chinese born and/or brought up abroad; over-westernised Chinese.* **Joc.**

5   — — lo⁵ faan¹ — — 老番   (SE) *ditto.*

— — geung¹ — — 薑   (SE) *locally-trained expert; native employee.*

— — — m⁴ laat⁶ — — — 唔辣   (Sy) *a prophet has no honour in his own country. The grass is greener on the other side of the fence.*

— — kan⁴ choi³ — — 芹菜   (N) *celery (Chinese).* (*Cl.* poh¹ 荷)

— — san¹ man⁴* — — 新聞   (SE) *local news.* (*Cl.* goh³ 個 *or* gin⁶ 件)

10   — — si⁴ gaan³ — — 時間   (N) *local time.*

— — yan⁴ — — 人   (N) *local people.*

— gaai¹° — 街   (SE) *this (very) street.*

— gong² — 港   (N) *this (very) harbour—Hong Kong.*

— — san¹ man⁴* — — 新聞   (N) *local Hong Kong news.* (*Cl.* goh³ 個 *or* gin⁶ 件)

15   — — — — baan² — — — — 版   (N) *"local news" page (in Hong Kong newspapers).* (*Cl.* yip⁶ 頁)

— — yan⁴ — — 人   (N) *resident of Hong Kong.*

— haau⁶ — 校   (SE) *this (very) school.* (*Cl.* gaan¹ 間)

— loi⁴ — 來   (Adv) *originally; basically.*

— — min⁶ muk⁶ — — 面目   (SE) *true face.*

20   — san¹ — 身   (N) *self.* (Pron) *oneself.*

— si⁶ — 事   (N) *ability; skill; capability; expertise.* **Coll.** (*Cl.* jung² 種)

— toi⁴ — 台   (SE) *our (radio/tv) station; this channel; this programme.*

37

boon³半 153 (Adj) *half.* ‡

— bin¹ — 邊 (N) *one half (RT size or measurements—but excluding length). (No Cl.)*

— — ma⁵ lo⁶ — — 馬路 (SE) *half (the width) of a motor road.*

— dim² jung¹° — 點鐘 (N) *half an hour.*

— siu² si⁴ — 小時 (N) *ditto.*

5 — do² — 島 (N) *peninsula.*

B— Do² Jau² Dim³ — 島酒店 (N) *The Peninsula Hotel. (Cl. gaan¹ 間)*

b— fan³ boon³ seng² — 瞓半醒 (SE) *half asleep; not entirely asleep.*

— ging¹ boon³ hei² — 惊半喜 (SE) *be pleasantly surprised.*

— goh³ yuet⁶ — 個月 (N) *half a month.*

10 — jing³ foo² — 政府 (Adj) *semi-governmental.*

— kau⁴ — 球 (N) *hemisphere.*

— nin⁴ — 年 (N) *half a year.*

B— Saan¹ — 山 (N) *the Mid-levels.*

— — Kui¹ — — 區 (N) *ditto.*

15 b— saang¹ suk⁶ — 生熟 (Adj) *underdone; undercooked.*

— yat⁶ — 日 (Adj) *half-time; half-day.* (N) *half a day.* (Adv) *for half a day.*

— ye⁶ — 夜 (N) *mid-night. (No Cl.)* (Adv) *at mid-night.*

boon⁶叛 154 (V) *rebel; revolt.* ‡

— bin³ — 變 (V) *revolt.* FE (N) *mutiny.* FE *(Cl. chi³次)*

— gwan¹° — 軍 (N) *rebel forces. (Cl. ji¹支)*

— gwok³ — 國 (N) *treason. (No Cl.)*

— — jui⁶ — — 罪 (N) *ditto.*

5 — luen⁶ — 亂 (N) *rebellion.* FE *(Cl. chi³次)*

— to⁴ — 徒 (N) *rebel.* FE

boon⁶伴 155 (V) *accompany.* ‡ AP pooi⁵ see 2576.

— jau³ — 奏 (V) *accompany (a singer) by playing music.*

— long⁴* — 郎 (N) *best man (at wedding).*

— neung⁴* — 娘 (N) *bridesmaid.*

boot⁶ 渤   **156**   (N) *an arm of the sea.*   **Bk.**   ‡

B— Hoi² — 海   (N) *Bo Hoi (a sea off the coast of North China).*   **Tr.**

buk¹° 卜   **157**   (V) *consult oracle.*   ‡

— gwa³ — 卦   (V) *consult oracle; divine by the Diagrams.*   **FE**

buk⁶ 蹼   **158**   (V) *prostrate; lie prostrate.*   ‡
        CC

— dai¹ — 低   (V) *prostrate; lie prostrate.*   **FE**

buk⁶ 僕   **159**   (N) *servant.*   **Fml.**   ‡

— yan⁴ — 人   (N) *servant.*   **FE**   **Fml.**

buk⁶ 瀑   **160**   (N) *waterfall.*   ‡

— bo³ — 布   (N) *waterfall.*   **FE**   (*Cl.* tiu⁴ 條 *or* sue³ 處)

bung² 捧   **161**   (V) *hold up in both hands.*   **CP**   **SF**   ‡   **AP : (1) fung²**
                     SM see 767; (2) pung² SM see 2580.

— jue⁶ — 住   (V) *hold up in both hands.*   **FE**   **CP**

CH

cha¹ 义   **162**   (V) *pick up sth with a fork.*   **AP cha¹°** see 163.

   — siu¹°   —   燒   (N) *roast pork fillet.*   *(No Cl.)*

cha¹° 义   **163**   (N) *fork.*   *(Cl.* jek³ 隻 *or* goh³ 個 *)*   **AP cha¹** see 162.

cha¹差   **164**   (N) *difference; error; mistake.* **Fml.** ‡   (V) *owe; be short of.* ‡   (Adj) *bad; inferior.*   **AP: (1) chaai¹** see **168; (2) chi¹** see 273.

   — bat¹° doh¹°   —   不多   (Adv) *almost; nearly.*

   — — — . . . do⁶*   — — — . . . 度   (IC) *ditto.*

   — — — . . . gam³ seung⁶ ha⁶*   — — — . . . 咁上下   (IC) *ditto.*

   — — — . . . joh² yau⁶*   — — — . . . 左右   (IC) *ditto.*

⁵ — m⁴ doh¹°   —   唔多   (Adv) *ditto.*

   — — — . . . do⁶*   — — — . . . 度   (IC) *ditto.*

   — — — . . . gam³ seung⁶ ha⁶*   — — — . . . 咁上下   (IC) *ditto.*

   — — — . . . joh² yau⁶*   — — — . . . 左右   (IC) *ditto.*

   — bit⁶   —   別   (N) *difference.* **FE Fml.** *(Cl.* goh³ 個 *or* dim² 點 *)*

¹⁰ — choh³   —   錯   (N) *error; mistake.*   *(Cl.* goh³ 個 *or* dim² 點 *)*

   — dak¹° yuen⁵   —   得遠   (SE) *make a big difference; very different.*

   — di¹°   —   啲   (SE) *make only a little difference.*

   — sei³ fan¹ jung¹° gau² dim²   —   四分鐘九點   (SE) *4 minutes to 9.*

cha⁴ 茶   **165**   (N) *tea.*   *(No Cl.)*

   — booi¹°   —   杯   (N) *teacup.*   *(Cl.* goh³ 個 *or* jek³ 隻 *)*

   — chaan¹° teng¹°   —   餐廳   (N) *cafe; snack-bar; coffee-house.*   *(Cl.* gaan¹ 間 *)*

   — chin⁴*   —   錢   (N) *a tip.*   *(No Cl.)*

   — fa¹°   —   花   (N) *camellia.*   *(Cl.* deuh² 朵 *or* doh² 朵 *)*

⁵ — gei¹°   —   几   (N) *tea-table.*   *(Cl.* jeung¹ 張 *)*

— haak³ — 客　(N) *customer in a tea house or coffee house.*

— lau⁴ — 樓　(N) *tea house (Chinese).* (*Cl.* gaan¹ 間)

— — jau² gwoon² — — 酒館　(N) *Chinese restaurants in general.* (*Cl.* gaan¹ 間)

— mo⁵ — 舞　(N) *tea dance.* (*No Cl.*)

10　— woo⁴* — 壺　(N) *teapot; tea kettle.*

— wooi⁶* — 會　(N) *tea party.* (*Cl.* chi³ 次 or goh³個)

— yin¹° fung⁶ haak³ — 烟奉客　(SE) *offer tea and cigarettes to a visitor—a Chinese custom.*

— yip⁶ — 葉　(N) *tea leaf; tea.* (*Cl.* faai³塊 ; *pound:* bong⁶磅)

cha⁴ 搽　166　(V) *rub; wipe; put on; smear.* ‡

— fan² — 粉　(V) *powder the face.*

— ngau⁴ yau⁴ — 牛油　(V) *spread butter (on bread).*

— sun⁴ go¹° — 唇膏　(V) *put on lipstick.*

— yeuk⁶ go¹° — 葯膏　(V) *apply ointment to skin.*

— — yau⁴ — — 油　(V) *ditto.*

— yin¹ ji¹ — 胭脂　(V) *put on rouge.*

cha⁴ 查　167　(V) *check; investigate.*

— chut¹° — 出　(V) *find out; investigate; indentify.*

— ming⁴ — 明　(V) *ditto.*

— jeung³ — 帳　(V) *audit accounts.*

— — yuen⁴ — — 員　(N) *auditor.*

5　— ji⁶ din⁶* — 字典　(V) *consult a dictionary.*

— man⁶ — 問　(V) *interrogate.* (N) *interrogation.* (*Cl.* chi³次)

— on³ — 案　(V) *investigate a law case.*

chaai¹ 差　168　(N) *official duty; official business.* ‡　**AP:** (1) cha¹ see 164; (2) chi¹ see 273.

— gwoon² — 館　(N) *police station.* **Coll.** (*Cl.* gaan¹ 間)

— heung² — 餉　(N) *rates.* (*No Cl.*)

— — dei⁶ sui³ — — 地稅　(SE) *rates and taxes.* (*No Cl.*)

— lo² — 佬　(N) *policeman; copper; cop.* **Der.**

41

— si⁶ — 事   (N) *official business; job.* **FE** (*Cl.* gin⁶件)

— yan⁴ — 人   (N) *the police; policeman.* **Coll.**

chaai¹猜 169   (V) *guess; suspect.* **Fml.** ‡

— mai⁴* — 謎   (V) *guess riddles.*

— kuen⁴* — 拳   (V) *play the "guess-fingers" game.*

— mooi⁴* — 枚   (V) *ditto.*

— yi⁴ — 疑   (V) *suspect.* **Fml. FE**

chaai²踹 170   (V) *step on; trample on.* ‡   **AP yaai² SM see 3304.**

— daan¹° che¹° — 單車   (V) *ride a bicycle.*

— sei² — 死   (V) *tramble to death.*

— suet³ kek⁶ — 雪屐   (V) *roller-skate.*

— yau⁴* — 油   (V) *accelerate.*

chaai⁴柴 171   (N) *firewood.* (*Cl.* tiu⁴條)

— foh² — 火   (SE) *fuel for cooking.* *(No Cl.)*

— mai⁵, yau⁴, yim⁴, jeung³, cho³, cha⁴ — 米、油、鹽、醬、醋、茶 (SE) *daily necessities—a traditional Chinese expression.* *(Lit. firewood, rice, oil, salt, sauce, vinegar, and tea.)*

chaak³拆 172   (V) *disconnect or cut off (telephone, TV, etc.); dismantle (ship, aeroplane, car, etc.); pull down (building).* **Coll.** ‡

— chui⁴ — 除   (V) *take off; remove; dispose of.* **Fml. FE**

— — ja³ daan⁶* — — 炸彈   (SE) *dispose of a bomb.*

— — — — juen¹ ga¹° — — — — 專家   (N) *bomb disposal expert.*

— — yan⁵ sin³ — — 引綫   (V) *defuse; take the fuse off a bomb.*

5 — dong³ — 檔   (V) *dissolve partnership.*

— gwoo² — 股   (V) *ditto.*

— hoi¹ — 開   (V) *tear open (a wrapper or envelope).*

— lau⁴* — 樓   (V) *pull down a building.*

— uk¹° — 屋   (V) *ditto.*

10 — suen⁴ — 船   (V) *dismantle or break up a ship.* **FE**

chaak⁶ 賊   173   (N) *robber.*

— gwoh³ hing¹ bing¹ — 過興兵   (SE) *belated efforts made to cope with an emergency. (Lit. robbers gone, call in soldiers.)*

chaam¹ 參   174   (V) *participate in; take part in; join; enter (a function; institution, race, etc.).* ‡ **AP: (1) cham¹ see 204; (2) sam¹ see 2645.**

— ga¹ — 加   (V) *participate in; take part in; join; enter (a function, an institution, race, etc.).* **FE**

— — choi³ che¹ — — 賽車   (V) *participate or enter car races.*

— — hei³ che¹° bei² choi³ — — 汽車比賽   (V) *ditto.*

— gwoon¹ — 觀   (V) *visit an institution, exhibition, etc.*

— haau² — 考   (V) *refer to (sth for information or advice).* (N) *reference (such as notes newspaper, accounts, etc.).* (Cl. jung² 種)

— — sue¹ — — 書   (N) *reference book.* (Cl. boon² 本 or bo⁶ 部)

chaam² 慘   175   (Adj) *tragic, sad.*

— kek⁶ — 劇   (N) *tragedy.*

chaam³ 杉   176   (N) *pine.* **CP** ‡ **AP saam¹ SM see 2602.**

— baan² — 板   (N) *pine-boards.* (Cl. faai³ 塊)

— muk⁶ — 木   (N) *ditto.*

— sue⁶ — 樹   (N) *pine tree.* (Cl. poh¹ 舖)

chaam³ 懺   177   (V) *repent; confess sin.* ‡

— fooi³ — 悔   (V) *repent; confess sin.* **FE**

chaam⁴ 蠶   178   (N) *silkworm.* ‡

— chung⁴* — 虫   (N) *silkworm.* **FE** (Cl. tiu⁴ 條)

— gaan² — 繭   (N) *cocoon (of the silkworm).*

— ngoh⁴* — 蛾   (N) *silkworm moth.* (Cl. jek³ 只)

chaam⁴ 慚 179   (Adj) *ashamed.* **Fml.** ‡

— kwai³ — 愧   (Adj) *ashamed.* **Fml. FE**

chaan¹ 餐 180   (Cl) *for meals.* **AP chaan¹° see 181.**

chaan¹° 餐 181   (N) *meal. (GRT European food)* **AP chaan¹ see 180.**

— gwoon² — 館   (N) *restaurant (serving Chinese food). (Cl.* gaan¹ 間)

— paai⁴* — 牌   (N) *menu. (a la carte)*

— sat¹° — 室   (N) *cafeteria. (Cl.* gaan¹ 間)

— teng¹° — 廳   (N) *restaurant (serving European food). (Cl.* gaan¹ 間)

chaan² 產 182   (N) *property; assets.* ‡ *(Cl.* jung² 種) (V) *produce; give birth to.* ‡

— ban² — 品   (N) *product. (Cl.* jung² 種)

— foh¹° — 科   (N) *obstetrics; maternity department.*

— — beng⁶ fong⁴* — — 病房   (N) *maternity ward. (Cl.* gaan¹ 間)

— — yi¹ sang¹ — — 醫生   (N) *obstetrician.*

5 — — — yuen⁶* — — — 院   (N) *maternity hospital. (Cl.* gaan¹ 間)

— foo⁵ — 婦   (N) *lying-in woman; obstetric patient.*

— poh⁴ — 婆   (N) *mid-wife.* **Mdn.**

— sang¹ — 生   (V) *cause or give rise to (trouble, misunderstanding etc.).*

— yau⁴ — 油   (V) *produce oil; produce petroleum.* (Adj) *oil-producing.*

10 — — gwok³ — — 國   (N) *oil-producing nation.*

— — leung⁶ — — 景   (N) *output of oil; oil-producing capacity.*

— yip⁶ — 業   (N) *property.* **FE** *(No Cl.)*

— — sui³ — — 稅   (N) *property tax. (Cl.* jung² 種)

chaan² 剷(鏟) 183   (V) *trim; pare down.*

— chui⁴ — 除   (V) *abolish; exterminate.*

chaan² 鏟 184 (N) *shovel.*

chaan⁴ 殘 185 (Adj) *withered; cruel.* ‡

— fai³ — 癈 (Adj) *handicapped; disabled.*

— — ge³ yan⁴ — — 嘅人 (N) *the handicapped; disabled person.*

— huk⁶ — 酷 (Adj) *cruel.* **FE**

— yan² — 忍 (Adj) *ditto.*

5 — poh³ — 破 (Adj) *antiquated.*

— saat³ — 殺 (V) *massacre.*

chaang¹ 撐(撑) 186 (V) *pole or punt a boat.* ‡

— suen⁴ — 船 (V) *pole or punt a boat.* **FE**

—teng⁵ — 艇 (V) *ditto.*

chaang⁴ 橙 187 (N) *orange.* **Fml. AP chaang⁴* SM see 188.**

chaang⁴* 橙 188 (N) *orange.* **Coll. AP chaang⁴ SM see 187.**

— jap¹° — 汁 (N) *orange juice.* (*Bottle:* jun¹ 樽 *or* ji¹ 支 ; *Glass:* booi¹ 杯)

— sik¹° — 色 (N) *orange colour.* (*Cl.* jung² 種 *or* yeung⁶ 樣)

chaap³ 插 189 (V) *insert into; plug into.* ‡

— hau² — 口 (V) *interrupt (a conversation); break into (a talk);* "*chip in*".

— jui² — 咀 (V) *ditto.*

— sau² — 手 (V) *intervene; interfere.* **Coll.**

chaat³ 擦 190 (V) *rub; wipe.* **Mdn.**

— ji² gaau¹ — 紙膠 (N) *eraser.* (*Cl.* gau⁶ 嚿 *or* faai³ 塊)

45

chaat³刷   191   (V) *brush.*   **AP chaat³* see 192.**

— ng⁴ — 牙   (V) *brush the teeth.*

chaat³*刷   192   (N) *brush.*   **AP chaat³ see 191.**

chaau¹抄   193   (V) *walk; copy.*   ‡

— paai⁴ — 牌   (V) *endorse a driving licence; take the number of a car or licence.*

— jaap⁶ — 襲   (V) *plagiarize.*   (N) *plagiarism.*   (*Cl.* jung² 種 *or* chi³ 次)

— — je² — — 者   (N) *plagiarist.*   **Fml.**

— se² — 寫   (V) *copy; make a fair copy of.*

⁵   — siu² lo⁶ — 小路   (V) *take a short cut.*

chaau¹鈔   194   (N) *bank-note.*   **Fml.**   ‡

— piu³ — 票   (N) *bank-note.*   **Fml.**   **FE**   (*Cl.* jeung¹ 張)

chaau²吵   195   (Adj) *noisy.*   ‡   (V) *make a row.*   ‡

— naau⁶ — 鬧   (V) *make a row.*   **FE**

— yi⁵ — 耳   (Adj) *noisy.*   **FE**

chaau²炒   196   (V) *fry in shallow fat; speculate (*Sl.*).*

— choi³ sam¹ — 菜心   (N) *fried (flowering) vegetables.*   (*course:* dip⁶ 碟 *or* goh³ 個)

— yau⁴ choi³ — 油菜   (N) *ditto.*

— daan⁶* — 蛋   (N) *scrambled eggs.*   (*course:* goh³ 個 *or* dip⁶ 碟)

— faan⁶ — 飯   (N) *fried rice.*   (*Bowl:* woon² 碗; *plate:* dip⁶ 碟)

⁵   — (wong⁴) gam¹° — (黃) 金   (V) *speculate in gold.*

— gwoo² piu³ — 股票   (V) *speculate in shares.*

— min⁶ — 麵   (N) *fried noodles.*   (*plate:* dip⁶ 碟)

— nung¹ — 燶   (V) *lose through speculation.* **Sl.**

— yau⁵* — 友   (N) *speculator.* **Sl.**

10 — yau⁴ yue⁴ — 魷魚   (V) *fry a squid; have a squid fried; give sb the sack.* **(Sl.)**

chaau³ 吵   197   (V) *search.* **Coll.** ‡
                                 CC

— hang⁴ lei⁵ — 行李   (V) *search the luggage.*

— san¹° — 身   (V) *search the person.*

chai¹ 妻   198   (N) *wife.* **Fml.** ‡

— ji² — 子   (SE) *wife; wife and children.* **Fml.** **FE** *(No Cl.)*

chai¹ 悽   199   (Adj) *miserable; helpless.* ‡

— leung⁴ — 涼   (Adj) *miserable; helpless.*

— chai¹ leung⁴ leung⁴ — 悽涼涼   (SE) *extremely lonely; extremely desolate.*

chai³ 切   200   (Adj) *all.* ‡ **AP Chit³ see 327.**

chai³ 砌   201   (V) *raise in layers.*

— juen¹° — 磚   (SE) *build a (brick/stone) wall.*

— uk¹° — 屋   (V) *build a (brick/stone) house.*

chai³ 沏   202   (V) *infuse tea; make tea.* **Fml.** ‡

— cha⁴ — 茶   (V) *infuse tea; make tea.* **Fml.** **FE**

chai⁴ 齊   203   (Adj) *tidy; neat complete.* **SF**

— bei⁶ — 備   (Adj) *prepared; all in readiness.*

— chuen⁴ — 全   (Adj) *everybody in attandance; nobody absent.*

— hak¹° — 黑   (Adv) *at dusk.*

— jing² — 整   (Adj) *tidy; neat.* **FE**

5 — sam¹ — 心   (Adj) *of one purpose; of one mind.*

cham¹ 參 204   (Adj) *unequal; irregular.* **Bk.** ‡ (V) *put sb in; mix sth with.* **Coll. AP: (1) chaam¹ see 174; (2) sam¹ see 2645.**

— chi¹ — 差   (Adj) *unequal; irregular.* **Fml. FE**

cham¹ 侵 205   (V) *encroach; trespass; invade.* ‡

— faan⁶ — 犯   (V) *encroach.* **FE**

— jim³ — 佔   (V) *trespass; encroach (on the land of another).* **FE**

— leuk⁶ — 略   (V) *invade (another country).* **FE** (N) *invasion.*
(*Cl.* chi³ 次)

cham³ 喑 206
CC   (Adj) *long-winded.* ‡

— hei³ — 氣   (Adj) *long-winded.* **FE**

cham⁴ 沉 207   (V) *sink; be sunk.*

— din⁶ — 澱   (V) *precipitate.* (N) *precipitate.* *(No Cl.)*

— suen⁴ — 船   (N) *shipwreck.* (*Cl.* chi³ 次)

cham⁴ 尋 208   (V) *search for; look for; seek.* ‡ (Adj) *ordinary.* ‡

— fong² — 訪   (V) *seek (sb).* **Fml. FE**

— jaau² — 找   (V) *seek; look for.* **Fml. FE**

— kau⁴ — 求   (V) *search for.* **FE**

— seung⁴ — 常   (Adj) *ordinary.* **FE**

5 "— yan⁴ "— 人   (SE) *advertise for sb in "positions vaccant" column.*

cham⁴ 噚 209
CC   (N) *yesterday.* **Coll.** ‡ **AP kam⁴ 噙 see 1654.**

— maan⁵ — 晚   (Adv) *last evening; last night.* **Coll. FE** (N) *last evening; last night.* **Coll. FE** *(No Cl.)*

— yat⁶ — 日　　(Adv) *yesterday.* **Coll. FE** (N) *yesterday.* **Coll. FE** *(No Cl.)*

—yat⁶ jiu¹ (jo²) — 日朝 (早)　　(Adv) *yesterday morning.* **Coll. FE** (N) *yesterday morning.* **Coll. FE** *(No Cl.)*

chan¹ 親　210

(Adj) *one's own; "own" (as in "own child").* (Asp.) *physically injured (when preceded by a verb.).* **AP chan³ see 211.**

— chik¹° — 戚　　(N) *relative.* (*Cl.* goh³個)

— suk⁶ — 屬　　(N) *ditto.*

— yan⁴ — 人　　(N) *ditto.*

— daai⁶ goh¹° — 大哥　　(N) *the oldest brother.*

5　— — so² — — 嫂　　(N) *the first sister-in-law (i.e. wife of elder brother).*

— ngaan⁵ — 眼　　(Adv) *with one's own eyes.*

— — gin³ do² — — 見倒　　(SE) *see with one's own eyes.*

— saang¹ — 生　　(Adj) *"own" (as in "own parent", "own child", etc).* **FE**

— — jai² — — 仔　　(N) *own son.*

10　— — nui⁵* — — 女　　(N) *own daughter.*

— san¹° — 身　　(Adv) *personally.*

— — hui³ — — 去　　(SE) *go personally.*

— sau² — 手　　(Adv) *with one's own hand.*

— — jo⁶ — — 做　　(SE) *do sth with one's own hand.*

15　— yit⁶ — 熱　　(Adj) *affectionate; intimate; loving.*

chan³ 親　211

(Adj) *related by marriage.* ‡ **AP chan¹ see 210.**

— ga¹ — 家　　(N) *person related by marriage.*

chan² 診　212

(V) *examine illness.* **Coll. SF** ‡ **AP jan² SM see 1333.**

— duen³ — 斷　　(V) *diagnose.* (N) *diagnosis.* (*Cl.* chi³次)

— liu⁴ — 療　　(V) *give medical treatment.*

— — soh² — — 所　　(N) *clinic.* (*Cl.* gaan¹間)

— soh² — 所　　(N) *doctor's office.* (*Cl.* gaan¹間)

chan² 疹   213   (N) *skin eruptions; measles.* **Coll.** *(No Cl.)* **AP jan²** **SM see 1334.**

chan³ 稱   214   (V) *be in accordance with; correspond to.* **Fml.** ‡ **AP: (1) ching¹ see 313; (2) ching³ see 314.**

— jik¹° —   職   (V) *be able to fulfil the responsibility of.*

— sam¹ (yue⁴ yi³) — 心 (如意)   (SE) *be in accordance with one's wishes.*

— san¹ —   身   (V) *fit one's figure; correspond to one's rank or position.* *(ROT clothes)*

chan³ 趁   215   (V) *take advantage of; avail oneself of.* ‡

— gei¹ wooi⁶ —   機會   (V) *take advantage of the opportunity.*

— hui¹° —   墟   (V) *go to market.*

— sai³ —   勢   (V) *take advantage of power or situation (to get a thing done).*

— si⁴ hau⁶ —   時候   (IC) *take advantage of the time.*

chan³ 襯   216   (N) *under clothing.* ‡ (V) *serve for contrasting effect; assist.* ‡

— kwan⁴ —   裙   (N) *underskirt; petticoat.* (*Cl.* tiu⁴ 條)

— saam¹° —   衫   (N) *shirt.* **Mdn.** (*Cl.* gin⁶ 件)

— sik¹° —   色   (V) *add (background) colour to.*

— tok³ —   托   (V) *serve for contrast (as colours in painting or characters in novel).*

chan⁴ 陳   217   (N) *surname.* (Adj) *old.* **Bk.** ‡   (V) *set out; arrange.* ‡

— chit³ —   切   (V) *set out; arrange.* **FE**

— gau⁶ —   舊   (Adj) *very old.* **FE**

— lit⁶ —   列   (V) *exhibit; set out.* **FE**

— — ban² — — 品   (N) *exhibit.* (*Cl.* gin⁶ 件)

⁵   — — soh² — — 所   (N) *exhibition; showroom.* (*Cl.* gaan¹ 間)

— pei⁴ —   皮   (N) *dried orange peel.* (*Cl.* faai³ 塊)

— sut⁶ —   述   (V) *state a case; explain.* **Fml.**

— — yi³ gin³ — — 意見   (SE) *statement of one's views.* (*Cl.* chi³ 次)

chan⁴ 塵   218   (N) *dust; dirt.*   *(No Cl.)*

— juk⁶ — 俗   (N) *this mortal life (a Buddhist term).*
— sai³ — 世   (N) *ditto.*
— oi¹ — 埃   (N) *dust; dirt.*   **Fml.**   *(No Cl.)*
— to² — 土   (N) *ditto.*

chang⁴ 曾   219   (Adv) *once; already.*   ‡   **Fml.**   **AP Jang¹ see 1340.**

— gei² hoh⁴ si⁴ — 幾何時   (SE) *not very long ago.*
— ging¹ — 經   (Adv) *once; already.*   **FE**   **Fml.**

chang⁴ 層   220   (Cl) *for tenement flats, storeys of a building, etc.* (PN) *flat in an apartment, storey of a building, layer in a cake, etc.*   *(No Cl.)*   (N) *point, matter.*   *(No Cl.)*

— chi³ — 次   (N) *orders; series; system.*   *(No Cl.)*
— — fan¹ ming⁴ — — 分明   (Adj) *systematic; orderly.*

chap¹° 輯   221   (V) *compile.*   ‡

chap¹° 緝   222   (V) *catch; arrest.*   ‡

— si¹ — 私   (V) *seize a smuggler.*
C— S— Dui⁶* — — 隊   (N) *the Preventive Services.*
c— wok⁶ — 獲   (V) *seize.*   *(GRT contraband)*

chat¹° 七（柒）   223   (Adj) *seven.*   (N) *seven.*

"C— Hei²" "— 喜"   (N) *"7-up".*   *(Bottle:* jun¹ 樽 *or* ji¹ 支)
c— jui² baat³ sit³ 七咀八舌   (SE) *confused talk; conflicting opinions.*
— sau² baat³ geuk³ — 手八脚   (SE) *great hurry and bustle.*
C— Yuet⁶ — 月   (N) *July.*

chat¹° 漆 224   (N) *lacquer.* *(No Cl.)*

— hei³ — 器   (N) *lacquer ware.* *(Cl.* gin⁶ 件)

chau¹ 秋（秌） 225   (N) *autumn.* ‡

— gwai³ — 季   (N) *autumn.* **FE**

— tin¹° — 天   (N) *ditto.*

— sau¹ — 收   (N) *autumn harvest.* *(Cl.* jo⁶ 造)

chau¹ 抽 226   (V) *draw out; take out.*

— cha⁴ — 查   (V) *take sth as a sample investigation.* (N) *sample investigation.* *(Cl.* chi³ 次)

— chim¹° — 籤   (V) *draw lots.*

— gan¹ — 筋   (V) *have spasms.* (N) *spasms.* *(Cl.* chi³ 次)

— hei³ — 氣   (V) *ventilate.*

— — gei¹ — — 機   (N) *ventilator.* *(Cl.* ga³ 架)

— jeung⁶ — 象   (Adj) *abstract.*

— — ming⁴ chi⁴ — — 名詞   (N) *abstract noun.*

— jong³ ding¹ — 壯丁   (V) *conscript men for military service.*

— sui² — 水   (V) *pump water; take percentage (by a banker in gambling).*

10   — — gei¹ — — 機   (N) *water pump.* *(Cl.* ga³ 架)

— sui³ — 稅   (V) *levy tax.*

chau¹ 鞦（鞧） 227   (N) *leather strap.* **Bk.** ‡

— chin¹° — 韆（秋千）   (N) *swing (plaything for children).*

chau² 醜 228   (Adj) *ugly; repulsive.* ‡

— man⁴ — 聞   (N) *scandal.* *(Cl.* gin⁶ 件)

— ok³ — 惡   (Adj) *repulsive; ugly.* **FE**

— si⁶ — 事   (N) *disgraceful affair; ugly matter.* *(Cl.* gin⁶ 件)

— yeung⁶* — 樣   (Adj) *ill-looking; ugly.*

chau² 丑   229   (N) *clown.* ‡

— gok³ — 角   (N) *clown.* **FE**

chau³ 臭   230   (Adj) *smelly.* ‡

— chui⁴ — 膗   (N) *bad odour; bad smell.*   (*Cl.* jam⁶ 啖)
— hei³ — 氣   (N) *ditto.*
— mei⁶ — 味   (N) *ditto.*
— dau⁶ foo⁶ — 豆腐   (N) *fermented bean curd.*   (*Cl.* juen¹ 磚 *or* faai³ 塊)

5   — sui² — 水   (N) *carbolic acid.*   *(No Cl.)*
— woo⁴ — 狐   (N) *odour from armpit.*   (*Cl.* jam⁶ 啖)
— yuen⁴* — 丸   (N) *camphor ball.*   (*Cl.* nap¹° 粒)

chau³ 嗅   231   (V) *smell.* **Fml.** ‡

— gok³ — 覺   (N) *the sense of smell.*   *(No Cl.)*
— yim⁴ — 鹽   (N) *smelling salt.*   (*Cl.* nap¹° 粒 *; Bottle:* jun¹ 樽 .)

chau³ 湊(湊)   232   (V) *come together.* **Fml.** ‡

— go¹ hing³ — 高興   (SE) *join in the fun.*
— yit⁶ naau⁶ — 熱鬧   (SE) *ditto.*
— so³ — 數   (V) *make up the proper number.*

chau⁴ 仇(讎，讐)   233   (N) *enemy; enmity.* **Fml.** ‡ **AP sau⁴ SM see 2697.**

chau⁴ 稠   234   (Adj) *dense.* **Fml.** ‡   (Adv) *densely.* **Fml.** ‡

— mat⁶ — 密   (Adv) *densely.* **Fml. FE**   (Adj) *dense.* **Fml. FE**

chau⁴ 囚   235   (N) *prisoner; convict.* ‡   (V) *imprison.* ‡

— faan⁶* — 犯   (N) *prisoner; convict.* **FE**
— gam³ — 禁   (V) *imprison.* **FE**

chau⁴酋 236　　(N) *chief; headman.* **Fml.** ‡　AP yau⁴ SM see 3357.

chau⁴籌 237　　(V) *prepare for; devise.* ‡　AP chau⁴* see 238.

— bei⁶ — 備　　(V) *prepare for.* **FE**

— — gan² — — 緊　　(Adv) *in course of preparation; in hand.*

— foon² — 欵　　(V) *raise funds.*

— ma⁵ — 碼　　(N) *chips (as a counters in certain games).*

— waak⁶ — 畫　　(V) *plan; devise.* **Fml.**

chau⁴* 籌 238　　(N) *tally.* (*Cl.* tiu⁴條)　AP chau⁴ see 237.

chau⁴綢 239　　(N) *silk goods.* **Fml.** ‡　AP chau⁴* see 240.

— duen⁶ — 緞　　(N) *silk goods; silks and satins.* **FE**　(*Bolt:* pat¹°正；
yard: ma⁵碼)

chau⁴* 綢 240　　(N) *pongee; thin silk.* **Coll.** (*Bolt:* pat¹° 正；*yard:*
ma⁵碼) **Ap chau⁴ see 239.**

— jai² — 仔　　(N) *thin silk.* **FE** (*Bolt:* pat¹° 正 ⁴ *yard:* ma⁵ 碼.)

che¹車 241　　(V) *give a lift; drive or take (sb to ssp); run over or hit
(a person, animal or thing with a car); do work with a
machine.* **Coll.** ‡　AP: (1) che¹° see 242; (2) gui¹
see 979.

— chan¹ — 親　　(V) *run over or hurt (a person or animal with a car,
etc.).*

— daai⁶ paau³ — 大砲　　(V) *tell a lie.* **Sl.**

— kui⁵ hui³ Waan¹° Jai² — 佢去灣仔 — (V) *give him a lift to Wan Tsai.*

— ngoh⁵ faan¹ uk¹° kei² — 我返屋跎 — (V) *drive me home.*

5　— saam¹° — 衫　　(V) *make clothes with a sewing-machine; sew a dress.*

— sei² — 死　　(V) *run into and kill (a person or animal with a car, etc.).*

— seung¹ — 傷　　(V) *run into and hurt (a person or animal with a car,
etc.).*

54

che¹° 車 242 (N) *land vehicles in general.* (*Cl.* ga³架) (PN) *carload; persons or things carried by a vehicle. (No Cl.)* **AP:** che¹ see 241; (2) gui¹ see 979.

— chin⁴* — 錢 (N) *fare. (ROT fares of land transports) (No Cl.)*

— fai³ — 費 (N) *ditto.*

— deng² — 頂 (N) *top of a car.*

— fong⁴ — 房 (N) *garage.* (*Cl.* gaan¹ 間 *or* goh³個)

5 — jaam⁶ — 站 (N) *station; stop.*

— jai² — 仔 (N) *rickshaw.* (*Cl.* ga³架)

— jue² — 主 (N) *car owner.*

— leung⁶ — 輛 (N) *cars in general.* **Fml.**

— mei⁵ dang¹° — 尾燈 (N) *tail light (of a car).* (*Cl.* jaan²蓋)

10 — paai⁴ — 牌 (N) *driving licence; licence plate; number plate.*

— — ho⁶ ma⁵ — — 號碼 (N) *registered number (of a car).*

— — — so³ — — — 數 (N) *ditto.*

— san¹° — 身 (N) *body of a car.*

— — saang¹ sau³ — — 生銹 (N) *corrosion. (ROT the body of a car). (No Cl.)*

15 — taai¹° — 呔 (N) *tyre; tube.* (*Cl.* tiu⁴條)

— tau⁴ — 頭 (N) *front of a car; engine of a car.*

— — boh¹° lei⁴° — — 玻璃 (N) *wind screen.* (*Cl.* faai³塊)

— — dang¹° — — 燈 (N) *headlight (of a car).* (*Cl.* jaan²蓋)

— — wai⁶* — — 位 (N) *front seat (of a car).*

20 — wai⁶* — 位 (N) *parking space; car length.*

che¹ 奢 243 (Adj) *luxurious; extravagant; wasteful.* **CP SF ‡AP** se¹ **SM see 2703.**

— chi² — 侈 (Adj) *extravagant; luxurious; wasteful.* **FE** (N) *luxury.* (*Cl.* jung²種)

— — ban² — — 品 (N) *luxury goods.* (*Cl.* jung² 種 *or* gin⁶件)

— — (ge³) jaap⁶ gwaan³ — — (嘅) 習慣 (N) *luxurious habite; extravagant ways.* (*Cl.* jung²種)

— — (—) sang¹ woot⁶ — — (—) 生活 (N) *life of luxury.* (*Cl.* jung² 種)

5 — — sui³ — — 稅 (N) *luxury tax.* (*Cl.* jung²種)

— mong⁶ — 望 (N) *extravagant hopes; delusive dreams.*

— wa⁴ — 華 (Adj) *showy.*

55

che²扯 244 (V) *go away* **(Coll.)**; *pull.* **AP chi² see 280.**

— bei⁶ hon⁴ — 鼻鼾 (V) *snore.*
— dai¹ — 低 (V) *pull down.*
— lok⁶ — 落 (V) *ditto.*
— go¹ — 高 (V) *pull up.*
5 — seung⁵ — 上 (V) *ditto.*
— pei⁴ tiu⁴ — 皮條 (V) *be a pimp.* **Sl.**

che²且 245 (Adv) *durthermore; moreover.* **Fml.** ‡

che³斜 246 (Adj) *steep; slanting; oblique.* **Coll. CP AP che⁴ SM see 247.**

— lo⁶ — 路 (N) *slope; steep road.* **Coll.** (*Cl.* tiu⁴條)

che⁴斜 247 (Adj) *steep; slanting; oblique.* **Fml.** ‡ **AP che³ SM see 246.**

— boh¹° — 坡 (N) *slope; steep road.* **Mdn.** (*Cl.* tiu⁴條)
— dui³ min⁶ — 對面 (Adj) *opposite but not directly so.*
— yeung⁴ — 陽 (N) *setting sun.* **Fml.**

che⁴邪 248 (Adj) *bad; evil; wicked; immoral.*

— bat¹° (nang⁴) sing³ jing³ — 不(能)勝正 (Sy) *the upright need not fear the crooked.* (*Lit, evil cannot overcome right*)
— ok³ — 惡 (Adj) *bad; evil; wicked; immoral.* **FE**
— paai³ — 派 (Adj) *ditto.*
— paai⁴* — 牌 (Adj) *erotic; lewd; lustful.* **Sl.**
5 — — din⁶ ying² — — 電影 (N) *erotic film.* **Sl.** (*Cl.* chut¹° 齣)
— suet³ — 說 (N) *heterodox theories.* (*Cl.* jung² 種)

chek³尺 249 (N) *Chinese foot* (=14.1 English measurement or= 0.3581 metres). (*No Cl.*) (N) *foot ruler.* (*Cl.* ba² 把)

— chuen³ — 寸 (N) *length.*
— ma⁵ — 碼 (N) *size; measurement.* (*Cl.* goh³ 個)

chek³呎 250 (N) *English foot.* *(No Cl.)*

chek³赤 251 (Adj) *red.* **Fml.** ‡ **AP chik³ SM see 297.**

C— Chue⁵ — 柱 (N) *Stanley.* **AP Chik³ Chue⁵**
— ji⁶ — 字 (N) *"the red"; debts.* **AP chik³ ji⁶**

chek³痢 252 (N) *painful; aching.* *(GRT a headache)* **Coll.**
CC

— tung³ — 痛 (Adj) *painful; aching.* **FE**

cheng¹青 253 (Adj) *green.* **Coll.** **AP ching¹ SM see 312.**

— baak⁶ — 白 (Adj) *pale.*
— cho² — 草 (N) *green grass.* *(Cl.* poh¹ 篰 *)*
— choi³ — 菜 (N) *vegetable; green vegetables.* *(Cl.* poh¹ 篰 *)*
— dau⁶* — 豆 (N) *peas; green peas.* *(Cl.* nap¹° 粒 *)*
5 — dau⁶ gok³* — 豆角 (N) *string-beans; green string-beans.* *(Cl.* tiu⁴ 條)
— gwa¹° — 瓜 (N) *cucumber; green cucumber.*
— jiu¹ — 椒 (N) *pepper; green pepper.* *(Cl.* jek³ 隻 *)*
— luk⁶ — 綠 (SE) *fresh and green.* (N) *green foliage.* *(Cl.* pin³ 片 *)*
— tau⁴ jai² — 頭仔 (N) *young bachelor.* **Sl.**

cheng²請 254 (V) *employ; invite or treat sb. to; "please"; request.*
CP **AP ching² SM see 315.**

— bin⁶ la¹° — 便啦 (SE) *"As you wish"; "It's all right".*
— choh⁵ la¹° — 坐啦 (SE) *please sit down.*
— foh² gei³ — 伙記 (V) *employ assistants.*
— ga³ — 假 (V) *apply for leave.*
5 — haak³ — 客 (SE) *invite or treat sb. to (a meal, drink, party, film, etc.).*
— kau⁴ — 求 (V) *request.* **FE**

— man⁶ — 問 (SE) *"Will you please tell me . . .?"*; *"May I ask you . . .?"*.

— sik⁶ (bin⁶) faan⁶ — 食 (便) 飯 (SE) *invite sb to (an informal) meal.*

— tai² hei³ — 睇戲 (V) *invite sb to a show/film.*

10 — tip³* — 帖 (N) *invitation card; "parking ticket".* (**Joc.**). (*Cl.* jeung¹ 張)

— yam² — 飲 (SE) *give a (formal) dinner.*

— — cha⁴ — — 茶 (SE) *buy sb a lunch.*

— — git³ fan¹ — — 結婚酒 (SE) *give a wedding reception.*

— — saang¹ yat⁶ jau² — — 生日酒 (SE) *give a birthday dinner/party.*

15 — — yap⁶ foh² jau² — — 入伙酒 (SE) *give a house-warming party.*

— yap⁶ lai⁴ la¹° — 入嚟啦 (SE) *please come in.*

cheuk³灼 255 (V) *cook by soaking in boiling water.* **CP** ‡
CC AP jeuk³ see 1381.

cheuk³芍 256 (N) *dahlia; peony.* **CP** ‡ **AP** jeuk³ **SM** see 1382.

— yeuk⁶ — 藥 (N) *dahlia; peony.* **CP FE** (*Cl.* deuh² *or* doh² 朵)

cheuk³桌 257 (N) *desk; table.* **Mdn. CP** ‡ **AP jeuk³ SM** see 1383.

— kau⁴ — 球 (N) *billiard.* **CP** (*Cl.* goh³ 個 ; *Game:* guk⁶ 局 .)

cheuk³鵲 258 (N) *bird.* **Fml.** (*Cl.* jek³ 只) **AP jeuk³ SM** see 1384.

cheung¹°槍(鎗) 259 (N) *gun; spear.* (*Cl.* ji¹ 枝)

— bai⁶ — 斃 (V) *execute by shooting.*

— daan⁶* — 彈 (N) *ammunition.* (*No Cl.*)

— faat³ — 法 (N) *spear drill; marksmanship.* (*Cl.* jung² 種)

— paau³ — 砲 (N) *fire-arms in general; guns in general.* (*No Cl.*)

5 — sau² — 手 (N) *gunman; substitute (who enters the examination instead of the candidate).*

— seng¹ — 聲 (N) *noise of fire-arms.* (*Cl.* seng¹ 聲)

cheung¹°窗(窓,牕) 260   (N) *window.*   (*Cl.* jek³隻 *or* goh³個)

— hau² — 口   (N) *window.*   *(ROT opening in wall—not window unit)*

— lim⁴* — 簾   (N) *window curtain.*   (*Cl.* faai³塊 *or* fuk¹°幅)

— moon⁴* — 門   (N) *shutters; window.*   *(RT panes and frame as a whole)*   (*Cl.* jek³ 只 *or* goh³個)

cheung¹娼 261   (N) *prostitute.* ‡

— gei⁶ — 妓   (N) *prostitute.*   **FE**

cheung¹猖 262   (Adj) *insubordinate; seditious.* ‡

— kuet³ — 獗   (Adj) *insubordinate; seditious.*   **FE**

— kwong⁴ — 狂   (Adj) *ditto.*

cheung²搶 263   (V) *take by force; snatch; rob; rush to do sth.* **AP chong³ see 374.**

— gip³ — 刼   (V) *robberies in general.* **FE**   (*Cl.* chi³次)   (V) *rob.* **FE**

— — da² saat³ — — 打殺   (N) *violent crimes in general.*   (*Cl.* chi³次)

— — on³ — — 案   (N) *robbery case.*   (*Cl.* gin⁶ 件 *or* chi³次)

— — pin³* — — 片   (N) *gangster film.*   (*Cl.* chut¹° 齣 *or* to³套)

⁵   — jaap⁶ — 閘   (V) *take premature action; rush to do sth.* **Coll.**

— sin¹ — 先   (V) *ditto.* **Fml.**

— jue⁶ — 住   (V) *fight for; rush for.*

— wong⁴ dang¹° — 黃燈   (SE) *cross on the amber lights.*

— ye⁵ — 嘢   (V) *take by force; snatch; rob.* **Coll.**

cheung³唱 264   (V) *sing.*

— dip⁶* — 碟   (N) *record or disc.*   (*Cl.* jek³ 隻 *or* jeung¹ 張)

— pin³* — 片   (N) *ditto.*

— gei¹ — 機   (N) *record-player.*

— goh¹° — 歌   (V) *sing.* **FE**

cheung³ 暢   265   (Adj) *joyful; pleased.* ‡

— faai³ — 快   (Adj) *joyful; pleased.* **FE**

— siu¹ — 銷   (V) *have a wide market.*

— tung¹ — 通   (Adj) *flowing freely (RT traffic); not constipated (RT the digestive system)*

cheung⁴ 腸   266   (N) *intestines; bowels.* **Fml.** ‡

— wai⁶ — 胃   (SE) *the digestive system.* *(No Cl.)* **AP cheung⁴* see 267.**

— — yim⁴ — — 炎   (N) *catarrh.* *(Cl.* chi³ 次)

cheung⁴* 腸   267   (N) *sausage; intestines; bowels.* **Coll.** *(Cl.* tiu⁴ 條) **AP cheung⁴ see 266.**

cheung⁴ 長   268   (Adj) *long (in length).* **AP jeung² see 1398.**

— chue³ — 處   (N) *good point, strong point.* *(Cl.* goh³ 個 *or* dim²點)

— do⁶ — 度   (N) *length.*

— duen² — 短   (N) *ditto.*

— — foh² — — 火   (SE) *camera with a telephoto lens; shotgun and revolver.*

⁵ — foo³ — 褲   (N) *trousers; slacks.* *(Cl.* tiu⁴ 條)

— geng² luk⁶* — 頸鹿   (N) *giraffe.* *(Cl.* jek³ 只)

— gau² — 久   (Adj) *permanent; very long (in time); long-standing.*

C— Gong¹ — 江   (N) *the Yangtze; the Yangtze River.* *(Lit. Long River)* *(Cl.* tiu⁴ 條)

— — hau⁶ long⁶ tui¹ chin⁴ long⁶, yat¹° doi⁶ san¹ yan⁴ woon⁶ gau⁶ yan⁴. — — 後浪推前浪，一代新人換舊人。   (SE) *A new generation replaces an old one, just as waves push one another in the Yangtze.*

¹⁰ c— gung¹° — 工   (N) *regular employment; permanent employee.*

— hei³ — 氣   (Adj) *long-winded; talkative.*

— heuh¹ — 靴   (N) *high boots.* *(Cl.* jek³ 隻 *; Pair:* dui³ 對.)

C— Jau¹ — 洲   (N) *Cheung Chau.*

— Jing¹ — 征   (N) *the "Long March".* *(Cl.* chi³ 次)

15   c— j— — —   (V) *go on a long journey.* **Fig.**
   — kei⁴   —   期   (Adj) *long-term.*   (Adv) *for a long period of time.*
   — si⁴ gaan³   —   時間   (Adj) *ditto.*   (Adv) *ditto.*
   — kui⁵ lei⁴   —   距離   (Adj) *long distance.*
   — (— —) geng³ tau⁴   — (— —)   鏡頭   (N) *telephoto lens.*
20   — lung⁴   —   龍   (N) *queue; long queue.*   (*Cl.* tiu⁴ 條)
   — mat⁶   —   襪   (N) *long socks.*   (*Cl.* jek³ 只; *Pair:* dui³ 對.)
   — meng⁶   —   命   (Adj) *long-lived.*   (N) *longevity.*   *(No Cl.)*
   — sau⁶   —   壽   (Adj) *ditto.*   (N) *ditto.*
   — mo⁴ chaak⁶   —   毛賊   (N) *man with long hair.*   **Joc.**
25   — pin¹ siu² suet³   —   篇小說   (N) *novel; full-length novel.*   (*Cl.* bo⁶ 部 or boon² 本)
   — saam¹°   —   衫   (N) *"cheung sam"* **(Tr.)** *long gown.*   (*Cl.* gin⁶ 件)
   — — ma⁵ gwa³*   — —   馬褂   (N) *Chinese-style formal suit worn by men.*   (*Cl.* to³ 套)
   Ch— Sing⁴   —   城   (N) *the Great Wall (of China).*   (*Cl.* tiu⁴ 條)
   c— to⁴   —   途   (N) *long distance.*

cheung⁴ 牆(墙，廧) 269   (N) *wall.*   (*Cl.* fuk¹° 幅 *or* bung⁶ 埲)

   — geuk³   —   腳   (N) *the foot of a wall.*   (*Cl.* sue³ 處)
   — tau⁴   —   頭   (N) *the top of a wall.*   (*Cl.* sue³ 處)

cheung⁴ 場(塲) 270   (N) *open space; ground.* ‡ *(No Cl.).* (Cl) *for shows and performances; for ball games and matches; for wars and battles; etc.*

   — dei⁶   —   地   (N) *space; ground; site.*   **FE**   (*Cl.* goh³ 個 *or* sue³ 處)
   — hap⁶   —   合   (N) *occasion; event; function.*   (*Cl.* jung² 種 *or* goh³ 個)
   — min⁶*   —   面   (N) *scene; show; stage.*   *(RT prestige, serial impact, outward form or appearance of an event).*
   — soh²   —   所   (N) *place; location.*   **FE**   (*Cl.* goh³ 個 *or* sue³ 處)

cheung⁴ 祥 271   (Adj) *lucky; fortunate.*   **Bk.** ‡

   — siu⁶   —   兆   (N) *lucky omen; lucky signs.*
   — sui⁶   —   瑞   (N) *ditto.*

cheung⁴詳 272 (Adj) *detailed.* ‡ (Adv) *in detail.* ‡

— sai³ — 細 (Adj) *detailed.* **FE** (Adv) *in detail.* **FE**

— — noi⁶ yung⁴ — — 內容 (N) *detailed description; full particulars (of sth).*

chi¹差 273 (Adj) *unequal; irregular.* **Bk.** ‡ (*see* cham¹ chi¹ *in 204/1.*) **AP: (1)** cha¹ see 164; **(2)** chaai¹ see 168.

chi¹黐 274 (V) *stick to; get close to.* ‡ (Adj) *crazy.* **Sl.** ‡

— chi¹ dei⁶* — 黐哋 (Adj) *muddle-headed; crazy; out of one's mind.* **Sl.**

— sin³ — 線 (Adj) *ditto.*

— tip³ — 貼 (Prep) *close to; close by.*

chi¹笞 275 (V) *flog (as a penalty).* **Fml.** ‡

— ying⁴ — 刑 (V) *flog (as a penalty).* **Fml.** (N) *flogging (as a penalty).* **Fml.** (*No Cl.*)

chi¹疵 276 (N) *fault; defect; flaw.* **Fml.** ‡

chi¹癡(痴) 277 (Adj) *foolish; idiotic.* **Fml.** ‡

— ching⁴ — 情 (Adj) *infatuated (with sb.).*

— sam¹ — 心 (Adj) *ditto.*

— yan⁴ — 人 (N) *foolish person.* **Fml.**

chi¹雌 278 (Adj) *female.* **Fml.** ‡

— hung⁴ — 雄 (SE) *female and male; both sexes.* **Fml.**

— lo⁵ foo² — 老虎 (N) *virago (Joc.); tigress.* (*Cl.* jek³只)

— sing³ — 性 (Adj) *female.* **Fml. FE**

chi²此 279 (Adj) *this.* **Bk.** ‡ (*see* bei² chi² *in 79/1.*)

62

chi² 扯   **280**   (V) *pull apart; pull off.*   ‡   **AP che² see 244.**
     CC

— hoi¹   —   開   (V) *pull off.*   **FE**

— laan⁶   —   爛   (V) *pull apart.*   **FE**

chi² 始   **281**   (N) *the beginning.* **Fml.** ‡   (V) *begin.* **Fml.** ‡

— jung¹   —   終   (Adv) *one way or another; eventually; from beginning to end.*

— — yue⁴ yat¹°   — —   如一   (SE) *remain the same from beginning to end; consistent.*

chi² 耻（恥）   **282**   (Adj) *ashamed.* ‡   (N) *shame.* ‡

— siu³   —   笑   (V) *laugh at; ridicule.*   **Fml.**   **FE**

— yuk⁶   —   辱   (N) *shame; disgrace.*   **FE**   (*Cl.* jung² 種)

chi³ 刺   **283**   (N) *thorn.*   (*Cl.* tiu⁴ 條)   (V) *stab; assassinate; satirize.*
     ‡   **AP chik³ see 298.**

— do¹   —   刀   (N) *bayonet.*   (*Cl.* ba² 把)

— gik¹°   —   激   (Adj) *exciting; stimulating.*   (N) *irritation; provocation; excitement; stimulation; stimulus.*   (*Cl.* jung² 種)   (V) *excite; stimulate; provoke; irritate.*

— — sing³   — —   性   (Adj) *of a stimulating nature.*

— haak³   —   客   (N) *assassin.*   **AP chik³ haak³.**

5 — nga⁴   —   牙   (N) *pick the teeth.*

— ngaan⁵   —   眼   (Adj) *irritating to the eyes.*

— saat³   —   殺   (V) *assassinate.*   **FE**   **AP chik³ saat³.**

— sau³   —   繡   (V) *embroider.*   (N) *embroidery.*   (*Cl.* jung² 種 *or* gin⁶ 件)   **AP chik³ sau³.**

— taam³ (bei³ mat⁶)   —   探（秘密）   (V) *spy upon; pry into (a secret).*

10 — yi⁵   —   耳   (Adj) *noisy.*   (*see* chaau² yi⁵ *in 42/3.*)

chi³ 厠（廁）   **284**   (N) *toilet; lavatory.*   **SF** ‡

— yi³   —   紙   (N) *toilet paper.*   (*Cl.* jeung¹ 張; *Roll:* guen² 捲)

— soh²   —   所   (N) *toilet; lavatory.*   **FE**   (*Cl.* "goh³" 個 *or* "gaan¹" 間)   .

chi³ 次 285   (N) *time.* *(RT occassion, events, etc.)* *(No Cl.)* (Adj) *inferior; secondary; lower.* ‡

— foh³ — 貨   (SE) *goods of inferior quality.* (*Cl.* pai 批)

— jui⁶ — 序   (N) *sequence; order.* (*RT way in which persons or things are placed one after another*)

— (yat¹°) dang² — (一) 等   (Adj) *of a lower grade/class.* **FE**

— (一) kap¹° — (一) 級   (Adj) *ditto.*

5   — yiu³ — 要   (Adj) *of minor importance.* **FE**

chi⁴ 持 286   (V) *hold; maintain; endure.* ‡ (*see* bo² chi⁴ *in 119/2*)

— ga¹ — 家   (V) *attend to household duties.* **Fml.**

— gau² — 久   (V) *hold out long; last.*

— — lik⁶ — — 力   (N) *endurance.* (*Cl.* jung² 種)

— — jin³ — — 戰   (N) *war of endurance.* (*Cl.* cheung⁴ 塲)

chi⁴ 慈 287   (N) *mercy; compassion; an epithet for mothers.* ‡ (Adj) *compassionate; merciful.* ‡

— bei¹ — 悲   (N) *benevolence; mercy.* **FE** *(No Cl.)* (Adj) *compassionate, forbearing.* **FE**

— cheung⁴ — 祥   (Adj) *propitious (to sb).*

— mo⁵ — 母   (N) *my mother; kind mother.* **Fml. PL**

— sin⁶ — 善   (N) *charity; benevolence; philanthropy.* *(No Cl.)* (Adj) *charitable; merciful.* **FE**

5   — — ga¹° — — 家   (N) *philanthropist.*

— — gei¹ gwaan¹ — — 機關   (N) *charitable institution.* (*Cl.* gaan¹ 間 *or* goh³ 個)

— — tuen⁴ tai² — — 團體   (N) *ditto.*

— — si⁶ yip⁶ — — 事業   (N) *charitable works.*

chi⁴ 磁 288   (N) *magnet.* ‡ (Adj) *magnetic.* ‡

— cheung⁴ — 塲   (N) *magnetic field.*

— jam¹° — 針   (N) *magnetic needle.* (*Cl.* ji¹ 支)

— lik⁶ — 力   (N) *magnetic force; attractive force.* **(Fig.).** (*Cl.* jung² 種)

— sek³ — 石   (N) *magnet; loadstone.* **FE**   (*Cl.* gau⁶ 礦 *or* faai³塊)

5 — sing³ — 性   (Adj) *magnetic; attractive* **(Fig.).**   **FE**

— — (ge³) seng¹ yam¹ — — (嘅) 聲音   (SE) *a sweet voice. (Lit. magnetic voice)*

— tit³ — 鉄   (N) *magnet; magnetic iron.*   **FE**   (*Cl.* gau⁶ 礦 *or* ji¹支)

chi⁴ 瓷   **289**   (N) *porcelain; china; chinaware.*

— hei³ — 器   (N) *porcelain; china; chinaware.* **FE**   (*Cl.* gin⁶件)

chi⁴ 詞   **290**   (N) *word; phrase; a part of speech.* **SF** ‡   (N) *poem; verse.*   (*Cl.* sau² 首)

— bat¹° daat⁶ yi³ — 不達意   (SE) *the sentence does not fully convey the idea.*

— din⁶* — 典 (辭典)   (N) *a book of phrases.*   (*Cl.* bo⁶部 *or* boon²本)

— gui³ — 句   (N) *wording; sentences in general. (No Cl.)*

chi⁴ 匙   **291**   (N) *spoon.* **SE** ‡   **AP** si⁴ see 2765.

— gang¹° — 羹   (N) *spoon.* **FE**   (*Cl.* jek³隻)

chi⁴ 辭 (受辛)   **292**   (V) *resign; sack; bid farewell.* ‡

— bit⁶ — 別   (V) *say good-bye (before a journey); bid farewell.* **FE**

— hang⁴ — 行   (V) *ditto.*

— gung¹° — 工   (N) *resignation. (No Cl.)*

— jik¹° — 職   (V) *ditto.* (N) *ditto.*

5 — — sun³ — — 信   (N) *a written resignation.* (*Cl.* fung¹ 封)

— tui³ — 退   (V) *dismiss from employment; sack; fire.*

chi⁴ 遲   **293**   (Adv) *late. (RT in general)* (Adj) *late (at any time); slow.*

— di¹° — 哋   (Adv) *in a little while; pretty soon; moments later.*

— ha⁵ — 吓   (Adv) *ditto.*

— do³ — 到   (V) *come late.* (N) *late arrival.* (*Person:* goh³ 個 ; *Time:* chi³次.)

— dun⁶ — 鈍   (Adj) *slow to comprehend.*

⁵ — jo² — 早   (Adv) *sooner or later.*

"— lai⁴ sin¹ jau²" "— 嚟先走 " (SE) *"last in, first out".* (*RT retrenchment of staff)*

— maan⁶ — 慢   (Adj) *slow; behindhand.* **FE**

chi⁴ 池 294   (N) *pool; pond.* **SF**

— tong⁴ — 塘   (N) *pool; pond.* **FE**

chi⁴ 祠 295   (N) *ancestral hall; temple.* **SF** (*Cl.* goh³ 個 *or* gaan¹間)

— tong⁴ — 堂   (N) *ancestral hall; temple.* **FE** (*Cl.* goh³ 個 *or* gaan¹ 間)

chi⁵ 似 296   (V) *look like; resemble; seem.* **SF**

— foo⁴ — 乎   (V) *seem; seem as if.* **FE**

— fei¹ yi⁴ si⁶ — 非而是   (SE) *apparently wrong but actually right.* *(GRT theories, arguments, etc.)*

— si⁶ yi⁴ fei¹ — 是而非   (SE) *apparently right but actually wrong.* *(GRT theories, arguments, etc.)*

— tung¹ bat¹° tung¹ — 通不通   (SE) *not quite correct.* *(GRT grammar)*

chik³ 赤 297   (Adj) *red.* **Fml.** ‡ **AP chek³ SM see 251.**

— chue⁵ — 柱   (N) *Stanley.* **AP Chek³ Chue⁵.**

— do⁶ — 道   (N) *the equator.* (*Cl.* tiu⁴條)

— ji⁶ — 字   (N) *"the red"; debts.* **AP chek³ ji⁶.**

— loh² — 裸   (Adj) *stark naked.*

⁵ — — si¹ tai² — — 屍體   (N) *naked corpse.*

chik³ 刺 298   (V) *stab; assassinate.* ‡ **AP chi³ see 283.**

— haak³ — 客   (N) *assassin.* **AP chi³ haak³.**

— saat³ — 殺   (V) *assassinate.* **FE AP chi³ saat³.**

— sau³ — 繡   (V) *embroider.* (N) *embroidery.* (*Cl.* jung² 種 *or* gin⁶件) **AP chi³ sau³.**

chim¹° 籤 299   (N) *tally; a slip of bamboo; lot (used for making selections or decisions).* (*Cl.* tiu⁴ 條)

chim¹ 簽 300   (V) sign. **SF** ‡

— ji⁶* — 字   (V) *sign (legally or formally).* (N) *signature.*

— jing³ — 證   (N) *visa.*

— meng⁴* — 名   (V) *autograph.* (N) *autograph.*

— sau¹ (tiu⁴) — 收 (條)   (V) *sign a receipt.*

5 — ding³ — 訂   (V) *sign.* *(RT contracts, agreements, treaties, pacts, etc.)* **Fml.**

— — hap⁶ tung⁴ — — 合同   (V) *sign a contract or agreement.*

— — hap⁶ yeuk³ — — 合約   (V) *ditto.*

— — tiu⁴ yeuk³ — — 條約   (V) *sign a treaty or pact.* **Fml.**

chim¹ 纖 301   (Adj) *small; fine.* **Bk.** ‡

— wai⁴ — 維   (N) *fabrics; tissue.* (*Cl.* jung² 種)

chim¹ 殲 302   (V) *annihilate; destroy.* **Fml.** ‡

— mit⁶ — 滅   (V) *annihilate.* **FE** (N) *annihilation.* (*Cl.* chi³ 次)

— — jin³ — — 戰   (N) *war of annihilation.* (*Cl.* cheung⁴ 塲 *or* chi³ 次)

chim⁴ 潛 303   (V) *hide away; secrete; submerge.* ‡

— fuk⁶ — 伏   (V) *hide away; secrete.* **FE** (Adj) *latent.*

— jat¹° — 質   (N) *potentiality.* (*Cl.* jung² 種)

— lik⁶ — 力   (N) *ditto.*

— sai³ lik⁶ — 勢力   (N) *latent power or influence.* (*Cl.* jung² 種)

5 — sui² — 水   (V) *submerge; swim under water.* **FE**

— (—) teng⁵ — (—) 艇   (N) *submarine.* (*Cl.* jek³ 只)

— — yi¹° — — 衣   (N) *diving-dress; diving-suit.* (*Cl.* to³ 套 *or* gin⁶ 件)

chin¹千(仟)   304   (Adj) *thousand.* (N) *thousand.* *(No Cl.)*

— chin¹ maan⁶ maan⁶ — 千萬萬   (SE) *thousands of; millions of; ever so many.*

— fong¹ baak³ gai³ — 方百計   (SE) *try every means; by fair means or foul.*

— gam¹° — 金   (N) *daughter (of someone else); "your honourable daughter".* **Fml. PL.**

— kei⁴ — 祈   (Adv) *for heaven's sake.*

5   — pin¹ yat¹° lut⁶ — 篇一律   (SE) *just the same; just a mere repetition.*

— — — — ge³ gau⁶ kiu⁴* — — — — 嘅舊橋   (SE) *the same old story; the same old trick.*

— san¹ maan⁶ foo² — 辛萬苦   (SE) *severe toil; lots of hardships.*

chin¹° 千   305   CC   (N) *card cheat; swindler.* **Coll. SF** ‡   (V) *cheat at cards; swindle.* **Coll. SF** ‡

chin¹ 遷   306   (V) *move house; remove.* **Fml. SF** ‡

— jau⁶ — 就   (V) *make a compromise; give in.* **FE**

— yi⁴ — 移   (V) *move house; remove.* **Fml. FE**

chin² 淺   307   (Adj) *light (in colour); shallow (in depth).*

— baak⁶ — 白   (Adj) *simple and straightforward.*

— bok⁶ — 薄   (Adj) *shallow; superficial.* *(RT knowledge, experience, mind, etc.)*

— — ge³ yan⁴ — — 嘅人   (SE) *a shallow and superficial person.*

— fooi¹ (sik¹°) — 灰 (色)   (Adj) *light grey.*

5   — sik¹° — 色   (N) *a light shade of colour.* *(Cl.* jung² 種 *or* goh³個)

— sui² — 水   (N) *shallow water.* *(No Cl.)*

C— S— Waan¹° — — 灣   (N) *Repulse Bay.*

chin⁴ 錢   308   (N) *money.* **Fml.** ‡ *(No Cl.)* (N) *a surname.*

— choi⁴ — 財   (N) *wealth; money.* **Fml. FE** *(No Cl.)*

— ngan⁴ — 銀   (N) *ditto.* **AP chin⁴* ngan⁴*.**

— — toi⁴*　— — 枱　　(N) *money-changer.*

— jaai³　—　債　　(N) *a debt of money.* **Fml.** (*Cl.* bat¹° 筆)

5　— — on³　— — 案　　(N) *a civil case (at law).* (*Cl.* jung¹ 宗 *or* gin⁶ 件)

chin⁴* 錢　309　　(N) *money.* **Coll.** (*Cl.* bat¹° 筆)

— ngan⁴*　— 銀　　(N) *wealth; money.* **FE Coll.** *(No Cl.)* **AP** chin⁴ ngan⁴.

chin⁴ 前　310　　(Adv) *ago, formerly.* ‡　(Adj) *front; previous.* ‡

— bin⁶　— 便　　(PP) *in front of.* (Adv) *in front of.* (N) *the front side. (No Cl.)*

— chin⁴ hau⁶ hau⁶　— 前後後　　(SE) *altogether; before and after.*

— fong¹　— 方　　(N) *front line (of battle); the "front".*

— sin³　— 綫　　(N) *ditto.* (*Cl.* tiu⁴ 條)

5　— gei² yat⁶　— 幾日　　(Adv) *a few days ago.*

— ging²　— 景　　(N) *foreground; prospect.* (*Cf.* booi³ ging² *in 150/3*)

— goh³ lai⁵ baai³　— 個禮拜　　(N) *the week before last.* (Adv) *two weeks ago.*

— — yuet⁶　— — 月　　(N) *the month before last.* (Adv) *two months ago.*

— hau⁶　— 後　　(Adv) *before and after; in front and back.*

10　— — joh² yau⁶　— — 左右　　(Adv) *in every direction. (Lit. before and behind, left and right.)*

— jau³ (kuk¹°)　— 奏 (曲)　　(N) *overture; prelude (to an event).*

— je²　— 者　　(N) *the former.*

— — hau⁶ je²　— — 後者　　(SE) *the former and the latter.*

— ji³ chi⁴　— 置詞　　(N) *preposition.* **Gr.**

15　— jik⁶　— 夕　　(N) *the eve (of a storm, revolution, event, etc.).*

— jun³　— 進　　(V) *move forward; advance.* (Adj) *progressive; revolutionary.*

— maan⁵　— 晚　　(Adv) *the night before last.* (N) *the night before last.*

— moon⁴*　— 門　　(N) *the front door.* (*Cl.* do⁶ 度)

— nin⁴* — 年　(Adv) *the year before last.* (N) *the year before last.*

20 — san¹ — 身　(N) *earlier form of some body or organization (e.g. League of Nations in relation to U.N.O.).*

— to⁴ — 途　(N) *future.*

— tui¹ hau⁶ ung² — 推後擁　(SE) *jostle one another in a crowd.* **Coll.**

— yam⁶ — 任　(N) *predecessor.*

— — hau⁶ yam⁶ — — 後任　(SE) *predecessor and successor.*

25 — yan¹ hau⁶ gwoh² — 因後果　(SE) *antecedent and consequent; cause and effect.* **FE**

— yat⁶ — 日　(Adv) *the day before yesterday.* (N) *the day before yesterday.*

— — jiu¹ — — 朝　(Adv) *the morning before last.* (N) *the morning before last.*

— yin⁴ — 言　(N) *foreword (to a book).* (*Cl.* pin¹ 篇)

ching¹ 清　311　(Adj) *honest; pure; clear; lucid.* ‡　(N) *name of the Manchu dynasty.* **SF**

— baak⁶ (mo⁴ gwoo¹) — 白 (無辜)　(Adj) *innocent; not guilty; unsullied.*

— cha⁴ — 茶　(N) *tea (served at a chinese restaurant or tea house).* (*Cup or glass:* booi¹ 杯)

C— Chiu⁴ — 朝　(N) *the Manchu dynasty (1644–1912 A.D.).* **FE**

c— choh² — 楚　(Adv) *correctly (RT memory); clearly.* (Adj) *clear; lucid.* **FE**

5 — daan¹° — 單　(N) *detailed list; statement of account.* (*Cl.* jeung¹ 張; *copy:* fan⁶ 份.)

— dan⁶ — 燉　(V) *double-boil.*

— — bak¹° gwoo¹ — — 北菇　(N) *double-boiled mushroom soup.*

— do⁶ foo¹° — 道夫　(N) *street-cleaner.* **Fml.**

— foo2 — 苦　(Adj) *poverty-stricken.*

10 — fung¹ — 風　(N) *a fresh breeze.* (*Cl.* jan⁶ 陣)

C— Gaau³ To⁴ — 教徒　(N) *Puritan.*

c— git³ — 潔　(Adj) *pure; clean.* **Fml. FE**

— go¹ — 高　(Adj) *elevated or lofty (as ideals); self-important.* **(Joc.)**

— gwoon¹　— 官　(N) *honest and incorrupt official.*

¹⁵ — haan⁴　— 閒　(Adj) *at leisure.*

C— Jan¹°　— 眞　(N) *Allah; God (in Islam).*

— — Gaau³　— — 教　(N) *Islam.*

— — ji⁶*　— — 寺　(N) *mosque.*

²⁰ c— jing¹　— 蒸　(V) *steam; cook with steam-heat.*

— — sek⁶ bann¹°　— — 石斑　(N) *steamed garoupa.* (*Cl.* goh³個 *or* tiu⁴條)

— jing⁶　— 靜　(Adj) *secluded; quiet.*

— leung⁴　— 涼　(Adj) *bracing; refreshing; cool.*

— lim⁴　— 廉　(Adj) *honest; incorruptible.* (*ROT officials*) **FE**

C— Ming⁴ (Jit³)　— 明 (節)　(N) *the Ching Ming Festival.* **Tr.**

²⁵ c— sing²　— 醒　(V) *sober up; regain consciousness.* (Adj) *sober; conscious.*

— suen³　— 算　(V) *liquidate.* (N) *liquidation.* (*Cl.* chi³ 次)

— tong¹　— 湯　(N) *clear soup.*

ching¹ 青　312　(Adj) *green.* **Fml.** **AP cheng¹ SM see 253.**

— chun¹　— 春　(N) *youth; early life of a person.* **Fml.** *(No Cl.)*

— chut¹° yue¹ laam⁴ (sing³ yue¹ laam⁴)　— 出於藍 (勝於藍)　(Sy) *A pupil excels his master.* **Fig.** *(Lit. green comes from blue, but it excels blue.)*

C— Do²　— 島　(N) *Tsingtao.* **Tr.**

— — be¹° jau²　— — 啤酒　(N) *Tsingtao beer.* *(Tr.)* *(Bottle:* jun¹ 樽 *or* ji¹ 支)

⁵ — Hoi² (Saang²)　— 海 (省)　(N) *Chinghai (Province).* **(Tr.)**

c— nin⁴　— 年　(N) *youth; young man.* **Fml.** (Adj) *young.* **Fml.**

C— N— Wooi⁶*　— — 會　(N) *Y.M.C.A.* (*Cl.* gaan¹ 間)

c— n— yan⁴　— 人　(N) *youth; young man.* **Fml.**

C— Saan¹　— 山　(N) *Castle Peak.* *(Lit. green mountain; also known as "*Tuen⁴ Moon⁴*"* 屯門.)

¹⁰ — — Do⁶　— — 道　(N) *Castle Peak Road.* *(RT its entire length from Kowloon to Castle Peak)* (*Cl.* tiu⁴ 條)

— — Gung¹ Lo⁶　— — 公路　(N) *Castle Peak Road.* *(ROT the part in the New Territories)* (*Cl.* tiu⁴ 條)

— — Yi¹ Yuen⁶* — — 醫院　(N) *Castle Peak Hospital.* (*Cl.* "gaan¹" 間)

c— siu³ nin⁴ — 少年　(SE) *young people in general.*

— tung⁴ — 銅　(N) *bronze.* *(No Cl.)*

15　— wa¹ — 蛙　(N) *frog.* **Fml. FE** (*Cl.* jek³ 只)

ching¹ 稱　313

(V) *praise.* **SF ‡ AP: (1) chan³ see 214; (2) ching³ see 31.**

— foo¹ — 呼　(V) *address sb. politely; call sb. by his title.* (N) *polite form of address; respectable title.*

— jann³ — 讚　(V) *praise.* **FE** (N) *praise.* (*Cl.* jung² 種)

ching³ 稱　314

(N) *steelyard; scale.* (*Cl.* ba² 把) (V) *weigh with scales.* **AP: (1) chan³ see 214; (2) ching¹ see 313.**

— foh³ — 貨　(V) *weigh merchandise.*

— ye⁵ — 嘢　(V) *ditto.*

ching² 請　315

(V) *invite or treat sb. to; request; "please"; employ.* **FP AP cheng² SM see 254.**

— beng⁶ ga³ — 病假　(V) *apply for sick leave.*

— bin⁶ la¹° — 便啦　(SE) *"As you wish"; "It's all right".*

— ga³ — 假　(V) *apply for leave.*

— kau⁴ — 求　(V) *request.* **FE**

5　— men⁶ — 問　(SE) *"Will you please tell me . . . ?"; "May I ask you . . . ?".*

— on¹ — 安　(V) *ask after sb; pay respects to sb.*

— si⁶ ga³ — 事假　(V) *apply for casual leave.*

— yuen⁶ — 願　(N) *petition.* (*Cl.* chi³ 次) (V) *make a petition to (authorities).*

— — sue¹° — — 書　(N) *written petition.* (*Cl.* jeung¹ 張 *or* fan⁶ 份)

ching 拯　316

(V) *save; rescue.* **Fml. ‡**

— gau³ — 救　(V) *save; rescue.* **Fml. FE**

— — gung¹ jok³ — — 工作　(N) *rescue operation.* (*Cl.* chi³ 次 *or* jung² 種)

— nik⁶ — 溺　(V) *rescue a drowning person.* **Fml. FE**

ching³ 秤 **317**   (N) *steelyard; scale.* (*Cl.* ba² 把)

— toh⁴* — 鉈   (N) *the weight used with a steelyard; a burden* (**Fig.**).

ching⁴ 情 **318**   (N) *love; affection; emotions; favour.* **SF** ‡

— diu⁶ — 調   (N) *atmosphere; taste.* (*RT surrounding, decor, etc.*) (*Cl.* jung² 種)

— fong³ — 況   (N) *condition; situation.* (*Cl.* jung² 種 *or* goh³ 個)

— ying⁴ — 形   (N) *ditto.*

— foo⁵ — 婦   (N) *mistress.*

⁵ — gam² — 感   (N) *emotions; affection; love; sentiment.* **FE** (*Cl.* jung² 種)

— — chung¹ dung⁶ — — 衝動   (SE) *the rush of passions; outburst of emotion.*

— — mung⁴ bai³ joh² lei⁵ ji³ — — 蒙蔽咗理智   (SE) *the emotions cloud the mind.*

— jit³ — 節   (N) *plot (of a novel, play, etc.).*

— min⁶ — 面   (N) *favour; partiality.*

¹⁰ — saat³ (on³) — 殺（案 ）   (SE) *murder (due to an unhappy love involvement of some kind); murder (caused by "the eternal triangle").*

— sui⁵ — 緒   (N) *state of mind; state of mood; emotions.* (*Cl.* jung² 種)

— yan⁴ — 人   (N) *lover; sweetheart.*

— yuen⁶* — 願   (V) *prefer; would rather (do sth).*

ching⁴ 晴 **319**   (N) *clear sky; fair weather.* **Fml.** ‡

— long⁵ — 朗   (Adj) *mild; fair.* (*RT weather*) **Fml.** **FE**

— tin¹ — 天   (N) *a fine day.* **Fml.** **FE**

ching⁴ 呈 **320**   (V) *present (sth to a superior).* **Fml.** ‡

— bo³ — 報   (V) *present (a report to a superior or to authorities).* **Fml.** **FE**

— gaau¹ — 交   (V) *deliver to; hand in.* **Fml.** **PL** **FE**

— jun² — 准   (V) *apply for and receive permission.* **Fml.** **FE**

— man⁴ — 文   (N) *written petition.* **Fml.** **FE** (*Cl.* jeung¹ 張 *or* fan⁶ 份)

5 — yin⁶ — 現   (V) *appear; emerge.* **Fml.** **FS**

ching⁴ 程 321   (N) *journey; standard.* **SF** ‡ (N) *surname.* (*No Cl.*)

— do⁶ — 度   (N) *standard; grade; qualifications or attainments required.* **FE** (*Cl.* jung² 種 *or* goh³ 個)

— jui⁶ — 序   (N) *sequence; process.* (*Cl.* jung² 種 *or* goh³ 個)

— yi⁴ — 儀   (N) *a parting present.* (*Cl.* bat¹° 筆 *or* fung¹ 封) **Fml.** **FE**

ching⁴ 醒 322   (N) *jar; large earthen jar.*

ching⁴ 懲 323   (V) *reprimand; discipline.* **Fml.** **SF** ‡

— fat⁶ — 罰   (V) *reprimand.* **Fml.** **FE**

— gaai³ — 戒   (V) *discipline.* **Fml.** **FE**

— gaau³ soh² — 教所   (N) *reformatory.* (*Cl.* gaan¹ 間)

— — yuen⁶* — — 院   (N) *ditto.*

ching⁴ 澄 324   (V) *clarify.* **SF** ‡ (Adj) *clear.* **SF** ‡

— ching¹ — 清   (V) *clarify.* (*RT doubt, misunderstanding, etc.*) (Adj) *clear.* **Fml.** **FE**

ching⁴ 成 325   (N) *10%; one tenth.* **CP** **Coll.** (*No Cl.*) **AP** (1) sing⁴ see 2725; (2) sing⁴ see 2828.

chip³ 妾 326   (N) *concubine.* **SF**

— si⁶ — 侍   (N) *concubine.* **FE**

chit³ 切 327   (V) *cut; slice; mince.* **SF** ‡ (Asp) *in good time; punctually.* ‡ **AP chai³ see 200.**

— gai¹° — 鶏   (N) *boiled chicken.* (*Cl.* jek³ 隻 ; *course:* dip⁶ 碟 .) (*see* baak⁶ chit³ gai¹° *in 42/5.*)

— hoi¹ — 開   (V) *cut apart.*

— san¹ — 身   (Adj) *personal; of personal importance.*

— — man⁶ tai⁴ — — 問題   (SE) *a matter of personal importance.*

⁵ — sat⁶ — 實   (Adj) *practical; effective.*

— — baan⁶ faat³ — — 辦法   (SE) *effective methods.*

— — hoh² hang⁴ — — 可行   (Adj) *workable; feasible.*

— sui³ — 碎   (V) *cut into small pieces; slice; mince.* **FE**

— tuen⁵ — 斷   (V) *cut asunder.*

chit³ 徹 (澈) 328   (Adj) *thorough.* **SF** ‡ (Adv) *thoroughly.* **SF** ‡

— dai² — 底   (Adj) *thorough.* **FE** (Adv) *thoroughly.* **FE**

— — diu⁶ cha⁴ — — 調查   (SE) *make a thorough investigation; get to the bottom (of illegal activities).*

chit³ 撤 329   (V) *withdraw; eliminate; cancel.* **SF** ‡

— bing¹ — 兵   (V) *withdraw troops.*

— chut¹° — 出   (V) *withdraw; remove.* (N) *withdrawal.* *(RT troops, diplomats, civilians, etc.)* *(Cl.* chi³ 次*)*

— tui³ — 退   (V) *ditto.* (N) *ditto.*

— giu¹° — 嬌   (V) *behave as a spoiled child; sulk.* **CP saat³ giu¹°.**

⁵ — laai⁶ — 賴   (V) *lie and cheat.* **CP saat³ laai⁶.**

— siu¹ — 消   (V) *eliminate; cancel.*

— wooi⁴ — 回   (V) *withdraw.* *(ROT diplomats)* (N) *withdrawal.* *(ROT diplomats)* *(Cl.* chi³ 次*)*

chit³ 設 330   (V) *set up; establish; install; equip; devise.* **SF** ‡

— bei⁶ — 備   (N) *equipment; installations.* *(Cl.* jung² 種 *or* yeung⁶ 樣*)* (V) *equip; install.* **FE**

— — gaan² lau⁶ — — 簡陋   (SE) *poorly equipped.*

— duk⁶ gai³ — 毒計   (SE) *devise a wicked scheme.*

— faat³ — 法   (V) *devise means; make a plan.*

⁵ — fong⁴ — 防   (V) *fortify; be fortified.* *(RT cities; military bases, etc.)*

— gai³ — 計   (V) *hatch a plot; devise a scheme.*

— ha⁶ huen¹ to³ — 下圈套   (SE) *set a snare.*

— huen¹ to³ — 圈套   (V) *ditto.*

— laap⁶ — 立   (V) *set up; establish.* **FE**

10 — si¹ — 施   (N) *facilities; installations.* (*Cl.* jung² 種 *or* yeung⁶ 樣)

— yin³ — 宴   (V) *give a feast; feast.*

chit³ 掣   331   (V) *hinder.* **Fml. SF** ‡   **AP** jai³ see **1317.**

chiu¹ 超   332   (V) *exceed; surpass.* **SF** ‡   (Adj) *super.* **SE** ‡

— chin⁴ — 前   (V) *exceed; surpass.* **FE**

— gwoh³ — 過   (V) *ditto.*

— dang² — 等   (N) *first rank (in list of honours); dress circle (RT seats in a cinema or theatre).*

— — wai⁶* — — 位   (N) *dress circle.*

5 — kap¹° — 級   (Adj) *of superior quality; super.*

— — gung¹ lo⁶ — — 公路   (N) *freeway; motorway.* (*Cl.* tiu⁴ 條)

— ji⁶ yin⁴ — 自然   (Adj) *supernatural.*

— — yin⁶ jeung⁶ — — — 現象   (N) *supernatural phenomenon.*

— kap¹° si⁵ cheung⁴ — 級市場   (N) *supermarket.*

10 — ling⁴ — 齡   (N) *over-age.*

— ngaak⁶* — 額   (SE) *over a specified number; above the quota; exceed the limit.* (Adj) *redundant; excessive.*

— yam¹° chuk¹° — 音速   (Adj) *supersonic.*

— — — pan³ se⁶ gei¹ — — — 噴射機   (SE) *supersonic jet.* (*Cl.* jek³ 只 *or* ga³ 架)

— yin⁴ (ge³) — 然(嘅)   (Adj) *non-committal; neutral.*

15 — — — lap⁶ cheung⁴ — — — 立場   (SE) *non-committal attitude.*

chiu¹ 鍫   333   (V) *dig out (with a shovel or spade).*

— cheung⁴ geuk³ — 牆脚   (V) *lure away (a woman from a rival lover); snatch away (a business deal from a rival firm).* **Fig. Sl.** (*Lit. dig the foot of a wall*).

chiu⁴ 朝   **334**   (N) *dynasty (No Cl.); court* (*Cl.* goh³ 個).   **SF**   ‡ AP jiu¹ see 1516.

— doi⁶ — 代   (N) *dynasty.*   **FE**   *(No Cl.)*

— fung⁶ — 奉   (N) *pawnshop broker.*

C— Sin¹° — 鮮   (N) *Korea.*

c— ting⁴ — 廷   (N) *court.*   **FE**

chiu⁴ 潮   **335**   (N) *tide.*   **SF**   ‡   *(No Cl.)*

— hei³ — 氣   (Adj) *coquettish.*   **Sl.**

C— Jau¹ — 州   (N) *Chiu Chow (a district in eastern Kwangtung).*   **Tr.**

— — yam¹ ngok⁶ (ji⁶ ga¹ gwoo³ ji⁶ ga¹°) — — 音樂(自家顧自家) (SE) *do sth. alone; look after oneself; "go Dutch"; each for himself.* **Joc. Ono.**

— lau⁴ — 流   (N) *current (in sea or river); trend (RT thought, public opinion, fashions, etc.).*

⁵ — sap¹° — 濕   (Asj) *humid; damp.*

— sui² — 水   (N) *tide.*   **FE**   *(No Cl.)*

— (—) dai¹ — (—) 低   (SE) *at low tide.*

— (—) tui³ — (—) 退   (SE) *ditto.*

— (—) go¹ — (—) 高   (SE) *at high tide.*

¹⁰ — (—) jeung³ — (—) 漲   (SE) *ditto.*

chiu⁴ 樵   **336**   (N) *wood-cutter.*   **Fml.**   **SF**   ‡

— foo¹ — 夫   (N) *wood-cutter.*   **Fml.**   **FE**

cho¹ 粗   **337**   (Adj) *coarse; rough; rude; vulgar; bulky.*   **SF**

— bo³ — 布   (N) *coarse cloth.*   *(No Cl.)*

— chung⁵ — 重   (Adj) *heavy.*   **FE**

— — gung¹ foo¹ — — 工夫   (SE) *manual labour.*   (*Cl.* jung² 種)

— daai⁶ — 大   (Adj) *bulky.*   **FE**

⁵ — haai⁴ — 嘥   (Adj) *coarse. (RT skin, surface of sth, etc.)*   **FE**

— hau² — 口   (N) *swearing; cursing; abusive language. (Lit. rough mouth)*   (*Cl.* gui³ 句)   (Adj) *vulgar.*   **FE**

— — laan⁶ sit⁶ — — 爛舌 (V) *use abusive language; swear; curse.*
(Adj) *vulgar.* **FE**

— jong³ — 壯   (Adj) *robust; strong.*

— juk⁶ — 俗   (Adj) *vulgar.* **FE**

10 — lo⁵ — 魯   (Adj) *rude; rough.* **FE**

— sam¹ — 心   (Adj) *careless; reckless.*

— — daai⁶ yi³ — — 大意   (Adj) *ditto.*

— sau² bun⁶ geuk³ — 手笨脚   (Adj) *awkward and clumsy.*

— sik⁶ cho¹ fei⁴ — 食粗肥   (SE) *coarse food makes one robust and
strong.*

15 — yan⁴ — 人   (N) *boorish person.*

cho¹ 操 338   (v) *grasp; drill.* **SF** ‡ **AP** cho³ see **339.**

— bing¹ — 兵   (V) *drill troops.* (N) *foot drill.* *(ROT troops)* (Cl.
chi³次)

— cheung⁴ — 塲   (N) *drill-ground.*

— jung³ — 縱   (V) *control.* (N) *control (No Cl.)*

— — sat¹° — — 室   (N) *control room.* (Cl. gaan¹間)

5 — lin⁶ — 練   (V) *drill; practise.*

— lo⁴ — 勞   (V) *take pains.* (Adj) *careworn; anxious.*

— sam¹ — 心   (V) *ditto.* (Adj) *ditto.*

cho³ 操 339   (N) *moral principle.* **SF** ‡ **AP** cho¹ see **338.**

— hang⁶ — 行   (N) *deportment.* *(RT school children)* (Cl. dang²
等)

— sau² — 守   (N) *resolution; moral principle; unswerving integrity.*
(Cl. jung²種)

cho² 草 340   (N) *grass* (Cl. poh¹ 箖); *straw* (Cl. tiu⁴條); *herb (No
Cl.).* **SF** ‡ (V) *draft.* **SF** ‡ (Adj) *careless; cur-
sive.* **SF** ‡

— cho² liu⁵ si⁶ — 草了事   (SE) *do a thing carelessly.*

— go² — 稿   (N) *rough draft; draft.* **FE** (Cl. pin¹篇 or fan⁶份)

— gwoo¹° — 菇   (N) *mushroom.* (Cl. jek³隻)

— haai⁴ — 鞋   (N) *straw-sandals.* (*Cl.* jek³ 只 ; *Pair:* dui³ 對 .)

5 — jek⁶ — 蓆   (N) *straw-matting.* (*Cl.* jeung¹ 張 or faai³ 塊)

— ji⁶ — 字   (N) *running-hand; cursive script.* *(No Cl.)*

— sue¹° — 書   (N) *ditto.*

— liu⁶ — 料   (N) *food for animals; forage.* *(No Cl.)*

— maang⁵* — 蜢   (N) *grasshopper.* (*Cl.* jek³ 只)

10 — mo⁶* — 帽   (N) *straw-hat.* (*Cl.* gin⁶ 件 or deng² 頂)

— sut¹° — 牽   (Adj) *careless.* **FE Eml.** (Adv) *carelessly.* **FE Fml.**

— yan⁴ — 人   (N) *scarecrow.*

— yeuk³ — 約   (N) *draft treaty; draft contract.* (*Cl.* fan⁶ 個 or goh³ 個)

— yeuk⁶ — 葯   (N) *medicinal herb.* (*Cl.* jung² 種)

15 — yi⁵ — 擬   (V) *draft; draw up.* **FE Fml.**

— — gai³ waak⁶ — — 計劃   (SE) *draft a plan.*

cho³ 醋 341   (N) *vinegar.* *(No Cl.)*

— suen¹ — 酸   (N) *acetic acid.* *(No Cl.)*

— yi³ — 意   (N) *jealousy.* *(No Cl.)*

cho³ 措 342   (V) *arrange.* **Fml. SF ‡**

— chi⁴ — 詞   (N) *wording.* (*Cl.* jung² 種) (V) *choose words (tactfully to express one's ideas).*

— si¹ — 施   (N) *arrangements; measures.* (*Cl.* jung² 種)

cho³ 噪 (譟) 343   (N) *noise.* **Fml. SF ‡**

— yam¹° — 音   (N) *noise.* (*RT cars, airplanes, crowds, etc.)* **Fml. FE** (*Cl.* jung² 種)

cho³ 燥 344   (Adj) *fiery; hot.* **SF ‡**

— yit⁶ — 熱   (Adj) *fiery, hot.* **FE**

cho³ 躁   345   (Adj) *irascible; quick-tempered.*   **SF**   ‡

— bo⁶ — 暴   (Adj) *irascible.*   **FE**
— gap¹° — 急   (Adj) *quick-tempered; hasty.*   **FE**

cho³ 糙   346   (Adj) *coarse.   (ROT rice)*   **SF**   ‡

— mai⁵ — 米   (N) *coarse rice; unhulled rice.*   (*Cl.* nap¹° 粒)

cho³ 造   347   (V) *advance; accomplish; train.*   **Fml. SF**   ‡   **AP** jo⁶ see 1536.

— jau⁶ — 就   (V) *train; accomplish.*   **Fml. FE**   (N) *accomplishment.*   (*Cl.* jung² 種)
— — yan⁴ choi⁴ — — 人材   (SE) *train talent; offer professional training (to young people).*
— ngai⁶ — 詣   (N) *scholastic attainment; professional expertise.*   **Fml.** (*Cl.* jung² 種)

cho³ 錯   348   (V) *place; put.*   **Fml. SF**   ‡   **AP:** (1) choh³ see 356; (2) chok³ see 368.

— ji³ — 置   (V) *place; put.*   **Fml. FE**

cho⁴ 嘈   349   (Adj) *noisy.*   **Coll.**   (V) *make noise; disturb (by noise).* **Coll.**

— chaau² — 吵   (Adj) *noisy.*   **FE Coll.**
— jaap⁶ — 雜   (Adj) *ditto.*
— gaau¹° — 交   (V) *shout at each other; quarrel.*
— jue⁶ — 住   (V) *disturb; keep disturbing (by noise).*
⁵ — seng² — 醒   (V) *wake sb. up (by being noisy); disturb a sleeping person.*

cho⁴ 槽   350   (N) *trough; manger.*   **SF**   (*Cl.* tiu⁴ 條)

choh¹ 初   351   (N) *the beginning; the first.*   **Fml. SF**   ‡

— baan² — 版   (N) *first edition.*
— chi³ — 次   (N) *the first time.*   (Adv) *for the first time.*

— choh¹° — 初   (Adv) *at first; at the beginning; in the beginning.*

— chut¹° maau⁴ lo⁴ — 出茅廬 (SE) *be fresh from school; new graduate; inexperienced. (Lit. just out from a cottage)*

5 — goh¹° — 哥   (N) *beginner; greenhorn.* **Coll.**

— jung¹° — 中   (N) *junior middle school.* **SF** *(Cl.* gaan¹ 間 *)*

— — wooi⁶ haau² — — 會考 (SE) *JSE: Junior Secondary Examination. (Cl.* chi³ 次 *)*

— kap¹° — 級   (Adj) *elementary; junior*

— — jung¹ hok⁶ — — 中學   (N) *junior middle school.* **FE** *(Cl.* gaan¹ 間 *)*

10 — — ying¹ man⁴ — — 英文   (N) *elementary English. (No Cl.)*

— yat¹° — 一   (N) *the first day of lunar month.*

choh¹ 磋 352   (V) *deliberate; discuss.* **Fml. SF ‡**

— seung¹ — 商   (V) *deliberate; discuss.* **Fml. FE**

choh³ 剉 353   (V) *file; grind.* **SF**

— moh⁴ — 磨   (V) *file; grind.* **FE**

choh³ 銼 354   (N) *a file. (Cl.* ba² 把 *)*

choh³ 挫 355   (V) *treat harshly.* **Fml. SF ‡**

— jit³ — 折   (V) *damp one's ardour; treat harshly.* **Fml. FE** (N) *failure; frustration. (RT morale) (Cl.* chi³ 次 *)*

— baai⁶ — 敗   (V) *suffer a defeat; be frustrated.* (N) *frustration.* **Fml. FE** *(Cl.* chi³ 次 *)*

choh³ 錯 356   (N) *mistake; fault.* **SF Coll.** *(No Cl.)* (Adj) *wrong.* **Coll.** (Adj) *wrongly.* **Coll. AP (1)** cho³ **see 348; (2)** chok³ **SM see 368.**

— dong⁶ — 蕩   (SE) *have an unexpected visitor; pay a surprise visit; "well, what a pleasant surprise!"—a complimentary way of greeting a visiting friend. (Lit. mistake loiter)*

— gok³ — 覺   (N) *illusion; wrong impression.* (*Cl.* jung² 種)

— gwaai³ — 怪   (V) *blame the wrong person.*

— gwoh³ gei¹ wooi⁶ — 過機會   (SE) *"miss the bus"; miss an opportunity.*

5   — ji⁶ — 字   (N) *wrong word or character.*

— luen⁶ — 亂   (Adj) *confused; disordered.*

— ng⁶ — 誤   (N) *error; mistake.* **FE** (Adj) *wrong.* **FE**

— sat¹° — 失   (N) *fault.* **FE**

choh⁴ 鋤(鉏)   357   (V) *hoe (up).* (N) *a hoe.* **SF** (*Cl.* ba² 把)

— dei⁶ — 地   (V) *hoe the ground.*

— tau⁴* — 頭   (N) *a hoe.* **FE** (*Cl.* ba² 把)

— tin⁴ — 田   (V) *hoe the land.*

choh⁵ 坐 358   (V) *sit; travel by* **CP Coll.** *(Prep) by.* *(RT means of transportation)* **CP** **Coll.** **AP** joh⁶ **SM see 1541.**

— che¹° — 車   (Adv) *by car.* (V) *travel by car.*

— dai¹ — 低   (V) *sit down.*

— dei⁶ (ha⁶ foh²) che¹° — 地 (下火) 車   (Adv) *by tube; by underground.* (V) *travel by tube; travel by underground.*

— fei¹ gei¹ — 飛機   (Adv) *by air; by plane.* (V) *travel by air; travel by plane.*

5   — foh² che¹° — 火車   (Adv) *by train.* (V) *travel by train.*

— gaam¹° — 監   (V) *be imprisoned; be put in jail; serve a sentence.*

— hei³ din⁶* suen⁴ — 氣墊船   (Adv) *by hovercraft.* (V) *travel by hovercraft.*

— maai⁴ yat¹° jik⁶ — 埋一席   (SE) *sit with sb at the same table.* *(ROT a formal Chinese dinner)*

— pan³ se⁶ gei¹ — 噴射機   (V) *travel by jet.* (Adv) *by jet.*

10   — suen⁴ — 船   (Adv) *by sea; by ship.* (V) *travel by sea; travel by ship.*

— sui² yik⁶ suen⁴ — 水翼船   (Adv) *by hydrofoil.* (V) *travel by hydrofoil.*

— — — hui³ — — — 去   (V) *go by hydrofoil.*

— — — lai⁴ — — — 嚟   (V) *come by hydrofoil.*

choi² 彩   **359**   (N) *colour; luck.* **SF** ‡   (Adj) *variegated; ornamented.* **SF** ‡

— hung⁴ — 虹   (N) *rainbow.*   (*Cl.* tiu⁴ 條)

C— H— Gaau¹ tung¹ Sue¹ Nau² Jung² Wooi⁶ — — 交通樞紐總滙 (N) *Choi Hung Interchange.* **LT**

c— kei⁴ — 旗   (N) *ornamental banner.*   (*Cl.* ji¹ 枝)

— piu³ — 票   (N) *lottery ticket.*   (*Cl.* jeung¹ 張)

5   — sik¹° — 色   (Adj) *colour.* **FE**   (*Cl.* jung² 種)

— — din⁶ si⁶ gei¹ — — 電視機   (N) *colour TV.*   (*Cl.* ga³ 架)

— — jit³ muk⁶ — — 節目   (N) *colour programme.*   (*Cl.* goh³ 個 *or* hong⁶ 項)

— so³ — 數   (N) *luck; fortune.*   *(No Cl.)*

choi² 採   **360**   (V) *select; adopt; cover.* **SF** ‡

— chui² — 取   (V) *take, (RT action); select (RT method).*

— fong² (san¹ man⁴*) — 訪 (新聞)   (V) *cover; report on. (RT events, cases, news, etc.)*

— yung⁶ — 用   (V) *adopt, use (RT advice, ideas, suggestions, etc.)*

choi² 睬   **361**   (V) *greet; take notice of; pay attention to.*

choi³ 菜   **362**   (N) *"side dishes" (for a meal) (No Cl.); courses (on a menu)* (*Cl.* goh³ 個); *vegetable* (*Cl.* poh¹ 樖).

— daan¹° — 單   (N) *set menu (at a meal).*   (*Cl.* jeung¹ 張)

— do¹ — 刀   (N) *chopper (for kitchen use).*   (*Cl.* ba² 把 *or* jeung¹ 張)

— paai⁴* — 牌   (N) *menu (á la carte).*

— sam¹ — 心   (N) *cabbage; flowering cabbage.*   (*Cl.* tiu 條 *or* poh¹ 樖)

5   — si⁵ (cheung⁴) — 市 (場)   (N) *vegetable market.*

— sik¹° — 式   (N) *courses; side dishes.*   *(RT a formal Chinese dinner) (No Cl.)*

— soh¹ — 蔬   (N) *vegetables in general; green vegetables.*   (*Cl.* poh¹ 樖)

— yuen⁴ — 園   (N) *vegetables garden.*

choi³ 賽 363   (V) *compete; race.* **SF** ‡

— che¹° — 車   (N) *car race.* (*Cl.* chi³次)   (N) *racing car.* (*Cl.* ga³ 架)

— ma⁵ — 馬   (V) *race horses.*   (N) *horse-racing.*

— — cheung⁴ — — 場   (N) *racecourse.*

— — wooi⁶* — — 會   (N) *the Jockey Club.* **Fml.**

5   — paau² — 跑   (N) *foot-race.*   (V) *run a race.*

— suen⁴ — 船   (N) *regatta.* (*Cl.* chi³次)

— teng⁵ — 艇   (N) *ditto.*

choi⁴ 才 364   (N) *ability; capacity; learning.* **SF** ‡

— gon³ — 幹   (N) *ability; capacity (for affairs).* **FE**   (*Cl.* jung²種)

— nang⁴ — 能   (N) *ditto.*

— hok⁶ — 學   (N) *learning.* **FE**   (*No Cl.*)

choi⁴ 材 365   (N) *material.* **SF** ‡

— liu⁶* — 料   (N) *material.* **FE**   (*Cl.* jung²種)

choi⁴ 財 366   (N) *finance; wealth.* **Fml.** **SF** ‡

— chaan² — 產   (N) *property; estate; assets.* **Fml.** **FE**   (*Cl.* jung² 種)

— — sui³ — — 稅   (N) *property tax.* (*Cl.* jung²種)

— foo³ — 富   (N) *wealth.* **Fml.** **FE**   (*Cl.* jung²種)

— jing³ — 政   (N) *finance; administration of finance.*   (*No Cl.*)

5   — — kwan³ naan⁴ — — 困難   (SE) *financial embarrassment.* (*Cl.* jung²種)

— san⁴ — 神   (N) *the "god of Wealth"; a very wealthy person.* **Sl.**

— tuen⁴ — 團   (N) *financiers; big investors.*

choi⁴ 裁 367   (V) *cut down; reduce; dismiss (from employment).* **Fml.** **SF** ‡

— fung⁴* — 縫   (N) *tailor.*

— — lo² — — 佬   (N) *ditto.*

— — si¹ foo⁶* — — 師傅 (N) *ditto.* **PL**

— gaam² — 減 (V) *cut down; reduce.* **Fml.** **FE**

5 — yan⁴ — 人 (V) *cut down; reduce; dismiss.* *(ROT staff or employment)*

— yuen⁴ — 員 (V) *ditto.*

— — gaam² san¹ — — 減薪 (SE) *retrench staff and reduce salaries.*

chok³ 錯 368 (N) *mistake; fault.* **Bk.** *(No Cl.)* (Adj) *wrong.* **Bk.** (Adv) *wrongly.* **Bk.** **AP** (1) **cho³ see 348;** (2) **choh³ SM see 356.**

chong¹° 倉 369 (N) *godown; warehouse; granary.*

— fong⁴ — 房 (N) *godown; warehouse; granary.* **FE**

— foo³ — 庫 (N) *ditto.*

chong¹° 艙 370 (N) *hold (of a ship); cabin.* **SF**

— dai² — 底 (N) *bottom of the hold.*

— hau² — 口 (N) *hatchway.*

— min⁶* — 面 (N) *deck (of a ship/boat).*

chong¹° 瘡 371 (N) *a'boil; a sore; an ulcer.* **SF**

— hau² — 口 (N) *opening (of a sore); ulcer.*

chong¹° 鯧(鯧) 372 (N) *pomfret.* **SF** *(Cl.* tiu⁴ 條*)*

— yue⁴* — 魚 (N) *pomfret.* **FE** *(Cl.* tiu⁴ 條*)*

chong² 廠(廠) 373 (N) *factory.* **SF** *(Cl.* gaan¹ 間*)*

— ga¹° — 家 (N) *manufacturer; owner of a factory.*

— seung¹ — 商 (N) *ditto.*

chong³ 搶 374 (V) *strike (the head on the ground in grief).* **Bk.**
‡ **AP cheung² see 263.**

chong⁴ 藏 375   (V) *hide; conceal; deposit.* **SF** ‡ **AP jong⁶ see 1563.**

— nik¹° — 匿   (V) *hide oneself.* **Fml.**

— san¹ — 身   (N) *ditto.*

— — ji¹ chue³ — — 之處   (SE) *a hiding-lace.*

— — — dei — — — 地   (SE) *ditto.*

5   — yau⁴ leung⁶ — 油量   (N) *oil deposits.*

chong⁴ 牀（床） 376   (N) *bed.* (*Cl.* jeung¹ 張)

— ha⁶ dai² — 下底   (Adv) *underneath a bed; below a bed.*

— daan¹° — 單   (N) *sheets (of a bed).* (*Cl.* jeung¹ 張)

— mei⁵ — 尾   (N) *foot of bed (i.e. the end on which pillows are not normally placed).* (*No Cl.*)

— po¹ — 舖   (N) *bedding; bed-clothes.* (*No Cl.*)

5   — tau⁴ — 頭   (N) *head of a bed.* (*No Cl.*)

— tau⁴ chong⁴ mei⁵ — 頭床尾   (SE) *both ends of a bed.*

— wai⁶* — 位   (N) *bed space; sleeping space.* (*GRT a bunk bed or camp bed*)

chong⁴ 撞 377   (V) *knock against; collide; bump into.* **Fml.** ‡ **AP jong⁶ see 1562.**

chue² 處 378   (V) *stay on; dispose of; settle.* **Fml. SF** ‡ **AP: (1) chue³ see 379; (2) sue³ see 2910.**

— fan¹ — 分   (V) *punish.* (*GRT government officials*)

— ji³ — 置   (V) *dispose of; settle.* **Fml.**

— lei⁵ — 理   (V) *ditto.*

— nui⁵ — 女   (N) *virgin.*

5   — sai³ — 世   (V) *be born; be in the world; still survive.*

— — ji¹ do⁶ — — 之道   (SE) *knowledge of the world; philosophy of life.* (*Cl.* jung² 種)

— — jit³ hok⁶ — — 哲學   (SE) *ditto.*

chue³ 處 379   (N) *place; location;* **Fml. SF** ‡ *(No Cl.)* **(N)** *government department.* **SF** ‡ *(Cl.* goh³ 個) **AP** (1) chue² see 378; (2) sue³ see 2910.

— soh² — 所   (N) *place; location.* **Fml. FE**

chue⁴ 廚(廚，厨) 380   (N) *kitchen.* **SF** ‡ **AP:** (1) chue⁴* see 381; (2) chui⁴ **SM** see 411.

— fong⁴* — 房   (N) *kitchen.* **FE** *(Cl.* gaan¹ 間 or goh³ 個) **AP** chui⁴ fong⁴*

chue⁴* 廚(廚，厨) 381   (N) *a cook.* **AP:** (1) chue⁴ see 380; (2) chui⁴* **SM** see 412.

chue⁴ 櫥 382   (N) *show-window.* **SF** ‡ **AP** chui⁴ **SM** see 413.

— cheung¹° — 窗   (N) *show-window.* **FE AP** chui⁴ cheung¹°.

chue⁴ 除 383   (V) *take off. (RT clothes, spectacles, jewellery, etc.)* **AP** chui⁴ **SM** see 414.

chue⁵ 儲 384   (V) *save up; store up.* **SF** ‡ **(N)** *savings.* **SF** ‡

— chong4 — 藏   (V) *store up.* **FE**
— chuk¹° — 蓄   (V) *save up. (RT money)* **FE** (N) *savings.* *(Cl.* jung² 種)
— — chuen⁴ foon² — — 存欵   (N) *savings account.* *(Cl.* bat¹° 筆)
— — — jip³* — — — 摺   (N) *savings pass-book.*
⁵ — yau⁴ leung⁶ — 油量   (N) *oil deposits.*

chue⁵ 署 385   (N) *government department.* **SF** ‡

chuen¹° 村(邨) 386   (N) *village.* *(Cl.* tiu 條)

— jong¹° — 莊   (N) *villages in general.*
— lok⁶ — 落   (N) *ditto.*
— lui⁵ cheun¹° ngoi⁶ — 裏村外   (SE) *inside and outside a village.*
— noi⁶ chuen¹° ngoi⁶ — 內村外   (SE) *ditto.*

chuen¹ 穿 387   (V) *bore; pierce through.*

— jam¹ — 針   (V) *thread a needle.*

— lung¹° — 窿   (V) *bore a hole.*

— yi⁵ — 耳   (V) *perce the ears.*

C— Saan¹ Gaap³ — 山甲   (N) *scaly ant-eater.*   (*Cl.* jek³ 只)   (N) *the Village Penetration Patrol.*   **Fig.**   (*Cl.* goh³ 個)

chuen² 喘 388   (V) *pant.* **SF** ‡ (N) *asthmatic breathing.* **SF** ‡ *(No Cl.)*

— hei³ — 氣   (V) *pant (for want of breath).*   **FE**

— sik¹° — 息   (V) *ditto.*

— — gei¹ wooi⁶ — — 機會   (SE) *breathing-space.*

chuen³ 寸 389   (N) *inch; one tenth of a Chinese foot.*   *(No Cl.)*

— bo⁶ naan⁴ haang⁴ — 步難行   (SE) *hardly able to move a pace; difficult to make the least more.*

— gam¹ chek³ to² — 金尺土   (SE) *land is extremely expensive; an inch of gold for a foot of land.*

— go¹ chek³ dai¹ — 高尺低   (SE) *similar to one another in height/ age. (ROT small children)*

chuen³ 吋 390   (N) *inch; one 12th of an English foot.* **SF** *(No Cl.)*

chuen³ 串 391   (V) *string together; band together.* **SF** ‡ (PN) *number of things threaded together.*

— tung¹ — 通   (V) *band together; conspire.*

— — jok³ bai⁶ — — 作弊   (SE) *banded together for evil purposes.*

chuen⁴ 全 392   (Adj) *complete; entire; all; whole.* **SF** ‡ (Adv) *completely; entirely; all.* **SF** ‡

— bo⁶ — 部   (Adv) *entirely; all of it; all of them.*   (N) *the whole. (No Cl.)*

— chaan¹° — 餐   (N) *set menu (of European food).*

— ga¹ — 家   (SE) *the whole family.*

— — yan⁴ so³ — — 人數   (N) *number of persons in a family.*

5 — Gong² — 港   (SE) *the whole of Hong Kong.*

— — Gau² — — 九   (SE) *the whole of Hong Kong.*

— gwok³ — 國   (N) *the whole country.* (Adj) *national; nation-wide.*

— kuen⁴ — 權   (N) *plenary powers.* (Adj) *plenipotentiary.*

— — doi⁶ biu² — — 代表   (N) *plenipotentiary representative.*

10 — man⁴ — 文   (N) *complete text; full text.*

— nin⁴ — 年   (Adj) *annual.* (N) *the whole year.* *(No Cl.)*

— — ying⁴ yip⁶ ngaak⁶* — — 營業額   (N) *annual turn-over.*

— sai³ gaai³ — 世界   (SE) *the whole world; in the whole world; throughout the world; world-wide.*

— san¹ — 身   (N) *the whole body (of a person).* (Adv) *all over the body.*

15 — — chik³ loh² — — 赤裸   (Adj) *stark naked.* (*see* chik³ loh² *in 297/4.*)

— san⁴ gwoon³ jue³ — 神灌注   (SE) *concentrate completely.*

— so³ — 數   (N) *the whole amount; the total number.*

— tai² — 體   (Adj) *all.* *(RT people)*

— — faan² dui³ — — 反對   (SE) *unanimous opposition.*

20 — — jaan³ sing⁴ — — 贊成   (SE) *unanimous approval.*

— yat⁶ — 日   (Adj) *full-time; full-day.* (Adv) *round-clock.* **Fml.**

chuen⁴ 荃 393   (N) *fragrant plant.* **Bk.** ‡

C— Gam² Do⁶ — 錦道   (N) *Tsuen Wan/Kam Tin Road; Route Twisk.* (*Cl.* tiu⁴ 條)

— — Gung¹ Lo⁶ — — 公路   (N) *ditto.*

— — Lo⁶ — — 路   (N) *ditto.*

— Waan¹° — 灣   (N) *Tsuen Wan.* **Tr.**

chuen⁴ 存 394   (N) *exist; keep; deposit.* **SF** ‡

— foh³ — 貨   (N) *goods in stock.* (*Cl.* pai¹ 批)

— foon² — 欵   (V) *deposit (money in a bank).* (N) *deposit (in a bank).* (*Cl.* bat¹° 筆)

— jip³* — 摺　(N) *savings passbook*.　(*see* chue⁵ chuk¹° chuen⁴ jip³* *in 384/4*)

— joi⁶ — 在　(V) *exist*.　(N) *existence*.　*(No Cl.)*

5　— on³ — 案　(V) *file for reference; keep as evidence*.

chuen⁴ 傳 395　　(V) *propagate; preach; issue*.　**SF　‡　AP** juen⁶ see **1584**.

— chut¹° — 出　(V) *come out; issue; be heard*.　(*RT words, noise, etc.*)

— daan¹° — 單　(N) *handbill*.　(*Cl*. jeung¹ 張)

— do⁶ — 道　(V) *preach; propagate*.　(*ROT religion or doctrine*)

— gaau³ — 教　(V) *ditto*.

5　— — si⁶ — — 士　(N) *preacher; missionary*.

— ga¹ — 家　(V) *hand down in the family*.

— — bo² — — 寶　(N) *heirloom*.　(*Cl*. goh³ 個 *or* gin⁶ 件)

— jung² — 種　(V) *propagate; reproduce*.　(*ROT species*)

— kei⁴ — 奇　(N) *a short story; a short play; a romance*.　(*Cl*. goh³ 個 *or* pin¹ 篇)

10　— — yat¹° yeung⁶ — — 一樣　(SE) *like a story*.

— man⁴ — 聞　(N) *hearsay; rumour*.　(*Cl*. goh³ 個 *or* jung² 種)

— suet³ — 說　(N) *ditto*.

— meng⁴* — 名　(V) *make known; perpetuate one's name*.

— sai³ — 世　(V) *ditto*.

15　— piu³ — 票　(N) *summons*.　(*Cl*. jeung¹ 張)

— seng¹ — 聲　(V) *conduct sound*.

— sun³ — 信　(V) *send word to; pass a message to*.　**Fml.**

— — gap³* — — 鴿　(N) *carrier pigeon*.　(*Cl*. jek³ 隻)

— tung² — 統　(N) *tradition*.　(*Cl*. jung² 種)

20　— — (ge³) — — (嘅)　(Adj) *traditional*.

— wa⁶* — 話　(V) *interpret*.　**Coll.**　(N) *interpreter*.　**Coll.**

— yim⁵ — 染　(V) *infect*.

— — beng⁶ — — 病　(N) *infectious disease*.　(*Cl*. jung² 種)

— yit⁶ — 熱　(V) *radiate heat*.

chui¹ 催 396 (V) *urge; press.* **Coll.**

— bik¹° — 逼 (V) *urge; press.* **Fml.** **FE**
— chuk¹° — 促 (V) *ditto.*
— chui¹ gung³ — 催貢 (SE) *keep urging.* **Coll.**
— hau⁴ chui¹ meng⁶ — 喉催命 (SE) *urge hard.*
5 — lui⁶ duk⁶ hei³ — 淚毒氣 (N) *teargas.* (*Cl.* jung² 種)
— — nga⁵ si¹° — — 瓦斯 (N) *ditto.*
— — daan⁶* — — 彈 (N) *teargas bomb; teargas grenade.*
— min⁴ — 眠 (V) *hypnotize.* (N) *hypnotism.* (*Cl.* jung² 種)
— — goh¹° — — 歌 (N) *lullaby.* (*Cl.* ji¹ 枝 *or* sau² 首)
10 — — jong⁶ taai³ — — 狀態 (N) *hypnosis.* (*Cl.* jung² 種)
— — sut⁶ — — 術 (N) *hypnotism.* (*Cl.* jung² 種)

chui¹ 摧 397 (V) *ruin; destroy.* **Fml.** **SF** ‡ **AP chui⁴ see 398.**

— chaan⁴ — 殘 (V) *ruin; destroy.* **FE**

chui⁴ 摧 398 (V) *chop straw (for animals).* **Bk.** ‡ **AP chui¹ see 397.**

chui¹ 趨 399 (V) *hasten; hurry.* **Fml.** **SF** ‡

— heung³ — 向 (N) *tendency; trend.*
— sai³ — 勢 (N) *ditto.*
— yim⁴ foo⁶ sai³ — 炎附勢 (SE) *today to those in power.*

chui¹ 吹 400 (V) *blow; puff.* **SF** **AP chui³ see 401.**

— bak¹° fung¹ — 北風 (V) *blow a wind from the north; blow a cold wind.*
— bi¹° bi¹° — 啤啤 (V) *blow.* (*RT a whistle*) **Ono.** **Coll.**
— boh¹° lei⁴° — 玻璃 (V) *blow glass.*
— daai⁶ fung¹ — 大風 (V) *blow a strong wind.*
5 — dek⁶* — 笛 (V) *blow.* (*RT a flute or pipe*)

— dit³ — 跌   (V) *blow off.*

— lok⁶ — 落   (V) *ditto.*

— do² — 倒   (V) *blow down; blow over.*

— fung¹ — 風   (V) *blow a wind.* (V) *dry the hair.*

10 — — tung⁴* — — 筒   (N) *electric hair-dryer.*

— gon¹ — 乾   (V) *blow dry; dry by the wind.*

— ho⁶ — 號   (V) *blow. (RT a bugle or trumpet)*

— la³ ba¹° — 喇叭   (V) *ditto.*

— jeung³ — 脹   (V) *inflate (with air).* (V) *be boiling· over (with anger); put sb. in an embarrassed position; be beside oneself with vexation or annoyance.* **Fig. Vul.**

15 — m⁴ jeung³ — 唔脹   (V) *unable to annoy or embarrass a person.* **Fig. Vul.**

— mo⁴ kau⁴ chi¹ — 毛求疵   (SE) *hyper-critical; hair splitting. (Lit. blow hair seek fault)*

— naam⁴ fung¹ — 南風   (V) *blow a breeze from the south; blow a soft breeze.*

— ngau⁴ (pei⁴) — 牛(皮)   (V) *boast; blow one's own horn.*

— sik¹° — 熄   (V) *blow out. (RT a lamp or candle)*

20 — siu¹° — 簫   (V) *blow. (RT a Chinese flute or flageolet)*

— sui² — 水   (V) *blow water (into meat—to increase its weight).*

— — ngau⁴ yuk⁶ — — 牛肉   (N) *beef blown up with water.*

chui³ 吹 401   (N) *sound of music.* **Bk.** *(No Cl.)* **AP chui¹ see 400.**

chui² 取 402   (V) *get; obtain; select.* **Fml. SF ‡**

— haau² — 巧   (V) *devise ingenious methods; take the easy way; take a short cut.*

— kuet³ — 決   (V) *decide; make the final decision.*

— luk⁶ — 錄   (V) *give a job (to a successful applicant); offer a school place (to a successful student).*

— sing³ — 勝   (V) *get a victory.*

5 — siu¹ — 消   (V) *cancel. (RT a social function, or appointment)*

— tai³ — 締   (V) *ban (GRT publications); deprive of (privilages, rights, etc.).*

---

chui² 娶   403   (V) *marry a wife; take a wife.* **CP**   **SF**   ‡   **AP chui³**

— lo⁵ poh⁴ — 老婆   (V) *marry a wife; take a wife.*   **Coll.**   **FE**

chui³ 娶   404   (V) *marry a wife; take a wife.*   **Fml.**   **SF**   ‡

— chan¹ — 親   (V) *marry a wife; take a wife.*   **Fml.**   **FE**

chui³ 趣   405   (Adj) *interesting.*   **SF**   ‡   (N) *interest.*   **SF**   ‡

— mei⁶ — 味   (N) *interest; agreeable flavour.*   (*Cl.* jung² 種)

— si⁶ — 事   (N) *interesting matter.*   (*Cl.* gin⁶ 件)

chui³ 脆   406   (Adj) *crispy; fragile.*

— pei⁴* — 皮   (Adj) *crispy.*   *(ROT food)*   ‡

— — dau⁶ foo⁶ — — 豆腐   (N) *crispy bean curd.*   (*portion:* dip⁶ 碟 or goh³ 個)

— yeuk⁶ — 弱   (Adj) *weak.*   *(GRT health or military strength)*

chui⁴ 隨   407   (V) *follow; accord with.*   **Fml.**   **SF**   ‡

— bin⁶* — 便   (V) *suit oneself; be in keeping with one's wishes.* (Adj) *easy-going; not particular about.*   (Adv) *at random; casually.*

— — nei⁵ la¹ — — 你啦   (SE) *"as you like"; "if you so wish"; "as you please"; "suit yourself".*

— dei⁶ — 地   (Adv) *anywhere.*

— sue³ — 處   (Adv) *ditto.*

5   — gaai¹ — 街   (Adv) *everywhere in town.*   *(Lit. any street)*

— — chui⁴ hong⁶ — — 隨巷   (Adv) *ditto.*   *(Lit. any street and any lane)*

— gei¹ ying³ bin³ — 機應變   (SE) *adapt oneself to circumstances.*

— hau² gong² — 口講   (V) *talk at random.*

— hau⁶ — 後   (Adv) *by and by; in due course; afterwards.*

10   — juk⁶ — 俗   (V) *fall in with prevailing customs.*

— leung⁶ — 量   (SE) *"to health".*   *(Lit. drink to one's capacity)*

— sau² — 手 (Adv) *without hesitation; ready at hand; at once.*

— si⁴ — 時 (Adv) *at any time.*

— — chui⁴ dei⁶ — — 隨地 (Adv) *at any time and anywhere.*

15 — woh⁴ — 和 (Adj) *easy-going; good-tempered; agreeable.*

— yi³ — 意 (Adv) *at one's convenience; at pleasure.*

— yuen⁴ — 員 (N) *suite (as personal attendants).* (Cl. goh³ 個; Group: pai¹ 批.)

chui⁴ 搥 408   (V) *beat; pound.*

— booi³ — 背 (V) *pound the back (as a massage).*

— gwoo² — 鼓 (V) *beat a drum.*

chui⁴ 槌（棰） 409   (N) *mallet; bludgeon; pestle.* AP chui⁴*

chui⁴ 鎚（錘） 410   (N) *hammer.* AP chui⁴*

chui⁴ 廚（厨，厨） 411   (N) *kitchen.* SF Coll. ‡ AP: (1) chue⁴ SM see 380; (2) chui⁴* see 412.

— fong⁴* — 房 (N) *kitchen.* Coll. FE (Cl. gaan¹ 間 or goh³ 個) AP chue⁴ fong⁴*

chui⁴* 廚（厨，厨） 412   (N) *a cook.* Coll. AP: (1) chue⁴* SM see 381; (2) chui⁴ see 411.

chui⁴ 櫥 413   (N) *show-window.* SF ‡ AP chue⁴ SM see 382.

— cheung¹° — 窗 (N) *show-window.* FE AP chue⁴ cheung¹°.

chui⁴ 除 414   (V) *take off (RT clothes, spectacles, wrist watches; jewellery, etc.); get rid of (RT vices, civil, etc.); divide; deduct.* Coll. SF AP chue⁴ see 383.

— faat³ — 法 (N) *division.* (ROT arithmetic) FE

— so³ — 數 (N) *ditto.*

94

— fei¹ — 非   (Conj) *unless; only if.*

— gaai³ ji² — 介指   (V) *take off a ring.*

5 — hoi¹ ji¹ — 開支   (V) *deduct payments.*

— hoi⁶ — 害   (V) *get rid of the evil or vices.*

— hui³ — 去   (V) *deduct; divide; get rid of.*   **FE**

— joh² — 咀   (Prep) *except; except for; in adition to.*

— ngaan⁵ geng³* — 眼鏡   (V) *take off one's glasses.*

10 — pei⁴* — 皮   (V) *deduct overheads.*

— pei⁴ fai³ — 皮費   (V) *ditto.*

— saam¹° — 衫   (V) *take off one's clothes; undress.*

— saam¹ hoi⁶ — 三害   (SE) *fight against the 3 deadly vices; get rid of the 3 deadly vices.*

— sau² hiu¹° — 手錶   (V) *take off one's wrist watch.*

15 — sau² sik¹° — 首飾   (V) *take off one's jewellery.*

chuk¹° 促   415   (V) *urge.* **Fml. SF** ‡   (*see chui¹ chuk¹° in 396/2*)

— jun³ — 進   (V) *promote; further; advance.*   **FE Fml.**

— — fuk¹° lei⁶ — — 福利   (V) *promote welfare.*

— — sai³ gaai³ woh⁴ ping⁴ — — 世界和平   (V) *promote world peace; advance the cause of world peace.*

chuk¹° 速   416   (Adj) *hurried; quick.* **SF** ‡ (Adv) *quickly.* **SF** ‡

— do⁶ — 度   (N) *speed; velocity.*   **FE**

— lut⁶ — 率   (N) *ditto.*

— gei³ — 記   (N) *shorthand; stenography.*   (*Cl.* jung² 種 *or* foh¹° 科)

— — da² ji⁶ yuen⁴ — — 打字員   (N) *shorthand typist.*

5 — — yuen⁴ — — 員   (N) *stenographer.*

— sing⁴ — 成   (V) *learn quickly; complete quickly; cram.*   (*RT skill, studies, etc.*)

— — baan¹° — — 班   (N) *a short course; a "crash" course.*

— — foh¹° — — 科   (N) *ditto.*

chuk¹° 蓄   417   (V) *store up; save up.* **SF** ‡ *(see* chue⁵ chuk¹° *in 384/2)*

— din⁶ — 電   (V) *store electricity.*

— — chi⁴ — — 池   (N) *storage battery.*

— sui² — 水   (V) *store up water.*

chuk¹° 畜 418   (N) *beast.*

— muk⁶ — 牧   (V) *rear; raise; graze.*   *(RT sheep, cattle, etc.)*

— — (yip⁶) — — (業)   (N) *grazing.*   (*Cl.* jung² 種)

— saang¹ — 生   (N) *"beast"; "brute".* **AL**   (*Cl.* goh³ 個 *or* jek³ 隻) (N) *domestic animal.*   (*Cl.* jek³ 隻)

chuk¹° 束   419   (V) *tie up; bind.*   (PN) *amount contained in a bundle.*

— bok³ — 縛   (V) *bind (Fig.); control; oblige.*   (N) *obligation; burden.* (*Cl.* jung² 種 *or* goh³ 個)

— sau² — 手   (V) *unable to do anything.*   *(Lit. tie hands).* **Fml.** ‡

— — doi⁶ bai⁶ — — 待斃   (SE) *without resources; helpless.*   *(Lit. with tied bands awaiting for death)*

— — mo⁴ chaak³ — — 無策   (SE) *ditto.*   *(Lit. with tied hands without plan)*

chun¹ 春   420   (N) *spring; sentiment of love.* **(Fig.)** **SF** ‡

— ga³ — 假   (N) *spring vacation; spring holiday.*

— guen² — 餱   (N) *"spring roll".*   (*Cl.* tiu⁴ 條)

— gung¹ (wa⁶*) — 宮 (畫)   (N) *pornography.*   *(No Cl.)*

— — din⁶ ying² — — 電影   (N) *pornographic film.*   (*Cl.* chut¹° 齣)

⁵ — gwai³ — 季   (N) *spring season; spring.* **FE**

— tin¹° — 天   (N) *ditto.*

— jit³ — 節   (N) *spring festival; new-year festival.*

— luen⁴ — 聯   (N) *new-year couplets (written on red paper and pasted on doors).*   *(Pair:* dui³ 對)

— ming⁵ — 茗   (N) *new-year feast; new-year banquet.* **LT**   (*Cl.* chi³ 次)

¹⁰ — yeuk⁶ — 葯   (N) *aphrodisiac.*   (*Cl.* jung² 種)

chun²蠢 421 (Adj) *stupid; clumsy.* **SF**

— ban⁶ — 笨 (Adj) *stupid; clumsy.* **FE**
— choi⁴ — 才 (N) *blockhead; dolt.*
— yan⁴ — 人 (N) *ditto.*

chun⁴巡（巡） 422 (V) *patrol.* **SF** ‡

— lai⁴ chun⁴ hui³ — 嚟巡去 (V) *patrol back and forth.*
— loh⁴ — 邏 (V) *patrol.* **FE**
— — che¹° — — 車 (N) *patrol car.* (*Cl.* ga³ 架)
— yeung⁴ laam⁶ — 洋艦 (N) *cruiser.* (*Cl.* jek³ 隻)

chun⁴循 423 (V) *follow, comply with.* **Fml. SF** ‡

— kwai¹ do⁶ gui² — 規蹈矩 (SE) *follow precedent; behave properly; law-abiding.*
— lai⁶ — 例 (Adv) *as usual; as a matter of routine.*
— waan⁴ — 環 (V) *revolve; come round in order.*

chun⁴旬 424 (N) *period of 10 day's duration; period of ten years' duration.* **Fml. SF** ‡ *(No Cl.)*

chun⁴馴 425 (V) *tame; train.* **SF** ‡ (Adj) *tame; mild.* **SF** ‡

— leung⁴ — 良 (Adj) *tame; mild.* *(RT persons and animals)*
— ma⁵ si¹° — 馬師 (N) *trainer.* *(RT horses)* **Fml.**
— sau³ si¹° — 獸 (N) *ditto.* *(RT animals)* **Fml.**

chung¹°葱（蔥） 426 (N) *onion; Chinese green onion.* (*Cl.* poh¹ 薖 or tiu⁴ 條)

— fa¹° — 花 (N) *chopped onion.* *(No Cl.)*
— tau⁴ — 頭 (N) *dried onion.*

chung¹°涌 427 (N) *stream, brook; very small river.* **CP Coll. CC** (*Cl.* tiu⁴ 條)

chung¹° 忽（匆，悤）   428   (Adj) *hurried; hasty.* **SF** ‡

— — mong⁴ mong⁴   — — 忙忙   (Adv) *in a great hurry.*

— mong⁴   — 忙   (Adj) *hurried; hasty.*   **FE**

chung¹ 聰（聰）   429   (Adj) *bright; clever; intelligent.* **SF** ‡

— ming⁴   — 明   (Adj) *bright; clever; intelligent.*

— — ling⁴ lei⁶   — — 伶俐   (Adj) *ditto.*

chung¹ 充   430   (V) *fill up; be full of; pose as; pretend to.* **Fml.** **SF** ‡

— (daai⁶) baan¹°   — (大) 班   (V) *pose as a rich man; pretend to be a bigwig.* **Sl.**

— daai⁶ tau⁴ gwai²   — 大頭鬼   (V) *ditto.*

— foot³ lo²   — 闊佬   (V) *ditto.*

— saang¹ saai³   — 生嗮   (V) *ditto.*

5   — fan⁶   — 份   (Adj) *enough; sufficient.* **Fml.** (Adv) *sufficiently.* **Fml.**

— — jing³ gui³   — — 証據   (SE) *sufficient evidence.*

— — hap⁶ jok³   — — 合作   (SE) *full co-operation; full support.*

— gung¹   — 公   (V) *confiscate.* (N) *confiscation.* (Cl. chi³ 次)

— gwan¹   — 軍   (V) *banish; exile.* (N) *banishment; exile.* (Cl. chi³ 次)

10   — huet³   — 血   (V) *increase blood pressure.*

— — (sing³)   — — (性)   (Adj) *congestive.*

— juk¹°   — 足   (Adj) *adequate; full.*

— moon⁵   — 滿   (Adj) *full of.* (V) *be full of.* **FE**

— noi⁶ hong⁴   — 內行   (V) *pretend to be an expert.*

15   — sat⁶   — 實   (V) *strengthen (from inside).* (Adj) *having real substance; solid.*

chung¹ 冲（沖）   431   (V) *make (tea or coffee); pour (boiling water); flush (sth with water).* **SF** ‡

— cha⁴   — 茶   (V) *make tea.* **FE**

— chi³ soh²   — 廁所   (V) *flush a toilet.*

— ga³ fe¹° — 咖啡 (V) *make coffee.* **FE**

— leung⁴ — 涼 (V) *have a shower.* (N) *shower (bath).* (*Cl.* chi³ 次)

— — fong⁴* — — 房 (N) *bath-room.* (*Cl.* gaan¹ 間 *or* goh³個)

— saat³ — 煞 (V) *provoke malignancy.* (*ROT geomancy*)

— sui² — 水 (V) *pour boiling water (into a cup or pot).*

chung¹衷 432 (N) *the heart; inner feelings.* **Fml. SF** ‡

— sam¹ — 心 (N) *the heart; inner feelings.* **Fml. FE** *(No Cl.)* (Adj) *sincere; heartfelt.*

— sing⁴ — 誠 (Adj) *ditto.*

— sam¹ gam² gik¹° — 心感激 (SE) *heartfelt thanks.*

— — — je³ — — — 謝 (SE) *ditto.*

chung¹衝 433 (V) *rush; dash; charge; offend.* **Coll. SF** ‡ **AP** chung³ see 434.

— dat⁶ — 突 (V) *clash; conflict.* (*RT time, opinions, territorial sovereignty, etc.*) (N) *conflict; clash.* (*RT time, opinions, territorial sovereignty, etc.*) (*Cl.* chi³ 次 *or* goh³ 個)

— dung⁶ — 動 (V) *be roused; get excited.* (N) *impulse.* (*Cl.* jung² 種) (Adj) *impulsive; excited.*

— fung¹ — 鋒 (V) *charge (with bayonets); fight (hand to hand); rush (to get sth).* **FE**

— gik¹° — 擊 (V) *give a shock to; make an impact on.* (*GRT economy, finance, politics, etc.*) (N) *shock; onset.* (*GRT economy, finance, politics, etc.*) (*Cl.* chi³ 次 *or* jung² 種)

— hung⁴ dang¹° — 紅燈 (SE) *disobeying traffic lights; dash through the red lights.* **LT**

— jong⁶ — 撞 (V) *offend (sb); bump against.*

— lok⁶ hoi² — 落海 (V) *dash into the sea; run into the sea.*

— wong⁴ dang¹° — 黃燈 (SE) *cross on the amber lights.*

chung³衝 434 (V) *move towards.* **Bk.** ‡ **AP** chung¹ see 433.

chung² 寵   435   (V) *favour.* **SF** ‡ (N) *favour.* **SF** ‡

— mat⁶ — 物   (N) *pet; treasure.* (*Cl.* gin⁶ 件 goh³ 個, *or* jek³ 隻)

— — dim³ — — 店   (N) *pet-shop.* (*Cl.* gan¹ 間)

— oi³ — 愛   (V) *love; delight in; favour.* **FE** (N) *favour; treasure.*
FE

chung⁴ 叢   436   (N) *woods; thicket.* **SF** ‡

— lam⁴ — 林   (N) *woods; forest; thicket.* **FE** (N) *a Buddhist
monastery.* **Fml.**

chung⁴ 從   437   (V) *follow; comply with.* **Fml. SF** ‡ (Prep) *from.* **SF** ‡ (Adv) *previously; hitherto.* **SF** ‡ **AP: (1)** jung⁶ see 1640; **(2)** sung¹ see 2970.

— chi² — 此   (Adv) *from now on; from then on; hereafter; thereafter.*

— — yi⁵ hau⁶ — — 以後   (Adv) *ditto.*

— gam¹ yi⁵ hau⁶ — 今以後   (Adv) *ditto.*

— chin⁴ — 前   (Adv) *previously; formerly.* **FE**

5 — gwan¹ — 軍   (V) *enlist (as a soldier); join the ranks.*

— loi⁴ — 來   (Adv) *hitherto; until now.*

— — do¹° m⁴ — — 都唔   (Adv) *never before; previously never so.*

— — — mo⁵ — — — 冇   (Adv) *ditto.*

— mei⁶ — 未   (Adv) *ditto.*

— jo² do³ maan⁵ — 早到晚   (Adv) *from early till late.*

— si⁶ — 事′   (V) *engage in; devote to.* **Fml.**

— — gaak³ ming⁶ — — 革命   (SE) *devote (one's life) to promoting
a revolution.*

— — jung² tung² ging⁶ suen² — — 總統競選   (SE) *engage in a
presidential election.*

— tau⁴ do³ mei⁵ — 頭到尾   (Adv) *from beginning to end; from head
to toe.* (*Lit. from head to tail*)

— — joi³ hei² — — 再起   (SE) *commence again from the beginning;
start all over again.*

— — — lai⁴ — — — 嚟   (SE) *ditto.*

chung⁴ 松   438   (N) *pine-tree.* **SF**

— chaai⁴ — 柴   (N) *pine (as firewood).*   (*Cl.* tiu⁴ 條)

— heung¹° — 香   (N) *resin.*   *(No Cl.)*

— jam¹° — 針   (N) *pine-needle.*   (*Cl.* ji¹ 枝 *or* tiu⁴ 條)

— ji² — 子   (N) *pine-cone.*

5   — sue² — 鼠   (N) *squirrel.*   (*Cl.* jek³ 隻)

— sue⁶ — 樹   (N) *pine-tree.*   **FE**   (*Cl.* poh¹ 荷)

chung⁴ 蟲   439   (N) *insect* (*Cl.* jek³ 隻); *worm* (*Cl.* tiu 條).   **Coll.**

— joi¹ — 災   (N) *plague (of locusts).*   (*Cl.* chi³ 次)

— jue³ — 蛀   (Adj) *worm-eaten.*

— sik⁶ — 蝕   (Adj) *ditto.*

chung⁴ 蟲   440   (N) *insect* (*Cl.* jek³ 隻); *worm* (*Cl.* tiu⁴ 條).   **Coll.**   **AP fooi¹ SM see 744.**

chung⁴ 重   441   (V) *repeat.* **SF** ‡ (Adv) *again.* **SF** ‡ (Adj) *double.* **SF** ‡ **AP: (1) chung⁵ see 442; (2) jung⁶ see 1639.**

— chaau¹ — 抄   (V) *re-copy.*

— fan¹ — 婚   (V) *commit bigamy; involve oneself in bigamy.* (N) *bigamy.*   (*Cl.* chi³ 次)

— fuk¹° — 複   (V) *repeat.* **FE** (N) *repetition.*   (*Cl.* chi³ 次)   (Adv) *again and again.*

— gau² (jit³) — 九 (節)   (N) *the "double-nine" festival (i.e. the 9th day of the 9th month).*

5   — yeung⁴ (jit³) — 陽 (節)   (N) *ditto.*

— gin³ — 建   (V) *re-build; re-construct.*

C–- Hing³ — 慶   (N) *Chungking (in Szechuan Province).*

c— san¹ — 新   (Adv) *anew; afresh; again.* **Fml. FE**

— — fan¹ pooi³ — — 分配   (V) *re-distribute.*

10   — — jo² jik¹° — — 組織   (V) *re-organize; re-group.*

— — jong¹ bei⁶ — — 裝備   (V) *re-equip; re-fit.*

— se² — 寫   (V) *re-write.*

— yau⁴ — 遊   (SE) *revisit.* **Fml.**

— yin² — 演   (V) *repeat.*   *(RT performances, stories, histories, etc.)*

chung⁵ 重   442   (Adj) *heavy (in weight).* **Coll. AP:** (1) **chung⁴** see 441; (2) **jung⁶** see 1639.

— chung⁵* dei⁶ — 重地   (Adj) *heavyish.* **Coll.**

— daam³ — 擔   (N) *a heavy load; weighty burden.*

— dim² — 點   (N) *point of support; a vital point; keynote.* **Fig.**

— leung⁶ — 量   (N) *weight.* **Fml. FE**

5 — — foh³ mat⁶ — — 貨物   (N) *heavy-weight goods.* (*Cl.* pai¹ 批 *or* jung² 種)

  — — kap¹° kuen⁴ si¹° — — — 級拳師   (N) *heavy-weight boxer.*

— pei⁴* — 皮   (Adj) *expensive; costly.*

— sam¹° — 心   (N) *centre of gravity.*

chut¹° 齣   443   (Cl) *for films and plays.*

chut¹° 出   444   (V) *issue (RT banknotes, official documents, etc.); pay (RT accounts, bills, etc.); offer (RT selling, hiring, tendering, etc.); produce; come out; go out.* **SF** ‡ (PP) *outside; out.* **SF** ‡ (Adv) *out.* **SF** ‡

— am³ biu¹° — 暗標   (V) *make a private bid; put in a secret tender.*

  — — poon⁴* — — 盤   (V) *ditto.*

— — baan² — 版   (V) *publish.*

  — — faat³ — — 法   (N) *law relating to publishing.* (*Cl.* jung² 種 *or* tiu⁴ 條)

5 — — gaai³ — — 界   (N) *the publishing world.*

  — — ji⁶ yau⁴ — — 自由   (N) *freedom of the press.* (*Cl.* jung² 種)

  — — yan⁴ — — 人   (N) *publisher.*

— gan² — 品   (N) *product; production.* (*Cl.* jung² 種)

— ban³ — 殯   (V) *hold a funeral procession.*

10 — song¹ — 喪   (V) *ditto.*

— bin⁶ — 便   (PP) *outside; out.*   (Adv) *out.*

— bing¹ — 兵   (V) *send military forces (to ssp for battle); march out troops (to ssp for battle).*

— bong² — 榜   (V) *publish a list (of successful caniddates at examinations).*

— chaan² — 產   (V) *produce.*

15 — — leung⁶ — — 量   (N) *output.*

— — sek⁶ yau⁴ — — 石油   (V) *produce oil; produce petroleum.* (Adj) *oil-producing.*

— yau⁴ — 油   (V) *ditto.*   (Adj) *ditto.*

— — gwok³ — — 國   (N) *oil-producing country.*

— chan² — 診   (V) *visit patients at home.*   *(ROT doctors)*

20 — chau² — 醜   (V) *incur disgrace; expose one's weak points.*

— yeung³ seung³ — 洋相   (V) *ditto.*

— chin¹° — 千   (V) *cheat at cards; swindle.* **Coll.** **FE**

— lo⁵ chin¹° — 老千   (V) *ditto.*

— chin⁴* — 錢   (V) *provide the funds; pay the bill; pay; bear the cost.* **FE**

— chiu¹ — 超   (V) *have favourable trade balance.* (N) *excess of exports over imports.*   *(No Cl.)*

25 — dau⁶* — 痘   (V) *have small pox.*

— tin¹ fa¹ — 天花   (V) *ditto.*

— di¹° — 啲   (Adv) *further out.*

30 — yat¹° di¹° — — 一啲   (Adv) *ditto.*

— dung⁶ — 動   (V) *mobilize.* **Coll.** (N) *mobilization.* **Coll.** (*Cl.* chi³ 次)

— faat³ — 發   (V) *set forth; start.*   *(RT outings, journeys, etc.)*

— foh³ — 貨   (V) *produce goods; deliver goods.*

— fung¹ tau⁴ — 風頭   (V) *show off; make a name; gain notoriety.*

— ga³ — 價   (N) *bidding (at auctions).* **Fml.** **FE** (V) *make a bid.* **Fml.** **FE**

35 — gaai¹° — 街   (V) *go out (for a stroll; a date, shopping etc.).*

— ging² — 境   (V) *leave a country.*

— go³ piu³ — 告票   (V) *issue a summons.*

— go³ si⁶ — 告示   (V) *issue a notice.*

　　　— gung¹° 　— 恭 　　(V) *ease nature.*

40　— gwai² 　— 軌 　　(V) *be derailed.* 　(N) *derailment.* 　(Cl. chi³次)

　　　— gwok³ 　— 國 　　(SE) *go abroad.*

　　　— yeung⁴ 　— 洋 　　(V) *ditto.*

　　　— hau² 　— 口 　　(N) *export.* 　(V) *export.*

　　　— — foh³ 　— — 貨 　　(N) *exports; merchandise for export.* 　(Cl. jung² 種)

45　— — hong⁴* 　— — 行 　　(N) *export firm.* 　(Cl. gaan¹間)

　　　— — mau⁶ yik⁶ 　— — 貿易 　　(N) *export trade.* 　**Fml.** 　(Cl. jung²種)

　　　— — saang¹ yi³ 　— — 生意 　　(N) *ditto.* 　**Coll.**

　　　— hei³ 　— 氣 　　(V) *vent one's spleen.*

　　　— hon⁶ 　— 汗 　　(V) *perspire.* 　(N) *perspiration.* 　*(No. Cl.)*

50　— huet³ 　— 血 　　(V) *bleed.* 　(N) *bleeding.* 　(Cl. chi³次)

　　　— hui³ 　— 去 　　(V) *go out (for a stroll, a date, shopping etc.).* 　(V) *go out (from a room, an office etc.).*

　　　— jik⁶ 　— 席 　　(V) *be present at a meeting; attend a meeting.*

　　　— jo¹ 　— 租 　　(V) *rent to; let to; hire to.* 　(Adv) *for let; for hire.*

　　　— kei⁴ 　— 奇 　　(Adj) *surprising; strange; odd.* 　**Coll.**

55　— lai⁴ 　— 嚟 　　(V) *come out.* 　**FE**

　　　— leung⁴ 　— 糧 　　(V) *pay wages or salary; collect pay.*

　　　— lik⁶ 　— 力 　　(V) *exert one's strength; make an effort.*

　　　— lo⁶ 　— 路 　　(N) *exit; an outlet; future (RT profession or career).* 　(Cl. tiu⁴條)

　　　— ma⁴ chan² 　— 麻疹 　　(V) *have measles.* 　**Fml.**

60　— ma⁴* 　— 麻 　　(V) *ditto.* 　**Coll.**

　　　— maai⁶ 　— 賣 　　(V) *sell; offer for sale; sell one's soul; betray (RT one's country or friend).* 　**Fml.** 　**FE** 　(Adv) *for sale; on sale.*

　　　— maau¹° (jai²) 　— 貓(仔) 　　(V) *cheat at examinations.* 　*(ROT school children)* 　**Sl.**

　　　— meng⁴* 　— 名 　　(Adj) *famous; well-known; renowned.*

　　　— moon⁴ 　— 門 　　(V) *go on a journey; go for a trip.*

65　— naap⁶ 　— 納 　　(N) *shroff; cashier.* 　(Cl. goh³ 個)

　　　— nin⁴* 　— 年 　　(Adv) *next year.* 　(N) *next year.* 　*(No. Cl.)*

　　　— sai³ 　— 世 　　(V) *be born.* 　**Coll.**

— sang¹ — 生   (V) *ditto*. **Fml.**

— — dei⁶ — — 地   (N) *place of birth*.

70 — — yat⁶ kei⁴ — — — 日期   (N) *date of birth*.

— seng¹ — 聲   (V) *speak; utter a sound*.

— seung² gaak³ —— 賞格   (V) *issue a notice of reward; offer a reward*.

— — gam¹° — — 金   (V) *ditto*.

— si³ tai⁴* — 試題   (V) *set exam. papers*.

75 — tai⁴ muk⁶ — 題目   (V) *ditto*.

— sut⁶* — 術   (V) *cheat; swindle; devise tricks*. **Sl.**

— tau⁴ — 頭   (V) *come to the front; single out; "become somebody"*. **SF**

— yan⁴ tau⁴ dei⁶ — 人頭地   (V) *ditto*. **FE**

— ting⁴ — 庭   (V) *appear in court*.

80 — yap⁶ hau² — 入口   (N) *import-export*. (*Cl.* jung² 種)

— — — foh³ — — — 貨   (N) *imports and exports; merchandise for import/export*. (*Cl.* jung² 種)

— — — hong⁴* — — — 行   (N) *import-export firm*. (*Cl.* gaan¹ 間)

— — — mau⁶ yik⁶ — — — 貿易   (N) *import-export trade*. **Fml.** (*Cl.* jung² 種)

— — — saang¹ yi³ — — — 生意   (N) *ditto*. **Coll.**

85 — ye⁶ gaai¹° — 夜街   (V) *stroll at night; take a walk at night; go out at night*.

— yin⁶ — 現   (V) *happen; appear; emerge*.

— yuen⁶* — 院   (V) *be discharged from a hospital; get out of hospital*.

D

da¹° 打   **445**   (N) *dozen.* **Tr.** *(No Cl.)* (Adj) *dozen.* **Tr. AP da²** **see 446.**

da² 打   **446**   (V) *beat; hit; strike; fight; play; type; telephone; send (a telegram).* **SF AP da¹° see 445.**

— am³ ho⁶   暗號   (V) *give a hint; give a cue.*

— sau² sai³   — 手勢   (V) *ditto.*

— baai⁶   — 敗   (V) *defeat; be defeated.*

— — jeung³   — — 仗   (V) *lose a battle; lose a war.*

— baan³   — 扮   (V) *dress up; make up (with cosmetics, false hair, etc.).* (N) *style of dress; make-up.* (Cl. jung³ 種)

— baau¹ jaang¹°   — 包睜   (V) *nudge; hit sb with the elbow.* **Coll.**

— baau² yik¹°   — 飽噎   (V) *hiccup; hiccough.*

— yik¹°   — 噎   (V) *ditto.*

— bei⁶ hon⁴   — 鼻鼾   (V) *snore.*

10   — bin¹ lo⁴   — 邊爐   (V) *cook food in a fondue dish; cook food in a "Mongolian pot".* (*ROT Cantonese menu*)

— bo¹ (taai¹°)   — 褒 (呔)   (V) *put on a bow-tie.* **Tr.**

— boh¹°   — 波   (V) *play ball; play a ball game.* (*RT soccer*)

— chau¹ chin¹°   — 鞦韆   (V) *swing (on a rope swing).*

— che³   — 斜   (Adv) *aslant; off the square.* (V) *slant; place at an angle.*

15   — chek³ bok³   — 赤膊   (Adj) *bare-backed.*

— — geuk³   — — 脚   (Adj) *bare-legged; bare-footed.*

— daan¹°   — 單   (V) *blackmail.* (N) *blackmail.* (Cl. chi³ 次)

— — on³   — — 案   (N) *blackmail case.* (Cl. jung¹ 宗 or gin⁶ 件)

— — sun³   — — 信   (N) *a threatening note (for a ransom); an invitation card* (**Joc.**). (Cl. fung¹ 封)

20   — dau³   — 鬪   (V) *fight (with fists).* **Fml.** (N) *fighting (with fists).* **Fml.** (Cl. chi³ 次 or cheung⁴ 塲)

— gaau¹°   — 交   (V) *ditto.* **Coll.** (N) *fighting.* **Coll.**

— dau³ pin³* — 鬪片 (N) *action film; films of crime and violence.* (*Cl.* chut¹° 齣)

— daai⁶ cheung⁴ boh¹° — 大塲波 (V) *compete in a major soccer match.*

— dei⁶ po¹° — 地舖 (V) *make up a bed on the ground; make up a bed on the floor.*

25 — din⁶ bo³ — 電報 (V) *send a telegram.* (V) *give a hint.* **Fig. Sl.**

— — wa⁶* — — 話 (V) *telephone; make a phone call.*

— do² — 倒 (V) *overthrow.* (*RT governments, regimes, etc.*) (SE) *"Down With".* (*RT slogans*)

— foh² gei¹ — 火機 (N) *cigarette lighter.* (*Cl.* goh³ 個)

— fok³ luen⁶ jam¹° — 霍亂針 (V) *inoculate against cholera; be inoculated against cholera.*

30 — yue⁶ fong⁴ fok³ luen⁶ jam¹° — 預防霍亂針 (V) *ditto.* **FE**

— fong⁴ yik⁶ jam¹° — 防疫針 (V) *ditto.*

— yue⁶ fong⁴ yik⁶ jing³ jam¹° — 預防疫症針 (V) *ditto.* **FE**

— fung¹ (gau⁶) — 風(嚿) (N) *typhoon.* (*Cl.* chi³ 次 or cheung⁴ 塲) (V) *have a typhoon.*

— gau³ — 救 (V) *save; rescue.* **FE**

35 — gik¹° — 擊 (V) *deal a blow.* (N) *a severe blow.*

— gip³ — 刼 (V) *rob; take by force.* (N) *robbery.* (*Cl.* chi³ 次)

— — on³ — — 案 (N) *robbery case.* (*Cl.* jung¹ 宗 or gin⁶ 件)

— gong³ kam⁴ — 鋼琴 (V) *play the piano.*

— gung¹° — 工 (V) *work (for a living).*

40 — — jai² — — 仔 (N) *working-class people in general, junior employee.* **Coll.**

— — m⁴ gau³ maai⁵ yin¹° chin⁴ — — 唔夠買烟錢 (SE) *"The wage isn't enough for even minor expenses."* (*Lit. the wage is not enough to buy cigarettes*)

— gwoo² — 鼓 (V) *beat a drum.*

— haam³ lo⁶ — 喊路 (V) *yawn.* **Coll.**

— hat¹° chi¹ — 乞嗤 (V) *sneeze.* **Coll.**

45 — hei³ — 氣 (V) *boost morale* (**Fig.**); *inflate a tyre.*

— hoh⁴ baau¹° — 荷包 (SE) *pick sb's pocket; have one's pocket picked.*

— hoi¹ — 開 (V) *open.* (*RT a door, drawer, parcel, refrigerator, wallet, etc.*)

— huen¹° — 圈   (V) *draw a circle; turn round and round.*

— jaai¹ — 齋   (V) *offer a sacrifice (to recently departed souls).* *(ROT Toaist or Buddhist rites)* (N) *fast; a ceremonial sacrifice (offered to recently departed souls).* *(ROT Toaist or Buddhist rites)* (Cl. chi³ 次)

50 — jaap⁶* — 什   (N) *"Jack of all trades"; general labourer.*

— jam¹° — 針   (V) *give an injection; have an injection.*

— jeung³ — 仗   (V) *fight a battle; go to war.* (N) *war, battle.* (Cl. chi³ 次 or cheung⁴ 場)

— ji² mo⁴ — 指模   (V) *take finger prints.*

— sau² ji² mo⁴ — 手指模   (V) *ditto.*

55 — ji⁶ — 字   (V) *use typewriter; type.*

— — daai³* — — 帶   (N) *typewriter ribbon.* (Cl. hap⁶ 盒 or tiu⁴ 條)

— — fong⁴* — — 房   (N) *typing pool; typing office.* (Cl. gaan¹ 間 or goh³ 個)

— — gei¹ — — 機   (N) *typewriter.* (Cl. ga³ 架)

— — yuen⁴ — — 員   (N) *typist.* **Fml.**

60 — jim¹° — 尖   (V) *jump the queue.*

— jit³ tau⁴ — 折頭   (V) *give a discount.* *(GRT shopping)*

— jiu³ — 醮   (N) *a public ceremony (for departed souls).* *(ROT Toaist or Buddhist rites)* (Cl. chi³ 次 or cheung⁴ 場) (V) *celebrate the festival of departed souls.* *(ROT Toaist or Buddhist rites)*

— jong¹ — 椿   (V) *drive a pile.* (N) *pile-driving.* (Cl. chi³ 次 or jung² 種)

— — gei¹ — — 機   (N) *pile-driver.* (Cl. ga³ 架)

65 — — do¹° da² m⁴ yap⁶ — — 都打唔入   (SE) *full; fully packed.* *(RT a car park, cinema, house, lecture room, luggage, etc.)* *(Lit. cannot even drive a pile into it)*

— juen³ — 轉   (V) *go round; turn round and round.*

— kwaak¹° — 嚇   (V) *ditto.* **Coll.**

— laang¹° — 哈   (V) *ditto.* **Coll.**

— juk¹° kau⁴ — 足球   (V) *play soccer.*

70 — ka¹ gaai³ miu⁴ (jam¹°) — 卡介苗(針)   (V) *inject BCG vaccine.*

— yue⁶ fong⁴ fai³ lo⁴ jam¹° — 預防肺癆針   (V) *ditto.*

— laan⁶ — 爛   (V) *break.*

— laang⁵ jan³ — 冷震   (V) *shudder.*

— lei⁵ — 理   (V) *look after; care for; care about; take notice of; pay attention to; be in charge of.*

75 — lei⁵ ga¹ mo⁶ — 理家務   (V) *do the work of a housewife; take up household duties.*

— — — tau⁴ sai³ mo⁶ — — — 頭細務   (V) *ditto.*

— leng⁵ daai³* — 領帶   (V) *put on a necktie.* **Fml.**

— taai¹° — 呔   (V) *ditto.* **Tr. Coll.**

— lip⁶ — 獵   (V) *hunt.* *(ROT animals and birds)*

80 — loh⁴ — 鑼   (V) *beat a gong.*

— lok⁶ sui² gau² — 落水狗   (SE) *kick a man when he's down.* *(Lit. hit the dog that fell into the water)*

— ma⁴ jeuk³* — 麻雀   (V) *play mahjong.*

— mong⁵ kau⁴ — 網球   (V) *play lawn-tennis.*

— nga⁴ gaau³ — 牙較   (V) *have an idle chat; chat aimlessly.*

85 — paai⁴* — 牌   (V) *play mahjong; play cards.*

— poh³ gei³ luk⁶ — 破紀錄   (V) *break records.* (Adj) *record-breaking.*

— saat³ — 殺   (SE) *serious assaults; homicide in general.*

— sap⁶ saam¹ jeung¹° — 十三張   (V) *play the "13-cards" game.*

— sau² — 手   (N) *body guard; "bouncer".*

90 — sei² — 死   (V) *kill; be killed.*

— seung¹ — 傷   (V) *wound; be wounded.*

— sing³ — 勝   (V) *win.*

— yeung⁴ — 贏   (V) *ditto.*

— sing³ jeung³ — 勝仗   (V) *win a battle; win a war.*

95 — yeung⁴ jeung³ — 贏仗   (V) *ditto.*

— suen³ — 算   (V) *plan; be prepared; intend.* (N) *plan.* (*Cl.* goh³ 個 *or* jung² 種)

— suen³ poon⁴ — 算盤   (V) *use an abacus; calculate on an abacus.* (V) *be mean an stingy.* **Fig. Coll.**

— sui³ — 碎   (V) *break in pieces; smash.*

— taam³ — 探   (V) *find out; spy upon; try to get information.*

100 — ting³ — 听   (V) *ditto.*

— tit³ — 鉄   (V) *work as a blacksmith.*

— — chan³ yit⁶ — — 趁熱   (Sy) *Strike while the iron's hot. Make hay while the sun shines.*

— — lo² — — 佬   (N) *blacksmith.* **Coll.**

— toi¹ — 胎   (V) *procure an abortion; cause an abortion.*

105 — toi⁴* boh¹° — 枱波   (V) *play billiards.*

— tung¹ — 通   (V) *break through; knock through.*

— — gwaan¹ hai⁶ — — 關係   (V) *bribe (officials in charge of sth).*

— — teng¹° — — 廳   (SE) *the whole of one particular floor used for a dinner party in a Chinese restaurant. (Lit. open up the room, i.e. by removing all partitions or screens)* **LT**

— tuen⁵ — 斷   (V) *interrupt; interpose. (RT speeches, conversation, etc.)*

110 — yan³ — 印   (V) *stamp; put a chop on.*

— yan⁴ — 人   (V) *beat a person; hit a person.*

— yat¹° chaan¹ — 餐   (V) *give sb a beating; give sb a thrashing.*

— yuen⁴ jaai¹ jau⁶ m⁴ yiu³ woh⁴ seung⁶* — 完齋就唔要和尚   (SE) *be ungrateful for past work; show ingratitude for past help. (Lit. after a ceremonial sacrifice, then discard the monks.)*

daai¹ 獃（呆）   447   (Adj) *foolish; simple-minded; idiotic.* **Fml. SF ‡ AP ngoi⁴ SM see 2359.**

daai² 歹（歺）   448   (Adj) *vicious; bad.* **Fml. SF ‡**

— to⁴ — 徒   (N) *had man; villain.* **Fml. FE**

— yan⁴ — 人   (N) *ditto.*

daai³ 帶   449   (V) *bring; take away; lead (people or animals).* **SF ‡** (N) *zone (ROT the 5 parts of the earth's surface in different climates); area.* **SF ‡** *(No Cl.)* **AP daai³* see 450.**

— . . . bei² . . . 俾   (V) *bring to; take to.*

— bing¹ — 兵   (V) *lead troops; have charge of troops.*

— — gwoon¹ — — 官   (N) *military officer; commanding officer.* **Coll.**

— cheung¹° — 槍   (V) *carry a gun; carry arms; be armed.*

5 — — ge³ chaak⁶ lo² — — 嘅賊佬   (N) *gunman; armed robber.*

— . . . hui³ — . . . 去   (V) *take away.* **FE**

— . . . lai⁴ — 嚟   (V) *bring; lead (people or animals).* **FE**

— sui² — 水   (N) *pilot (of a ship)*. **Coll.** (V) *be the pilot (of a ship)*. **Coll.**

— — lo² — — 佬   (N) *pilot (of a ship)*. **Der. Coll.**

10 — sun³ — 信   (V) *carry a letter; carry a message.*

— — yan⁴ — — 人   (N) *the bearer of a letter; messenger.*

— tau⁴ — 頭   (V) *take the lead; take the initiative.*

— — jok³ yung⁶ — — 作用   (SE) *serve as a good example.*

daai³* 帶 450

(N) *belt; ribbon; band; necktie; shoe-lace.* **SF** ‡
(*Cl.* tiu⁴ 條) **AP daai³ see 449.**

daai³ 戴 451

(V) *wear.* (*RT spectacles, hat, wrist watch, jewellery, etc., but not clothes such as coats, trousers, skirts, stockings, socks, etc.*) **SF** ‡

— gaai³ ji² — 戒指   (V) *wear a ring.*

— geuk³ liu⁴ — 脚鐐   (V) *be fettered.*

— go¹ mo⁶* — 高帽   (V) *flatter; be flattered; toady to; be toadied to.* (*Lit. wear a top hat*) **Sl.**

— haau³ — 孝   (V) *be in mourning for one's elder relatives.*

5 — mo⁶* — 帽   (V) *wear a hat.*

— ngaan⁵ geng³* — 眼鏡   (V) *wear spectacles.*

— sau² biu¹° — 手錶   (V) *wear a wrist watch.*

— sau² liu⁴ — 手鐐   (V) *be handcuffed.*

— sau² sik¹° — 首飾   (V) *wear jewellery.*

daai⁶ 大 452

(Adj) *big; large.* (Adj) *old (in age).*

— ba² — 把   (Adj) *plenty of; an awful lot of; a great number of.*

— baan¹° — 班   (N) *compradore; "taipan".* **Tr.**

D— Bat¹° Lit⁶ Din¹° — 不列顛   (N) *Great Britain.* **Tr.**

d— bin⁶ — 便   (V) *empty the bowels; pass a motion.* (N) *excreta; faeces.* (*Cl.* chi³ 次)

5 — — m⁴ tung¹ — — 唔通   (SE) *constipation.* **Coll.**

— — bai³ git³ — — 閉結   (SE) *ditto.* **Fml.**

D— Bo³ — 埔   (N) *Tai Po.* **Tr.**

— — Do⁶ — — 道   (N) *Tai Po Road.* **Tr.** (*Cl.* tiu⁴條)

— — Gung¹ Lo⁶ — — 公路   (N) *ditto.*

10 d— boh¹° si⁶* — 波士   (N) *big boss; ring-leader.* **Tr.**

— boon² ying⁴ — 本營   (N) *military headquarters; centre.*

— cheung⁴* — 腸   (N) *the large intestine.* (*Cl.* tiu⁴條)

— cheung⁴ boh¹° — 塲波   (N) *major soccer match.* (*Cl.* cheung⁴塲)

— cheung⁴ min⁶* — 塲面   (N) *spectacular event; imposing affair; "big splash". (RT social functions, demonstrations; film-making, etc.)* (Adj) *spectacular. (RT social functions; demonstrations; film-making, etc.)*

15 — jan⁶ jeung⁶ — 陣仗   (N) *ditto.* (Adj) *spectacular; serious; troublesome.*

— chin⁴ yat⁶ — 前日   (Adv) *three days ago; two days before yesterday.*

— choi⁴ siu² yung⁶ — 材小用   (SE) *waste of talents; use a talented man in an inferior capacity. (Lit. large material for small uses)*

— daam² — 胆   (Adj) *bold; daring; adventurous.*

— dang¹° — 灯   (N) *chandelier.* (*Cl.* ji¹ 支 or jaan² 盞)

20 — dau⁶* — 荳   (N) *soya-bean.* (*Cl.* nap¹° 粒)

— do¹ si⁵ — 都市   (N) *big city; metropolis.* **Coll.**

— — wooi⁶ — — 會   (N) *ditto.* **Fml.**

— doh¹ so³ — 多數   (Adv) *mostly.* (N) *the majority. (No Cl.)*

— dong³ — 檔   (N) *gambling-den.* (*Cl.* dong³ 檔 or goh³ 個)

25 — dung⁶ mak⁶ — 動脈   (N) *the aorta.* (*Cl.* tiu⁴ 條)

— faat³ pei⁴ hei³ — 發脾氣   (SE) *get into a fearful rage.*

— foh² hei³ — 火氣   (Adj) *angry; moody; temperamental.*

— pei⁴ hei³ — 脾氣   (Adj) *ditto.*

— fong¹° — 方   (Adj) *generous; broad-minded; gentlemanly; lady-like.*

30 — fung¹ — 風   (N) *strong wind.* (*Cl.* cheung⁴ 塲)

— ga¹° — 家   (Pron) *all.* (Adv) *all.*

— gaai¹° — 街   (N) *the main street.* (*Cl.* tiu⁴ 條)

— — siu² hong⁶ — — 小巷   (SE) *everywhere in town; streets and lanes.*

— gaak³ ming⁶ — 革命   (N) *a great revolution; a drastic change.* (*Cl.* chi³ 次)

— gaam² ga³ — 減價   (V) *go to a bargain sale; have a bargain sale. (Lit. reduce prices)* (N) *a cheap sale; a bargain sale.* (*Cl.* chi³ 次)

— gan⁶ si⁶ — 近視 (SE) *extremely near-sighted.*

"— gat¹° lai⁶ si⁶" — "吉利是" (SE) *"Bless me"; "God bless you".*
(Lit. big luck and profit — an expression gen. used after one sneezes or where someone has said sth unpleasant or undesirable)

— geuk³ yau⁵* — 脚友 (N) *flatterer; toady; creeper; flunkey.* **Coll. Sl.**

— gin⁶ si⁶ — 件事 (Adj) *serious; troublesome.* (N) *serious matter; troublesome matter.* (Cl. gin⁶ 件)

40 — ging¹ siu² gwaai³ — 惊小怪 (SE) *a storm in a teacup.*

— goh¹° — 哥 (N) *elder brother; the oldest brother.*

— gong¹ — 綱 (N) *an outline.*

D— Gong¹ — 港 (N) *Takang. (a place in North China).* **Tr.**

— — Yau⁴ Tin⁴ — — 油田 (N) *Takang Oilfield.* **Tr.**

45 d— gwong¹ dang¹° — 光灯 (N) *kerosene lamp.* (Cl. jaan² 盞 *or* ji¹ 支)

"— ha¹ sai³" — 嘅細 (SE) *be a bully; play a cat-and-mouse game.*

— ha⁶ — 厦 (N) *multi-storeyed building; mansion; big house.* (Cl. gaan¹ 間 *or* joh⁶ 座)

— — gwoon² lei⁵ yuen⁴ — — 管理員 (N) *caretaker (of a building).*

— haau² — 考 (N) *final examination.* (Cl. chi³ 次) (V) *take a final examination.*

50 — hang¹° — 亨 (N) *big wig; big shot; big merchant; tycoon.* **Der.**

D— Hang⁴ Jing³ Kui¹ — 行政區 (N) *Region; Administrative Region (e.g. a province in China).*

— hau⁶ fong¹ — 後方 (N) *the rear; an area behind the battle front.*

— hau⁶ yat⁶ — 後日 (Adv) *two days after tomorrow; in three days' time.*

D— Hing³ — 慶 (N) *Taching (a place in Northeast China).* **Tr.**

55 — — Yau⁴ Tin⁴ — — 油田 (N) *Taching Oilfield.* **Tr.**

d— ho⁶* — 號 (N) *full bottle; standard bottle.* (Cl. ji¹ 支 *or* jun¹ 樽)

— ji¹ — 枝 (N) *ditto.*

— hok⁶ — 學 (N) *university.* (Cl. gaan¹ 間)

— — bat¹° yip⁶ sang¹° — — 畢業生 (N) *university graduate.*

60 — — saang¹° — — 生 (N) *undergraduate; university student.*

— — yap⁶ hok⁶ si³ — — 入學試 (N) *matriculation.* (Cl. chi³ 次 *or* nin⁴ 年)

— jaap⁶ — 閘   **(N)** *huge bamboo barrier (usually built along river banks for catching crabs).*   (*Cl.* do⁶ 度)

— — haai⁵ — — 蟹   **(N)** *fresh water crab (from lakes on the lower Yangtze brought here via Shanghai); loser in stocks* (**Fig.**).   (*Cl.* jek³ 只)

— jai² — 仔   **(SE)** *the eldest son.*

65   — jau¹ — 洲   **(N)** *a continent.*   **FE**

— je² — 姐   **(N)** *elder sister.*   **Coll.**   **FE**

— ji² — 姊   **(N)** *ditto.*

— je² jai² — 姐仔   **(N)** *a little girl.*   **Coll.**

— jeung⁶ foo¹ — 丈夫   **(N)** *manly person; "tough guy"; "strong man" (Sometimes* **sat.***).*

70   — ji² — 紙   **(N)** *large denominations.*   *(ROT bank notes)*   (*Cl.* jeung¹ 張)

— jin³ — 戰   **(N)** *war; decisive battle.*   (*Cl.* chi³ 次 *or* cheung⁴ 塲)

— jing⁶ mak⁶ — 靜脈   **(N)** *the great vein (carrying blood from the body to the heart).*   (*Cl.* tiu⁴ 條)

— jong⁶ si¹° — 狀師   **(N)** *barrister.*   **FE**

— lut⁶ si¹° — 律師   **(N)** *ditto.*

75   — jue² bat¹° — 主筆   **(N)** *editor-in-chief.*

D— Jui⁶ Saan¹ — 嶼山   **(N)** *Lantau Island.*   **Fml. CP Daai⁶ Yue⁴ Saan¹**

d— jung³ — 衆   **(N)** *the masses; the general public.*

— kam¹° — 襟   **(Adj)** *side-buttoned; having buttons on one side.*

— — saam¹° — — 衫   **(N)** *garment with buttons on one side.*   (*Cl.* gin⁶ 件)

80   D— Kau⁴ Cheung⁴ — 球塲   **(N)** *the Hong Kong Stadium.*   **Coll. SF**

— kei⁵ yip⁶ — 企業   **(N)** *enterprise.*   (*Cl.* jung² 種)

— — — ga¹° — — — 家   **(N)** *man of enterprise; invester in enterprises.*

— koi³* — 槪   **(Adv)** *approximately; about; probably.*

— yeuk³ — 約   **(Adv)** *ditto.*

85   — kwai¹ mo⁴ — 規模   **(Adj)** & **(Adv)** *on a large scale; of wide scope.*

— la⁴ la⁴ — 喇喇   **(Adv)** *too large a sum; as much as (GRT money).*

— lai⁵ fuk⁶ — 禮服   **(N)** *swellow-tailed coat.*   (*Cl.* gin⁶ 件)

— lau¹° — 褸   **(N)** *overcoat.*   **Coll.**   (*Cl.* gin⁶ 件)

— leung⁶ — 量   (N) *large quantities. (No Cl.)* (Adv) *in large quantities.*

90 — lik⁶ — 力   (Adj) *strong (physically); powerful (mechanically).*

— lo¹ ga¹° — 撈家   (N) *ring-leader; racketeer; "spiv".* **Sl.**

— lo² — 佬   (N) *elder brother; "friend" (as a polite form of address to a male stranger).* **Coll.**

— lo⁶ — 路   (N) *the main road; the proper way to do a thing* (**Fig.**). *(Cl.* tiu⁴ 條*)*

— luk⁶ — 陸   (N) *mainland; continent. (Often used in Hong Kong to refer to China)*

95 — — ga³* — — 架   (N) *continental shelf.*

— — gung¹ si¹° — — 公司   (N) *Chinese products centre; Chinese goods emporium. (Cl.* gaan¹ 間 *)*

— — sing³ hei³ hau⁶ — — 性氣候   (N) *continental climate. (Cl.* jung² 種*)*

— ma⁴ — 麻   (N) *hemp; marijuana. (No Cl.)*

— ma⁵ — 碼   (N) *large size. (GRT clothing)*

100 — mai⁵ — 米   (N) *rice (as opposed to millet). (Grain:* nap¹° 粒 *)*

— mak⁶ — 麥   (N) *barley. (Grain:* nap¹° 粒 *)*

— moon⁴ — 門   (N) *the main door. (Cl.* do⁶ 度 *or* jek³ 只 *)*

— mung² — 懵   (Adj) *foolish; idiotic.* **Coll.** (N) *fool; idiot.* **Coll.**

— — gwai² — — 鬼   (SE) *a big foot.* **Coll.**

105 — no⁵ — 腦   (N) *the cerebrum.*

— ngan⁴* — 銀   (N) *1-dollar coin. (ROT the Hong Kong currency)* **LT Coll.**

— ngok⁶ — 鱷   (N) *crook; swindler.* **Fig. Sl.** *(Cl.* tiu⁴ 條*)*

— paai⁴* — 牌   (N) *"superstar"; person with a big name. (GRT movie stars, singers, athletes, writers, politicians, etc.)* **Der. Coll.** (Adj) *popular; arrogant; self-important.* **Sat. Coll.**

— paai⁴ dong³ — 牌檔   (N) *cooked food stall.*

110 — paau³ — 砲   (N) *cannon; big gun. (Cl.* ham² 磭 *)* (N) *a lie; an untrue statement. (Cl.* chi³ 次 *)*

— wa⁶ — 話   (N) *a lie; an untrue statement. (Cl.* chi³ 次 *)*

— paau³ gwai² — 砲鬼   (N) *a liar.* **Coll.**

— wa⁶ gwai² — 話鬼   (N) *ditto.*

— paau³ yau⁵* — 砲友   (N) *ditto.*

115 — wa⁶ yau⁵* — 話友　(N) *ditto.*

— — pa³ gai³ so³ — — 怕計數　(SE) *figures don't lie; statistics speak for themselves; you can't argue against facts. (Lit. A lie is afraid of calculation.)*

— saam¹° — 衫　(N) *jacket (of a man's suit). (Cl.* gin⁶ 件)

— san¹ man⁴* — 新聞　(N) *important news. (Cl.* gin⁶ 件 *or* goh³ 個)

D— Sai¹ Yeung⁴ — 西洋　(N) *the Atlantic Ocean.*

120 d— se² — 寫　(N) *capital letter* (SE); *chief clerk (in an office).*

— — ji⁶ mo⁵ — — 字母　(N) *capital letter.* **FE**

— se³ — 赦　(N) *amnesty. (Cl.* chi³ 次)

— seng¹ — 聲　(Adv) *in a loud voice; loudly.* (Adj) *loud.*

— seung¹ ga¹ — 商家　(N) *successful businessman.*

125 — si³ — 使　(N) *ambassador.*

— — gwoon² — — 館　(N) *embassy. (Cl.* gaan¹ 間)

— si⁶ — 事　(N) *important matter. (Cl.* pin⁶ 件)

— so² — 嫂　(N) *the first sister-in-law. (i.e. wife of elder brother).*

— so³ chui⁴ — 掃除　(N) *a great clearance; a clean sweep. (Cl.* chi³ 次)

130 — suen⁴* — 船　(N) *ferry; Macao ferry. (Lit. big ship)* **Coll.** *(Cl.* jek³ 只)

— taam¹° — 貪　(Adj) *greedy; covetous.* **Coll.** (N) *greedy person; covetous person.* **Coll.**

— — gwai² — — 鬼　(N) *greedy person; covetous person.* **Coll.**

— tong⁴ — 堂　(N) *hall; the main hall. (Gen. for meeting, reception, waiting, etc.)*

— tung⁴ siu² yi⁶ — 同小異　(SE) *Much the same; little difference; virtually the same.*

135 "— wong⁴" "—王"　(N) *"king"; "Mr. Big"; ring-leader.* **Sl.**

D— Wooi⁶ Tong⁴ — 會堂　(N) *The City Hall (of Hong Kong). (Cl.* gaan¹ 間)

d— yan⁴ — 人　(N) *adult; grown-up person.*

— — mat⁶* — — 物　*personage; distinguished person; great man; "VIP".*

— yan⁵ — 癮　(IC) *have a craving for (RT vices); be mad about (RT hobbies).* (Adj) *mad about (RT hobbies); irresistable (RT vices, craving, etc.).*

¹⁴⁰ — yau⁵ fan¹ bit⁶ — 有分別   (SE) *have a big difference.*

— — gwaan¹ hai⁶ — — 關係   (SE) *have close connection with; have much to do with.*

— — seung¹ gon¹ — — 相干   (SE) *ditto.*

"— yeuk³ jun³" "— 躍進"   (SE) *"the great leap forward". (RT a recent important movement in China)* (*Cl.* chi³ 次)

— yeung⁶* — 樣   (N) *final proof (of a newspaper).* (*Cl.* goh³ 個) *or* jeung¹ 張)

¹⁴⁵ — yi³ — 意   (Adj) *careless; reckless.* (N) *main idea; general idea.*

— yi⁵ lung¹° — 耳窿   (N) *a usurer.* **Coll.**

— yue⁴ sik⁶ sai³ yue⁴, sai³ yue⁴ sik⁶ ha¹° mo¹ — 魚食細魚，細魚食蝦蟆 (SE) *cruel; "the survival of the fittest."* (*Lit. big fish eat small fish, small fish eat small shrimps.*)

— yue⁵ — 雨   (N) *heavy rain.* (*Cl.* cheung⁴ 塲)

daam¹ 擔(担)   ⁴⁵³   (V) *carry a big (with a carrying pole on the shoulder by only one person); bear responsibility.* **SF AP daam³ see 454.**

— bo² — 保   (V) *guarantee.* (N) *guarantee.* (*Cl.* jung² 種)

— — sun³ — — 信   (N) *registered letter; registered mail.* (*Cl.* fung¹ 封)

— — yan⁴ — — 人   (N) *guarantor.* (*Cl.* goh³ 個)

— dong¹ — 當   (V) *bear responsibility; become involved in the guilt of.*

⁵ — — jaak³ yam⁶ — — 責任   (V) *bear responsibility.* **FE**

— — jui⁶ ming⁴ — — 罪名   (V) *become involved in the guilt of.*

— ga³ (chong⁴) — 架(牀)   (V) *stretcher.* (*Cl.* jeung¹ 張)

— hei² — 起   (V) *be able to carry a load.* **FE**

— sam¹ — 心   (V) *worry about; be worried about.*

¹⁰ — yam⁶ — 任   (V) *take up a post.*

— — bei³ sue¹° — — 秘書   (V) *take up a secretarial job.*

— ye⁵ — 嘢   (V) *carry a load.* **FE**

daam³ 擔(担)   ⁴⁵⁴   (N) *a load. (RT relatively heavy objects tied to each end of a carrying pole) (No Cl.)* **AP daam¹ see 453.**

— tiu¹° — 挑   (N) *carrying pole.* (*Cl.* tiu⁴ 條)

daam¹ 眈 455   (V) *delay; impede; hinder.* **Fml. SF** ‡

— goh³ — 擱   (V) *delay.* **FE**

— — si⁴ gaan¹ — — 時間   (V) *waste time.*

— — — hau⁶ — — — 候   (V) *ditto.*

— ng⁶ — 悮   (V) *impede; hinder.* **FE**

5   — — gung¹ jok³ — — 工作   (SE) *impede the execution of work.*

— — si⁶ ching⁴ — — 事情   (SE) *ditto.*

daam² 膽（胆） 456   (N) *gall-bladder.* **SF** (*Cl.* goh³ 個) **(N)** *courage; bravery; grit.* **SF** ‡ *(No Cl.)*

— daai⁶ — 大   (Adj) *bold; daring; adventurous.*

— — sam¹ sai³ — — 心細   (SE) *brave but cautious.*

— hip³ — 怯   (Adj) *fearful; timid.*

— sai³ — 細   (Adj) *ditto.*

5   — leung⁶ — 量   (N) *courage; bravery; grit.* **FE**

— long⁴ — 囊   (N) *gall-bladder.* **FE**

— saang¹ mo⁴ — 生毛   (SE) *dauntless; audacious.* *(Lit. gall grows hairs)*

— (saang¹) sek⁶ — (生)石   (N) *gall-stone.* *(Cl.* nap¹° 粒*)*

daam⁶ 淡 457   (Adj) *slack; dull.* *(ROT commercial business, trade, etc.)* **SF** (Adj) *calm; dispassionate.* **SF AP** **taam⁵ see 3000.**

— bok⁶ — 泊   (Adj) *dispassionate; content with little.*

— ding⁶ — 定   (Adj) *calm; steady; indifferent.* (Adv) *calmly; steadily; with presence of mind.*

— gwai³ — 季   (N) *slack season; dull season.* *(ROT commercial business, trade, etc.)*

— yuet⁶* — 月   (N) *ditto.*

daam⁶ 啖（啘） 458   (PN) *mouthful (RT food or drink); puff (RT smoke); quantity held by the mouth.* *(No Cl.)* (V) *eat; chew,* **Bk.** ‡

— daam⁶ yuk⁶ — 啖肉   (SE) *profitable; without any overhead expenses.* *(Lit. full of meat)* **Sl. Coll.**

daan¹ 單 459

(Cl.) *for commercial business; for crimes.* (Adj) *odd; single; alone.* **SF** ‡ (Adv) *singly; alone.* **SF** ‡

— che¹° — 車 (N) *bicycle.* **LT** (*Cl.* ga³架)

— ching⁴ lo⁶ — 程路 (N) *one-way traffic; one-way road; one-way street.* (*Cl.* tiu⁴條)

— — piu³ — — 票 (N) *single ticket; one-way ticket.* (*Cl.* jeung¹張)

— diu⁶ — 調 (Adj) *monotonous; drab.*

5 — do¹ jik⁶ yap⁶ — 刀直入 (SE) *go straight to the point; not beat about the bush.* (*Lit. thrust straight in with one single sabre*)

— duk⁶ — 獨 (Adj) & (Adv) *alone.* **FE**

— gui³ — 句 (N) *a simple sentence (in grammar).* (*Cl.* gui³句)

— gwai² tit³ lo⁶ — 軌鐵路 (N) *monorail.* (*Cl.* tiu⁴條)

— ji⁶ — 字 (N) *single word; individual word.*

10 — so³ — 數 (N) *odd number; singular number (in grammar).*

— sun⁴ — 純 (Adj) *foolishly simple; simple-minded; pure.*

— tau⁴ gung¹° — 頭公 (N) *single man; bachelor.* (*GRT middle-aged ones*)

— — jai² — — 仔 (N) *ditto.* (*GRT younger ones*)

— wai⁶* — 位 (N) *a unit.* (*RT weights, measures, organizations, offices, etc.*)

15 — yam¹° — 音 (N) *monotone.*

— — ji⁶ — — 字 (N) *monosyllable.*

— — yue⁵ — — 語 (N) *monosyllabic language.* (*Cl.* jung²種)

— yan⁴ chong⁴ — 人牀 (N) *single bed.* (*Cl.* jeung¹張)

— — fong⁴* — — 房 (N) *single room.* (*Cl.* goh³個 or gaan¹間)

20 — — pat¹° ma⁵ — — 匹馬 (SE) *single-handed; all alone.* (*RT a venture or crime*)

— yat⁶* — 日 (N) *odd day (of the month).*

— yuet³* — 月 (N) *odd month (of the year).*

daan¹° 單 460

(N) *documentary evidence; document.* (*RT bills, receipts, invoices; lists, statements of accounts, etc.*) **SF** (*Cl.* jeung¹張) **AP daan¹ see 459.**

— gui³ — 據 (N) *documentary evidence; document.* (*RT bills, receipts, invoices, lists, statements of accounts, etc.*) **FE** (*Cl.* jeung¹張)

119

daan¹ 丹 461　　(N) *pill; small tablet (of medicine).* **SF** ‡ (*Cl.* nap¹° 粒)　(Adj) *red.* **Bk.** ‡

— fong¹° — 方　　(N) *prescription.* **Fml. FE** (*Cl.* jeung¹張)

— hung⁴ — 紅　　(Adj) *red.* **Fml. FE**

daan⁶* 蛋(蜑) 462　　(N) *egg; hen's egg.* **SF** (*Cl.* goh³ 個 *or* jek³ 只)

— baak⁶ — 白　　(N) *the white of an egg.* (*No Cl.*)

— — jat¹° — — 質　　(N) *albumen.* (*No Cl.*)

— hok³ — 壳　　(N) *the shell of an egg.*

— wong⁴* — 黃　　(N) *the yolk of an egg.*

daan³ 誕(誔) 463　　(N) *birthday.* **Fml. SF** ‡ (V) *be born, give birth to.* **Fml. SF** ‡

— san⁴ — 辰　　(N) *birthday.* **Fml.**

— sang¹ — 生　　(V) *be born; give birth to.* **Fml.**

— — dei⁶ — — 地　　(N) *place of birth.* **Fml.**

daan⁶ 彈 464　　(V) *rebound; bounce.* **AP: (1)** daan⁶* **see 465; (2)** taan⁴ **see 3014.**

— chut¹° hui³ — 出去　　(V) *bounce away.*

— gung¹° — 弓　　(N) *springs.*

— lik⁶ — 力　　(N) *elasticity; force of elasticity.* (*Cl.* jung² 種)

— sing³ — 性　　(Adj) *flexible; elastic.* (N) *flexibility; elasticity.* (*Cl.* jung² 種)

daan⁶* 彈 465　　(N) *bomb; bullet; ammunition.* **SF** ‡ (*Cl.* goh³ 個 *or* nap¹° 粒) **AP: (1)** daan⁶ **see 464; (2)** taan⁴ **see 3014.**

— hok³ — 壳　　(N) *cartridge.*

— yeuk³ — 葯　　(N) *ammunition.* **FE** (*Cl.* pai¹ 批)

— — foo³ — — 庫　　(N) *arsenal.*

daan⁶ 但   466   (Conj) *but.* **SF** ‡

— faan⁴ — 凡 (Pron) *whoever; whatever; all.* (Adv) *however; wherever.*

— hai⁶ — 係 (Conj) *but.* **FE**

— yuen⁶ ... — 願   ... (IC) *I wish ...; I hope ...*

— — nang⁶ gau³ la¹° — — 能夠啦 (SE) *I wish I could.*

5   — — yue⁴ chi² la¹° — — 如此啦 (SE) *I hope so.*

daap³ 答(荅)   467   (V) *answer; reply.* **SF** ‡

— bin⁶ — 辯 (V) *defend (in court); refute.*

— fuk¹° — 覆 (V) & (N) *reply (to letter).* **FE**

— on³ — 案 (N) *answer (to question); solution (to mathematical problem).* **FE**

— so³ — 數 (N) *answer (to mathematical question).* **FE**

5   — ying³ — 應 (V) *consent; promise.*

daap³ 搭   468   (Prep) *by (RT means of transportation).* (V) *trave by; catch; take (RT means of transportation).* **SF** ‡
      (V) *put sb through; get sb. (RT telephone)* **SF** ‡
      (V) *put up; erect (RT sheds, scaffoldings, etc.).*

— ba¹° si⁶* — 巴士 (Adv) *by bus..* (V) *travel by bus; take a bus; catch a bus.*

— che¹° — 車 (V) *travel by car.* (Adv) *by car.*

— choh³ sin³ — 錯綫 (SE) *wrong number (in telephone); wrong hint (between two persons).* **SI.**

— dei⁶ (ha⁶ foh²) che¹° — 地 (下火) 車 (Adv) *by tube; by underground.* (V) *travel by tube; travel by underground.*

5   — dik¹° si⁶ — 的士 (Adv) *by taxi.* (V) *travel by taxi; take a taxi.*

— din⁶ che¹° — 電車 (Adv) *by tram.* (V) *travel by tram; take a tram.*

— fei¹ gei¹ — 飛機 (Adv) *by air; by plane.* (V) *travel by air; travel by plane.*

— foh² che¹° — 火車 (Adv) *by train.* (V) *travel by train; catch a˙ train.*

— haak³ — 客 (N) *passenger.*

10   — hau² — 口 (V) *interrupt (a conversation); break into (a talk); "chip in".*

— hei³ din⁶* suen⁴ — 氣墊船   (Adv) *by hovercraft.* (V) *travel by hovercraft.*

— paang⁴ — 棚   (V) *put up a shed; put up a temporary theatrical stage; put up scaffolding.*

— pan³ se⁶ gei¹ — 噴射機   (Adv) *by jet.* (V) *travel by jet.*

— saan¹ deng² laam⁶ che¹° — 山頂纜車   (Adv) *by peak tram.* (V) *catch a peak tram.*

15 — sin³ — 綫   (V) *put sb through on the phone; call sb on the phone; work in collusion with sb.*

— suen⁴ — 船   (Adv) *by sea; by ship; by boat.* (V) *travel by sea; travel by ship; travel by boat.*

— siu¹ yik⁶ suen⁴ — 水翼船   (Adv) *by hydrofoil.* (V) *travel by hydrofoil.*

— sui⁶ do⁶ ba¹° si⁶* — 隧道巴士   (Adv) *by tunnel bus.* (V) *travel by tunnel bus; catch a tunnel bus.*

— sun⁶ fung¹ che¹° — 順風車   (V) *hitch-hike.* (N) *hitch-hiking.* (*Cl.* chi³ 次)

20 — toi⁴* — 枱   (V) *share a table (with sb at a Chinese restaurant/ tea house).* (*Lit. take a table*)

daap⁶ 踏 469   (V) *touch on (RT the minute-hand of a watch or a clock); step on.* **SF** ‡

— jeng³ — 正   (Adv) *exactly; dead on; sharp.* (*ROT time*)

— jing³ — 正   (Adv) *ditto.*

— laan⁶ — 爛   (V) *break by stepping on; smash by stepping on.*

— sat⁶ — 實   (V) *tread firmly.*

daat³ 撻 470   (V) *show; throw down.* **CP Coll.**   **AP taat³ see 3019.** **CC**

— deuh² — 朵   (V) *show one's name; reveal one's identity.* (*ROT the language used by secret society*) **Sl.**

— chut¹° lai⁴ — 出嚟   (V) *show sth. reluctantly.*

— hai² toi⁴* (sue³) — 喺枱 (處)   (V) *throw on the desk.*

— lok⁶ dei⁶ — 落地   (V) *throw to the ground.*

5 — lok⁶ ma⁵ ha⁶ — 落馬下   (V) *be thrown off a horse.*

— saang¹ yue⁴* — 生魚   (SE) *throw sb to the ground.* **Coll.** (*Lit. throw black fish*)

daat³ 笪 471
CC

(Cl.) *for places; for lands.*

daat⁶ 達 472

(V) *reach; attain.* **SF** ‡ (Adj) *prosperous; broad-minded.* **SF** ‡

— do³ — 到   (V) *reach; attain.* **Fml. FE**

— muk⁶ dik¹° — — 目的   (SE) *attain one's object. (RT good or evil)*

— gwoon¹ — 觀   (Adj) *broad-minded; easy-going. (RT one's unfavourable environment, circumstances, etc.)*

dai¹ 低 473

(Adv) *down.* (Adj) *low. (RT both location and rank)*

— baan¹° — 班   (N) *lower form; junior class.* (Cl. baan¹° 班)

— nin⁴ baan¹° — 年班   (N) *ditto.*

— — kap¹° — — 級   (N) *ditto.*

— chiu⁴ — 潮   (N) *low-tide; anticlimax; a lower point. (Lit. & Fig.)*

5   — dei⁶ — 地   (N) *lowlands; lowlying lands.* (Cl. daat³ 笪)

— ga³ — 價   (N) *low price.*

— hung¹ — 胸   (Adj) *low-necked; low-cut. (ROT dresser)*

— — jong¹° — — 裝   (N) *low-necked dress; low-cut dress.* (Cl. gin⁶ 件)

— kap¹° — 級   (Adj) *junior (RT rank); inferior (RT quality of merchandise); cheap and low (RT writing, entertainment).*

10   — — chui³ mei⁶ — — 趣味   (SE) *cheap and low tastes. (RT writing, entertainment, etc.)*

— — foh³ — — 貨   (N) *merchandise of inferior quality.* (Cl. jung² 種 or pai¹ 批)

— — jik¹° yuen⁴ — — 職員   (N) *junior staff.*

— mei⁴ — 微   (Adj) *low (in rank).* **Fml. FE**

— seng¹ ha⁶ hei³ — 聲下氣   (SE) *meek and submissive.*

15   — sui³ — 稅   (N) *low tax.*

— tau⁴ — 頭   (V) *be submissive to. (Lit. lower one's head to)*

— yam¹° — 音   (N) *bass.*

dai² 底 474 (N) *foundation; base; bottom; character of a person.* **SF** ‡ (Adv) *underneath; below.* **SF** ‡

— foo³ — 褲 (N) *underpants.* **Coll.** (*Cl.* tiu⁴ 條)

— go² — 稿 (N) *draft; rough draft.* **FE** (*Cl.* goh³ 個 or pin¹ 篇)

— ha⁶ — 下 (N) *base; bottom.* **FE** (Adv) *underneath; below.* **FE**

— — yan⁴ — — 人 (N) *underling; subordinate.*

5 — ji² — 子 (N) *foundation; character of a person.* **FE**

— saam¹° — 衫 (N) *undervest.* **Coll.** (*Cl.* gin⁶ 件)

— — dai² foo³ — — 底褲 (N) *underwear.* **Coll.** (*Cl.* to² 套)

— — foo³ — — 褲 (N) *ditto.*

— sai³ — 細 (N) *the gist; the truth.* (*RT facts, stories, statements, character of persons, etc.*) (*Cl.* goh³ 個 or jung² 種)

10 — wan³ — 蘊 (N) *ditto.*

dai² 抵 475 (Adj) *reasonable.* (*RT prices*) **SF** ‡ (V) *bear; endure; put up with; resist; withstand; boycott; deserve; write off; offset.* **SF** ‡

— aat — 押 (V) *mortgage.*

— — ban² — — 品 (N) *collateral security (for a loan).* (*Cl.* jung² 種)

— daat³ — 達 (V) *reach; arrive at.* **Fml.** **FE**

— dong² — 擋 (V) *resist; withstand.* (*GRT natural disasters*) **FE**

5 — kong³ — 抗 (V) *ditto.* (*GRT attacks, invasions, etc.*)

— — lik⁶ — — 力 (N) *power of resistance.* (*Cl.* jung² 種)

— jai³ — 制 (V) *boycott; refuse to trade with; refuse to have anything to do with.* **FE**

— — Dung¹ Yeung⁴ foh³ — — 東洋貨 (V) *boycott Japanese goods.*

— — Yat⁶ (Boon²) foh³ — — 日本貨 (V) *ditto.*

10 — — ngoi⁶ (gwok³) foh³ — — 外 (國) 貨 (V) *boycott foreign goods.*

— — yeung⁴ foh³ — — 洋貨 (V) *ditto.*

— juk¹° — 觸 (V) *infringe upon; violate.* (*RT laws, rules, regulations, etc.*) (Prep) *against.* (*RT rules, regulations, etc.*)

— — jeung¹ ching⁴ — — 章程 (SE) *violate regulations; against rules.*

— — kwai¹ lai⁶ — — 規例 (SE) *ditto.*

15 — — faat³ lai⁶ — — 法例 (SE) *infringe on the law; against the law.*

124

— — — lut⁶ — — — 律   (V) *ditto.*

— laai⁶ — 賴   (V) *repudiate; refuse to admit (one's fault or guilt).*

— maai⁵ — 買   (Adj) *reasonable.* *(RT prices in general)* **FE**

— jeuk³ — 着   (Adj) *ditto.* *(RT the price of clothing)*

20   — sik⁶ — 食   (Adj) *ditto.* *(RT the price of food)*

— yam² — 飲   (Adj) *reasonable.* *(RT the price of drinks)*

— sau⁶ — 受   (V) *bear; endure; put up with.*

— — dak¹° jue⁶ — — 得住   (V) *be able to bear; be able to endure; be able to put up with.*

— — m⁴ jue⁶ — — 唔住   (V) *cannot bear; cannot endure; cannot put up with.*

25   — sei² — 死   (SE) *"deserve to die"* **(AL)**; *used in connection with humorus remarks that are sexually suggestive; used in connection with satirical remarks that often cause embarrassment to someone.* **Coll.**

— siu¹ — 消   (V) *write off; set over against; offset.* (N) *offset.* (*Cl.* jung² 種)

dai² 詆   476   (V) *defame.* **SF** ‡   (N) *defamation.* **SF** ‡

— wai² — 潙   (V) *defame.* **FE**   (N) *defamation.* (*Cl.* jung² 種)

dai³ 帝   477   (N) *emperor.* **SF** ‡

— gwok³ — 國   (N) *empire.*

D— G— Jue² Yi⁶ — — 主義   (N) *imperialism.* (*Cl.* jung² 種)

— — — — Je² — — — — 者   (N) *imperialist.*

— jai³ — 制   (N) *monarchy.* (*Cl.* jung² 種)

dai³ 諦   478   (V) *tease; laugh at.* **Coll.**
           CC

dai⁶ 弟   479   (N) *younger brother.* **Fml.** **SF** ‡

— hing¹ — 兄   (N) *brothers; fellow members (a term expressing camaraderie, used in armed forces or in secret societies).* **Sl.**

— ji² — 子   (N) *disciple; follower.* **Fml.**

— mooi⁶ — 妹   (SE) *younger brother(s) and younger sister(s).*

dai⁶ 第   480   (P) *used as a prefix to an ordinal number denoting order of place, e.g. "first", "second", "third", etc.*

— saam¹ — 三   (Adj) *third.* (Pron) *the third.*

— — baan¹° — — 班   (N) *class 3; grade 3.*

— — kap¹° — — 級   (N) *ditto.*

— — baan² — — 版   (N) *page 3; third page.* *(RT newspaper)* (Cl. yip⁶ 頁)   (N) *third edition.* (Cl. chi³ 次)

5   — — chi³ — — 次   (N) *the third time.* (No Cl.)   (Adv) *for the third time.*

— — ho⁶ — — 號   (N) *No. 3.*

— — jau¹ nin⁴ — — 週年   (N) *the third anniversary.*

— — — — gei² nim⁶ — — — — 紀念   (N) *ditto.*

— — je² bo² him² — — 者保險   (SE) *third party insurance.* (Cl. jung² 種 *or* yeung⁶ 樣)

10   D- S- Sai³ Gaai³ — — 世界   (SE) *the Third World.* (ROT *politics*)

d- s- san¹ — — 身   (N) *the third person.* **Gr.**

— — yan⁴ ching¹ — — 人稱   (N) *ditto.*

— yat¹° — 一   (Adj) *first.* (Pron) *the first.* (N) *the best.*

— — baan¹° — — 班   (N) *class 1; grade 1.*

— — kap¹° — — 級   (N) *ditto.*

15   — — baan² — — 版   (N) *first page; front page.* *(RT newspapers)* (Cl. yip⁶ 頁)   (N) *first edition.* (Cl. chi³ 次)

— — — san¹ man⁴* — — — 新聞   (N) *front-page news.* (Cl. tiu⁴ 條)

— — chi³ — — 次   (N) *the first time.* (No Cl.)   (Adv) *for the first time.*

D- Y- C- (Sai¹ Gaai³) Daai⁶ Jin³ — — — (世界) 大戰   (SE) *the First (World) War.* (Cl. chi³ 次)

20   — — ho⁶ — — 號   (N) *No. 1.*

— — jau¹ nin⁴ — — 週年   (N) *the first anniversary.*

— — — — gei² nim⁶ — — — — 紀念   (N) *ditto.*

— — lau⁴ — — 流   (Adj) *first-rate; first-class; of the highest order.*

— — san¹ — — 身   (N) *the first person.* **Gr.**

25   — — yan⁴ ching¹ — — 人稱   (N) *ditto.*

— yi⁶ — 二 (Adj) *second; next; another; other.* (N) *the second.* (Pron) *others; the others.* **SF** ‡

— — baan¹° — — 班 (N) *class 2; grade 2.*

— — kap¹° — — 級 (N) *ditto.*

— — baan² — — 版 (N) *second page; page 2; another page.* *(RT newspapers)* *(Cl.* yip⁶ 頁*)* (N) *second edition.* *(Cl.* chi³ 次*)*

30 — — chi³ — — 次 (N) *the second time; another time.* *(No. Cl.)* (Adv) *for the second time.*

D- Y- C- (Sai³ Gaai³) Daai⁶ Jin³ — — — （世界）大戰   (SE) *the Second (World) War.* *(Cl.* chi³ 次*)*

d- y- di¹° — — 啲 (Pron) *others; the others.* **FE**

— — — yan⁴ — — — 人 (SE) *other people.* *(No Cl.)*

— — — ye⁵ — — — 嘢 (SE) *other things.* *(No Cl.)*

35 — — do⁶ — — 度 (SE) *another place.*

— — sue³ — — 處 (SE) *ditto.*

— — doi⁶ — — 代 (SE) *the next generation; younger generations.*

— — ho⁶ — — 號 (N) *No. 2.*

— — jau¹ nin⁴ — — 週年 (N) *the second anniversary.*

40 — — — — gei² nim⁶ — — — — 紀念 (N) *ditto.*

— — sai³ — — 世 (SE) *next life of someone; for an indefinitely long time.*

— — san¹ — — 身 (N) *the second person.* **Gr.**

— — yan¹ ching¹ — — 人稱 (N) *ditto.*

— — yat⁶ — — 日 (SE) *the next day; the second day; the following day; another day.*

45 — — yip⁶ — — 頁 (SE) *page 2; next page; another page.* *(RT books)*

dai⁶ 逮（迨） **481**   (V) *arrest.* **CP Fml. SF** ‡ **AP doi⁶ SM see 594.**

— bo⁶ — 捕 (V) *arrest.* **Fml. FE**

dai⁶ 遞 **482**   (V) *hand to.* **SF** ‡

— bei² — 俾 (V) *hand to.* **FE**

— gaai² — 解 (V) *deport.* **SF** (N) *deportation.* **SF** *(Cl.* chi³ 次*)*

— — chut¹° ging² — — 出境 (V) *ditto.* **FE** (N) *ditto.* **FE**

— go¹ sau²　—　高手　　(V) *hands up!*

⁵　— gwoh³ hui³　—　過去　　(V) *hand over (from here).*

—— lai⁴　——　嚟　　(V) *ditto. (from there)*

dak¹° 得　483

(Adv) *can; could; may; might. (always following a verb)* (V) *have only got; only get; get; obtain; gain.* **SF** (V) *have remained; have left.* **SF** (P) *used as an adjectival suffix similar to the English "—able"; used in place of the pronoun "it" or "them"; used to introduce adverbs of manner which reflect personal impressions (e.g. "She walks gracefully."); used to denote "comparison".* (SE) *"O.K."; "It's O.K."; "It's all right."* **SF** ‡

— bat¹° seung⁴ sat¹°　—　不償失　　(SE) *the game is not worth the candle. (Lit. the gain does not recompense for the loss)*

— chuen³ jun³ chek³　—　寸進尺　　(V) *get one and look for another. (Lit. gain one inch, march one foot)*

— chung²　—　寵　　(V) *find favour; be in favour.*

— do²　—　倒　　(V) *get; obtain; have got; have obtained.* **FE**

⁵　— doh¹　—　多　　(Adv) *much more; too.*

— jai⁶　—　滯　　(Adv) *ditto.*

— faan¹　—　返　　(V) *have remained; have left.*

— goh³ gat¹°—　個吉　　(SE) *gain nothing; do sth in vain.*

— goh³ gong² ji⁶　—　個講字　　(SE) *render mere lip service; plan which will never be put into effect.*

¹⁰　— haan⁴　—　閒　　(Adj) *free (in time); not busy.* (V) *get leisure; find leisure for.*

— ji³　—　志　　(V) *attain one's purpose; succeed in one's ambitions; achieve one's end.*

— yi³　—　意　　(V) *ditto.* (Adj) *cute; interesting; peculiar.*

— jui⁶　—　罪　　(V) *offend.*

—— yan⁴　——　人　　(V) *offend other people.*

¹⁵　— la³　—　喇　　(SE) *"O.K."; "It's O.K."; "It's all right."* **FE**

— lak³　—　嘞　　(SE) *ditto.*

— lok³　—　咯　　(SE) *ditto.*

— lik⁶　—　力　　(Adj) *capable; competent; reliable. (RT staff, helpers, etc.)*

— — joh⁶ sau² — — 助手   (SE) *one's right hand* (**Fig.**); *a reliable assistant.*

20 — m⁴ dak¹° a³? — 唔得呀？   (SE) *"May I?"; "Do you mind if I . . .?"*

— ma³? — 嗎？   (SE) *ditto.*

— man⁴ sam¹ — 民心   (Adj) *popular,* (*RT governments, rulers, etc.*)

— yan⁴ sam¹ — 人心   (Adj) *ditto.* (*RT superior or senior staff*)

— — yuen⁴ — — 緣   (Adj) *ditto.* (*RT friends*)

25 — mei⁶ a³? — 未呀？   (SE) *"Are you ready?"; "Is it ready?"*

— sam¹ ying³ sau² — 心應手   (SE) *be able to do as one wishes.* (*Lit. what the mind wishes, the hand fulfils.*)

— tai² — 體   (Adj) *proper (in deportment).*

— yan⁴ geng¹ — — 人驚   (Adj) *horrible; terrible.*

— — pa³ — — 怕   (Adj) *ditto.*

dak¹° 德（悳） 484   (N) *morality; virtue.* **SF** ‡ (N) *Deutschland; Germany; German.* **Tr.** **SF** ‡

D- Gwok³ — 國   (N) *Germany; Deutschland.* **FE**

— — Hong⁴ Hung¹ Gung¹ Si¹° — — 航空公司   (N) *Lufthansa German Airlines; Lufthansa.* **FE** (*Cl.* gaan¹ 間)

— Hong⁴ — 航   (N) *ditto.* **SF**

— Gwok³ Wa⁶* — 國話   (N) *German.* (*RT the spoken language*) **FE** (*Cl.* jung² 種)

5 — Man⁴ — 文   (N) *ditto.* (*RT the spoken and the written language*) **FE** (*Cl.* jung² 種)
  D- Gwok³ Yan⁴ — 國人   (N) *ditto.* (*RT the people*) **FE** (*Cl.* goh³ 個)

d- hang⁶ — 行   (N) *morality; virtue.* **FE** (*Cl.* jung² 種)

— sing³ — 性   (N) *ditto.*

— yuk⁶ — 育   (N) *moral education; ethical training.* (*Cl.*) jung² 種

dak⁶ 特 485   (Adj) *exceptional; extraordinary; special; peculiar.* **SF** ‡ (Adv) *exceptionally; extraordinarily; specially; peculiarly* **SF** ‡

— bit⁶ — 別   (Adj) *exceptional; extraoridnary; special; peculiar.* **FE** **Coll.** (Adv) *exceptionally; extraordinarily; specially; peculiarly.* **FE** **Coll.**

— — ching⁴ ying⁴ — — 情形   (N) *special condition; special circumstance.* (*Cl.* jung² 種 *or* goh³個)

— — faai³ chi¹° — — 快車   (N) *express train.* (*Cl.* lit⁶ 列 , chi³ 次 *or* baan¹° 班)

— — fai³ yung⁶ — — 費用   (N) *extraordinary expense; extraordinary expenditure.* (*Cl.* hong⁶ 項 *or* jung² 種)

5 — — hoi¹ ji¹ — — 開支   (N) *ditto.*

— — ga³ chin⁴ — — 價錢   (N) *specially fixed price.* **FE**

— ga³ — 價   (N) *ditto.* **SF**

— — ban² — — 品   (N) *goods at a special price.* (*Cl.* jung²種)

— bit⁶ jue³ yi³ — 別注意   (N) *special attention; special care.* (*Cl.* jung² 種) (Adj) *exceptionally attentive; exceptionally careful.*

10 — — siu² sam¹ — — 小心   (N) *ditto.* (Adj) *ditto.*

— — kuen⁴ lei⁶ — — 權利   (N) *special rights; privileges.* **FE** (*Cl.* jung² 種)

— kuen⁴ — 權   (N) *ditto.* **SF**

— bit⁶ lei⁵ yau⁴ — 別理由   (N) *special reason.*

— yuen⁴ yan¹ — — 原因   (N) *ditto.*

15 — — sau² juk⁶ — — 手續   (N) *special procedure.* (*Cl.* jung² 種)

— chaan² — 產   (N) *special product (of a place).* (*Cl.* jung² 種)

— cheung⁴ — 長   (N) *specialized knowledge; speciality.* (*Cl.* jung²種 *or* moon⁴ 門)

— dang¹° — 登   (Adv) *intentionally; deliberately.* **Coll.** (Adj) *intentional; deliberate.* **Coll.**

— dim² — 點   (N) *special feature; peculiarity.* (*Cl.* jung² 種)

20 — sik¹° — 色   (N) *ditto.*

— haau⁶ — 效   (Adj) *very effective; "specific" (RT medicine).*

— — yeuk⁶ — — 葯   (N) *particularly effective medicine; specific medicine; sovereign remedy.* (*Cl.* jung² 種)

— jat¹° — 質   (N) *distinguishing feature; speciality.* (*Cl.* jung² 種)

— sing³ — 性   (N) *ditto.*

25 — jing¹ — 徵   (N) *characteristics; characteristic feature; special mark.* (*Cl.* jung² 種 *or* goh³ 個)

— lai⁶ ling⁴ — 麗翎   (N) *terylene.* **Tr.** (*Cl.* jung² 種)

— paai³ — 派   (Adj) *specially appointed; specially assigned.* (*GRT news reporters, government officers, etc.*)

— — gei³ je² — — 記者　　(N) *special correspondent (of a newspaper or news agency).*

— — tung¹ sun³ yuen⁴ — — 通訊員　　(N) *ditto.*

30　— — yuen⁴ — — 員　　(N) *special commissioner.*

— se³ — 赦　　(N) *special pardon.* (*Cl.* chi³ 次)

— si³ — 使　　(N) *envoy.*

— sue⁴ — 殊　　(Adj) *special.* **Fml.**

— wai⁶ (gwaan¹°) sui³ — 惠(關)稅　　(N) *preferential duties, preferential tariff.* (*Cl.* jung² 種 *or* hong⁶ 項)

dam¹ 泵　486　(V) *prolong (RT time); delay (RT the completion of*
　　CC　　*work).* **Coll.**　**SF**　‡　**AP bam¹° see 64.**

— cheung⁴ — 長　　(V) *prolong (RT time); delay (RT the completion of work).* **Coll.**　**SF**　‡

— — di¹° gung¹ foo¹ — — 啲功夫　　(SE) *delay (RT the completion of work).* **Coll.**　**FE**

— si⁴ hau⁶ — — 時候　　(SE) *prolong (RT time).* **Coll.**　**FE**

— dam¹ chaak¹° — 泵測　　(Adj) *slack; dull (RT trade or business).* **Coll.**

5　— (jue⁶) yan⁴ — (住)人　　(V) *balk someone; keep someone waiting.* **Coll.**

dam² 揼　487　(V) *throw down, throw away; beat; pound.* **Coll.**　**SF**
　　　　‡

— gwat¹° — 骨　　(V) *massage; apply Chinese massage.* **Coll.** (N) *massage; Chinese massage.* **Coll.** (*Cl.* chi³ 次)

— hoi¹ — 開　　(V) *throw away; put aside.* **Coll.**　**FE**

— laan⁶ — 爛　　(V) *smash; pound; bent.* **Coll.**　**FE**

— lok⁶ dei⁶ — 落地　　(V) *throw to the floor; throw to the ground; throw down.* **Coll.**　**FE**

5　— yan³ — 印　　(V) *stamp with a chop; stamp.* **Coll.**

dam³ 線　488　(V) *drop down.* **Coll.**　**SF**　‡
　　CC

— lok³ dei⁶ — 落地　　(V) *drop down to the ground; drop down to the floor.* **Coll.**

— lok⁶ lai⁴ — 落嚟　　(V) *drop down.* **Coll.**　**FE**

dam⁶ 跕   489   (V) *stamp the foot.* **Coll.** **SF** ‡

— geuk³ —   脚   (V) *stamp the foot.* **Coll.** **FE**

— tai⁴ dam⁶ jaau² — 蹄跕爪   (V) *ditto.* **Coll.** **Der.**

dam² 蕈   490   (V) *warehouse; hoard.* **SF** ‡

— chong⁴ —   藏   (V) *hoard.* **FE**

— chuen⁴ —   存   (V) *ditto.*

— maai⁴ —   埋   (V) *ditto.*

— foh³ —   貨   (V) *hoard goods (in order to corner the market).*

5 — ga¹° —   家   (N) *hoarder.*

— suen⁴ —   船   (N) *warehouse boat; floating warehouse.*

dan⁶ 燉   491   (V) *double-boil; stew.* **CP** **AP dun⁶ SM see 626.**

— dung¹ gwoo¹° — 冬菰   (N) *double-boiled mushrooms; stewed mushrooms.* (*Portion:* goh³ 個; *Cl.* jek³ 只.)   (N) *demotion.* (*ROT in the services, police force, etc.*) **Sl.** **Der.** (*Cl.* chi³ 次)

dang¹ 登   492   (V) *ascend; record; advertise; publish.* **SF** ‡   (Adv) *at once.* **SF** ‡

— bo³ ji² — 報紙   (V) *advertise (in a newspaper).* **FE**

— chut¹° —   出   (V) *publish (in a newspaper or magazine).* **FE**

— joi³ —   載   (V) *ditto.*

— dui³ —   對   (Adj) *suitably matched; well matched; combining well suited to each other.* (*GRT arriage*)

5 — fung¹° cho³ gik⁶ — 峯造極   (SE) *reach the summit; attain to perfection.* **Fml.** **Fig.**

— gei³ —   記   (V) *enrol; record; make an entry.*

— go¹ —   高   (V) *"ascend heights".* (*as a Chinese custom associated with the "double-nine" festival*   *see 441/4 and 441/5*)

— go³ baak³ — 告白   (V) *advertise (in general).*

— gwong² go³ — 廣告   (V) *ditto.*

10 — luk⁶ —   陸   (V) *go ashore (from a ship).*

— — teng⁵ — — 艇   (N) *landing-craft; landing ship-tank; LST.*   (*Cl.* jek³ 只)

— — yuet⁶ kau⁴ — — 月球   (V) *land on the moon.*

— saan¹ — 山   (V) *climb mountain.* **Fml.**

— si⁴ — 時   (Adv) *at once; immediately.*

15 — — faan² min⁶* — — 反面   (SE) *get angry at once; change countenance at once.*

— to⁴ (ji²) — 徒(子)   (N) *lecherous man; playboy.* **Fml.**

— toi⁴ — 台   (V) *go on to the stage.* **Fml.**

— — biu² yin² — — 表演   (V) *ditto (as a performer).*

— — jo⁶ hei³ — — 做戲   (V) *ditto (as an actor or actress).*

20 — — seung⁵ yam⁶ — — 上任   (V) *ditto (as an official).*

— — yin² gong² — — 演講   (V) *ditto (as a speaker).*

dang¹° 燈   **493**   (N) *light; lamp.* (*Cl.* ji¹ 枝 *or* jaan² 蓋)

— foh² — 火   (N) *light.* (*RT fires, candles, lamps, etc.*) (*No Cl.*)

— gwong¹ — 光   (N) *ditto.*

— foh² gwoon² jai³ — 火管制   (N) *blackout; restrictions on lighting; lighting control.*

— gwong¹ gwoon² jai³ — 光管制   (N) *ditto.* (*Cl.* chi³ 次)

5 — — foh² jeuk⁶ — — 光着   (SE) *lights are all on.*

— ho⁶ — 號   (N) *signal with lights.* (*Cl.* goh³ 個 *or* jung² 種)

— jaau³ — 罩   (N) *lamp-shade.*

— jit³ — 節   (N) *the "feast of lanterns" (on the 15th of the 1st lunar month).*

— lung⁴ — 籠   (N) *lantern.*

10 — — jiu¹ — — 椒   (N) *pepper; sweet pepper.* **Coll.** (*Lit. lantern-shape pepper*) (*Cl.* jek³ 只 *or* goh³ 個)

— mai⁴* — 謎   (N) *riddle; enigma.*

— sam¹ — 心   (N) *lamp-wick.* (*Cl.* tiu⁴ 條)

— taap³ — 塔   (N) *light-house.*

dang² 等   **494**   (V) *wait; wait for; await; let; allow.* **SF**   (N) *rank; class; grade; step; level.* **SF** (*No Cl.*)

— dang² — 等   (SE) *etc.; and so on; and other things.*

— do³ lo⁵ — 到老   (SE) *wait a very long time.*   *(Lit. wait until old age)*

— do³ ngaan⁵ mei⁴ mo⁴ do¹° cheung⁴ saai³ — 到眼眉毛都長晒   (SE) *ditto.*   *(Lit. wait until one's eyebrows have entirely grown long)*

— doi⁶ — 待   (V) *wait; wait for; await.* **Fml. FE**

5 — hau⁶ — 候   (V) *ditto.*

— ha⁵ ngoh⁵ la¹° — 吓我啦   (SE) *"wait for me, please."*

— ho⁶ — 號   (N) *the sign for "equal to" (i.e. "=").*

— kap¹° — 級   (N) *rank; class; grade; step; level.* **FE** *(Cl.* goh² 個 or jung² 種 *)*

— ngoh⁵ bei² la¹° — 我俾啦   (SE) *"let me pay it"; "allow me, please."*

10 — — jo⁶ la¹° — — 做啦   (SE) *"let me do it"; "allow me, please."*

— yat¹° jan⁶ — 一陣   (SE) *wait a little; wait a minute.*

— yue¹ — 於   (V) *be equal to; amount to.*

— yue⁴ — 如   (V) *ditto.*

dang³ 櫈（凳） 495   (N) *stool.* *(Cl.* jeung¹ 張 *)*

— jai² — 仔   (N) *stool; small stool.* **Coll.** *(Cl.* jeung¹ 張 *)*

dang⁶ 嗲 496   (Prep) *for.* *(ROT feelings of sympathy and pity)* CC

— nei⁵ m⁴ dai² — 你唔抵   (SE) *"I'm sorry for you"; "I'm sorry to hear that"; "It's not fair to you".* *(RT bad news such as a defeat, demotion, legal embarrassment, injustice, financial loss, etc.)*

— — — jik⁶ — — — 值   (SE) *ditto.*

dah¹° 嗒（嗒） 497   (V) *hang down; bend one's head.* **Coll. SF** ‡ CC

— dai¹ — 低   (V) *hang down; bend one's head.* **Coll. SF** ‡

— dai¹ tau⁴ — 低頭   (V) *ditto.* **Coll. FE**

— tau⁴ dap¹° no⁵ — 頭嗒腦   (SE) *downcast.* **Coll.**

dap⁶ 㧬 498   (V) *strike; pound.* **Coll. SF** ‡ CC

— gwat¹° — 骨   (N) *massage; chinese massage.* **Coll.** *(Cl.* chi³ 次 *)* (V) *massage; apply chinese massage.* **Coll.**

— laan⁶ — 爛   (V) *pound to a pulp.* **Coll.**

— sap¹° — 濕   (V) *get soaked (in rain); get a wetting (in rain).* **Coll.**

— — saam¹° — — 衫   (V) *get soaked to the skin (in rain); get wet to the skin (in rain).* **Coll.**

5 — — san¹ — — 身   (V) *ditto.*

— sui — 碎   (V) *pound to bits.* **Coll.**

— ye⁵ — 嘢   (V) *strike, pound.* **Coll. FE**

dat⁶ 凸   499   (V) *protrude.* **SF** ‡ (Adj) *protruding; protuberant; convex; prominent.* **SF** ‡

— chut¹° — 出   (V) *protrude.* **FE** (Adj) *protruding; protuberant; convex; prominent.* **SF**

— ngaak⁶ — 額   (N) *prominent forehead.*

— ngaan⁵ — 眼   (N) *protruding eyes.* (*Cl.* jek³ 只 ; *Pair:* dui³ 對.)

— tau³ geng³ — 透鏡   (N) *convex lens.*

dat⁶ 突   500   (Adj) *outstanding; remarkable; prominent.* **SF** ‡ (Adv) *suddenly; unexpectedly.* **SF** ‡

— chut¹° — 出   (Adj) *outstanding; remarkable; prominent.* **FE**

— gik¹° — 擊   (N) *surprise attack.* (*Cl.* chi³ 次)

— — dui⁶* — — 隊   (N) *commandos.*

— — — yuen⁴ — — — 員   (N) *commando; member of a commando unit.*

5 — — gim² cha⁴ — — 檢查   (N) *police raid (on a den); surprise inspection; surprise search.* (*Cl.* chi³ 次)

— — sau² cha⁴ — — 搜查   (N) *ditto.*

— yin⁴ — 然   (Adj) *suddenly; unexpectedly.* **FE**

— yue⁴ kei⁴ loi⁴ — 如其來   (SE) *happen unexpectedly; come unexpectedly.*

dau¹ 兜   501   (V) *hitch up; solicit business; surround.* **SF** ‡

— bo⁶ — 捕   (V) *surround and arrest.*

— daap³ — 搭   (V) *hitch on to (friends); induce (sb in a questionable manner).*

— fung¹ — 風   (V) *go out to get some fresh air; go joy-riding.*

— huen¹ — 圈   (V) *turn round and round; go around.* (*ROT cars*)

5   — kwaak¹° — 嘓   (V) *ditto.*

    — huen¹ ji² — 圈子   (V) *beat about the bush.*   **Fig.**

    — jit⁶ — 截   (V) *cut off retreat.*

    — laam⁵ — 攬   (V) *solicit business.*   **SF**

    — — saang¹ yi³ — — 生意   (V) *ditto.*   **FE**

dau¹° 兜   502   (N) *mountain sedan chair.*   **SF**

    — giu² — 轎   (N) *mountain sedan chair.*   **FE**

dau² 斗   503   (N) *container for dry goods; cup-shaped vessel.*   (PN) *peck; quantity held by a peck.*

    — daam² — 胆   (Adj) *presumptuous; too bold.*

    — pung⁴ — 篷   (N) *a great-coat; a chinese-style overcoat.*   (*Cl.* gin⁶ 件)   (N) *straw rain-hat; a cap.*   (*Cl.* deng² 頂)

    — sat¹° — 室   (N) *a small room.*   **Fml.**   (*Cl.* gaan¹ 間)

dau² 抖   504   (V) *rouse.*   **SF**   **Eml.**   ‡   **AP dau³ see 505.**

    — sau² jing¹ san⁴ — 擻精神   (SE) *rouse one's energies; make an effort.*

dau³ 抖   505   (V) *work in wood; touch.*   **SF.**   ‡   **AP dau² see 504.**   **CC**

    — ha⁵ do¹° m⁴ dak¹° — 吓都唔得   (SE) *it's not permitted to touch it.*

    — — — yau⁵ jui⁶ — — — 有罪   (SE) *it's an offence to touch it.*

    — muk⁶ — 木   (V) *work in wood; work as a carpenter.*   (V) *drive (a car clumsily).*   **Sl.**

    — — lo² — — 佬   (N) *a carpenter.*   (N) *a clumsy driver.*   **Sl.**

5   — — si¹ foo⁶* — — 師傅   (N) *a carpenter.*   **PL**

dau³ 鬥(鬪，鬬，鬭)   506   (V) *fight; quarrel; contest.*   **SF**   ‡

    — dak¹° gwoh³ — 得過   (V) *be a match for sb (in rivalry of some kind).*

    — gai¹° — 鷄   (N) *cockfight.*   (*Cl.* chi³ 次)

    — — ngaan⁵ — — 眼   (Adj) *cock-eyed; cross-eyed.*

— haan⁴ hei³ — 閑氣 (V) *be pugnacious (for little or no reason).*

5 — hei³ — 氣 (V) *ditto (for emotional reasons).*

— jang¹ — 爭 (N) *struggle; fight.* (*Cl.* chi 次)

— ji³ — 志 (N) *morale; will to fight; fighting spirit.* (*Cl.* jung² 種)

— ji³ — 智 (N) *a battle of wits.*

— lik⁶ — 力 (N) a battle of strength. (*Cl.* chi³ 次)

10 — m⁴ gwoh³ — 唔過 (V) *be no match for sb (in rivalry of some kind).*

— lung⁴ suen⁴ — 龍船 (N) *a dragon-boat race.* (*Cl.* chi³ 次)

— sik¹° sut¹° — 蟋蟀 (N) *cricket fight.* (*Cl.* chi³ 次)

— yau⁵ chin⁴* — 有錢 (N) *rivalry in display of wealth.* (*No Cl.*)

dau³ 竇 507   (N) *nest; den; hole.* **Coll. CP AP dau⁶ SM see 508.**

dau⁶ 竇 508   (N) *nest; den; hole.* **Fml. AP dau³ SM see 507.**

dau⁶ 豆(荳) 509   (N) *beans; peas.* ‡ (*No Cl.*) **AP dau⁶* SM see 510.**

— fan² — 粉 (N) *bean-flour.* (*No Cl.*)

— foo⁶ — 腐 (N) *bean-curd.* (*Cl.* faai³ 塊 *or* juen¹ 磚)

— — gon¹° — — 乾 (N) *dried cake of bean-curd.* (*Cl.* faai³ 塊 *or* juen¹ 磚)

— yun⁶* — 潤 (N) *ditto.*

5 — gok³ — 角 (N) *string beans.* (*Cl.* tiu⁴ 條)

— jeung¹ — 漿 (N) *juice from beans.* (*Bowl:* woon² 碗)

— kau³ — 蔲 (N) *nutmeg; cardamom.* (*Cl.* poh¹ 舖)

— — fa¹ — — 花 (N) *mace.* (*Cl.* deuh² *or* doh² 朶)

— nga⁴ — 芽 (N) *bean-sprout.* (*Cl.* tiu⁴ 條)

10 — sa¹° — 沙 (N) *puree of beans.* (*No Cl.*)

— — hau⁴ — — 喉 (N) *hoarse voice.* (*GRT singing*) (*Cl.* ba² 把)

— si⁶ — 豉 (N) *cured beans; salted beans.* (*Cl.* nap¹° 粒)

— — gai¹° — — 鷄 (N) *chicken saute salted bean sauce.* (*Cl.* jek³ 只, *portion:* goh³ 個)

dau⁶*豆（荳） 510   (N) *beans; peas.* **Coll.** (*Cl.* nap¹° 粒) **AP dau⁶ SM see 509.**

dau⁶痘 511   (N) *smallpox.* ‡ *(No Cl.)* **AP dau⁶* SM see 512.**

— ji² — 紙 （   (N) *certificate of vaccination against smallpox.* (*Cl.* jeung¹ 張)

— pei⁴ — 皮   (N) *pock-mark.* (*Cl.* nap¹° 粒)

dau⁶*痘 512   (N) *smallpox.* **Coll.** (*Cl.* jung¹ 宗 , chi³ 次 *or* nap¹° 粒) **AP dau⁶ SM see 511.**

dau⁶逗 513   (V) *stay; loiter about.* **SF** ‡

— lau⁴ — 留   (V) *stay; loiter about.* **FE**

— nai⁴ — 泥   (Adj) *inferior (RT clothing, quality of sth etc.);* "*stony-broke*". **Sl.**

de¹°爹 514   (N) *father; dad.* **Coll. AP dek¹° SM see 518.**

— di⁴ — 啲   (N) *daddy.* **FW. Tr. Coll.**

de²嗲 515   (Adj) *inviting; coquettish.*   (V) *coquet.* **CC**

— de² diu³ — 嗲吊   (Adj) *slow; lazy.*   (V) *procrastinate.*

— diu³ — 吊   (Adj) *ditto.*   (V) *ditto.*

— seng¹ de² hei³ — 聲嗲氣   (SE) *speak invitingly; speak coquettishly.*

dei⁶地 516   (N) *land; ground; earth; place; locality; address; subway; tunnel.* **SF** ‡   (Adj) *local; underground.* **SF** ‡

— bo⁶ — 步   (N) *footing; condition; state; position.* (*Cl.* goh³ 個 *or* jung² 種)

— chaan² — 產   (N) *peal estate; landed property.* *(No Cl.)*

— — gung¹ si¹° — — 公司   (N) *estate agents; estate developers.* (*Cl.* gaan¹ 間)

— — seung¹ (yan⁴) — — 商（人）   (N) *ditto.* (*Cl.* goh³ 個)

5   — chang⁴ — 層   (N) *strata.*

— dai² — 底   (Adj) *underground.*

— — foh² che¹° — — 火車   (N) *the underground; the tube; the subway. (RT trains)* (*Cl.* ga³ 架)

— dim² — 點   (N) *locality; location.* **FE**

— do⁶ — 道   (N) *tunnel; underground passage.* (*Cl.* tiu⁴ 條)

10   — dung⁶ — 洞   (N) *a hole; a cave.* **Fml.**

— lung¹° — 窿   (N) *ditto.* **Coll.**

— fong¹ — 方   (N) *place.* **FE** (*Cl.* sue³ 處 , do⁶ 度 *or* daat³ 笪) (Adj) *local.* **SF** ‡

— — faat³ yuen⁶* — — 法院   (N) *a local court.* (*Cl.* goh³ 個 *or* gaan¹ 間)

— — gwoon¹ nim⁶ — — 觀念   (N) *localism.* (*Cl.* jung² 種)

15   — — jue² yi⁶ — — 主義   (N) *ditto.*

— — sik¹° choi² — — 色彩   (N) *local colour.* (*Cl.* jung² 種)

— ga³ — 價   (N) *price of land.*

— gei¹ — 基   (N) *foundation (of land or site).*

— ha⁶* — 下   (Adv) & (Adj) *downstairs.* (N) *floor; ground.* **FE** (*Cl.* goh³ 個) (N) *ground floor. (No Cl.)*

20   — ha⁶ — 下   (Adj) *underground.* **FE**

— — foh² che¹° — — 火車   (N) *the underground; the tube; the subway. (RT train)* (*Cl.* ga³ 架)

— — jo² jik¹° — — 組織   (N) *underground organization.*

— — sing⁴ si⁵ — — 城市   (N) *"underground city" (i.e. a city with plenty of underground protection against air-raids).*

— — tit³ lo⁶ — — 鐵路   (N) *underground railway.* (*Cl.* tiu⁴ 條)

25   — hok³ — 殼   (N) *earth-crust.*

— jan³ — 震   (N) *earthquake; a reshuffle (in a government or an organization).* (*Cl.* chi³ 次)

— jat hok⁶ — 質學   (N) *geology.*

— — — ga¹° — — — 家   (N) *geologist.*

D— Ji¹° — 支   (N) *the "Duodecimal Cycle"; the "Earthly Branches".*

(Gen. known as the 12 "Earthly Branches", i.e. ji² 子 , chau² 丑 , yan⁴ 寅 , maau⁵ 卯 , san⁴ 辰 , ji⁶ 巳 , ng⁵ 午 , mei⁶ 未 , san¹ 申 , yau⁵ 酉 , sut¹° 戌 , hoi⁶ 亥 , *and used in calculation with* "Tin¹ Gon¹" 天干 *(the "Heavenly Sterns"),* **see 3057/11.**)

30   d— ji² — 址   (N) *address; street address.*

    — jin¹° — 毡   (N) *carpet; rug.*   (*Cl.* faai³ 塊 *or* jeung¹張)

    — jo¹ — 租   (N) *ground rent; rent for land.*   (*Cl.* chi³ 次 *or* jung²種)

    — jue² — 主   (N) *landlord; landowner.*

    D— Jung¹ Hoi² — 中海   (N) *the Mediterranean Sea.*

35   d— kai³ — 契   (N) *a title-deed (of land).*   (*Cl.* jeung¹張)

    — kau⁴ — 球   (N) *the earth; the globe.* **FE**   (Adj) *terrestrial.*

    — — yi⁴ — — 儀   (N) *a terrestrial globe.*

    — kui¹ — 區   (N) *area; district; zone.* **Fml.** **FE**

    — lei⁵ (hok⁶) — 理 (學)   (N) *geography.* (*Subject:* foh¹° 科)

40   — — hok⁶ ga¹° — — 學家   (N) *geographer.*

    — lo⁴ — 牢   (N) *basement; cellar.*

    — lui⁴ — 雷   (N) *land mine (for military purposes).*

    — mau¹° — 痞   (N) *local ruffian; local gangster.* **Coll.** **CP**

    — meng⁴* — 名   (N) *name of a place.*

45   — min⁶ — 面   (N) *ground; road surface.*   **FE** (*Cl.* goh³ 個 *or* faai³ 塊)

    — — gaau¹ tung¹ — — 交通   (SE) *traffic on the roads.*

    — pei⁴ — 皮   (N) *land (as estate); a plot of land; lot.*   (*Cl.* fuk¹° 幅)

    — ping⁴ sin³ — 平綫   (N) *the horizon.*   (*Cl.* tiu⁴條)

    — poon⁴ — 盤   (N) *site (RT building or construction); sphere of power (RT vice rings).*

50   — sai³ — 勢   (N) *physical feature (of a place).*

    — sam¹° — 心   (N) *centre of the earth.*

    — — kap¹° lik⁶ — — 吸力   (N) *gravity.*

    — — yan⁵ lik⁶ — — 引力   (N) *ditto.*

    — sin³ — 綫   (N) *telephone lines installed underground; electric wires installed underground.*   (*Cl.* tiu⁴條)

55   — siu² yan⁴ doh¹ — 少人多   (SE) *too little land and too many people.*

    — sui³ — 稅   (N) *property tax.*   (*Cl.* jung² 種 *or* hong⁶ 項)

    — taan¹° — 攤   (N) *stall (i.e. mats spread out with goods for scle).*

    — tau⁴ — 頭   (N) *area; district; zone; sphere of power (RT vice rings).* **Coll.** **FE**

    — — chung⁴ — — 虫   (N) *a rascal very familiar with some particular place.* **Sl.**

60　— — se⁴　— — 蛇　　(N) *a rascal very familiar with some particular place.*

— to⁴ — 圖　　(N) *road map; map.*　(*Cl.* jeung¹ 張 *or* fuk¹° 幅)

— wai⁶ — 位　　(N) *position; status; situation.*

— ying⁴ — 形　　(N) *topography.*

— yuk⁶ — 獄　　(N) *hell.*

dei¹ 哋　517　(P) *used as a suffix to personal pronouns and the word* "yan⁴" *(meaning "people") as a sign of the plural number.*
　　　　　　　CC

dek¹° 爹　518　(N) *father; dad.*　**FW　Tr.　Coll.　AP** de¹° **SM see 514.**

— di⁴ — 哋　　(N) *daddy.*　**FW　Tr.　Coll.**

dek⁶* 笛　519　(N) *flute; fife; whistle.*　**SF**　(*Cl.* ji¹ 枝 *or* goh³ 個)

dek⁶ 糴　520　(V) *buy grain; buy rice.*　**SF**　‡

— leung⁴ — 粮　　(V) *buy grain.*　**FE　Coll.**

— mai⁵ — 米　　(V) *buy rice.*　**FE　Coll.**

deng¹ 釘　521　(V) *sew on (a button); fasten on (a button); nail; drive in (a nail).*　**Coll.　SF**　‡　**AP: (1)** deng¹° **see 522; (2)** ding¹ **SM see 552.**

— deng¹° — 釘　　(V) *nail; put in a nail; drive with a nail.*　**FE**

— yat¹° hau² deng¹° — 一口釘　　(V) *ditto.*

— goi³ — 蓋　　(V) *die; be all finished; put an end to sb; ruin sth completely.*　(*Lit. nail a coffin*) **Sl.**

— jue⁶ — 住　　(V) *nail securely; track sb closely (as a detective, soccer player, etc.)*

5　— sat⁶ — 實　　(V) *ditto.*

— nau² — 鈕　　(V) *sew on a button; put on a button.*　**FE**

— sue¹ — 書　　(V) *bind books.*

deng¹° 釘   522

(N) *a nail.* **Coll.** *(Cl.* hau² 口*)*   **AP: (1) deng¹ SM see 521; (2) ding¹ SM see 552.**

— mo⁶* — 帽   (N) *head of a nail.*

— tau⁴ — 頭   (N) *ditto.*

deng² 頂   523

(N) *top (of sth); roof (of a house).*   **SF** ‡   *(Cl.) for hats, caps, etc.; for sedan chairs.*   **AP ding² see 554.**

deng³ 掟   524
CC

(V) *pelt; throw.*

— bo¹° — 煲   (V) *break with.*   *(RT married couples, friends, business partners, etc.; Lit. throw cooker.)*   **Sl.**

— fei¹ biu¹° — 飛鏢   (V) *throw darts.*

— laan ye⁵ — 爛嘢   (V) *damage sth by pelting (e.g. with stones).*

— sek⁶ tau⁴ — 石頭   (V) *pelt with stones; throw stones.*

5   — seung¹ yan⁴ — 傷人   (V) *hurt sb by pelting (e.g. with stones).*

deng⁶ 定   525

(V) *reserve; book; place an order.*   **Coll. SF AP ding⁶ see 556.**

— daan¹° — 單   (N) *order; order-form.*   *(RT consignments of goods)* **SF**   *(Cl.* jeung¹ 張*)*

— do² — 倒   (V) *have reserved; have booked.*

— joh² — 咀   (V) *ditto.*

— fei¹° — 飛   (V) *book tickets in advance.*   *(GRT films, plays, shows, soccer matches etc.)*   **Coll. FE**

5   — piu³ — 票   (V) *ditto.*   **Fml. FE**

— foh³ — 貨   (V) *place an order (for goods).*   **FE**

— — daan¹° — — 單   (N) *order; order-form.*   **FE**   *(Cl.* jeung¹ 張*)*

— jo⁶ — 做   (V) *make to order; get sth made to one's specifications.*

— ngan⁴* — 銀   (N) *a deposit.*   *(RT rents, orders of goods, etc.) (No Cl.)*

10   — toi⁴* — 枱   (V) *reserve a table; book a table.*   **FE**

— wai⁶* — 位   (V) *reserve seats; book seats in advance.*   **FE**

deng⁶ 矴   526
CC

(N) *place.*   *(Gen. preceded by "yau⁵"* 有 *or "mo⁵"* 冇*) (No Cl.)*

deuh² 朶（朵） 527   (Cl) *for flowers, clouds, etc.* **CP AP doh²**
SM see 586.

deuk³ 啄 528   (V) *peck; preen.* **SF ‡**

— mo⁴ — 毛   (V) *preen the plumage.* **FE**
— muk⁶ niu⁵ — 木鳥   (N) *wood pecker.* (*Cl.* jek³ 只)
— sik⁶ — 食   (V) *peck up food.* **FE**

di¹° 啲 529
CC   (P) *used as a prefix to countable nouns to denote the plural number, similar in meaning to the English "some".* (P) *used as the English definite article "the" when followed by uncountable nouns or by countable nouns in the plural number.* (P) *used as a suffix to adjectives to denote the comparative degree, similar in meaning to the English "—er".*

— di¹° ti¹° — 啲涕   (N) *D.D.T.* **FW Tr.** *(No Cl.)*
— mat¹° ye⁵? — 乜嘢?   (Adj) & (Pron) *what?*
— mi¹° ye⁵ — — —   (Adj) & (Pron) *ditto.*

dik¹° 的 530   (N) *bull's-eye of a target.* **SF ‡** (Adj) *evident; genuine.* **SF ‡** (Adv) *evidently; definitely.* (P) *used to denote the possessive case in Mandarin, similar to the Cantonese "ge³"* 嘅.

— bat¹° — 筆   (N) *one's own hand-writing; autograph.* *(No Cl.)*
— kok³ — 確   (Adv) *evidently; extremely.* **FE** (Adj) *evident; reliable.* **FE**
— — leung⁴ — — 凉   (N) *Dacron.* **Tr.** (*Cl.* jung² 種) (SE) *extremely cool.*
— si⁶* — 士   (N) *taxi; taxi-cab.* **Tr.** (*Cl.* ga³ 架)

dik¹° 嫡 531   (N) *blood relative; legal wife.* **Fml. SF ‡**

— chai¹ — 妻   (N) *legal wife.* **Fml. FE**
— sat¹° — 室   (N) *ditto.*
— chan¹ — 親   (N) *blood relative.* **FE**
— tong⁴ hing¹ dai⁶ — 堂兄弟   (SE) *sons of two brothers; male cousins with the same surname.*

dik¹° 滴   **532**

(V) *drop; drip.* **Fml. SF** ‡   (N) *a drop.*   *(No Cl.)* **AP dik**   **SM see 533.**

— huet³ — 血   (V) *drop blood.*   *(ROT a test used to decide relationship)*

dik⁶ 滴   **533**

(V) *drop; drip.* **Coll. CP**   (N) *a drop.* **Coll. CP** *(No Cl.)*   **AP dik¹°** **SM see 532.**

— chut¹° lai⁴ — 出嚟   (V) *drip out; leak.*

— huet³ — 血   (V) *drip blood (from a wound).*   (N) *blood dripping (from a wound).*   *(No Cl.)*

— lok⁶ dei⁶ — 落地   (V) *drip to the ground; drip to the floor.*

— lok⁶ lai⁴ — 落嚟   (V) *drip down.*

5   — sap¹° saai³ — 濕晒   (Adj) *dripping wet.*

— sui² — 水   (V) *drip water.*   (N) *dripping water.*   *(No Cl.)*

— — sing⁴ hoh⁴ — — 成河   (SE) *savings can make one wealthy; "Take care of the pence and the pounds will take care of themselves".* *(Lit. dripping water forms a river)*

dik⁶ 敵   **534**

(N) *an enemy.* **SF** ‡   (Adj) *hostile.* **SF** ‡

— bing¹ — 兵   (N) *enemy troops; army of the enemy.*   *(Cl. ji¹ 支 or dui⁶ 隊)*

— gwan¹° — 軍   (N) *ditto.*

— dui³ — 對   (Adj) *hostile.* ‡

— hang⁴ wai⁴ — — 行爲   (N) *hostile act; unfriendly behaviour.* *(Cl. jung² 種)*

5   — — jing³ yan⁴ — — 証人   (N) *hostile witness; unhelpful witness.*

— gwok³ — 國   (N) *hostile nation; enemy's country.*

— sau² — 手   (N) *a rival; a match; a competitor.*   (SE) *in the possession of the enemy.*   *(Lit. the hand of the enemy)*

— yan⁴ — 人   (N) *an enemy.* **FE**

dim¹ 掂   **535**

(V) *shake; estimate.* **Bk. SF** ‡

dim² 點(点)   536

(Adv) *how?* **SF** ‡ (N) *point; spot; dot; o'clock.* **(SF)** *(No Cl.)* (V) *serve with; absorb. (RT seasoning)* (V) *touch; point to; check.* **SF** ‡ (V) *light (a cigarette, candle; lamp, etc.).* **SF** ‡

— bat¹° ji¹ — 不知   (SE) *to sb's surprise; unexpectedly; believe it or not.*

— ji¹ — 知   (SE) *ditto.*

— bing¹ — 兵   (V) *muster soldiers.* **Fml.**

— choi³ — 菜   (V) *order a meal a la carte.*

5 — dak¹° a³? — 得呀？   (SE) *How can? How can it be done?*

— dang¹° — 燈   (V) *light a lamp.* **FE**

— dik⁶ — 滴   (N) *drop; droplet.* **FE** *(No Cl.)*

— — gwai¹ gung¹ — — 歸公   (SE) *every cent goes into the public account.*

— dim² dik⁶ dik⁶ — 點滴滴   (Adv) *drop by drop.*

10 — foh² — 火   (V) *light a fire.* **FE**

— gaai² — 解   (IC) *what's the meaning of ...? (RT words or sentences)* (Adv) *why? how to explain?*

— gaau¹ — 交   (V) *check and deliver; check and hand over.*

— gam¹° sut⁶ — 金術   (SE) *the "golden touch". (RT magic)* **Joc.** *(Cl. jung² 種)*

— gui³ (dau⁶) — 句(讀)   (V) *punctuate.* **Fml.** (N) *punctuation.* **Fml.** *(No Cl.)*

15 — ha⁵ — 吓   (V) *check (RT numbers); serve with (RT seasoning).* **FE**

— jeuk⁶ — 着   (V) *light (a cigarette, candle, lamp, fire, etc.).* **FE**

— jeung³ — 將   (V) *select and appoint commander(s) for war.* **Fml.**

— jui³ — 綴   (V) *add a lively detail on a painting; adorn. (RT furniture in a room)*

— — ban² — — 品   (N) *adornment; ornament. (Cl. gin⁶ 件 or jung² 種)*

20 — jung¹° — 鐘   (N) *o'clock; hour.* **FE** *(No Cl.)*

— laap⁶ juk¹° — 蠟燭   (V) *light a candle.* **FE**

— m⁴ jeuk⁶ — 唔着   (V) *be unable to light (a cigarette, candle, lamp, fire, etc.).*

— meng⁴* — 名   (V) *call the roll.* (N) *roll-call. (Cl. chi³ 次)*

— — biu² — — 表   (N) *a roll.* (*Cl.* jeung¹ 張)

25 — — bo⁶* — — 簿   (N) *ditto.* (*Cl.* goh³ 個 *or* boon² 本)

— ming⁴ — 明   (V) *explain; point out.*

— saam¹ baat³ (hau² ging³) — 三八 (口徑)   (Adj) *of 38 calibre.*

— sam¹° — 心   (N) *"dim sum"; Chinese savouries; snacks.* **Tr.** (*Cl.* gin⁶ 件 ; *Portion:* dip⁶ 碟.)

— sau² — 收   (V) *check and receive; check and take over.*

30 — sek⁶ sing⁴ gam¹° — 石成金   (SE) *the "golden touch"; turn a poor composition or book into a master piece* (**Fig.**). *(Lit. touch stone, become gold.)*

— tit³ sing⁴ gam¹° — 鐵成金   (SE) *ditto.* *(Lit. touch iron, become gold.)*

— seng² — 醒   (V) *give a timely reminder; draw attention (to a mistake) in a friendly way.*

— si⁶ yau⁴ — 豉油   (V) *serve with soya sauce; dip in soya sauce.*

— so³ (muk⁶) — 數 (目)   (V) *check the number.*

35 — suen³ ho² ne¹°? — 算好呢 ?   (SE) *what can I do? what can we do?*

— suet³ ga¹ — 雪茄   (V) *light a cigar.* **FE Tr.**

— tau⁴ — 頭   (V) *nod (as a sign of agreement); give a nod (as a form of greeting).*

— yeung⁶* — 樣   (Adv) *how?* **FE**

— yin¹° jai² — 烟仔   (N) *light a cigarette.* **FE**

dim³ 店 537   (N) *shop.* **Fml. SF ‡** (*Cl.* gaan¹ 間)

— dung¹° — 東   (N) *proprietor; shopkeeper.* **Fml.**

— jue² — 主   (N) *ditto.*

— po³ — 舖   (N) *shop.* **Fml. FE** (*Cl.* gaan¹ 間)

— yuen⁴ — 員   (N) *employee (of a shop); shop-boy; shop-girl.* **Fml.**

dim³ 掂 538   (V) *shake; touch.* **Coll. CP SF ‡ AP** dim⁶ *see* CC   **539.**

— ha⁵ — 吓   (V) *touch gently; shake gently.*

— — do¹° m⁴ dak¹° — — 都唔得   (SE) *it's not permitted to touch it.*

— — — yau⁵ jui⁶ — — — 有罪   (SE) *it's an offence to touch it.*

146

dim⁶ 掂   **539**   (Adj) *satisfactory; in good order; straight; vertical.*
        CC   **Coll.** ‡ (Asp.) *satisfactorily; in good order.* **Coll.**
           SF ‡   **AP dim³ see 538.**

— joh² — 咗   (SE) *it has been properly dealt with; it's O.K.* **Coll.**

— lo⁶ — 路   (N) *a straight road.* **Coll.** (*Cl.* tiu⁴ 條)

— saai³ — 晒   (SE) *everything is in good order; it has all been settled.* **Coll.**

din¹ 顛   **540**   (V) *turn upside down.* **Fml.** **SF** ‡

— do² — 倒   (V) *turn upside down.* **Fml.** **FE**

— — hak¹° baak⁶ — — 黑白   (SE) *confound right and wrong.*

— — si⁶ fei¹ — — 是非   (SE) *ditto.*

— fuk¹° — 覆   (V) *overthrow; subvert.*

5   — — gung¹ jok³ — — 工作   (SE) *subversive activity.* (*Cl.* jung² 種)

— — woot⁶ dung⁶ — — 活動   (SE) *ditto.*

— — jing³ foo² — — 政府   (SE) *overthrow a government; subvert a government.*

din¹ 巔(顛)   **541**   (N) *peak; top (of a mountain); summit.* **Fml.**
                        SF ‡

— fung¹° — 峯   (N) *peak; top (of a mountain); summit.* **Fml.** **FE** (Adj) *topmost.*

— — jong⁶ taai³ — — 狀態   (SE) *in tiptop form; in splendid condition.* (*RT soldiers, athletes, horses, etc.*)

din¹ 癲   **542**   (Adj) *crazy; mad; insane; out of one's mind.* **Coll.** **SF**

— gau² — 狗   (N) *a mad dog; an angry man* (**Fig.**) (*Cl.* jek³ 只)

— kwong⁴ — 狂   (Adj) *crazy; mad; insane; out of one's mind.* **Fml.** **FE** (N) *madness.* (*Cl.* jung² 種)

— — beng⁶ — — 病   (N) *insanity.* (*Cl.* jung² 種)

— — —.yuen⁶* — — — 院   (N) *mental hospital; mental home; asylum; mad house.* (*Cl.* gaan¹ 間)

5   — lo² — 佬   (N) *madman.*

— poh⁴* — 婆   (N) *madwoman.*

— yan⁴ — 人   (N) *madman; madwoman.*

din¹ 滇 543   (N) *Yunnan Province.* **FP**   **Fml.**   **SF** ‡   **AP Tin⁴ SM see 3060.**

D— Chi⁴ — 池   (N) *Yunnan Lake (south of Kunming City).* **FP**   **Fml.**

— Saang² — 省   (N) *Yunnan Province.* **FP**   **Fml.**   **FE**

din¹° 碘 544   (N) *iodine.* **Coll.**   *(No Cl.)* **AP din² SM see 545.**

— jau² — 酒   (N) *tincture of iodine.* **Coll.**   *(No Cl.)*

din² 碘 545   (N) *iodine.* **Fml.**   *(No Cl.)*   **AP din¹° SM see 544.**

— jau² — 酒   (N) *tincture of iodine.* **Fml.**   *(No Cl.)*

din² 典 546   (N) *a law; a canon.* **Bk.**   **SF** ‡

— gwoo³ — 故   (N) *an allusion; a classical quotation.*

— lai⁵ — 禮   (N) *ceremony; ritual; festivities.*   *(Cl.* chi³ *or* goh³ 個*)*

— ying⁴ — 型   (Adj) *typical.*   (N) *type; model.*

din³ 墊 547   (V) *steady (sth by use of props or supports); fill up.* **SF** **AP: (1) din⁶* see 547; (2) din⁶ see 549.**

— go¹ — 高   (V) *steady (sth by supports).* **FE**

— wan² — 穩   (V) *ditto.*

— ping⁴ — 平   (V) *fill up and make even.*

din⁶ 墊 548   (V) *pay for sb else; advance money for someone* **SF** ‡ **AP: (1) din⁶* see 547; (2) din³ see 548.**

— chin⁴* — 錢   (V) *advance money for someone.* **FE**

— foo⁶ — 付   (V) *pay for somebody else.* **FE**

— ji¹ — 支   (V) *ditto.*

— jaai³ — 債   (V) *pay somebody else's debt.*

din⁶* 墊 549   (N) *cushion.*   **AP: (1) din³ see 548; (2) din⁶ see 549.**

— to³ — 套   (N) *cushion cover.*

din⁶ 電 **550**   (Adj) *electric; telegraphic.* **SF** ‡   (N) *electricity; tele-gram; telegraph.* **SF** ‡

— aat³ — 壓   (N) *electric pressure; voltage.* (*Cl.* jung² 種)

— baan² — 版   (N) *electrotype; electroplate; block; photo-engraving block.* (*ROT printing*)

— biu¹° — 錶   (N) *electricity meter.*

— bo³ — 報   (N) *telegram; telegraph.* **FE** (*Cl.* fung¹ 封)

5 — — guk⁶* — — 局   (N) *telegraph office.* (*Cl.* gaan¹ 間)

— — ji² — — 紙   (N) *telegraph form.* (*Cl.* jeung² 張)

— chaap³ so¹° — 揷蘇   (N) *plug; electric-light socket.* **Coll.**

— — tau⁴* — — 頭   (N) *ditto.* **Fml.**

— che¹° — 車   (N) *tram; tram car.* (*Cl.* ga³ 架)

10 — — fei¹° — — 飛   (N) *tram fare (No Cl.); tram ticket.* (*Cl.* jeung¹ 張) **Coll. Tr.**

— — jaam⁶ — — 站   (N) *tram stop.*

— — lo⁶ — — 路   (N) *tram road; wrinkle on the forehead.* **(Fig. Joc.)** (*Cl.* tiu⁴ 條)

— cheung³ gei¹ — 唱機   (N) *electric record-player.* (*Cl.* goh³ 個 *or* ga³ 架)

— daan¹ che¹° — 單車   (N) *motor-cycle; motor-bike.* (*Cl.* ga³ 架)

15 — chi⁴ — 池   (N) *battery; cell.* (*RT those used in motor-cars, etc.*)

— sam¹° — 芯   (N) *ditto.* (*RT those used in torches, etc.*)

— dang¹° — 燈   (N) *electric light.* (*Cl.* ji¹ 枝 *or* jaan² 盞)

— — daam² — — 胆   (N) *electric-light bulb.* (N) *upwanted third party accompanying lovers.* **Fig. Joc.**

— — gung¹ si¹° — — 公司   (N) *electric company.* (*Cl.* gaan¹ 間)

20 — do⁶ — 鍍   (V) *electroplate.*

— dung⁶ foh² che¹° — 動火車   (N) *electric train.* (*Cl.* lit⁶ 列 ; car: ga³ 架 *or* ka¹° 卡.)

— — — — tau⁴ — — — — 頭   (N) *electric locomotive.*

— faan⁶ bo¹° — 飯煲   (N) *electric rice-cooker.*

— faat³ — 髮   (V) *have a permanent wave; have a perm.* (*ROT hair-do*)

25 — fai³ — 費   (N) *electricity rates.* (*No Cl.*)

— — daan¹° — — 單   (N) *electricity bill.* (*Cl.* jeung¹ 張)

149

— fung¹ sin³ — 風扇   (N) *electric fan.* (*Cl.* ba² 把)

— gei¹ — 機   (N) *electric motor; electric generator.* (*Cl.* goh³ 個 *or* ga³ 架)

— hei³ — 氣   (N) *electricity.* **FE** (*Cl.* jung² 種)

30 — — fa³ — — 化   (V) *electrify.* (*RT machines, tools, etc.*) (N) *electrification.* (*RT machines, tools, etc.*) (*No Cl.*)

— hei³ — 器   (N) *electric appliances.* (*Cl.* jung² 種)

— — hong⁴* — — 行   (N) *firm which supplies electric appliances.* (*Cl.* gaan¹ 間)

— — po³* — — 舖   (N) *ditto.*

— jai³ — 掣   (N) *electric switch.*

35 — ji² — 子   (N) *electron.* (*No Cl.*) (Adj) *electronic.*

— (— gai³) suen³ gei¹ — (—計)算機   (N) *electronic calculator.*

— — hei³ choi⁴ — — 器材   (N) *electronic appliances.* (*Cl.* jung² 種)

— — hok⁶ — — 學   (N) *electronics.* (*Cl.* jung² 種)

— — sek⁶ ying¹° biu¹° — — 石英錶   (N) *electronic quartz watch.*

40 — jung¹° — 鐘   (N) *electric bell; electric clock.*

— laam⁶ — 纜   (N) *electric cable.* (*Cl.* tiu⁴ 條)

— lau⁴ — 流   (N) *electric current.* (*No Cl.*)

— lik⁶ — 力   (N) *electric power; electricity; voltage.* (*Cl.* jung² 種)

— — foh² che¹° — — 火車   (N) *electric train.* (*Cl.* lit⁶ 列; car: ga³ 架 *or* ka¹° 卡.)

45 — — — — tau⁴ — — — — 頭   (N) *electric locomotive.*

— — gung¹ si¹° — — 公司   (N) *electric company.* (*Cl.* gaan¹ 間)

— liu⁴ — 療   (N) *electrotherapy.* (*Cl.* jung² 種)

— lo⁴ — 爐   (N) *electric stove; electric fire.*

— lo⁶ — 路   (N) *electric circuit.* (*Cl.* tiu⁴ 條)

50 — ma⁵ — 碼   (N) *telegraphic code.* (*Cl.* jung² 種)

— muk⁶ — 木   (N) *bakelite.* (*No Cl.*)

— no⁵ — 腦   (N) *computer; storage system in computer; data processing system in computer.*

— nuen⁵ lo⁴ — 暖爐   (N) *electric fire.*

— sei² — 死   (V) *electrocute.* (*RT capital punishment or accidents*)

55 — si⁶ — 視   (N) *television; TV.* (*No Cl.*)

— — do⁶ boh³ — — 導播   (N) *television director.*

— — gei¹ — — 機   (N) *television set.* (*Cl.* ga³架)

— — gim² cha⁴ — — 檢查   (N) *television censorship.* (*Cl.* jung²種)

— — gwoon¹ jung³ — — 觀衆   (N) *television audience.*

60 — — jai³ jok³ — — 製作   (N) *television production.* (*Cl.* jung²種)

— — — — yan⁴ — — — — 人   (N) *television producer.*

— — kek⁶ — — 劇   (N) *television play.* (*Cl.* goh³個 *or* chut¹°齣)

— — — boon² — — — 本   (N) *script of a television play.*

— — ngai⁶ yuen⁴ — — 藝員   (N) *television artist.*

65 — — pin¹ gek⁶ — — 編劇   (N) *television playwright.*

— — pin³* jaap⁶ — — 片集   (N) *a series of television plays.*

— — sin³ lo⁶ — — 綫路   (N) *television channel.* (*Cl.* tiu⁴條)

— — toi⁴ — — 台   (N) *television network; television station.*

— — wa⁶* min⁶ — — 畫面   (N) *television screen.*

70 — sin³ — 線   (N) *electric wire.* (*Cl.* tiu⁴條)

— so¹ paau⁴* — 鬚刨   (N) *electric razor.*

— siu² bo¹° — 水煲   (N) *electric kettle.*

— tai¹ — 梯   (N) *lift; escalator.* **Fml.** (*Cl.* ga³架)

— — cheung² gip² (on³) — — 搶劫 (案)   (SE) *robbery on lifts.* (*Cl.* jung¹ 宗 *or* gin⁶件)

75 — toi⁴ — 台   (N) *broadcasting station; radio station.*

— tong³ dau² — 熨斗   (N) *electric iron.*

— tung⁴* — 筒   (N) *electric torch; flash-light.* (*Cl.* ji¹支)

— wa⁶* — 話   (N) *telephone; phone call.*

— — bo⁶* — — 簿   (N) *telephone directory.* (*Cl.* bo⁶ 部 *or* boon² 本)

80 — — gong² gan² — — 講緊   (SE) *The line is engaged.*

— — gung¹ si¹° — — 公司   (N) *telephone company.* (*Cl.* gaan¹ 間)

— — jip³ sin³ sang¹° — — 接線生   (N) *telephone operator.*

— — sin³ — — 線   (N) *telephone line.* (*Cl.* tiu⁴ 條)

— — (teng¹) tung⁴* — — (听) 筒   (N) *telephone receiver.*

85 — yau⁴ — 油   (N) *petrol; gasoline.* **Coll.** (*Gallon:* gallon⁴* 加侖 *Tin:* gwoon³ 罐 ; *drum:* tung² 桶.)

— — jaam⁶ — — 站   (N) *petrol station.*

— — ting⁴* — — 亭　　(N) *petrol station.*

— yi² — 椅　(N) *electric chair; electrocution chair.* (*Cl.* jeung¹ 張)

— ying² — 影　(N) *film; movie.* (*Cl.* chut¹° 齣 *or* to³ 套)

90　— — do⁶ yin² — — 導演　(N) *film director; movie director.*

— — gek⁶ boon² — — 劇本　(N) *film script; movie script.*

— — gim² cha⁴ — — 檢查　(N) *film censorship; movie censorship.*

— — gung¹ si¹° — — 公司　(N) *film company; movie company.* (*Cl.* gaan¹ 間)

— — jai³ jok³ — — 製作　(N) *film production; movie production.* (*Cl.* jung² 種)

95　— — — pin³* (yan⁴) — — — 片 (人)　(N) *film producer; movie producer.*

— — naam⁴ yin² yuen⁴ — — 男演員　(N) *film actor; movie actor.*

— — ming⁴ sing¹° — — 明星　(N) *film star; movie star.*

— — nui⁵ yin² yuen⁴ — — 女演員　(N) *film actress; movie actress.*

— — pai¹ ping⁴ — — 批評　(N) *film criticism; movie criticism.* (*Cl.* jung² 種)

100　— — — — ga¹° — — — — 家　(N) *film critic; movie critic.*

— — — — yan⁴ — — — — 人　(N) *ditto.*

— — pin¹ gek⁶ — — 編劇　(N) *film playwright; movie playwright.*

— — yin² yuen⁴ — — 演員　(N) *film actor; movie actor; film actress; movie actress.*

— yuen⁶* — — 院　(N) *cinema.* (*Cl.* gaan¹ 間)

105　— ying⁴ — 刑　(N) *electrocution.* (*ROT capital punishment*) (*Cl.* chi³ 次)

din⁶ 奠 551　(V) *perform libation.* **SF** ‡

— gei¹ — 基　(V) *lay foundation stone.*

— — din² lai⁵ — — 典禮　(N) *ceremony of laying foundation stone.* (*Cl.* goh³ 個 *or* chi³ 次)

— yi⁴ — 儀　(V) *money gift for funeral.* (*Cl.* fung¹ 封 *or* fan⁶ 份)

ding¹ 釘 552　(V) *sew on (a button); fasten on (a button); nail; drive in (a nail).* **Fml. SF** (N) *a nail.* **Fml. SF** (*Cl.* hau² 口) **AP: (1) deng¹ SM see 521; (2) deng¹° SM see 522.**

ding¹ 汀   **553**   (N) *a sand-bank.* **SF** ‡

D— Gau² — 九   (N) *Ting Kau (a place in the New Territories).* **Tr.**

d— jau¹ — 洲   (N) *a sand-bank.* **FE**

ding² 頂   **554**   (V) *hold back; hold against; bear; take over; substitute; carry sth on the head; argue; give back-chat.* **SF** ‡
(Adj) *topmost.* **SF** ‡ **AP deng² see 523.**

— baau¹° — 包   (V) *substitute inferior goods when exchanging.*

— chung¹ — 充   (V) *substitute; assume the name of another.*

— mo⁶ — 冒   (V) *ditto.*

— tai³ — 替   (V) *ditto.*

5 — dim² — 點   (N) *the acme; the apex; the very best.*

— yim¹° — 尖   (N) *ditto.*

— dong³ — 檔   (V) *substitute for sb on duty or on a job.* **Coll.**

— geng² — 頸   (V) *argue; contradict; give back-chat.*

— jui² — 咀   (V) *ditto.*

10 — ho² — 好   (Adj) *topmost.* **FE** (N) *the very best.*

— jam¹° — 針   (N) *a thimble.*

— jong⁶ — 撞   (V) *run against; offend.*

— jue⁶ — 住   (V) *bear; hold back; hold against; prop up.* **FE**

— lung⁴* — 籠   (SE) *full; full up; filled to capacity; full house.* **Coll.**

15 — m⁴ jue⁴ — 唔住   (SE) *cannot bear any longer; cannot hold out against.* **Coll.**

— — sun⁶ — — 順   (SE) *ditto.*

— sau² — 手   (V) *take over. (RT a room, a house or a business, etc.)* **FE**

— — fai³ — — 費   (N) *"key money". (Sum: bat¹° 筆)*

— tau⁴ fung¹ — 頭風   (N) *head-wind; unfavourable wind. (Cl. jan⁶ 陣)*

ding³ 訂   **555**   (V) *fix; conclude. (RT treaty, marriage, etc.)* **SF** ‡

— ding⁶ mang⁴ yeuk³ — 定盟約   (V) *conclude a treaty; make a treaty.*

— yeuk³ — 約   (V) *ditto.*

— fan¹ — 婚   (V) *be betrothed to; be engaged to.*

— — gaai³ ji² — — 戒指   (N) *engagement ring. (Cl. jek³ 只)*

ding⁶ 定 556

(Adj) *certain; sure; fixed.* **SF** ‡ (Adv) *certainly; surely.* **SF** ‡ **AP deng⁶ see 525.**

— gui¹ — 居   (V) *settle down.*   *(GRT immigrants)*

— guk⁶ — 局   (N) *the final stage; the end; the final result.* *(RT battles, wars, games, ventures, relationship, etc.)*

— hai⁶ — 係   (Conj) *or.*

— jui⁶ — 罪   (V) *condemn; impose a penalty.*

5 — kei⁴ — 期   (Adv) *at a fixed period, on a fixed date.* (Adj) *periodic.*

— — chuen⁴ foon² — — 存款   (N) *fixed deposit.* (Cl. jung² 種)

— — hong² mat⁶ — — 刊物   (N) *a periodical.* *(ROT publications)* *(Cl. bo⁶ 部, boon² 本 or fan⁶ 份)*

— lei⁵ — 理   (N) *theorem.* (Cl. tiu⁴ 條)

— leung⁶ — 量   (N) *a fixed amount; a fixed quantity.* (Adv) *on a fixed amount; on a fixed quantity.*

10 — lut⁶ — 律   (N) *law.* *(ROT realm of nature or science)* (Cl. tiu⁴ 條 or goh³ 個)

— ngaak⁶* — 額   (N) *limit, quota; fixed quantity; authorized number.*

— si⁴ — 時   (N) *a fixed time.* (Adv) *at a fixed time; regularly.*

— — ding⁶ leung⁶ — — 定量   (SE) *a set amount for a set time.* *(ROT dietary requirements)*

— so³ — 數   (N) *fate; destiny.* **Coll.**

15 — yi⁶ — 義   (N) *definition.* *(RTO words, phrases, terms, etc.)*

— yin⁴ — 然   (Adv) *certainly; surely.* **Fml. FE**

dip⁶* 碟 557

(N) *plate, saucer; dish.* (Cl. jek³ 隻 or goh³ 個) (PN) *portion of cooked food; quantity held by a plate, saucer or dish.*

dit³ 跌 558

(V) *stumble, fall (physically); drop (in price); lose (possession of sth).* **SF** ‡

— chan¹ — 親   (V) *fall and injure oneself.*

— seung¹ — 傷   (V) *ditto.*

— do² — 倒   (V) *fall; have fallen over.* **FE**

— — lok⁶ dei⁶ — — 落地   (V) *fall on the ground; have fallen on the ground.*

5 — ga³ — 價   (V) *drop (in price).* **FE**

— gaau¹ — 跤   (V) *stumble; have a fall.*   **FE**

— joh² — 咀   (V) *drop (sth by mistake); lose (possession of sth).* **FE**

— — ji¹ bat¹° — — 枝筆   (V) *have lost a pen.*

— laan⁶ — 爛   (V) *be broken by a fall.*

10   — lok⁶ — 落   (V) *fall down.*

— — hui³ — — 去   (V) *ditto.*

— — lai⁴ — — 嚟   (V) *ditto.*

— sei² — 死   (V) *be killed by a fall.*

dit⁶ 秩   **559**   (N) *order.*   **SF** ‡   (Adj) *orderly.*   **SF** ‡

— jui⁶ — 序   (N) *order; obedience (RT law, rules, authority, etc.).* **FE**   *(No Cl.)*

— — daai⁶ luen⁶ — — 大亂   (SE) *in great disorder; chaotic, riotous.*

— — ho² ho² — — 好好   (Adj) *orderly; very orderly.*

— — jeung² yin⁴ — — 井然   (SE) *orderly arrangement; well-organized; well-behaved.*

5   — — m⁴ ho² — — 唔好   (Adj) *disorderly.*

diu¹ 雕(彫，剐)   **560**   (V) *carve; engrave.*   **SF** ‡   (N) *sculpture.*   **SF** ‡

— hak¹° — 刻   (N) *sculpture.*   **FE**   *(Cl.* gin⁶ 件*)*   (V) *carve; engrave.* **FE**

— — ban² — — 品   (N) *engraver's work; sculpture.*   **FE**   *(Cl.* gin⁶ 件*)*

— — ga¹° — — 家   (N) *sculptor.*

— — si¹ foo⁶* — — 師傅   (N) *carver; engraver.*

diu¹ 刁   **561**   (Adj) *obstinate; unruly; naughty.*   **SF** ‡

— maan⁴ — 蠻   (Adj) *obstinate; unruly; naughty. (GRT children, young women, etc.)*   **FE**

— naan⁴ — 難   (V) *make unnecessary difficulties (for other people).*

diu³ 弔（吊） 562

(V) *hang; hang up; condole with; mourn for.* **SF** ‡

— chong⁴ — 床   (N) *hammock.* (*Cl.* jeung¹ 張)

— daai³* — 帶   (N) *suspenders.* (*Cl.* tiu⁴ 條)

— dang¹° — 燈   (N) *chandelier.* (*Cl.* ji¹ 支 *or* jaan² 盞)

— geng² — 頸   (V) *hang oneself; hang by the neck.*

5   — — do¹° yiu³ tau² ha⁵ hei³ — — 都要抖吓氣   (SE) *one must have breathing space; one must have living space.* **Coll.**

— jai³ — 祭   (V) *mourn for; offer sacrifice to.* (*ROT the dead*)

— jung¹° (fa¹°) — 鐘（花）   (N) *bell-flower.* (*Cl.* deuh² *or* doh² 朵)

— kiu⁴ — 橋   (N) *suspension-bridge.* (*Cl.* do⁶ 度 *or* tiu⁴ 條)

— yin⁶ — 唁   (V) *condole with.* **FE**

diu³ 釣 563

(V) *fish (with a hook and line).* **SF** ‡

— yue⁴* — 魚   (V) *fish (with a hook and line).* **FE**

— yue⁴ gon¹° — 魚竿   (N) *fishing-rod.* (*Cl.* ji¹ 枝)

— — long⁴* — — 郎   (N) *kingfisher.* (*Cl.* jek³ 隻)

— — ngau¹° — — 鈎   (N) *fishing-hook.*

5   — — si¹° — — 絲   (N) *fishing-line.* (*Cl.* tiu⁴ 條)

diu⁶ 掉 564

(V) *throw; throw away; drop down; turn; turn upside down.* **SF** ‡

— lok⁶ dei⁶ — 落地   (V) *throw to the ground; drop to the ground.*

— — hui³ — — 去   (V) *throw down; drop down.* **FE**

— — lai⁴ — — 嚟   (V) *ditto.*

— hoi — 開   (V) *put aside; throw down* **(Fig.).**

5   — — do¹° gung¹ foo¹ — — 啲工夫   (SE) *put aside one's work; give up one's work.*

— joh² — 咗   (V) *throw away.* **FE**

— — di¹° laap⁶ saap³ — — 啲垃圾   (SE) *throw away rubbish.*

— juen³ — 轉   (V) *change; exchange.* (*RT jobs, directions, positions, etc.*)

— woon⁶ — 換   (V) *ditto.*

10   — juen³ cheung¹° tau⁴ — 轉槍頭   (SE) *turn one's coat.* (*Lit. change the direction of one's gunpoint*)

156

— — tau⁴ — — 頭   (V) *turn upside down.*

— tau⁴ — 頭   (V) *make a "U" turn.*

diu⁶ 調   **565**   (V) *transfer; reshuffle.* **SF** ‡ (N) *transfer; reshuffle.* **SF** ‡ (N) *tune; key.* *(RT music)* **SF** ‡ **AP** tiu⁴ **see 3075.**

— bing¹ — 兵   (V) *move troops.*

— cha⁴ — 查   (V) *investigate; survey.* (N) *investigation; survey.* (*Cl.* chi³ 次)

— — woo⁶ hau² — — 戶口   (N) *census.* (*Cl.* chi³ 次)

— — yan⁴ hau² — — 人口   (N) *ditto.*

5   — chaai¹ — 差   (V) *transfer (a person from one office to another).* **Coll. FE** (N) *a transfer (from one position to another).* **Coll. FE** (*Cl.* chi³ 次)

— jik¹° — 職   (V) *ditto.* (N) *ditto.*

— dung⁶ — 動   (V) *reshuffle.* **FE** (N) *reshuffle.* **FE** (*Cl.* chi³ 次)

— woon⁶ — 換   (V) *ditto.* (N) *ditto.*

— haau⁶ — 校   (V) *transfer (a teacher to another school).* **FE** (N) *transfer (of a teacher to another school).* **FE** (*Cl.* chi³ 次)

10   — ji² — 子   (N) *tune; key.* *(RT music)* **FE**

do¹° 刀   **566**   (N) *knife; razor; dagger.* (*Cl.* jeung¹ 張 *or* ba² 把)

— beng³ — 柄   (N) *handle.*

— booi³ — 背   (N) *back of a knife.*

— cha¹°, chi⁴ gang¹° — 叉，匙羹 (N) *cutlery.* *(Lit. knife, fork, spoon.)* (*Cl.* foo³ 副)

— hau² — 口   (N) *the edge of a knife.*

5   — jai² — 仔   (N) *pocket knife.* (*Cl.* jeung¹ 張 *or* ba² 把)

— pin³* — 片   (N) *razor blade.* (*Cl.* faai³ 塊 *or* jeung¹ 張)

— san¹° — 身   (N) *blade of a knife; blade of a dagger.*

do¹ 都   **567**   (N) *metropolis; capital.* **SF** ‡ **AP** do⁶ see 568.

— sing⁴ — 城   (N) *the capital.* *(RT a country)* **FE**

— wooi⁶ — 會   (N) *ditto.* *(RT a province)* **FE**

— si⁵ — 市   (N) *metropolis; big city.* **FE**

do¹° 都 **568**   (Pron) *all; every one.* ‡ (Adv) *also; too.* ‡ **AP do¹ see 567.**

do² 島 **569**   (N) *island.* **SF**

— gwok³ — 國   (N) *island country; island kingdom.*

— jui⁶ — 嶼   (N) *island.* **FE**

do² 搗（擣） **570**   (V) *beat; pound.* **Fml. SF** ‡

— luen⁶ — 亂   (V) *cause a disturbance; throw into confusion.*

— — fan⁶ ji² — — 份子   (N) *disturbing element; trouble-maker.*

do² 賭 **571**   (N) *gambling.* **SF** (*Cl.* jung² 種) (V) *gamble.* **SF**

— bok³ — 博   (N) *gambling.* **Fml. FE** (*Cl.* jung² 種) (V) *gamble.* **Fml. FE**

— chin⁴* — 錢   (N) *ditto.* **Coll.** (V) *ditto.* **Coll.**

— cheung⁴ — 場   (N) *casino.*

— dong³ — 檔   (N) *gambling house; gambling-den.* (*Cl.* gong³ 檔 *or* goh³ 個)

5 — gwoon² — 館   (N) *ditto.*

— faan¹° taan¹° — 番攤   (V) *gamble at "fantan".* (*RT a kind of Cantonese gambling)* **Tr.**

— taan¹° — 攤   (V) *ditto.*

— gau² — 狗   (V) *gamble at dog races.*

— gui⁶ — 具   (N) *gambling tools; things used in gambling.* (*RT cards, dice, etc.)* (*Cl.* jung² 種)

10 — haak³ — 客   (N) *gambler.* **Fml.**

— gwai² — 鬼   (N) *ditto.* **Der.**

— gwan³ — 棍   (N) *ditto.* *(professional)*

— jai² — 仔   (N) *ditto.* **Coll.**

— to⁴ — 徒   (N) *ditto.* **Fml.**

15 — hei³ — 氣   (V) *do sth for spite; be pugnacious (for little or no reason).* **Mdn.**

— jaai³ — 債   (N) *gambling-debt.* (*Cl.* bat¹° 筆)

— ma⁵ — 馬   (V) *gamble at horse races; watch horse races.*
— sap⁶ saam¹ jeung¹° — 十三張   (V) *play the "13-card" game.*
— sue¹ — 輸   (V) *lose in gambling.*
20 — wan⁶ (hei³) — 運(氣)   (V) *try one's luck.*
— yeng⁴ — 贏   (V) *win in gambling.*

do²倒 572   (V) *collapse; dump; empty; pour.* (Asp.) *successfully.*
‡ AP do³ see 573.

— bai³ — 閉   (V) *become bankrupt; close down.   (RT banks, firms, shops, etc.)*
— cha⁴ — 茶   (V) *pour tea.*
— jau² — 酒   (V) *pour wine.*
— ji⁶ ji² — 字紙   (V) *dump waste-paper; empty a waste-paper-basket.*
5 —laap⁶ saap³ — 垃圾   (V) *dump rubbish; empty a dustbin.*
— lam³ — 冧   (V) *collapse.   (RT buildings)* **FE**
— se³* loh⁴ haai⁵ — 瀉籮蟹   (SE) *in a very embarrassing situation.   (Lit. crabs let loose from a bamboo container)*
— sui² — 水   (V) *pour water.*
— — gam³ do² — — 咁倒   (SE) *it's raining cats and dogs; it's pouring.*
10 — wan⁶ — 運   (Adj) *unluckily; unfortunate.*

do³倒 573   (V) *turn upside down; invert; reverse.* **SF** ‡ (Adv) *upside down; head over heels.* **SF** ‡ **Ap do² see 572.**

— dan³ (haang⁴) — 褪(行)   (V) *reverse.   (RT cars, ships, etc.)* **FE**
— hau⁶ (haang⁴) — 後(行)   (V) *ditto.*
— diu³ — 吊   (V) *suspend upside down.*
— gwa³ — 掛   (V) *ditto.*
5 — gwoh¹ seung¹ heung³ — 戈相向   (V) *turn one's coat; muting against.*
— gwoh² wai⁴ yan¹ — 果爲因   (V) *put cause for effect.*
— hang⁴ yik⁶ si¹ — 行逆施   (SE) *act perversely; behave perversely.*
— joi¹ chung¹° — 栽葱   (V) *fall head over heels.   (Lit. an onion planted upside down) (Adv) head over heels; upside down.*
— jong¹° gui³ faat³ — 裝句法   (N) *inversion.* **Gr.** *(Cl. jung² 種)*
10 — juen³ (tau⁴) — 轉(頭)   (V) *turn upside down.*
— — do¹° mo⁵ dik⁶ mak⁶ sui² — — 都冇滴墨水   (SE) *ignorant; illiterate.* **Coll. Ctmp.**

159

do³ 到 574

(V) *arrive at; reach.* (Asp.) *as far as; up to; to such an extent.* (RT *achievements, distances, quantities, progress, time, etc.*) (Prep) *to (as in "from . . . to . . . ").*

— cheung⁴ — 場   (V) *be present at; appear at.* (RT *meetings, accidents, social functions, etc.*)

— chi² wai⁴ ji² — 此爲止   (SE) *That's all for now.*

— chue³ — 處   (Adv) *everywhere.*

— daat⁶ — 達   (V) *arrive at; reach.* **Fml. FE**

5 — dai² — 底   (Adv) *to the end; at last; after all.*

— gik⁶ — 極   (Adv) *extremely.*

— hau⁴ m⁴ do³ fai³ — 喉唔到肺   (SE) *inadequate.* (RT *food, money, output, etc., lit. reach the throat, not the lungs.*)

— kei⁴ — 期   (V) *expire.* (Adv) *at the appointed time; on the due date.*

— lei⁴ po² — 離譜   (Adv) *ridiculously; unimaginably; unbelievably.* (*always preceded by an adjective*)

10 — m⁴ han⁶ — 唔恨   (Adv) *ditto.*

— mo⁵ po² — 冇譜   (Adv) *ditto.*

— sau — 手   (V) *come to hand; get hold of what is wanted.*

— wooi⁶* — 會   (V) *be present at a meeting.*

— yi⁴ ga¹° — 而家   (Adv) *until now.*

15 — yin⁶ joi⁶ — 現在   (Adv) *ditto.*

do³ 妒 (妬) 575

(V) *be jealous of; be envious of.* **SF** ‡ (Adj) *jealous; envious.* **SF** ‡ (N) *jealousy; envy.* **SF** ‡ (Cl. jung² 種)

— gei⁶ — 忌   (V) *be jealous of; be envious of.* **FE** (Adj) *jealous; envious.* **FE** (N) *jealousy; envy.* **FE** (Cl. jung² 種)

do⁶ 道 576

(N) *Taoism.* **SF** ‡ (N) *road.* **Fml.** ‡ (N) *doctrine; principle; reason.* **Fml. SF** ‡ (N) *"The way"; "the Truth".* (RT *religion*) **Fml.** *(No Cl.)* (Cl) *for courses or dishes at a meal; etc.* (V) *say; talk.* **Fml. SF** ‡

— bit⁶ — 別   (V) *say good-bye.*

— dak¹° — 德   (N) *morality.* (Cl. jung² 種)

— — doi⁶ lok⁶ — — 墮落   (N) *moral decadence; demoralization.* (Cl. jung² 種)

5

— — gwoon¹ nim⁶ — — 觀念   (N) *moral concept.*   (*Cl.* jung² 種)

— — man⁶ tai⁴ — — 問題   (N) *moral questions.*

— — sam¹ — — 心   (N) *a moral sense.*   (*Cl.* jung² 種)

D— Gaau³ — 教   (N) *Taoism.* **FE**   (*Cl.* jung² 種)

— gwoo¹° — 姑   (N) *Taoist nun.*

— gwoon³ — 觀   (N) *Taoist monasty.*   (*Cl.* gaan¹ 間)

10

— hip³ — 歉   (V) *apologize, say sorry.* (N) *apology.*   (*Cl.* goh³ 個 *or* chi³ 次)

— je⁶ — 謝   (V) *express one's thanks.*

— lei⁵ — 理   (N) *principle; reason; doctrine.* **FE**   (*Cl.* tiu⁴ 條 *or* goh³ 個)

— lo⁶ — 路   (N) *road.* **Fml. FE**   (*Cl.* tiu⁴ 條)

"D— L— On¹ Chuen⁴ Wan⁶ Dung⁶" — — 安全運動   (SE) *the "Road Safety Movement".*

15

— si⁶* — 士   (N) *Taoist priest.*

— yan⁴ — 人   (N) *ditto.*

— yau⁵ — 友   (N) *drug addict; opium addict.* **Sl.**

— yi⁶ — 義   (Adj) *moral; righteous.* (N) *morality; righteousness.* (*Cl.* jung² 種)

— — (ge³) jaak³ yam⁶ — — (嘅) 責任   (SE) *moral obligation; moral responsibility.*   (*Cl.* jung² 種)

do⁶ 導   577   (V) *lead; guide.* **Fml. SF** ‡

— foh² sin³ — 火綫   (N) *fuse.* **Fig.**   (*Cl.* tiu⁴ 條)

— heung³ fei¹ daan⁶* — 向飛彈   (N) *guided missile.*   (*Cl.* ji¹ 枝)

— si¹° — 師   (N) *tutor; instructor.*

— yan⁵ — 引   (V) *lead; guide.* **Fml. FE**

5

— yin⁴ — 言   (N) *introduction; preface; foreword.*   (*RT books, publications, etc.*)   (*Cl.* pin¹ 篇)

do⁶ 度   578   (PN) *degree; unit; etc.*   (*RT thermometers, gas, water or electricity metre; the compass; etc.*)   (Cl) *for places; for doors, gates, etc.* **AP:** (1) do⁶* see 579; (2) dok⁶ see 595.

— do⁶ — 度   (Adv) *everywhere.*

— leung⁶ — 量   (N) *capacity; view; judgement.*

— — daai⁶   — — 大   (Adj) *broad-minded; considerate.*

— — jaak³   — — 窄   (Adj) *petty- minded; sordid.*

⁵ — — sai³   — — 細   (Adj) *ditto.*

do⁶* 度 **579**   (Adv) *approximately; about.* **AP: (1) do⁶** see 578; (2)
dok⁶ **see 595.**

do⁶ 渡 **580**   (V) *cross over.* **SF** ‡   (N) *ferry-boat*   **SF** ‡

— gong¹   — 江   (V) *cross a river.*

— hoh⁴   — 河   (V) *ditto.*

— hoi²   — 海   (V) *cross the sea; cross the harbour.*

— suen⁴   — 船   (N) *ferry-boat.* (*Cl.* jek³ 只)

do⁶ 鍍 **581**   (V) *gild; plate.* **SF**

— gam¹°   — 金   (V) *gild; plate with gold.*   **FE** (V) *further one's studies
abroad.* **Fig.** **Joc.**

— ngan⁴*   — 銀   (V) *plate with silver.*

do⁶ 杜 **582**   (V) *stop; prevent.* **Fml.** **SF** ‡

— guen¹°   — 鵑   (N) *cuckoo.* (*Cl.* jek³ 只)

— — fa¹°   — — 花   (N) *azalea.* (*Cl.* deúh² or doh² 朵; *Plant:* poh¹
薷)

— jim⁶ fong⁴ mei⁴   — 漸防微   (SE) *nip the matter in the bud.*

do⁶ 稻 **583**   (N) *paddy.* **Fml.** **SF** ‡

— cho²   — 草   (N) *rice straw.* (*Cl.* tiu⁴ 條)

— — yan⁴   — — 人   (N) *scarecrow.*   (*Not implying "a man of straw"*)

— mai⁵   — 米   (N) *grain in general.* (*Cl.* nap¹° 粒)

— tin⁴   — 田   (N) *paddy field.* (*Cl.* faai³ 塊; *Acre:* maau⁵ 畝.)

do⁶ 盗   **584**   (N) *thief; robber; bandit, burglary; theft.*   **Fml.**   **SF**   ‡

— chaak⁶ — 賊   (N) *thief; robber, bandit.*   **FE**

— hon⁶ — 汗   (N) *night-sweats.*   *(No Cl.)*

— sit³ (on³) — 窃 (案)   (N) *theft; burglary.*   (*Cl.* chi³ 次 or jung¹ 宗)

doh¹ 多   **585**   (Adj) *many; much; a lot of; numerous.*

— beng⁶ — 病   (Adj) *prone to illness.*

— chai¹ jue² yi⁶ — 妻主義   (V) *polygamy.*   (*Cl.* jung² 種)

— ching⁴ — 情   (Adj) *sentimental; emotional; affectimate.*

— choi⁴ doh¹ ngai⁶ — 才多藝   (SE) *have a talent for many things.*

5 — dak¹° (saai³) — 得 (嗮)   (V) *be grateful to sb; be grateful for sth.*

— doh¹ siu² siu² — 多少少   (Adv) *a little; more or less; much or little.*

— siu² — 少   (Adv) *ditto.*

— foo¹ yue² yi⁶ — 夫主義   (N) *polyandry.*   (*Cl.* jung² 種)

— gin³ doh¹ man⁴ — 見多聞   (Adj) *well-informed; experienced in life.*

10 — man⁴ gwong² gin³ — 聞廣見   (Adj) *ditto.*

— hau² — 口   (Adj) *loquacious.*

— jui² — 咀   (Adj) *ditto.*

— loh⁴ loh⁴ — 籮籮   (Adj) *numberless; numerous; too many.*

— je⁶ — 謝   (V) *thank you (for a gift); thank (for a gift).*

15 — — nei⁵ bei² min⁶* — — 你俾面   (SE) *"thank you for coming".*

— — — seung² gwong¹ — — — 賞光   (SE) *ditto.*

— — — — min⁶* — — — — 面   (SE) *ditto.*

— — — gam³ ho² gaai³ siu⁶ — — — 咁好介紹   (SE) *"I do appreciate this excellent suggestion of yours!"; "What a splendid suggestion you've made!"; "No, thank you!".*   (*Lit. Thank you for such a good introduction or recommendation*)   **Sat.**   **Joc.**

— — — sin¹ — — — 先   (SE) *thank you in advance.*

20 — — saai³ (nei⁵) — — 嗮 (你)   (SE) *thank you for everything; thank you so much.*

— sam¹° — 心   (Adj) *suspicious; sensitive.*

— yi⁴ — 疑   (Adj) *ditto.*

— san⁴ gaau³ — 神教   (N) *polytheism.*   (*Cl.* jung² 種)

— sau² — 手　(Adj) *misbehaved.　(GRT fops, naughty children, etc.)*

25　— si⁶* — 士　(N) *toast.* **Tr.**　(Cl. faai³ 塊 *or* gin⁶ 件)

　— — lo⁴ — — 爐　(N) *toaster.* **Tr.**

　— si⁶ — 事　(Adj) *officious; interfering; meddling.　(GRT character of persons)*

　— — ge³ yan⁴ — — 嘅人　(N) *an officious person; an interfering person; a meddling person.*

　— so³ — 數　(Adv) *mostly.　*(N) *the majority.　(No Cl.)*

30　— — chui² kuet³ — — 取決　(SE) *decide by the majority.*

　— — jaan³ sing⁴ — — 贊成　(SE) *a majority approval; a majority vote.*

　— yue⁴ — 餘　(Adj) *superfluous.　*(N) *surplus.　(No Cl.)*

　— — chin⁴* — — 錢　(N) *space money.　(No Cl.)*

doh² 朵(朵)　586　(Cl) *for flowers, clouds, etc.* **AP deuh² SM see** 527.

doh² 躲(躲)　587　(V) *hide; hide from; avoid.* **SF ‡**

— bei⁶ — 避　(V) *hide; hide from; avoid.* **FE**

— chong⁴ — 藏　(V) *hide oneself.*

— maai — 埋　(V) *ditto.*

— san¹ — 身　(V) *ditto.*

5　— laan⁵ — 懶　(V) *shirk work; avoid work.*

— naan⁶ — 難　(V) *flee from disaster; hide from trouble.*

— yue⁵ — 雨　(V) *take shelter from the rain.*

doh⁶ 墮　588　(V) *fall; fall down; degenerate.* **Fml. SF ‡**

— hau⁶ — 後　(V) *fall behind.*

— hoi² — 海　(V) *fall into the sea.*

— lok⁶ — 落　(V) *degenerate.　*(Adj) *decadent.*

　— — fung¹ chan⁴ — — 風塵　(SE) *become a prostitute.　(Lit. fall into the dust)*

5　— ma⁵ — 馬　(V) *fall off a horse.*

— ngaai⁴ — 崖　(V) *fall down from a cliff.*

— saan¹ — 山　(V) *fall downhill; fall down a mountain.*

— toi¹ — 胎　(V) *have an abortion.　*(N) *abortion.　(Cl. chi³ 次)*

doi⁶ 代   **589**   (N) *generation; dynasty; substitute; representative*   **SF**   ‡
                             (V) *substitute; act for; represent.*   **SF**   ‡

— baan⁶*   — 辦   (N) *chargé-d'affaires.*

— bat¹°   — 筆   (V) *write for another.*   **Fml.**

— biu²   — 表   (V) *represent.* (N) *representative; delegate.*   **FE**

— — ... ge³ yi³ si³   — — ... 嘅意思   (IC) *stand for sth; signify sth.*

— — tuen⁴   — — 團   (N) *representative body; delegation.*

— — yue⁴ lun⁶   — — 輿論   (SE) *represent public opinion.*

— chue⁵   — 署   (V) *take up an acting appointment.*

— chaak³ doi⁶ hang⁴   — 拆代行   (V) *ditto.*

— hang⁴   — 行   (V) *ditto.*

— din³   — 墊   (V) *pay money for another.*   **FE**

— ga³   — 價   (N) *price; cost.*   **Fig.**

— jui⁶   — 罪   (V) *be a scapegoat; suffer for the faults of another.*   **Fml.**

— — go¹ yeung⁴   — — 羔羊   (V) *ditto.*   **Fml.**

— — yan⁴ sau⁶ gwoh³   — 人受過   (V) *ditto.*   **Coll.**

— kau¹   — 溝   (N) *generation gap.* (*Cl.* jung² 種 *or* goh³ 個)

— lei⁵   — 理   (V) *represent; be a representative; be an agent for commodity.* (N) *representative; agent for some article or commodity.*

— — hong⁴*   — — 行   (N) *agency.* (*Cl.* gaan¹ 間)

— — kuen⁴   — — 權   (N) *proxy; power of attorney.*

— — seung¹   — — 商   (N) *commission agent.*

— lo⁴   — 勞   (V) *do sth for another; lend a hand.*   **Fml.**

— ming⁴ chi⁴   — 名詞   (N) *pronoun.*   **Gr.**

— so³ (hok⁶)   — 數 (學)   (N) *algebra.* (*subject:* foh¹° 科)

— tai³   — 替   (V) *substitute; be on behalf of; be in place of.*   **FE**

— — ban²   — — 品   (N) *substitute for sth.* (*article:* gin⁶ 件 *kind:* jung² 種)

— — mat⁶   — — 物   (N) *ditto.*

— yung⁶ ban²   — 用品   (N) *ditto.*

— — mat⁶   — — 物   (N) *ditto.*

doi⁶ 袋(帒) 590

(PN) *pocketful; amount held by a bag.* (V) *bag; put into a bag; put into a pocket.* **AP doi⁶* see 591.**

— sue² — 鼠   (N) *kangaroo.* (*Cl.* jek³ 只)

— yap⁶ doi⁶* sue³ — 入袋處   (V) *put into a bag; put into a pocket.* **FE**

doi⁶* 袋(帒) 591

(N) *bag; pocket.* **CP AP doi⁶ see 590.**

doi⁶ 待 592

(V) *treat; wait for.* **Fml. SF ‡**

— maan⁶ saai³ — 慢嗮   (SE) *"Thank you for coming"; "Sorry for not having looked after you better".* (*A polite expression gen. used by the host at the end of a banquet/reception*)

— ping³ — 聘   (V) *wait for a job; look for a job.* (*RT headings of insertions in classified advertisements*)

— yue⁶ — 遇   (N) *remuneration; treatment.* **FE** (*Cl.* jung² 種) (V) *remunerate; treat.* **FE**

doi⁶ 怠 593

(Adj) *lazy.* **FP Fml. SF ‡ AP toi⁵ SM see 3108.**

doi⁶ 逮(迨) 594

(V) *arrest.* **FP Fml. SF ‡ AP dai⁶ SM see 481.**

dok⁶ 度 595

(V) *measure; devise.* **SF ‡ AP: (1) do⁶ see 578; (2) do⁶* see 579.**

— dei⁶ — 地   (V) *measure land.*

— kiu⁴* — 橋   (V) *devise tricks.* **Coll.**

— san¹° — 身   (V) *measure (RT clothing); take measurements.*

— — deng⁶ jo⁶ — — 定做   (SE) *make to measure.* (*RT clothing*)

dok⁶ 踱 596

(V) *stroll; walk slowly.* **SF ‡**

— gaai¹° — 街   (V) *stroll; stroll aimlessly in town.*

— lai⁴ dok⁶ hui³ — 嚟踱去   (V) *walk slowly up and down.*

dong¹ 當   597

(V) *undertake; fill a post; work as.* **SF** ‡ (Adv) *in the presence of; at that place; at that time; certainly.* **SF** ‡ **AP dong³ see 598.**

— bing¹ — 兵   (V) *be enlisted as soldier; be a soldier.*

— chaai¹ — 差   (N) *be enlisted as a soldier; be recruited into the police force.*

— cheung⁴ — 塲   (Adv) *on the spot.*

— tong⁴ — 堂   (Adv) *ditto.*

5 — choh¹ — 初   (Adv) *at the beginning.*

— dei⁶ — 地   (Adv) *at that place.* (N) *that particular place.* (*No Cl.*)

— — (biu¹ jun²) si⁴ gaan³ — — (標準)時間   (N) *local time (at some particular place).*

— doi⁶ — 代   (N) *the present age.*

— sai³ — 世   (N) *ditto.*

10 — ga¹ — 家   (V) *do the work of a housewife; take up household duties; take charge of.* (*RT institutions, government, etc.*)

— — jok³ jue² — — 作主   (V) *take charge of.* (*RT institutions, governments, etc.*)

— gaai¹° — 街   (Adv) *in the streets.*

— gaang¹° — 更   (V) *be on duty.*

— gam¹ — 今   (Adv) *nowadays.*

15 — gei¹ lap⁶ duen³ — 機立斷   (SE) *decide then and there.*

— guk⁶ — 局   (N) *the authorities.* (*RT governments, schools, cities, etc.*)

— — je² — — 者   (N) *a participant.* (*RT games, politics, etc.*)

— — — mai⁴ — — — 迷   (SE) *a participant in a game is usually not clear-minded enough to make a wise move.*

— jung³ — 衆   (Adv) *in the presence of all; before everyone.*

20 — — suen¹ bo³ — — 宣佈   (SE) *bring a matter to the public notice; make sth known to all present.*

— kuen⁴ — 權   (V) *be in power; seize power.*

— — paai³ — — 派   (SE) *political party in power; a favourite with the boss.* (**Joc.**)

— min⁶* — 面   (Adv) *in the presence of; face to face.* **FE**

— — gong² ming⁴ — — 講明   (SE) *it has been clearly stated face to face.*

25 — — yin⁴ ming⁴ — — 言明 (SE) *ditto.*

— nin⁴ — 年 (Adv) *years ago.* (N) *that year.* *(No Cl.)*

— si⁴ — 時 (Adv) *at that time; at that moment.* (N) *that particular time; that particular moment.* *(No Cl.)*

— suen² — 選 (V) *be elected.*

— — yan⁴ — — 人 (N) *successful candidate at election; elected person.*

30 — yat⁶ — 日 (Adv) *in those days; on the day in question.* (N) *that particular day.* *(No Cl.)*

— yat⁶ gaang¹° — 日更 (V) *be on day duty.*

— ye⁶ gaang¹° — 夜更 (V) *be on night duty.*

— yin⁴* — 然 (Adv) *of course; certainly.* **FE**

dong³ 當 598 (V) *take for; regard as; mistake for; pawn.* **SF** ‡ **AP dong¹ see 597.**

— . . . baan⁶ — . . . 辦 (IC) *regard as* . . . **FE**

— jo⁶ — 做 (V) *regard as; mistake for; take for.* **FE**

— jok³ — 作 (V) *ditto.*

— piu³* — 票 (N) *pawn-ticket.* (Cl. jeung¹ 張)

5 — po³* — 舖 (N) *pawnshop.* (Cl. gaan¹ 間)

— ye⁵ — 嘢 (V) *pawn.* **FE**

— yi⁵ bin¹ fung¹ — 耳邊風 (SE) *regard as of no importance; in at one ear and out at the other.* *(Lit. regard as a wind blowing past the ear)*

dong² 擋（攩，揽） 599 (V) *obstruct; shut out; shelter from; keep off; stop; resist.* **SF** ‡

— fung¹ — 風 (V) *keep off the wind.* **FE**

— — boh¹° lei⁴° — — 玻璃 (N) *wind-screen; wind-shield.* (Cl. faai³ 塊)

— ga³ — 駕 (SE) *decline to receive a visitor; "not at home".* *(Lit. stop the carriage, i.e. of the visitor)* **Fml. PL**

— jue — 住 (V) *obstruct (RT views, roads, etc.); shut out (RT the sun); shelter from (RT rain); keep off (RT wind); stop (RT sth in motion); resist (RT enemies).* **FE**

5 — — dik⁶ yan⁴ — — 敵人 (V) *resist the enemy.* **FE**

— lo⁶ — 路 (V) *obstruct the road.* **FE**

— ngaan⁵ — 眼   (V) *obstruct one's view.* **FE**

— saat³ — 煞   (V) *ward off noxious influence.* *(ROT superstitious beliefs and practices)*

— taai³ yeung⁴ — 太陽   (V) *shut out the sun.* **FE**

¹⁰ — yat⁶ tau⁴* — 日頭   (V) *ditto.*

— yit⁶ tau⁴* — 熱頭   (V) *ditto.*

— tau⁴ jan⁶ — 頭陣   (V) *be in the vanguard; be the first to do sth dangerous.* **Fig.**

— yue⁵ — 雨   (V) *shelter from rain.* **FE**

dong² 黨   600   (N) *political party; party; clique; faction; gang.*

D— Gong¹ — 綱   (N) *the Party Programme.* *(ROT the Chinese Communist Party)* *(Cl.* goh³ 個; *Item:* tiu⁴ 條.*)*

— Jeung¹° — 章   (N) *the Party Constitution.* *(ROT the Chinese Communist Party)* *(Cl.* goh³ 個; *Clause or Item:* tiu⁴ 條.*)*

d— jik⁶ — 籍   (N) *Party register.*

— paai³ — 派   (N) *party; clique; faction.* **FE**

⁵ — yuen⁴ — 員   (N) *member of a party.*

dong² 檔   601   (N) *archive; record; file.* **SF** ‡ **AP dong³ see 602.**

— guen² — 卷   (N) *archive; record; file.* **FE Fml.**

— on³ — 案   (N) *ditto.* **FE Coll.**

— — (gwoon² lei⁵) yuen⁴ — — (管理)員   (N) *archivist.*

— — sat¹° — — 室   (N) *archives.* *(ROT places for keeping public or government records)* *(Cl.* gaan¹ 間)

dong³ 檔   602   (N) *stall; gaming-house; vice den.* **SF** ‡ (Cl) *for stalls; for gaming-houses, vice dens; etc.* **AP dong²** **see 601.**

— hau² — 口   (N) *stall; gaming-house; vice den; place where one makes a living.* **(Fig.)** **FE** *(Cl.* goh³ 個 *or* dong³ 檔)

dong⁶ 蕩   603   (V) *drift.* **SF** ‡ (Adj) *dissolute.*

— foo⁵ — 婦   (N) *dissolute woman.*

— i² — 子   (N) *vagabond; drifter.*

duen¹ 端 604   (Adj) *correct; proper; upright; dignified.* **Fml. SF** ‡

— jing³   — 正   (Adj) *correct; proper.* **FE**

— jong¹   — 莊   (Adj) *upright; dignified.* **FE**

D— Ng⁵ (Jit³) — 午(節)   (N) *the Dragon Boat Festival (i.e. the fifth day of the fifth lunar month).*

— yeung⁴ (—)   — 陽 (—)   (V) *ditto.*

duen² 短 605   (Adj) *short; deficient.* **SF** ‡   (N) *short-coming; deficiency; shortage.* **SF** ‡

— boh¹°   — 波   (N) *short-wave.* (*Cl.* jung² 種)

— — din⁶ toi⁴   — — 電台   (N) *short-wave broadcasting station.*

— chue³   — 處   (N) *short-coming; defect.* (*Cl.* jung² 種 *or* goh³ 個)

— chuk¹°   — 促   (Adj) *short (in time).* **FE**

5   — do¹°   — 刀   (N) *dagger.* (*Cl.* ba² 把 *or* jeung¹ 張)

— gim³   — 劍   (N) *short sword.* (*Cl.* ba² 把)

— gung¹°   — 工   (N) *temporary job; piecework; day-labourer.*

— heuh¹   — 靴   (N) *boot.* (*Cl.* jek³ 隻 ; *pair:* dui³ 對.)

— him³   — 欠   (V) *fall short (of proper amount); owe.*

10   — kei⁴   — 期   (Adj) *short-term; short-dated.* (N) *short-term; short date.*

— — fan³ lin⁶   — — 訓練   (N) *short-term training.* (*Cl.* jung² 種)

— — gung¹ jaai³ — — 公債   (N) *short-term public bond.* (*Cl.* jung² 種)

— — je³ foon²   — — 借款   (N) *short-term loan.* (*Cl.* jung² 種)

— — kei⁴ piu³   — — 期票   (N) *short-date bill.* (*Cl.* jeung¹ 種)

15   — — piu³ gui³   — — 票據   (N) *ditto.*

— kuet³   — 缺   (Adj) *deficient; insufficient.* **FE** (N) *deficiency; shortage.* **FE** (*Cl.* jung² 種)

— siu²   — 少   (Adj) *ditto.* (N) *ditto.*

— kwan⁴   — 裙   (N) *mini-skirt.* (*Cl.* tiu⁴ 條)

— pin¹ siu² suet³ — 篇小說   (N) *short story.* (*Cl.* pin¹ 篇)

20   — — — — ga¹°   — — — — 家   (N) *short story writer.*

— si⁴ hau⁶   — 時候   (N) *a short period.* (Adv) *for a short period.*

— si⁴ kei⁴   — 時期   (N) *ditto.* (Adv) *ditto.*

— si⁶   — 視   (N) *short-sighted; narrow-minded.* **(Fig.)**

duen³ 斷   606

(V) *decide; settle; give judgement.* **SF** ‡ (Adv) *decidedly; definitely; positively.* **SF** ‡ **AP: (1) duen⁶ see 607; (2) tuen⁵ see 3125.**

— ding — 定   (V) *decide; settle; give judgement.* **FE**

— on³ — 案   (V) *settle a law case.*

— si⁶ — 事   (V) *decide a matter; judge.*

— woh⁶ fuk¹° — 禍福   (V) *divine; tell one's fortune.*

— yi⁴ (naan⁴) — 疑 (難)   (V) *solve doubts, solve problems.*

— yin⁴ — 然   (Adv) *decidedly; definitely; positively.* **FE**

duen⁶ 斷   607

(V) *cut off; break off; sever.* **Fml. SF** ‡ (Adj) *broken; interrupted.* **Fml. SF** ‡ **AP: (1) duen³ see 606; (2) tuen⁵ SM see 3125.**

— juet⁶ — 絕   (V) *cut off; break off; sever.* **Fml. FE**

— — bong¹ gaau¹ — — 邦交   (V) *sever diplomatic relations.* **Fml.**

— — gwaan¹ hai⁶ — — 關係   (V) *break off relations.* **Fml.**

— — wong⁵ loi⁴ — — 往來   (V) *cut off social relations with; cut off communications.* **Fml.**

— pin³ — 片   (N) *fragments; odds and ends.* *(No Cl.)*

— tau⁴ toi⁴ — 頭台   (N) *guillotine.* **Fml.**

duen³ 鍛 (煆) 608

(V) *work (ROT metals); discipline* (Fig.).   **SF** ‡

— fooi¹ — 灰   (V) *calcine; burn to ashes.*

— lin⁶ — 鍊   (V) *work (ROT metals); discipline* (Fig.). **FE**

duen⁶ 段   609

(N) *section (RT distances, bus routes, etc.); paragraph (RT compositions, articles, stories, etc.); insertion (RT news reports, advertisements, etc.).* *(No Cl.)*

— lok⁶ — 落   (N) *conclusion of a part or section.* *(ROT compositions, articles, stories, etc.)*

— — fan¹ ming⁴ — — 分明   (Adj) *well set out.* *(ROT compositions, articles, stories, etc.)*

duet 嘟 610
CC   (V) *protrude the lips; stick out the lips.*   *(RT displeasure)*   **SF** ‡

— cheung⁴ jui²   — 長咀   (V) *ditto.*

— ha⁵ jui²   — 吓咀   (V) *ditto.*

— jui²   — 咀   (V) *ditto.*

duet⁶ 奪 611
(V) *snatch; take away.*   **Fml.**   **SF** ‡

— biu¹°   — 標   (V) *take away a trophy; win a prize.*

— gam² biu¹°   — 錦標   (V) *ditto.*

— chui²   — 取   (V) *snatch; take away.*   **Fml.**   **FE.**

— muk⁶   — 目   (V) *dazzle the eyes; catch one's eyes.*   **Fml.**   (Adj) *eye-catching; attractive.*   **Fml.**

dui¹ 堆(𡘯, 洎) 612
(V) *store up; pile up.*   (PN) *a heap of; a pile of; a crowd of.*   **AP dui¹°** see 613.

— jik¹°   — 積   (V) *store up; pile up.*

— — yue⁴ saan¹   — — 如山   (SE) *be piled up like a mountain; have plenty in store or in reserve.*

— sak¹°   — 塞   (V) *block up.*   *(RT crowds, traffic, etc.)*

dui¹° 堆 613
(N) *heap (e.g. garbage heap); pyre (e.g. funeral pyre).*   **AP dui¹** see 612.

dui³ 對 614
(V) *compare; contrast; face; treat; compose a couplet, cope with; confront.*   **SF** ‡   (N) *dialogue; policy; attitude; harmony, symmetry; object; target; rival; enemy.*   **SF** ‡   (Prep) *as to; opposite to; with.*   **SF** ‡   (Adj) *opposite.*   **SF** ‡   (PN) *a pair of; a couple of.*   **AP dui³*** see 615.

— baak⁶   — 白   (N) *dialogue; conversation.*   **FE**   *(Cl.* chi³ 次 *or* goh³ 個*)*

— wa⁶*   — 話   (N) *ditto.*

— bei²   — 比   (V) *compare; contrast.*   **FE**   (N) *comparison; contrast.*   *(Cl.* jung² 種*)*

— jiu³   — 照   (V) *ditto.*   (N) *ditto.*

5 — ha⁵ — 吓   (V) *compare; contrast.*

— chaat³ — 策   (N) *policy; attitude.* *(RT dealing with opponents)* **FE** *(Cl.* jung² 種*)*

— chan³ — 稱   (Adj) *harmonious; symmetrical.* (N) *harmony; symmetry.* **FE** *(Cl.* jung² 種*)*

— chan³ ga¹ — 親家   (V) *form a marriage alliance.*

— duk¹° jua⁶ — 得住   (V) *be able to face sb; have nothing to be ashamed of; have clear conscience; behave worthily.* *(RT friends, relatives, parents, etc.)*

10 — diu⁶ — 調   (V) *exchange officers; exchange posts.*

— doi⁶ — 待   (V) *treat; behave towards.* **FE**

— dui³* — 對   (V) *compose a couplet; write the second sentence of a couplet.* **FE**

— yat¹° dui³ dui³* — 一對對   (V) *ditto.*

— — foo³ dui³* — — 副對   (V) *ditto.*

15 — foo⁶ — 付   (V) *deal with; cope with.*

— go² — 稿   (V) *correct proofs; read proofs.* (N) *proof-reading.* *(Cl.* chi³ 次*)*

— hung¹° — 胸   (Adj) *breast-buttoned; with breast buttons.*

— — saam¹° — — 衫   (N) *Chinese-style garment (Gen. worn by men);* *"coolie's jacket"* (**Joc.**). *(Cl.* gin⁶ 件*)*

— — — foo³ — — — 袄   (N) *Chinese-style suit. (Gen. worn by men)* *(Cl.* to³ 套*)*

20 — jat¹° — 質   (V) *be an eye-witness; give first-hand evidence.*

— jing³ — 証   (V) *ditto.*

— jeung⁶ — 象   (N) *object; target.*

— jing³ — 正   (Adj) *just opposite to; exactly opposite to.*

— kong³ — 抗   (V) *confront; oppose.* **FE** (N) *confrontation; opposition.* *(Cl.* jung² 種*)*

25 — lap⁶ — 立   (V) *ditto.* (N) *ditto.*

— ... lai⁴ gong² — ... 嚟講   (IC) *as to ...; with regard to ... as far as ... is concerned.*

— m⁴ jue⁶ — 唔住   (SE) *"I'm sorry"; "excuse me". (Lit. I am ashamed to face you)*

— min⁶ — 面   (Adv) *opposite.* **FE** (Prep) *opposite to; opposite.* **FE** (Adj) *opposite to; opposite.* **FE** (N) *the opposite.* **FE** *(No Cl.)*

— — hoi² — — 海　(N) *the other side of the harbour (i.e. in Hong Kong)*.

30　— — uk¹° — — 屋　(N) *the house opposite; the building opposite*.

— ngau⁴ taan⁴ kam⁴ — 牛彈琴　(SE) *say sth to sb who cannot understand; cast one's pearls before swine.　(Lit. play the lute before an ox)*

— ngoi⁶ — 外　(Adj) *external*.

— — gwaan¹ hai⁶ — — 關係　(N) *foreign relation.　(Cl. jung² 種)*

— noi⁶ — 內　(Adj) *internal*.

35　— — hang⁴ jing³ — — 行政　(N) *internal administration.　(Pl. jung² 種)*

— sau² — 手　(N) *match for; rival*.

— . . . taan² baak⁶ — . . . 坦白　(IC) *be frank with sb*.

— tau⁴ — 頭　(N) *enemy; opponent.　**Coll.***

— yue¹ — 於　(Prep) *as for; as to.　**FE***

dui³* 對　615　(N) *scroll; couplet (written on scroll).　**FE**　(Cl.* foo³ 副 *or* dui³ 對)　**AP** dui³ see 614.

— luen⁴ — 聯　(N) *scroll; couplet (written on scroll).　**FE**　(Cl.* foo³ 副 *or* dui³ 對)

dui³ 兌　616　(V) *exchange.　(RT currencies, gold, silver, etc.)*　**SF** ‡

— woon⁶ — 換　(V) *exchange.　(RT currencies, gold, silver, etc.)*　**FE**

— — dim³ — — 店　(N) *money changer.　**Fml.**　(Cl.* gaam¹ 間)

— — po³* — — 舖　(N) *ditto*.

— yin⁶ — 現　(V) *cash (a cheque or draft); keep one's word.*　**(Fig.)**

dui⁶ 隊　617　(N) *rank and file; the ranks; other ranks.　**Fml.**　**SF** ‡ (Cl) for armies, fleets; for commandos, guerillas, ball teams; etc.　**AP** dui⁶ see 618.

— jeung² — 長　(N) *captain (of a ball team); leader (of commandos, guerillas, etc.)*.

— ng⁵ — 伍　(N) *rank and file; the ranks.　**Fml.**　**FE**　(Cl.* ji¹ 支 *or* goh³ 個)

dui⁶* 隊　618　(N) *army; fleet; commandos; guerillas; ball team.　**Coll.**　SF* ‡ (Cl. ji¹ 支 *or* dui⁶ 隊)　**AP** dui⁶ see 617.

duk¹° 督   **619**   (V) *oversee; lead; direct.*   **SF**   ‡   (N) *overseer, govern-nor.*   **SF**   ‡

— baan⁶* — 辦   (N) *commissioner.*   *(RT official undertakings, pro-jects, etc.)*

— bing¹ — 兵   (V) *lead troops.*   **Coll.**

— si¹ — 師   (V) *ditto.*   **Fml.**

— chaat³ — 察   (N) *inspector of police.*   **Fml.**

5 — chuk¹° — 促   (V) *urge on; keep sb up to the mark.*

— hok⁶ — 學   (N) *inspector of education.*   **Fml.**

— jan⁶ — 陣   (V) *lead in battle.*   **Fml.**

— jin³ — 戰   (N) *ditto.*   **Coll.**

— sut¹° — 率   (V) *lead; direct.*   **Fml.**

duk¹° 攜   **620**   (V) *poke (with a finger, stick, etc.).*   **SF**   ‡
            CC

— chuen¹ — 穿   (V) *reveal; expose; leak.*   *(RT secrets)*   **Fig.**   (V) *poke a hole; pierce through.*

— — bui³ mat⁶ — — 秘密   (V) *reveal a secret; expose a secret; leak a secret.*   **FE**

— — ji² lo⁵ foo² — — 紙老虎   (SE) *reveal sb's weakness; discover and attack the Achilles' heel of sb.*   *(Lit. poke a hole into the paper tiger)*

— — tiu⁴ taai¹° — — 條呔   (V) *pierce a hole in a tyre; stick sth into a tyre.*   **FE**

duk⁶ 讀   **621**   (V) *study; read; attend school; pronounce.*   **SF**   ‡

— bok³ si⁶ — 博士   (V) *study for a doctorate; work for a Ph.D.*

— choh³ — 錯   (V) *mispronounce.*

— daai⁶ hok⁶ — 大學   (V) *study at a university; receive a post-secondary education.*

— hok⁶ si⁶ — 學士   (V) *study for a bachelor degree; work for a B.A.*

5 — je² — 者   (N) *reader.*   *(RT books, newspapers, etc.)*

— jung¹ hok⁶ — 中學   (V) *study at a middle school; receive a secondary education.*

— sek⁶ si⁶ — 碩士   (V) *study at a graduate school; work for a M.A.*

— yin⁴ gau³ yuen⁶* — 研究院   (V) *ditto.*

— siu² hok⁶ — 小學   (V) *attend a primary school; receive a primary education.*

10 — sue¹ — 書   (V) *study; go to school; start schooling.*   **FE**

— yam¹° — 音   (N) *pronounciation.*   **FE**   (*Cl.* goh³ 個 *or* jung² 種)

— yau³ ji⁶ yuen⁴* — 幼稚園   (V) *attend a kindergarten.*

— yau³ yi⁴ yuen⁴* — 幼兒園   (V) *ditto.*

— yue⁶ foh¹° — 預科   (V) *attend a matriculation class; receive a pre-university education.*

duk⁶ 獨   **622**   (Adj) *lone; only; unique; independent; single.*   **SF** ‡

— baak⁶ — 白   (N) *monologue; soliloquy.* (*Sentence:* gui³ 句 ; *paragraph;* duen⁶ 段.)

— yue⁵ — 語   (N) *ditto.*

— cheung³ — 唱   (N) *sing a solo.*   (N) *vocal solo.*   (*Cl.* chi³ 次)

— choi⁴ — 裁   (Adj) *dictatorial; arbitrary.*

5 — — je² — — 者   (N) *dictator.*

— — jing³ ji⁶ — — 政治   (N) *dictatorship; autocracy.*   (*Cl.* jung² 種)

— — jing³ tai² — — 政體   (N) *ditto.*

— dak⁶ — 特   (Adj) *unique; unequalled.*

— yau⁵ — 有   (Adj) *ditto.*

10 — dak⁶ gin³ gaai² — 特見解   (N) *unique insight.*   (*Cl.* jung² 種)

— yau⁵ gin³ gaai² — 有見解   (N) *ditto.*

— ga¹ ging¹ lei⁵ — 家經理   (N) *sole agent.*

— geuk³ hei³ — 腳戲   (N) *play acted by only one person; "one-man army".*   (*Cl.* chut¹° 齣)

— gok³ sau³ — 角獸   (N) *unicorn.*   (*Cl.* jek³ 只)

15 — hang⁴ chaak⁶ — 行賊   (N) *lone robber.*   (*Cl.* goh³ 個)

— jai² — 仔   (N) *only son.*

— ji² — 子   (N) *ditto.*

— jau³ — 奏   (V) *play or preform a solo.*   (N) *solo performance.*   *(RT musical instruments)*   (*Cl.* chi³ 次)

— lap⁶ — 立   (V) *gain independence; become independent.*   (Adj) *independent.*   (N) *independence.*   (*Cl.* chi³ 次 *or* jung² 種)

20 — — gwok³ — — 國   (N) *independent nation; independent country.*

— — jing¹ san⁴ — — 精神   (N) *spirit of independence.* (*Cl.* jung²
種)

— — si¹ seung² — — 思想   (N) *independent thought.* (*Cl.* jung² 種)

— mok⁶ kek⁶ — 幕劇   (N) *one-act play.* (*Cl.* chut¹° 齣 *or* goh³ 個)

— muk⁶ bat¹° sing⁴ lam⁴ — 木不成林   (SE) *It's sth which cannot be
done single-handed; one tree does not make a forest.*

25   — — jau¹ — — 舟   (N) *canoe; a dug-out canoe.* (*Cl.* jek³ 只)

— — kiu⁴ — — 橋   (N) *a single-plank bridge.* (*Cl.* do⁶ 度 *or* tiu⁴ 條)

— ngaan⁵ lung⁴ — 眼龍   (N) *one-eyed goldfish* (*Cl.* tiu⁴ 條); *one-eyed
person* (*Cl.* goh³ 個).

— nui⁵* — 女   (N) *only daughter.*

— san¹ — 身   (Adj) *celibate; single, living singly.* (*RT bachelors or
spinsters*)

30   — sin⁶ kei⁴ san¹ — 善其身   (SE) *pursue one's own virtues in solitude.*

— yat¹° mo⁴ yi⁶ — 一無二   (SE) *one and only; unique.*

duk⁶ 毒 623   (Adj) *poisonous; venomous; murderous; cruel; malicious.*
     SF ‡ (N) *poison; drug.* SF ‡ (V) *poison; be poi-
soned.* SF ‡

— ban² — 品   (N) *marcotic drug; drug.* FE (*Pound:* bong⁶ 磅 ;
Kind: jung² 種.)

— chong¹° — 瘡   (N) *poisonous boil; ulcer.*

— chung⁴ — 虫   (N) *poisonous insect; poisonous reptile.* (*Cl.* tin⁴ 條)

— da² — 打   (V) *beat cruelly.* (N) *a cruel beating.* (*Cl.* chi³ 次 *or*
cheung⁴ 塲)

5   — dong³ — 檔   (N) *drug den.* (*Cl.* goh³ 個 *or* dong³ 檔)

— faan³* — 販   (N) *drug smuggler; drug trafficker.*

— gai — 計   (N) *malicious proposal; malicious scheme.* (*Cl.* tiu 條
or goh³ 個)

— hei³ — 氣   (N) *poison gas; miasma.* (*Cl.* jung² 種)

— — daan⁶* — — 彈   (N) *poison-gas bomb.*

10   — hoi⁶ — 害   (V) *seriously injure; cause grievous harm to.*

— — yan⁴ sam¹ — — 人心   (SE) *poison the minds of the people.*

— huet³ beng⁶ — 血病   (N) *toxaemia.* (*Cl.* jung² 種 *or* goh³ 個)

— — jing³ — — 症   (N) *ditto.*

— jeung³ — 瘴   (N) *poisonous miasma.*   (*Cl.* jung² 種)

15 — laat³ — 辣   (Adj) *murderous; cruel; devilish.*

— nga⁴ — 牙   (N) *fang.*   (*RT snakes*)   (*Cl.* jek³ 只 ; *Set:* foo³ 副 .)

— sau² — 手   (N) *murderous means.*   (*Cl.* chi³ 次 *or* jung² 種)

— se⁴ — 蛇   (N) *poisonous snake.*   (*Cl.* tiu⁴ 條)

— sei² — 死   (V) *kill by poisoning; be poisoned.*

20 — so³ — 素   (N) *toxin.*   (*Cl.* jung² 種)

— yeuk⁶ — 藥   (N) *poison.*   (*RT medicines*)   (*Pill:* nap¹° 粒 ; *Package:* baau¹ 包 .)

dun¹ 敦(惇)   624   (Adj) *honest; sincere.*   SF ‡   (V) *be pretentious; pose as.*   SF ‡

— ching² — 請   (V) *give a cordial invitation.*   **Fml.**

— foon² — 欵   (V) *exceed one's powers; poss as a powerful person; stand on one's dignity.*   **Coll.**

— hei² goh³ foon² — 起個欵   (SE) *ditto.*

— hau⁶ — 厚   (Adj) *honest; sincere.*   **FE**

dun¹° 頓   625   (N) *ton.*   **Tr.**   *(No Cl.)*

— so³ — 數   (N) *tonnage.*

— wai⁶* — 位   (N) *ditto.*

dun⁶ 燉   626   (V) *double-boil; stew.*   **Fml.**   **AP dan⁶ SM see 491.**

dun⁶ 鈍   627   (Adj) *blunt (RT knives, swords, etc); slow or dull (RT ability or aptitude).*   SF ‡

— do¹° — 刀   (N) *a blunt knife.*   (*Cl.* ba² 把 *or* jeung¹ 張)

— ban⁶ — 笨   (Adj) *slow; dull; stupid.*   **FE**

dun⁶ 囤(笔)   628   (V) *hoard up.*   **Fml.**   SF ‡   **AP tuen⁴ SM see**

dung¹ 冬   629   (N) *winter.*   **SF**   ‡

— gwa¹ — 瓜   (N) *wax gourd; winter melon.*

— gwai³ — 季   (N) *winter season; winter time; winter.*   **FE**

— ling⁶ — 令   (N) *ditto.*

— tin¹° — 天   (N) *ditto.*

⁵ — gwoo¹ — 菰   (N) *dried mushroom.*   *(Cl. jek³ 隻)*

— hang⁴ ha⁶ ling⁶ — 行夏令   (SE) *summer weather in winter; Indian summer.*   *(Lit. winter carry out summer time)*

— ji³ — 至   (N) *the winter solstice.*

— jit³ — 節   (N) *ditto.*

— min⁴ — 眠   (V) *hibernate.*   (N) *hibernation.*   *(Cl. chi³ 次)*

dung¹ 東   630   (N) *east; host; employer; shopkeeper; landlord.*   **SF** ‡   (Adj) *eastern; oriental.*   **SF**   ‡

D— A³ — 亞   (N) *East Asia.*

— Bak¹° — 北   (N) *Northeast.*   *(RT a region of China; which contains three provinces, i.e. Heilungkiang, Kirin and Liaoning.)*   *(Lit. East North)*

— — A³ — — 亞   (N) *Northeast Asia.*

d— ban¹ sai¹ paau² — 奔西跑   (SE) *run all over the place; bustle about; helter-skelter.*

⁵ — bin¹ — 邊   (N) *east; east side.*   *(No Cl.)*

— bin⁶ — 便   (N) *ditto.*

D— Boon³ Kau⁴ — 半球   (N) *the Eastern Hemisphere.*

— Dak¹° — 德   (N) *East Germany.*

d— do⁶ (jue²) — 道 (主)   (N) *host.*   **FE**

¹⁰ — fong¹ — 方   (N) *the east; the orient.*   **FE**   (Adj) *eastern; oriental.* **FE**

— — gwok³ ga¹ — — 國家   (N) *eastern country; eastern nation.*

— — jaap⁶ tuen⁴ — — 集團   (N) *the eastern bloc.*

— — ji¹ jue¹° — — 之珠   (N) *the pearl of the orient.*   *(GRT Hong Kong)*   *(Cl.* nap¹° 粒 *or* goh³ 個*)*

— — man⁴ fa³ — — 文化   (N) *oriental culture.*   *(Cl.* jung² 種*)*

¹⁵ — — yan⁴ — — 人   (N) *easterner.*

D— Fung¹ aat³ do² Sai¹ Fung¹ 東風壓倒西風　　(SE) *the East Wind prevails over the West Wind.* **Fig.**

— ga¹ — 家　　(N) *employ.* **Coll.**

— — m⁴ da² da² sai¹ ga¹ — — 唔打打西家　　(SE) *jobs are always to be found somewhere or other; there will always be people offering employment of some kind or other.* *(Lit. If you are not employed by a family in the east, you will by one in the wast.)*

D— Ging¹ — 京　　(N) *Tokyo.*

20　　— — Waan¹° — — 灣　　(N) *Gulf of Tongking.*

d— laai¹ sai¹ che² — 拉西扯　　(SE) *borrow all round; by hook or by crook; ramble in one's talk.*

D— Naam⁴ A³ — 南亞　　(N) *Southeast Asia.* *(Cl.* goh³ 個)

d— naam⁴ sai¹ bak¹° — 南西北　　(Adv) *everywhere.* (N) *the Chinese order for the four points of the compass.* *(Lit. east, south, west, north)* *(No Cl.)*

— sai¹ naam⁴ bak¹° — 西南北　　(Adv) *ditto.* (N) *ditto.* *(Lit. east, west, south, north)* *(No Cl.)*

25　　D— Yeung⁴ — 洋　　(N) *Japan.* *(Lit. East Ocean)* **Mdn.**

— — che¹° — — 車　　(N) *jinriksha; rickshaw.* **Mdn.** *(Cl.* ga³ 架)

— — foh³ — — 貨　　(N) *Japanese goods.* **Mdn.** *(Cl.* jung² 種)

— — Yan⁴ — — 人　　(N) *Japanese; Japanese people.* **Mdn.**

dung² 懂　631　　(V) *understand; comprehend.* **SF** ‡

— sai³ gwoo³ — 世故　　(SE) *understand human native; understand how to behave.*

— yan⁴ ching⁴ — 人情　　(SE) *ditto.*

— — — sai³ gwoo³ — — — 世故　　(SE) *ditto.*

dung² 董　632　　(V) *direct; superintend.* **Fml. SF** ‡

— ji⁶ — 治　　(V) *direct; superintend.* **Fml. FE**

— si⁶ — 事　　(N) *director; member of a board of directors.*

— — jeung² — — 長　　(N) *chairman of a board of directors; managing director.*

— — wooi⁶* — — 會　　(N) *board of directors.*

dung³ 凍 **633**   (Adj) *cold (in temperature).*

bing¹ bing¹ — 凍冰冰 (Adv) *very cold; ice cold.*

— chong¹ — 瘡   (N) *chieblain.* **Fml.**

— dung³* dei⁶* — 凍哋   (Adj) *coldish; quite cold.*

— gin¹ jing³ — 肩症   (N) *frozen shoulder. (ROT a chronic ailment)*

5 — git³ — 結   (V) *freeze. (RT prices, rents, wages, etc.)*   (N) *freeze. (RT prices, rents, wages, etc.)*   (Cl. chi³次)

"— — Jo¹ Gam¹ Faat³ On³"   "— —租金法案 "   (N) *the "Rent Freeze Act".*

— sei² — 死   (V) *be frozen to death; die of cold.*

dung⁶ 動 **634**   (V) *move.* **SF** ‡   (N) *movement; action.* **SF** ‡

— bat¹° dung⁶ — 不動   (Adv) *incessantly; without cause.*

— chaan² — 產   (N) *moveable effects. (Cl.* jung² 種 *or* bat¹°筆)

— chi⁴ — 詞   (N) *verb.* **Gr.**

— gei¹ — 機   (N) *motive; motivation; incentive; inducement. (Cl.* jung² 種 *or* goh³個)

5 — jing⁶ — 靜   (N) *indication of action; indication of move. (Cl.* jung² 種 *or* goh³個)

— taai³ — 態   (N) *ditto.*

— jok³ — 作   (N) *action; movement. (Cl.* chi³ 次 *or* goh³個)

— — pin³* — — 片   (N) *action film; films of cirme and violence. (Cl.* chut¹° 齣)

— mak⁶ — 脈   (N) *artery. (Cl.* tiu⁴ 條)

10 — lik⁶ — 力   (N) *power. (Cl.* jung² 種)

— — hok⁶ — — 學   (N) *dynamics. (Subject:* foh¹° 科)

— mat⁶ — 物   (N) *animals in general; moving creature. (Cl.* jung² 種)

— — gung¹ yuen⁴* — — 公園   (N) *zoo; zoological garden.*

— — yuen⁴* — — 園   (N) *ditto.*

15 — — hok⁶ — — 學   (N) *zoology. (Subject:* foh¹° 科)

— — — ga¹° — — — 家   (N) *zoologist.*

— ting³ — 聽   (Adj) *persuasive; convincing; moving; touching; eloquent.*

— yan⁴ — 人   (Adj) *charming; fascinating; thrilling; exciting.*

— yiu⁴ — 搖　(Adj) *unsteady; wavering; hesitating; shaky.* (*RT attitude, faith, belief etc.*)

20　— yuen⁴ — 員　(V) *mobilize.* (N) *mobilization.* (*Cl.* chi³ 次)

　— — ling⁶ — — 令　(N) *order for mobilization.*

dung⁶ 洞　635　(N) *cavern; grotto.* **SF** ‡

— fong⁴ — 房　(N) *nuptial chamber.* (*Cl.* gaan¹ 間 *or* goh³ 個) (V) *consummate a marriage.*

　— — fa¹° juk¹° — — 花燭　(SE) *wedding festivities.* (*Lit. nuptial chamber and gay candles*) (*Cl.* chi³ 次)

　— — — — ye⁶ — — — — 夜　(N) *wedding night.* (*Cl.* goh³ 個 *or* maan⁵ 晚)

— yuet⁶ — 穴　(N) *cavern; grotto.* **FE**

F

fa¹° 花(華，蘤)   **636**   (N) *flower.*   (*Cl.* deuh² *or* doh² 朵 ; *Cluster:* chuk¹° ; *Plant :* poh¹ 稛 .)   (Adj) *multicoloured variegated; fancy; loud.*   (*RT colours, patterns, etc.*)   **SF**

— baak⁶ — 白   (Adj) *grey.*   (*GRT hair, beard, etc.*)

— baan¹ baan¹ — 斑斑   (Adj) *multicoloured; variegated.*   **FE**   **Coll.**

— fa¹ luk⁶ luk⁶ — 花綠綠   (Adj) *ditto.*   **FE**   **Fml.**

— — gung¹ ji² — — 公子   (N) *playboy; debauchee; fop.*

⁵ — — sai³ gai³ — — 世界   (SE) *a dissolute age; a dissolute world.*

— bin¹° — 邊   (N) *fancy border in printing; lace.*   (*Cl.* tiu⁴ 條)

— — san¹ man⁴* — — 新聞   (N) *titbits.*   (*ROT scandals, interesting but trivial items in newspapers; Lit. news's fancy borders*)   (*Insertion:* duen⁶ 段)

— bo³ — 布   (N) *coloured cotton cloth; figured calicos.*   (*Piece:* fuk¹° 幅; *Bolt:* pat¹° 匹 .)

— chaau⁴* — 綢   (N) *flowered silks.*   (*Piece:* fuk¹° 幅; *Bolt:* pat¹° 匹 .)

¹⁰ — che¹° — 車   (N) *carriage for festive occasions.*   (*Cl.* ga³ 架)

— cho² — 草   (N) *vegetation.*   (*Lit. flowers and grass*)   (*Cl.* jung² 種)

— muk⁶ — 木   (N) *ditto.*   (*Lit. flowers and trees*)   (*Cl.* jung² 種)

— chuk¹° — 束   (N) *cluster of flowers.*   (*Cl.* chuk¹° 束 *or* goh³ 個)

— daan³* — 旦   (N) *actor or actress who takes female parts in opera.*

¹⁵ — dang¹° — 燈   (N) *coloured lantern.*   (*Cl.* jaan² 盞 *or* ji¹ 枝)

— deuh² — 朵   (N) *flowers in general.*   (*Cl.* deuh² 朵)

— doh² — 朵   (N) *ditto.*   (*Cl.* doh² 朵)

— dim² — 店   (N) *florist; florist's shop.*   (*Cl.* gaan¹ 間)

— po³* — 鋪   (N) *ditto.*

²⁰ — faan³* — 販   (N) *florist (as a hawker).*   (*Cl.* goh³ 個)

— duen⁶* — 緞   (N) *brocade; flowered satin.*   (*Piece:* fuk¹° 幅; *Bolt:* pat¹° 匹 .)

— foon² — 欵   (N) *pattern; design; fashion.*   (*Cl.* jung² 種 *or* goh³ 個)

— sik¹° — 式   (N) *ditto.*

— yeung⁶* — 樣   (N) *ditto.*

25 — — faan¹ san¹   — — 翻新   (SE) *appear constantly in new forms.*

— ga³*   —   架   (N) *stand for flower-pots.*

— gaap³   —   甲   (SE) *the cycle of sixty years; sixty years of age.*   (*Cl.* goh³ 個 *or* chi³ 次)

— — ji¹ nin⁴   — — 之年   (SE) *sixty years of age.*   *(No Cl.)*

— giu⁴*   —   轎   (N) *bridal sedan-chair.*   (*Cl.* deng² 頂)

30 — gong¹° sek⁶   — 崗石   (N) *granite.*   (*Cl.* gau⁶ 礁)

— huen¹°   —   圈   (N) *wreath; funeral wreath.*

— hung⁴   —   紅   (N) *bonus (RT business); reward (RT criminal cases).* (*Sum:* bat¹° 筆)

— — lau⁵ luk⁶   — — 柳綠   (SE) *variegated vegetation; a very colourful view.* (*Lit. flowers red willows green*)

F— Kei⁴*   —   旗   (SE) *Stars and Stripes; the flag of the U.S.A.; the U.S.A.* (*Lit. multicoloured flag*) **Coll.** (Adj) *American.*

35 — — Gwok³   — — 國   (SE) *the U.S.A.* **Coll.**

— — Lo²   — — 佬   (N) *Yankee; American.* **Coll.**

f— jeung⁶   —   匠   (N) *gardener.* **Fml.**

— wong⁴   —   王   (N) *ditto.* **Coll.**

— juk¹°   —   燭   (N) *painted candle.* (*RT the kind used at weddings*) (*Cl.* ji¹ 枝)

40 — — ji¹ ye⁶   — — 之夜   (SE) *wedding night.*   (*Cl.* goh³ 個 *or* maan⁵ 晚)

— lau⁵ beng⁶   — 柳(病)   (N) *venereal disease.*   (*Cl.* jung¹ 種)

— ma⁵*   —   碼   (N) *Soochow figures; an abbreviated form of writing figures in Chinese.* (*Cl.* jung² 種)

— meng⁴*   — 名   (N) *nickname.*

— ping⁴*   — 瓶   (N) *flower-vase.*

45 — sang¹°   — 生   (N) *peanut; groundnut.*   (*Cl.* nap¹° 粒)

— — yau⁴   — — 油   (N) *peanut oil.*   *(No Cl.)*

— taap³   — 塔   (N) *pagoda.*

— tin¹ jau² dei⁶   — 天酒地   (SE) *indulgence and debauchery.* (*Lit. vice in the sky and wine on the earth*)

— yuen⁴*   — 園   (N) *garden.*

50 F— Y— Do⁶   — — 道   (N) *Garden Road.* (*RT Central District, Hong Kong*) (*Cl.* tiu⁴ 條)

fa³ 化   637   (V) *change; transform.* **SF** ‡ (P) *used as a suffix similar to the English "—ize" or "—ization" (e.g. "industrialize", "industrialization", etc.).*

— hap⁶ — 合   (V) *unite into one; have a chemical affinity.*

— — mat⁶ — — 物   (N) *chemical compound.*   (*Cl.* jung² 種)

— hei³ — 汽   (V) *evaporate.*

— hok⁶ — 學   (N) *chemistry.*   (*Subject:* foh¹° 科)   (Adj) *easily broken; easily damaged; fickle; changeable.* **Fig. Coll.**

5   — — ban² — — 品   (N) *chemical products.*   (*Cl.* jung² 種)

— — bin³ fa³ — — 變化   (N) *chemical change.*   (*Cl.* jung² 種)

— — faan² ying³ — — 反應   (N) *chemical reaction.*   (*Cl.* jung² 種)

— — fan¹ chik¹° — — 分析   (N) *chemical analysis.*   (*Cl.* jung² 種)

— — fei⁴ liu⁶* — — 肥料   (N) *chemical fertilizer; fertilizer.*   (*Cl.* jung² 種)

10   — (—) — (—) chong² — (—) — (—) 廠   (N) *fertilizer factory.*   (*Cl.* gaan¹ 間)

— — ga¹° — — 家   (N) *chemist (as a scholar).*

— — gung¹ yip⁶ — — 工業   (N) *chemical industry.*   (*Cl.* jung² 種)

— (—) — (—) chong² — (—) — (—) 廠   (N) *chemical factory.*   (*Cl.* gaan¹ 間)

— — jok³ yung⁶ — — 作用   (N) *chemical action.*   (*Cl.* jung² 種)

15   — — sik¹° — — 式   (N) *chemical formula.*

— jong¹° — 粧   (V) *make-up; put cosmetics on face.*   (N) *make-up.*

— — ban² — — 品   (N) *make-up; cosmetics.*   (*Cl.* jung² 種)

— san¹° — 身   (V) *transform oneself into another shape; burn body of Buddhist priest (as purifying ceremony).*   (N) *personification.*   (*Cl.* jung² 種 *or* goh³ 個)

— sek⁶ — 石   (N) *fossil.*   (*Cl.* gau⁶ 礌)

20   — yim⁶ — 驗   (N) *chemical test; lab test.*   (*Cl.* jung² 種 *or* chi³ 次)

— — sat¹° — — 室   (N) *science laboratory.*   (*Cl.*gaan¹ 間 *or* goh³ 個)

faai³ 快   638   (Adj) *fast; quick.* **SF**   (Adv) *soon.* **SF**

— bo⁶ — 步   (Adv) *quickly; with quick steps.* **FE**

— faai³ geuk³ — 快脚   (Adv) *ditto.*

— — sau² — — 手   (Adv) *quickly; swiftly.* **FE**

  — sau² faai³ geuk³ — 手快脚   (Adv) *quickly; swiftly.*

5 — che¹° — 車   (N) *express train.* (*Cl.* lit⁶ 列 *or* baan¹° 班)

  — chui³ — 趣   (Adv) *soon; fast; quickly.* **FE**

  — di¹° — 啲   (Adv) *quickly.* **FE**

  — do¹ — 刀   (N) *a sharp knife.* **Mdn.** (*Cl.* ba² 把 *or* jeung¹ 張)

  — — jaam² luen⁶ ma⁴ — — 斬亂麻   (SE) *cut the Gordian knot.*
  (Lit. chop a mass of tangled hemp with a sharp knife)

10 — jit³ — 捷   (Adj) *fast; quick.* **FE**

  — lok⁶ — 樂   (Adj) *happy.*

  — woot⁶ — 活   (Adj) *ditto.*

  — sun³ — 信   (N) *an express letter.* (*Cl.* fung¹ 封)

  — yan⁴ faai³ yue⁵ — 人快語   (SE) *straightforward words from a
straightforward person.*

faai³ 筷 639   (N) *chopsticks.* **SF** ‡

  — ji² — 子   (N) *chopsticks.* **FE** (*Cl.* jek³ 只 ; *Pair:* dui³ 對 .)

  — — lo⁶ — — 路   (N) *jeep track.* (*Lit. chopsticks road*) (*Cl.* tiu⁴
條)

faai³ 傀 640   (N) *puppet.* **SF** ‡ **AP gwai¹ see 1026.**

  — lui⁵ — 儡   (N) *puppet.* **FE**

  — — jing³ foo¹ — — 政府   (N) *puppet government; puppet regime.*

faai³ 塊 641   (PN) *lump; piece.*

faan¹ 番 642   (Adj) *foreign.* **Coll.** **SF** ‡ (N) *barbarian;
                     aborigines.* **SF** ‡ **AP Poon¹ see 2566.**

  — gwai² — 鬼   (Adj) *foreign; unconventional.* **Coll.** **FE** (N)
foreigner. **SF**

  — — lo² — — 佬   (N) *ditto.* **FE**

  F— G— L— Ching¹ Ming⁴* — — — 清明   (N) *Easter.* **Coll.** (*Lit.
foreigners' Ching Ming Festival*)

  — ke⁴* — 茄   (N) *tomato.*

5 — sue¹ — 書   (N) *book in foreign language; education with emphasis mainly on English language.* **Coll.**

— — jai² — — 仔   (N) *young people from an English school; Chinese schoolboy who knows too little Chinese.* **Coll. Der.**

— — nui⁵* — — 女   (N) *young people from an English school; Chinese schoolgirl who knows too little Chinese.* **Coll. Der.**

— sue⁴* — 薯   (N) *sweet potato*

— taan¹° — 攤   (N) *"fantan". (RT a kind of Cantonese gambling)* **Tr.**

10 — wa⁶* — 話   (N) *foreign language. (GRT English)* **Coll.** *(Cl.* jung² 種 *or* gwok³ 國 *)*

faan¹ 繙   643   (V) *translate; interpret.* **SF** ‡

— yik⁶ — 譯   (V) *translate; interpret.* **FE** (N) *translation; interpretation. (Cl.* jung² 種*)*

— — yuen⁴ — — 員   (N) *translator; interpreter.*

faan¹ 翻   644   (V) *overturn; pirate; change; vacillate; re-open.* **SF** ‡

— baan² — 版   (V) *infringe a copyright; pirate. (RT books, records, etc.)* (N) *a pirated edition. (RT books, records, etc.) (Cl.* jung² 種*)*

— — cheung³ pin³* — — 唱片   (N) *a pirated record; a pirated disc. (Cl.* jek³ 只 *or* jeung¹ 張*)*

— — luk⁶ yam¹° daai³* — — 錄音帶   (N) *a pirated cassette (Cl.* hap⁶ 盒*); a pirated tape (Cl.* beng² 餅 *or* guen² 捲*).*

— — sue¹ — — 書   (N) *pirated edition of a book. (Cl.* bo⁶ 部 *or* boon² 本*)*

5 — che¹° — 車   (V) *be overturned. (ROT vehicles)* **FE**

— daai⁶ bak¹° fung — 大北風   (V) *change to a cold north wind; a cold north wind blows up.*

— fung¹ — 風   (V) *ditto.*

— faan¹ fuk¹° fuk¹° — 翻覆覆   (V) *vacillate; change frequently.* (Adj) *vacillating; changeable.*

— fuk¹° — 覆   (V) *ditto.* (Adj) *ditto.*

10 — — bat¹° ding⁶ — — 不定   (V) *ditto.* (Adj) *ditto.*

— on³ — 案   (V) *re-open a law case, reverse a verdict.*

— yan³ — 印 (V) *infringe a copyright; pirate.* *(ROT books)* (N) *pirated edition.* *(ROT books)* (Cl. jeung² 種)

— — sue¹ — — 書 (N) *pirated edition of a book.* (Cl. bo⁶ 部 or boon² 本)

faan² 返 645 (V) *return.* **Fml.** **SF** ‡ **AP faan¹ SM see 646.**

— ga¹ — 家 (V) *return home.* **Fml.**

— lei⁵ — 里 (V) *return to one's village; return to one's place of birth.* **Fml.**

— lo⁵ waan⁴ tung⁴ — 老還童 (SE) *be rejuvenated in old age.*

— pok³ gwai¹ jan¹ — 璞歸眞 (SE) *return to original state or nature.* *(ROT Taoist doctrine)*

faan¹ 返 646 (V) *return.* **CP Coll. SF** ‡ **AP faan² SM see 645.**

— gung¹ — 工 (SE) *go to work; return to work.* *(GRT office work)*

— heung¹ ha⁶* — 鄉下 (V) *return to one's village; return to one's place of birth.* **Coll.**

— hok⁶ — 學 (SE) *go to school; attend school.*

— hui³ — 去 (V) *go back; return.* **FE**

5 — juen³ tau⁴ — 轉頭 (V) *turn round; turn back.*

— lai⁴ — 嚟 (V) *come back; return.* **FE**

— uk¹° kei² — 屋踪 (V) *return home.* **Coll.**

faan² 反 647 (V) *rebel; oppose; resist.* **SF** ‡ (N) *rebellion; resistance.* **SF** ‡ (Prep) *against.* (P) *used as a prefix to express the idea of "anti-" or "against".*

— bo⁶ lik⁶ — 暴力 (SE) *anti-violence; anti-violence opinions.*

— bok³ — 駁 (V) *argue; talk back.*

— bong² — 綁 (SE) *hands tied behind one's back.*

— — jue⁶ — — 住 (SE) *ditto.*

5 — — — hai² booi³ hau⁶ — — — 喺背後 (SE) *ditto.*

— boon⁶ — 叛 (V) *rebel.* **FE** (N) *rebellion.* **FE** (Cl. chi³ 次)

— — fan⁶ ji² — — 份子 (N) *rebel.*

188

— — jing¹ san⁴ — — 精神   (N) *the rebel spirit.*   (*Cl.* jung² 種)

— dai³ (gwok³ jue² yi⁶)   — 帝 (國主義)   (SE) *anti-imperialism.*

10   — dui³ — 對   (V) *oppose; have objection.* **FE** (N) *objection; opposition.* **FE** (*Cl.* jung² 種 *or* chi³ 次)

— — dong² — — 黨   (N) *the opposition; opposition party; minority party.*

— — paai³ — — 派   (N) *ditto.*

— duk⁶ — 毒   (SE) *anti-narcotic; against the use of narcotics.*

— — gung¹ jok³ — — 工作   (SE) *anti-narcotic work; movement opposing use of narcotics.* (*Cl.* jung² 種)

15   — — wan⁶ dung⁶ — — 運動   (SE) *ditto.*

F— D— Jo² — — 組   (N) *the Narcotics Bureau.* (*Cl.* "goh³" 個)

f— dung⁶ — 動   (N) *reaction.* (*RT political attitudes*) (*No Cl.*) (Adj) *reactionary.*

— — fan⁶ ji² — — 份子   (N) *reactionary elements; reactionary party; reactionaries.*

— — jaap⁶ tuen⁴ — — 集團   (N) *ditto.*

20   — — paai³ — — 派   (N) *ditto.*

— — sai³ lik⁶ — — 勢力   (N) *reactionary force; reactionary influence.* (*Cl.* jung² 種)

— fooi³ — 悔   (V) *regret; repent.*

— fung¹ gin³ (jue² yi⁶) — 封建 (主義)   (SE) *anti-feudalism.*

— gik¹° — 擊   (N) *counter-attack.* (*Cl.* chi³ 次) (V) *counter-attack.*

25   — gung¹ — 攻   (N) *ditto.* (V) *ditto.*

— go³ — 告   (V) *countercharge.*

— hung³ (so³) — 控 (訴)   (V) *ditto.*

— ngaau⁵ — 咬   (V) *ditto.* **' Coll.**

— gwat¹° — 骨   (Adj) *disloyal; treacherous; untrustworthy.* **Coll.**

30   — — jai² — — 仔   (N) *disloyal person; treacherous person; untrustworthy person.* **Coll.**

— gwong¹ — 光   (V) *reflect.* (*RT light*) (N) *reflection.* (*RT light*) (*Cl.* jung² 種)

— se⁶ — 射   (V) *ditto.* (*RT light, sound, heat, etc.*) (N) *ditto.* (*RT light, sound, heat, etc.*)

— ying² — 映   (V) *ditto.* (*RT opinions, attitudes, etc.*) (N) *ditto.* (*RT opinions, attitudes, etc.*)

— gwong¹ geng³ — 光鏡 (N) *reflecting mirror.*

35 — se⁶ geng³ — 射鏡 (N) *ditto.*

— — hei³ — 射器 (N) *reflector. (RT heat)*

— — lo⁴ — — 爐 (N) *reverberatory furnace.*

— ying² taai³ do⁶ — 映態度 (V) *reflect sb's attitudes.*

— — yi³ gin³ — — 意見 (V) *reflect sb's opinions.*

40 F— Hak¹° Jo² — 黑組 (N) *the Triad Society Bureau.*

f— hau² — 口 (V) *deng one's words; retract.*

— jok³ yung⁶ — 作用 (N) *reaction. (RT the idea of "action and reaction") (Cl.* jung² 種)

— kong³ — 抗 (N) *resistance. (Cl.* jung² 種)

— jui⁶ ok³ — 罪惡 (SE) *anti-crime; against crime.*

45 — — — wan⁶ dung⁶ — — — 運動 (SE) *anti-crime movement; crime-free movement.*

— min⁶* — 面 (SE) *change countenance; be cold towards an old friend; break off with a friend.*

— — mo⁴ ching⁴ — — 無情 (SE) *ditto.*

— min⁶ — 面 (N) *the other side; the opposite. (RT things with two sides, e.g. coins, mirrors, parking meters, etc.)*

— — gaau³ yuen⁴ — — 教員 (SE) *a bad man used as a warning for others.*

50 — san¹ doi⁶ ming⁴ chi⁴ — 身代名詞 (N) *reflexive pronoun.* **Gr.**

— sik¹° ching⁴ (din⁶ ying²) — 色情 (電影) (SE) *against sex films; opposed to sex movies.*

— taam¹ woo¹ — 貪污 (SE) *anti-corruption; against corruption.*

— wai⁴ — 爲 (Adv) *on the contrary.*

— wai⁶ — 胃 (V) *feel sick. (Lit. turn the stomach)* (SE) *"be fed-up to the back teeth with" sth.* **Fig.**

55 — ying³ — 應 (V) *respond. (RT medicines, actions, petitions, etc.)* (N) *response. (RT medicine, action, etc.) (Cl.* jung² 種)

faan³ 汎（泛） 648 (V) *overflow.* **Fml. SF** ‡ (Adj) *flooded.* **Fml. SF** ‡

— fan³ ji¹ gaau¹ — 泛之交 (SE) *a nodding acquaintance.* **Fml.**

— laam⁶ — 濫 (V) *overflow.* **Fml. FE.** (Adj) *flooded.* **Fml. FE.**

F— Mei⁵ (Hong⁴ Hung¹ Gung¹ Si¹°) — 美 (航空公司) (N) *Pan American Airways; Panam. (Cl.* gaan¹ 間)

faan³ 販(贩)   649

(V) *peddle; trade; deal in.* **Fml. SF** ‡ (N) *peddler.* **Fml. SF** ‡ **AP faan³* SM see 650.**

— duk⁶ — 毒   (V) *operate a drug trade; peddle drugs.*

— — jaap⁶ tuen⁴ — — 集團   (N) *drug syndicate.*

— foo¹ jau² jut¹° — — 夫走卒   (SE) *peddlers in general.* **Fml. FE**

— maai⁶ — 賣   (V) *peddle; trade; deal in.* **Fml. FE**

5   — — yan⁴ hau² — — 人口   (SE) *deal in human beings.* *(RT children and "white slavery")*

faan³* 販   650

(N) *peddler.* **CP SF AP faan³ SM see 649.**

faan⁴ 凡(凢)   651

(Adj) *all; whatever; common; ordinary.* **SF** ‡

— hai⁶ — 係   (Adj) *all; whatever.* **FE**

— yan⁴ — 人   (N) *ordinary people; common people.*

faan⁴ 帆   652

(N) *sail.* *(Cl. fuk¹° 幅)*

— bo³ — 布   (N) *canvas; sail-cloth.* *(Cl. jeung¹ 張 or faai³ 塊)*

— — chong⁴ — — 床   (N) *Camp bed.* *(Cl. jeung¹ 張)*

— — gaau¹° haai⁴ — — 膠鞋   (N) *rubber shoe.* *(Cl jek³ 隻, pair: dui³ 對.)*

— suen⁶ — 船   (N) *junk; yacht (for racing).* *(Cl. jek³ 隻)*

5   — — bei² choi³ — — 比賽   (N) *regatta.* *(Cl. chi³ 次)*

faan⁴ 繁   653

(Adj) *complex; intricate; abundant; prosperous; extravagant.* **SF** ‡

— fuk¹° — 複   (Adj) *complex; intricate; difficult.*

— jaap⁶ — 雜   (Adj) *ditto.*

— naan⁴ — 難   (Adj) *ditto.*

— jik⁶ — 殖   (V) *propagate in abundance; reproduce in large numbers.*

5   — sing⁶ — 盛   (Adj) *luxuriant (RT plants); prosperous (RT towns, cities, etc.).*

— wa⁴ — 華   (N) *gaiety; extravagant display.* *(Cl. jung² 種)* (Adj) *extravagant; festive.*

— — sai³ gaai³ — — 世界   (SE) *"Vanity Fair"; this vain world.*

— wing⁴ — 榮   (N) *prosperity.* *(Cl. jung² 種)*

faan⁴ 煩 654   (N) *sorrow; vexation.* **SF** ‡   (Adj) *bored; vexed.* **SF** ‡

— moon⁶ — 悶   (Adj) *bored; fed up.* **FE**

— no⁶ — 惱   (N) *sorrow; vexation.* **FE**   (Adj) *sorrowful; vexations, vexed.* **FE**

faan⁶ 飯 655   (N) *rice; cooked rice.*   (*Cl.* nap¹° 粒 ; *Bowl:* woon² 碗.)

— bo¹° — 煲   (N) *rice-cooker.*

— dim³ — 店   (N) *restaurant; small restaurant.* (*Cl.* gaan¹ 間)

— gwoon² — 館   (N) *ditto.*

— fai³ — 費   (N) *bill for regular meals.* *(GRT staff members or boarding students)* (*Sum:* bat¹° 筆)

5   — teng¹° — 廳   (N) *dining room.*

— tai⁴* — 枱   (N) *dining table.* (*Cl.* jeung¹ 張)

— woon² — 碗   (N) *bowl; rice-bowl; job.* **(Fig.)** (*Cl.* jek³ 只 *or* goh³ 個)

— — jue² yi⁶ — — 主義   (SE) *work on the "rice-bowl" basis; a time-serving outlook.*

— — man⁶ tai⁴ — — 問題   (SE) *a question of bread and butter.* *(Lit. rice-bowl question)*

faan⁶ 犯 656   (V) *offend; violate.* **SF** ‡

— faat³ — 法   (V) *commit a crime; break the law.*

— gam³ — 禁   (V) *offend against; go against.* *(RT rules, customers, taboos, etc.)*

— haau⁶ kwai¹ — 校規   (V) *break school regulations; break school rules.*

— jui⁶ — 罪   (V) *commit a crime; commit a sin.*

5   — — gei² luk⁶ — — 紀錄   (N) *crime history; crime record.*

— — hang⁴ wai⁴ — — 行爲   (N) *a criminal act.* (*Cl.* jung² 種)

— — hok⁶ — — 學   (N) *criminalogy.* (*Subject:* foh¹° 科)

— — sam¹ lei⁵ — — 心理   (N) *criminal psychology.* (*Cl.* jung² 種)

— — — hok⁶ — — — 學   (N) *ditto.* (*Subject:* foh¹° 科)

10   — kwai¹ — 規   (V) *break a rule.* *(RT sports, school, etc.)*

— sei² jui⁶ — 死罪   (V) *commit a capital offence.*

— yan⁴ — 人   (N) *criminal; convict; prisoner.*

faan⁶ 範   657   (N) *sphere; scope; model.* **SF** ‡

— wai⁴ — 圍   (N) *sphere; scope.* **FE**

faat³ 法   658   (N) *method; means; way; law; France, French.* **SF** ‡
(Adj) *legal; lawful.* **SF** ‡

— bai⁶ — 幣   (N) *legal tender.* **SF** (*Cl.* jung² 種)

— — foh³ bai⁶ — — 貨幣   (N) *ditto.* **FE**

— cheung⁴ — 場   (N) *place of execution.* (*Cl.* sue³ 處 , do⁶ 度 *or* goh³ 個)

— ding⁶ — 定   (Adj) *legal; legitimate; lawful.*

⁵   — — kei⁴ haan⁶ — — 期限   (N) *legal time-limit.*

— — nin⁴ ling⁴ — — 年齡   (N) *legal age.*

— — tuen⁴ tai² — — 團體   (N) *legal association; legitimate organization.*

— — yan⁴ so³ — — 人數   (N) *quorum; legal number of persons.*

F— Gwok³ — 國   (N) *France.* **Tr. FE**

¹⁰   — (—) Hong⁴ (Hung¹ Gung¹ Si¹°) — (—) 航 (空公司)   (N) *Air France.*

— — yan⁴ — — 人   (N) *French; French people.* **Tr. EF**

— — Man⁴ Fa³ Hip³ Wooi⁶* — — 文化協會   (N) *Alliance Francaise.* (*Cl.* gaan¹ 間 *or* goh³ 個)

f— gwoon¹ — 官   (N) *judge; magistrate.* (*Lly:* law official)

— hok⁶ — 學   (N) *the study of law.* (*Subject:* foh¹° 科)

¹⁵   — — si⁶ — — 士   (N) *Bachelor of laws; B.LL.*

— ji² — 子   (N) *method; means; way.* **FE** (*Cl.* goh³ 個 *or* jung² 種)

— lai⁶ — 例   (N) *ordinance; law.* **FE** (*Cl.* tiu⁴ 條 *or* hong⁶ 項)

— ling⁶ — 令   (N) *ditto.*

— lik⁶ — 力   (N) *supernatural power; power in Buddhist doctrine.* (*Cl.* jung² 種)

²⁰   — lut⁶ — 律   (N) *law.* **FE** (*Clause:* tiu⁴ 條)

— — gaai³ — — 界   (N) *legal circles.*

— — gwoo³ man⁶ — — 顧問   (N) *legal adviser.*

— — hang⁴ dung⁶ — — 行動   (N) *legal action.* (*Cl.* jung² 種)

— — jai³ choi⁴ — — 制裁   (N) *legal restraint.* (*Cl.* jung² 種)

25 F— Man⁴ — 文 (N) *French; French language.* **Tr.** **FE** (*Cl.* jung²
種)

f— mong⁵ — 網 (SE) *the meshes of the law.*

— — naan⁴ to⁴ — — 難逃 (SE) *hard to get away from the meshes of
the law.*

— on³ — 案 (N) *act; bill.* (*ROT legislation*)

— sut⁶ — 術 (N) *the black art.* (*Cl.* jung² 種)

30 — ting⁴ — 庭 (N) *law-court; court room.* (*Cl.* goh³ 個 *or* gaan¹ 間)

— yi¹ (gwoon¹) — 醫 (官) (N) *forensic pathologist.* **Fml.**

— yuen⁶* — 院 (N) *court; law-court.* (*Cl.* gaan¹ 間)

faat³ 發 659 (V) *send out; issue.* **SF** ‡

— biu² — 表 (V) *publish* (*RT articles of newspapers or magazines*);
make known; express. **Fml.** **FE**

— — yi³ gin³ — — 意見 (SE) *express one's views; pass an opinion.*

— bo³ gei¹ — 報機 (N) *transmitting set; telegraph; transmitter.* (*Cl.*
foo³ 副 *or* ga³ 架)

— cheng² tip³* — 請帖 (V) *send an invitation card; serve a "parking
ticket".* **(SI)**

5 — choi⁴ — 財 (V) *acquire wealth; become rich.*

— chut¹° — 出 (V) *send out; issue.* **FE**

— daan¹° — 單 (N) *invoice.* **Fml.** **FE** (*Cl.* jeung¹ 張)

— piu³ — 票 (N) *ditto.*

— daat³ — 達 (Adj) *prosperous; well-developed.* (*RT commerce, in-
dustries, personal finance, etc.*)

10 — din¹ — 顚 (V) *be muddle-headed; be crazy; be out of one's mind.*
(Adj) *muddle-headed; crazy; out of one's mind.*

— san⁴ ging¹ — 神經 (V) *ditto.* (Adj) *ditto.*

— din⁶ — 電 (V) *generate electricity.*

— — bo³ — — 報 (V) *transmit telegrams; send out telegrams.*

— — gei¹ — — 機 (N) *generator; generating plant.* (*Cl.* ga³ 架)

15 — dung⁶ — 動 (V) *promote; initiate; start.* (*RT wars, movements,
campaigns, etc.*)

— hei² — 起 (V) *ditto.*

— dung⁶ jin³ jang¹ — 動戰爭 (V) *start a war; launch a war.*

— hei² jin³ jang¹ — 起戰爭   **(V)** *start a war; launch a war.*

— — yan⁴ — — 人   **(N)** *promoter; founder; proposer. (ROT movements, institutions, etc.)*

20 — fai¹ — 揮   **(V)** *develop; expand. (RT ideas, talents, etc.)*

— fan² — 粉   **(N)** *baking powder. (No Cl.)*

— fan⁵ — 奮   **(V)** *be energetic; devote strength to; make firm resolve to.*

— — to⁴ keung⁴ — — 圖強   **(SE)** *resolve to make the country strong.*

— foh² — 火   **(V)** *lose one's temper; become angry.*

25 — nau¹ — 嬲   **(V)** *ditto.*

— pei⁴ hei³ — 脾氣   **(V)** *ditto.*

— fuk¹° — 福   **(V)** *put on weight; be in good health; become fat.*   **PL**

— fung¹° — 瘋   **(V)** *suffer from leprosy* **(Coll.)**; *become crazy* **(Mdn.).**

— — lo² — — 佬   **(N)** *leper.* **Coll.**

30 — go¹ yit⁶ — 高熱   **(V)** *have a temperature; have a fever.*

— siu¹ — 燒   **(V)** *ditto.*

— yit⁶ — 熱   **(V)** *ditto.*

— go² — 稿   **(V)** *send script to printers. (GRT newspapers, magazines, etc.)*

— gok³ — 覺   **(V)** *find out; discover; come to light.*

35 — gwat⁶ — 掘   **(V)** *excavate.* **(V)** *discover. (RT talents)* **Fig.**

— — gwoo² mo⁶ — — 古墓   **(V)** *excavate an ancient tomb.*

— — yan⁴ choi⁴ — — 人材   **(SE)** *discover an unknown talent; give an opportunity to sb of obscure talents.* **Fig.**

— haau¹ — 酵   **(V)** *ferment; yeast.* **(N)** *fermentation. (Cl.* chi³ 次 *)*

— heung² — 餉   **(V)** *pay out salary; pay out wages. (GRT soldiers)*

40 — san¹ sui² — 薪水   **(V)** *ditto. (RT staff in general)*

— yan⁴ gung¹ — 人工   **(V)** *ditto. (RT subordinate staff in general)*

— hong⁴ — 行   **(V)** *issue (RT banknotes, stamps, etc.); publish (RT books, newspapers, etc.).* **FE**

— — bo³ ji² — — 報紙   **(V)** *publish a newspaper.* **FE**

— — chaau¹° piu³ — — 鈔票   **(V)** *issue banknotes; issue paper-money.* **FE**

45 — — ji² bai⁶ — — 紙幣   **(V)** *ditto.*

— — yan⁴ — — 人   **(N)** *publisher. (RT books, newspapers, magazines, etc.)*

— jau² fung¹° — 酒瘋   (V) *get excited after drinking; behave strangely as result of liquor.*

— jin² — 展   (N) *development.* (*Cl.* jung² 種 *or* hong⁶ 項) (V) *develop.* (*RT building, land, economy, etc.*)

— — gung¹ si¹° — — 公司   (N) *development company; estate developers.* (*Cl.* gaan¹ 間)

50   — — seung¹ — — 商   (N) *ditto.*

— kap¹° — 給   (V) *distribute; provide; supply.* (*RT food, ammunition, etc.*)

— laang⁵ — 冷   (V) *suffer from malaria.* (N) *malaria.* (*Cl.* jung² 種 *or* goh³ 個)

— — beng⁶ — — 病   (N) *malaria.* (*Cl.* jung² 種 *or* goh³ 個)

— lo⁴ so¹ — 牢騷   (V) *complain; grumble.*

55   — long¹ lai⁵ — 啷厲   (V) *get rude; get tough with sb.* **Coll.**

— ok³ — 惡   (V) *ditto.*

— mang² jang² — 懜懪   (V) *be annoyed; be restless and anxious.*

— ming⁴ — 明   (V) *invent.* (N) *invention.* (*Cl.* jung² 種 *or* yeung⁶ 樣)

— — ga¹° — — 家   (N) *inventor.*

60   — — yan⁴ — — 人   (N) *ditto.*

— mo⁴° — 毛   (V) *mildew; go mildewed.* **Coll.**

— ngap¹° fung¹ — 噏風   (SE) *prattle aimlessly.*

— paai⁴* — 牌   (V) *deal cards.* (*ROT poker or bridge games*)

— — yan⁴ — — 人   (N) *dealer; card dealer.*

65   — paai⁴ — 牌   (V) *issue a licence.* **FE**

— sai⁶ — 誓   (V) *take an oath; vow; swear.*

— san¹ — 身   (V) *reach puberty.* **Coll.**

— yuk⁶ — 育   (V) *ditto.* **Fml.**

— sang¹ — 生   (V) *break out; occur; happen.*

70   — — chung¹ dat⁶ — — 衝突   (SE) *cause a clash; start a conflict.*

— — man⁶ tai⁴ — — 問題   (SE) *create to problems; give rise to questions.*

— — sai³ gaai³ daai⁶ jin³ — — 世界大戰   (SE) *cause a world war; start a global war.*

196

— — yi³ ngoi⁶ — — 意外   **(SE)** *an accident happens; unforeseen circumstances arise.*

— se⁶ — 射   **(V)** *launch (RT rockets, satellites, missiles, etc.); shoot (RT bullets, arrows, etc.).*

75 — — hei³ — — 器   **(N)** *launcher. (RT satellites, missiles, etc.)* **(Cl.** goh³ 個 *or* joh⁶ 座)

— — jong¹ ji³ — — 裝置   **(N)** *launching installation.* **(Cl.** jung² 種)

— si⁵ — 市   **(V)** *begin business for the day; have the first customer for the day. (GRT small shops, stalls, hawkers, etc.)*

— sit³ — 泄   **(V)** *release. (RT feelings, energies, etc.)* **(N)** *outlet. (RT feelings, engeries, etc.)* **(Cl.** jung² 種)

— tiu⁴* — 條   **(N)** *spring in clocks.* **(Cl.** tiu⁴ 條)

80 — waang⁶ choi⁴ — 橫財   **(SE)** *become wealthy through mere luck (GRT gambling smuggling, etc.)*

— wai¹ — 威   **(V)** *stand on one's dignity.*

— yam¹° — 音   **(V)** *pronounce.* **(N)** *pronunciation.* **(Cl.** goh³ 個 *or* jung² 種)

— yeung⁴ — 揚   **(V)** *develop; expand. (RT teachings, doctrines, traditions, achievements, etc.)*

— — gwong¹ daai⁶ — — 光大   **(SE)** *bring to more advanced stage of development.*

85 — yim⁴ — 炎   **(V)** *become inflamed.* **(N)** *inflammation.* **(Cl.** jung² 種 *or* chi³ 次)

— yin⁴ — 言   **(V)** *speak at a meeting; speak on behalf of a group.*

— — kuen⁴ — — 權   **(N)** *the right to speak.*

— — yan⁴ — 言人   **(N)** *spokesman.*

— yin⁶ — 現   **(V)** *discover.* **(N)** *discovery.* **(Cl.** goh³ 個 *or* jung² 種)

90 — yuen⁴ — 源   **(V)** *originate; originate from.*

— — dei⁶ — — 地   **(N)** *place of origin; source.* **(Cl.** sue³ 處 , do⁶ 度 *or* goh³ 個)

faat³ 髮 660   **(N)** *the hair on the human head.* **SF** **(Cl.** tiu⁴ 條 ; *Lock;* ba² 把 *or* chuk¹° 束 .)

— chai¹ — 妻   **(N)** *legal wife.* **SF**

— choi³ — 菜   **(N)** *seaweed; hair-like seaweed.* **(Cl.** tiu⁴ 條)

— ying⁴ — 型   **(N)** *style of hair-stressing. (RT women)* **(Cl.** jung² 種 *or* goh³ 個)

fai¹ 揮 661   (V) *shake; wave.* **Fml. SF** ‡

— chun¹° — 春   (N) *scroll (for the Chinese New Year).* (*Cl.* jeung¹ 張)

— faat³ — 發   (V) *vaporize.*

— fok³ — 霍   (Adj) *lavish.* (*ROT expenditure*) **Fml.** (V) *spend money lavishly.* **Fml.**

— gam¹° yue⁴ to² — 金如土   (SE) *spend money too lavishly.* (*Lit. scatter gold like dirt*)

5 — sau² — 手   (V) *wave the hand.*

fai¹ 輝 662   (Adj) *glorious; shining.* **Fml. SF** ‡

— wong⁴ — 煌   (Adj) *glorious; shining.* (*RT achievements*)

fai³ 費 663   (V) *expend; strain.* **SF** ‡ (N) *expenditure; expense; cost; fee.* **SF** ‡

— jun⁶ sam¹ gei¹ — 盡心機   (SE) *expend much care and thought; take pains.*

— ngaan⁵ san⁴ — 眼神   (V) *strain the eyes.*

— sam¹ — 心   (SE) *"I've put you to a lot of trouble—thank you."* **PL**

— san⁴ — 神   (V) *cause mental fatigue.*

5 — si⁶ — 事   (Adj) *troublesome; fussy; vexatious.* (V) *save the trouble of doing sth; not to take the trouble.*

— sun⁶ sit⁶ — 唇舌   (V) *waste one's breath.* **Fml.**

— yung⁶ — 用   (N) *expenditure; expense; cost; fee.* **FE** (*Cl.* jung² 種 or hong⁶ 項)

fai³ 沸 664   (V) *bubble up.* **Fml. SF** ‡

— dim² — 點   (N) *boiling-point.*

fai³ 廢 665   (V) *abrogate; waste.* **SF** ‡

— cham² mong⁴ chaan¹ — 寢忘餐   (SE) *feel great anxiety about.* (*Lit. lose sleep and forget to eat*)

— mat⁶ — 物   (N) *waste material.* (*Cl.* jung² 種) (N) *the infirm; the superannuated.* **Fig. AL** (*Cl.* goh³ 個 or jung² 種)

— liu⁶ lei⁶ yung⁶ — 料利用   (SE) *utilization of waste material.* **Lit. and Fig.**

— piu³ — 票   (N) *cancelled cheque.* (*Cl.* jeung¹張)

5 — si⁴ sat¹° si⁶ — 時失事   (SE) *a complete waste of time. (Lit. waste time and lose business)*

— fit³ — 鐵   (N) *old iron; scrap iron.* (*Cl.* jung²種)

— wa⁶* — 話   (N) *verbiage; irrelevant talk; honsense.* (*Cl.* jung² 種 *or* gui³ 句)

— yan⁴ — 人   (N) *cripple; the infirm; the superannuated.*

— yeuk³ — 約   (V) *abrogate an agreement; annul a contract.*

fai³ 肺 666   (N) *the lungs.*

— beng⁶ — 病   (N) *T.B.; tuberculosis.* (*Cl.* jung² 種 *or* goh³ 個)

— git³ hat⁶ — 結核   (N) *ditto.*

— lo⁴ — 癆   (N) *ditto.*

— yim⁴ — 炎   (N) *pneumonia.* (*Cl.* jung² 種 *or* goh³ 個)

fai⁶ 吠 667   (V) *bark (RT dogs); shout* (**AL Fig.**).

fan¹ 分 668   (V) *divide; separate; share.* (N) *minute.* **SF** ‡ (Adv) *separately.* **SF** ‡ **AP: (1) fan⁶** see **669; (2) fan⁶*** see **670.**

— bei³ — 泌   (V) *secrete. (RT saliva, hormones, etc.)* (N) *secretion. (RT saliva, hormone, etc.)* (*Cl.* jung² 種)

— bin⁶ — 辯   (V) *explain; defend; argue.*

— bin⁶ (chut¹°) — 辨 (出)   (V) *differentiate; distinguish.*

— — hak¹° baak⁶ — — 黑白   (SE) *distinguish black from white; distinguish between good and evil; differentiate between right and wrong.*

5 — — si⁶ fei¹ — — 是非   (SE) *ditto.*

— — sin⁶ ok³ — — 善惡   (SE) *ditto.*

— ho² chau² — 好醜   (SE) *ditto.*

— — waai⁶ — — 壞   (SE) *ditto.*

— bit⁶ — 別   (Adv) *respectively; separately.* **FE** (N) *difference.* (*Cl.* goh³ 個)

10 — — (chut¹°) — — (出)   (V) *differentiate; distinguish.*

— bo³ — 佈   (V) *distribute over a place.*

— chik¹° — 柝   (V) *analyse.* (N) *analysis.* (*Cl.* chi³ 次)

— chin⁴* — 錢   (V) *divide money; distribute funds.*

— dim — 店   (N) *branch shop.* (*Cl.* gaan¹ 間)

15 — ho⁶ — 號   (N) *ditto.*

— po³ — 舖   (N) *ditto.*

— faat³ — 發   (V) *distribute; give out.*

— fan¹ jung¹° — 分鐘   (Adv) *every minute; any time; all the time.*

— fei⁴ — 肥   (V) *share illegal gains.*

20 — gui¹ — 居   (V) *separate; live separately.* (*GRT married couples*)

— got³ — 割   (V) *divide up; encroach on.* (*RT territorial integrity*)

— — ling⁵ to² — — 領土   (SE) *divide up the territory (of a nation); encroach on the territorial integrity (of a nation).*

— — to² dei⁶ — — 土地   (SE) *ditto.*

— gung¹ — 工   (V) *divide work.* (N) *division of labour.* (*Cl.* jung² 種)

25 — — hap⁶ jok³ — — 合作   (SE) *team-work; team effort.* (*Cl.* jung² 種)

— — — — jing¹ sam⁴ — — — — 精神   (SE) *team spirit.* (*Cl.* jung² 種)

— hoi¹ — 開   (V) *divide; separate.* **FE** (Adv) *separately; apart.*

— hong⁴* — 行   (N) *branch office.* (*RT banks, trading firms, etc.*) (*Cl.* gaan¹ 間)

— jam¹° — 針   (N) *minute hand.* (*Cl.* ji¹ 支)

30 — ji¹ — 支   (V) *divide into branches.*

— jo¹ — 組   (V) *sublet.*

— — bei² — — 俾   (V) *sublet to.*

— jong¹ — 贓   (V) *share spoils; share booty.*

— jung¹° — 鐘   (N) *minute.* **FE** *(No Cl.)*

35 — kei⁴ — 期   (Adv) *by instalments.*

— — foo⁶ foon² — — 付欵   (SE) *pay by instalments.*

— lei⁴ — 離   (V) *separate; divide.* **FE**

— lit⁶ — 裂 (V) *split up; break up.* *(RT governments, political parties, military forces, etc.)*

— lui⁶ — 類 (V) *classify.* (N) *classification.* (*Cl.* jung² 種)

⁴⁰ — moon⁴ bit⁶ lui⁶ — 門別類   (V) *ditto.* (N) *ditto.*

— lui⁶ (siu²) gwong² go³ — 類 (小) 廣告 (N) *classified advertisement.* (*Insertion;* duen⁶ 段)

— m⁴ chut¹° 唔出 (V) *be unable to differentiate; cannot distinguish.*

— man⁴ bat¹° chui² — 文不取 (SE) *free of charge; gratis.* *(Lit. not to take even one cent)*

— min⁵ — 娩 (V) *give birth to a child.* **Fml.** (N) *child-birth.* **Fml.** (*Cl.* chi³ 次)

⁴⁵ — paai³ — 派 (V) *distribute; allot; allocate.* **FE** (N) *distribution; allotment; allocation.* **FE** (*Cl.* jung² 種)

— pooi³ — 配 (V) *ditto.* (N) *ditto.*

— sam¹ — 心 (V) *distract.* (N) *distraction.* (*Cl.* jung² 種) (Adj) *distracted.*

— san¹ — 身 (V) *divert one's attention to other jobs; get away from one's work.*

— — bat¹⁶ ha⁶ — — 不暇 (SE) *unable to disengage oneself from duties.*

⁵⁰ — san¹ ga¹ — 身家 (V) *divide property; share an inheritance.*

— sau² — 手 (V) *separate; say good-bye.*

— sau⁶ — 售 (V) *retail.*

— siu¹ — 銷 (V) *ditto.*

— sau⁶ chue³ — 售處 (N) *branch sales-office.* (*Cl.* goh³ 個 *or* gaan¹ 間)

⁵⁵ — siu¹ chue³ — 銷處 (N) *ditto.*

— so³ — 數 (N) *mark; percentage.* *(ROT examination results)* (N) *confidence in doing sth; the right way to do sth.* *(No Cl.)*

— sui² leng⁵ — 水嶺 (N) *watershed; dividing line.* **(Fig.)**

— tau⁴ — 頭 (Adv) *separately.* **FE**

— — diu⁶ cha⁴ — — 調查 (SE) *investigate separately.*

⁶⁰ — — gung¹ jok³ — — 工作 (SE) *do work separately.*

— ye⁵ — 野 (N) *dividing line.*

fan⁶ 分 (份) **669**   (N) *a part; a share.* **Fml.** *(No Cl.)* (N) *an element.* **Fml.** **SF** (N) *function; duty; province; lot in life; personal status.* **SF** ‡ **AP: (1) fan¹ see 668; (2) fan⁶* see 670.**

— ji² — 子   (N) *a section; an element.* *(GRT organizations)* **FE**

— noi⁶ (ji¹) si⁶ — 內 (之) 事   (SE) *matter within one's province.*

— ngoi⁶ (ji¹) si⁶ — 外 (之) 事   (SE) *matter outside one's province.*

— so³ — 數   (N) *fraction.*

fan⁶* 份 **670**   (N) *a part; a share.* **CP SF** ‡ **AP: (1) fan¹ see 668; (2) fan⁶ see 669.**

fan¹ 吩 **671**   (V) *instruct; command.* **SF** ‡ (N) *instruction; command.* **SF** ‡

— foo³ — 咐   (V) *instruct; command.* **FE Coll.** (N) *instruction; command.* **FE Coll.** *(No Cl.)*

fan¹ 芬 **672**   (Adj) *fragrant.* **Fml.** **SF** ‡

— fong¹ — 芳   (Adj) *fragrant.* **Fml.** **FE** (N) *fragrance.* **Fml.** **FE** *(Cl.* jan⁶ 陣 *or* jam⁶ 噉)

— heung¹ — 香   (Adj) *ditto.* (N) *ditto.*

F— Laan⁴ — 蘭   (N) *Finland.* **Tr.**

— — jing¹ hei³ yuk⁶ — — 蒸氣浴   (N) *sauna; Finnish sauna.* *(Cl.* jung² 種 *or* chi³ 次)

⁵ — — Yan⁴ — — 人   (N) *a Finn; Finnish people.*

fan¹ 昏 **673**   (Adj) *dark; gloomy; confused; muddled; unconscious.* **Fml.** **SF** ‡

— am³ — 暗   (Adj) *dark; gloomy.*

— hak¹° — 黑   (Adj) *ditto.*

— luen⁶ — 亂   (Adj) *confused; muddled.*

— mai⁴ — 迷   (Adj) *unconscious.*

⁵ — tin¹ hak¹° dei⁶ — 天黑地   (SE) *intense darkness; completely dark*

fan¹ 婚   **674**   (N) *marriage.* **SF** ‡

— lai⁵ — 禮   (N) *wedding; marriage ceremony; marriage festivities.* (*Cl.* chi³ 次 *or* goh³ 個)

— — jun³ hang⁴ kuk¹° — — 進行曲   (N) *wedding march.* (*Cl.* ji¹ 支)

— — yat⁶ — — 日   (N) *wedding day.*

— sue¹ — 書   (N) *marriage certificate.* **SF** (*Cl.* jeung¹ 張)

— yan¹ — 姻   (N) *marriage.* **Fml. FE** (*Cl.* jung² 種 *or* chi³ 次)

F— Y— Jue³ Chaak³ Chue³ — — 註冊處   (N) *the Marriage Registry.*

fan¹ 熏(燻)   **675**   (V) *smoke; fumigate.* **SF**

— hung¹ — 烘   (V) *smoke; fumigate.* **FE**

— yue⁴* — 魚   (N) *smoked fish; bloater.* (*Cl.* tiu⁴ 條)

— yuk⁶ — 肉   (N) *smoked meat.* (*Piece:* faai³ 塊 *or* gau⁶ 礦)

fan¹ 勳(勛)   **676**   (N) *merit.* *(RT loyal service)* **Fml. SF** ‡

— jeung¹° — 章   (N) *decoration; medal.*

fan¹ 葷   **677**   (N) *meat diet.*

— choi³ — 菜   (N) *meat diet.* **FE**

fan² 粉   **678**   (N) *vermicelli made from rice; rice-noodles.* (*Cl.* tiu⁴ 條; *bowl:* woon² 碗; *portion:* dip⁶ 碟.) (N) *rice flour; powder.* (*No Cl.*)

— bat¹° — 筆   (N) *chalk.* (*Cl.* ji¹ 枝)

F— Gam² Do⁶ — 錦道   (N) *Fan Ling—Kam Tin Road; "Route II".* (*Cl.* tiu⁴ 條)

— — Gung¹ Lo⁶ — — 公路   (N) *ditto.*

— — Lo⁶ — — 路   (N) *ditto.*

f— hung⁴ (sik¹°) — 紅(色)   (Adj) *pink; rosy.*

F— Leng⁵ — 嶺   (N) *Fan Ling.* **Tr.**

f— min⁶ — 麵   (N) *a cheap meal.* (*Lit. rice-noodles and wheat-noodles*) (*Cl.* chaan¹ 餐)

— — faan⁶ — — 飯   (N) *a cheap meal.* *(Lit. rice-noodles, wheat noodles and cooked rice)*

— — dong³ — — 檔   (N) *cooked food stall (serving cheap meals only)*

10 — si¹° — 絲   (N) *vermicelli made from beans.* *(Cl.* tiu⁴ 條 *)*

— sik¹° — 飾   (V) *white-wash; glass over.* **Fig.**

— — sing¹ ping⁴ — — 昇平   (SE) *false prosperity; false peace.*

— sui³ — 碎   (V) *smash to pieces; grind to powder; deal a fatal blow to* **(Fig.)**

— — yam¹ man⁴ — — 陰謀   (SE) *deal a fatal blow to a conspiracy.*

fan³ 訓 **679**   (V) *train; drill.* **SF ‡**

— lin⁶ — 練   (V) *train; drill.* **FE** (N) *training; drill.* **FE** *(Cl jung² 種 or* chi³ 次 *)*

— — baan¹° — — 班   (N) *training course.* *(Cl.* baan¹° 班 *or* goh³ 個

— — gei¹ gwaan¹ — — 機關   (N) *training institution.*

fan³ 糞 **680**   (N) *manure; dung; excreta.* **SF**

— bin⁶ — 便   (N) *manure; dung; excreta.* **FE** *(Cl.* chi³ 次 *)*

— moon⁴ — 門   (N) *anus.* **Fml.**

fan³ 睏 **681**   (V) *sleep; go to bed; lie down.* **SF Coll. CC**

— dai¹ — 低   (V) *lie down.* **FE**

— fong⁴* — 房   (N) *bedroom.* *(Cl.* gaan¹ 間 *or* goh³ 個 *)*

— gaai¹° bin¹° ge³ (yan⁴) — 街邊嘅 (人)   (N) *pavement dweller; the homeless.* *(Lit. sleep in street side people)*

— gaau³ — 覺   (V) *sleep; go to bed.* **FE**

5 — — yuen⁴* — — 丸   (N) *sleeping pill.* **Coll.** *(Cl.* nap¹° 粒 *)*

— jeuk⁶ gaau³ — 着覺   (V) *fall asleep.*

— seng² — 醒   (V) *wake up; awake from sleep.*

fan⁴ 墳(坟) **682**   (N) *tomb; grave.* *(Cl.* goh³ 個 *or* joh⁶ 座 *)*

— cheung⁴ — 塲   (N) *cemetery.* *(Cl.* goh³ 個 *or* joh⁶ 座 *)*

— mo⁶ — 墓   (N) *tomb; grave.* **FE** *(Cl.* goh³ 個 *or* joh⁶ 座 *)*

fan⁵ 憤   **683**   (Adj) *offended and bitter.*   **SF** ‡

— gik¹° — 激   (Adj) *offended and bitter.*   **FE**

— sai³ jat⁶ juk⁶ — 世嫉俗   (V) *be a misanthrope.*   (Adj) *misanthrop.*

— — — — ge³ yan⁴ — — — — 嘅人   (N) *misanthrope.*

fan⁵ 忿   **684**   (N) *anger; bitterness.*   **Fml.**   **SF** ‡

— han⁶ — 恨   (N) *bitter hate.*   (*Cl.* jung² 種)   (V) *hate intensely; hate bitterly.*

— no⁶ — 怒   (N) *anger; fury; wrath.*   **FE**   (*Cl.* jung² 種)

fan⁵ 奮   **685**   (Adj) *determined; undaunted; vigorous.*   **SF** ‡

— bat¹° gwoo³ san¹ — 不顧身   (SE) *fight with determination; struggle on regardless of personal danger.*

— dau³ — 鬥   (V) *make a vigorous fight; struggle hard to succeed.*

— yung⁵ — 勇   (Adj) *determined; undaunted; vigorous.*   **FE**

— — heung³ chin⁴ — — 向前   (SE) *march forward with great determination.*

fat¹° 忽   **686**   (Adv) *suddenly; unexpectedly; all of a sudden; all at once.*   **SF** ‡   (Adj) *sudden.*   **SF** ‡

— leuk⁶ —· 畧   (V) *neglect; disregard.*

— yin⁴ — 然   (Adv) *suddenly; unexpectedly; all of a sudden; all at once.*   **FE**   (Adj) *sudden.*   **FE**

fat⁶ 佛   **687**   (N) *Buddha.*   **SF**

— faat³ — 法   (N) *the law of Buddha.*   (*Cl.* jung² 種)

F— Ga¹° — 家   (N) *Buddhism.*   **Fml.**   (*Cl.* goh³ 個 *or* jung² 種)

— Gaau³ — 教   (N) *ditto.*

— Moon⁴ — 門   (N) *ditto.*   **Fml.**

— Gaau³ to⁴ — 教徒   (N) *Buddhist.*

— Moon⁴ dai⁶ ji² — 門弟子   (N) *ditto.*   *(GRT monks and nuns)*   **Fml.**

f— ging¹° — 經   (N) *Buddhist classics.*   (*Cl.* bo⁶ 部 *or* boon² 本)

— hau² ae⁴ sam¹ — 口蛇心   (SE) *good words but wicked heart.* *(Lit.* *Buddha's mouth snake's heart)*

— jeung⁶ — 像   (N) *images of Buddha.*

10   — ji⁶* — 寺   (N) *Buddhist monastery.* *(Cl.* gaan¹ 間 *)*

F— Jo² — 祖   (N) *Buddha; Shakyamuni.*

fat⁶ 罰   688   (V) *fine; punish.* **SF**   (N) *a fine.* **SF**

— chin⁴* — 錢   (V) *fine.* **Coll. FE**

— foon² — 欵   (V) *ditto.* **Fml. FE** (N) *a fine.* **Fml. FE** *(Cl.* bat¹° 筆 *)*

— kei⁵ — 企   (V) *be made to stand.* *(RT a kind of disciplinary action* *for school children or soldiers; Lit. punish stand)* (N) *standing as a kind* *of punishment (for a school child or soldier).* *(Cl.* chi³ 次 *)*

fau² 否   689   (V) *deny; veto.* **SF** ‡   (Adv) *otherwise.* **SF** ‡   (Adj) *negative.* **SF** ‡

— ding⁶ — 定   (V) *decide against.* *(GRT evaluations of politics or* *arts, resolutions in meetings, etc.)* (Adj) *negative.* **FE**

— jak¹° — 則   (Adv) *otherwise; or else; if not, then . . .* **Fml. FE**

— kuet³ — 決   (V) *veto; vote against.* **FE**

— — kuen⁴ — — 權   (N) *the right to veto a resolution.* *(RT UNO)*

5   — ying⁶ — 認   (N) *deny.* (N) *denial.* *(Cl.* goh³ 個 *or* jung² 種 *)*

fau⁴ 浮   690   (V) *float.* **SF**   (Adj) *floating.* **SF** ‡

— biu¹° — 漂   (N) *a buoy.*

— dung⁶ — 動   (Adj) *floating.* *(RT foreign exchange rates)*

— — wooi⁶ lut⁶* — — 滙率   (SE) *floating rate.* *(ROT foreign* *exchanges)* *(Cl.* goh³ 個 *or* jung² 種 *)*

— kiu⁴ — 橋   (N) *a pontoon-bridge.* *(Cl.* tiu⁴ 條 *or* do⁶ 度 *)*

5   — lik⁶ — 力   (N) *buoyancy.* *(Cl.* jung² 種 *)*

— sek⁶ — 石   (N) *pumice stone.* *(Cl.* gau⁶ 舊 *)*

— sui² — 水   (V) *float.* **FE**

fei¹ 非 691 (Adj) *not.* **Bk. SF** ‡

— . . . bat¹° . . . — . . . 不 . . . (IC) *cannot . . . without . . .; simply must . . .* **Gr.**

— chin⁴* bat¹° hang⁴ — 錢不行 (SE) *nothing can be done without money.*

— kui⁵ bat¹° hoh² — 佢不可 (SE) *nothing can be done without him; he's indispensable.*

— hui³ bat¹° hoh² — 去不可 (SE) *simply must go.*

5 — faan⁴ — 凡 (Adj) *uncommon; extraordinary.*

— faat³ — 法 (Adj) *illegal; unlawful.*

— — hang⁴ wai⁴ — — 行爲 (N) *an illegal act.* (*Cl.* june² 種)

— — paak³ che¹° — — 泊車 (N) *illegal parking.* (*Cl.* chi³ 次)

— jin³ dau³ yuen⁴ — 戰鬥員 (N) *non-combatant.*

10 — jing³ foo² — 政府 (Adj) *non-governmental.*

F— Jau¹ — 洲 (N) *Africa.*

— — gwok³ ga¹ — — 國家 (N) *African country; African nation.*

— — wa⁶* — — 話 (N) *an African language.* (*Cl.* jung² 種)

— — yan⁴ — — 人 (N) *African; African people.*

15 f— lai⁵ — 禮 (V) *commit an indecent assault on a female.* (N) *indecent assault.* (*Cl.* chi³ 次) (Itj) *"Help!" (used in such circumstances).*

— — on³ — — 案 (N) *indecent assault case.* (*Cl.* jung¹ *or* gin⁶ 件)

— maai⁶ ban² — 賣品 (SE) *"not for sale".* (*RT work of art, etc.*)

— mau⁴ lei⁶ — 牟利 (Adj) *non-profit.* **Fml.**

— — — jung¹ hok⁶ — — — 中學 (N) *non-profit-making secondary school.* **Fml.**

20 — — — si¹ haau⁶ — — — 私校 (N) *private non-profit-making school.* **Fml.**

— seung⁴ (ji¹) — 常 (之) (Adv) *extremely; extraordinarily.*

— tung⁴ siu² hoh² — 同小可 (SE) *of paramount importance.*

— wooi⁶* yuen⁴ — 會員 (N) *non-member.*

fei¹ 飛 692 (V) *fly; fly to.* **Fml. AP** fei¹° see **693.**

— biu¹° — 鏢 (N) *dart.* **FE** (*Cl.* ji¹ 枝)

— chim⁴ jau² jik⁶ — 潛走植 (SE) *fauna and flora.* (*Lit. birds, fish, animals and plants*)

— chung⁴ — 蟲   (N) *insect.*   (*Cl.* tiu⁴ 條 *or* Jek³ 只)

— daan⁶* — 彈   (N) *missile; flying bomb.*

5 — faat³ — 髮   (V) *have one's haircut.* **Coll.** (N) *haircut.* **Coll** (*Cl.* chi³ 次)

— — lo² — — 佬   (N) *barber.* **Coll.**

— — po³* — — 鋪   (N) *barber's shop.* **Coll.** (*Cl.* gaan¹ 間)

— gei¹ — 機   (N) *aeroplane; airplane.* (*Lit. flying machine*) (*Cl.* ga³ 架 *or* jek³ 隻)

(—) — cheung⁴ (—) — 塲   (N) *Airport; aerodrome; airfield.*

10 — — doi⁶* — — 袋   (N) *travelling bag; airline bag.*

— — piu³ — — 票   (N) *air passage; air fare; air ticket.* (*Lit. aeroplane ticket*) (*Cl.* jung¹ 張)

— — si¹° — — 師   (N) *pilot (of an aeroplane).*

— — sun³ — — 信   (N) *air letter.* (*Cl.* fung¹ 封)

— — sut¹° — — 恤   (N) *jacket.* (*Lit. airplane shirt*) (*Cl.* gin⁶ 件)

15 — jeung³ — 漲   (V) *soar; rocket; spiral.* (*RT prices; Lit. fly and increase*)

— sa¹ jau² sek⁶ — 砂走石   (SE) *chaotic; riotic; disorderly.* (*Lit. flying sand and pebbles*)

— suen⁴ — 船   (N) *a flying-ship; a Zeppelin.* (*Cl.* jek 只)

— teng⁵ — 艇   (N) *ditto.*

fei¹° 飛   **693**   (N) *fare (**Tr.**); ticket (RT buses, trains, shows, etc.).* **CP Coll.** (*Cl.* tiu⁴ 條 *or* jeung¹ 張) (N) *juvenile delinquent.* **SF** ‡ **AP fei¹ see 692.**

— jai² — 仔   (N) *teddy boy.*

— nui⁵* — 女   (N) *teddy girl.*

fei¹ 菲   **694**   (Adj) *fragrant.* **Fml. SF** ‡ (P) *used in transliterations.* **AP fei² see 695.**

— lam⁴* — 林   (N) *film (for taking photos).* **Tr.** (*Cl.* jeung¹ 張; *Roll:* guen² 捲 *or* tung⁴ 筒.)

F— Lut⁶ Ban¹° — 律賓   (N) *Philippines (the).* **Tr.**

— — — yan⁴ — — — 人   (N) *Filipino.* **Tr.**

fei² 菲   695   (Adj) *mean; poor.* **PL   SF** ‡   **AP fei¹ see 694.**

— bok⁶ — 薄   (Adj) *mean; poor. (ROT self depreciatory remarks made by hosts or givers of presents)* **PL   FE**

fei² 匪   696   (N) *robber; bandit; thief.* **Fml.   SF** ‡

— to⁴ — 徒   (N) *robber; bandit; thief.* **Fml.   FE**

fei² 誹   697   (V) *libel; slander.* **SF** ‡   (N) *libel; slander.* **SF** ‡

— pong³ — 謗   (V) *libel; slander.* **FE**   (N) *libel; slander.* **FE**   (*Cl.* jung² 種)

fei⁴ 肥   698   (Adj) *fat; fertile.*

— dei⁶ — 地   (N) *fertile soil; fertile land; fertile paddy field.* (*Cl.* fuk¹° 幅 or faai³ 塊)

— tin⁴ — 田   (N) *ditto.*

— duet¹° duet¹° — 嘟嘟   (Adj) *fat; sturdy (used only in good sense).* **Coll.**

— fei⁴* dei⁶* — 肥地   (Adj) *fattish.* **Coll.**

5   — jue¹° — 豬   (N) *a captive held for ransom by kidnappers; a victim of swindlers. (Lit. fat pig)* **Mdn.**   (*Cl.* jek³ 只 or goh³ 個)

— yeung⁴* — 羊   (N) *ditto. (Lit. fat lamb)* **Coll.**

— (tin⁴) liu⁶* — (田) 料   (N) *fertilizer.* (*Cl.* jung² 種)

— (—) — chong² — (—) — 廠   (N) *fertilizer factory.* (*Cl.* gaan¹ 間)

— lo² — 佬   (N) *a fat man.* (V) *fail in an examination.* **Tr.   Coll.   Joc.**

10   — sui² m⁴ lau⁴ gwoh³ bit⁶ yan⁴ tin⁴ — 水唔流過別人田   (Sy) *charity begins at home; nepotism; giving best opportunities to one's own people or friends. (Lit. fertile water does not flow to other people's paddy field)*

— tan⁴ tan⁴ — 晻晻   (Adj) *fat; oily. (RT the bad sense)* **Coll.   Der.**

— tau⁴ dap¹° yi⁵ — 頭嗒耳   (SE) *fat and stupid. (Lit. large head and drooping ears—as a pig)* **Coll.   Sat.**

fei⁶ 翡   **699**   (N) *kingfisher; chrysoprase; "jade"*. **Fml. SF** ‡ **AP** fei⁶* **SM see 700.**

— chui³ — 翠   (N) *kingfisher*. **Fml. FE** (*Cl.* jek³ 只)   (N) *chrysoprase; "jade"*. **Fml. FE** (*Cl.* nap¹° 粒 *or* faai³塊)

fei⁶* 翡   **700**   (N) *kingfisher; chrysoprase; "jade"*. **CP SF** ‡ **AP** fei⁶ **SM see 699.**

— chui³ — 翠   (N) *kingfisher*. **CP FE** (*Cl.* jek³ 只)   (N) *chrysoprase; "jade"*. **CP FE** (*Cl.* nap¹° 粒 *or* faai³塊)

F— C— Toi⁴ —— 台   (N) *TVB—Jade; "Jade"*.

foh¹° 科   **701**   (N) *subject (RT scientific or academic contexts); section or division (RT organizations)*. *(No Cl.)*

— hok⁶ — 學   (N) *science*. *(Lit. subject study)* (*Cl.* jung² 種) (Adj) *scientific*.

—— fong¹ faat³ —— 方法   (N) *scientific method*. (*Cl.* goh³ 個 *or* jung² 種)

—— ga¹° —— 家   (N) *scientist*.

—— gwoon² lei⁵ —— 管理   (N) *scientific control; scientific management*. (*Cl.* jung² 種)

5   —— ji¹ sik¹° —— 知識   (N) *scientific knowledge*. (*Cl.* jung² 種 *or* moon⁴ 門)

—— jing¹ san⁴ —— 精神   (N) *scientific spirit*. (*Cl.* jung² 種)

—— sat⁶ yim⁶ —— 實驗   (N) *scientific test; scientific experiment*. (*Cl.* chi³ 次 *or* jung² 種)

—— si³ yim⁶ —— 試驗   (N) *ditto*.

—— yi⁴ hei³ —— 儀器   (N) *scientific instrument*. (*Cl.* jung² 種 *or* gin⁶ 件)

10   —— yin⁴ gau³ —— 研究   (N) *scientific research; scientific investigation*. (*Cl.* jung² 種)

—— yuen⁶* —— 院   (N) *the academy of sciences*. (*Cl.* gaan¹ 間)

— muk⁶ — 目   (N) *subject for study*. **FE** (*Cl.* goh³ 個 *or* jung² 種)

foh¹° 窠   **702**   (N) *a nest*. **Fml. AP woh¹° SM see 3241.**

foh¹°棵   **703**   (Cl) *for plants.* **Fml. Mdn. AP foh² SM see 704.**

foh²棵   **704**   (Cl) *for plants.* **CP Mdn. AP foh¹° SM see 703.**

foh²火   **705**   (N) *fire; flame.*

— ba² — 把   (N) *a torch.* (*Cl.* ji¹枝)

— gui⁶ — 炬   (N) *ditto.* **Fml.**

— baau³ — 爆   (Adj) *dynamic; furious; inflammatory.*

— chaai⁴* — 柴   (N) *a match.* (*Cl.* ji¹枝 ; *Box:* hap⁶盒 .)

5   — — hap⁶* — — 盒   (N) *match box.*

— chat¹° — 漆   (N) *sealing-wax.* (*No Cl.*)

— che¹° — 車   (N) *train.* (*Cl.* ga³架 *or* lit⁶列)

— — fei¹° — — 飛   (N) *train fare; train ticket.* **Coll. FE Tr.** (*Cl.* jeung¹張)

— — piu³ — — 票   (N) *ditto.* **Fml. FE**

10   — — (lo⁶) gwai² — — (路) 軌   (N) *rails; tracks; lines.* (*ROT railways*) (*Cl.* tiu⁴條)

— — jaam⁶ — — 站   (N) *railway station; railroad station.*

— — tau⁴ — — 頭   (N) *locomotive.* (*Cl.* ga³架 *or* goh³個)

— — wan⁶ fai³ — — 運費   (N) *railage.* (*Cl.* bat¹°筆)

— cheung¹° — 鎗   (N) *firearm.* (*Cl.* jung²種)

15   — fa¹° — 花   (N) *spark; electric spark.* (*Cl.* goh³個 *or* nap¹°粒)

— fa³ — 化   (V) *cremate.* (N) *cremation.* (*Cl.* chi³次)

— jong³ — 葬   (V) *ditto.* (N) *ditto.*

— — cheung⁴ — — 塲   (N) *crematorium; crematory.*

— — lo⁴ — — 爐   (N) *ditto.*

20   — foo¹ — 夫   (N) *a cook.* **Mdn. Der.**

— tau⁴* — 頭   (N) *ditto.* **Coll. Der.**

— tau⁴ gwan¹° — 頭軍   (N) *ditto.* **Coll. Der.**

— gai¹° — 鷄   (N) *a turkey.* (*Cl.* jek³隻)

— gwan² — 滾   (V) *become angry; become furious.*

25 — hei² — 起 (V) *become angry; become furious.*

— haang¹° — 坑 (N) *a place of misery; the life of a prostitute.* *(Lit. fire-pit)* **Fig.**

— hau⁶ — 候 (N) *strength of a fire for cooking; the time it takes to cook sth.*

— lo⁶ — 路 (N) *ditto.*

— hei³ — 氣 (N) *anger; fury.* *(No Cl.)*

30 — — daai⁶ — — 大 (Adj) *furious; quick-tempered.*

— ho³ — 耗 (N) *wastage in melting.* *(Cl.* jung² 種 *)*

— jau² — 酒 (N) *alcohol.* *(ROT medical use)* *(No Cl.)*

— jin³ — 箭 (N) *rocket; fiery dart.* *(Cl.* ji¹ 枝 *)*

— — paau³ — — 砲 (N) *bazooka.* *(Cl.* ham² 坎 *)*

35 — joi¹ — 災 (N) *conflagration; fire-disaster.* **Fml.** *(Cl.* cheung⁴ 塲, chi³ 次 *or* jung¹ 宗 *)*

— (— bo²) him² — (— 保) 險 (N) *fire-insurance.* *(Cl.* jung² 種 *)*

— — ngai⁴ him² (ging² go³) sun³ ho⁶ — — 危險 (警告) 訊號 (SE) *fire danger warning.* *(Cl.* jung² 種 *or* goh³ 個 *)*

— — yin⁶ cheung⁴ — — 現塲 (N) *the scene of a fire.*

— juk¹° — 燭 (N) *conflagration; fire-disaster.* **Coll.** *(Cl.* cheung⁴ 塲, chi² 次 *or* jung¹ 宗 *)* (V) *catch fire; have a fire.* **Coll.**

40 — — che¹° — — 車 (N) *fire engine.* *(Cl.* ga³ 架 *)*

— jung² — 種 (N) *tinder.*

— kim⁴ — 鉗 (N) *fire tongs; coal tongs; tonge.* *(Cl.* ba² 把 *)*

— lik⁶ — 力 (N) *force of combustion; fire power.* *(Cl.* jung² 種 *)*

— lo⁴ — 炉 (N) *stove; fire-place.*

45 — ngau⁴ — 牛 (N) *transformer.* **Coll.** *(ROT an electric appliance)*

— saan¹ — 山 (N) *volcano; dancing hall* **(Fig. Joc.)**.

— — hau² — — 口 (N) *volcanic crater.*

— seung⁶ ga¹ yau⁴ — 上加油 (SE) *add fuel to the fire; make matters worse.*

— sing¹° — 星 (N) *spark; Mars.* *(Cl.* goh³ 個 *or* nap¹° 粒 *)*

50 — siu¹ — 燒 (V) *burn; destroy by fire.* **FE**

— — ngaan⁵ mei⁴ — — 眼眉 (SE) *imminent; extremely urgent.* *(Lit. fire singeing eyebrows)*

— — saan¹ — — 山 (N) *hill fire.* *(Cl.* chi³ 次 *)*

— sue⁶ ngan⁴ fa¹ — 樹銀花   (SE) *brilliant lights and luxuriant decorations.* *(GRT festivities; Lit. fiery trees with silver flowers)*

— suen⁴ — 船   (N) *steamer; motor vessel; sailing ship.* *(Cl.* jek³ 隻*)*

55 — — fei¹° — — 飛   (N) *ship fare; sea passage.* **Coll. FE Tr.** *(Cl.* jeung¹ 張*)*

— — piu³ — — 票   (N) *ditto.* **Fml. FE**

— — tau⁴ — — 頭   (N) *wharf; pier.* **Coll.**

— sui² — 水   (N) *paraffin oil; kerosene.* *(No Cl.)*

— — dang¹° — — 燈   (N) *paraffin lamp; kerosene lamp.* *(Cl.* jam² 盞 *or* ji¹ 枝*)*

60 — — lo⁴ — — 爐   (N) *paraffin store; kerosene stove.*

— tui² — 腿   (N) *ham.* *(Cl.* jek³ 只*)*

— yeuk — 藥   (N) *gunpowder.* *(Cl.* jung² 種*)*

— — foo³ — — 庫   (N) *arsenal; ammunition dump.* **Lit.** *and* **Fig.**

— yuk⁶ — 肉   (N) *roast pork.* *(Course:* dip⁶ 碟*)*

foh² 伙 706   (N) *flat; house.* *(No Cl.)* (Cl) *for families living together in a house or flat.*

— gei³ — 記   (N) *shop assistant; employee; business partner; colleague; waiter; "foki" (***Tr.***).* **CC Coll.**

— — jai² — — 仔   (N) *junior employee.* **CC Coll.**

— sik⁶ — 食   (N) *food; fare; meals.* *(RT prices or quality of food for household consumption or for a boarder)* *(Cl.* jung² 種*)*

foh² 夥 707   (N) *assistant; partner.* **Mdn. SF** ‡

— boon⁶ — 伴   (N) *companion.* **Mdn.**

— gai³ — 計   (N) *shop assistant; waiter; business partner.* **Mdn. FE**

foh² 顆 708   (Cl) *for pearls; for trees, plants; etc.* **Mdn.**

foh³ 課 709   (N) *a lesson (in a textbook).* *(No Cl.)*

— boon² — 本   (N) *textbook.* *(Cl.* bo⁶ 部 *or* boon² 本*)*

— ching⁴ — 程   (N) *curriculum.* *(Cl.* jung² 種*)*

— — biu² — — 表   (N) *syllabus; programme of studies; schedule of studies.* (*Cl.* jung² 種 *or* jeung² 張)

— sat¹ — 室   (N) *classroom.* (*Cl.* gaan¹ 間)

5   — tong⁴ — 堂   (N) *ditto.*

foh³ 貨   710   (N) *goods; cargo; freight; commodity; merchandise.* (*Cl.* jung² 種 *or* jek³ 隻)

— baan⁶* — 辦   (N) *sample of goods.* (*Cl.* jung² 種 *or* yeung⁶ 樣)

— bai⁶ — 幣   (N) *currency.* **FE** (*Cl.* jung² 種)

— ban² — 品   (N) *goods; cargo; freight; commodity; merchandise.* **FE** (*Cl.* jung² 種)

— mat⁶ — 物   (N) *ditto.*

5   — che¹° — 車   (N) *lorry; truck; goods vehicle.* (*Cl.* ga³ 架)

— chong¹° — 倉   (N) *godown; warehouse.*

— gwai⁶ — 柜   (N) *container (as in container ships).*

— seung¹° — 箱   (N) *ditto.*

— gwai⁶ chong¹° foo³ — 柜倉庫   (N) *container godown.* (*Cl.* goh³ 個)

10   — — foh³ chong¹° — — 貨倉   (N) *ditto.*

— — ma⁵ tau⁴ — — 碼頭   (N) *container wharf.*

— — suen⁴ — — 船   (N) *container ship.* (*Cl.* jek³ 只)

— seung¹° suen⁴ — 箱船   (N) *ditto.*

— mei⁵ — 尾   (N) *remnants.* *(ROT consignments of goods; Lit. goods' ends)* (*Cl.* pai¹ 批)

15   — suen⁴ — 船   (N) *cargo-boat; cargo-ship; freighter.* (*Cl.* jek³ 隻)

— teng⁵ — 艇   (N) *cargo-boat; cargo-junk.* (*Cl.* jek³ 隻)

fok³ 霍   711   (Adv) *suddenly.* **Fml.** **SF** ‡

— luen⁶ — 亂   (N) *cholera.* (*Cl.* jung¹ 宗 *or* chi³ 次)

— — jam¹° — — 針   (N) *anti-cholera vaccine.* (*Cl.* hau² 口)

— yin⁴ beng⁶ yue⁶ — 然病愈   (SE) *speedy recovery from illness.*

fong¹ 方   712   (Adj) *square.* **SF** ‡

— bin⁶   —   便   (Adj) *convenient.*

— chek³   —   尺   (N) *square feet.*   *(No Cl.)*

— faat³   —   法   (N) *method; means; way.*

— heung³   —   向   (N) *direction; course.*   *(RT movements of persons or things)*   *(Cl.* goh³ 個 *or* bin⁶ 便)

5   — min⁶   —   面   (N) *side; respect; area; particular aspect.*   *(No Cl.)*

fong¹ 芳   713   (Adj) *fragrant.* **Fml. SF** ‡   (N) *fragrance.* **Fml. SF** ‡

— hei³   —   氣   (N) *fragrance.* **Fml. FE**   *(Cl.* jung² 種)

— heung¹   —   香   (Adj) *fragrant.* **Fml. FE**   (N) *fragrance.* **Fml. FE**   *(Cl.* jung² 種)

fong¹ 荒   714   (Adj) *uncultivated; abandoned; deserted.* **SF** ‡   (N) *famine; drought.* **SF** ‡

— chung²   —   塚   (N) *an abandoned grave.* **Fml. FE**

— dei⁶   —   地   (N) *uncultivated land; deserted land; abandoned land.* *(Cl.* faai³ 塊 *or* fuk¹° 幅)

— tin⁴   —   田   (N) *ditto.*

— to²   —   土   (N) *ditto.*

5   — hip³   —   歉   (N) *famine.* **Fml. FE**   *(Cl.* chi³ 次)

— hon⁵   —   旱   (N) *drought.*   *(Cl.* chi³ 次)

— mau⁶   —   謬   (Adj) *ridiculous; absurd.*

— tong⁴   —   唐   (Adj) *ditto.*

— nin⁴   —   年   (N) *a year of famine; a year of drought.*   *(No Cl.)*

fong¹ 慌   715   (V) *be afraid of; fear.* **SF**   (Adj) *afraid; nervous; frantic; desperate.* **SF**

— jeung¹   —   張   (Adj) *afraid; nervous; frantic; desperate.* **Fml. FE**

— sat¹° sat¹°   —   失失   (Adj) *ditto.* **Coll. FE**

— . . . me¹°?   —   . . . 咩?   (IC) *why should you be worried about . . .? why should you be afraid of . . .?*

— pa³   —   怕   (V) *be afraid of; fear.* **FE**

fong²紡   **716**   (V) *spin.* **SF** ‡   (N) *spinning.* **SF** ‡

— jik¹°   — 織   (SE) *spin and weave.*

— — chong²   — — 廠   (N) *textile mill; textile factory.* (*Cl.* gaan¹ 間)

— — (gung¹) yip⁶   — — (工) 業   (N) *textile industry.* (*Cl.* jung² 種

fong²訪   **717**   (V) *interview; visit.* **SF** ‡

— man⁶   — 問   (V) *interview; be interviewed (by a representative of the press, T.V., etc.); visit a foreign country.* (N) *interview.* (*Cl.* chi³ 次)

fong³放   **718**   (V) *release (from custody); put* (**Mdn.**).

— baak⁶ gap⁶*   — 白鴿   (V) *play a confidence-trick on a woman. (Lit. fly the white pigeon)* **Sl.**

— bei³   — 屁   (V) *break wind.* (N) *nonsense!* **AL**

— bong²   — 榜   (V) *announce; make known. (ROT examination results)*

— daai⁶   — 大   (V) *enlarge. (ROT photograph)*

5   — — geng³   — — 鏡   (N) *magnifying glass.*

— dai¹ seng¹ yam¹   — 低聲音   (SE) *lower one's voice.*

— foh²   — 火   (V) *set on fire.*

— — jui⁶   — — 罪   (N) *arson.* (*Cl.* jung¹ 宗)

— fung¹ jang¹°   — 風箏   (V) *fly a kite.* **Fml.**

10   — ji² yiu⁶*   — 紙鷂   (V) *ditto.* **Coll.**

— ga³   — 假   (V) *have a holiday; give a holiday; be on holiday.*

— gung¹   — 工   (V) *leave the office; finish work.*

— gwai³ lei⁶*   — 貴利   (V) *practice usury.*

— hei³   — 棄   (V) *give up; abandon.*

15   — — hei¹ mong⁶   — — 希望   (SE) *give up hope.*

— hok⁶   — 學   (V) *finish school.*

— hon⁴ ga³   — 寒假   (N) *spring recess. (Lit. release winter vacation)* (*Cl.* chi³ 次)

— jau²   — 走   (V) *release; set free; let go.* **FE**

— sam¹   — 心   (V) *not to worry; be relieved.*

20 — San¹ Nin⁴ ga³ — 新年假   (N) *New Year Holiday.* (*Cl.* chi³ 次)

    — sau² — 手   (V) *give up; leave alone.*

    — Sing³ Daan³ Jit³ ga³ — 聖誕節假   (N) *Christmas holiday.* (*Cl.* chi³ 次)

    — Tong⁴ Yan⁴ Nin⁴ ga³ — 唐人年假   (N) *Chinese New Year holiday.* (*Cl.* chi³ 次)

fong⁴ 房 719   (N) *room, house.* **Fml. SF** ‡ **AP fong⁴* SM see 720.**

    — dung¹° — 東   (N) *landlord; owner of a house.* **Fml. Mdn.**

    — haak³ — 客   (N) *tenant; resident; occupant.* **Fml. Mdn.**

    — uk¹° — 屋   (N) *houses in general.* (*Cl.* gaan¹ 間)

fong⁴* 房 720   (N) *room.* **CP** (*Cl.* gaan¹ 間 *or* goh³ 個) **AP fong⁴ SM see 719.**

    — che¹ — 車   (N) *sedan car.* (*Cl.* ga³ 架)

    — jo¹ — 租   (N) *rent; room charge.* (*RT hotels or houses*) (*No Cl.*)

fong⁴ 妨 721   (V) *hinder; abstruct.* **SF** ‡

    — hoi⁶ — 害   (V) *hinder; injure.*

    — ngoi⁶ — 碍   (V) *obstruct (RT views, progress of sth, etc.); hinder; get in the way of; injure.*

fong⁴ 防 722   (V) *defend; prevent.*

    — daan⁶* booi³ sam¹° — 彈背心   (N) *bullet-proof vest.* (*Cl.* gin⁶ 件)

    — — yi¹ — — 衣   (N) *bullet-proof jacket.* (*Cl.* gin⁶ 件)

    — dei⁶ — 地   (N) *garrison; barracks.* (*Lit. defence land*)

    — do⁶ ging² jung¹° — 盜警鐘   (N) *burglar alarm.*

5 — ji² — 止   (V) *prevent.* **FE**

    F— J— Ji⁶ Saat³ Wooi⁶* — — 自殺會   (SE) *the Hong Kong Samaritans.* (*Lit. prevent suicide association*)

    f— sau² — 守   (V) *defend.* **FE** (N) *defence.* (*No Cl.*)

    — wai⁶ — 衛   (V) *ditto.* (N) *ditto.*

    — yue⁶ — 禦   (V) *ditto.* (N) *ditto.*

10 — yik⁶ jam¹ — 疫針   (N) *anti-epidemic vaccine.* (*Cl.* hau² 口)

foo¹ 夫   **723**   (N) *husband.*   **SF**   ‡

— chai¹ — 妻   (N) *married couple; man and wife.*   **Fml.**   (*Cl.* dui³ 對)

— foo⁵ — 婦   (N) *ditto.*

— yan⁴ — 人   (N) *sb else's wife.*   **PL**   (*Cl.* wai⁶* 位)

foo¹ 呼   **724**   (V) *call out; cry out.*   **SF**   ‡

— aai³ — 嗌   (V) *call out; cry out.*   **FE**

— giu³ — 叫   (V) *ditto.*

— haam³ — 喊   (V) *ditto.*

— kap¹° — 吸   (V) *breathe.* (N) *breath; breathing.*   (*Cl.* chi³ 次)

5   — — hai⁶ tung² — — 系統   (N) *the respiratory system.*

— yue⁶ — 籲   (V) *appeal for aid; cry out for help.*

foo¹ 俘   **725**   (V) *take captive.*   **SF**   ‡   (N) *prisoner of war.*   **SF**   ‡

— lo⁵ — 虜   (N) *prisoner of war.*   **FE**

— — ying⁴ — — 營   (N) *prisoner-of-war camp.*

— wok³ — 獲   (N) *capture.*   *(ROT booty)*

— — ban² — — 品   (N) *booty of war.*   (*Cl.* jung² 種)

foo¹ 枯   **726**   (Adj) *withered; dried up; rotten.*   **SF**   ‡

— cho² — 草   (N) *withered grass.*   (*Cl.* poh¹ 荷)

— gon¹ — 乾   (Adj) *dried up.*   **FE**

— gwat¹° — 骨   (N) *dried bone.*   (*Cl.* tiu⁴ 條) (Adj) *sarcastic; aggressive.*   *(RT speeches or remarks)*   **Sl.**

— nau² — 朽   (Adj) *rotten.*   **FE**

foo¹ 敷   **727**   (V) *apply (medicine); diffuse (doctrines, teachings, words, etc.).*   **SF**   ‡

— seung¹ — 傷   (V) *dress a wound; apply external remedies.*

— yeuk⁶ — 藥   (V) *ditto.*

— yin⁵ — 衍   (V) *make empty promises; say things in a perfunctory manner; pay lip service; do slovenly work.*   **FE**

foo²虎   **728**   (N) *tiger* (*Cl.* jek³ 只); *an emblem of bravery or cruelty.* (*No Cl.*)

— foo⁶ mo⁴ huen² ji² — 父無犬子   (SE) *"like father, like son".* (*Lit. father of a tiger not to have the son of a dog*)

— hau² — 口   (N) *a dangerous place* (*Fig.*)*; space between the thumb and forefinger.* (*Lit. tiger's mouth*)

— — yue⁴ sang¹ — — 餘生   (SE) *have a narrow escape; barely escape with one's life.* (*Lit. save a life from a tiger's mouth*)

— tau⁴ se⁴ mei⁵ — 虎頭蛇尾 (SE) *a brave beginning but a weak ending.* (*Lit. tiger's head snake's tail*)

foo²府   **729**   (N) *mansion; palace.* **Fml. SF** ‡

— seung⁶ — 上   (SE) *your home; your house.* (*Lit. honourable mansion*) **PL**

foo²斧   **730**   (N) *an axe.* **SF** ‡

— tau⁴* — 頭   (N) *an axe.* **FE**

foo²苦   **731**   (Adj) *bitter; hard.* **SF** ‡ (N) *bitterness; hardship.* **SF** ‡

— hok⁶ — 學   (V) *study hard.* (N) *hard studies.* (*No Cl.*)

— — saang¹° — — 生   (SE) *a hard-working student from a poor family.* (*Used as a compliment*)

— gung¹°(gaam¹°) — 工 (監)   (N) *hard labour (prison).* (*Cl.* jung² 種)

— jin³ — 戰   (N) *a desperate battle.* (*Cl.* cheung⁴ 場 or chi³ 次)

⁵ — jun⁶ gam¹ loi⁴ — 盡甘來   (SE) *a happy ending; sorrow gives way to rejoicing; a calm after the storm.* (*Lit. bitterness finished sweetness comes*)

— lik⁶ — 力   (N) *coolie.* (*Lit. bitter strength*) **Tr.**

— mei⁶ — 味   (N) *bitter taste.* (*Cl.* jung² 種)

— si⁶ — 事   (N) *suffering; hardship; torture.* (*Lit. bitter matter*) **FE** (*Cl.* gin⁶ 件)

— siu³ — 笑   (V) *grin.* (*Lit. bitterly smile*)*.* (N) *grin.* (*Lit. bitter smile*)

¹⁰ — sui² — 水   (N) *complaint.* (*Lit. bitter water*) (*No Cl.*)

foo³富   732   (Adj) *rich; wealthy.* **Fml. SF** ‡

— ga¹°   —   家   (SE) *rich family; wealthy family.* **Fml.**

— — ji² dai⁶   — —   子弟   (SE) *children from a rich family.*

— gwai³   —   貴   (SE) *riches and honour.*

— — yue⁴ fau⁴ wan⁴   — —   如浮雲   (SE) *riches and honour are like a drifting cloud.*

5   — yung¹°   —   翁   (N) *a rich man; a wealthy man.*

foo³副   733   (Adj) *assistant.* ‡ (Cl) *for chopsticks; for spectacles or glasses; for handcuffs, fetters; for sets of machinery, mahjong, chess; etc.*

— boon²   —   本   (N) *a duplicate copy.*

— chi⁴   —   詞   (N) *an adverb.* **Gr.**

— ging¹ lei⁵   —   經理   (N) *assistant manager.*

— gwoon¹   —   官   (N) *adjutant; aide-de-camp.*

5   — jung² tung²   —   總統   (N) *vice-president of a republic.*

— ling⁵ si⁶*   —   領事   (N) *vice-consul.*

— yip⁶   —   業   (N) *side line; part-time job.* (Cl. jung² 種 or fan⁶ 份)

foo³庫   734   (N) *a treasury.* **SF**

— fong⁴   —   房   (N) *a treasury.* **FE**

foo³褲（袴，絝） 735   (N) *trousers; pants; slacks.* (*Pair:* tiu⁴ 條)

— geuk³   —   腳   (N) *bottom of trousers; bottom of slacks.* (*Lit. foot of trousers*) (Cl. jek³ 隻)

— tau⁴ daai³*   —   頭帶   (N) *belt.* (Cl. tiu⁴ 條)

foo⁴扶   736   (V) *use hands to help sb.* **SF** ‡

— hei²   —   起   (V) *help sb to stand up.*

— jue⁶   —   住   (V) *help sh and prevent him from falling down.*

— lo⁵ kwai⁴ yau³   —   老攜幼   (SE) *support the old and lead the young.* (*Lit. help old take young*)

foo⁵婦   737   (N) *woman; wife; lady.*   **Fml.**   **SF**   ‡

— nui⁵ — 女   (N) *women in general.*   *(No Cl.)*

— — gaai³ — — 界   (N) *ditto.*

— — chaam¹ jing³ kuen⁴ — — 參政權   (N) *female suffrage.*

— — gaai³ fong³ (wan⁶ dung⁶) — — 解放 (運動)   (SE) *"women's liberation"; "women's lib.".*

5   — — lo⁴ dung⁶ gaai³ — — 勞動界   (N) *women's labour-world.*

foo⁶父   738   (N) *a father.*   **SF**   ‡

— chan¹ — 親   (N) *father.*   **FE**

— lo⁵ — 老   (N) *elders; village elders.*

— mo⁵ — 母   (N) *parents.*   *(Lit. father and mother)*

foo⁶付   739   (V) *pay.*   **Fml.**   **SF**   ‡

— foon² — 欵   (V) *pay.*   **Fml.**   **FE**

— — chue³ — — 處   (N) *cashier's counter; place of payment.*

— gung¹ chin⁴ — 工錢   (V) *pay wages.*   **Man.**

— tok³ — 託   (V) *trust; entrust; commission.*

5   — yin⁶ chin⁴* — 現錢   (V) *pay in cash.*

foo⁶腐   740   (Adj) *rotten; putrid; corrupt.*   **SF**   ‡

— baai⁶ — 敗   (Adj) *corrupt.*   *(RT government, official administration, management, etc.)*

— fa³ — 化   (V) *become corrupt.*

— laan⁶ — 爛   (Adj) *rotten; putrid.*   **FE**

— yue⁵ — 乳   (N) *bean-curd cheese.*   *(Cl.* faai³ 塊 , gau⁶ 礁 *or* juen¹ 磚*)*

foo⁶附   741   (V) *attach oneself to (influential people); owe allegiance to; adhere to.*   **Fml.**   **SF**   ‡

— chung⁴ — 從   (V) *attach oneself to (influential people); owe allegiance to; adhere to.*   **Fml.**   **FE**

— suk⁶ — 屬   (V) *attach oneself to (influential people); owe allegiance to; adhere to.*

— ga¹ — 加   (V) *supplement; add.*

— — sui³ — — 稅   (N) *supplementary tax; additional tax.* (*Cl.* jung² 種)

5   — gan⁶ — 近   (PP) *near to; in the vicinity of.* (Adv) *near to; in the vicinity of.* (Adj) *adjacent; close by.*

— gin⁶* — 件   (N) *an enclosure.*

— yung⁴ (gwok³) — 庸 (國)   (N) *satellite; political satellite; small dependent state attached to a big power; tributary state.*

foo⁶ 輔   742   (V) *aid; succour.* **Fml. SF** ‡ (Adj) *subsidiary; auxiliary.* **Fml. SF** ‡

— bai⁶ — 幣   (N) *subsidiary coins; small change.* **Fml.** (*Cl.* jung² 種)

— do⁶ — 導   (V) *give guidance; guide.* (N) *guidance.* (*Cl.* jung² 種)

— joh⁶ — 助   (V) *aid; succour.* **Fml. FE** (Adj) *subsidiary; auxiliary.* **Fml. FE**

— — baan¹ ma⁵ sin³ — — 斑馬綫   (N) *stud pedestrian crossing.* (*Lit. subsidiary zebra crossing*) (*Cl.* tiu⁴ 條)

foo⁶ 負   743   (V) *bear; carry.* **Fml. SF** ‡ (Adj) *minus.* (*RT mathematics*) **SF** ‡

— daam¹ — 擔   (V) *bear a burden.* **Lit. and Fig.** (N) *burden.* **Lit. and Fig.** (*Cl.* jung² 種 *or* goh³ 個)

— ho⁶* — 號   (N) *sign of the minus sign (i.e. "—"); sign of the negative.*

— jaai³ — 債   (V) *carry a load of debt; be a debtor.* **Fml.** (N) *liabilities; debts.* **Fml.** (*Cl.* jung² 種)

— jaak³ (yam⁶) — 責 (任)   (V) *be responsible; assume responsibility.* (Adj) *responsible; conscientious.*

5   — — yan⁴ — — 人   (N) *person in charge of an office or institution.*

— lui⁶ — 累   (V) *involve; get involved.* **Fml.**

— so³ — 數   (N) *minus quantity.* (*RT mathematics*)

— yi⁶ — 義   (V) *be ungrateful or unthankful for kindness.* (Adj) *ungrateful for kindness.*

fooi¹ 蟲 **744**   (N) *insect; worm.* **Fml. BK. AP chung⁴ SM see 440.**

fooi¹ 灰 **745**   (N) *ashes; lime.* **SF** *(No Cl.)* **AP fooi¹° see 746.**

— chan⁴ — 塵   (N) *dust.* **FE** *(Cl.* nap¹° 粒*)*

— jun² — 燼   (N) *ashes.* **Fml. FE** *(No Cl.)*

fooi¹° 灰 **746**   (Adj) *grey.* **AP fooi¹ see 745.**

— fooi¹° dei⁶* — 灰地   (Adj) *greyish.*

— sam¹ — 心   (Adj) *disappointed; despairing; despondent.*

— sik¹° — 色   (Adj) *grey.* **FE**

fooi¹ 恢 **747**   (V) *resume; restore.* **SF** ‡

— fuk⁶ — 復   (V) *resume; restore.* **FE** (N) *resumption; restoration.* *(Cl.* chi³ 次*)*

— — dit⁶ jui⁶ — — 秩序   (SE) *restore law and order; restore order forcibly.* *(RT meetings, public gatherings, etc.)*

— — gin⁶ hong¹ — — 健康   (SE) *restoration of one's good health; regain one's health.*

fooi¹ 詼 **748**   (Adj) *humorous; laughter-provoking.* **SF** ‡ (N) *humour; sense of humour.* **SF** ‡ *(Cl.* jung² 種*)*

— haai⁴ — 諧   (Adj) *humorous; laughter-provoking.* **FE** (N) *humour; sense of humour.* **FE** *(Cl.* jung² 種*)*

fooi² 賄 **749**   (V) *bribe; to give a bribe.* **SF** ‡ (N) *bribe; bribery.* **SF** ‡

— lo⁶ — 賂   (V) *bribe; to give a bribe.* **FE** (N) *bribe; bribery.* **FE** *(Cl.* jung² 種*)*

fooi³ 悔 **750**   (V) *repent.* **SF** ‡ (N) *remorse.* **SF** ‡

— goi¹ — 改   (V) *repent.* **FE**

— gwoh³ — 過   (V) *acknowledge one's faults; repent of one's sins.*

— jui⁶ — 罪   (V) *ditto.*

— han⁶ — 恨   (N) *remorse.* **FE** *(Cl.* jung² 種*)*

foon¹ 歡 751　　(Adj) *glad; happy; pleased.*　**SF**　‡

— foo¹ —　呼　(V) *cheer; shout for joy; hurrah.*

— hei² —　喜　(V) *like.*　(Adj) *glad; happy; pleased.*　**FE**

— sung³ —　送　(V) *give sb a farewell party.*

— — wooi⁶* — —　會　(V) *farewell meeting; farewell party.*

⁵　— tin¹ hei² dei⁶ —　天喜地　(SE) *full of joy; in high spirits.*

— ying⁴ —　迎　(V) *welcome.*

— — wooi⁶* — —　會　(N) *welcome meeting; welcome party.*

foon¹ 寬 752　　(V) *forgive; extend.*　**SF**　‡

— haan⁶ —　限　(V) *extend a time-limit.*

— sue³ —　恕　(V) *forgive.*　(N) *forgiveness.*　(Cl. chi³ 次)

— yi¹ —　衣　(V) *take off the outer coat.*　**PL**

foon² 款（欵）753　　(V) *entertain; treat sb well.*　**SF**　(N) *style; shape; pattern; money; fund.*　**SF**

— doi⁶ —　待　(V) *entertain; treat sb well.*　**FE**

— hong⁶ —　項　(N) *money; fund;*　**Fml.**　**FE**　(Cl. bat¹° 筆)

— sik¹° —　式　(N) *style; shape; pattern.*　**FE**

foot³ 闊（濶）754　　(Adj) *wide; broad; loose (Clothing).*

— foo³ geuk³ —　褲脚　(N) *bell-bottom (of trousers).*　(Cl. jek³ 隻)

— geuk³ foo³ —　脚褲　(N) *trousers with bell-bottoms.*　(Cl tiu⁴ 條)

— lo² —　佬　(N) *a rich man; a wealthy man.*　**Coll.**　(Adj) *generous; free-spending.*　**Coll.**

fuk¹° 福 755　　(N) *good fortune; blessedness; happiness.*　**SF**　‡　(N) *dupe; fool; simpleton; "sucker".*　**Coll.**　**SF**　‡

— fan⁶ —　份　(N) *good fortune; blessedness; happiness.*　**FE**　(Cl. jung² 種)

— hei³ —　氣　(N) *ditto.*

F— Gin³ (Saang²) —　建（省）　(N) *Fukien; Fukien Province.*　**Tr.**　(Cl. goh³ 個)

— — wa⁶* — — 話   (N) *Fukieness; Fukienese dialect.*   (*Cl.* jung²種)

5   — — yan⁴ — — 人   (N) *Fukienese; Fukiense people.* **(Tr.)** (*Cl.* goh³個)

f— lei⁶ — 利   (N) *welfare.*   (*Cl.* jung²種)

— si⁶* (che¹°) — 士(車)   (N) *Volkswagen (car).*   **Tr.** (*Cl.* ga³架)

— tau⁴ — 頭   (N) *dupe; fool; simpleton; "sucker".*   **Coll.   FE**

fuk¹° 腹   756   (N) *belly.*   **Fml.   SF** ‡

— go² — 稿   (N) *concept of a composition in the mind (i.e. before being committed to paper).*   (*Cl.* pin¹篇)

— yue⁵ — 語   (N) *ventriloquism.*   (*Cl.* jung²種)

fuk¹° 複   757   (N) *repeat.*   **SF** ‡ (Adj) *compound; complicated; complex; double.*   **SF** ‡

— gui³ — 句   (N) *compound sentence.*   **Cr.**

— jaap⁶ — 雜   (Adj) *complicated; complex.*   **FE**

— lei⁶ — 利   (N) *compound interest.*   (*Cl.* jung²種)

— sik¹° — 息   (N) *ditto.*

5   — se² ji² — 寫紙   (N) *carbon-paper.*   (*Cl.* jeung¹張; *Box:* hap⁶盒)

— sing³ — 姓   (N) *compound surnames; double surnames.*

— sut⁶ — 述   (V) *repeat.*   **FE** *(RT speeches in general)* (N) *repetition.* *(RT speeches in general)* (*Cl.* chi³次)

fuk¹° 覆   758   (V) *reply; answer.*   **SF** ‡ (N) *reply, answer.*

— sun³ — 信   (V) *reply; answer.* *(ROT letters)* (N) *reply; answer.* *(ROT letters)* (*Cl.* fung¹封)

fuk⁶ 服   759   (V) *tame.*   **SF** (Adj) *admitting (one's faults, etc.) submitting to; complying with; convinced.* (N) *dress; attire; costume; clothing; clothes.*   **SF** ‡

— chung⁴ — 從   (V) *obey; submit.* (N) *obedience; submission.* (*Cl.* jung²種)

— — ming⁶ ling⁶ — — 命令   (SE) *obey orders.*

— jong¹° — 裝   (N) *dress; attire; costume; clothing; clothes.* *(No Cl.)*

— sik¹° — 式 (N) *dress; attire; costume; clothing; clothes.*

5 — mo⁶ — 務 (N) *service in general.* (*Cl.* jung² 種)

— si⁶ — 侍 (V) *serve; wait on.*

— sui² to² — 水土 (V) *be acclimatized; be accustomed to the climate.*

fuk⁶ 復 760 (V) *return; repeat.* **Fml. SF** ‡

—hing¹ — 興 (V) *revive; renew.* (*RT countries, arts, etc.*) (N) *revival; renewal.* (*RT countries, arts, etc.*) (*Cl.* jung² 種 or chi³ 次)

— sang¹ — 生 (V) *resurrect.* (N) *resurrection.* (*Cl.* chi³ 次)

— woot⁶ — 活 (V) *ditto.* (N) *ditto.*

F— W— Jit³ — — 活節 (N) *Easter.* (*Cl.* "goh³" 個)

5 f— sau⁴ (chau⁴) — 仇 (讎) (V) *take revenge.*

— yuen⁴ — 員 (V) *demobilize.* (*GRT soldiers*) (N) *demobilization.* (*GRT soldiers*) (*Cl.* chi³ 次)

fung¹° 峯 (峰) 761 (N) *peak; summit.* **SF**

— deng² — 頂 (N) *peak; summit.* **FE**

— luen⁴ — 巒 (N) *peaks and ridges.* (*No Cl.*)

fung¹° 蜂 762 (N) *bee; hornet; wasp.* **SF** (*Cl.* jek³ 只)

— chaau⁴ — 巢 (N) *beehive; wasp's nest.* **Fml.**

— dau³ — 竇 (N) *ditto.* **Coll.**

— laap⁶ — 蠟 (N) *beewax.* (*No Cl.*)

— mat⁶ — 蜜 (N) *honey.* (*Drop:* dik⁶ 滴)

fung¹ 豐 763 (Adj) *abundant; rich in content; plump.* **SF** ‡

— foo³ — 富 (Adj) *abundant; rich in content.* **FE**

— moon⁵ — 滿 (Adj) *plump.* **FE**

fung¹ 風 764 (N) *wind.* (*Cl.* jan⁶ 陣 or cheung⁴ 場)

— bo⁶ — 暴 (N) *storm.* **Fml.** (*Cl.* chi³ 次 or cheung⁴ 場)

— gau⁶ — 礁 (N) *ditto.* **Coll.**

— chan⁴ nui⁵ ji² — 塵女子   (SE) *lady of easy virtue.*

— che¹° — 車   (N) *windmill; propeller-like toy.*

5 — chiu⁴ — 潮   (N) *crisis. (RT strikes by students, workmen; etc.) (Lit. wind and tide)* (*Cl.* chi³次)

— chui³⁻ — 趣   (N) *charm of personality.* (*Cl.* jung²種)

— dang¹° — 燈   (N) *hurricane lamp.* (*Cl.* jaan² 盞 *or* ji¹支)

— dek⁶* — 笛   (N) *bagpipe.* (*Cl.* goh³ 個 *or* ji¹支)

— faan⁴ — 帆   (N) *sail.* (*Cl.* fuk¹°幅)

10 — gaak³ — 格   (N) *style. (RT persons, writings, etc.)*

— ging² (sin³) — 景(綫)   (N) *scenery; view; landscape. (No Cl.)*

— gwai³ — 季   (N) *typhoon season. (Lit. wind season)* (*Cl.* goh³個 *or* chi³次)

— gwong¹ — 光   (N) *landscape; atmosphere.* (*Cl.* pin³ 片 *or* jung² 種)

— hei³ — 氣   (N) *current customs.* (*Cl.* jung²種)

15 — jang¹° — 箏   (N) *a kite.* (*Cl.* jek³只)

— joi¹ — 災   (N) *typhoon disaster; storm disaster.* (*Cl.* chi³次)

— juk⁶ (jaap⁶ gwaan³) — 俗 (習慣)   (N) *customs; conventions. (RT individual or national)* (*Cl.* jung²種)

— kam⁴ — 琴   (N) *organ (as a musical instrument).*

— lau⁴ — 流   (Adj) *romantic.*

20 — — yan⁴ mat⁶ — — 人物   (SE) *distinguished personality; romantic person.*

— lo⁴* — 爐   (N) *stove. (GRT the kind that burn firewood or charcoal)*

— lut⁶* — 栗   (N) *chestnut.*

— sap¹°(beng⁶) — 濕 (病)   (N) *rheumatism.* (*Cl.* jung² 種 *or* goh³個)

— seung¹° — 箱   (N) *a bellows (for a fire, organ, etc.).*

25 — sin³ — 扇   (N) *electric fan.* (*Cl.* ba² 把)

— so¹ — 騷   (Adj) *amorous; seductive; fascinating. (GRT women)*

— sui² — 水   (N) *"fung sui"* (**Tr.**); *a geomantic system (by means of which sites are determined for graves, houses, etc.). (Lit. wind and water)* (*Cl.* jung²種)

— — sin¹ saang¹ — — 先生   (N) *practitioner of geomancy.*

— tau⁴ — 頭   (N) *fame; popularity; notoriety. (Lit. wind head)*

30 — to² yan⁴ ching⁴ — 土人情   (N) *local customs.* (*Cl.* jung²種)

— tung⁴* — 筒   (N) *electric hair-dryer.*

227

fung¹ 瘋   765   (Adj) *crazy; insane.* **Mdn. SF** ‡

— din¹ — 顛   (Adj) *crazy; insane.* **FE**

— kwong⁴ — 狂   (Adj) *ditto.*

— gau² beng⁶ — 狗病   (N) *rabies.* *(Lit. mad dog sickness)* *(Cl.* jung² 種 *or* goh³ 個)

fung¹ 封   766   (V) *seal up; blockade.* **SF** ‡   (N) *envelope; seal.* **SF** ‡   (Cl) *for letters, telegrams. etc.*

— bai³ — 閉   (V) *shut up; seal; close.* *(RT shops, offices, etc., by court order)*

— min⁶* — 面   (N) *front cover.*

— — nui⁵ long⁴ — — 女郎   (SE) *cover girl.*

— pei⁴ — 皮   (N) *seal.* *(GRT strips of paper pasted across parcels, letters, doors, etc.)* *(Cl.* jeung¹ 張)

5   — tiu⁴ — 條   (N) *ditto.*

— soh² — 鎖   (V) *seal off; cordon off; blockade.* (N) *barricade; cordon; blockade.* *(Cl.* chi³ 次)

— — sin³ — — 綫   (N) *line of police or soldiers (forming a barricade or cordon); blockade (GRT naval action).* *(Cl.* tiu⁶ 條)

— to³ — 套   (N) *envelope.* **Fml. FE**

fung² 捧   767   (V) *hold up in both hands.* **FP SE** ‡   **AP: (1)** bung² **SM see 161; (2)** pung² **SM see 2580.**

— jue⁶ — 住   (V) *hold up in both hands.* **FE**

fung³ 諷   768   (V) *ridicule; satirize.* **SF** ‡   (N) *ridicule; satire.* **FE** *(Cl.* jung² 種)

— chi³ — 刺   (V) *ridicule; satirize.* **FE** (N) *ridicule; satire.* **FE** *(Cl.* jung² 種)

fung⁴ 逢   769   (Adv) *whenever; whoever; every time that.* **Fml. SF** ‡   (V) *meet; rendezvous.* **Fml. SF** ‡

— yan⁴ — 人   (Adv) *whoever.* **Fml. FE**

228

fung⁶奉 **770** (V) *offer; contribute.* **Fml.** **SF** ‡

— gung¹ sau² faat³ — 公守法 (SE) *law-abiding.* *(Lit. contribute to public good spirit and keep the laws)*

— sing⁴ — 承 (V) *flatter; pay court to.* **Fml.**

— sung³ — 送 (V) *offer; contribute; give away.* **Fml.** **FE**

fung⁶鳳 **771** (N) *phoenix.* **SF**

— mei⁵ cho² — 尾草 (N) *fern.* (*Cl.* poh¹ 樖)

— sin¹° fa¹° — 仙花 (N) *balsam.* (*Cl.* deuh² *or* doh² 朵)

— wong⁴ — 凰 (N) *phoenix.* **FE** (*Cl.* jek³ 只)

G

ga¹ 加 772   (V) *put sth in; mix sth with; add; increase.* **SF**

— doh¹ — 多   (V) *increase.* **FE**

— foot³ — 闊   (V) *widen.*

— ga³ — 價   (V) *rise; go up; increase.* (*RT prices*)

— gaam² sing⁴ chui⁴ — 減乘除   (SE) *arithmetic; addition, substraction, multiplication and division.*

5   — ho⁶ — 號   (N) *sign of addition (i.e. "+").*

— jo¹ — 租   (V) *increase rent; raise the rent.* (N) *increase in rent; rise in rent.* (*Cl.* chi³ 次)

— liu⁶* — 料   (V) *buy more meat for a meal.*

— maai⁴ — 埋   (V) *add together; amount to.* (Adv) *altogether; in all.*

G— Na⁴ Daai⁶ — 拿大   (N) *Canada.*

10   — — — yan⁴ — — — 人   (N) *Canadian; Canadian people.*

g— pooi⁵ — 倍   (V) *double.*

— san¹ sui² — 薪水   (V) *give a rise in salary.*

— seung⁵ — 上   (Adv) *in addition.*

— yi⁵ — 以   (Adv) *ditto.*

15   — sui³ — 稅   (V) *increase tax.*

— yan¹ gung¹ — 人工   (V) *give a rise in wages.*

— yap⁶ — 入   (V) *join; participate; take part in.*

— yau⁴* — 油   (V) *accelerate; make a greater effort (to do sth). (Lit. add petrol)*

ga¹ 枷 773   (N) *cangue.* **SF**

— soh² — 鎖   (N) *cangue; fetters; shackles.* **Lit.** *and* **Fig.** (*Cl.* foo³ 副)

ga¹ 袈 774   (N) *a coarse kind of camlet.* **SF** ‡

— sa¹ — 裟   (N) *a robe worn by a Buddhist priest.* (*Cl.* gin⁶ 件)

ga¹ 嘉 775   (V) *praise; encourage.* **SF** ‡

— ban¹ — 賓   (N) *guest of honour.* **Fml.**

— jeung² — 獎   (V) *praise; encourage.* **FE** (N) *praise; encouragement.* (*Cl.* jung² 種)

ga¹ 家 776   (N) *family; home.* **SF** ‡

— foh³ — 課   (N) *homework.* *(No Cl.)*

— ga¹ yau⁵ boon² naan⁴ nim⁶ dik¹° ging¹ — 家有本難念的經   (SE) *every family has its own problem.*

— gung¹° — 公   (N) *father-in-law (i.e. husband's father).*

— ha⁵ — 吓   (Adv) *at present; now.* **Coll.**

— jan⁶ — 陣   (Adv) *ditto.*

— heung¹ — 鄉   (N) *home town; native place.*

— je²° — 姐   (N) *one's own elder sister.* (*Cl.* goh³ 個)

— jeung² — 長   (SE) *parent; guardian.* *(RT school)*

— juk⁶ — 族   (N) *family clan.*

— mo⁶ — 務   (N) *household duties.* *(No Cl.)*

— tau⁴ sai³ mo⁶ — 頭細務   (N) *ditto.*

— poh⁴* — 婆   (N) *mother-in-law (i.e. husband's mother).*

— sai³ — 世   (N) *family background.*

— seung⁴ — 常   (Adj) *daily; everyday; pertaining to household routine.*

— — bin⁶ faan⁶ — — 便飯   (SE) *informal Chinese dinner.* *(Lit. daily care-free meal)* (*Cl.* chaan¹ 餐)

— — (siu²) choi³ — — (小) 菜   (N) *ordinary courses on a menu.*

— si⁶ — 事   (N) *family matters; domestic affairs.* (*Cl.* gin⁶ 件)

— suk⁶ — 屬   (N) *family; relative.* **Fml.** **FE**

— ting⁴ — 庭   (N) *home; family.* **Fml.** **FE**

— — gaau³ yuk⁶ — — 教育   (N) *home education; parental instruction.* (*Cl.* jung² 種)

— — hang⁶ fuk¹° — — 幸福   (SE) *welfare of a family; happiness of a family.* (*Cl.* jung² 種)

— — jue² foo⁵ — — 主婦   (N) *housewife.* *(Lit. woman head of a family)*

— — waan⁴ ging²   — — 環境   (N) *family background.*

— yan⁴   — 人   (N) *family.*   (*ROT family members*)

25 — yung⁶   — 用   (N) *household expenses.*   (*No Cl.*)

ga¹傢 777   (N) *furniture.* **SF** ‡

— si¹   — 俬   (N) *furniture.* **Coll.** **FE** (*Cl.* gin⁶ 件)

ga²假 778   (Adj) *false; hypocritical; counterfeit.* **AP ga³ see 779.**

— chi⁴ bei¹   — 慈悲   (Adj) *hypocritical.*   (*Lit. false benevolence*) **FE**

— ho² sam¹   — 好心   (Adj) *ditto.*   (*Lit. false kindness*)

— ding⁶   — 定   (V) *assume; suppose.* (N) *assumption, supposition.*
(*Cl.* jung² 種 *or* goh³ 個)

— faat³   — 髮   (N) *wig.*   (*Lit. false hair*)

5 — min⁶ gui⁶   — 面具   (N) *a mask.*

— mo⁶   — 冒   (V) *pose as; counterfeit.*

— — chim¹ meng⁴*   — — 簽名   (V) *forge a signature; commit
forgery.* (N) *forgery.*   (*Cl.* chi³ 次)

— ngan⁴ ji²   — 銀紙   (N) *counterfeit note.*   (*Cl.* jeung¹ 張)

— yeuk⁶   — 若   (Conj) *if; provided that; supposing that.*

10 — yue⁴   — 如   (Conj) *ditto.*

ga³假 779   (N) *leave; leave of absence.* **SF** **AP ga² see 778.**

— kei⁴   — 期   (N) *holiday; vacation; leave.*   (*Cl.* chi³ 次 *or* goh³ 個)

— yat⁶   — 日   (N) *a holiday; a general holiday.*

ga³嫁 780   (V) *marry a husband; take sb as a husband.*

— chui³   — 娶   (N) *marriage in general.*

— jong¹   — 妝   (N) *bride's downy.*   (*No Cl.*)

— nui⁵*   — 女   (V) *give a daughter in marriage.*

— woh⁶ (yue¹ yan⁴)   — 禍 (於人)   (SE) *put blame on others.*

ga³ 架   **781**   (Cl) *for land vehicles; for aeroplanes; for machines such as typewriters, record-players, radio sets, TV sets; etc.* (N) *a frame; a den; airs of greatness.* **(Fig.)** **SF** ‡

— bo⁶ — 步   (N) *a vice den.* *(RT gambling, sex, narcotic, etc.)*   **FE**

— ji² 一 子   (N) *a frame.* **Mdn. FE** (N) *airs of greatness.* **Fig. Ctmp. FE**

— — daai⁶ 一 一 大   (Adj) *putting on airs of greatness.* **Ctmp.**

— sai³ — 勢   (Adj) *high and mighty (RT manner); showy; powerful.* **Ctmp.**

ga³ 駕   **782**   (V) *drive (a car); fly (an airplane).* **SF** ‡

— sai² — 駛   (V) *drive (a car); fly (an airplane).* **Fml. FE** (N) *driving; flying.* **Fml. FE** *(No Cl.)*

— — gei⁶ sut⁶ — — 技術   (N) *skill in driving; technique in flying.* *(Cl.* jung² 種 *)*

— — jap¹° jiu³ — — 執照   (N) *driver's licence; pilot's licence.* **Fml.** *(Cl.* jeung¹ 張 *or* goh³ 個 *)*

ga³ 價   **783**   (N) *price.* **SF** ‡

— chin⁴ — 錢   (N) *price.* **Coll. FE**

— gaak³ — 格   (N) *ditto.* **Fml.**

— jik⁶ — 值   (N) *worth; value.*

— muk⁶ biu² — 目表   (N) *price list.* *(Cl.* jeung¹ 張 *)*

ga³ 咖   **784**   (P) *used in transliterations.*

— fe¹° — 啡   (N) *coffee.* **Tr.** *(Pot:* woo⁴ 壺*; cup:* booi¹ 杯 *)*

— — gwoon² — — 館   (N) *coffee house.* *(Cl.* gaan¹ 間 *)*

— — uk¹° — — 屋   (N) *ditto.*

— — sik¹° — — 色   (N) *dark brown; brown.* *(Cl.* jung² 種 *or* goh³ 個 *)*

⁵ — lei⁴° — 喱   (N) *curry.* **Tr.** *(Cl.* jung² 種 *)*

— — ngau⁴ yuk⁶ — — 牛肉   (N) *beef curry.*

ga³ 㗎   **785** **CC**   (FP) *is a contraction of* "ge³ a³", *indicating emphasis in statements or past tense in* "time when" *type of questions.* **AP ga⁴ see 786.**

ga⁴ 㗎 786 CC

(FP) *is a contraction of* "ge³ a⁴", *indicating surprise or doubt in questions.* (P) *used in transliterations.* (N) "*Jap*"; *Japanese people.* **SF** ‡ **AP ga³** see 785.

G— Tau⁴ — 頭   (N) "*Jap*"; *Japanese.* **FE Der. Sl.**

— wa⁶* — 話   (N) *Japanese; Japanese language* **Der. Sl.** (*Cl.* jung² 種)

gaai¹ 佳 787

(Adj) *beautiful; good.* **Fml. SF** ‡

— ngaau⁴ — 肴   (N) *good food; delicacies.* (*No Cl.*)

G— (Ngai⁶ Din⁶) Si⁶ (Toi⁴) — (藝電) 視 (台)   (N) *the Commercial Television (Station); CTV (Network).*

g— wa⁶(*) — 話   (N) *a beautiful story.*

— yam¹ — 音   (N) *good news.*

5   — yan⁴ — 人   (N) *a beautiful woman; sweetheart.* **Fml.**

gaai¹° 街 788

(N) *street.* (*Cl.* tiu⁴ 條)

— bin¹° — 邊   (N) *roadside.* (*Cl.* sue³ 處 *or* do⁶ 度)

— — baai² dong³ — — 擺檔   (V) *run a stall on a street.*

— do⁶ — 道   (N) *streets in general.* (*Cl.* tiu⁴ 條)

— fong¹° — 坊   (N) *neighbour; inhabitants of the same area; neighbourhood;* "*Kaifong*" (**Tr.**).

5   — — jong¹° — 裝   (SE) *casual clothing.* (*Lit. neighbourly clothing*) (*Cl.* to³ 套)

— hau² — 口   (N) *junction of a street.* (*Lit. street mouth*)

— seung⁶ — 上   (Adv) *in the street, on the way.*

— — cheung² gip³ (on³) — — 搶刧 (案)   (N) *street robbery.* (*Cl.* jung¹ 宗 *or* gin⁶ 件)

— si⁵ — 市   (N) *market place.* (*Lit. street market; GRT a retail food markets in congested areas.*) (*Cl.* goh³ 個 *or* sue³ 處)

gaai¹ 皆 789

(Adv) *all; entirely.* **Bk. SF** ‡ (Adj) *all.* **Bk. SF** ‡ (Pron) *all.* **Bk. SF** ‡

— daai⁶ foon¹ hei² — 大歡喜   (SE) *happy ending; happy for all.*

— yan¹ — 因   (SE) *all because of . . .; entirely owing to . . .*

gaai¹ 階   790   (N) *a flight of steps; rank.* **Fml. SF** ‡ *(No Cl.)*

— duen⁶ — 段   (N) *stage; phase.*

— kap¹° — 級   (N) *class; caste.* *(Lit. rank step; RGT one's place in a social system.)*

— — dau³ jang¹ — — 鬥爭   (N) *class struggle.* *(Cl.* jung² 種 *)*

— — gwoon¹ nim⁶ — — 觀念   (N) *class concept.* *(Cl.* jung² 種 *or* goh³ 個 *)*

5 — — jai³ do⁶ — — 制度   (N) *caste system.* *(Cl.* jung² 種 *or* goh³ 個 *)*

— — sing³ — — 性   (N) *class consciousness.* *(Cl.* jung² 種 *or* goh³ 個 *)*

— — yi³ sik¹° — — 意識   (N) *ditto.*

gaai² 解(觧)   791   (V) *loosen; untie; solve.* **SF** ‡

— chui⁴ — 除   (V) *eliminate; cancel.*

— — fan¹ yeuk³ — — 婚約   (V) *call off a marriage; cancel marriage engagement.*

— — hap⁶ yeuk³ — — 合約   (V) *rescind an agreement.*

— — kai³ yeuk³ — — 契約   (V) *ditto.*

5 — — mo⁵ jong¹° — — 武裝   (V) *disarm.* *(RT troops, gangsters, etc.)*

— duk⁶ — 毒   (V) *nullify the effects of poison.*

— fong³ — 放   (V) *liberate; emancipate.* (N) *liberation; emancipation.* *(Cl.* jung² 種 *or* chi³ 次 *)*

— haai⁴ daai³* — 鞋帶   (V) *loosen shoe-laces; undo shoe-laces.*

— hoi¹ — 開   (V) *untie; unwrap.*

10 — hot³ — 渴   (V) *quench thirst.*

— kuet³ — 決   (V) *solve.*

— — baan⁶ faat³ — — 辦法   (N) *solution.* *(Lit. the way to solve)* *(Cl.* goh³ 個 *or* jung² 種 *)*

— — fong¹ faat³ — — 方法   (N) *ditto.*

— moon⁶ — 悶   (V) *dispel sadness; dispel melancholy.*

15 — pau² — 剖   (V) *dissect.* (N) *dissection.* *(Cl.* chi³ 次 *)*

— — hok⁶ — — 學   (N) *anatomy.* *(Subject:* foh¹° 科 *)*

— — si tai² — — 屍體　(V) *conduct a postmortem; dissect a body.*
(N) *postmortem; dissection of the body.*　(*Cl.* chi³ 次)

— saan³ — 散　(V) *disband; dissolve; close down.*　(*RT organizations, institutions, etc.*)

— wai⁴ — 圍　(V) *raise a siege.*　**Lit.** *and* **Fig.**

20　— yim⁴ — 嚴　(V) *relax martial law.*

gaai³ 介　792　　(V) *lie between.*　**Fml.**　**SF**　‡

— chi⁴ — 詞　(N) *preposition.*　**Gr.**

— siu⁶ — 紹　(V) *recommend; introduce.*

— — fai³ — — 費　(N) *fee (charged by house agents or labour agencies).*　(*Lit. introduction fee*)　(*Sum:* bat¹° 筆)

— — sun³ — —· 信　(N) *letter of recommendation; letter of introduction.*　(*Cl.* fung¹ 封)

5　— — yan⁴ — — 人　(N) *introducer; middle-man; go-between.*

— yi³ — 意　(V) *mind; care.*

gaai³ 界　793　　(N) *line; border.*　(*Cl.* tiu⁴ 條)　(N) *walk of life; circle.*　**SF**　‡　(*No Cl.*)

— haan⁶ — 限　(N) *a boundary line.*　**FE**　(*Cl.* tiu⁴ 條)

— sin³ — 綫　(N) *ditto.*

gaai³ 芥　794　　(N) *mustard cabbage*　**SF**　‡

— choi³ — 菜　(N) *mustard cabbage.*　**FE**　(*Cl.* poh¹ 荷)

— laan⁴ — 蘭　(N) *kale; Chinese kale.*　(*Cl.* poh¹ 荷)

— laat⁶ — 辣　(N) *mustard paste.*　(*No Cl.*)

gaai³ 戒　795　　(V) *stop; give up.*　(*RT vices, bad habits, etc.*)　**SF**　‡

— do² — 賭　(V) *break off gambling.*

— duk⁶ — 毒　(V) *break off drugs.*

— fan¹° — 葷　(V) *take vegetarian vows.*

— hau² — 口　(V) *diet; be on a diet.*

5　— — sung³ — — 餸　(N) *dietary; dietary menu.*　(*Cl.* jung² 種)

— jau² — 酒　(V) *give up liquor.*

— saat³ — 殺   (V) *avoid killing animals.*
— sik¹° — 色   (V) *avoid fornication.*
— tiu⁴ — 條   (N) *taboo.*   *(Cl.* jung² 種 *)*
10 — yim⁴ — 嚴   (V) *impose a curfew; be under martial law.*
  — — (ling⁶) — — (令)   (N) *curfew order; martial law.*   *(No Cl.)*
— yin¹° — 烟   (V) *stop smoking.*

gaak³ 革 796   (V) *dismiss; reform.* **SF** ‡ (N) *revolution; reform.* **SF** ‡

— ming⁶ — 命   (N) *revolution.* **FE** *(Cl.* chi³ 次 *)*
— — dong² — — 黨   (N) *a revolutionary party.*
— — fan⁶ ji² — — 份子   (N) *revolutionary.*
— — ga¹° — — 家   (N) *ditto.*
5 — jik¹° — 職   (V) *sack; fire; dismiss sb from employment.*
— tui³ — 退   (V) *ditto.*
— san¹ — 新   (V) *reform.* (N) *reform.* *(Cl.* chi³ 次 *)*

gaak³ 隔 797   (Adv) *at intervals of.* *(RT time or space)* **SF** ‡

— hoi¹ — 開   (V) *separate; partition.*
— lei⁴ — 籬   (PP) *next door to; next to.* (Adj) *adjacent; next-door.* (N) *neigbour; house next door; person living next door.*
— yat⁶ — 日   (Adv) *every other day.*
— ye⁶ — 夜   (Adj) *left over night.*
5 — — sung³ — — 餸   (N) *left-overs.* *(ROT food)* *(No Cl.)*

gaak³ 格 798   (N) *trellis, pattern; style; rule.* **SF** ‡

— diu⁶ — 調   (N) *style.* *(RT music, literary work, etc.)* *(Cl.* jung² 種 *or* goh³ 個 *)*
— ji² — 子   (N) *trellis.* **FE**
— laak¹° ji² — 力子   (N) *clutch.* **Tr. Coll.**
— ngoi⁶ — 外   (Adv) *unusually; extraordinarily.* *(Lit. beyond the rule)*
5 — sik¹° — 式   (N) *pattern; style.* *(RT decorations, clothes, etc.)* *(Cl.* jung² 種 *or* goh³ 個 *)*
— yin⁴ — 言   (N) *motto; maxim; wise saying.* *(Cl.* giu³ 句 *)*

gaak³ 咯 799 **CC**   (FP) *is a contration of "ge³ ak³", indicating disagreement with sb or sth.*

gaam¹ 監 800   (N) *jail; prison.* **SF** ‡   (V) *force sb to do sth* **(Coll.)**; *supervise; oversee.* **SF** ‡ **AP gaam³** see **801.**

— duk¹° — 督   (V) *supervise.*   (N) *supervisor.*

— fong⁴ — 房   (N) *jail; prison.* **FE**   (*Cl.* goh³ 個 *or* gaan¹ 間)

— si⁶ — 視   (V) *keep close watch over.*

— yuk⁶ — 獄   (N) *jail; prison.* **FE**   (*Cl.* goh³ 個 *or* gaan¹ 間)

5   — — gwoon¹ — — 官   (N) *prison officer.* **Fml.**

— — gwoon² lei⁵ yuen⁴ — — 管理員   (N) *ditto.*

— gung¹° — 工   (V) *oversee workmen.* **FE**   (N) *inspector of work.*

— haau² — 考   (V) *invigilate.*   (N) *invigilator.*

— tau⁴* — 頭   (N) *warder; jailer; prison officer.* **Coll. Der.**

10   — yan⁴ yam² jau² — 人飲酒   (SE) *force sb to drink (unsually at a dinner).*

gaam³ 監 801   (V) *force sb to do sth.* **SF** ‡   (N) *a eunuch.* **SF** ‡ **AP gaam¹** see **800.**

— ngaang⁶* (yiu³) — 硬(要)   (V) *force sb to do sth; take risks in doing sth.* **Coll.**

gaam³ 尷(尲) 802   (V) *limp.* **Fml. SF** ‡   (Adj) *embarrassed.* **SF** ‡

— gaai³ — 尬   (Adj) *embarrassed; uneasy; "cross".*

gaam¹ 緘 803   (V) *keep silent; seal.* **SF** ‡

— mak⁶ — 默   (V) *keep silent.* **FE**   (Adj) *silent; speechless.* **Fml.** **FE**

gaam² 減(减) 804   (V) *reduce; decrease; diminish; subtract.* **SF** (Prep) *minus.*

— baan¹° — 班   (V) *reduce the number of classes in a school.*

— chaan² — 產   (V) *diminish output; reduce production.*

— siu² sang¹ chaan² — 少生產   (V) *diminish output; reduce production.*

— fei⁴ (jit³ sik⁶) — 肥(節食)   (V) *be on a slimming diet; reduce weight.*

5 — ga³ — 價   (V) *have a bargain sale.* (N) *a bargain sale.* (*Cl.* chi³ 次)

— heng¹ — 輕   (V) *cut down; lighten.* (*RT expenses, taxes, etc.*)

— ho⁶ — 號   (N) *sign of subtraction; minus (i.e. "−").* **FE**

— siu² — 少   (V) *diminish; reduce.* **FE**

— suk¹° — 縮   (V) *ditto.*

10 — ying⁴ — 刑   (V) *mitigate punishment; commute a sentence.*

gaan¹ 間 805

(Cl) *for buildings, rooms, institutions, etc.* (N) *time; space.* **Fml. SF** ‡ **AP gaan³ see 806.**

gaan³ 間 806

(V) *partition; divide.* (*RT buildings; spaces, etc.*) **SF** ‡ (Adj) *intermittent; indirect.* **SF** ‡ **AP gaan¹ see 805.**

— dip⁶ — 牒   (N) *a spy.*

— gaak³ — 隔   (N) *a partition.* (*Cl.* jung² 種 *or* goh³個)

— hit³ (sing³) — 歇 (性)   (Adj) *intermittent.* **FE**

— hoi¹ (jo⁶) — 開 (做)   (V) *partition into; divide into.* (*RT building, spaces, etc.*) **FE**

5 — jip³ — 接   (Adj) *indirect.* **FE** (Adv) *indirectly.* **FE**

— — suen² gui² — — 選舉   (N) *indirect election.* (*Cl.* jung² 種)

— — sui³ — — 稅   (N) *indirect taxation.* (*Cl.* jung² 種)

— jung¹° — 中   (Adv) *now and then; on occasions; occasionally.*

gaan¹ 艱 807

(Adj) *difficult; hard.* **Fml. SF** ‡

— foo² — 苦   (Adj) *grievous; distressing.*

— san¹ — 辛   (Adj) *ditto.*

— naan⁴ — 難   (Adj) *difficult; hard.* **FE**

gaan¹ 奸 808

(Adj) *wicked; crafty; disloyal.*

— gaau² — 狡   (Adj) *cunning.*

— ja³ — 詐   (Adj) *ditto.*

— sai³ — 細   (N) *a spy; a traitor.*

— seung¹ — 裔   (N) *dishonest merchant; dishonest businessman.*

5   — yan⁴ — 人   (N) *wicked person; mean person; crafty person; disloyal person.*

gaan¹ 姦   809   (V) *fornicate; rape.* **SF** ‡   (N) *adultery; fornication.* **SF** ‡

— ching⁴ — 情   (N) *adultery; fornication.* **Fml. FE**   (*Cl.* jung² 種)

— foo¹ — 夫   (N) *an adulterer.*

— woo¹ — 污   (V) *fornicate; rape.* **Fml. FE**

— yam⁴ — 滛   (V) *ditto.*

gaan² 揀   810   (V) *choose; select.*

— jaak⁶ — 擇   (V) *select; choose.* (N) *choice.* (Adj) *choosy; critical; hair-splitting.* **Fml.**

— suen² — 選   (V) *select; choose.* (N) *choice.*

gaan² 鹼(鹻，碱)   811   (Adj) *alkaline.* **SF** ‡

— sing³ (ge³) — 性 (嘅)   (Adj) *alkaline.* **FE**

— sui² — 水   (N) *lye.* (*Cl.* jung² 種)

gaan² 簡   812   (Adj) *simple.* **SF** ‡

— daan¹ — 單   (Adj) *simple.* **FE**

— — fa³ — — 化   (V) *simply.* (N) *simplification.* (*No Cl.*)

— jik⁶ — 直   (Adv) *simply.*

— tai² ji⁶ — 體字   (SE) *simplified characters.* (*ROT Chinese writing*)

gaang¹ 耕(畊)   813   (V) *plough; use a plough; till.* **SF**

— tin⁴ — 田   (V) *do farming; plough a field.*

— — lo² — — 佬   (N) *peasant; farmer* (*used mainly in Hong Kong*). **Coll.**

gaang¹° 更   814

(N) *shift; shift duty; night-watch.*   *(No Cl.)*   **AP:** (1) gang¹ see 853; (2) gang³ see 854.

— foo¹   — 夫   (N) *a watchman.*   **Fml.**

— lin⁶   — 練   (N) *ditto.*

— gwoo²   — 鼓   (N) *a watchman's drum.*

— lau⁴   — 樓   (N) *a watch-tower.*   (*Cl.* joh⁶ 座 *or* goh³ 個)

gaap³ 夾   815

(V) *pool money; pool capital.*   **Coll.**   **SF** ‡   (Conj) *and.*   *(Gen. placed between two Adj.'s or V.'s)*

— chin⁴*   — 錢   (V) *pool money; pool capital.*   **Coll.**   **FE**

— daai³   — 帶   (V) *cheat at an examination; smuggle notes into the examination room.*   **Coll.**

— fan⁶*   — 份   (SE) *Dutch treat; go Dutch.*

— gung¹   — 攻   (V) *attack from both sides.*

5   — maan⁶   — 萬   (N) *a safe.*   **Coll.**

gaap⁶ 甲   816

(N) *scale; finger-nail; armour.*   **SF** ‡   (N) *the first of the ten Chinese "Heavenly Stems", commonly used to denote the first in a series, like "A" in English.*

— chung⁴   — 蟲   (N) *reptile.*   (*Cl.* tiu⁴ 條)

— sun⁴   — 醇   (N) *methyl alcohol.*   *(No Cl.)*

— yue⁴   — 魚   (N) *tortoise; turtle.*   **Mdn.**   (*Cl.* jek³ 只)

G—, Yuet³, Bing², Ding¹, Mo⁶ . . . 一, 乙, 丙, 丁, 戊 . . .   (N) *the first five of the ten Chinese "Heavenly Stems"* ("Tin¹ Gon¹" 天干), *commonly used to designate items in a series, like A, B, C, D, E . . . in English.*

gaat⁶ 甲   817   CC

(N) *cockroach.*   **Coll.**   **SF** ‡

— jaat⁶*   — 甴   (N) *ockroach.*   **CC**   **Coll.**   **FE**   (*Cl.* jek³ 只)

gaau¹ 交   818

(V) *hand to; deliver; pay; adjoin; connect.*   **SF** ‡

— ching⁴   — 情   (N) *friendship; relationship.*

— doi⁶   — 代   (V) *transfer (RT duties, posts, etc.); give an account of what has been done.*

— foh³ — 貨   (V) *deliver goods.*

— gaai³ — 界   (V) *border upon; be bordered by.*   *(Lit. connect line)*

5   — gwaan¹ — 關   (Adj) *terrific; fierce; terrible.* **Coll.**

— hok⁶ fai³ — 學費   (V) *pay school fees.*

— jai³ (ying³ chau⁴) — 際 (應酬)   (V) *get to know sb on one's own initiative; be sociable.*   (N) *social life; social activities.*   (*Cl.* jung² 種)

— jin³ — 戰   (V) *join battle; go into war.*

— — gwok³ — — 國   (N) *belligerent nation.*

10   — jo¹ — 租   (V) *pay the rent.*

— seung⁶ kei⁴ — 上期   (SE) *pay in advance.*

— sip³ — 涉   (V) *negotiate.*   (N) *negotiation.*   (*Cl.* chi³ 次)

— sui³ — 稅   (V) *pay tax.*

— tung¹ — 通   (N) *traffic; communication; transportation.*   *(No Cl.)*

15   — — biu¹ ji³ — — 標誌   (N) *traffic sign.*

— — paai⁴* — — 牌   (N) *ditto.*   (*Cl.* faai³ 塊 *or* goh³ 個)

— — chaai¹ — — 差   (N) *traffic policeman.*   **Coll.**

— — ging² chaat³ — — 警察   (N) *ditto.*   **Fml.**

— — dang¹° — — 燈   (N) *traffic light.*   (*Cl.* jaan² 盞)

20   — — gung¹ gui⁶ — — 工具   (N) *conveyance; means of transportation.*   *(Lit. transportation tools)*   (*Cl.* jung² 種)

— — haak¹° dim² — — 黑點   (N) *"black spot" for traffic accidents.*

— — sat¹° si⁶ haak¹° dim² — — 失事黑點   (N) *ditto.*

— — kwai¹ jak¹° — — 規則   (N) *Highway Code; rules of the road.*   *(Lit. traffic regulations)*   (*Clause:* tiu⁴ 條)

— — — lai⁶ — — — 例   (N) *ditto.*

25   — — sat¹° si⁶ — — 失事   (N) *traffic accident.*   (*Cl.* chi³ 次 *or* jung¹ 種)

— — yi³ ngoi⁶ — — 意外   (N) *ditto.*

— woon⁶ — 換   (V) *exchange.*   (N) *exchange.*   (*Cl.* chi³ 次 *or* jung² 種)

— — foo¹ lo⁵ — — 俘虜   (SE) *exchange of prisoners of war.*

— — yi³ gin³ — — 意見   (SE) *exchange of views.*

30   — yi² — 椅   (N) *armchair.*   (*Cl.* jeung¹ 張)

— yik⁶ — 易   (N) *business transaction; exchange.*   (*Cl.* chi³ 次)

gaau¹ 郊   819   (N) *suburbs.*   **SF**   ‡

— kui¹   —   區   (N) *suburbs.*   **FE**   (*Cl.* sue³ 處 *or* do⁶ 度)

— ngoi⁶   —   外   (N) *ditto.*

gaau¹° 膠   820   (N) *rubber; plastic; pectin.*   **SF**   ‡

— bo³   —   布   (N) *adhesive tape; adhesive plaster.*   (*Cl.* faai³ 塊)

— chaat³*   —   擦   (N) *eraser.*   (*Cl.* gau⁶ 嚿 *or* faai³ 塊)

— haai⁴   —   鞋   (N) *rubber shoe.*   (*Cl.* jek³ 隻; *pair:* dui³ 對)

— hap⁶*   —   盒   (N) *plastic box.*

5   — jat¹°   —   質   (N) *pectin.*   (*Cl.* jung² 種)

— ji²   —   紙   (N) *Scotch tape; cellophane.*   (*Roll:* guen² 捲 *or* beng² 餅)

— sui²   —   水   (N) *glue.*   (*Bottle:* jun¹ 樽)

— toh¹°   —   拖   (N) *rubber sandal; rubber slipper.*   (*Cl.* jek³ 隻; *Pair:* dui³ 對)

gaau² 攬(搞)   821   (V) *arrange; manage; stir up; disturb.*   **SF**   ‡

— choh³   —   錯   (V) *muddle; make a mistake; make a mess of.*

— dim⁶   —   掂   (SE) *everything is O.K.; it works.*   **Sl.**   (V) *handle (sb or sth) properly; manage (to do sth).*   **Coll.**   **FE**

— do³ sei² foh²   —   到死火   (SE) *involve in serious trouble; cause engine trouble; cause (car) stall (of a car).*   **Lit.** *and* **Fig.**

— fung¹ gaau² yue⁵   —   風搞雨   (SE) *make trouble; attempt to disturb the peace; mess about.*   (*Lit. stir wing; stir rain*)

5   — gaau² jan³   —   搞震   (SE) *ditto.*   **Coll.**

— gwai²   —   鬼   (V) *make trouble; disturb; mess about.*

— jue⁶   —   住   (V) *disturb; keep disturbing (by persistently annoying sb).*

— mat¹° gwai² (ye⁵)   —   乜鬼(嘢)   (SE) *"what on earth is sb doing?"*   **Coll.**

— wan⁴   —   勻   (V) *mix well; mix evenly.*

10   — yiu⁵   —   擾   (V) *disturb (sb); give trouble (to sb); put to inconvenience.*   **PL**

gaau² 姣   822

(Adj) *pretty; handsome.* **Fml.**   **SF**   ‡   **AP haau⁴ see 1111.**

— ho² — 好   (Adj) *pretty; handsome.*   **Fml.**   **FE**

gaau² 狡   823

(Adj) *cunning.*   **SF**   ‡

— ja³ — 詐   (Adj) *cunning.*   **FE**

— waat⁶ — 猾   (Adj) *ditto.*

gaau³ 教（敎）   824

(V) *teach (a subject or person).*   (N) *religions in general.*

— do⁶ — 導   (V) *give advice.*

— faat³ — 法   (N) *teaching method.*   (*Cl.* goh³ 個 *or* jung² 種)

— sau⁶ faat³ — 授法   (N) *ditto.*

— fan³ — 訓   (V) *teach (morally); give a (moral) lesson.*   (N) *moral lesson; sermon.*

5   — paai³ — 派   (N) *a religious sect.*

— sau⁶ — 授   (V) *teach.*   **Fml.**   **FE**   (N) *professor.*   (*Cl.* goh³ 個)

— si¹° — 師   (N) *schoolmaster.*   **PL**

— yuen⁴ — 員   (N) *ditto.*   **Coll.**

— — yau¹ sik¹° sat¹° — — — 休息室   (N) *teachers' common room.* (*Cl.* goh³ 個 *or* gaan¹ 間)

10   — si⁶ — 士   (N) *missionary; preacher; Evangelist.*

— sue¹ — 書   (N) *teach.*   **FE**

— tong⁴ — 堂   (N) *church; chapel.*   (*Cl.* goh³ 個 *or* gaan¹ 間)

— wooi⁶* — 會   (N) *church; Christian church; christian mission.*   (*Lit. religious organization*)   (Adj) *missionary; church.*

— — hok⁶ haau⁶ — — 學校   (N) *missionary school; church school.* (*Cl.* gaan¹ 間)

15   — yau⁵ — 友   (N) *church member.*

— yeung⁵ — 養   (V) *bring up.*   (*RT children*)   (N) *upbringing.*   (*RT children*)   (*Cl.* jung² 種)

— yuk⁶ — 育   (V) *educate; teach; train.*   (*Lit. teach rear*)   (N) *education.*   (*Cl.* jung² 種)

— — jai³ do⁶ — — 制度   (N) *educational system.*   (*Cl.* goh³ 個 *or* jung² 種)

gaau³ 校 825   (V) *correct proofs; adjust.* **SF** ‡ **AP haau⁶ see 1113.**

— dui³ — 對   (V) *read proofs; correct proofs.* **FE**   (N) *proof-reading* (*Cl.* chi³ 次); *proof-reader* (*Cl.* goh³ 個).

— jing³ — 正   (V) *adjust.* *(RT instruments, mechanical devices etc.)* **FE**

— jun² — 準   (V) *ditto.*

gaau³ 較 826   (V) *install.* *(RT telephones, TV sets, electric or gas appliances, etc.)* (V) *compare.* **SF** ‡ (N) *hinge.*

— cheung⁴* — 塲   (N) *a parade ground; a field for reviews.*

— jin² — 剪   (N) *scissors.* *(Pair:* ba² 把)

gaau³ 覺 827   (V) *sleep.* **SF** ‡ (N) *sleep.* **SF** ‡ **AP goh³ see 950.**

gai¹° 雞(鷄) 828   (N) *chicken.* *(Cl.* jek³ 隻)

— daan⁶ go¹° — 蛋糕   (N) *sponge cake.*

— daan⁶* — 蛋   (N) *egg; hen's egg.* *(Cl.* jek³ 只 *or* goh³ 個)

— lau⁵ — 柳   (N) *shredded chicken.* *(No Cl.)*

— si¹° — 絲   (N) *ditto.*

5 — maang⁴ — 盲   (N) *night-blindness.* *(No Cl.)*

— mei⁵ jau² — 尾酒   (N) *cocktail (as a drink).* *(Cup:* booi¹ 杯)

— — — wooi⁶* — — — 會   (N) *cocktail party.*

— ngaan⁵ — 眼   (N) *corn (on one's foot).*

gai³ 計 829   (V) *calculate.* **SF** ‡ (N) *wit; idea; trick.* **SF** ‡ (N) *plan.* **SF** ‡

— jai² — 仔   (N) *wit; idea; trick.* **Coll.** **FE** *(Cl.* tiu⁴ 條 *or* goh³ 個)

— mau⁴ — 謀   (N) *ditto.* **Fml.**

— so³ — 數   (V) *calculate.* **FE**

— so³ gei¹ — 數機   (N) *calculating machine.* *(Cl.* ga³ 架)

5 — suen³ — 算   (V) *calculate.* **FE**

— — chek³ — — 尺   (N) *a slide rule.* *(Cl.* ba² 把)

— — gei¹ — — 機   (N) *calculating machine.* *(Cl.* ga³ 架)

— waak⁶ — 劃   (V) *plan.* **FE** (N) *plan; programme.* **FE**

gai³ 繼   830   (V) *continue; succeed.*   **SF**   ‡

— juk⁶ — 續   (V) *continue; go on; keep on.*   **FE**   (Adj) *continuous.*

— — lok⁶ hui³ — — 落去   (V) *ditto.*   (Adj) *ditto.*

— yam⁶ — 任   (V) *succeed sb (in a position or office).*   **FE**

— — yan⁴ — — 人   (N) *successor (of an office).*

gai³ 髻（髻）   831   (N) *dressed hair.*   *(RT Chinese woman)*   *(Cl.* jek³ 只)

gam¹° 金   832   (N) *gold.*   *(No Cl.)*

— bai⁶ — 幣   (N) *gold coin.*

— chin⁴ — 錢   (N) *money.*   **Fml.**   *(No Cl.)*

— faan⁶ woon² — 飯碗   (N) *well-paid job.*   *(Lit. gold rice bowl)*   **Fig.**   **Sat.**   *(Cl.* jek³ 隻)

— ji⁶ — 字   (N) *gold letter; gold characters.*

⁵ — — jiu¹ paai⁴ — — 招牌   (N) *good reputation; gilded sign.*   (Adj) *trustworthy; well-established.*   **Fig.**

G— J— Taap³ — — 塔   (N) *Pyramid.*   *(Lit. pagoda in the shape of the Chinese character for "gold")*

"— — — gaau³ yuk⁶ jai² do⁶" "— — — 教育制度"   (SE) *"Pyramid" system of education; schools profiteer by weeding out duller students.*   **Fig.**   **Sat.**

g— kwong³ — 礦   (N) *gold mine.*

— po³ — 鋪   (N) *jewellery shop; gold shop.*   *(Cl.* gaan¹ 間)

¹⁰ "G— Saam¹ Gok³" — 三角   (N) *The "Golden Triangle" (the drug tracfficing area of Southeast Asia).*

— Saan¹° Baak³ — 山伯   (N) *American Chinese.*   **Sl.**   *(Cl.* goh³ 個)

— — Ding¹° — — 丁   (N) *ditto.*

g— sik¹° — 色   (N) *gold colour.*   *(Cl.* jung² 種)

G— Soh² Si⁴ — 鎖匙   (SE) *a Golden Key (given by U.S. universities to a student for outstanding academic achievements).*   *(Cl.* tiu⁴ 條)

¹⁵ g— suk⁶ — 屬   (N) *metals in general.*   *(Cl.* jung² 種)

— tiu⁴* — 條   (N) *gold bar.*   *(Cl.* tiu⁴ 條)

— yue⁴ gong¹ — 魚缸   (N) *gold-fish bowl.*   (N) *stock exchange.*   **Fig.**   **Sat.**

— yue⁴* — 魚   (N) *gold-fish.*   *(Cl.* tiu⁴ 條)

— yung⁴ — 融   (N) *finance; the money market.*   *(No Cl.)*

20 — — gaai³ — — — 界   (N) *the financial circles; the financial world.*

gam¹ 今   833   (Adj) *this; now.*   **SF** ‡

— chi³ — 次   (Adv) & (N) *this time.*

— goh³ lai⁵ baai³ — 個禮拜   (Adv) & (N) *this week.*

— — yuet⁶ — — 月   (Adv) & (N) *this month.*

— hau⁶ — 後   (Adv) *from now on.*

5 — jiu¹ (jo²) — 朝 (早)   (Adv) & (N) *this morning.*

— yat⁶ jiu¹ (jo²) — 日朝 (早)   (Adv) & (N) *ditto.*

— maan⁵ (hak¹°) — 晚 (黑)   (Adv) & (N) *this evening.*   *(Lly. to-day evening)*

— nin⁴* — 年   (Adv) & (N) *this year.*

— si⁴ gam¹ yat⁶ — 時今日   (SE) *at this time.*

10 — yat — 日   (Adv) & (N) *to-day.*

— — lai⁶ tong¹ — — 例湯   (SE) *to-day's special soup.* (*Course:* goh³ 個 ; *bowl:* woon² 碗.)

gam¹ 甘   834   (Adj) *sweet.*   **Fml. SF** ‡

— cho² — 草   (N) *liquorice root.*   *(Cl.* poh¹ 舖)

— heung¹ — 香   (Adj) *sweet; sweet and fregrant.*   **FE**

— tim⁴ — 甜   (Adj) *ditto.*

— sam¹ (ching⁴ yuen⁶) — 心 (情願)   (Adj) *willing.*   **FE.**

5 — yuen⁶ — 願   (Adj) *ditto.*

G— Suk¹° (Saang²) — 肅 (省)   (N) *Kansu; Kansu Province.*   **Tr.**

g— sun² — 筍   (N) *carrot.*

— yau⁴ — 油   (N) *glycerine.*   *(No Cl.)*

gam¹° 柑   835   (N) *citrus; tangerine; loosed-skinned orange.*

— gwat¹° — 橘   (N) *citrus; tangerine.*   **FE**

gam² 感 836   (V) *feel; affect.* **SF** ‡

— ching⁴   情   (N) *emotion; sentiment; affection.*

— — chung¹ dung⁶ — — 衝動   (SE) *emotional impulse.*

— — jok³ yung⁶ — — 作用   (SE) *emotional elements; emotional elements; sentimental considerations.* (Cl. jung² 種)

— dung⁶ — 動   (V) *touch the emotions; more inwardly; affect emotionally.* (Adj) *touched; moved.*

5   — fa³ — 化   (V) *influence; convert.*

— — yuen⁶* — — 院   (N) *a reformatory.* (Cl. goh³ 個 or gaan¹ 間)

— gik¹° . . . — 激 . . .   (V) *be grateful to sb; be obliged to sb; thank.* **Fml.** (N) *thank.* **Fml.** (Cl. jung² 種) (Adv) *gratefully.* (Adj) *grateful.*

— je⁶ — 謝   (V) *ditto.* (N) *ditto.* (Adv) *ditto.* (Adj) *ditto.*

— gok³ — 覺   (V) *fell; sense* **(Fml.).**

10   — mo⁶ — 冒   (V) *have a cold; suffer from flu.* (N) *influenza; flu.* (Cl. chi³ 次 or jung² 種)

— seung² — 想   (N) *thoughts; reflections.* (Cl. goh³ 個 or jung² 種)

— taan³ chi⁴ — 歎詞   (N) *interjection.* **Gr.**

— yan¹ — 恩   (V) *be grateful for kindness.* **Fml.**

G— Y— Jit³ — — 節   (N) *Thanksgiving Day.*

gam² 敢 837   (V) *dare; venture.*

— jok³ gam² wai⁴ — 作敢爲   (SE) *fear nothing; do sth with courage and determination.*

— sei² dui⁶* — 死隊   (N) *a suicide squad; a do-or-die corps.* (Cl. goh³ 個 or dui⁶ 對)

gam² 錦 838   (N) *brocade.* **SF** ‡

— biu¹° — 標   (N) *trophy awarded to winners.* (Cl. goh³ 個 or faai 塊)

— sau³ — 繡   (N) *brocade; rich brocade.* **FE** *(No Cl.)* (Adj) *colourful; elegant.*

G— Tin⁴ — 田   (N) *Kam Tin.* **Tr.**

— — Chuen¹° — — 村   (N) *Kam Tin Village* **(Tr.)**; *the "Walled Village".* (Cl. tiu⁴ 條)

gam²嗽   **839**   CC

(Itj) *well; very well.* (Adv) *in this way; in that case; like this; thus; so; well; then.* **SF**

— a⁴?   — 呀?   (SE) *is that so?*

— yeung⁶* a⁴?   — 樣呀?   (SE) *ditto.*

— jau⁶ jui³ ho² (bat¹° gwoh³) la¹°   — 就最好（不過）啦   (SE) *nothing could be better than that; that's the best; that's excellent.*   *(GRT an action or idea)*

— ji³ hai⁶ ga³   — 至係㗎   (SE) *that's it; that's the way to do it.*

5   — — ngaam¹° ga³   — — 啱㗎   (SE) *ditto.*

— wa⁶ woh⁵   — 話喎   (SE) *so sb said; that's what sb told me.*

— yeung⁶*   — 樣   (Adv) *in this manner; in this way.* **FE**

— — lok⁶ hui³   — — 落去   (SE) *go on like this; go on like that.*

— — yat¹° lai⁴   — — 一嚟   (SE) *because of this; thus.*

gam³咁   **840**   CC

(Adv) *so (used only to modify adjectives or adverbs— never verbs).*

— gwai²   — 鬼   (Adv) *so; so "damned"; so dreadfully; so terribly; so awfully.*   *(Generally used to emphasize an adjective in a question)*

— seung⁶ ha⁶*   — 上下   (Adv) *approximately; about.*

gam³禁   **841**

(V) *prohibit; forbid.* **SF** ‡ **AP gam¹ see 842.**

— do²   — 賭   (V) *prohibit gambling.*

— gei⁶   — 忌   (N) *taboo.* (*Cl.* jung² 種)

— ji²   — 止   (V) *prohibit; forbid.* **FE**

— — kap¹° yin¹°   — — 吸烟   (SE) *"No Smoking"; "Smoking Prohibited".* **Fml.**

5   — — sik⁶ yin¹°   — — 食烟   (*SE*) *ditto.* **Coll.**

— lai⁶   — 例   (N) *prohibition.* (*Cl.* tiu⁴ 條)

— ling⁶   — 令   (N) *ditto.*

— wan⁶   — 運   (V) *embargo.*   *(Lit. forbid transportation)*

gam¹禁   **842**

(V) *bear; endure.* **Fml. SF** ‡ **AP gam³ see 841.**

gam⁶ 撳 843   (V) *press down firmly.* **SF** ‡

— hon¹° — 唔   (V) *press the horn (of a car).*

— jue⁶ — 住   (V) *press down firmly.*

— — lai⁴ cheung² — — 嚟搶   (SE) *daylight robbery.* *(Lit. press down sb to rob)*

gan¹° 巾 844   (N) *kerchief; towel; napkin.* **SF** ‡ *(Cl. tiu⁴ 條)*

gan¹ 斤(觔) 845   (N) *catty.* *(RT Chinese weight, equivalent to 1⅓ pounds)* *(No Cl.)*

— leung² — 両   (N) *weight.* **FE** *(Cl. jung² 種)*

gan¹ 根 846   (N) *root.* *(Cl. goh³ 個 or gau⁶ 礎)*

— boon² — 本(Adj) *fundamental; basic.* (N) *foundation; basis.* *(Lit. root origin)*

— dai² — 底   (N) *foundation; fundamentals.* *(Cl. goh³ 個)*

— gui³ — 據   (V) *base on.* (N) *basis; evidence; authority.* (Prep) *based on; according to.*

— — dei⁶ — — 地   (N) *base for operations in general; military base.*

gan¹ 跟 847   (V) *follow.*

— hung⁴ ding² baak⁶ — 紅頂白   (SE) *be a snob.* *(Lit. follow red withholding white)*

— jue⁶ — 住   (V) *follow at sb's heels; keep following.*

— jung¹ — 踪   (V) *ditto.*

— jue⁶ jau⁶ — 住就   (Adv) *immediately afterwards; and then.*

⁵ — sau² jau⁶ — 手就   (Adv) *ditto.*

— mei⁵ — 尾   (V) *follow behind; come to heel.* *(Lit. follow tail)*

gan¹ 筋 848   (N) *sinew (Cl. tiu⁴ 條); muscle (No Cl.).*

— yuk⁶ — 肉   (N) *muscle.* **FE** *(No Cl.)*

gan²僅 849 (Adv) *only; barely.* **SF ‡**

— gan² (sin³) — (綫) (Adv) *only just; barely.* **FE**

— — suk⁶ — — 熟 (SE) *cooked just enough (RT food); not well-done (RT work).*

— hoh² (gau³) — 可(夠) (SE) *barely enough; nothing to spare.*

gan²緊 850 (Asp) *placed always after verbs to denote continuing action or the continuous tense.* (Adj) *tight; tense.*

— gap¹° — 急 (Adj) *urgent.* **FE**

— jeung¹ — 張 (Adj) *excited; tense; nervous; disturbed.*

— yiu³ — 要 (Adj) *important; serious.*

— — gwoh³ cheung² — — 過搶 (SE) *worse than robbery. (Lit. more serious than robbery)* **Coll.**

gan⁶近 851 (Adj) *near; recent.* **Fml. SF ‡** (Prep) *near; near to.* **Fml. SF ‡ AP kan⁵ SM see 1659.**

— jue⁶ — 住 (Prep) *near; near to.* **FE**

— loi⁴ — 來 (Adv) *recently.*

— si⁶ — 視 (Adj) *near-sighted; short-sighted.*

— — ngaan⁵ geng³* — — 眼鏡 (N) *near-sighted glasses.* (*Cl.* dui³ 對 *or* foo³ 副)

gang¹°羹 852 (N) *spoon.* (*Cl.* jek³ 隻 *or* goh³ 個) (N) *soup.* **Fml. SF ‡** *(No Cl.)*

— tong¹ — 湯 (N) *soup.* **Fml. FE** *(No Cl.)*

gang¹更 853 (V) *alter; change.* **Fml. SF ‡ AP: (1) gaang¹ see 814; (2) gang³ see 854.**

— goi² — 改 (V) *alter; change.* **Fml. FE**

— jing³ — 正 (V) *correct; amend.* **Fml. FE** (N) *correction; amendment.* **Fml. FE** (*Cl.* chi³ 次 *or* goh³ 個)

— woon⁶ — 換 (V) *replace; substitute.* **Fml. FE**

— yi¹ — 衣 (V) *change clothes.* **Fml. FE**

5 — — sat¹° — — 室 (N) *changing room.* (*Cl.* gaan¹ 間 *or* goh³ 個)

gang³ 更 854 (Adv) *more still; still more.* *(Gen. followed by an Adj)*
SF ‡ AP: (1) **gaang¹** see **814**; (2) **gang¹** see **853**.

— ga¹ — 加 (Adv) *more.* *(Gen. followed by an Adj)* **FE**

— gim¹ — 兼 (Adv) *in addition; besides.* **FE**

— jung⁶ — 重 (Adv) *still; still more.* **FE**

gang² 梗 855 (Adj) *stubborn; honest; upright.* (Adj) *fixed; not moveable.* *(RT rooms)* **Coll.** (Adv) *certainly; of course.* **Coll. SF ‡**

— fong⁴* — 房 (N) *room built or partitioned with brick or concrete walls.* **Coll.** (*Cl.* gaan¹ 間 *or* goh³ 個)

— hai⁶ — 係 (Adv) *of course; certainly.* **Coll. FE**

— — la¹! — — 啦! (SE) *of course!*

— jik⁶ — 直 (Adj) *stubborn; honest; upright.* **FE**

gap¹° 急 856 (Adj) *urgent; hurried; anxious; swift.* (Adv) *urgently; hurriedly; anxiously; swiftly.*

— bo⁶ — 步 (Adv) *with hasty steps; hurriedly.* *(ROT walking)*

— gap¹° geuk³ — 急脚 (Adv) *ditto.*

— — mong⁴ mong⁴ — — 忙忙 (Adv) *in a great hurry.*

— ji³ — 智 (N) *ready wit.* (*Cl.* jung² 種) (Adj) *nimble-minded; quick-witted.*

⁵ — jing³ — 症 (N) *sudden acute illness; casualty case.*

— — sat¹° — — 室 (N) *casualty ward.* (*Cl.* gaan¹ 間 *or* goh³ 個)

— jun³ — 進 (Adj) *radical.* *(RT politics)*

— — dong² — — 黨 (N) *radical party.*

— mong⁴ — 忙 (Adj) *hurried; hasty.*

gap³(*) 鴿 857 (N) *dove; pigeon.* **SF** (*Cl.* jek³ 只)

gat¹° 吉 858 (Adj) *lucky; happy; auspicious.* **Fml. SF ‡** (Adj) *empty.* *(Used to avoid otherwise unpleasant expressions)*

— cheung⁴ — 祥 (N) *good luck.*

G— Hing³ Wai⁴ — 慶圍 (N) *Kam Tin Village.* *(A name mostly used by the villagers themselves)* (*Cl.* goh³ 個 *or* tiu⁴ 條)

— Lam⁴ (Saang²) — 林(省) 　(N) *Kirin; Kirin Province.* **(Tr.)**

g— lei⁶ — 利 　(Adj) *lucky; auspicious.* **FE**

5　G— Lung⁴ Boh¹° — 隆坡 　(N) *Kuala Lumpur.*

g— po² che¹° — 普車 　(N) *jeep.* **Mdn. Tr.** (*Cl.* ga³ 架)

— sau² — 手 　(N) *empty hand.* (*Lit. lucky hand—used to avoid saying* "hung¹ sau²" *which can also mean* "a murderer") **Coll.** (*Cl.* jek³ 只 ; *Pair:* dui³ 對 .)

— sing¹° — 星 　(N) *a lucky star.* (*Cl.* nap¹° 粒)

— — gung² jiu³ — — 拱照 　(SE) *May a lucky star shine upon you!*

10　— uk¹° — 屋 　(N) *empty house; house to rent.* (*Lit. lucky house— used to avoid saying* "hung¹ uk¹°" *which can also mean* "a haunted house") **Coll.** (*Cl.* gaan¹ 間)

— yat⁶ — 日 　(N) *a lucky day; an auspicious day.*

gat¹° 桔　859 　(N) *small mandarin orange.* **SF**

— jai² — 仔 　(N) *small mandarin orange.* **Coll. FE**

gat¹° 刮　860 　(V) *stab; pierce.* (*RT weapons such as knives, swords, awls, etc.*)

— chuen¹ — 穿 　(V) *stab through; pierce through.* **FE**

gau¹ 溝　861 　(N) *a ditch; a drain.* **Fml. AP kau¹ SM see 1667.**

gau¹ 勾　862 　(V) *entice.* **SF　‡　AP ngau¹ SM see 2343.**

gau¹° 鈎(鉤)　863 　(V) *hook; get hooked.* **Fml. SF　‡** (N) *a hook.* **Fml. AP ngau¹ SM see 2344.**

gau² 九(玖)　864 　(Adj) & (N) *nine.*

G— Lung⁴ — 龍 　(N) *Kowloon.* (*Lly: nine dragons*)

— — Sing⁴ — — 城 　(N) *Kowloon City.*

— — — Jaai⁶ — — — 砦 　(N) *the Walled City.*

5   — — Tong⁴ — — 塘   (N) *Kowloon Tong.*

— — Yi¹ Yuen⁶* — — 醫院   (N) *Kowloon Hospital.*   (*Cl.* gaan¹ 間)

g— ngau⁴ yat¹° mo⁴ — 牛一毛   (SE) *a drop in the ocean.*   (*Lit. one hair nine oxen)*

— sei² yat¹° sang¹ — 死一生   (SE) *a narrow escape; imminent danger to one's life.*   (*Lit. 90% die, 10% live)*

G— Yuet⁶ — 月   (N) *September.*

gau² 久 865   (Adv) *for a long time.*

— bat¹° gau² — 不久   (Adv) *now and then on occasions; occasionally.*

— m⁴ gau² — 唔久   (Adv) *ditto.*

— beng⁶ nang⁴ yi¹ — 病能醫   (SE) *experience can make one an expert.* (*Lit. long illness makes one a doctor)*

gau² 狗 866   (N) *dog.*   (*Cl.* jek³ 隻)

— jai² — 仔   (N) *puppy; small dog.*   (*Cl.* jek³ 隻)

— jin² — 展   (N) *a dog show; a dog exhibition.*   (*Cl.* chi³ 次)

— sat¹° — 虱   (N) *flea.* **Coll.**   (*Cl.* jek³ 只)

G— Wong⁴ — 王   (N) *Hawkers Squad; Hawker Control Unit.*   (*Lit. dog king)* **Coll. Ctmp.**

gau² 韭(菲) 867   (N) *leek; scallion.*   **SF** ‡

— choi³ — 菜   (N) *leek.*   **FE**   (*Cl.* poh¹ 喬 or tiu⁴ 條)

— wong⁴ — 黃   (N) *scallion.*   (*Cl.* poh¹ 喬 or tiu⁴ 條)

gau² 糾 868   (V) *gather together; correct errors.*   **Fml. SF** ‡

— chaat³ — 察   (V) *picket; be a picketer.*   (N) *picketer.*

— chin⁴ — 纏   (V) *be involved; be tangled; be interwoven.*   **Fml.**

— fan¹ — 紛   (N) *disorder; confusion; dispute.*   **Fml.**   (*Cl.* chi³ 次 or jung² 種)

— git³ — 結   (V) *gather together.*   **Fml. FE**

5   — hap⁶ — 合   (V) *ditto.*

— jing³ — 正   (V) *correct errors.*   **Fml. FE**

gau³ 救   869   (V) *rescue; save.*

— faan¹ — 返   (V) *rescue.*   **FE**

— foh² — 火   (V) *fight a fire.*   *(Lit. save from a fire)*

— che¹° — — 車   (N) *fire engine.*   *(Cl.* ga³ 架*)*

— — dui⁶* — — 隊   (N) *fire-brigade.*   *(Cl.* dui⁶ 隊 *or* goh³ 個*)*

5   — gap¹° — 急   (V) *help in extremity; relieve urgent need.*

— gwok³ — 國   (N) *save one's nation; help save one's country.*

— jai³ — 濟   (V) *relieve.*   *(RT so in distress)*   (N) *relief.*   *(RT sb in distress)*   *(Cl.* jung² 種*)*

— joh⁶ — 助   (V) *aid; rescue.*   (N) *aid; rescue.*   *(Cl.* chi³ 次 *or* jung² 種*)*

— joi¹ — 災   (V) *relieve disaster victims.*   *(RT floods, drought, famine, typhoons, etc.)*

10   G— Jue² — 主   (N) *the Saviour.*

"g— meng⁶ A⁶!"   "—命呀!"   (Itj) *"Help! help!"*   *(used in danger of life)*

G— Sai³ Gwan¹° — 世軍   (N) *the Salvation Army.*

g— sang¹° — 生   (V) *save life.*

— — daai³* — — 帶   (N) *life-belt.*   *(Cl.* tiu⁴ 條*)*

15   — — huen¹° — — 圈   (N) *life-buoy.*   **Fml.**

— — suen⁴ — 船   (N) *lifeboat.*   *(Cl.* jek³ 只*)*

— — yi¹° — — 衣   (N) *life-jacket.*   *(Cl.* gin⁶ 件*)*

— seung¹ che¹° — 傷車   (N) *ambulance.*   *(Cl.* ga³ 架*)*

— sing¹° — 星   (N) *a star of salvation; a saviour; a help in need.*

20   — yan⁴ — 人   (V) *rescue sb.*

gau³ 構   870   (V) *construct.*   *(RT sentences, stories, etc.)*   **SF** ‡
(N) *construction.*   *(RT sentences, stories, etc.)*   **SF** ‡
AP kau³ SM see 1668.

— jo⁶ — 造   (V) *construct.*   *(RT sentences, stories, etc.)*   **FE**   (N) *construction.*   *(RT sentences, stories, etc.)*   **FE**   *(Cl.* goh³ 個 *or* jung² 種*)*

gau³ 購   871   (V) *buy, purchase.*   **Fml. SF** ‡ **AP kau³ SM see 1669.**

— maai⁵ — 買   (V) *buy; purchase.*   **Fml. FE**   (N) *purchase.*   **Fml. FE**   *(Cl.* chi³ 次*)*

— — lik⁶ — — — 力   (N) *purchasing power.* (*Cl.* jung² 種)

— — sui³ — — — 稅   (N) *purchase tax.* (*Cl.* jung² 種)

— mat⁶ tin¹ tong⁴ — 物天堂   (SE) *shopper's paradise.*

gau³ 够（夠）   872   (Adv) *enough.*   (Adj) *enough, sufficient.*

— foh² lo⁶ — 火路   (Adj) *boiled for a long time, boiled perfectly; enough heat for cooking.* **Coll.**

— gwoh³ tau⁴ lak³ — 過頭嘞   (SE) *more than enough.* **Coll.**

— saai³ lak³ — 嗮嘞   (SE) *ditto.*

— ji¹ gaak³ — 資格   (Adj) *qualified; eligible.*

5   — tiu⁴ gin⁶* — 條件   (Adj) *ditto.*

— jung¹° — 鐘   (SE) *"The time is up."*

— lik⁶ — 力   (Adj) *strong (enough) (RT physical ability); powerful (enough) (RT cars, engines, etc.); powerful (enough) (RT medicines).*

— paai³° (tau⁴) — 派（頭）   (Adj) *fashionable (RT clothes); elegant (RT manners).*

— pei⁴* — 皮   (Adj) *enough for overheads.* **Coll.**

10   — wan⁶ (hei³) — 運（氣）   (Adj) *lucky; fortunate.*

— wok⁶ hei³ — 爤氣   (Adj) *done to a turn; cooked perfectly.* (*Lit. enough flovour from the cooking pan*) **Coll.**

gau³ 究   773   (V) *investigate; examine; do research work.* **Fml. SF** ‡   (Adv) *to the end; at last; after all.* **SF** ‡

— ging² — 竟   (Adv) *to the end; at last; after all.* **FE**

gau⁶ 舊   874   (Adj) *old (as opposed to "new").*

— beng⁶ — 病   (N) *an old complaint; an old ailment.* (*Cl.* goh³ 個 *or* jung² 種)

— — fuk⁶ faat³ — — 復發   (SE) *the recurrence of an old complaint.*

— chiu⁴ — 潮   (Adj) *old-fashioned; conservative.*

— foon² — 欵   (Adj) *ditto.*

5   — sik¹° — 式   (Adj) *ditto.*

— dei⁶ — 地   (SE) *a place where one has been before.* (*Lit. old place*) (*Cl.* sue³ 處 *or* goh³ 度)

— — chung⁴ yau⁴   — — 重遊   (SE) *revisit a place.*   *(Gen. for sentimental reasons)*

— gau⁶* dei⁶*   — 舊地   (Adj) *oldish (opp. to "new").*

— jung¹°   — 鐘   (N) *local time (as opp. to "summer" time).*

10   — kiu⁴*   — 橋   (N) *old story; old trick.* **Coll.** *(Cl.* tiu⁴ 條*)*

— lau⁴*   — 樓   (N) *old building. (RT the kind built before 1946)* *(Cl.* gaan¹ 間 , chang⁴ 層 *or* joh⁶ 座*)*

— nin⁴*   — 年   (Adv) *last year.* (N) *last year. (No Cl.)*

— sang¹°   — 生   (N) *student who has been studying in the school for some time; "old boy"; alumnus. (Lit. old student)*

— si⁴   — 時   (Adv) *in the past; once upon a time; formerly; previously.*

15   G— Yeuk³   -- 約   (N) *the Old Testament.* *(Cl.* boon² 本 *or* bo⁶ 部*)*

ge³ 嘅   **875**   (P) *used with pronouns or nouns as a sign of the possessive
ge³   **CC**   (e.g. "ngoh⁵ ge³" for "my" or "mine", "Heung¹ Gong² ge³" for "Hong Kong's"); used with clauses to form relative pronouns (e.g. "kui⁵ hei² ge³ uk¹° hai² goh² do⁶" for "The house which he built is over there", "Ngoh⁵ gin³ ge³ yan⁴ hai⁶ kui⁵" for "He is the man whom I saw"); used with certain verbs to form past participles (e.g. "maai⁵ ge³" for **"bought"**); used with certain other words to form final particles.*

— boh³   — 噃   (FP) *expresses idea of reminding or complaining.*

— ja³   — 咋   (FP) *expresses idea of imposing a limitation of some kind.*

— je¹°   — 啫   (FP) *ditto.*

— jek¹°   — 唧   (FP) *ditto.*

5   — la¹°   — 啦   (FP) *expresses idea of ascerting or assuring.*

— — ma³   — — 嗎   (FP) *expresses idea of emphasizing (some fact or truth.)*

— la³   — 喇   (FP) *expresses idea of what one anticipates or intends to do.*

— lak³   — 嘞   (FP) *ditto.*

— lok³   — 咯   (FP) *ditto.*

10   — loh³ boh³   — 囉噃   (FP) *expresses idea of referring back to sth in the past.*

— — gwa³   — — 啩   (FP) *expresses idea of reminding or assuring —used in questions only.*

— si⁴ hau⁶   — 時候   (Conj) *when; while. (ROT time)* (Prep) *during.*

gei¹ 基 876   (N) *foundation.* **SF** ‡

— boon² — 本   (N) *foundation; root; base.*

— (—) gam¹° — (—) 金   (N) *foundation fund; reserve fund; endowment fund.* (*Cl.* jung² 種)

— choh² — 礎   (N) *foundation; fundamentals; grounding.* (*Cl.* goh³ 個 *or* jung² 種)

G— Duk¹° — 督   (N) *Christ; Jesus Christ.* **Tr.**

5   — — Gaau³ — — 教   (N) *Christianity; Protestantism; Christian.*

— — To⁴ — — 徒   (N) *Christian.*

gei¹ 機(机) 877   (N) *machines in general; airplane.* **(SF)** (*Cl.* ga³ 架)

— cheung⁴ — 場   (N) *airport; aerodrome; airfield.*

— dung⁶ fan⁴ suen⁴ — 動帆船   (N) *motor-junk.* (*Cl.* jek³ 隻)

— faan⁴ — 帆   (N) *ditto.*

— ging² — 警   (Adj) *sharp; smart; alert.*

5   — haai⁶ — 械   (Adj) *mechanical.* **Lit. & Fig.** (N) *machinery; mechanism.*

— gwaan¹ — 關   (N) *organisation.* (*GRT sth directly or indirectly connected with the government*) (*Cl.* gaan¹ 間 *or* goh³ 個) (N) *mechanical device; secret device.* (*GRT trap doors, concealed rooms, etc.*) (*Cl.* jung² 種)

— hei³ — 器   (N) *machinery* (*Cl.* jung² 種); *machine* (*Cl.* foo³ 副).

— — jeung⁶ — — 匠   (N) *a mechanic.* **Mdn.**

— — lo² — — 佬   (N) *ditto.* **Coll.**

10   — wooi⁶ — 會   (N) *chance; opportunity.* (*Cl.* goh³ 個 *or* jung² 種)

— — jue² yi⁶ — — 主義   (N) *opportunism.* (*Cl.* goh³ 個 *or* jung² 種)

— — — je² — — — — 者   (N) *opportunist; time-server.*

gei¹ 譏 878   (V) *satirize; laugh at.* **SF**

— fung³ — 諷   (N) *satirize.* **FE**

— siu³ — 笑   (V) *laugh at.* **FE**

gei¹ 饑(飢) 879   (N) *hunger; famine.* **SF**

— gong¹ — 荒   (N) *famine.* (*Cl.* chi³ 次)

— hong⁴ — 寒   (SE) *hunger and cold.*

— — gaau¹ bik¹° — — 交逼   (SE) *suffer from hunger and cold.*

— hot³ — 渴   (SE) *hunger and thirst; long for; want.*

5   — man⁴ — 民   (N) *starving masses; famine victims.*

— ngoh⁶ — 餓   (N) *hunger.* **FE** (*Cl.* jung² 種) (Adj) *hungry; starving.*

gei¹° 几 880   (N) *a bench; a small table.* **SF** ‡ (*Cl.* jeung¹ 張)

gei¹ 幾 881   (Adv) *almost; nearly.* **SF** ‡ (Adj) *meagre; subtle.* **Fml.** **SF** ‡ **AP** gei² see **882.**

— foo⁴ — 乎   (Adv) *almost; nearly.* **FE**

— mei⁴ — 微   (Adj) *meagre, subtle.* (*GRT chances, means of livelihood, etc.*) **Fml.** **FE**

gei² 幾 882   (Adv) *quite; fairly; rather.* (Adv) *very.* (*Gen. used in a negative context*) (Adj) *several; odd.* (*RT a number*) (Adv) *how? to what extent?* (*when used to modify adjectives*) (Adv) *what? which?* (*RT ordinal rumbers*) **AP** gei¹ see **881.**

— bo⁶ geuk³ — 步脚   (SE) *a few paces; a few steps; a very short distance.* (*Lit. several steps of the foot*)

— dim² jung¹° — 點鐘   (Adv) *what time?* (N) *several hours.*

— — — do¹° — — — 都   (Adv) *whenever; anytime.*

— doh¹° — 多   (Adv) *how many? how much?*

5   — — chin⁴* — — 錢   (Adv) *how much?* (*ROT money*)

— — do¹° — — 都   (Pron) *any amount; any number.*

— — si⁴ gaan³? — — 時間   (Adv) *how long?* (*Lit. how much time?*)

— noi⁶* — 耐   (Adv) *ditto.*

— ho² — 好   (SE) *fairly well; quite good; not too bad.*

10 — sap⁶ sui³ yan⁴ — 十歲人   (SE) *middle-aged people; old people.* (*Cl.* goh³ 個)

— si⁴* — 時   (Adv) *when? at what time?*

— — do¹° — — 都   (Adv) *whenever; anytime.*

gei² 己   883   (N) *self.*   **SF** ‡

— soh² bat¹° yuk⁶, mat⁶ si¹ yue¹ yan⁴ — 所不欲，勿施於人   (Sy) *do not do to others what you do not wish to be done to yourself. (Lit. what oneself does not wish, do not do to other people.)*

gei² 紀   884   (V) *record; place on record; commemorate.* **SF** ‡ (N) *record. (RT attainments, acts of merit or demerit, etc.)* **AP gei³ see 885.**

— luk⁶ — 錄   (V) *record; place on record.* **FE** (N) *record. (RT attainments, acts of merit or demerit, etc.)* **FE**

— lut⁶ — 律   (N) *discipline; army discipline.* (*Cl.* jung² 種)

— nim⁶ — 念   (V) *commemorate; remember.* **FE** (N) *commemoration; remembrance.* (*Cl.* jung² 種 *or* chi³ 次)

— — ban² — — 品   (N) *souvenir.* (*Cl.* gin⁶ 件)

5 — — bei¹ — — 碑   (N) *monument; memorial stone.* (*Cl.* goh³ 個 *or* faai³ 塊)

— — tong⁴ — — 堂   (N) *memorial hall.* (*Cl.* goh³ 個 *or* gaan¹ 間)

— — yat⁶ — — 日   (N) *commemoration day; memorial day; anniversary.* (*Cl.* goh³ 個)

gei³ 紀   885   (N) *a century.* **Fml. SF** ‡ **AP gei² see 884.**

— yuen⁴ — 元   (N) *the beginning of a reign; the beginning of an era.*

G— Yuen⁴ Chin⁴ — — 前   (SE) *B.C.; "Before Christ".*

— — Hau⁶ — — 後   (SE) *A.D.; "Anno Domini".*

gei³ 寄   886   (V) *post; send by post.*

— chut¹° — 出   (V) *send out; issue.*

— fei¹ gei¹ sun³ — 飛機信   (V) *post an air letter.*

— foh³ — 貨   (V) *despatch goods.*

— maai⁶ — 賣   (V) *sell on consignment.*

5 — sang¹° — 生   (V) *be a parasite.* **Lit. & Fig.** (Adj) *parasitic.*

— — chung⁴ — — 蟲   (N) *parasite.* **Lit.** (*Cl.* tiu⁵ 條)   (N) *parasite.* **Fig.** (*Cl.* goh³ 個)

— — dung⁶ mat⁶ — — 動物   (N) *parasitic creature; parasite.* (*Cl.* jung² 種)

— — jik⁶ mat⁶ — — 植物   (N) *parasitic plant; parasite.* (*Cl.* jung² 種 *or* poh¹ 薖)

— suk¹° — 宿   (V) *have lodgings; be a boarding student.*

10 — — sang¹° — 生   (N) *boarding student.*

— sun³ — 信   (V) *send a letter; send mail.*

— yan⁴ lei⁴ ha⁶ — 人籬下   (SE) *sponge on sb.* (*Lit. shelter under sb's hedge*)

gei³ 既   887   (Conj) *since.* **SF** ‡

— wong⁵ bat¹° gau³ — 往不咎   (SE) *let bygones be bygones.* (*Lit. since it's gone, don't blame*)

— yin⁴ — 然   (Conj) *since; seeing that (in causal, not temporal sense).*

gei³ 記   888   (V) *register; jot down; keep a diary.*

— dak¹° — 得   (V) *remember.*

— hei² — 起   (V) *recollect; call to mind.*

— je² — 者   (N) *newsman; reporter; journalist.*

— — jing³ — — 証   (N) *press pass; newsmans credential.* (*Cl.* jeung¹ 張)

5 — — jiu¹ doi⁶ wooi⁶* — — 招待會   (N) *press conference.*

— jeung³ — 賬   (V) *keep accounts.* (N) *book-keeping (No Cl.);* *book-keeper* (*Cl.* goh³ 個).

— — yuen⁴ — — 員   (N) *book-keeper.*

— jue⁶ — 住   (V) *bear in mind.*

— sing³ — 性   (N) *memory.* (*No Cl.*)

10 — yat⁶ gei³ — 日記   (V) *keep a diary; write up a diary.*

gei⁶ 忌 889   (V) *avoid; shun.*

— sik⁶ — 食   (SE) *"not to be taken"; "external applications only".*
(GRT medical preparations; Lit. avoid eating.)

— san⁴ — 辰   (N) *anniversary of the death of a friend or relative.*   (*Lit.*
day to avoid)

— wai⁶ — 諱   (N) *superstitious avoidance of things.*

gei⁶ 妓 890   (N) *prostitute.* **SF** ‡

— jaai⁶* — 寨   (N) *brothel.*

— nui⁵ — 女   (N) *prostitute.* **FE**

gei⁶ 技 891   (N) *skill; expertise.* **SF** ‡

— haau² — 巧   (N) *expertise; ingenuity.* (*Cl.* jung² 種)

— nang⁴ — 能   (N) *technique; skill.* (*Cl.* jung² 種)

— sut⁶ — 術   (N) *ditto.*

— — yan⁴ yuen⁴ — — 人員   (N) *technicians in general.*

⁵ — si¹° — 師   (N) *ditto.* **PL**

geng¹ 驚 892   (Adj) *afraid; frightened.* **Coll.** **AP ging¹ SM see 915.**

— fong¹ — 慌   (Adj) *afraid; frightened.* **FE**

— jue⁶ — 住   (V) *be afraid of.* **Coll.**

— sei² — 死   (V) *be scared to death.* **Coll.**

geng² 頸 893   (N) *neck.* (*Cl.* tiu⁴ 條) (N) *temper; disposition.* **Fig.**
(No Cl.)

— hot³ — 渴   (Adj) *thirsty.*

geng³ 鏡 894   (N) *mirror.* (N) *lens.* **SF** ‡

— tau⁴ — 頭   (N) *scene (RT events); shot (RT phots); lens (RT*
cameras).

geuk³ 脚（腳） **895**   (N) *foot; leg.* (*Cl.* jek³ 只)   (N) *people at the same table playing mahjong; mahjong player; mahjong partner.* (*Lit. mahjong leg*) (*Cl.* jek³隻)

— baan² (dai²) — 板（底）   (N) *sole of foot.* (*Cl.* jek³ 隻)

— gwat¹° lik⁶ — 骨力   (N) *strength for walking; ability to walk.* (*Lit. leg bone strength*) (*No Cl.*)

— jaang¹° — 踭   (N) *heel.* (*Cl.* jek³ 隻 *or* goh³ 個)

— ji² — 趾   (N) *toe.* (*Cl.* jek³ 隻)

5   — — gaap³ — — 甲   (N) *toe nail.* (*Cl.* faai³ 塊)

geung¹ 疆 **896**   (N) *boundary; frontier.* **SF** ‡

— cheung⁴ — 場   (N) *battle-field.*

— gaai³ — 界   (N) *boundary; frontier.* **FE** (*Cl.* tiu⁴條)

geung¹ 殭 **897**   (Adj) *dead; stiff.* **SF** ‡

— si¹ — 屍   (N) *vampire; a corpse.*

geung¹ 韁（繮） **898**   (N) *a bridle; reins.* **SF** ‡

geung¹ 薑 **899**   (N) *ginger.* (*Cl.* gau⁶ 礎; *slice:* pin³ 片.)

— be¹° — 啤   (N) *ginger beer.* (*Bottle:* ji¹ 枝 *or* jun¹ 樽; *cup or glass:* booi¹ 杯.)

— chung¹° guk⁶ haai⁵ — 葱焗蟹   (N) *baked crab with ginger and onion.* (*Cl.* jek³ 隻; *course:* goh³ 個.)

geung¹ 僵 **900**   (Adj) *stiff (in death).* **SF**

— guk⁶ — 局   (N) *deadlock.*

— ngaan⁶ — 硬   (Adj) *stiff (in death).* **FE**

gik¹° 擊 **901**   (V) *strike; rout.* **SF** ‡

— baai⁶ — 敗   (V) *rout; beat.* (*RT enemies, rivals, etc.*)

— do² — 倒   (V) *strike to the ground.*

— gim³ — 劍   (N) *fencing.* (*Cl.* chi³ 次 *or* jung² 種)

gik¹° 激 902   (V) *irritate; provoke.*

— dung⁶ — 動   (Adj) *excited; inflamed; impulsive.*

— lit⁶ — 烈   (Adj) *exciting; violent; fierce; radical.*

— — hang⁴ dung⁶ — — 行動   (N) *violent action.*

— — paai³ — — 派   (N) *radical party; radical element.*

5   — — sau² duen⁶ — — 手段   (N) *violent method.* (*Cl.* jung² 種)

— — wan⁶ dung⁶ — — 運動   (N) *rough sports.* (*Cl.* jung² 種)

— nau¹ — 嬲   (V) *irritate; provoke.* **FE**

gik⁶ 極 903   (N) *extreme.* **SF** ‡   (Adj) *extreme.* **SF** ‡

— duen¹ — 端   (N) *the extremity; extreme.* **FE** (Adj) *extreme.* **FE**

— — jue² yi⁶ — — 主義   (N) *extremism.* (*Cl.* jung² 種)

— — — — je² — — — — 者   (N) *extremist.*

— ji¹ — 之   (Adv) *extremely; terribly.*

5   — kuen⁴ gwok³ ga¹ — 端國家   (N) *totalitarian country.*

— — jue² yi⁶ — — 主義   (N) *totalitarianism.* (*Cl.* jung² 種)

— lik⁶ — 力   (Adv) *with all one's might; with might and main; desperately.*

gim¹ 兼 904   (V) *act concurrently; work concurrently.* (Adv) *concurrently (RT work).* (Adj) *concurrent (RT jobs).*

— gaap³ — 夾   (Conj) *and.* (*Gen. placed between two adjectives or verbs*)

— jik¹° — 職   (V) *take on an extra job; two or more jobs concurrently.* (N) *additional part-time employment; side line.* (*Cl.* fan⁶ 份)

— jo⁶ — 做   (V) *do a part-time job; do part-time work.* (*Lit. concurrently work*)

gim² 檢 905   (V) *search; censor; test.* **SF** ‡

— cha⁴ — 查   (V) *search; censor.* (N) *search; censor.* (*Cl.* chi³ 次 or jung² 種)

— wok⁶ — 獲   (V) *seize.* (*RT drugs, contraband, etc.*)

— yim⁶ — 驗   (V) *examine; test.*   (N) *examination; test.*   (*Cl.* chi³ 次 or jung² 種)

— — si¹ tai² — — 屍體   (V) *conduct a postmortem; examine a corpse.*   (N) *postmortem; examination of a dead.*   (*Cl.* chi³ 次)

gim³ 劍   906   (N) *sword.*   (*Cl.* ba² 把)

— haap⁶ — 俠   (N) *knight-errant; knight; swordsman.*

— jai² — 仔   (N) *dagger.*   (*Cl.* ba² 把)

— laan⁴* — 蘭   (N) *gladiolus.*   (*Cl.* deuh² or doh² 朵)

— sut⁶ — 術   (N) *swordsmanship; sword-play.*   (*Cl.* jung² 種)

gim⁶ 儉   907   (Adj) *thrifty.*   **Fml.**   **SF**   ‡

— pok³ — 樸   (Adj) *thrifty.*   **Fml.**   **FE**

gin¹ 堅   908   (Adj) *firm; strong; resolute.*   **SF**   ‡

— chi⁴ — 持   (V) *insist on; maintain; uphold.*   (*Lit.* firmly hold; *RT* principles, virtues, etc.)

— — do³ dai² — — 到底   (SE) *hold on to the very end.*

— ding⁶ — 定   (Adj) *firm; strong; unyielding.*   (*RT* will, faith, beliefs, resolves, etc.)

— keung⁴ — 強   (Adj) *ditto.*

5 — gwoo³ — 固   (Adj) *strong; stable.*   (*RT* buildings, fortresses, safes, etc.)

— jing¹ — 貞   (Adj) *chaste; inflexible (RT virtues).*

— kuet³ — 決   (Adj) *resolute; determined.*

— ngaan⁶ — 硬   (N) *hard and solid.*   (*RT* nuts, wood, etc.)

— ngan⁶ — 靭   (Adj) *soft but tough.*   (*RT* rubber, leather, etc.)

10 — yan⁵ — 忍   (V) *endure firmly.*

gin¹ 肩   909   (N) *shoulder.*   **Mdn.**   **SF**   ‡

— bok³ — 膊   (N) *shoulder.*   **Mdn.**   **FE**

— jeung¹° — 章   (N) *epaulet.*

gin³ 見 **910**   (V) *see.*

— gaai² — 解   (N) *view; opinion; judgment.* *(Lit. see and explain)*
(Cl. jung² 種)

— gung¹° — 工   (V) *have an interview for a job.* (N) *interview for a job.* (Cl. chi³ 次)

— gwoh³ gwai² pa³ hak¹° — 過鬼怕黑   (Sy) *"once bitten, twice shy".*
(Lit. having seen a ghost, one fears darkness.)

— jaap⁶ gei³ je² — 習記者   (N) *cub reporter.*

5   — — yi¹ sang¹° — — 醫生   (N) *intern; junior house-man.*

— jing³ — 証   (V) *witness.* (N) *witness.*

— lei⁶ mong⁴ yi⁶ — 利忘義   (SE) *forget principle at the sight of profit;
put profit before principles.*

— man⁴ — 聞   (N) *experience; general knowledge.* *(Lit. see and hear)*
(Cl. jung² 種)

— sik¹° — 識   (N) *ditto.* *(Lit. see and know)*

10   — min⁶ — 面   (V) *meet sb; see each other.* *(Lit. see faces)*

— yat¹° bo⁶ haang⁴ yat¹° bo⁶ — 一步行一步   (SE) *don't cross the
bridge before you come to it; don't count your chickens before they're
hatched.* *(Lit. see one step walk one step)*

gin³ 建 **911**   (V) *establish; found; construct; erect; build.* **SF** ‡

— chit³ — 設   (V) *construct; build up.* (N) *construction.* (Cl. jung²
種)

— — sing³ — — 性   (Adj) *constructive.* *(RT comments, suggestions,
actions, etc.)*

— do¹ — 都   (V) *establish or found a capital.*

— jo⁶ — 造   (V) *build; construct.*

5   — juk¹° — 築   (V) *ditto.* (N) *construction; building.* (Cl. joh⁶ 座)

— — dei⁶ poon⁴ — — 地盤   (N) *building site; construction site.*

— — fai³ — — 費   (N) *"key money".* *(Lit. construction cost—a
local term for the extra money landlords charge new tenants)* *(Sum:*
bat¹° 筆)

— — gung¹ si¹° — — 公司   (N) *construction company.* (Cl. gaan¹
間)

— — hok⁶ — — 學   (N) *architecture.* *(Subject:* fah¹° 科)

266

10   — — mat⁶   — — 物   (N) *buildings in general.*

— — si¹°   — — 師   (N) *architect.*

— lap⁶   — 立   (V) *establish.*   **FE**

— — bong¹ gaau¹   — — 邦交   (SE) *establish a diplomatic relation.*

— — ngoi⁶ gaau¹ gwaan¹ hai⁶   — — 外交關係   (SE) *ditto.*

15   — (—) gung¹ (fan¹)   — (—) 功 (勳)   (V) *establish a reputation for bravery; do a meritorious deed.*

— — gwok³ ga¹   — — 國家   (V) *lay foundation of a country or nation.*

— yi⁵   — 議   (V) *propose; advise.*   (N) *proposal; advice.*

gin³ 毽   **912**   (N) *shuttle-cock.*   **Fml.**   **Mdn.**   **AP yin³* SM see 3467.**

gin⁶ 件   **913**   (Cl) *for garments, dresses, etc.; for cakes, slice of bread, toast, etc.; for matters, affairs, law cases, etc.*

gin⁶ 健   **914**   (N) *health.*   **SF**   ‡   (Adj) *healthy.*   **SF**   ‡

— chuen⁴   — 全   (Adj) *sound (RT organizations); unimpaired (RT mental faculties).*

— hong¹   — 康   (N) *health.*   *(No Cl)*   (Adj) *healthy.*

— — jing³ ming⁴ sue¹°   — — 証明書   (SE) *health certificate.*   (Cl. jeung¹ 張)

— yi⁴   — 兒   (N) *athlete; hero; able-bodied person.*   **PL**

ging¹ 驚   **915**   (Adj) *afraid; frightened.*   **Fml.**   **AP geng¹ SM see 892.**

— hei² gaau¹ jaap⁶   — 喜交集   (SE) *be pleasantly surprised. (Lit. fear and joy combine)*   **Fml.**

— kei⁴   — 奇   (Adj) *surprised; astonished.*   **Fml.**

— yan⁴   — 人   (Adj) *terrifying; shocking; dreadful.*   **Fml.**

ging¹ 京   **916**   (N) *capital (of a nation).*   **SF**   ‡

G— Do¹   — 都   (N) *the capital. (GRT Peking)*   **Fml.**   **FE**

— — paai⁴ gwat¹°   — — 排骨   (SE) *spare rib in Peking style.*

— hei³ — 戲   (N) *Peking opera.* (*Cl.* chut¹° 齣)

— kek⁶ — 劇   (N) *ditto.*

5   g— seng⁴ — 城   (N) *capital (of a nation).* **FE Coll.**

ging¹ 經   917   (V) *pass; pass by; pass through.* **SF** ‡ (N) *prayer; scripture; bible; classics; publication of "tips" (Stock Exchange, horse-races, etc.).* **SF** ‡ (*Cl.* boon² 本 or bo⁶ 部)

— fai³ — 費   (N) *expenditure.* (*Sum:* bat¹° 筆)

— gei² — 紀   (N) *broker.*

— — yung⁶* — — 佣   (N) *sales commission; broker's commission.* (*Sum:* bat¹° 筆; *Percent:* goh³ 個.)

— gwoh³ — 過   (V) *pass; pass by; pass through.* **FE**

5 — jai³ — 濟   (N) *economy. (No Cl.)* (Adj) *economical; thrifty; reasonable.*

— — hok⁶ — — 學   (N) *economics.* (*Subject:* foh¹° 科)

— — sui¹ tui³ — — 衰退   (N) *economic recession.* (*Cl.* chi³ 次)

— — wai² suk¹° — — 萎縮   (N) *ditto.*

— kei⁴ — 期   (N) *menstruation; menstrual period.* (*Cl.* chi³ 次)

10 — lei⁵ — 理   (N) *manager.*

— — sat¹° — — 室   (N) *manager's office.* (*Cl.* gaan¹ 間 or goh³ 個)

— lik⁶ — 歷   (V) *experience; go through.* (*RT venture of some kind*) (N) *experience (of life).* (*Cl.* jung² 種 or chi³ 次)

— seung⁴ — 常   (Adv) *often; very often; frequently.*

— — fai³ — — 費   (N) *recurrent expenses; running expenses.* (*Sum:* bat¹° 筆)

15 — sin³ — 綫   (N) *longitude.* (*Cl.* tin⁴ 條 or do⁶ 度)

— wai⁶ — 緯   (N) *longitude and latitude.* (*Cl.* tiu⁴ 條 or do⁶ 度)

— yau⁴ — 由   (Adv) *by way of.*

— yim⁶ — 驗   (N) *experience.* (*Cl.* jung² 種 or chi³ 次)

— — fung¹ foo³ — — 豐富   (SE) *rich in experience; well-experience.*

ging² 警(儆)   918   (V) *warn.* **SF** ‡ (N) *police.* **SF** ‡

— bo² — 報   (N) *warning; alarm.* (*Cl.* chi³ 次)

— chaat³ — 察   (N) *police constable; policeman.*

— yuen⁴ — 員   (N) *ditto.* **Fml.**

5 — che¹° — 車 (N) *police car.* (*Cl.* ga³ 架)
— dek⁶* — 笛 (N) *police whistle.* **Fml.**
— fei² pin³* — 匪片 (N) *gangster film.* (*Cl.* chut¹° 齣)
— gaai³ — 戒 (V) *be on the alert.* (N) *alert.* (*Cl.* chi³ 次)
— — sin³ — — 綫 (N) *line of police; line of soldiers.* (*RT barricades, cordons, etc.*) (*Cl.* tiu⁴ 條)
— go³ — 告 (V) *warn.* (N) *warning.* (*Cl.* chi³ 次 *or* goh³ 個)
10 — jung¹° — 鐘 (N) *burglar alarm; fire alarm; warning.* **(Fig.)**
— taam³ — 探 (N) *police detective.*

ging² 竟 919 (Adv) *surprisingly; finally; after all.* **SF** ‡

— yin⁴ — 然 (Adv) *surprisingly; finally; after all.*

ging² 境 920 (N) *territory.* **SF** ‡

— dei⁶ — 地 (N) *condition; standing.* (*GRT finance*) **Fig.**
— gaai³ — 界 (N) *atmosphere; surroundings.* (*RT emotions, arts, etc.*) **Fig.**

ging² 景 921 (N) *outlook; circumstance; view.* **SF** ‡

— fong³ — 況 (N) *circumstances; prospects; conditions.*
— jeung⁶ — 象 (N) *scene; phenomenon.* (*Cl.* pin³ 片 *or* jung² 種)
— mat⁶ — 物 (N) *view; natural scenery.* (*Cl.* jung² 種)
— yeung⁵ — 仰 (V) *look up to; respect.*

ging³ 敬 922 (V) *respect; propose a toast.* **SF** ‡

— cha⁴ — 茶 (V) *offer tea.* (*RT a traditional form of showing respect to eldess*)
— jau² — 酒 (V) *propose a toast.* **FE**
— jung⁶ — 重 (V) *respect; give respect to; honour.*
— oi³ — 愛 (V) *ditto.*
5 — lai⁵ — 禮 (N) *salute.* (*Cl.* jung² 種 *or* goh³ 個)
— nei⁵ yat¹° booi¹ — 你一杯 (Itj) *"To you!"* **PL**
— yi³ — 意 (N) *compliments.* (*Cl.* jung² 種 *or* goh³ 個)

ging⁶ 競   **923**   (V) *complete; race.* **SF** ‡   (N) *competition; race.* **SF** ‡

— choi³ — 賽   (N) *competition; race.* **FE** (*Cl.* jung² 種, hong⁶ 項 *or* chi³ 次)

— jang¹ — 爭   (V) *compete; race.* **FE**   (N) *competition; race.* **FE** (*Cl.* jung² 種, hong⁶ 項 *or* chi³ 次)

gip¹° 噏   **924**   (N) *bag; suit-case (for clothes).* **Coll. SF CC**

— baau¹° — 包   (N) *purse.* **Coll.**

— doi⁶* — 袋   (N) *handbag.* **Coll.**

— jap¹° — 汁   (N) *Worcestershire sauce.* (*Bottle:* jun¹ 樽)

— mo⁶* — 帽   (N) *cap.* (*Cl.* gin⁶ 件)

gip³ 劫(刼，刦)   **925**   (V) *rob.* **SF** ‡

— on³ — 案   (N) *robbery case.* (*Cl.* gin⁶ 件 *or* jung¹ 宗)

— saat³ — 殺   (SE) *murder (committed while robbing sb).*

gip⁶ 狹   **926**   (V) *pinch.* **CP Coll. SF** ‡   (Adj) *narrow.* **CP Coll. SF** ‡ **AP:** (2) gip⁶* see 927; (2) haap⁶ see 1105.

— geuk³ — 脚   (V) *pinch (sb's feet)、* (*ROT shoes*)

— — haai⁴ — — 鞋   (N) *narrow shoes; tight shoes.* (*Cl.* jek³ 只; *Pair:* dui³ 對.)

— jue⁶ — 住   (V) *pinch.* **FE**

gip⁶* 狹   **927**   (N) *clip (RT metal devices for holding things); trap (GRT some kind of spring traps).* **Coll. SF** ‡ **AP:** (1) gip⁶ see 926; (2) haap⁶ see 1105.

— jai² — 仔   (N) *clip. (GRT metal devices for holding papers)* **Coll. FE**

git³ 結   **928**   (V) *produce (ROT fruits); tie; connect; conclude.* **SF** ‡

— bing¹ — 冰   (V) *freeze.*

— — dim² — — 點   (N) *freezing point.*

— chuk¹° — 束 (V) *close down; come to an end; conclude. (RT business concerns, factories, meetings, etc.)* **FE** (N) *end; conclusion. (RT business concerns, factories, meetings, etc.)*

— fan¹ — 婚 (V) *get married; marry.* (N) *marriage. (Cl.* chi³ 次 *or* jung² 種)

5 — — din² lai⁵ — — 典禮 (N) *wedding; wedding ceremony; wedding festivities. (Cl.* chi³ 次 *or* goh³ 個)

— — jau² — — 酒 (N) *wedding reception. (Lit: wedding wine) (Cl.* chaan¹ 餐)

— — jing³ sue¹° — — 証書 (N) *marriage certificate. (Cl.* jeung¹ 張)

— gau³ — 構 (V) *construct; devise; invent. (GRT sentences, stories, etc.)* (N) *construction. (GRT sentences, stories, etc.)*

— gwoh² — 果 (V) *produce fruit.* **FE** (Adv) *as a result; consequently.* (N) *result. (Cl.* goh³ 個)

git³ 潔 929 (Adj) *pure; clean.* **Fml. SF** ‡

— baak⁶ — 白 (Adj) *"snow-white". (GRT clothes)*

— jing⁶ — 淨 (Adj) *pure; clean.* **Fml. FE**

giu¹ 嬌 930 (Adj) *dainty; delicate; lovely; charming; wonderful.* **SF** ‡

— de² — 嗲 (Adj) *dainty; delicate.* **FE**

— sang¹ gwaan³ yeung⁵ — 生慣養 (SE) *be brought up delicately; be spoilt.*

giu¹ 驕 931 (Adj) *arrogant; conceited; haughty; proud.*

— ngo⁶ — 傲 (Adj) *arrogant; conceited; haughty; proud.*

giu² 繳 932 (V) *hand over to; pay; surrender. (RT weapons, stolen property, etc.)* **SF** ‡ **AP jeuk³ see 1385.**

— gaau¹ — 交 (V) *hand over to; pay. (RT taxes; rates, etc.)*

— naap⁶ — 納 (V) *ditto.*

— haai⁶ — 械 (V) *surrender weapons.*

271

giu³ 叫(呌)   933

(V) *call; tell (RT instructions, notifications, etc.); ask (RT favours); order (RT food, drinks, taxis, etc.).*

— che¹° — 車   (V) *order a taxi; hire a taxi.*

— dik¹° si⁶* — 的士   (V) *ditto.*

— choi³ — 菜   (V) *order food.*

— jo⁶ — 做   (V) *be called.*

5 — seng² — 醒   (V) *wake sb up; awaken sb by a calling.*

giu⁶ 撬   934

(V) *prise up; dig out (with a shovel or spade).* **Coll. SF ‡ AP hiu³ SM see 1192.**

— cheung⁴ geuk³ — 牆脚   (V) *lure away (a woman from a rival lover); snatch away (a business deal from a rival firm).* **Fig. Sl.** *(Lit. level the foot of a wall)*

— hoi¹ — 開   (V) *prise open.* **Coll. FE**

— — moon⁴ — — 門   (V) *prise a door open.* **Coll.**

giu⁶* 轎   935

(N) *sedan-chair.* **Coll.** *(Cl.* deng² 頂*)*

— che¹° — 車   (N) *sedan car.* *(Cl.* ga³ 架*)*

go¹ 高   936

(Adj) *high; tall.*

— baan¹° — 班   (N) *higher form; senior class.* *(Cl.* baan¹° 班*)*

— nin⁴ baan¹° — 年班   (N) *higher form; senior class.* *(Cl.* baan¹° 班*)*

— — kap¹° — — 級   (N) *higher form; senior class.* *(Cl.* baan¹° 班*)*

— chiu⁴ — 潮   (N) *climax of a drama; high lights (of an event or occasion).*

5 — chuk¹° — 速   (N) *high speed.* *(Cl.* foh³ 個 *or* jung² 種*)*

— — gung¹ lo⁶ — — 公路   (N) *freeway; motorway.* *(Lit. high speed, highway)* *(Cl.* tiu⁴ 條*)*

— daai⁶ — 大   (Adj) *tall and big; gigantic.* *(GRT physique)*

— dai² haai⁴ — 底鞋   (N) *platform shoes.* *(Cl.* jek³ 隻*; Pair:* dui³ 對*).*

— dang² — 等   (Adj) *advanced; higher; high-class.* *(RT education, rank, seats, etc.)*

10 — dei⁶　—　地　　(N) *upland.*　(*Cl.* faai³ 塊, sue³ 處 *or* daat³ 笪)

— — ga³ jing³ chaak³　— — 價政策　　(N) *policy of keeping land prices high (a term frequently appearing in local newspapers).*　(*Cl.* goh³ 個 *or* jung² 種)

— fung¹°　—　峯　　(N) *peak; summit.*　**Lit. & Fig.**

— go¹ dei⁶*　—　高地　　(Adj) *tallish.*

— hing³　—　興　　(Adj) *hilarious; happy; gay.*

15 — jaang¹° haai⁴　—　踭鞋　　(N) *high heeled shoes.*　(*Cl.* jek³ 隻 ; *Pair:* dui³ 對.)

— joh²　—　咗　　(V) *become higher.*

— jung¹°　—　中　　(N) *senior middle school; senior secondary education.* *(No Cl.)*

— kap¹°　—　級　　(Adj) *senior.* *(RT ranks)*　(Adj) *supervisor; high class.* *(RT qualities)*

— lei⁶ taai³　—　利貸　　(N) *usury.*　(*Cl.* jung² 種)

20 — mo⁶　—　帽　　(N) *top hat; feathery* (**Fig.**).　(*Cl.* gin⁶件)

— ngo⁶　—　傲　　(Adj) *arrogant; conceited.*

— saan¹　—　山　　(N) *high mountain.*

— sau²　—　手　　(N) *expert.* *(RT boxing, swordsmanship, martial arts, chess, etc.)*

— se⁶ paau³　—　射砲　　(N) *anti-aircraft gun.*　(*Cl.* ham² 坎 *or* moon⁴ 門)

25 — seng¹ (daai⁶ hei³)　—　聲 (大氣)　　(Adv) *in a loud manner; loudly.*

— seung⁶　—　尚　　(Adj) *noble-minded; respectable; superior.*　*(RT peoples, surroundings, districts, etc.)*

— yam¹°　—　音　　(N) *high note; high tone; high pitch; soprano; tenor.*　(*Cl.* goh³ 個 *or* jung² 種)

— yi⁵ foo¹ kau⁴　—　爾夫球　　(N) *golf.*　**Tr.**　(*Cl.* goh³ 個 ; *Game:* juk⁶ 局 *or* cheung⁴ 場.)

go¹° 糕（餻）　937　　(N) *cake; pastry.*　**SF**　(*Cl.* gin⁶ 件 *or* gau⁶ 磴)

— beng²　—　餅　　(N) *cake; pastry.*　**FE**　(*Cl.* gin⁶ 件 *or* gau⁶ 磴)

go¹° 膏　938　　(N) *plaster; ointment; fat; grease.*　**SF**　**AP** go³ see 939.

— yau⁴　—　油　　(N) *ointment; fat; grease.*　**FE**　*(No Cl.)*

— yeuk⁶　—　葯　　(N) *plaster.*　**FE**　(*Cl.* faai³ 塊)

go³ 膏   **939**   (V) *fertilize.*   **Bk**   ‡   **AP go¹° see 938.**

go² 稿(稾)   **940**   (N) *draft; manuscript.*   (*Cl.* pin¹ 篇 ; *Copy:* fan⁶ 份.)

go³ 告   **941**   (V) *tell; notify; indict.*   **SF**   ‡   **AP guk¹° see 991.**

— baak⁶ — 白   (N) *advertisement.*   **Coll.**   (*Cl.* duen⁶ 段)

— bit⁶ — 別   (V) *say good-bye.*

— chi⁴ — 辭   (V) *ditto.*

— ga³ — 假   (V) *ask for leave of absence.*

5   — gwoon¹ — 官   (V) *bring a case (before a law-court); accuse sb; indict sb.*

— jong⁶ — 狀   (V) *ditto.*

— ji¹ — 知   (V) *tell; notify.*   **Fml. FE**

— so³ — 訴   (V) *ditto.*

— mat⁶ — 密   (V) *be an informer; give secret information.*

10   — pui³ — 票   (N) *summons. (Lit. accusation ticket)*   (*Cl.* jeung¹ 張)

— si⁶ — 示   (N) *official notice; government notice.*   (*Cl.* goh³ 個 *or* jeung¹ 張)

— — paai⁴* — — 牌   (N) *notice board.*   (*Cl.* faai³ 塊 *or* goh³ 個)

goh¹° 哥   **942**   (N) *elder brother.*   (P) *used as a form of polite address to a male friend. (Gen. placed after his name)*

goh¹° 歌(謌)   **943**   (N) *song.*   (*Cl.* ji¹ 支 *or* sau² 首)

— cheung³ — 唱   (V) *sing; chant.*   **Fml.**

— chi⁴ — 詞   (N) *words (of a song).*   (*Cl.* jung² 種, ji² 支 *or* sau² 首)

— kuk¹° — 曲   (N) *music (of a song).*   (*Cl.* jung² 種, ji¹ 支 *or* sau² 首)

— sing¹ — 聲   (N) *sound of singing.*   (*Cl.* jung² 種)

5   — sue¹ — 書   (N) *song-book.*   (*Cl.* boon² 本 *or* bo⁶ 部)

goh² 嗰   **944**   (Pron) & (Adj) *that.*   **SF** ‡
     CC

— bin⁶ hoi² — 便海   (N) *the other side of the harbour.*   (*No Cl.*)

— di¹° — 啲   (Pron) & (Adj) *that (ROT uncountable nouns); those.*   **FE**

—— che¹° —— 車   (SE) *those cars.*

—— yan⁴ —— 人   (SE) *those people; those persons.*

5 — do⁶ — 度   (Adv) *there.   (Lit. that place)*

— sue³ — 處   (Adv) *ditto.*

— goh³ — 個   (Adj) *that.   (ROT nouns that take the classifier* "goh³" 個*)* **FE** (Pron) *that; that one.   (ROT nouns that take the classifier* goh³ 個*)* **FE**

—— man⁶ tai⁴ —— 問題   (SE) *that problem; that question.*

—— yan⁴ —— 人   (SE) *that person.*

10 — jan⁶ — 陣   (Conj) *when; while.   (ROT time)* (Prep) *during.* (Adv) *at that time.*

— paai⁴* — 排   (Adv) *in those days; some time ago.*

goh³ 個(箇，个) 945

(Cl) *for persons; for nations, countries, regions, areas; for round objects (e.g. bowls, plates, fruits, buns, etc.); for abstract nouns (e.g. questions, ideas, decisions, etc.); for many things that are not easily categorized (e.g. drawers, screw drivers, etc.); and the most common of all classifiers.*

— goh³ — 個   (SE) *every; every one; each; each one; all.   (ROT nouns that take the classifier* goh³ 個*)* **FE**

—— gwai⁶ tung² —— 柜桶   (SE) *every drawer; each drawer; all drawers.*

—— yan⁴ —— 人   (SE) *everyone; everybody; all people.*

— sam¹ sap⁶ ng⁵ sap⁶ luk⁶ — 心十五十六   (SE) *indecisive; at sixes and sevens.   (Lit. the heart at 15 and 16)*

5 — yan⁴ (ge³) — 人 (嘅)   (Adj) *individual; personal.*

—— (一) man⁶ tai⁴ —— (一) 問題   (SE) *individual problem; personal problem.*

goi¹ 該 946

(AV) *ought; should.* **SF** ‡

— gwoon² — 管   (V) *be under the control of.*

— sei² lok³ — 死咯   (SE) *"serves you/him right!"   (Lit. ought to die)* **Mdn. AL**

— wooi¹ lok³ — 煨咯   (Itj) *ditto.   (Lit. ought to be backed)* **Coll. AL**

goi² 改 947 (V) *change; alter; revise.* **SF**

— bin³ — 變 (V) *change; alter.* **FE**

— — taai³ do⁶ — — 態度 (V) *change one's attitude.*

— diu⁶ — 調 (V) *alter sb's transfer; change sb's transfer.*

— ga³ — 嫁 (V) *marry a second husband.*

5 — hong⁴ — 行 (V) *change one's occupation; change one's calling.*

— yip⁶ — 業 (V) *ditto.*

— jeng³ — 正 (V) *revise; correct.* **FE**

— jo² — 組 (V) *reorganize (an institution).* (N) *reorganization (of an institution).* (*Cl.* chi³ 次)

— — jing³ foo² — — 政府 (SE) *reorganize a government; reshuffle a cabinet.*

10 — kei⁴ — 期 (V) *change the date.*

— leung⁴ — 良 (V) *improve.* (*Lit. change to good*)

— sin⁶ — 善 (V) *ditto.*

— meng⁴* — 名 (V) *change one's name; give a name to (ROT children).*

— pin¹ — 編 (V) *reorganize.* (*GRT armed forces*)

15 — — gwan¹ dui⁶* — — 軍隊 (SE) *reorganization of an army.*

— si⁴ gaan³ — 時間 (V) *change the time; alter the time.*

— — — biu² — — — 表 (V) *change a time-table; alter a time schedule.*

goi³ 蓋(盖，蓋) 948 (N) *a cover.* **AP** koi³ see 1707.

gok³ 角 949 (N) *horn; corner; angle.* **SF**

— do⁶ — 度 (N) *angle; viewpoint.* **FE**

— lok⁶ — 落 (N) *corner.* **Fig. FE**

— mok⁶* — 膜 (N) *cornea.*

— — yi⁴ jik⁶ — — 移植 (SE) *cornea transplant.* (*Cl.* chi³ 次)

5 — sik¹° — 式 (N) *role.* **Lit. & Fig.**

gok³ 覺（嗀） 950 (V) *feel; perceive; be conscious.* **SF AP gaau³** see **827.**

— dak¹° — 得 (V) *feel; perceive; find.* **FE**

— — naan⁴ wai⁴ ching⁴ — — 難爲情 (SE) *feel embarrassed.*

— ng⁶ — 悟 (V) *be conscious (of one's wrongs); made to realize (one's failings).*

gok³ 各 951 (Pron) & (Adj) *each; every; all.* **SF ‡**

— fong¹ min⁶ — 方面 (Adv) *in all respects; in every way.* *(Lit. each side)*

— gaai³ (yan⁴ si⁶) — 界（人士） (SE) *the public; the general public; every walk of life.*

— gwok³ — 國 (SE) *every country; all nations.*

— haang⁴ gok³ lo⁶ — 行各路 (SE) *each goes his/her own way.* *(GRT parting of friends, married couples, etc.)*

5 — jung² — 種 (SE) *a variety of; all kinds of.*

— — gok³ lui⁶ — — 各類 (SE) *ditto.*

— — gok³ sik¹° — — 各式 (SE) *ditto.*

— sik¹° — 式 (SE) *ditto.*

— — gok³ yeung⁶ — — 各樣 (SE) *ditto.*

10 — wai⁶* — 位 (SE) *everyone; everybody; "ladies and gentlemen".* **PI**

— yan⁴ — 人 (SE) *everyone; everybody.*

— yau⁵ gok³ ho² — 有各好 (SE) *each has his/its good points.*

gok³ 閣 952 (N) *council—chamber; pavilion.* **SF ‡**

— ha⁶ — 下 (Pron) *"you sir".* **PL**

— yuen⁴ — 員 (N) *cabinet minister.*

gok³ 擱 953 (V) *put; put down.* **Fml. SF ‡**

— chin² — 淺 (V) *run aground.* **Lit. & Fig.**

— ji³ — 置 (V) *put; put down.* **Fml. FE**

gon¹ 干   **954**   (V) *interfere.* **SF** ‡ (N) *stem.*

— ji¹° — 支   (SE) *the system of the Stems and Branches—a contraction of* "Tin¹ Gon¹°" 天干 *and* "Dei⁶ Ji¹°" 地支.

— sip³ — 涉   (V) *interfere; intervene; prevent.* **FE**

— — noi⁶ jing³ — — 內政   (SE) *interfere in the internal affairs (of other countries).*

gon¹° 杆   **955**   (N) *pole; shaft (as of a spear).* (*Cl.* ji¹ 支)

gon¹° 竿(桿)   **956**   (N) *stem of bamboo.* (*Cl.* ji¹ 支)

gon¹ 肝   **957**   (N) *liver.*

— foh² — 火   (N) *inflammatory conditions in the liver; anger* **(Fig.).** *(Lit. liver fire)* *(No Cl.)*

— — sing⁶ — — 盛   (SE) *easily angered.*

gon¹ 乾   **958**   (Adj) *dry.* **AP kin⁴ see 1695.**

"— booi¹°" "— 杯"   (Itj) *"bottoms up!"* *(Lit. dry glasses)*

— cho³ — 燥   (Adj) *dry; parched; feverish.*

— foh³ — 貨   (N) *dry goods.* (*Cl.* jung² 種; *consignment:* pai¹ 批.)

— hon⁵ — 旱   (Adj) *parched; very dry.* *(RT land, weather, etc.)*

⁵ — jeng⁶ — 淨   (Adj) *clean.*

— jin¹ — 煎   (V) *fry; grill.* *(Lit. dry frying)*

— — ha¹ luk¹° — — 蝦碌   (N) *fried prawns.*

— leung⁴ — 糧   (N) *dry provisions.* (*Cl.* jung² 種)

— sai² — 洗   (N) *dry cleaning.* (*Cl.* chi³ 次)

¹⁰ — sap¹° lau¹° — 濕褸   (N) *reversible coat; trench coat.* *(Lit. dry-wet-coat; i.e. a coat for both good and bad weather.)* (*Cl.* gin⁶ 件)

— song² — 爽   (Adj) *dry and fresh; clear* *(RT weather).*

gon² 趕(赶) 959　(V) *drive sb out; hurry to.*　**SF**　‡

— go² — 稿　(V) *write sth for publication; write an article for a newspaper.*

— jau² — 走　(V) *drive sb out.*　**FE**

— jue⁶ — 住　(V) *hurry to.*　*(Gen. followed by verbs)*　**FE**

— saan³ — 散　(V) *scatter; disperse.*

gon³ 幹 960　(V) *attend to business.*　(N) *matter or business; trunk of a tree.*　**SF**　‡

— bo⁶ — 部　(N) *cadre.*

— si⁶ — 事　(N) *secretary.*　*(ROT Y.M.C.A.)*

— sin³ — 綫　(N) *main line.*　*(RT railways or highways)*　*(Lit. trunk line)*　*(Cl.* tiu⁴ 條*)*

gong¹° 崗(岡) 961　(N) *small hill; mound.*　**SF**　‡

— jai² — 仔　(N) *small hill; mound.*　**FE**

— wai⁶* — 位　(N) *post of responsibility; duty.*

gong¹ 江 962　(N) *river.*　*(Cl.* hoh⁴ 河 *in L. 23, v. 4.)*　*(Cl.* tiu⁴ 條*)*

G— Bak¹° — 北　(SE) *North of Yangtze (in Kiangsu and Anhwei).*

— Jit³ — 浙　(SE) *Kiangsu and Chekiang.*

— Naam⁴ — 南　(SE) *South of Yangtze (in Kiangsu and Anhwei).*

g— saan¹ — 山　(SE) *the country; the land; the scenery.*　*(Lit. rivers and mountains; GRT China.)*

5　— — yue⁴ wa⁶* — — 如畫　(SE) *the country is so beautiful; the scenery is like a picture.*

G— Sail (Saang²) — 西(省)　(N) *Kiangsi; Kiangsi Province.*　**Tr.**　*(Cl.* goh³ 個*)*

— So¹ (Saang²) — 蘇(省)　(N) *Kiangsu; Kiangsu Province.*　**Tr.**　*(Cl.* goh³ 個*)*

gong¹ 缸(鋼，塏) 963　(N) *bowl; bowl-shaped container; jar.*

gong¹ 肛 **964**   (N) *the large intestine.* **SF** ‡
— moon⁴ — 門   (N) *the anus.*

gong¹ 鋼 **965**   (N) *steel.* **Fml.** **AP** gong³ **SM** see 966.

gong³ 鋼 **966**   (N) *steel.* **CP** *(No Cl.)* **AP** gong¹ **SM** see 965.
— bat¹° — 筆   (N) *fountain pen.* *(Lit. steel pen)* (*Cl.* ji¹ 支)
— gan¹ saan¹ hap⁶ to² — 筋三合土   (N) *reinforced concrete.* *(No Cl.)*
— kam⁴ — 琴   (N) *piano.* (*Cl.* goh³ 個 *or* joh⁶ 座)

gong² 港 **967**   (N) *harbour; port.* **SF** ‡ (N) *Hong Kong.* **SF** ‡
G— bai⁶ — 幣   (N) *Hong Kong dollar; Hong Kong currency.* **Fml.** *(No Cl.)*
— ji² — 紙   (N) *ditto.* **Coll.**
— yuen⁴ — 元   (N) *ditto.* **Fml.**
— daai⁶ — 大   (N) *the University of Hong Kong.* **SF** (*Cl.* gaan¹ 間) (*SF* "Heung¹ Gong² Daai⁶ Hok⁶" 香港大學)
5 — Do² — 島   (N) *the Island of Hong Kong; "the Island".*
— Duk¹° — 督   (N) *the Governor of Hong Kong.* **SF**
— — Foo² — — 府   (N) *Government House.* *(Lit. Governor's Mansion)* (*Cl.* goh³ 個, gaan¹ 間)
— Gau² — 九   (SE) *the whole of Hong Kong; Hong Kong and Kowloon.* **SF** (*SF both* "Heung¹ Gong²" 香港 *and* "Gau² Lung⁴" 九龍)
g— hau² — 口   (N) *harbour; port.* **FE**
10 G— man⁴ — 聞   (N) *Hong Kong local news.*
— — baan² — — 版   (N) *local news page (in Hong Kong papers).* (*Cl.* yip⁶ 頁)
— O³ — 澳   (SE) *Hong Kong and Macao.* **SF**

gong² 講 **968**   (V) *speak; talk.*
— ching⁴ — 情   (V) *ask a favour; ask for pardon.*
— cho¹ hau² — 粗口   (V) *use abusive language; swear; curse.*

— laan⁶ hau²　—　爛口　　(V) *use abusive language; swear; curse.*

— Cho⁴ Cho¹°, Cho⁴ Cho¹° jau⁶ do³　—　曹操，曹操就到　　(SE) *talk of the devil, and he will appear. (Cho⁴ Cho¹° being a famous statesman and soldier)*

— chuen¹　—　穿　　(V) *reveal; expose.*

— daai⁶ wa⁶　—　大話　　(V) *lie; tell a lie.*

— dak¹° ching¹ choh²　—　得清楚　　(V) *speak clearly.*

— — faai³　— —　快　　(V) *speak fast; speak quickly.*

— — lau⁴ lei⁶　— —　流利　　(V) *speak fluently.*

— do⁶ lei⁵　—　道理　　(SE) *be reasonable; preach; give a talk about religion or morals.*

— faan¹ juen³ tau⁴　—　返轉頭　　(SE) *go back to sth mentioned earlier in a talk.*

— faat³　—　法　　(N) *way of expression. (Cl.* goh³ 個 *or* jung² 種)

— ga³　—　價　　(V) *bargain. (Lit. talk prices)*

— gau³　—　究　　(Adj) *particular about; tasteful.*

— gong² ha⁵　—　講吓　　(V) *keep on talking; carry on a conversation. (Lit. talk and talk a while.)*

— ha⁵ gong² ha⁵　—　吓講吓　　(V) *ditto.*

— hei² seung⁵ lai⁴　—　起上嚟　　(SE) *talking of this; as far as this is concerned.*

— ho² teng¹ di¹°　—　好聽啲　　(SE) *put sth in a better way; say sth in a more diplomatic way.*

— hoi¹ yau⁶ gong²　—　開又講　　(SE) *incidentally; one more point to that.*

— gwoo² jai²　—　古仔　　(V) *tell a story; tell a tale.*　**Coll.**

— gwoo³ si⁶　—　故事　　(V) *ditto.*　**Fml.**

— hok⁶　—　學　　(V) *give academic lectures; lecture as a visiting professor.*

— jau⁶ yung⁴ yi⁶ la¹°　—　就容易啦　　(SE) *it's easier said than done.*

— ji¹ bat¹° jun⁶　—　之不盡　　(SE) *you can't name them all.*

— m⁴ saai³ gam³ doh¹　—　唔嗮咁多　　(SE) *ditto.*　**Coll.**

— lai⁴ gong² hui³　—　嚟講去　　(SE) *say the same thing again and again.*

— sat⁶ jai³　—　實際　　(V) *be realistic; be practical; be pragmatic.*

— yin⁶ sat⁶ — 現實   (V) *be realistic; be practical; be pragmatic.*

— siu³ — 笑   (V) *joke; say sth in fun.*

30 — — wa⁶* — — 話   (V) *tell a joke; tell a funny story.*

— suet³ wa⁶ — 說話   (V) *speak; talk.* **FE**

— yat¹° seng¹ — 一聲   (SE) *say a word; have a word (with sb).*

gong³ 降 969   (V) *descend.* **Fml. SF** ‡ **AP hong³ see 1233.**

— fuk¹° — 福   (V) *bless; send down blessings.*

— lam⁴ — 臨   (V) *come down; condescend to visit.* **Fml.**

— lok⁶ — 落   (V) *descend; land.*   *(RT aircrafts, etc.)*

— — saan³ — — 傘   (N) *parachute.*

5 — sai³ — 世   (V) *become incarnate; be born into the world.*

— sang¹ — 生   (V) *ditto.*

got³ 割 970   (V) *cut off; slash.*

— cho² — 草   (V) *mow grass.*

— — gei¹ — — 机   (N) *lawn mower.* *(Cl. ga² 架)*

— hui³ — 去   (V) *cut off; slash.*

— jing³ — 症   (N) *operation; surgical operation.*

5 — woh³ — 禾   (V) *reap grain.*

— — ge¹ — — 机   (N) *combine harvester.* *(Cl. ga³ 架)*

guen¹ 捐 971   (V) *donate; contribute; subscribe.*

— chin³* — 錢   (N) *donate; contribute; subscribe.* *(ROT money)* **Coll.** (N) *donation; contribution; subscription.* *(ROT money)* **Coll.** *(Cl.* chi³ 次*; Sum:* bat¹° 筆*.)*

— foon² — 欵   (V) *ditto.* **Fml.** (N) *ditto.* **Fml.**

— huet³ — 血   (V) *donate blood.* (N) *donation of blood.* *(Cl.* chi³ 次*)*

guen² 捲 972   (V) *roll up.* **SF** ‡

— hei² — 起   (V) *roll up.* **FE**

guen² 卷 973   (N) *document.*   (Cl) *for rolls of paper; for volumes of books; etc.)*

— jung¹ — 宗   (N) *archives, files.*

guen³ 眷 974   (V) *love; be devoted to.* **Fml. SF** ‡   (N) *family.* **Fml. SF** ‡

— luen⁵ — 戀   (V) *love; be devoted to.* **Fml. FE**

— nim⁶ — 念   (V) *ditto.*

— suk⁶ — 屬   (N) *family.* **Fml. FE**   *(No Cl.)*

guen³ 絹 975   (N) *thin silk; pongee.*   *(Piece:* fuk¹° 幅 *)*

guen⁶ 倦 976   (Adj) *tired; weary.* **Fml. SF** ‡

— yung⁴ — 容   (SE) *a weary look; a tired look.* **Fml.**

guet⁶ 橛 977 CC   (PN) *portion of a long and slender object.*

gui¹ 居 978   (V) *dwell; stay; reside; live.* **Fml. SF** ‡

— ga¹ — 家   (V) *live at home; stay at home.*

— jue⁶ — 住   (V) *dwell; stay; reside; live.* **Fml. FE**

— — waan⁴ ging² — — 環境   (SE) *sb's living environment; sb's surroundings.*

— lau⁴ — 留   (V) *stay.*   *(GRT tourists)*

5   — — jing³ — — 証   (N) *residence permit.*

— — kei⁴ haan⁶ — — 期限   (N) *period of stay; duration of stay.*

— man⁴ — 民   (N) *resident; inhabitant.*   *(GRT cities)*

— yin⁴* — 然   (Adv) *even as far as; even to such a degree as.*

gui¹ 車 979   (N) *land vehicles in general.* **Fml.** *(No Cl.)* **AP: (1)** che¹ see **241; (2)** che¹° see **242.**

— joi³ dau² leung⁴ — 載斗量   (SE) *very numerous.*   *(Lit. (there are) cartloads and bushels full)*

— ma⁵ fai³ — 馬費   (N) *incidental expenses.*   *(Cl.* bat¹° 筆 *)*

— ma⁵ ying⁴ moon⁴ — 馬盈門   (SE) *have very many visitors. (Lit. carriages and horses at the door)*

— siu² ma⁵ lung⁴ — 水馬龍   (SE) *a lot of traffic. (Lit. carts like water and horses like dragons)*

gui²舉 980   (V) *lift up sth; raise.* **SF** ‡

— booi¹° — 杯   (V) *raise the glass (for proposing a toast).*

— dung⁶ — 動   (N) *behaviour; gesture.*

— ji² — 止   (N) *ditto.*

— go¹ sau² — 高手   (V) *"Hands up!"*

5 — hang⁴ — 行   (V) *take place; hold; be held. (RT meetings, tea parties, wedding receptions, etc.)*

— hei² seung¹ sau² — 起雙手   (SE) *raise both hands (as a sign of agreement or surrender).*

— (yat¹° goh³) lai⁶ — (一個) 例   (V) *give an example; illustrate sth by an example.*

— sau² — 手   (V) *raise one's hand.*

gui³句 981   (N) *sentence.* **Gr.** *(No Cl.)*

— dau⁶ — 讀   (N) *punctuation.* **Gr.** *(No Cl.)*

— faat³ — 法   (N) *syntax; sentence structure.* **Gr.** *(Cl.* jung² 種*)*

gui³鋸 982   (V) *saw.* **CP geuh³.** (N) *saw.* **CP geuh³.**

gui³據 983   (V) *rely on; occupy.* **SF** ‡ (Prep) *according to.* (N) *evidence; proof.* **SF** ‡

— yan⁴ gong² — 人講   (SE) *according to what people say.*

gui⁶巨 984   (Adj) *big; gigantic.* **Fml. SF** ‡

— daai⁶ — 大   (Adj) *big; gigantic. (GRT sizes)*

— ying⁴ — 型   (Adj) *ditto.*

— yan⁴ — 人   (N) *giant; big man.*

gui⁶ 鉅   **985**   (Adj) *great.*   **Fml.**   **SF**   ‡

— foo³ — 富   (N) *millionaire.*   **Fml.**

— ji² — 子   (N) *tycoon; "big shot".   (RT finance, politics, etc.)*

— tau⁴* — 頭   (N) *ditto.*

— jue³ — 著   (N) *master piece; magnum opus.*   **Fml.**   *(GRT literature)*   *(Cl.* bo⁶ 部, boon² 本 *or* pin⁴ 篇)

gui⁶ 距   **986**   (N) *distance.*   **Fml.**   **SF**   ‡   **AP kui⁵ SM see 1721.**

gui⁶ 具   **987**   (V) *prepare.*   **Fml.**   **SF**   ‡   (N) *instrument.*   **SF**   ‡   *(No Cl.)*   (Adj) *concrete.*   **Fml.**   **SF**   ‡

— bo² — 保   (V) *enter into a bond; get out on bail.*   **Fml.**

— git³ — 結   (V) *write out a statement in a law case.   (RT the accused)*   **Fml.**

— tai² — 體   (Adj) *tangible; practical.   (As opp. to abstract)*   **FE**

— — baan⁶ faat³ — — 辦法   (N) *practical method.*   *(Cl.* goh³ 個 *or* jung² 種)

5   — — fong¹ faat³ — — 方法   (N) *ditto.*

— — ming⁴ chi⁴ — — 名詞   (N) *concrete noun.*   **Gr.**

gui⁶ 颶   **988**   (N) *typhoon; cyclone.*   **Fml.**   **SF**   ‡

— fung¹ — 風   (N) *typhoon; cyclone.*   **Fml.**   **FE**   *(Cl.* goh³ 個, chi³ 次 *or* cheung⁴ 塲)

gui⁶ 懼(惧)   **989**   (V) *fear.*   **Fml.**   **SF**   ‡

— pa³ — 怕   (V) *fear.*   **Fml.**   **FE**

guk¹° 穀   **990**   (N) *grain; rice in the husk.*   *(Cl.* nap¹° 粒)

— cheung⁴ — 塲   (N) *threshing-floor.*   **Fml.**

— chong¹° — 倉   (N) *granary; barn.*

— jung² — 種   (N) *savings; pension; corn for sowing.*   **Coll.**   **Fig. & Lit.**   *(No Cl.)*

— mai⁶ — 米   (N) *grain in general.*   **FE**   *(Cl.* nap¹° 粒)

guk¹° 告 991   (V) *advise; announce.* **Fml. SF** ‡   (N) *good advice.*
Fml. SF ‡   **AP go³ see 941.**

guk¹° 菊 992   (N) *chrysanthmum.*   **SF**

— fa¹ — 花   (N) *chrysanthemum.*   **FE**   (*Cl.* deuh² *or* doh² 朶)

— — cha⁴ — — 茶   (N) *chrysanthemum tea.*   (*Cup:* booi¹ 杯)

guk¹° 哈 993
CC   (V) *be moody.* **CC Sl. SF** ‡   (P) *Used in trans-literations.*

— gwoo² — 咕   (N) *cocoa.*   **Tr.**   (*Cup:* booi¹ 杯)

— hei³ — 氣   (V) *be moody; be in a bad mood.*   **SF FE**

guk⁶ 局 994   (N) *council; government department; office.* **SF** ‡ *(e.g. Urban Council, Public Works Department, Post Office, etc.)*   (N) *condition; situation.* **SF** ‡

— min⁶ — 面   (N) *condition; situation.*   **FE**

— sai³ — 勢   (N) *ditto.*

guk⁶ 焗 995
CC   (V) *bake.*   **Coll.**

— lung⁴ ha¹° chaan¹° — 龍蝦餐   (N) *baked lobster. (Lit. baked lobster meal—Gen. includes a soup, bread and butter, and tea or coffee.)*

gung¹ 公 996   (N) *grandfather; old man; husband; male.* ‡   (*Cl.* goh³ 個)   (Adj) *fair and just; public; metric.* ‡

— bo³ — 佈   (V) *promulgate; announce; introduce (RT decrees, new laws, etc.).*

— chek — 尺   (N) *metre. (No Cl.)*

— chi³ — 厠   (N) *public lavatory. (Cl.* gaan¹ 間)

— dik⁶ — 敵   (N) *public enemy.*

5   — do⁶ — 道   (Adj) *reasonable (RT prices); fair; equitable.*

— ga³ — 價   (N) *official market price.*

— — yan⁴ ching⁴ — — 人情   (SE) *simple present; standard-priced gift.*

— gan¹ — 斤   (N) *kilogram. (No Cl.)*

— gung⁶ — 共   (Adj) *public.*

10 — — gwaan¹ hai⁶ — — 關係   (N) *public relations.* (*Cl.* jung² 種)

— — lau⁴ yue⁵ — — 樓宇   (N) *public premises; public housing.* **Fml.** (*Cl.* joh⁶ 座 *or* gaan¹ 間)

— — siu² ying⁴ ba¹° si6* — — 小型巴士   (N) *public light bus; minibus.* **Fml. FE** (*Cl.* ga³ 架)

— hoi¹ — 開   (Adj) *open; public.* (Adv) *openly; publicly; without secret.*

— — paak³ maai⁶ — — 拍賣 (V) *auction; sell by auction.* *(Lit. open auction)* (N) *auction; auction sale.* (*Cl.* chi³ 次)

15 — jaai³ — 債   (N) *public debt; public bond.* (*Cl.* jung² 種)

— jai² — 仔   (N) *doll.*

— — sue¹ — — 書   (N) *comic.* (*Book:* bo⁶ 部 *or* boon² 本)

— ji² goh¹° yi⁴ — 子哥兒 (N) *playboy.*

— jung³ — 衆   (N) *masses; the general public.* *(No Cl.)* (Adj) *public.*

20 — — ga³ kei⁴ — — 假期   (N) *general holiday; public holiday; bank holiday.* (*Day:* yat⁶ 日)

— — lim⁵ fong⁴ — — 殮房   (N) *Victoria Public Mortuary.* **Coll.** (*Cl.* gaan¹ 間)

— lap⁶ — 立   (Adj) *public; established for the public.*

— — hok⁶ haau⁶ — — 學校   (N) *government school, public school.* (*Cl.* gaan¹ 間)

— lei⁵ — 里   (N) *kilometre.* *(No Cl.)*

25 — lo⁶ — 路   (N) *highway.* *(Lit. public road)* (*Cl.* tiu⁴ 條)

— — gon³ sin³ — — 幹綫   (N) *main line in a highway system.* (*Cl.* tiu⁴ 條)

— man⁴ — 民   (N) *citizen.*

— — kuen⁴ — — 權   (N) *citizenship; rights of a citizen.*

— mau⁵ — 畝   (N) *an are (i.e. 100 square metre).* *(No Cl.)*

30 — mo⁶ yuen⁴ — 務員   (N) *government servant; civil servant.*

— ping⁴ — 平   (Adv) *equitable; fairly.* (Adj) *equitable; fair.*

— — gaau¹ yik⁶ — — 交易   (SE) *fair deal.*

— — ging⁶ choi³ — — 競賽   (SE) *fair play; fair competition.*

— poh⁴* — 婆   (N) *husband and wife; married couple.* **Coll.**

35   — se⁵   — 社   (N) *commune.*

"— sei² yau⁵ yuk⁶ sik⁶, poh⁴ sei² yau⁵ yuk⁶ fan¹" "— 死有肉食，婆死有肉分"   (SE) *a time—server gaining his own ends regardless of the effect on others, including those whose favours he has courted.*

— si¹°   — 司   (N) *department store; company.*   (*Cl.* gaan¹ 間)

— si³ (gwoon²)   — 使(館)   (N) *legation.*

— si⁶   — 事   (N) *public matter; official business.*   (*Cl.* gin⁶ 件)

40   — — baau¹°   — — 包   (N) *brief case.*

— sik¹°   — 式   (N) *formula; formality; procedure; general practice.*

— sing¹   — 升   (N) *decilitre.*   (*No Cl.*)

— yue⁶   — 寓   (N) *lodging house; apartment house.*   (*Cl.* gaan¹ 間)

— yuen⁴*   — 園   (N) *park; public park.*   (*Cl.* goh³ 個)

45   — yung⁶   — 用   (Adv) *for public use; jointly used.*   (*RT telephone booths, rooms, public conveniences, public conveyances, etc.*)

— — si⁶ yip⁶   — — 事業   (SE) *public utilities.*   (*Cl.* jung² 種)

gung¹ 弓   997   (N) *bow.*   (*Cl.* ba² 把)

— jin³   — 箭   (SE) *bows and arrows.*   (*No Cl.*)

— — sau³   — — 手   (N) *archers.*

— sau²   — 手   (N) *ditto.*

gung¹° 工   998   (N) *work; job.*   SF ‡

— cheung⁴   — 塲   (N) *workshop; workroom.*   (*Cl.* goh³ 個 *or* gaan¹ 間)

— ching⁴   — 程   (N) *engineering; construction work.*   (*Cl.* jung² 種 *or* daan¹ 單)

— — si¹°   — — 師   (N) *engineer.*   (*Cl.* goh³ 個)

— chong²   — 廠   (N) *factory.*   (*Cl.* gaan¹ 間)

5   — — kui¹   — — 區   (N) *industrial area; factory area.*

— — suk¹° se³   — — 宿舍   (N) *workmen's quarters; factory dormitory.*   (*Cl.* gaan¹ 間)

— dei⁶   — 地   (N) *worksite.*   (*Cl.* goh³ 個, sue³ 處 *or* do⁶ 度)

— foo¹   — 夫   (N) *work; job.*   Coll.   FE   (*Cl.* fan⁶ 份 *or* jung² 種)

— gui⁶   — 具   (N) *tool; instrument.*   (*Cl.* jung² 種 *or* gin⁶ 件)

10   — jok³   — 作   (V) *work.*   Fml.   FE   (N) *work; job.*   Fml.   FE   (*Cl.* fan⁶ 份 *or* jung² 種)

— — jau¹   — — 週   (N) *working week.*

— — leung⁶   — — 量   (N) *work load.*

— — man⁵ jit³   — — 敏捷   (SE) *good at one's work.*

— — toi⁴*   — — 枱   (N) *work table; work desk.*   (*Cl.* jeung¹ 張)

15   — — yat⁶   — — 日   (N) *workday.*

— tau⁴*   — 頭   (N) *foreman.*

— wooi⁶*   — 會   (N) *trade union.*

— yan⁴   — 人   (N) *worker; workman; domestic maid; domestic servant.*

— — bo² him²   — — 保險   (N) *worker's insurance; servant's insurance.*   (*Cl.* chi³ 次 or jung² 種)

20   — — foo³   — — 褲   (N) *dungarees; overalls.* (*Lit. workman's trousers*)   (*Cl.* tiu⁴ 條)

— — gaai¹ kap¹°   — — 階級   (SE) *working class; working people.*

— yau⁵   — 友   (N) *fellow-worker.*

— yip⁶   — 業   (N) *industry.*   (*Cl.* jung² 種)   (Adj) *industrial.*

— — fa³   — — 化   (V) *industrialize.*   (N) *industrialization.*   (*Cl.* chi³ 次)

25   — — ga¹°   — — 家   (N) *industrialist.*

— — gaak³ ming⁶   — — 革命   (N) *industrial revolution.*   (*Cl.* chi³ 次)

— — gwok³ ga¹   — — 國家   (N) *industrial country.*

— — hang⁴ dung⁶   — — 行動   (SE) *"industrial action".* (*GRT "work to rule", strike, sit-in, etc.*) (*Cl.* chi³ 次)

— — hok⁶ haau⁶   — — 學校   (N) *industrial school; technical college.*   (*Cl.* gaan¹ 間)

30   — — kui¹   — — 區   (N) *industrial area.*

— — sui¹ tui³   — — 衰退   (N) *industrial recession.*   (*Cl.* chi³ 次)

gung¹ 攻   999   (V) *attack.*   SF ‡

— da²   — 打   (V) *attack.*   FE

— gik¹°   — 擊   (V) *ditto.*

— sai³   — 勢   (N) *an offensive.*

gung¹ 功   1000   (N) *merit.*   SF ‡   (*Cl.* chi³ 次)

— fan¹   — 勳   (N) *merit; meritorious service.*   FE   (*Cl.* chi³ 次 or jung² 種)

289

— lo⁴ — 勞   (N) *merit; meritorious service.*

— foh³ — 課   (N) *lessons in general; studies in general.* *(RT home work, curricula, etc.)* *(Cl.* jung² 種*)*

— foo¹ (kuen⁴ geuk³) — 夫 (拳脚)   (N) *Kung Fu; martial arts; Chinese boxing.* **Tr.** *(Cl.* jung² 種*)*

5 — haau⁶ — 效   (N) *effect; efficacy; function.* *(Cl.* jung² 種*)*

— yung⁶ — 用   (N) *ditto.*

— lei⁶ — 利   (N) *utility; material gain.* *(Cl.* jung² 種*)*

— — jue² yi⁶ — — 主義   (N) *Benthamism; utilitarianism.* *(Cl.* goh³ 個 *or* jung² 種*)*

— — — je² — — — — 者   (N) *Benthamite; utilitarian; time-server.* *(Cl.* goh³ 個*)*

10 — san⁴ — 臣   (N) *statesman of outstanding merit; sb who has rendered great service to an institution.* **(Fig.)**

gung¹ 恭   1001   (V) *respect.* **SF** ‡

— ging³ — 敬   (V) *respect; give respect to; honour.* **FE**

— hei² — 喜   (V) *congratulate.*

"— —, gung¹ hei²!"   "— —, 恭喜!"   (Itj) *"Congratulations!"*

— wai⁴ — 維   (V) *pay a compliment.* (Adj) *complimentary.*

5 — — ... gei² gui³ — — ... 幾句   (IC) *pay sb a compliment; flatter sb.*

— — ... suet³ wa⁶ — — ... 説話   (N) *compliment; flattery.* *(Cl.* giu³ 句*)*

gung¹ 宮   1002   (N) *palace.* **SF** ‡

— din⁶ — 殿   (N) *palace.* **FE** *(Cl.* gaan¹ 間 *or* joh⁶ 座*)*

gung¹ 供   1003   (V) *provide for; supply.* **SF** ‡ (N) *supply.* **SF** ‡ **AP gung³ see 1004.**

— bat¹° ying³ kau⁴ — 不應求   (SE) *supply is not equal to demand.* *(Lit. supply not meet demand.)*

— chi⁴ — 詞   (N) *deposition.* *(RT law cases, criminal offences, etc.)* *(Cl.* pin¹ 篇 *or* jeung¹ 張*)*

— gwoh³ yue¹ kau⁴ — 過於求 (SE) *supply exceeds demand. (Lit. supply more than demand)*

— sik¹° — 職 (V) *hold an appointment; take up a post. (GRT official jobs)* **Fml.**

⁵ — kap¹° — 給 (V) *provide for; to supply.* **FE** (N) *supply.* **FE** (*Cl.* chi³ 次 *or* jung² 種)

— ying³ — 應 (V) *ditto.* (N) *ditto.*

— sue¹ gaau³ hok⁶ — 書教學 (V) *provide for education.* (N) *education expenses. (No Cl.)*

— yeung⁵ — 養 (V) *support. (GRT one's parents and/or children)*

— ying⁶ — 認 (V) *confess. (RT interrogations at law courts, police stations, etc.)*

gung³ 供 1004 (V) *offer in worship.* **AP gung¹ see 1003.**

— faan⁶ — 飯 (V) *offer food in sacrifice.*

— Fat⁶ — 佛 (V) *offer to Buddha.*

— fung⁶ — 奉 (V) *offer is worship.* **FE**

gung² 拱 1005 (V) *fold hands.* **SF** ‡ (N) *an arch.* **SF** ‡

— kiu⁴ — 橋 (N) *arched bridge.* (*Cl.* tiu⁴ 條)

— moon⁴ — 門 (N) *an arch.* **FE** (*Cl.* do⁶ 度)

— sau² — 手 (V) *salute with the hands clasped together.*

gung² 鞏 1006 (V) *guard; strength.* **SF** ‡ (Adj) *well-guarded.* **SF** ‡

— gwoo³ — 固 (V) *guard; strength.* **FE** (Adj) *well-guarded.*

gung⁶ 共 1007 (V) *share equally.* **Fml.** **SF** ‡ (Adv) *totally.* **SF** ‡ **AP gung¹ see 1008.**

— chuen⁴ — 存 (SE) *co-existence.*

— tung⁴ chuen⁴ joi⁶ — 同存在 (SE) *ditto.*

— chaan² — 產 (SE) *share property equally (among the people).*

G— Ch— Dong² — — 黨 (N) *the Communist Party.*

⁵ — — — Yuen⁴ — — — 員   (N) *Communist; Member of the Communist Party.*

— — Jue² Yi⁶ — — 主義   (N) *Communism.* (*Cl.* jung² 種 *or* goh³ 個)

— — — — Je² — — — — 者   (N) *Communist.*

g— ch— se⁵ wooi⁶* — — 社會   (N) *communist society.* (*Cl.* goh³ 個 *or* jung¹ 種)

— gai³ — 計   (V) *sum up.* (*Adv*) *everything included; in all.*

¹⁰ — woh⁴ — 和   (Adj) *republican.* (*Lit. together peace*) **SF** ‡

— — gwok³ — — 國   (N) *republic (as a nation).* (*Cl.* goh³ 個)

gung¹ 共   1008
(V) *fulfil one's duties.* **Bk. SF** ‡ **AP gung⁶** see 1007.

gwa¹° 瓜   1009
(N) *melon; cucumber; gourd.* **SF**

— choi³ — 菜   (N) *vegetables in general.* (*Lit. gourds and vegetables*) (*No Cl.*)

— fan¹ — 分   (V) *annex; encroach upon; partition.* (*GRT territory of other country*)

— gwoh² — 果   (N) *fruits in general.* (*Lit. melons and fruits*) (*No Cl.*)

gwa² 寡   1010
(Adj) *alone; little; few.* **Fml. SF** ‡

— foo⁵ — 婦   (N) *widow.*

— jai² — 仔   (N) *young bachelor.*

— lo² — 佬   (N) *bachelor.* (*GRT middle-aged ones*)

gwa³* 褂   1011
(N) *Chinese-style embroidered ceremonial jacket worn by women.* (*Cl.* gin⁶ 件) **CP kwa²**

— kwan⁴ — 裙   (N) *Chinese-style embroidered ceremonial suit worn by women.* (*Lit. jacket and skirt*) (*Cl.* to³ 套) **CP kwa² kwan⁴**

gwa³ 卦   1012
(N) *sign of fortune; diagram of the Book of Changes.* (*Cl.* goh³ 個 *or* ji¹ 支)

— meng⁶ sin¹ saang¹ — 命先生   (N) *fortune-teller.*

gwa³ 掛（挂）   1013   (V) *hang up; attach to.* **SF** ‡

— ho⁶ — 號   (V) *register a number.*   *(Lit. attach a number)*

— — sun³ — — 信   (N) *registered mail; registered letter.*   *(Cl.* fung¹ 封)

— jue⁶ — 住   (V) *care about; think about; remember; miss.*

— min⁶ — 念   (V) *ditto.*

5 — lo⁴ aap³* — 爐鴨   (N) *roast duck.*   *(Cl.* jek³ 隻 *; Course:* dip⁶ 碟 *.)*

gwa³ 啩   1014   CC   (FP) *expresses idea of feeling doubt or uncertainly.*

gwaai¹ 乖   1015   (Adj) *well-behaved; good; quiet.*   *(RT character)*

— gwaai¹ dei⁶* — 乖地   (Adv) *quietly; without any trouble.*

— jai² — 仔   (SE) *a good boy.*   **Coll.**

— nui¹* — 女   (SE) *a good girl.*   **Coll.**

gwaai² 拐   1016   (V) *kidnap; decoy; swindle.*   **SF** ‡

— daai³ — 帶   (V) *kidnap.*   **FE**

— kui³ maai⁶ — 去買   (V) *decoy; swindle.*   **FE Coll.**

— pin³ — 騙   (V) *ditto.*   **FE Fml.**

— ji² lo² — 子佬   (N) *kidnapper.*

gwaai² 柺   1017   (N) *walking stick.*   **SF** ‡

— jeung⁶* — 杖   (N) *walking stick.*   **FE**   *(Cl.* ji¹ 支 *)*

gwaai³ 怪（恠）   1018   (V) *blame.*   (Adj) *strange; odd.*

— beng⁶ — 病   (N) *strange disease.*   *(Cl.* goh³ 個 *or* jung² 種 *)*

— jaak³ — 責   (V) *blame.*   **Fml. FE**

— mat⁶ — 物   (N) *monster.*   **Lit. & Fig.**   *(Cl.* goh³ 個 *or* jek³ 只 *)*

— si⁶ — 事   (N) *strange affair; extraordinary matter.*   *(Cl.* gin⁶ 件 *)*

5 — siu³ — 笑   (N) *sardonic laughter; laughter without cause.*   *(Cl.* seng¹ 聲 *or* jung² 種 *)*

— yan⁴ — 人   (N) *peculiar person; odd fellow.*

gwaak³ 摑 1019   (V) *slap.*

— yat¹° ba¹ — — 巴   (V) *give a slap.*

gwaan¹ 關(関，関) 1020   (V) *close; shut.* **Fml. SF** ‡ (N) *frontier pass; frontier post; custom house; check point; barrier; hurdle* **(Fig.).** (*Cl.* goh³ 個)

— bai³ — 閉   (V) *close; shut.* **Fml. FE**

— hai⁶ — 係   (N) *relation; connection; concern.* (*Cl.* jung² 種 *or* goh³ 個)

— sam¹ — 心   (V) *concern; worry; care.*

— si⁶ — 事   (V) *be involved in; be concerned with.*

5 — sui¹ — 書   (N) *contract; agreement.* (*RT teachers*) (*Cl.* jeung¹ 張)

— sui³ — 稅   (N) *customs duties.* (*Cl.* jung² 種)

— tau⁴ — 頭   (N) *crisis; juncture; critical point.*

— yue¹ — 於   (Prep) *with regard to.*

gwaai¹ 鰥 1021   (N) *widower.* **SF** ‡

— foo¹ — 夫   (N) *widower.* **FE**

gwaan³ 慣 1022   (V) *get used to; be accustomed to; know sb well; know sth well; know sth well.* **SF** ‡ (N) *custom; habit.* **SF** ‡

— lai⁶ — 例   (N) *custom; habit; general practice.* **FE** (*Cl.* goh³ 個 *or* jung² 種)

— sing³ — 性   (N) *inertia.* (*Cl.* jung² 種)

— suk⁶ — 熟   (V) *get used to; be accustomed to; know sb well; know sth well.* **FE**

— yung⁶ chi⁴ — 用語   (N) *idiom.* **Gr.** (*Cl.* gui³ 句 *or* jung² 種)

5 — — yue⁵ — — 語   (N) *ditto.*

gwaan³ 躓 1023   (V) *fall (physically).* **SF** ‡ **CC**

— do² — 倒   (V) *fall; have fallen over.* (*ROT persons*)

— — lok⁶ dei⁶ — — 落地   (SE) *fall on the ground; have fallen to the ground.* (*ROT persons*)

gwaang⁶ 逛   1024   (V) *wander about aimlessly.*   **SF**   ‡

— gaai¹° — 街   (V) *wander about aimlessly.*   **FE**

gwaat³ 刮   1025   (V) *scrape.*

— cho¹ lung⁴* — 粗龍   (V) *profiteer.*   **Sl.**

— dei⁶ pei⁴ — 地皮   (V) *exact money from the people; be a corrupt official.* (*Lit. scrape land skin*)   **Mdn.**

— lung⁴* — 龍   (V) *make money greedily; make money in an objectionable manner; squeeze.* (*Lit. scrape dragon*)   **Sl.**

— — jung¹ hok⁶ — — 中學   (N) *profit-making secondary school.*   **Sl.** (*Cl.* gaan¹ 間)

gwai¹ 傀   1026   (Adj) *great; gigantic.*   **Fml.**   **Bk.**   **SF**   ‡   **AP faai³**   **see 640.**

gwai¹ 歸(归)   1027   (V) *ascribe; belong; return.*   **Fml.**   **SF**   ‡

— fa³ — 化   (V) *be naturalized as a citizen.*

— . . . gwoon² — . . . 管   (IC) *be under the control of . . .*

— naap⁶ faat³ — 納法   (N) *inductive methods.* (*Cl.* goh³ 個 *or* jung² 種)

— ning⁴ — 寧   (SE) *visit of married woman to her parents.*   **Fml.**

⁵ — suk¹° — 宿   (N) *the final resting-place; a permanent home.*

gwai¹° 龜(龟)   1028   (N) *tortoise.* (*Cl.* jek³ 只)

— buk¹° — 卜   (N) *fortune-telling.* (*ROT the use of tortoise-shells*)

— gung¹ — 公   (N) *pimp.*   **Sl.**

gwai² 鬼   1029   (N) *ghost; devil.* (*Cl.* jek³ 隻)

— gam³ — 咁   (Adv) *"damned"; dreadfully; terribly; awfully.* (*Lit. devilishly*)

— giu³ . . . me¹°? — 叫 . . . 咩?   (IC) *there is nobody else to blame for . . .; who else can one blame for . . .?* (*Lit. Devil blames . . .?*)

— jit³ — 節   (N) *the festival of ghosts (i.e. the 14th of the 7th lunar month)*.

— lo² — 佬   (N) *foreigner; European*. **SF Sl.**

5   — tau⁴ — 頭   (N) *ditto*.

— — jai² — — 仔   (N) *police informer*. **Sl.**

— mai⁴ — 迷   (V) *be possessed by ghost*.

— uk¹° — 屋   (N) *haunted house*.   *(Lit. ghost house)*   (*Cl.* gaan¹ 間)

— wan⁴ — 魂   (N) *ghost*. **FE**   (*Cl.* goh³ 個)

gwai² 詭   1030   (Adj) *tricky; cunning*. **Fml. SF** ‡

— bin⁶ — 辯   (N) *sophistry; paradox*.   (*Cl.* jung² 種)

— gai³ — 計   (N) *wicked trick*.

— — doh¹ duen¹ — — 多端   (SE) *full of wicked tricks; extremely tricky*.

gwai³ 貴 1031   (Adj) *expensive; honourable*. **PL**

— ban¹ — 賓   (N) *guest of honour*. **PL**

— gwok³ — 國   (SE) *your (honourable) country*. **PL**

— haak³ — 客   (N) *customer*. **PL**

Gw— Jau¹ (Saang²) — 州 (省)   (N) *Kweichow; Kweichow Province*. **Tr.**

5   gw— jung⁶ — 重   (Adj) *valuable*.

— — ge³ ye⁵ — — 嘅嘢   (N) *valuables*.   (*Cl.* gin⁶ 件)

— sing³ a³? — 姓呀?   (SE) *your name, please?*

gwai³ 桂   1032   (N) *cassia*.   **SF** ‡

— fa¹° — 花   (N) *cassia blossoms*.   (*Cl.* deuh² *or* doh² 朵)

— sue⁶ — 樹   (N) *cassia tree*.   (*Cl.* poh³ 荷)

Gw— Am⁴ — 林   (N) *Kweilin (in Kwangsi Province)*.

gwai³ 季   1033   (N) *season*. **SF** *(No Cl.)*

— hau⁶ — 候   (N) *season*. **FE** *(No Cl.)*

— jit³ — 節   (N) *ditto*.

— hau⁶ fung¹ — 候風   (N) *monsoon*.   (*Cl.* chi³ 次)

gwai⁶ 跪   1034   (V) *kneel; kneel down.*   **SF**   ‡

— dai¹   — 低   (V) *kneel; kneel down.*   **FE**

gwai⁶ 櫃（匱，鎖）   1035   (N) *counter; cupboard.*   **SF**   ‡

— min⁶*   — 面   (N) *counter (RT shops, banks, etc.).*

— toi⁴*   — 枱   (N) *ditto.*

— wai⁴*   — 圍   (N) *ditto.*

— tung²   — 桶   (N) *drawer.*

gwan¹ 君   1036   (N) *gentleman; monarch.*   **SF**   ‡

— ji²   — 子   (N) *gentleman; man of complete virtue; the beau-ideal of Confucianism.*

— — hip³ ding⁶   — — 協定   (SE) *gentleman's agreement.*

— jue²   — 主   (N) *monarch.*   **FE**

gwan¹ 軍   1037   (N) *army; troops.*   **SF**   ‡   (Adj) *military.*   **SF**   ‡

— che¹°   — 車   (N) *military vehicle.*   (*Cl.* ga³ 架）

— dui⁶*   — 隊   (N) *army; troops.*   **FE**   (*Cl.* dui⁶ 隊 *or* ji¹ 支）

— faat³   — 法   (N) *martial law.*   (*Cl.* tiu⁴ 條）

— fat⁶   — 閥   (N) *warlord.*

5   — foh²   — 火   (N) *ammunition; munitions; firearms.*   (*Cl.* pai¹ 批）

— — juen¹ ga¹°   — — 專家   (N) *bomb disposal expert.*   **Coll.**

— gei³   — 紀   (N) *military discipline.*   *(No Cl.)*

— laam⁶   — 艦   (N) *warship.*   (*Cl.* jek³ 只）

— si⁶   — 事   (N) *military affairs.*   *(No Cl.)*   (Adj) *military.*   **FE**

10   — ying⁴   — 營   (N) *barracks.*

— yung⁶   — 用   (Adj) *military.*   *(Lit. military use)*

— — gung¹ lo⁶   — — 公路   (N) *military road.*   *(Lit. army use highway)*   (*Cl.* tiu⁴ 條）

— yan⁴   — 人   (N) *soldiers in general.*

gwan¹ 昆 1038　　(N) *posterity; multitude.* **Bk. SF** ‡

— chung⁴ — 蟲　(N) *insects in general.* (*Cl.* tiu⁴ 條)

Gw— Ming⁴ — 明　(N) *Kunming (in Yunan Province).*

gwan² 滾 1039　　(V) *disturb; boil; cheat* (**Sl.**)*; be a lewd or lecherous person* (**Sl.**)*.* **SF** ‡

— gaau² — 攪　(V) *disturb; bother; trouble.* **FE PL**

— — saai³ — — 晒　(SE) *"thank you very much for your hospitality".* (*Lit. trouble you completely*)

— hung⁴ gwan² luk⁶ — 紅滾綠　(V) *cheat; swindle; be a lewd on lecherous person.* **Sl.**

— sui² — 水　(N) *boiling water.* (*Kettle:* bo¹° 煲; *Glass:* booi¹° 杯.)

5　— yau⁵* — 皮　(N) *cheat; swindler; lewd person.* **Sl.**

gwan³ 棍 1040　　(V) *cheat; swindle.* **Fml. SF.** ‡　(N) *club; stick.* (*Cl.* ji¹ 支)

— paang⁵ — 棒　(N) *club; stick.* **FE** (*Cl.* ji¹ 支)

— pin³ — 騙　(V) *cheat; swindle.* **Fml. FE**

gwang¹ 轟 1041　　(V) *bomb.* **SF** ‡　(N) *uprear.* **Fml. SF** ‡

— dung⁶ — 動　(V) *cause a sensation; make a great uproar.*

— ja³ — 炸　(V) *bomb.* **FE**

— — gei¹ — — 機　(N) *bomber.* (*Cl.* ga³ 架 *or* jek³ 只)

gwat¹° 骨 1042　　(N) *bone* (*Cl.* tiu⁴ 條)*; quarter (i.e.* $\frac{1}{4}$*)* **Tr.** (*Cl.* goh³ 個).

— gaak³ — 格　(N) *frame; skelton.*

— hei³ — 氣　(N) *moral integrity; sterling character; backbone* (**Fig.**). (*Cl.* jung² 種)

— ji² (dik¹° sik¹°) — 子 (的適)　(N) *"chic"; neat; elegant.* **Coll.**

— jung¹° — 鐘　(N) *quarter of an hour.* **FE**

5　— tau⁴ — 頭　(N) *bone.* **FE** (*Cl.* tiu⁴ 條)

— yuk⁶ — 肉　(SE) *blood-relationship; kindred.* (*Lit. bone and flesh*)

— — ji¹ chan¹ — — 之親　(SE) *ditto.*

— — — ching⁴ — — — 情　(SE) *ditto.*

gwat¹° 橘   1043   (N) *citrus fruits.*

gwat⁶ 掘   1044   (V) *dig; excavate.*

— dei⁶ — 地   (V) *dig the earth.*

— haang¹° — 坑   (N) *dig a pit.*

— hoi¹ — 開   (V) *dig up; break up by digging.*   *(Lit. dig open)*

— jeng² — 井   (V) *dig a well.*

5 — laan⁶ — 爛   (V) *damage (by digging).*

— lung¹° — 窿   (V) *dig a hole.*

gwoh² 果   1045   (N) *fruit; result; consequence.*   (Adv) *indeed.*

— bo³ — 報   (N) *consequence; retribution.*   (Cl. jung² 種)

— ji² — 子   (N) *fruit.* **FE Mdn.**

— sat⁶ — 實   (N) *fruit; result* **(Fig.)**.

— yan⁴ — 仁   (N) *kernel.*   (Cl. nap¹° 粒)

5 — yin⁴ — 然   (Adv) *indeed; eventually; finally.*

— yuen⁴ — 園   (N) *orchard.*

gwoh² 菓(果)   1046   (N) *fruit.*

gwoh³ 過(过)   1047   (V) *cross.*   *(RT roads, harbours, etc.)* (Prep) *to (in sense of "giving").*   (Conj) *than (in comparisons).*   (Asp.) *used as a sign of past or perfect tense; across; over; through.*

— boon³ so³ — 半數   (SE) *the majority.*   *(Lit. over one half)*

— ching⁴ — 程   (N) *processes or stages in sth.*

— choh³ — 錯   (N) *fault; error; mistake.*

— sat¹° — 失   (N) *ditto.*

5 — chung⁵ — 重   (Adj) *overloaded; overweight.*

— dak¹° hui³ — 得去   (Adj) *not too bad; fairly good; passable.*

— do⁶ — 道   (N) *crossing; passage.*   *(Lit. crossing road)*   (Cl. tiu⁴ 條)

— do⁶ — 度 (Adj) *excessive; beyond limits.*

— fan⁶ — 分 (Adj) *ditto.*

10 — foh² — 火 (Adj) *ditto.*

— do⁶ si⁴ kei⁴ — 渡時期 (SE) *interim; transitional period.*

— gik¹° — 激 (Adj) *radical.* *(RT speeches, opinions, actions, etc.)*

— ging² — 境 (V) *cross over a frontier; stop in; pass by.* *(RT travellers)*

— — haak³ — — 客 (N) *transit traveller; "bird of passage"; passing stranger.*

15 — haak³ — 客 (N) *ditto.*

— lo⁶ haak³ — 路客 (N) *ditto.*

— gong¹ lung⁴ — 江龍 (N) *"tough guy" from another place; foreign speculator.* *(Lit. cross river dragon)* **Sl.** *(Cl.* goh³ 個 *or* tiu⁴ 條*)*

— gwaan¹ — 關 (V) *get through difficulties.* *(Lit. pass through a barrier)*

— hoh⁴ chaak³ kiu⁴ — 河拆橋 (SE) *ingratitude for help received.* *(Lit. break the bridge after crossing the river)*

20 — kiu⁴ chau¹ baan² — 橋抽板 (SE) *ditto.* *(Lit. pull away the plank after using it as a bridge)*

— hoi² — 海 (V) *cross the harbour.* *(Lit. cross the sea)*

— — ba¹° si⁶ — — 巴士 (N) *tunnel bus.* *(Cl.* ga³ 架*)*

— — suen⁴ — — 船 (N) *cross-harbour ferry.* *(Cl.* jek³ 隻*)*

— — sui⁶ do⁶ — — 隧道 (N) *"the tunnel"; cross-harbour tunnel.* *(Cl.* tiu⁴ 條*)*

25 — — — — fai³ — — — — 費 (N) *toll (for using the cross-harbour tunnel).* *(Cl.* chi³ 次*)*

— — — — maai⁵ lo⁶ chin⁴ — — — — 買路錢 (N) *ditto.* **Joc.** *(Cl.* chi³ 次*)*

— hui³ — 去 (V) *be gone; be past; go over there.* (Adj) *past.*

— — si⁴ — — 時 (N) *past tense.* **Gr.**

— — sik¹° — — 式 (N) *ditto.*

30 — jit³ — 節 (V) *keep a festival; observe a holiday.*

— jung¹° — 鐘 (Adj) *not punctual; late.* **Coll.** (Adv) *not punctually.*

— kei⁴ — 期 (Adj) *overdue.* (Adv) *beyond the date fixed.*

— lai⁴ — 嚟   (V) *come over here.*

— loi⁴ yan⁴ — 來人   (N) *one who has traversed the same road; a man with the same kind of experience* **(Fig.)** .

35 — ma⁵ lo⁶ — 馬路   (SE) *cross the road.*

— muk⁶ — 目   (V) *have a quick look at.*

— ngaan⁵ — 眼   (V) *ditto.*

— nin⁴ — 年   (V) *enter the new-year period; observe or celebrate new-year.* *(GRT the Chinese New Year)*

— si⁴ — 時   (Adj) *out of season; overdue; out of date.* (Adv) *beyond the time fixed.*

40 — sing⁶ — 剩   (Adj) *redundant; excessive.*

— tau⁴ — 頭   (Adv) *too.* *(Used to convey the idea of "excess" when preceded by an Adjective)*

— — lap¹° — — 笠   (N) *pullover.* (*Cl.* gin⁶ 件) (Adj) *pulled on over the head; crew-neck.* *(RT garments)*

— tong⁴ — 堂   (V) *appear before a law court.*

— wan⁴ yue⁵ — 雲雨   (N) *passing shower; intermittent rain.* (*Cl.* jan⁶ 陣 *or* chi³ 次)

45 — ye⁶ — 夜   (V) *stay overnight; spend the night.*

— yat⁶ ji² — 日子   (V) *while away time; pass one's days.*

gwok³ 國   1048   (N) *country; nation; state.*

— bo³ — 寶   (N) *national treasures (RT ancient objects of art); a nation's most talented citizens.* (*Cl.* jung² 種 *or* goh³ 個)

— chaan² — 產   (N) *national products; Chinese goods.* (*Cl.* jung² 種)

— foh³ — 貨   (N) *ditto.*

— — gung¹ si¹° — — 公司   (N) *Chinese products centre; Chinese goods emporium.* (*Cl.* gaan¹ 間)

5 — fong⁴ — 防   (N) *national defence.*

— — bo⁶ — — 部   (N) *Ministry of Defence.*

— — — jeung² — — — 長   (N) *Minister of Defence.*

— foo³ — 庫   (N) *treasury; national treasury; the Treasury.*

— ga¹ — 家   (N) *nation; country; state.* **Fml.** **FE**

10 — — gwoon¹ nim⁶ — — 觀念   (SE) *national sentiment.* (*Cl.* jung² 種)

— — daai⁶ si⁶ — — 大事   (N) *event of national import; important national affairs.*   (*Cl.* gin⁶ 件)

— ging² — 境   (N) *national territory; national boundaries.*   (*Cl.* sue³ 處 *or* do⁶ 度)

— to² — 土   (N) *ditto.*

— goh¹° — 歌   (N) *national anthem.*   (*Cl.* ji¹ 支 *or* sau² 首)

15   — hing³ (yat⁶) — 慶 (日)   (N) *national day; national celebrations.* (*Cl.* chi³ 次)

— jai³ — 際   (Adj) *international.*

— — gaan¹ — — 間   (Adj) *ditto.*

— — sing³ — — 性   (Adj) *ditto.*

— — gei¹ cheung⁴ — — 機場   (N) *international airport.*

20   — — (gung¹) faat³ — — (公) 法   (N) *international (public) law.*   (*Cl.* tiu⁴ 條)

— jik⁶ — 籍   (N) *nationality.*   (*Cl.* goh³ 個)

— kei⁴ — 旗   (N) *national flag.*   (*Cl.* ji¹ 支)

— man⁴* — 文   (N) *Chinese; Chinese language; Chinese literature.* *(ROT this subject as taught in primary or secondary schools)*   (Subject: foh⁴ 科)

— man⁴ — 民   (N) *nationalist; citizen; subject.*   **Fml.**

25   Gw— M— Dong² — — 黨   (N) *the National Party; the Kuomintang* (**Tr.**).

— Mo⁶ Hing¹ — 務卿   (N) *the Secretary of State.*   *(ROT the U.S.A.)*

— — Yuen⁶* — — 院   (N) *the State Council (of China); the State Department (of the U.S.A.).*

— — — Jung² Lei⁵ — — — 總理   (N) *the Premier.*   *(ROT China)*

gw— noi⁶ — 內   (Adj) *internal; domestic.*   (Adv) *at home.*

30   — — gei cheung⁴ — — 機場   (N) *national airport.*

— — hong⁴ sin³ — — 航綫   (SE) *domestic airline voute.*   (*Cl.* tiu⁴ 條)

— — jai³ jo⁶ — — 製造   (SE) *local manufacture.*

— ngoi⁶ — 外   (Adj) *foreign; external.*   (Adv) *abroad.*

— — lui⁵ hang⁴ — — 旅行   (SE) *travel abroad.*

35   — — mau⁶ yik⁶ — — 貿易   (SE) *foreign trade.*   (*Cl.* jung² 種)

— sue¹° — 書   (N) *national credentials.*   (*Cl.* jeung¹ 張)

— sui⁵ — 粹   (N) *cultural heritage of a nation; national legacy.*   (*Cl.* jung² 種)

— wooi⁶* — 會   (N) *Congress (of the U.S.A.); Parliament (of the U.K.).*

— — yi⁵ yuen⁴ — — 議員   (N) *congressman; member of parliament.*

40 — ying⁴ si⁶ yip⁶ — 營事業   (SE) *national enterprise; government enterprise.*   (*Cl.* jung² 種)

Gw— Yue⁵ — 語   (N) *Mandarin; the national language, as opp. to other Chinese dialects (a term mainly used outside China).*   (*Cl.* jung² 種)

— — si⁴ doi⁶ kuk¹° — — 時代曲   (SE) *pop song in Mandarin; Mandarin pop music.*

gwok³ 擴   1049   (V) *expand; enlarge.* **Fml. SF ‡ CP kwok³ or kwong³**

— chung¹ — 充   (V) *expand; enlarge.* **Fml. FE CP kwong³ chung¹**

— daai⁶ — 大   (V) *ditto.* **CP kwong³ daai⁶**

— jeung¹ — 張   (V) *ditto.* **CP kwong³ jeung¹**

gwong¹ 光   1050   (Adj) *bright.* (N) *lights; beam.* **SF**

— chaang⁴ chaang⁴ — 棖棖   (Adj) *extremely bright; as bright as the sun.*

— ching⁴ chaang⁴ — 呈棖   (Adj) *ditto.*

— choi² — 彩   (N) *glory; splendour.*   (*Cl.* jung² 種)

— fai¹ — 輝   (N) *ditto.*

5 — git³ — 潔   (Adj) *bright and clean.*

— sin¹ — 鮮   (Adj) *ditto.*

— gwan³ — 棍   (N) *bachelor.* (*Cl.* tiu⁴ 條); *swindler* (*Cl.* goh³ 個). *(Lit. bare stick)*

— gwoo³ — 顧   (V) *come to shop; patronize.* **PL**

— gwoon² — 管   (N) *fluorescent lamp; neon light; neon tube.* *(Lit. bright tube)* (*Cl.* ji¹ 支)

10 — — jiu¹ paai⁴ — — 招牌   (N) *neon sign.* (*Cl.* goh³ 個 *or* faai³ 塊)

— jaak⁶ — 澤   (N) *lustre.* (*Cl.* jung² 種)

— leung⁶ — 亮   (Adj) *bright; clear.* **Fml.**

— ming⁴ — 明   (Adj) *ditto.*

— — jing³ daai⁶ — — 正大   (SE) *a conscience at peace and void of offence.*

15 — — lui⁵ lok⁶ — — 磊落   (SE) *ditto.*

— sin³ — 線   (N) *light; natural light.* **FE** (*Cl.* do⁶ 道 *or* tiu⁴ 條)

— tau⁴ — 頭   (N) *bald-head.* (Adj) *bald-headed.*

— waat⁶ — 滑   (Adj) *smooth; shiny; glossy.*

— yam¹ — 陰   (N) *time.* **Fml.** *(No Cl.)*

gwong²廣   1051   (Adj) *broad; wide.* **Fml. SF** ‡ (N) *Kwangtung; Kwangsi; Kwangchow; Canton.* **SF** ‡

— boh³ — 播   (V) *broadcast.*   (N) *broadcast; broadcasting.* (*Cl.* chi³ 次 *or* goh³ 個)

— — din⁶ toi⁴ — — 電台   (N) *broadcasting station; radio station.*

Gw— Dung¹ (Saang¹) — 東(省)   (N) *Kwangtung (Province).* **FE Tr.**

— — wa⁶* — — 話   (N) *the Contonese dialect; Cantonese (as opp. to other Chinese dialects).* (*Cl.* jung² 種)

5 — — yan⁴ — — 人   (N) *natives of Kwangtung Province; Cantonese people.*

— Foo² — 府   (N) *Canton. (An old name for "Gwong² Jau¹", still used by overseas Chinese in Southeast Asian countries.)*

— — wa⁶* — — 話   (N) *the Cantonese dialect (as opp. to the Chiuchow and Hakka dialects—a term often used by overseas Chinese in Southeast Asian countries).* (*Cl.* jung² 種)

— — yan⁴ — — 人   (N) *native of Canton City; Cantonese people (as opp. to Chiuchow and Hakka people—a term often used by overseas Chinese in Southeast Asian Countries).*

gw— go³ — 告   (N) *advertisement.* (*Cl.* duen⁶ 段 *or* fuk¹° 幅)

10 — — baan² — — 版   (N) *advertising page; advertising column.* (*Cl.* goh³ 個 *or* yip 頁)

— — laan⁴ — — 欄   (N) *ditto.*

Gw— Jau¹ (si⁵) — — 州(市)   (N) *Canton (City); Kwangchow* **(Tr.).**

— — wa⁶* — — 話   (N) *Cantonese dialect (as opp. to other dialects spoken in Kwangtung Province).* (*Cl.* jung² 種)

— — yan⁴ — — 人   (N) *native of Canton City; Cantonese people (as opp. to the inhabitants of Kwangtung Province outside Canton City).*

15 — Sai¹ — 西   (N) *Kwangsi*. **Tr.**

  — — Jong³ Juk⁶ Ji⁶ Ji⁶ Kui¹ — — 壯族自治區   (N) *Kwangsi Chuang Autonomous Region.* **Tr.**

gwong³ 礦(鑛) 1052   (N) *mine.* **SF** ‡ **AP** Kwong³ **SM see** 1742.

gwoo¹ 姑 1053   (V) *be indulgent to.* **SF** ‡ (N) *paternal aunt; maiden.*

 — je²° — 姐   (N) *aunt; father's younger sister.*

 — jeung⁶* — 丈   (N) *uncle; husbands of father's sisters.*

 — ma¹° — 媽   (N) *aunt; father's elder sister(s).*

 — neung⁴ — 娘   (N) *nurse; sister.* *(RT nurses or nuns)* **PT**

5 — sik¹° — 息   (V) *be indulgent to; be lenient to; spoil (a child).* **FE**

gwoo¹° 咕 1054   (V) *mutter.* **Mdn. SF** ‡ (P) *used in transliterations.*

 — lo¹° — 嚕   (Adj) *"sweet-and-sour".* *(ROT Chinese dishes; origin of word unknown.)*

 — — paai⁴ gwat¹° — — 排骨   (N) *fried spare-rib with sweet-and-sour sauce.* *(Course:* goh³ 個)

 — — yuk⁶ — — 肉   (N) *sweet and sour pork.* *(Course:* goh³ 個)

 — nung⁶ — 噥   (V) *mutter.* **Mdn. FE**

gwoo¹ 沽 1055   (V) *buy and sell.* **Fml. SF** ‡

 — ming⁴ diu³ yue⁵ — 名釣譽   (SE) *fish for compliments.* *(Gen. used in a bad sense)*

gwoo¹ 菇(菰) 1056   (N) *mushroom.* *(Cl.* jek³ 只)

gwoo¹ 辜 1057   (V) *be ungrateful for.* **Fml. SF** ‡ (N) *guilt; crime.* **Fml. SF** ‡

 — foo⁶ — 負   (V) *be ungrateful for.* *(RT affection, favour, help, kindness, etc.)*

gwoo¹ 孤 1058   (Adj) *solitary.*   **SF** ‡   (N) *orphan.*   **SF** ‡

— daan¹ — 單   (Adj) *lonely; solitary.*   **FE**

— duk⁶ — 獨   (Adj) *ditto.*

— hon⁴ — 寒   (Adj) *miserly; tight-fisted; mean.*

— — jung² — — 種   (N) *a miser.*   **Sl.**

5   — jeung² naan⁴ ming⁴ — 掌難鳴   (SE) *be unable to do sth without assistance.* (*Lit. one palm cannot clap and make a sound)*

— jue³ yat¹° jek⁶ — 注一擲   (SE) *stake all on a single throw.*

— pik¹° — 僻   (Adj) *eccentric.*

— yi⁴ — 兒   (N) *orphan; parentless child.*   **FE**

— — yuen⁶* — — 院   (N) *orphanage.*   (*Cl.* gaan¹間)

gwoo² 古 1059   (Adj) *ancient.*

Gw— Ba¹ — 巴   (N) *Cuba.*   **Tr.**

gw— din² — 典   (Adj) *classical.*

— — man⁴ hok⁶ — — 文學   (SE) *classical literature.*

— doi⁶ — 代   (N) *ancient time; antiquity.*   (Adv) *in ancient times.*

5   — si⁴ — 時   (N) *ditto.*   (Adv) *ditto.*

— dung² — 董   (N) *curios; antiques.*   (*Cl.* gin⁶ 件)

— woon⁶* — 玩   (N) *ditto.*

— — po³* — — 鋪   (N) *curio-shop.*   (*Cl.* gaan¹ 間)

— gwaai³ — 怪   (Adj) *odd; strange; whimsical.*

10   — jai² — 仔   (N) *story; tale.*   **Coll.**   (*Cl.* goh³ 個 *or* jek³ 只)

— jik¹° — 蹟   (N) *relics; historical ruins; ancient remains.*   (*Lit. ancient trace)*   (*Cl.* sue³ 處 , do⁶ 度 *or* goh³ 個)

— linh⁴ jing¹ gwaai³ — 靈精怪   (Adj) *odd; strange; peculiar; whimsical; eccentric; exotic.*

— lo⁵ — 老   (Adj) *old-fashioned; conservative.*

gwoo² 鼓(皷，鼓) 1060   (V) *drum; rouse; encourage.*   **SF** ‡   (N) *drum.*

— chui¹ — 吹   (V) *promote; encourage; advocate; incite; stir up.* (*RT movements, drives, campaigns, etc.)*

— hei² yung⁵ hei³ — 起勇氣   (SE) *take courage; be brave.*

— jeung² — 掌　(V) *clap hands.*
— lai⁶ — 勵　(V) *encourage.* (N) *encouragement.* (*Cl.* jung² 種)
5　— sau² — 手　(N) *drummer.*

gwoo² 股(胠)　1061　(N) *share; thigh* (**Bk.**).　**SF** ‡

— boon² — 本　(N) *share-capital.* (*Cl.* jung²· 種)
— dung¹° — 東　(N) *shareholder.* (*GRT shops*) **Coll.**
— fan⁶* — 份　(N) *share (in a company).* (*No Cl.*)
— — saang¹ yi³ — — 生意　(N) *joint-stock business.* (*Cl.* jung² 種)
5　— — gung¹ si¹° — — 公司　(N) *joint-stock company.* (*Cl.* gaan¹ 間)
— — yau⁵ haan⁶ gung¹ si¹° — — 有限公司　(N) *limited-liability join-stock company.* (*Cl.* gaan¹ 間)
— piu³ — 票　(N) *stock; shares.* (*Certificate:* jeung¹ 張; *Lot;* sau² 手.)
— — chi⁴ yau⁵ yan⁴ — — 持有人　(N) *shareholders in general.* **Fml.**
— — ging¹ gei² — — 經紀　(N) *stock-broker.*
10　— — si⁵ cheung⁴ — — 市場　(N) *stock exchange.*
— si⁵ — 市　(N) *ditto.*
— sik¹° — 息　(N) *dividend.* (*Cl.* jung² 種)

gwoo² 蠱　1062　(V) *internal worm.*　**SF** ‡

— jeung³ — 脹　(N) *dropsy.* (*Cl.* goh³ 個 *or* jung² 種)
— waak⁶ — 惑　(Adj) *cunning.* **Coll.**
— — jai² — — 仔　(SE) *cunning person.* **Coll.**
— — yau⁵* — — 友　(SE) *ditto.*

gwoo² 估　1063　(V) *guess; think; presume.*　**AP gwoo³ see 1064.**

— ga³ — 價　(V) *estimate a price; estimate a cost; give a quote (for a job).*
— — daan¹° — — 單　(N) *pro-forma invoice; estimate.* (*Cl.* jeung¹ 張)
— gai³ — 計　(V) *estimate; calculate.* (N) *estimate; calculation.* (*Cl.* jung² 種)
— jung³ — 中　(V) *make an accurate guess.*

307

gwoo³ 估   1064   (Adj) *old.* **Fml. SF** ‡ **AP gwoo² see 1063.**

— yi¹° — 衣   (N) *second-hand clothes.* *(No Cl.)*

— — dong³ — — 檔   (N) *second-hand clothing stall.* *(Cl.* goh³ 個 *or*
dong³ 檔)

— — po³* — — 鋪   (N) *second-hand clothing shop.* *(Cl.* gaan¹ 間)

gwoo³ 故   1065   (Adj) *old; intentional.* **Fml. SF** ‡ (Adj) *intentionally.* **SF** ‡

— gaau¹ — 交   (N) *old friend.* **Fml.**

— gau⁶ — 舊   (N) *ditto.*

— yan⁴ — 人   (N) *ditto.*

— heung¹ — 鄉   (N) *one's native place; one's home town.* **Fml.**

5 — lei⁵ — 里   (N) *ditto.*

— to² — 土   (N) *ditto.*

— si⁶ — 事   (N) *story; tale.* **Fml.** *(Cl.* goh³ 個 *or* jek³ 只)

— yi³ — 意   (Adv) *intentionally; deliberately.* **FE** (Adj) *intentional; deliberate.* **FE**

gwoo³ 固   1066   (Adj) *firm; obstinate; solid.* **SF** ‡ (Adv) *certainly.* **SE** ‡

— ding⁶ — 定   (Adj) *firm; steady; stationary.*

— jap¹° — 執   (Adv) *obstinate; stubborn.*

— tai² — 體   (Adj) *solid (as opp. to liquid).*

— yin⁴ — 然   (Adv) *certainly; of course.*

gwoo³ 雇(僱)   1067   (V) *employ (people).* **Fml.**

— jue² — 主   (N) *employer.* **Fml.** *(Cl.* goh³ 個)

— yuen⁴ — 員   (N) *employee.* **Fml.** *(Cl.* goh³ 個)

— yung⁴ bing¹ — 傭兵   (N) *metcenary; mercenary soldier.* *(Cl.* goh³
個*; Unit:* ji¹ 支 *or* dui⁶ 隊 .)

— yung⁶ — 用   (V) *employ; hire; engage.* **FE**

gwoo³ 顧 (顾) 1068   (V) *care for; look after.* **SF** ‡

— haak³ — 客   (N) *patron (at a restaurant); customer (at a shop).*
Fml. (*Cl.* goh³ 個)

— man⁶ — 問   (N) *adviser.*

gwooi⁶ 瘏 1069   (Adj) *tired; exhausted.*
CC

— gwooi⁶* dei⁶* — 瘏地   (Adj) *a little tired.*

— laai⁴ laai⁴ — 嚹嚹   (Adj) *dead tired; exhausted; as tired as a dog.*

gwoon¹ 官 1070   (N) & (Adj) *official.* **SF** ‡

— cheung⁴ — 塲   (N) *official circles; officialdom.*

— fong¹ — 方   (N) *official sources.*

— lap⁶ hok⁶ haau⁶ — 立學校   (N) *government school.* (*Cl.* gaan¹ 間)

— lei⁶ — 吏   (N) *bureaucrat; government officials in general.* (*Cl.* goh³
個 *or* jung² 種)

5 — liu⁴ — 僚   (N) *ditto.*

— — jing³ ji⁶ — — 政治   (N) *bureaucracy.* (*Cl.* jung² 種)

— — jue² yi⁶ — — 主義   (N) *ditto.*

— nang⁴ — 能   (N) *faculties; senses.* (*Cl.* jung² 種)

— si¹ — 司   (N) *lawsuit.* (*Cl.* gin⁶ 件)

10 — yeung⁶ man⁴ jeung² — 樣文章   (SE) *official formality; red tape.*
(*Cl.* jung² 種)

gwoon¹ 棺 1071   (N) *coffin.* **SF** ‡

— choi⁴ — 材   (N) *coffin.* **FE** (*Cl.* foo³ 副)

— — po³* — — 舖   (N) *coffin shop; former police Anti-Corruption
Branch* (**Sl.**). (*Cl.* gaan¹ 間)

gwoon¹ 觀 (观) 1072   (V) *look at; travel.* **Fml. SF** ‡ **AP**
gwoon³ see 1073.

— chaak¹° — 測   (V) *observe.* (*GRT scientific discovery or research*)

— — jaam⁶ — — 站   (N) *observation post.* (*GRT scientific research*)

— chaat³ — 察   **(V)** *look into; observe.*   *(GRT political events, scientific research, etc.)*

— dim² — 點   **(N)** *view-point.*

5   — gwong¹ — 光   **(V)** *see the sights of; make a sight-seeing tour to.*

— — tuen⁴ — — 團   **(N)** *sight-seeing tour; sight-seeing party.*

— jung³ — 衆   **(N)** *audience.*   *(RT films, plays, etc.)*

— nim⁶ — 念   **(N)** *concept; notion.*   *(Cl.* goh³ 個 *or* jung² 種*)*

Gw— Tong⁴ — 塘   **(N)** *Kwun Tong.*   **Tr.**

10   — — Do⁶ — — 道   **(N)** *Kwun Tong Road.*   **Tr.**   *(Cl.* tiu⁴ 條*)*

— (Sai³) Yam¹ — (世) 音   **(N)** *the Goddess of Mercy.*   *(RT Buddism)*

gwoon³ 觀   **1073**   **(N)** *monastery.*   *(ROT Taoism)*   **SF** ‡ **AP**
gwoon¹ see 1072.

gwoon² 管 (晉)   **1074**   **(V)** *keep an eye on sb; maintain discipline (among children); discipline.* **SF** ‡ **(N)** *pipe.* **Fml. SF** ‡

— gaau³ — 教   **(V)** *maintain discipline (among children).* **FE**

— gung¹° — 工   **(N)** *foreman.*

— jai³ — 制   **(V)** *control (in legal sense).* **(N)** *control; control by exercising authority.* *(Cl.* jung² 種*)*

— lei⁵ — 理   **(V)** *be responsible for; take care of; manage; look after.* **(N)** *management.* *(Cl.* jung² 種*)*

5   — — yuen⁴ — — 員   **(N)** *caretakers in general.*

— yin⁴ — 絃   **(SE)** *musical instruments—wood wind and strings.* *(Lit. pipes and strings)*

— — ngok⁶ — — 樂   **(SE)** *music for wood wind and string instruments.*

gwoon³ 冠   **1075**   **(V)** *excel.* **SF** ‡

— chi⁴ — 詞   **(N)** *article.* *(ROT part of speech)* **Gr.**

— gwan¹° — 軍   **(N)** *the champion; the first place.* *(ROT competitions, races, etc.)*

gwoon³ 灌　1076　(V) *force sb to drink.*

— cheung³ dip⁶*　— 唱碟　(V) *record a phonograph record; make a record; record a disc.*

— — pin³*　— — 片　(V) *ditto.*

— jau²　— 酒　(V) *force sb to drink (wine).*　**FE**

— jui³　— 醉　(V) *make sb drunk.*

5　— yeuk⁶　— 葯　(V) *force medicine down (a patient's throat).*

gwoon³ 罐(礶)　1077　(N) *tin (as a container); can (as a container).*

— tau⁴*　— 頭　(N) *tinned foods in general; canned foods in general.* (Adj) *tinned; canned.* (*Tin:* gwoon³ 罐)

— — foh² tui²　— — 火腿　(N) *tinned ham.* (*Tin:* gwoon³ 罐)

H

ha¹ 哈 1078 (P) *used to represent the sound of laughter (**Ono.**); used in transliterations.*

— ba¹ gau² — 巴狗 (N) *Pekingese dog.* **Mdn.** (*Cl.* jek³ 只)

H— Fat⁶ — 佛 (N) *Harvard.* **Tr.**

"— Ha¹" "— 哈" (Ity) *"Ha! Ha! Ha!"* (*RT laughter, surprise, joy, triumph, etc.*) **Ono.**

h— h— daai⁶ siu³ — — 大笑 (SE) *hearty laughter; horse-laugh.* **Ono.**

5　H— Mat⁶ — 密 (N) *Hami or Kumul (in Sinkiang).* **Tr.**

— Yi⁵ Ban¹° — 爾濱 (N) *Harbin (in Herlungkiang).* **Tr.**

ha¹° 蝦 1079 (N) *shrimp; prawn; lobster.* (*Cl.* jek³ 隻) **AP ha⁴ see 1080.**

— gaau² — 餃 (N) *shrimp ball.* (*Cl.* jek³ 隻)

— kau⁴ — 球 (*Cl.* gau⁵ 舊) (V) *shelled prawn (divided into 3 or more pieces).*

— luk¹° — 碌 (*Cl.* gau⁶ 舊) (N) *prawn with shell (divided into 3 or 4 more pieces).*

— mo¹ — 蟆 (N) *small shrimp.* **CP Coll.** (*Cl.* jek³ 隻)

5　— yan⁴ — 仁 (N) *shelled shrimps.*

— — chaan² daan⁶* — — 炒蛋 (N) *scrambled eggs with shrimps.* (*Course:* goh³ 個)

ha⁴ 蝦 1080 (N) *toad; frog.* **Fml. SF ‡ AP ha¹° see 1079.**

— ma⁴ — 蟆 (N) *toad; frog.* **Fml. FE** (*Cl.* jek³ 隻) **CP ha¹° mo¹°**

ha¹ 嗄 1081 (V) *bully; oppress.* **Coll. CC**

— ba³ — 霸 (N) *bully; oppress.* **Coll. FE**

ha⁵ 吓 1082 CC (Asp) *placed after verbs to indicate limited action or duration; for a short while; a little.* ‡

ha⁶ 下   **1083**   (Adj) *next.*   **SF** ‡   (Adv) & (PP) *below; underneath.*
                SF ‡   (V) *get down; dismount; descend; start to do sth.*
                SF ‡

— bin⁶ — 便   (Adv) & (PP) *below; underneath.*   **FE**

— chun⁶ — 旬   (N) *end of month; the last ten days of a month.*

— daai⁶ seung⁶ sai³ ⊢ 大上細   (SE) *many more lower forms than higher ones.* *(RT schools)*

— ding⁶ yi⁶ — 定義   (V) *give a definition (of a term); define.*

5 — duk⁶ sau² — 毒手   (SE) *kill sb by foul means.*

— goh³ lai⁵ baai³ — 個禮拜   (N) & (Adv) *next week.*

— — sing¹ kei⁴ — — 星期   (N) & (Adv) *ditto.*

— — yuet⁶ — — 月   (N) & (Adv) *next month.*

— jau³ — 晝   (Adv) *in the afternoon; p.m.*   (N) *afternoon.*

10 — ng⁵ — 午   (Adv) *ditto.*   (N) *ditto.*

— — cha⁴ — — 茶   (N) *afternoon tea.*   *(Cl.* chaan¹ 餐)

— jin⁶ — 賤   (Adj) *low; mean; servile; obsequious.*   *(RT occupations, people, etc.)*

— jue³ — 注   (V) *stake a wager.*

— kuet³ sam¹ — 決心   (V) *determine to; be determined; make up one's mind.*

15 — lau⁴ — 流   (N) *low class; region near the mouth of a river.* (Adj) *low.*   *(RT classes)*

— — se⁵ wooi⁶* — — 社會   (SE) *low-class society.*

— lo⁶ — 路   (SE) *counterclockwise route the New Territories.* *(for opp. see* "seung⁶ lo⁶" 上路*).*   *(Lit. lower road)*   *(Cl.* tiu⁴ 條)

— man⁴ — 文   (N) *the context below; the next chapter (of an event).*

— po¹° — 鋪   (N) *lower berth.*   *(RT sleeping cars, ships, bed-rooms, etc.)*

20 — sau² — 手   (V) *start to do sth; set about doing sth; put one's hand to.*   **FE**

— sui² do⁶ — 水道   (N) *drain; drains.*   *(Lit. underground water passage)*   *(Cl.* tiu⁴ 條)

— suk⁶ — 屬   (N) & (Adj) *subordinate.*   *(RT ranks)*

— yat¹° doi⁶ ching¹ nin⁴ — 一代青年   (SE) *the coming generation; next generation.*

ha⁶ 夏 1084   (N) *summer.* **SF** ‡

— gwai³ — 季   (N) *summer season; summer.* **Fml. FE**

— ling⁶ — 令   (N) *ditto.*

— — si⁴ gaan³ — — 時間   (N) *summer time; daylight-saving time.*

— ji³ — 至   (N) *the summer solstice.*

5   — tin¹° — 天   (N) *summer season; summer.* **Coll. FE**

ha⁶ 廈（厦） 1085   (N) *big building; Amoy.* **(Tr.) SF** ‡

H— Moon⁴ — 門   (N) *Amoy.* **Tr.**

haai¹ 揩 1086   (V) *wipe; rub.* **Mdn.**

— yau⁴ — 油   (V) *gain some advantage; take advantage of; sponge on.*
(Lit. wipe oil)

haai⁴ 鞋 1087   (N) *shoe.* (*Cl.* jek³ 隻; *Pair:* dui³ 對.)

— jaang¹° — 睜   (N) *heel of a shoe.* **FE Coll.**

— gam¹° — 金   (N) *fee charged by a house agent.* (*Lit. shoe money*)
(*Sum:* bat¹° 筆; *Month:* yuet⁶ 月.)

— haai⁴ kek⁶ kek⁶ — 鞋屐屐   (SE) *all kinds of shoes.* (*Lit. shoes and
clogs*)

— mat⁶ — 襪   (N) *footwear.* (*Cl.* jung² 種)

haai⁴ 噲 1088   (Adj) *coarse (as opp. to fine).* **Coll.**
CC

haai⁵ 蟹（蠏） 1089   (N) *crab.* (*Cl.* jek³ 隻)

— wong⁴ chi⁵ — 黃翅   (N) *shark's fin with crab-coral.* (*Course:*
goh³ 個)

haai⁶ 械 1090   (N) *weapon; arms.* **SF** ‡

— gip³ — 刼   (N) *armed robbery.* (*Cl.* gin⁶ 件, jung¹ 宗, *or* chi³ 次)

— — on³ — — 案   (N) *armed robbery case.* (*Cl.* gin⁶ 件, jung¹ 宗
or chi³ 次)

haak³ 嚇   **1091**   (V) *threaten; frighten; scare.*

— joh² — 阻   (V) *deter; frighten off.*

— — lik⁶ (leung⁶) — — 力 (量)   (N) *deterrent.*   (*Cl.* jung² 種)

haak³ 客   **1092**   (N) *patron; customer; passengers.*   **SF** ‡

— che¹° — 車   (N) *passenger train.*   (*Cl.* ga³ 架)

— fong⁴* — 房   (N) *guest room.*   (*Cl.* gaan¹ 間 *or* goh³ 個)

H— Ga¹° (yan⁴) — 家 (人)   (N) *Hakka; Hakka people.*

— — wa⁶* — — 話   (N) *Hakka; Hakka dialect.*   (*Cl.* jung² 種)

5   h— gwoon¹ — 觀   (Adj) *objective.*

— hei³ — 氣   (Adj) *polite; courteours.*

— — suet³ wa⁶ — — 說話   (SE) *social remarks; conventional greetings.*   **Coll.**   (*Cl.* jung² 種)

— to³ suet³ wa⁶ — 套說話   (SE) *ditto.*   **Coll.**

— jaan⁶* — 棧   (N) *inn; tavern.*   **Coll.**   (*Cl.* gaan¹ 間)

10   — suen⁴ — 船   (N) *passenger ship.*   (*Cl.* jek³ 只)

— teng¹° — 廳   (N) *living room.*

haam⁶* 餡   **1093**   (N) *stuffing.*   *(RT pastry, cakes, dumplings, etc.)*

haam³ 喊   **1094**   (V) *cry (shedding tears); shout* (**SF**).

— giu³ — 叫   (V) *shout.*   **FE**

haam⁴ 鹹   **1095**   (Adj) *salty; salted.*

— choi³ — 菜   (N) *preserved mustard cabbage* (*Cl.* poh¹ 舗)*; old-fashioned suit with wrinkles* (**Joc.**) (*Cl.* to³ 套).

— — sai¹ jong¹° — — 西裝   (N) *man's suit which is both old-fashioned and wrinkled.*   (*Cl.* to³ 套)

— daan⁶* — 蛋   (N) *salted egg.*   (*Cl.* jek³ 只 *or* goh³ 個)

— haam⁴* dei⁶* — 鹹地   (Adj) *brackish; quite salty.*

5   — lang³ lang³ — 冷冷   (Adj) *as salty as can be; over-salty.*   **Coll.**

— sap¹° — 濕   (Adj) *smutty; sexy; pornographic.*

— — baak³ foo⁶* — — 伯父   (SE) *"dirty old man".*

— — bo³ ji² — — 報紙   (N) *smutty newspaper; obscene newspaper; the yellow press.* (*Cl.* jeung¹ 張; *Copy:* fan⁶ 份.)

— — sui² suet³ — — 小說   (N) *sexy novel; obscene novel; pornographic novel.* (*Cl.* bo⁶ 部 *or* boon² 本)

10   — — wa⁶* bo³ — — 畫報   (N) *pornographic magazine.* (*Cl.* bo⁶ 部 *or* boon² 本)

— sui² — 水   (N) *sea water.* (*Lit. salty water; opp. of* "taam⁵ sui²" 淡水) (Adj) *foreign.* **Der. Sl.**

— — daai⁶ ngok⁶ — — 大鱷   (N) *foreign crook; foreign swindler; foreign speculator.* (*Lit. big salt water alligator*) **Der. Sl.**

— — ngok⁶ yue⁴ — — 鱷魚   (N) *ditto.*

— yue⁴* — 魚   (N) *salted fish.* (*Cl.* tiu⁴ 條)

15   — yue⁴ cheng¹ choi³ — 魚青菜   (N) *every side-dishes.* (*Lit. salted fish and green vegetables*) (*No. Cl.*)

haam⁴ 銜 1096
   (V) *hold in the mouth.* **Bk. SF** ‡ (N) *title; official title.* (*RT academic degrees, rank, etc.*)

— tau⁴ — 頭   (N) *title; official title.* (*RT academic degrees, rank etc.*)

haam⁶ 陷 1097
   (V) *betray; involve; blame sb.* **Fml. SF** ‡ (N) *trap.* **Fml. SF** ‡

— jeng⁶ — 阱   (N) *trap.* **Fml. FE**

haan¹ 慳 1098
CC   (V) *save; be thrifty; be economical.* (Adj) *thrifty; economical.*

— din⁶ — 電   (V) *save electricity.* **Coll.**

— gim⁶ — 儉   (Adj) *thrifty; economical.* **FE**

— haan¹ dei⁶* — 慳哋   (Adj) *thrifty; economical.* **Coll. FE**

— lik⁶ — 力   (V) *save labour; reduce work.*

5   — pei⁴* — 皮   (Adj) *inexpensive; economical.* **FE** (*Lit. economize surface*)

— sui² — 水   (V) *save money; save water.* **Sl.**

— — yau⁶ haan¹ lik⁶ — — 又慳力   (SE) *sth badly done or poorly produced* (*RT films, buildings, projects, etc.*); *an efficient washing machine* (*a term used in advertisements*). **Joc.**

haan⁴ 閒   **1099**   (N) *leisure.*

— chin⁴* — 錢   (N) *spare money.*   *(No Cl.)*

— si⁶ — 事   (N) *matter of minor importance; insignificant matter.* (*Cl.* jung² 種 *or* gin⁶ 件)

— — je¹° — — 啫   (SE) *it's only a small matter.*

— taam⁴ — 談   (N) *chat; gossip; idle talk.* (*Cl.* chi³ 次 *or* jung² 種)

5 — wa⁶* — 話   (N) *ditto.*

— yin⁴ haan⁴ yue⁵ — 言閒語   (SE) *ditto.*

— yan⁴ — 人   (N) *loiterer; bystander.* **Fml.**

haan⁶ 限   **1100**   (V) *limit to; restrict; set a dead-line.* **SF** ‡   (N) *limit.* **SF** ‡

— ding⁶ — 定   (V) *limit; restrict.* **FE**

— do⁶ — 度   (N) *limit.*

— leung⁶ — 量   (N) *ditto.*

— jai³ — 制   (V) *restrict.* **FE**   (N) *restriction.* (*Cl.* jung² 種)

5 — kei⁴ — 期   (N) *dead-line; fixed time.* **FE**

— ngaak⁶* — 額   (N) *limit; quota; fixed quantity; authorized number.*

haang¹° 坑   **1101**   (N) *drain; ditch; trench.* **SF** (*Cl.* tiu⁴ 條)

— kui⁴ — 渠   (N) *drain; sewer.* **FE** (*Cl.* tiu⁴ 條)

— tit³ — 鐵   (N) *corrugated iron.* (*Cl.* faai³ 塊)

haang⁴ 行   **1102**   (V) *walk; stroll; travel.* **Coll. SF** (V) *be on intimate terms with sb; have close contact with sb.* **AP:** (1) **hang⁴** see **1132**; (2) **hang⁶** see **1133**; (3) **hong⁴** see **1134**; (4) **hong⁴*** see **1135**.

— che¹° (ge³) fong¹ heung³ — 車 (嘅) 方向   (SE) *the direction of traffic; traffic flow.*   *(Lit. the direction of a moving car)*

— choh³ yat¹° bo⁶ — 錯一步   (SE) *make a wrong move; take a wrong step.*

— — — — kei⁴* — — — — 棋   (SE) *make a wrong move (in a chess game).*

— dak¹° leng³ — 得靚   (V) *walk gracefully; "walk in beauty".*

317

5 — dak¹° tung¹ — 得通   (SE) *it works; that would do; that's alright.* *(RT plans, suggestions, etc.; Lit. can go through.)*

— gaai¹° — 街   (V) *stroll; take a walk.* **Coll. FE**

— gei² bo⁶ (lo⁶) — 幾步 (路)   (SE) *within easy walking distance; only a few minutes' walk.* *(Lit. walk several steps)*

— ha⁵ — 吓   (V) *take a walk; take a stroll; walk for a short while.* **Coll. FE**

— — kei⁵ ha⁵ — — 企吓   (SE) *move around aimlessly; stand and walk in turns.*

10 — haang⁴ kei⁵ kei⁵ — 行企企   (SE) *ditto.*

— hoi¹ hang⁴ maai⁴ — 開行埋   (SE) *walk to and fro.*

— — joh² — — 咗   (SE) *have just gone out.*

— jit⁶ ging³ — 捷徑   (V) *take a short cut.*

— kei⁴* — 棋   (V) *make moves in a chess game; play chess.*

15 — lai⁴ haang⁴ hui³ — 嚟行去   (SE) *walk back and forward; wander short.*

— lo⁶ — 路   (V) *go on foot; walk, stroll.* **FE**

— m⁴ tung¹ — 唔通   (SE) *it won't work; that wouldn't be practicable; that would never do.* *(RT plans; suggestions, etc.; Lit. not go through)*

— saan¹ — 山   (V) *hike (on a hill).* **Coll.** (N) *hiking (on a hill).* **Coll.** *(Cl.* chi³ 次*)*

— siu² lo⁶ — 小路   (V) *take a short cut.*

20 — suen⁴ — 船   (V) *go sailing; be a merchant-seaman.* **Coll.**

— — ho² gwoh³ waan¹ sui² — — 好過灣水   (SE) *half a loaf is better than no bread.* *(Lit. go sailing better than lie at anchor)*

— — jai² — — 仔   (N) *merchant-seaman.* **Coll.**

— wan⁴ — 匀   (V) *have been all over ssp; make a trip to all parts of ssp.* *(Lit. walk through-out)*

— yan⁴ — 人   (N) *pedestrian.* *(Lit. walking people)*

25 — — gwoh⁵ do⁶ — — 過道   (N) *pedestrian crossings.* *(Cl.* tiu⁴ 條*)*

— — sui⁶ do⁶ — — 隧道   (N) *pedestrian subway.* *(Cl.* tiu⁴ 條*)*

— ye⁶ gaai¹° — 夜街   (V) *stroll at night; take a walk at night; go out at night.* **Coll.**

haap³ 呷 1103   (V) *sip.*
CC

— cho³ — 醋   (V) *be jealous.* **Coll.** *(Lit. sip vinegar)*

haap⁶ 俠   1104   (N) *knight-errant.* **SF** ‡   (Adj) *heroic; brave.* **SF** ‡

— haak³   —   客   (N) *knight-errant.*

— si⁶   —   士   (N) *ditto.*

— yi⁶   —   義   (Adj) *heroic; brave.* **FE**

haap⁶ 狹   1105   (Adj) *narrow.* **Fml. SF** ‡   **AP: (1) gip⁶ see 926; (2) gip⁶* see 927.**

— jaak³   —   窄   (Adj) *narrow.* **Fml. FE**

— siu²   —   小   (Adj) *ditto.*

haau¹ 敲   1106   (V) *beat; pound; knock at.* **SF** ‡

— da²   —   打   (V) *beat; pound.* **FE**

— ja³   —   搾   (SE) *extort; squeeze; blackmail.* **Fml.**

— juk¹° gong³   —   竹槓   (SE) *ditto.* **Coll.**

— moon⁴   —   門   (V) *knock on the door.*

5   — — juen¹   — —   磚   (SE) *used every mean to find favour with influential people; "open sesame" to success (GRT civil examinations, academic degrees, etc.).*   *(Lit. knock door brick)*

haau¹ 哮   1107   (V) *pant; roar.* **SF** ‡   (N) *asthmatic breathing; asthma.* **SF** ‡

— chuen²   —   喘   (V) *pant; have asthma.* **FE**

— — (jing³)   — —   (症)   (N) *asthma.* **FE**   *(Cl.* goh³ 個 *or* jung² 種 *)*

haau² 巧   1108   (N) *skill; technique.* **SF** ‡   (Adj) *skillful; ingenious.* **SF** ‡

— hap⁶   —   合   (N) *coincidence.*   *(Cl.* jung² 種 *)*

— miu⁶   —   妙   (Adj) *skillful; ingenious.* **FE**

haau² 考(攷)   1109   (V) *sit in an examination; take an examination.* **SF** ‡   (V) *test; investigate.* **SF** ‡

— chaat³   —   察   (V) *investigate.*   *(GRT commerce, industries, social development, etc.)*   **FE**   (N) *investigation.*   *(GRT commerce, industries, social developments, etc.)*   *(Cl.* chi³ 次 *or* jung² 種 *)*

— do² — 倒 (V) *pass an examination.* **Coll.**

— si³ hap⁶ gaak³ — 試合格 (V) *ditto.* **Fml.**

— — kap⁶ gaak³ — — 及格 (V) *ditto.* **Fml.**

5 — lui⁶ — 慮 (V) *consider; think carefully.* (N) *consideration.* (*Cl.* goh³ 個 *or* jung² 種)

— m⁴ do² — 唔倒 (V) *fail in an examination.* **Coll.**

— si³ m⁴ hap⁶ gaak³ — 試唔合格 (V) *ditto.* **Fml.**

— — — kap⁶ gaak³ — — — 及格 (V) *ditto.* **Fml.**

— si³ — 試 (N) *examination.* (*ROT academic and competitive examinations*) (*Cl.* chi³ 次 *or* jung² 種)

10 — — cheung⁴ — — 場 (N) *examination centre.* **FE**

— — fong⁴* — — 房 (N) *examination room.* (*Cl.* goh³ 個 *or* gaan¹ 間)

— — sat¹° — — 室 (N) *ditto.* (*Cl.* goh³ 個 *or* gaan¹ 間)

haau³ 孝 1110

(V) *honour one's parents.* **SF** ‡ (N) *filial piety.* **SF** ‡

— do⁶ — 道 (N) *filial piety.* **FE** (*Cl.* jung² 種)

— sam¹ — 心 (N) *ditto.*

— ging³ — 敬 (V) *honour one's parents; show filial piety.* **FE**

— sun⁶ — 順 (V) *ditto.*

haau⁴ 姣 1111

CC (Adj) *lewd; unchaste; morally loose.* **Coll. AP** gaau² see **822.**

— dong⁶ — 蕩 (Adj) *lewd; unchaste; morally loose.* **FE Coll.**

haau⁶ 效 1112

(V) *imitate.* **Fml. SF** ‡ (N) *efficarcy; function.* **SF** ‡

— faat³ — 法 (V) *imitate.* **Fml. FE**

— gwoh² — 果 (N) *efficacy; effect.* **FE** (*Cl.* jung² 種)

— lik⁶ — 力 (N) *ditto.*

— nang⁴ — 能 (N) *function.* (*Cl.* jung² 種)

5 — yung⁶ — 用 (N) *ditto.*

haau⁶ 校 1113   (N) *school.* SF ‡ AP gaau³ see 825.

— che¹° — 車   (N) *school bus.* (*Cl.* ga³ 架)

— fuk¹° — 服   (N) *school uniform.* (*Suit:* to³ 套) (Adj) *of a school uniform; being part of a school uniform.*

— — lau¹° — — 褸   (N) *school blazar (as part of a uniform).* (*Cl.* gin⁶ 件)

— — kwan⁴ — — 裙   (N) *school skirt (as part of a uniform).* (*Cl.* tiu⁴ 條)

5   — jeung² — 長   (N) *head-master; head-mistress; principal.* (*RT schools*) (N) *commandant.* (*RT military or police training institutions*)

— mo⁶ chue³ — 務處   (N) *general office in a school.*

— yau⁵ — 友   (N) *"old-boy"; alumnus.*

— — wooi⁶* — — 會   (N) *oldboys association; alumni association.*

hai² 喺 1114 CC   (V) *be in; be on; be at.* SF ‡ (Prep) *in; on; at; from.* SF ‡

— booi³ hau⁶ — 背後   (Prep) *at the back of; behind.*

— hau⁶ bin⁶ — 後便   (Prep) *ditto.*

— che¹° seung⁶ — 車上   (Adv) *in the car.* (*Lit. on the car*)

— chin⁴ bin⁶ — 前便   (Prep) *in front (of).*

5   — min⁶ chin⁴ — 面前   (Prep) *ditto.*

— do⁶ — 度   (V) *be here, be there.* FE

— sue³ — 處   (V) *ditto.*

— goh² do⁶ lai⁴ — 嗰度嚟   (V) *come from there.*

— ni¹° do⁶ hui³ — 呢度去   (V) *go from here.*

10   — ngoi⁶ gwok³ — 外國   (Adv) *abroad.* (*Lit. in a foreign country*)

— uk¹° kei² — 屋跂   (V) *be at home; be in one's own home.*

hai⁶ 系 1115   (N) *department (RT universities); division or section (RT institutions in general); system.* SF ‡

— tung² — 統   (N) *system.* (*GRT technical or mechanical matters*)

hai⁶ 係 1116   (V) *be (used for all tenses, cases, numbers, etc.).* (N) *relation; connection.* SF ‡

— a³! — 呀!   (Ity) *yes!* (*in emphatic answers*)

— a⁶! — 呀!   (Ity) *ditto.*

— a⁴? — 呀？   (Ity) *really?* *(implying doubt or surprise)*

— me¹°? — 咩？   (Ity) *ditto.*

5 — boh³ — 噃   (Itj) *"oh, yes!."* *(implying that a point has been re-membered or realized)*

— le² — 咧   (Itj) *ditto.*

— ding⁶* la¹° — 定啦   (SE) *of course it is.*

— . . . gam² gaai² — . . . 噉解   (IC) *it means . . .*

— — ge³* — 嘅嘅   (SE) *the thing/position is . . .; it's like this . . .* *(Lit. be this way)*

10 — — yi³* — — 意   (Adv) *as a matter of form; as an outward expres-sion or token.*

— (loh³) gwa³? — (囉) 啩？   (SE) *"do you believe it now?"* *(implying that a point has been remembered or realized)*

— jau⁶ hai⁶ jek¹° — 就係啫   (Adv) *in spite of that.*

— jek¹° — 啫   (Adv) *ditto.*

— loh⁴ — 囉   (Ity) *yes, that's right.*

15 — m⁴ hai⁶ a³? — 唔係呀？   (SE) *"is that so?"; is that true?"*

— ma³? — 嗎？   (SE) *ditto.*

hak¹° 克 1117   (V) *overcome.* **SF** ‡

— fuk⁶ — 服   (V) *overcome.* *(RT difficulties, opposition, etc.)* **FE**

hak¹° 黑 1118   (Adj) & (N) *black; dark.*

— am³ — 暗   (Adj) *dark.* **Fml.** **FE** (N) *dark; darkness.* **Fml.** **FE**

— — sai³ gaai³ — — 世界   (SE) *a dark world; a sad world; in complete darkness.*

— baak⁶ din⁶ si⁶ gei¹ — 白電視機   (N) *black and white TV set.* (*Cl.* ga³ 架)

— baan² — 板   (N) *blackboard.* (*Cl.* faai³ 塊)

5 — dai² — 底   (Adj) *with a police record (as a triad member).*

— — hok⁶ saang¹° — — 學生   (SE) *student having triad connections; student who is a member of a triad society.*

— gaau¹° chau⁴* — 膠綢   (N) *black pongee.* (*Bolt:* pat¹° 疋)

— hak¹° dei⁶* — 黑地　(Adj) *blackish.*

H— Lung⁴ Gong¹° (Saang²) — 龍江 (省)　(N) *Heilungkiang; Heilungkiang Province.* **Tr.** (*Cl.* goh³ 個)

h— ma¹ ma¹ — 嘛嘛　(Adj) *pitch-dark; jet-black.*

— mi¹ ma¹ — 咪嘛　(Adj) *ditto.*

— se⁵ wooi⁶* — 社會　(N) *secret society; triad society.　(Lit. black society)*

— — — ji⁶ tau⁴ yau⁵* — — — 字頭友　(N) *a member of a secret society; triad member.*

— si⁵ — 市　(N) *black-market.*

— — ga³ — — 價　(N) *black-market price.　(Cl.* goh³ 個 *or* jung² 種)

— — maai⁵ maai⁶ — — 買賣　(N) *black-market business.　(Cl.* jung² 種)

— — saang¹ yi³ — — 生意　(N) *ditto.*

— sik¹° — 色　(Adj) & (N) *black; dark.* **FE**

hak¹° 刻 1119　(V) *carve; engrave; ill-treat.* **SF** ‡ (N) *quarter of an hour.* **Mdn. SF** (Adj) *stingy.* **SF** ‡

— bok⁶ — 薄　(V) *ill-treat.　(ROT people)* **FE** (Adj) *stingy.* **FE**

— fa¹° — 花　(V) *do ornamental carving work.*

— ji⁶ — 字　(V) *carve characters.*

— jung¹° — 鐘　(N) *quarter of an hour.* **Mdn. FE** *(No Cl.)*

— to⁴ jeung¹° — 圖章　(V) *engrave a seal or chop.*

ham² 磘 1120　(Cl) *for cannons, big guns, etc.*
CC

ham³ 壈 (礑) 1121　(N) *a cliff; a dangerous shoal.* **Fml. SF** ‡

ham⁴ 含 1122　(V) *hold in the mouth.*

— chuk¹° — 蓄　(Adj) *restrained but suggestive.　(RT speeches, writings, paintings, etc.)*

— huet³ pan³ yan⁴ — 血噴人　(SE) *make scurrilous attacks; say malicious words.　(Lit. have blood in mouth and speu on sb)*

323

— sa¹ se⁶ ying² — 沙射影　(SE) *spread groundless rumours. (Lit. spurt sand on a shadow)*

— siu³ — 笑　(V) *smile. (Lit. hold a smile in the mouth)* **Fml.**

5　— yi⁶ — 義　(V) *imply; signify. (RT words, phrases, speeches, etc.)*

— yuen¹ — 寃　(V) *suffer an injustice; nurse a grievance.*

— — mok⁶ baak⁶ — — 莫白　(V) *ditto.*

— — sau⁶ wat¹° — — 受屈　(V) *ditto.*

ham⁶ 憾　1123　(N) *regret.* **Fml. SF** ‡

— si⁶ — 事　(N) *regret.* **FE** (*Cl.* gin⁶ 件)

ham⁶ 㩆　1124　(Adv) *all; in all.* **Coll. SF** ‡
CC

— baang⁶ lang⁶ — 㨝冷　(Adv) *all; in all.* **Coll. FE**

— blaang⁶ — 㨝冷　(Adv) *ditto.*

han² 很　1125　(Adv) *very.* **Mdn.**

han² 狠　1126　(Adn) *cruel; vicious.* **SF** ‡

— duk⁶ — 毒　(Adj) *cruel; vicious.* **FE**

— sam¹ — 心　(Adj) *ditto.*

han⁴ 痕　1127　(N) *trace; mark; scar, seam.* (Adj) *itching.* **Coll.**

— jik¹° — 跡　(N) *trace; mark; scar; seam.* **FE** (*Cl.* tiu⁴ 條 *or* daat³ 笪)

— yeung⁵ — 痒　(Adj) *itching.* **FE Coll.**

han⁶ 恨　1128　(V) *hate.* (N) *hatred.* (*Cl.* jung² 種)

— do³ yap⁶ gwat¹° — 到入骨　(SE) *hate very much.*

— si⁶ — 事　(N) *a disappointing matter.* (*Cl.* gin⁶ 件)

hang² 肯 **1129** (Adj) *willing.*

— ding⁶ — 定 (V) *affirm; assure; be certain.* (Adj) *positive; affirmative.*

— — (ge³) daap³ fuk¹° — — (嘅) 答覆 (SE) *a positive reply.*

hang⁴ 恆(恒) **1130** (N) *perseverance.* **SF** ‡ (Adj) *permanent.* **Fml. SF** ‡

— sam¹ — 心 (N) *perseverance.* **FE** (*Cl.* jung² 種)

H— Sang¹° Ngan⁴ Hong⁴ — 生銀行 (N) *the Hang Seng Bank.* **Tr.** (*Cl.* gaan¹ 間)

h— sing¹° — 星 (N) *permanent star; fixed star.* (*Cl.* nap¹° 粒)

hang⁴ 衡(衡) **1131** (V) *measure; estimate.* **Fml. SF** ‡

— leung⁶ — 量 (V) *measure; estimate.* **Fml. FE**

H— Yeung⁴ — 陽 (N) *Hengyang.* **Tr.**

hang⁴ 行 **1132** (V) *walk, travel; do; act.* **Fml. SF** ‡ **AP: (1) haang⁴ see 1102; (2) hang⁶ see 1133; (3) hong⁴ see 1234; (4) hong⁴* see 1235.**

— chik³ — 刺 (V) *assassinate.*

— dung⁶ — 動 (N) *action.* (*Cl.* chi³ 次 *or* goh³ 個)

— jing³ — 政 (N) *administration.* *(RT governments, organizations etc.)* (*Cl.* jung² 種)

— — gei¹ gwaan¹ — — 機關 (N) *administrative organ.*

— — kui¹ — — 區 (N) *region; administrative region.* *(Gen. convering one province or more)*

— jong¹ — 裝 (N) *clothing for a journey.* **Fml.** *(No Cl.)*

— lei⁵ — 李 (N) *luggage; baggage.* (*Cl.* gin⁶ 件)

— — che¹° — — 車 (N) *luggage-car; baggage-car.* (*Cl.* ga³ 架)

— — fei¹° — — 飛 (N) *baggage-ticket; luggage-check.* **Coll.** (*Cl.* jeung¹ 張)

— — piu³ — — 票 (N) *ditto.* **Fml.**

— long⁴ — 囊 (N) *travelling-bag; luggage; baggage.* **Fml.**

— si¹ jau² yuk⁶ — 屍走肉 (SE) *a walking-corpse; a meaningless life.* **Fig.**

— sue¹° — 書   (SE) *style of Chinese writing used in correspondence;* *"long-hand" writing of Chinese.*   (*Cl.* jung² 種)

— wai⁴ — 爲   (N) *behaviour; conduct.*   (*Cl.* jung² 種)

15   — yan⁴ — 人   (N) *pedestrian.*

— — lo⁶ — — 路   (N) *pavement; sidewalk.*   (*Cl.* tiu⁴ 條)

— — — bin¹° — — — 邊   (N) *kerb.*   *(ROT pavements, sidewalks,* *etc.)*   (*Cl.* sue³ 處 *or* do⁶ 度)

— yi¹ — 醫   (V) *practise medicine.*

hang⁶ 行 1133   (N) *morality; virtue.* **Fml. SF ‡ AP: (1) haang²** **see 1102; (2) hang⁴ see 1132; (3) hong⁴ see 1234;** **(4) hong⁴* see 1235.**

hang⁶ 幸 1134   (N) *good luck; happiness.* **SF ‡** (Adj) *lucky;* *happy.* **SF ‡**

— fuk¹° — 福   (N) *happiness; welfare.*   (*Cl.* jung² 種)

— wan⁶ — 運   (N) *good luck; good fortune.*   (*Cl.* jung² 種)

hang⁶ 杏 1135   (N) *apricot; almond.* **SF ‡**

— sue⁶ — 樹   (N) *apricot.* **FE**   (*Cl.* poh¹ 揓)

— yan⁴ — 仁   (N) *almond; apricot kernel.* **FE**   (*Cl.* nap¹° 粒)

— — leng⁵ — — 領   (Adj) *V-neck.*   (*Lit. almond collar*)   (*Cl.* tiu⁴ 條)

hap⁶° 洽 1136   (V) *discuss; negotiate.* **Fml. SF ‡** (Adj) *proper;* *agreeable.* **SF ‡**

— dong³ — 當   (Adj) *proper; agreeable.* **FE**

— seung¹ — 商   (V) *discuss; negotiate.* **Fml. FE** *(UIW "seung¹* *leung⁶" 商量 FWS L.38, V.17.)*

hap⁶° 瞌 1137   (V) *doze; sleep lightly.* **Coll. SF ‡**

— ha⁵ — 吓   (V) *doze; sleep lightly.* **Coll. FE**

— yat¹° jan⁶ — 一陣   (V) *ditto.*

— ngaan⁵ fan³ — 眼瞓   (V) *doze.* **Coll. FE**

hap⁶* 盒   **1138**   (N) *box; casket.*

— si¹ on³ — 屍案   (SE) *body-in-carton case; body-in-box case.*   (*Cl.* gin⁶ 件)

hap⁶ 合   **1139**   (V) *be suitable for; co-operate.*   **SF**   ‡   (Adj) *suitable.* **SF**   ‡

— faat³ — 法   (Adj) *lawful; legal.*

— — lei⁶ yun⁶ — — 利潤   (SE) *legal profit; reasonable profit.*

— gaak³ — 格   (V) *pass (an examination).* (Adj) *qualified.*   (*RT jobs, profession; etc.)*

— jok³ — 作   (V) *co-operative.* **FE** (N) *co-operation.* (*Cl.* jung² 種)   (Adj) *co-operative.*

— — jing¹ san⁴ — — 精神   (N) *the spirit of co-operation; team-spirit; teamwork.* (*Cl.* jeung² 種)

— — se⁵ — — 社   (N) *co-operative society; co-operative.*

— lei⁵ — 理   (Adj) *logical; reasonable.*

— loh⁴ chap¹° — 邏輯   (Adj) *ditto.*

— . . . sam¹ sui² — . . . 心水   (IC) *satisfy sb; coincide with requirements of sb.* (*Lit. suitable for sb's ideas*)

— sik¹° — 適   (Adj) *suitable; appropriate.*

— to⁴ — 桃   (N) *walnut.* **Coll.**

— — gai¹° ding¹° — — 雞丁   (N) *diced chicken with walnuts.* (*Course:* goh³ 個)

— — ha¹° yan⁴ — — 蝦仁   (N) *saute shrimps with walnut.* (*Course:* goh³ 個)

— tung⁴ — 同   (N) *contract; agreement.* **Coll.** (*Cl.* jeung¹ 張)

— yeuk³ — 約   (N) *ditto.* **Fml.**

hat¹° 乞   **1140**   (V) *beg; beg for.*   **SF**   ‡

— kau⁴ — 求   (V) *beg for.*   **FE**

— mai⁵ — 米   (V) *beg; ask for food and money; live by begging.* (*Lit. beg rice*)   **FE**   **Coll.**

— yi¹° — 衣   (N) *beggar.* **Coll.**

hat⁶ 瞎 1141

(Adj) *blind.* **Mdn.**

— ji² — 子 (N) *blind man.* **Mdn.**

hat⁶ 核 1142

(V) *audit; investigate.* **SF** ‡ (N) *nucleus.* **Fml. SF**
‡ **AP wat⁶ see 3234.**

— dui³ — 對 (V) *investigate; compare.* **FE.**

— dung⁶ lik⁶ — 動力 (N) *nuclear power.* (*Cl.* jung² 種)

— ji² — 子 (N) *nucleus.* (*Cl.* nap¹° 粒)

— — daan⁶* — — 彈 (N) *nuclear bomb.*

5 — sam¹° — 心 (N) *nucleus; centre.* **Fig.** (*Cl.* goh³ 個)

— so³ — 數 (V) *audit.*

— — si¹° — — 師 (N) *auditor.*

— to⁴ — 桃 (N) *walnut.* **Fml.**

hau¹ 吼 1143

(V) *watch; keep a watch; take interest in.* **CP Coll.**
SF ‡

— jue⁶ — 住 (V) *watch with fixed attention; keep a close watch on.*
Coll. CP

— sat⁶ — 實 (V) *ditto.*

hau² 口 1144

(N) *mouth.* (Adj) *verbal; oral.* **SF** ‡ (Cl) *for cigars,*
cigarettes. etc.

— a² ge³ — 啞嗯 (Adj) *dumb.*

— — — yan⁴ — — — 人 (N) *the dumb; dumb person.*

— choi⁴ — 才 (N) *eloquence.* (*Cl.* jung² 種)

— faai³ — 快 (Adj) *outspoken; blunt (in speech).*

5 — — faai³ — — 快 (Adj) *ditto.*

— fuk¹° — 福 (N) *luck in having good food.* (*Cl.* jung² 種)

— gei⁶ — 技 (N) *ventriloquism; ventriloquy; mimicry.* (*Cl.* jung² 種)

— — ga¹° — — 家 (N) *ventriloquist.*

— ging³ — 徑 (N) *calibre.* (*ROT guns*) (*Cl.* jung² 種 *or* goh³ 個)

10 — gung¹ — 供 (N) *statement; verbal evidence.*

— ho⁶ — 號 (N) *slogan; catchword.* (*Cl.* gui 句)

— hot³ — 渴   (Adj) *thirsty.*

— jat⁶ jat⁶ — 窒窒   (SE) *speak hesitatingly; stutteringly; stammeringly.*

— kam⁴ — 琴   (N) *harmonica.*

— leung⁴ — 糧   (N) *rations; provisions.*   (*Cl.* fan⁶ 份 *or* jung² 種)

— ling⁶ — 令   (N) *password; military password.*

— mat⁶ fuk¹° gim³ — 密腹劍   (SE) *extremely hypocritical; extremely treacherous; the "kiss of Judas".* (*Lit. nouth honey belly sword*)

— ngon⁶ — 岸   (N) *port.* (*RT rivers, seas, etc.*)

— si³ — 試   (N) *oral test; oral examination.*   (*Cl.* chi³ 次 *or* jung² 種)

— song² — 爽   (Adj) *given to soft speech; paying mere lip service.* (*Lit. mouth crisp*)

— sui² — 水   (N) *saliva.* (*Cl.* daam⁶ 啖 *or* duk¹° 篤)

— — doh¹ gwoh³ cha⁴ — — 多過茶   (SE) *very loquacious; too talkative.* (*Lit. saliva more than tea*)

— sun³ — 信   (N) *message; verbal message.*

— sun⁴ — 唇   (N) *lip.* (*Cl.* tiu⁴ 條)

— yam¹° — 音   (N) *accent.* (*RT languages, dialects, etc.*)

— yik⁶ — 譯   (V) *interpret; translate verbally.* (N) *interpretation; oral translation.* (*Cl.* chi³ 次 *or* jung² 種)

hau⁴ 喉 1145   (N) *pipe; windpipe; throat.* **Coll. SF** ‡ (*Cl.* tiu⁴ 條)

— gwoon² — 管   (N) *pipes in general.* **Coll. FE** (*Cl.* tiu⁴ 條)

— lung⁴ — 嚨   (N) *windpipe; throat.* **Coll. FE** (*Cl.* tiu⁴ 條)

— sit³ — 舌   (N) *mouth piece.* (*Lit. throat and tongue*) **Fig.** (*No Cl.*)

— wat⁶* — 核   (N) *Adam's apple.*

— yum¹° — 音   (N) *glottal sound.* (*RT phonetics, singing, etc.*) (*Cl.* jung² 種)

hau⁵ 厚 1146   (Adj) *thick; heavy.* **Coll. AP** hau⁶ see 1147.

— boh¹° lei⁴° — 玻璃   (N) *plate-glass.* (*Cl.* faai³ 塊)

— dai² haai⁴ — 底鞋   (N) *platform shoes.* (*Cl.* jek³ 隻; *Pair:* dui³ 對.)

— ji² — 紙   (N) *thick paper.* (*Cl.* jeung¹ 張)

— — pei⁴ — — 皮   (N) *card board.* (*Cl.* jeung¹ 張)

⁵ — min⁶ pei⁴ — 面皮   (Adj) *thick-skinned; shameless.*

— yung⁴* — 絨   (N) *heavy-weight worsted cloth.* (*Yard:* ma⁵ 碼 ; *Bolt:* pat¹° 疋.)

hau⁶ 厚   1147

(Adj) *kind; generous; liberal.* **Fml. SF** ‡ **AP hau⁵ see 1146.**

— chi² bok⁶ bei² — 此薄彼   (SE) *be prejudiced; be biased; treat with patiality.*

— dak¹° — 德   (N) *kindness; generosity; liberality.* **FE** (*Cl.* jung² 種)

— yan¹ — 恩   (N) *ditto.*

— do⁶ — 道   (Adj) *kind, generous; liberal.* **Fml. FE**

hau⁶ 候   1148

(V) *await; greet.* **Fml. SF** ‡ (N) *some period of time.* **SF** ‡

— ga³ — 駕   (SE) *"look forward to seeing you".* **PL**

— gaau³ — 教   (SE) *ditto.*

— suen² — 選   (V) *stand for an election.*

— — yam⁴ — — 人   (N) *candidate.* (*ROT elections*)

hau⁶ 後   1149

(Adj) *back; reat; posterior.* **SF** ‡ (Adv) & (PP) *after; behnd.* **SF** ‡ (Adv) *afterwards.* **SF** ‡

— bin⁶ — 便   (Adv) & (PP) *behind.*

— booi³ — 輩   (N) *successor; descendant; posterity.*

— doi⁶ — 代   (N) *ditto.*

— sai³ — 世   (N) *ditto.*

⁵ — yui⁶ — 裔   (N) *ditto.*

— cheung¹° — 窗   (N) *rear-window.*

— fong¹ — 方   (N) *the rear.* (*RT line of bottle*)

— foo⁶ — 父   (N) *stepfather.*

— fooi³ — 悔   (V) *regret; repent.* (N) *regret; repentance.* (*Cl.* jung² 種)

¹⁰ — fuk¹° — 福   (SE) *the happiness that comes with old age.* (*Cl.* jung² 種)

— gaai¹° — 街   (N) *back street.* (*Cl.* tiu⁴ 條)

330

— geng³ — 鏡   (N) *rear-mirror.*   (*Cl.* goh³ 個 *or* faai³ 塊)

— gwoh² — 果   (N) *consequent; consequence.*   (*Cl.* jung² 種 *or* goh³ 個)

— je² — 者   (N) *the latter.*   (*RT persons and things*)

15 — jiu¹ — 朝   (N) & (Adv) *the morning after tomorrow.*

— lo⁶ — 路   (N) *a back road; way of escape; line of retreat.* **Lit.** & **Fig.** (*Cl.* tiu⁴ 條)

— loi⁴ — 來   (Adv) *afterwards.* **FE**

— maan⁵ — 晚   (N) & (Adv) *the night after tomorrow.*

— mo⁵ — 母   (N) *stepmother.*

20 — neung⁴ — 娘   (N) *ditto.*

— nin⁶* — 年   (N) & (Adv) *the year after next.*

— moon⁴* — 門   (N) *back-door.*   (*Cl.* do⁶ 度)

— saang¹° — 生   (N) *office boy; messenger.*   (Adj) *young.*

— — jai² — — 仔   (N) *young man.*   (*Cl.* goh³ 個)

25 — — joh² — — 咗   (V) *have become younger; look younger.*

— — nui⁵* — — 女   (N) *young girl.*

— waan⁶ — 患   (N) *disastrous aftermath.*   (*Cl.* jung² 種)

— wai⁴ jing³ — 遺症   (N) *ditto.*

— yam⁶ — 任   (N) *successor.*   (*ROT official jobs or positions*)

30 — yat⁶ — 日   (N) & (Adv) *the day after tomorrow.*

hei¹ 希   1150   (V) & (N) *hope.* **SF** ‡   (P) *used in transliterations.*

H— Baak³ Loi⁴ — 伯來   (N) *Hebrew.* **Tr.**

— Laap⁶ — 臘   (N) *Greece.* **Tr. CP Hei¹ Lip⁶**

— — Man⁴ — — 文   (N) *Greek; Greek language.*   (*Cl.* jung² 種) **CP Hei¹ Lip⁶ Man⁴**

— — Yan⁴ — — 人   (N) *Greek; Greek people.* **CP Hei¹ Lip⁶ Yan⁴**

5 h— mong⁶ — 望   (V) & (N) *hope.*

hei¹ 稀   1151   (Adj) *thin; watery.* (*ROT gruel, congee, etc.*)   (Adj) *sparse; rare.*

— siu² — 少   (Adj) *sparse; rare.*

— soh¹ — 疏   (Adj) *ditto.*

hei¹ 嬉 1152   (V) *giggle; amuse oneself.* **Fml. SF** ‡

— hei³ — 戲   (V) *giggle; amuse onself.* **Fml. FE**

— pei⁴ si⁶ — 皮士   (N) *hippie.* **Tr.**

— — siu³ lim⁵ — — 笑臉   (SE) *rollick and grin; be too playful.*

hei¹ 欺 1153   (V) *bully; cheat.* **Fml. SF** ‡

— foo⁶ — 負   (V) *bully.* **Fml. FE**

— pan⁴ jung⁶ foo³ — 貧重富   (SE) *favouring the rich and neglecting the poor; being partial to the rich at the expense of the poor.*

— pin³ — 騙   (V) *cheat; achieve.* **Fml. FE**

hei¹ 犧 1154   (N) *sacrificial victim.* **Fml. SF** ‡

— sang¹ — 牲   (V) *sacrifice.* (N) *sacrifice.* (*Cl.* jung² 種 *or* chi³ 次)

— — ban² — — 品   (N) *victim; sacrificial victim.* (*RT persons or things*) **FE** (*Cl.* jung² 種 *or* gin⁶ 件)

— — je² — — 者   (N) *one who makes a sacrifice.* **FE**

— — jing¹ san⁴ — — 精神   (SE) *the spirit of sacrifice.* (*Cl.* jung² 種)

hei² 喜 1155   (N) *joy.* (Adj) *happy.* **SF** ‡

— chut¹° mong⁶ ngoi⁶ — 出望外   (SE) *joy beyond all expectations; better than anything that can be imagined.*

— jau² — 酒   (N) *formal Chinese dinner.* (*GRT such occasions as birthdays; weddings, etc.; Lit. happy wine.*) (*Cl.* chi³ 次)

— kek⁶ — 劇   (N) *comedy.* (*Lit. happy drama*) (*Cl.* goh³ 個 *or* chut¹° 齣)

— — sau¹ cheung⁴ — — 收場   (SE) *happy ending.*

⁵ — lok⁶ — 樂   (N) *joy.* **FE** (*Cl.* jung² 種)

— si⁶ — 事   (N) *joyful occasion.* (*GRT births, weddings, promotions, etc.*) (*Cl.* gin⁶ 件)

hei² 起 1156   (V) *build (RT buildings); increase (RT prices); rise; raise; begin; start.* (Asp) *up; bringing sth to completion.*

— bo⁶ — 步   (V) *start.* (*ROT walking, running, etc.*)

— ching⁴ — 程   (V) *set out on a journey; begin a journey.*

— choi³ — 菜 (V) *serve food (RT waiters at a formal Chinese dinners);* *use abusive language* **(Sl.).**

— chung⁵ gei¹ — 重機 (N) *crane; derrick. (Lit. raise weight machine)* **(Cl.** ga³ 架 *or* joh⁶ 座**)**

5 — dak¹° choi³ jau⁶ hei² la¹° — 得菜就起啦 (SE) *serve the food as soon as it's ready.*

— — — ji⁶ ma³? — — — 自嗎?   (SE) *do you want the food to be served right away?*

— — — mei⁶ a³? — — — 未呀?   (SE) *ditto.*

— faai³ la¹° — 筷啦 (SE) *"help yourself to some more food". (Lit. raise your chopsticks)* **PL**

— fei¹ — 飛 (V) *take off. (RT aeroplanes)*

10 — ga³ — 價 (V) *increase; rise. (ROT prices)* **FE**

— gaak³ ming⁶ — 革命 (V) *start a revolution.*

— jo¹ — 租 (V) *increase the rent; raise the rent.* (N) *increase in rent; rise in rent.* **(Cl.** chi³ 次**)**

— ma⁵ — 碼 (Adv) *at least.*

— — yan⁴ ching⁴ — — 人情 (SE) *simple present; lowest-priced gift.* **(Cl.** goh³ 個 *or* jung² 種**)**

15 — san¹ — 身 (V) *get up; rise (from bed, chair, etc.).*

— sau² — 手 (V) *begin; start; commence.* **FE**

— uk¹° — 屋 (V) *build a house.* **Coll.**

— yi⁶ — 義 (V) *start a righteous revolution.*

hei³ 氣(炁) 1157   (N) *air; mood; temper; feeling; luck; fate.*

— aat³ — 壓 (N) *air pressure.* **(Cl.** jung² 種**)**

— cheung¹° — 槍 (N) *air-gun.* **(Cl.** ji¹ 支**)**

— chuen⁵ — 喘 (V) *be short of breath; pant; gasp.* **Fml.**

— heuh⁴ heuh⁴ — 嗊嗊 (V) *ditto.* **Coll.**

5 — din⁶* suen⁴ — 墊船 (N) *hovercraft. (Lit. air cushion ship)* **(Cl.** jek³ 只**)**

— fan¹ — 氛 (N) *atmosphere. (ROT personal relationships and feelings)* **(Cl.** jung² 種 *or* goh³ 個**)**

— fan⁵ — 忿 (N) *anger.* **Fml. FE** *(No Cl.)* (Adj) *angry.* **Fml. FE**

— gwat¹° — 骨   (N) *moral integrity.* (*Cl.* jung² 種)

— jit³ — 節   (V) *ditto.*

10 — gwoon² — 管   (N) *windpipe; trachea; bronchial tube.* (*Cl.* tiu⁴ 條)

— — yim⁴ — — 炎   (N) *bronchitis.* (*Cl.* jung² 種 *or* goh³ 個)

— hau⁶ — 候   (N) *climate.* (*Cl.* jung² 種)

— jat¹° — 質   (N) *natural endowment; inborn quality.* (*ROT persons*)
(*Cl.* jung² 種)

— jeung⁶ — 象   (N) *climatic phenomenon.* (*Cl.* jung² 種)

15 — — hok⁶ — — 學   (N) *meteorology.* (*Subject:* foh¹° 科)

— — toi⁴ — — 台   (N) *weather station; meteorological observatory.*

— kau⁴ — 球   (N) *ballon.*

— koi³ — 慨   (N) *manner; spirit; style.* (*ROT persons*) (*Cl.* jung²
種)

— leung³ daai⁶ — 量大   (Adj) *generous; broad-minded.*

20 — — sai³ — — 細   (Adj) *mean; narrow-minded.*

— — siu² — — 小   (Adj) *ditto.*

— lik⁶ — 力   (N) *physical strength.* (*ROT persons and animate things*)

— paai³ — 派   (N) *style.* (*RT persons or things*) (*Cl.* jung² 種)

— wan¹ — 溫   (N) *air temperature.* **Fml.** (*Cl.* jung² 種)

hei³ 汽   1158   (N) *steam; vapour.*

— che¹° — 車   (N) *motor car; automobile.* (*Cl.* ga² 架)

— dang¹° — 燈   (N) *kerosen lamp.* (*Cl.* jaan² 盞 *or* ji¹ 支)

— dek⁶* — 笛   (N) *steam whistle.* **Fml.**

— sui² — 水   (N) *aerated water; soft drink.* (*Bottle:* ji¹ 支 *or* jun¹ 樽)

5 — suen⁴ — 船   (N) *steamship; steamboat.* **Mdn.** (*Cl.* jek³ 只)

— yau⁴ — 油   (N) *petrol; gasoline.* **Mdn.** (*Gallon:* ga¹° jun⁴* 加侖;
Drum: tung² 桶.)

hei³ 器   1159   (N) *utensil; organ of the body.* **SF** ‡

— choi⁴ — 材   (N) *tool; material; equipment.*

— gui⁶ — 具   (N) *tool.* **FE** (*Cl.* jung² 種)

— haai⁶ — 械   (N) *ditto.*

— gwoon¹ — 官   (N) *organ (of the body).* **FE** (*Cl.* jung² 種 *or*
goh³ 個)

hei³ 戲（戲） 1160   (N) *film; play.* (*Cl.* chut¹° 齣）

— baan¹° — 班   (N) *troupe.* *(GRT operas, circuses, etc.)*

— fei¹° — 飛   (N) *admission ticket.* *(RT shows, films, etc.)* **Coll.** (*Cl.* jeung¹ 張 *or* tiu⁴ 條）

— piu³ — 票   (N) *ditto.* **Fml.**

— ji² — 子   (N) *actor; actress.* **Der.**

5 — kek⁶ — 劇   (N) *drama.* (*Cl.* jung² 種）

— — fa³ — — 化   (V) *dramatize.* (Adj) *dramatic.*

— — ga¹° — — 家   (N) *dramatist.*

— kiu⁴* — 橋   (N) *synopsis.* *(GRT films).* (*Cl.* jeung¹ 張）

— man⁴ — 文   (N) *story.* *(GRT operas, plays, etc.)* (*Cl.* duen⁶ 段 *or* goh³ 個）

10 — toi⁴ — 台   (N) *stage.* *(RT operas, plays, etc.)*

— yuen⁶* — 院   (N) *theatre; cinema; opera house.* (*Cl.* gaan¹ 間）

— yuk⁶* — 肉   (N) *climax (of a drama); high lights (of an event or occasion).* **Coll.**

hei³ 棄 1161   (V) *abandon; give up.* **SF** ‡

— jik¹° — 職   (V) *abandon one's post.*

— kuen⁴ — 權   (V) *forgo rights, forgo privileges; abstain from.* *(RT voting).*

hek³ 吃（喫） 1162   (N) *eat.* **CP** **Mdn.** **SF** **AP** yaak³ **SM** see

— bat¹° siu¹ — 不消   (SE) *be unable to bear any longer.* *(RT conditions, work, living, etc.)* **Mdn.**

— dak¹° siu¹ — 得消   (SE) *be able to manage or cope with.* *(RT jobs, conditions of living, etc.)* **Mdn.**

— ging¹ — 驚   (V) *be frightened.*

— kwai¹ — 虧   (V) *suffer loss; be wronged; be to sb's disadvantage.*

heng¹ 輕 1163   (Adj) *light (in weight).* **Coll.** **AP** hing **SM** see 1180.

— heng¹ dei⁶* — 輕地   (Adj) *lightish.*

— pei⁴* — 皮   (Adj) *inexpensive.* *(Lit. light overheads)* **Coll.**

— yue⁴ fei¹ yin³ — 如飛燕   (SE) *light as a swallow on the wing.*

heuh¹ 靴   1164   (N) *boot.*   (*Cl.* jek³ 隻 ; *Pair:* dui³ 對 .)

heung¹ 香   1165   (Adj) *fragrant.*

— ban¹° (jau²) — 檳 (酒)   (N) *champagne.* (*Bottle:* ji¹ 枝 *or* jun¹ 樽 ; *Cup or Glass:* booi¹ 杯)

— cheung⁴* — 腸   (N) *sausage; European sausage. (Lit. fragrant sausage)*   (*Cl.* tiu⁴ 條 ; *Tin:* gwoon³ 礶 .)

H— Gong² — 港   (N) *Hong Kong.*

— — Dei⁶* — — 地   (N) *ditto.* **Coll.**

5 — — Daai⁶ Hok⁶ — — 大學   (N) *the University of Hong Kong.* (*Cl.* gaan¹ 間)

— — Kau⁴ Cheung⁴ — — 球場   (N) *the Hong Kong Stadium.* **FE**

— — Wooi⁶ Tong⁴ — — — 會堂   (N) *the Hong Kong City Hall.* **FE** (*Cl.* gaan¹ 間)

— — Din⁶ Toi⁴ — — 電台   (N) *Radio Hong Kong.*

— — Jai² — — 仔   (N) *Aberdeen. (Lit. little Hong Kong)*

10 — — jai² — — 仔   (N) *young man born and brought up in Hong Kong.*

— — Jung¹ Man⁴ Daai⁶ Hok⁶ — — 中文大學   (N) *the Chinese University of Hong Kong.* **FE** (*Cl.* gaan¹ 間)

— — Seung¹ Yip⁶ Din⁶ Toi⁴ — — 商業電台   (N) *Commercial Radio Hong Kong.* **FE**

— — Wooi⁶ Yi⁵ Jung¹ Sam¹° — — 會議中心   (N) *the Hong Kong Convention Centre.* (*Cl.* gaan¹ 間 *or* goh³ 個)

h— hei³ — 氣   (N) *fragrance.* (*Cl.* jung² 種 *or* jan⁶ 陣)

15 — mei⁶ — 味   (N) *ditto.*

— gwa¹° — 瓜   (N) *musk-melon.*

— jiu¹° — 蕉   (N) *banana.* (*Cl.* jek³ 隻)

— liu⁶* — 料   (N) *spices.* (*Cl.* jung² 種)

— pan³ pan³ — 噴噴   (Adj) *very fragrant.*

20 — pin³* — 片   (N) *scented tea.* (*Cup:* booi¹ 杯 ; *Pot:* woo⁴ 壺 .)

— sui² — 水   (N) *perfume.* (*Cl.* jung² 種 ; *Bottle:* jun¹ 樽 .)

— yin¹° — 烟   (N) *cigarette.* **Mdn.** (*Cl.* ji¹ 支 *or* hau² 口)

heung¹ 鄉 1166 (N) *country; village.* **SF**

— chuen¹ — 村 (N) *country side; the country; villages in general.* **Fml. FE** (*Cl.* tiu⁴ 條) (Adj) *rural.*

— — gaau³ yuk⁶ — — 教育 (N) *rural education.* (*Cl.* jung² 種)

— — sang¹ woot⁶ — — 生活 (N) *rural life; country life.* (*Cl.* jung² 種)

— ha⁶* — 下 (N) *country; country side; villages in general.* **Coll. FE** (*Cl.* sue³ 處 *or* do⁶ 度)

5 — — lo² — — 佬 (N) *villagers in general.* **Coll.**

— — yan⁴ — — 人 (N) *ditto.* **Coll.**

— man⁴ — 民 (N) *ditto.* **Fml.**

— lei⁵ — 里 (N) *fellow-villager.*

heung² 享 1167 (V) *enjoy.* **Fml. SF** ‡

— fuk¹° — 福 (V) *enjoy life; lead a happy life.* (*Lit. enjoy happiness*)

— sau⁶ — 受 (V) *enjoy.* (*RT hobbies, pleasures, etc.*) (N) *enjoyment.* (*Cl.* jung² 種)

heung² 響(响) 1168 (V) *sound; ring; make a sound.* (*RT horns, bells, etc.*) **SF** ‡ (Adj) *loud.*

— cheung¹° — 槍 (V) *fire a shot; fire a gun.* (N) *firing of a shot.* (*Cl.* chi³ 次)

— hon¹° — 唥 (V) *sound the horn.*

— loh⁴* — 螺 (N) *sea snail.* (*Cl.* jek³ 隻)

— ying³ — 應 (V) *respond.* (N) *response.* (*Cl.* chi³ 次)

heung² 唥 1169 (V) *be in; be at; be on.* (Prep) *in; at; on.* **CC**

heung³ 向 1170 (Prep) *towards; to.* (*ROT direction of actions*) **SF** ‡ (Adv) *hitherto.* **SF** ‡

— bak¹° — 北 (N) *northwards.*

— chin⁴ — 前 (Adv) *forwards.*

— dung¹ — 東 (Adv) *eastwards.*

— ha⁶ — 下   (Adv) *downwards.*
5 — hau⁶ — 後   (Adv) *backwards.*
— joh² — 左   (Adv) *to the left.*
— loi⁴ — 來   (Adv) *hitherto; until now.* **FE**
— naam⁴ — 南   (Adv) *southwards.*
— sai¹ — 西   (Adv) *westwards.*
10 — sam¹° lik⁶ — 心力   (N) *centripetal force; allegiance* (**Fig.**). (*Cl.* jung² 種)
— seung⁶ — 上   (Adv) *upwards.*
— yat⁶ kwai⁴ — 日葵   (N) *sunflower.* (*Cl.* deuh² 朵 *or* doh² 朵)
— yau⁶ — 右   (Adv) *to the right.*

him¹ 謙 1171   (Adj) *modest; humble.* **SF**

— hau⁶ — 厚   (Adj) *modest; humble.* **FE**
— hui¹ — 虛   (Adj) *ditto.*

him² 險 1172   (Adj) *dangerous.* **SF**

— dei⁶ — 地   (N) *dangerous position.*
— ging² — 境   (N) *ditto.*
— ja³ — 詐   (Adj) *evil; malicious.* (*RT people*)
— ok³ — 惡   (Adj) *ditto.*

him³ 欠 1173   (V) *owe; be in debt.* **Fml.**

— chin⁴* — 錢   (V) *owe money.*
— jaai³ — 債   (V) *ditto.*
— jo¹ — 租   (V) *owe rent.*
— kuet³ — 缺   (V) *be short of; be deficient in.*
5 — yan⁴ ching⁴ — 人情   (V) *be indebted for a kindness.*

hin¹ 牽 1174   (V) *pull, drag; think of; lead.* (*RT animals*). **SF** ‡

— gau² — 狗   (V) *lead a dog.*
— gwa³ — 掛   (V) *think fondly of sb.*
— nim⁶ — 念   (V) *ditto.*

— lin⁴ — 連   (V) *be dragged into trouble; get involved in difficulties of some kind.*

⁵ — sip³ — 涉   (V) *ditto.*

— ma⁵ — 馬   (V) *lead a horse.*

— ngau⁴ — 牛   (V) *lead a cow.*

hin² 遣   1175   (V) *send; dismiss.* **SF** ‡

— saan³ — 散   (V) *pension off; dismiss (from employment).*

— — fai — — 費   (N) *sum paid to employee on dismissal or retrenchment; severance pay.* (*Cl.* bat¹° 筆)

hin² 譴   1176   (V) *reprimand; blame; accuse.* **Fml. SF** ‡

— jaak³ — 責   (V) *reprimand; blame; accuse.* **Fml. FE**

hin² 顯(顕)   1177   (V) *display; manifest; expose.* **SF** ‡

— jue³ — 著   (Adj) *obvious; remarkable; prominent; apparent.*

— lo⁶ — 露   (V) *display; manifest; expose.* **FE**

— si⁶ — 示   (V) *ditto.*

— mei⁴ geng³ — 微鏡   (N) *microscope.* (*Lit. expose small lens*)

⁵ — ying² — 影   (V) *develop.* (*ROT photographs*) (N) *development.* (*ROT photographs*) (*Cl.* chi³ 次 *or* jung² 種)

— — yeuk⁶ — — 葯   (N) *photographic developer.* (*Lit. developing chemical*) (*Cl.* jung² 種)

hin³ 憲   1178   (N) *law; constitution.* **SF** ‡

— bing¹ — 兵   (N) *military police.* (*Lit. law soldier*)

— faat³ — 法   (N) *constitution (of a country).* **FE** (*Cl.* bo⁶ 部 *or* jung² 種)

hin³ 獻(献)   1179   (V) *offer; present.* **Fml. SF** ‡

— gam¹° — 金   (V) *contribute to a fund; give away money.* (*GRT Church services, charities, etc.*) (*Lit. offer gold*)

— mei⁶ — 媚   (V) *toady; ingratiate oneself with.*

— san¹ — 身   (V) *devote onself to.*

hing¹ 輕   1180   (Adj) *light (in weight)*. **Fml.** ‡ **AP heng¹ SM see 1163.**

— bin⁶ tit³ lo⁶ — 便鐵路   (N) *light railway; light railroad.* (*Cl.* tiu⁴ 條)

— bok⁶ — 薄   (V) *be impudent; slight; attack (ROT women).*

— fau⁴ — 浮   (Adj) *flippant; frivolous; feather-brained.*

— kwong⁴ — 狂   (Adj) *ditto.*

5   — tiu¹ — 佻   (Adj) *ditto.*

— gung¹ yip⁶ — 工業   (N) *light industry.* (*Cl.* jung² 種)

— haau² — 巧   (Adj) *agile; handy.*

— hei³ — 氣   (N) *hydrogen.* (*Cl.* jung² 種)

— — daan⁶* — — 彈   (N) *hydrogen bomb; H-bomb.*

10   — — kau⁴ — — 球   (N) *balloon.*

— si⁶ — 視   (V) *look down on; underestimate.* **Fml.** (N) *contempt.* (*Cl.* jung² 種) (Adj) *contemptuous.*

— sung¹ — 鬆   (V) *relax.* (Adj) *relaxed; easy-going.*

hing¹ 兄   1181   (N) *older brother; a form of polite address to male friends.* **Fml. SF** ‡

— dai⁶ — 弟   (N) *brothers in general.*

— je² — 姐   (SE) *older brother(s) and older sister(s).*

— jeung² — 長   (N) *older brother.* **Fml. FE**

— mooi⁶* — 妹   (SE) *older brother(s) and younger sister(s).*

hing¹ 興（囟）   1182   (V) *have a strong desire for; be all the rage.* (Adj) *very fashionable.* **AP hing³ see 1183.**

— fan⁵ — 奮   (V) *be excited.* (Adj) *excited.* (N) *excitement.* (*Cl.* jung² 種) **AP hing³ fan⁵ see 1183/2.**

— gung¹ — 工   (V) *commence work. (ROT buildings, roads, bridges, etc.)*

— hei² — 起   (V) *rise; emerge; raise. (RT nations, political systems, movements, etc.)* **Fml. FE**

— lung⁴ — 隆   (Adj) *prosperous; flourishing.*

5   — sing⁶ — 盛   (Adj) *ditto.*

— wong⁶ — 旺   (Adj) *ditto.*

— mong⁴ — 亡   (SE) *rise and fall. (GRT nations, governments, etc.)* **Fml.**

— sui¹ — 衰   (SE) *ditto.*

hing³ 興（兴）   1183   (N) *joy; pleasure; high spirits.* **SF** ‡ **AP hing¹ see 1182.**

— chui³ — 趣   (N) *interest; pleasure.* (*Cl.* jung² 種)

— fan⁵ — 奮   (V) *be excited.* (Adj) *excited.* (N) *excitement.* (*Cl.* jung² 種) **AP hing¹ fan⁵ see 1182/1.**

— go¹ choi² lit⁶ — 高采烈   (SE) *in high spirits; full of joy.*

— ji³ — 致   (N) *glee; high spirits.* (*Cl.* jung² 種)

hing³ 慶   1184   (V) *congratulate; clerbrate.* **SF** ‡

— hoh⁶ — 賀   (V) *congratulate.* **FE** (N) *congratulation.* (*Cl.* jung² 種)

— juk¹° — 祝   (V) *celebrate.* **FE** (N) *celebration.* (*Cl.* chi³ 次)

hip³ 歉   1185   (N) *apology; deficiency.* **Fml. SF** ‡

— sau¹ — 收   (N) *a bad harvest.* **Fml.** (*Cl.* chi³ 次)

— sui³ — 歲   (N) *a year of dearth or famine.* **Fml.** (*Cl.* chi³ 次 or goh³ 個)

— yi³ — 意   (N) *aplogy.* **Fml. FE** (*Cl.* jung² 種)

hip³ 怯   1186   (Adj) *cowardly.* **Fml. SF** ‡

— noh⁶ — 懦   (Adj) *cowardly.* **Fml. FE**

hip⁶ 協   1187   (V) *aid; agree.* **Fml. SF** ‡ **CP hip³.**

— joh⁶ — 助   (V) *aid.* **Fml. FE**

— seung¹ — 商   (V) *agree; consult; negotiate.* **Fml. FE**

— yi⁵ — 議   (V) *ditto.*

— wooi⁶* — 會   (N) *society; association.*

hit³ 歇 **1188**   (V) *rest; suspend.* **Fml.** **SF** ‡
— geuk — 脚   (V) *temporary rest while on a walk.*
— sik¹° — 息   (V) *rest; suspend.* **Fml.** **FE**
— yip⁶ — 業   (V) *suspend business; close down business.*

hiu¹ 囂 **1189**   (Adj) *blatant.* **SF**
— jeung¹ — 張   (Adj) *blatant.* **FE**

hiu² 曉 **1190**   (V) *know; understand; comprehend.* **SF**
— dak¹° — 得   (V) *know; understand; comprehend.* **FE**

hiu³ 竅 **1191**   (N) *cavity; intelligence.* **Fml.** **SF** ‡
— moon⁴ — 門   (N) *cavity; intelligence* (**Fig.**). **Fml.** **FE**
— ngaan⁵ — 眼   (N) *ditto.*

hiu³ 撬 **1192**   (V) *prise up; dig out (with a shovel or spade).* **Fml.**
SF **AP giu⁶ SM see 934.**

ho² 好 **1193**   (Adj) *good; well.* (Adv) *very; well.* (Asp) *well; satis-factorily.* **AP ho³ see 1194.**
— bong¹ sau² — 幫手   (N) *a good help.*
— chi⁵ — 似   (V) *look like; resemble.* (Prep) *like.*
— — ... gam² — — ... 噉   (IC) *seem; seem as if.*
— — ... yat¹° yeung⁶ — — ... 一樣   (IC) *ditto.*
5 — — ... gam² (yeung⁶*) ge³ — — ... 噉 (樣) 嘅   (IC) *such as ...;*
such ... as.
— — ... gam³ ... — — ... 咁 ...   (IC) *as ... as*
— — jo⁶ wong⁴ dai³ gam³ jo⁶ — — 做皇帝咁做   (SE) *live like a*
king; as comfortable as a king; as authoritative as a king (**Joc**). (*Lit.*
act as an emperor; GRT conceited persons or easy jobs.)
— — mo⁵ mei⁵ se⁴ gam³ jeng¹ — — 冇尾蛇咁精   (SE) *extremely*
cunning; never to be the loser; never allowing oneself willing to be
wronged.

— — ngai⁵ laai¹ gam² — — 蟻躝噉　(SE) *at a snail's pace. (Lit. crawl like an ant)*

10　— — suet³ gam³ dung³ — — 雪咁凍　(SE) *as cold as ice. (Lit. as cold as snow)*

— — yat¹° goh³ hui¹° gam³ cho⁴ — — 一個墟咁嘈　(SE) *extremely noisy. (Lit. as noisy as a market place)*

— choi² (so³) — 彩 (數) (Adj) *lucky; fortunate.* (Adv) *luckily; fortunately.*

— chue³ — 處 (N) *advantage; benefit.* (Cl. jung² 種 *or* goh³ 個)

— chut¹° kei⁴ me¹°? — 出奇咩? (SE) *why do you think it strange?*

15　— dei⁶ dei⁶ — 地地 (Adv) *with nothing wrong (RT properly behaviours); in good condition (RT mechanical devices).*

— ho² dei⁶* — 好地 (Adv) *ditto.*

— doh¹ si⁴ — 多時 (Adv) *often; very often.*

— faai³ gam² gong² — 快噉講 (V) *speak fast or quickly.*

— faan¹ — 返 (V) *recover from illness.*

20　— gei¹ haai⁶ gam² — 機械噉 (Adv) *in a mechanical manner.*

— haan⁴ je¹° — 閒啫 (SE) *it's only a small matter.*

— hei³ — 戲 (N) *"good show"; interesting event.* **Lit. & Fig.** (Cl. chut¹° 齣)

— ho² sin¹ saang¹ — 好先生 (SE) *"Yesman"; an easy going person. (Lit. Mr. good-good)*

— jaan⁶ — 賺 (Adj) *profitable.*

25　— lo¹ — 撈 (Adj) *ditto.*

— jing¹ san⁴ — 精神 (Adj) *full of vitality; in good spirits; in high spirits.*

— joi⁶ — 在 (Adv) *fortunately; luckily.*

— jue² yi³ — 主意 (N) *good idea; good advice.*

— juen³* — 轉 (V) *improve; change from bad to good.*

30　— la¹° — 啦 (Itj) *good; right. (RT agreements, understanding, concessions, etc.)*

— lak³ — 嘞 (Itj) *alright! ...; well then! ...; and now ... (when changing the subject in conversations or talks).*

— m⁴ ho² a³? — 唔好呀? (FE) *"what do you think (or say)?"; "should I ...?"; "can I ...?"; "may I ...?"*

— ma³? — 嗎? (SE) *ditto.*

343

— maan⁶ gam² duk⁶ — 慢噉講   (V) *study slowly; read slowly.*

35 — nam² tau⁴ — 諗頭   (V) *have many good ideas; have carefully-considered ideas.*

— ngap¹° m⁴ ngap¹° — 噏唔噏   (SE) *prattle aimlessly.*

— sam¹ — 心   (N) *kindness.* (Adj) *kind; kind-hearted.*

— sam¹ dei⁶* — 心地   (Adj) *kind hearted.*

— seung¹ yue⁵ — 相與   (Adj) *friendly; easy-going.*

40 — yan⁴ si⁶* — 人事   (Adj) *ditto.*

— si⁶ — 事   (N) *a good deed; a good thing.*   (Cl. gin⁶ 件)

— sik⁶ — 食   (Adj) *tasty; delicious.*   *(it. good to eat)*

— siu¹ sik¹° — 消息   (N) *good news.*

— siu³ — 笑   (Adj) *funny; amusing.*   *(Lit. good to laugh)*

45 — — yung⁴ — — 容   (Adj) *pleasant; with a smiling face.*

— tai² — 睇   (Adj) *interesting*   *(RT novels, films. etc.)*; *nice-looking or attractive*   *(RT colours, dresses, etc.).*   *(Lit. good to look out)*

— teng¹ — 聽   (Adj) *pleasant; amusing.*   *(RT songs, voices, etc.; Lit. good to hear.)*

— tin¹ — 天   (N) *fine day; good weather; weather permitting.*   *(No Cl.)* (Adj) *fine.*   *(ROT weather)*

— wa⁶ — 話   (SE) *"very kind of you to say so"; "thank you"* (in reply to compliments).

50 — — m⁴ ho² teng¹ — — 唔好聽   (SE) *tell the simple truth; put it bluntly.*

— waan² — 玩   (Adj) *enjoyable; full of fun.*   *(Lit. good to play.)*

— yam² — 飲   (Adj) *delicious.*   *(Lit. good to drink; ROT drinks.)*

— yan⁴ — 人   (SE) *good man; good fellow.*

— ye⁵! — 嘢!   (Itj) *bravo!*

55 — yi³ — 意   (Adj) *with good intention; with no harm intended.*   (N) *good intention; good will.*   (Cl. goh³ 個 or jung² 種)

— — si³ (me¹°?) — — 思 (咩?)   (SE) *fell happy; have a clear conscience.*   *(Gen. used in sarcastic questions)*

ho³ 好 1194   (V) *be fond of; love.* **AP ho² see 1193.**

— dung⁶ — 動   (Adj) *restless; fond of action.*   *(ROT people)*

— — m⁴ ho³ jing⁶ — — 唔好靜   (Adj) *ditto.*

— jin³ — 戰   (Adj) *warlike; bellicose.*

— jing⁶ — 靜 (Adj) *quiet; fond of being alone.* *(ROT people)*

5 — — m⁴ ho³ dung⁶ — — 唔好動 (Adj) *ditto.*

— kei⁴ — 奇 (Adj) *curious; inquisitive.* *(Lit. like strange)*

— — sam¹ — — 心 (N) *curiosity.* *(Lit. curious heart)* *(Cl.* goh³ 個 *or* jung² 種)

— sik¹° — 色 (V) *be fond of women.*

ho⁴ 豪 1195 (Adj) *vigorous; brave; luxurious.* **SF** ‡

— fong³ — 放 (Adj) *vigorous; virile; unrestrained.* **FE**

— git⁶ — 傑 (N) *hero.* **Fml.**

— hei³ — 氣 (N) *bravery; heroism.* *(Cl.* jung² 種)

— moon⁴ — 門 (N) *powerful family; wealth family.*

5 — wa⁴ — 華 (Adj) *luxurious; extravagant.* **FE**

ho⁴ 濠(壕) 1196 (N) *ditch; trench.* **SF** ‡

— kau¹ — 溝 (N) *ditch; trench.* **FE** *(Cl.* tiu⁴ 條)

ho⁴ 蠔 1197 (N) *oyster.* *(Cl.* jek³ 隻)

— si⁶* — 豉 (N) *dried oyster.* *(Cl.* jek³ 只)

— tong⁴ — 塘 (N) *oyster-bed.*

— yau — 油 (N) *oyster sauce.* *(Bottle:* jun¹ 樽)

— — baau¹ po² — — 鮑脯 (N) *abalone with oyster sauce.* *(Course:* goh³ 個 *or* dip⁶ 碟)

5 — — ngau⁴ yuk⁶ — — 牛肉 (N) *sliced beef with oyster sauce.* *(Course:* dip⁶ 碟 *or* goh³ 個)

ho⁴ 毫 1198 (N) *ten cents; a dime; 10-cent piece.* **SF**

— ji² — 子 (N) *ten cents; a dime.* **FE** *(No Cl.)* (N) *10-cent piece.* **FE** *(Cl.* goh³ 個)

— mo⁴ — 無 (SE) *not the slightest.* ‡

— — gei² lut⁶ — — 紀律 (SE) *without the least discipline at all.*

— — hoh² chui² — — 可取 (SE) *not a single good point.* *(RT persons or things)*

ho⁴ 號(号)   **1199**   (V) *shout; wail.*   **Fml.**   **SF**   ‡   **AP ho⁶ see 1200.**

— giu³ — 叫   (V) *shout.*   **Fml.**   **FE**

— huk¹° — 哭   (V) *wail.*   **Fml.**   **FE**

ho⁶ 號(号)   **1200**   (N) *mark; name; number.*   **SF**   ‡   (P) *used as a suffix to a serial number, e.g. "No. 1", "No. 2", "No. 3", etc.* (ho⁶ 號)   **AP ho⁴ see 1199.**

— jiu⁶ — 召   (V) *summon; appeal.*

— ling⁶ — 令   (N) *order; command.*

— ma⁵ — 碼   (N) *number; serial number; registered number.*

— so³ — 數   (N) *ditto.*

5 — ngoi⁶ — 外   (N) *an extra or special edition.*   *(ROT newspapers)* (*Cl.* jeung¹ 張)

hoh¹ 苛   **1201**   (Adj) *harsh; mean.*   **SF**   ‡

— hak¹° — 刻   (Adj) *harsh; mean and exacting; ungenerous.*   **FE**

— kau⁴ — 求   (V) *demand too much; expect too much from people.*

hoh² 可   **1202**   (Av) *may; can; might; could.*   **SF**   ‡   (Adj) *able; -able (before verbs).*

— kaau³ — 求   (Adj) *reliable; dependable.*

— lin⁴ — 憐   (V) *sympathize; have one's sympathy; deserve sympathy.* (Adj) *pitiable.*

— nang⁴ — 能   (Adv) *probably; possibly.*

— — sing³ — — 性   (N) *possibility.*   (*Cl.* goh³ 個 *or* jung² 種)

5 — oi³ — 愛   (Adj) *lovable.*

— pa³ — 怕   (Adj) *terrible; horrible; frightful; frightening.*

— sik¹° — 惜   (SF) *what a pity; unfortunately.*

— woo³ — 惡   (Adj) *detestable; hateful.*

— yi⁵ — 以   (Av) *may; can; might; could.*   **FE**

hoh⁴ 何   **1203**   (Adj) *what.*   **Bk.**   **SF**   ‡   (Adj) *how? why?*   **Bk.**   **SF** ‡

— fong³ — 況   (SF) *not to mention . . .; say nothing of . . .*

— hui³ hoh⁴ chung⁴ — 去何從   (SF) *"where to go and what to do?"; "Quo Vadis?".*

hoh⁴ 河   1204   (N) *river.* (*Cl.* tiu⁴ 條)

H— Bak¹° (Saang²) — 北 (省)   (N) *Hopei; Hopei Province.* **Tr.**

h— lau⁴ — 流   (N) *rivers in general.* (*Cl.* tiu⁴ 條)

H— Naam⁴ (Saang²) — — (省)   (N) *Honan; Honan Province.* **Tr.**

hoh⁴ 荷   1205   (N) *lotus.* **SF** ‡   (P) *used in translations.* **AP hoh⁶** see 1206.

— baau¹° — 包   (N) *purse; belt-purse, puoch.*

— chi4   池   (N) *lotus pond.*

— fa¹ — 花   (N) *lotus flowers; water-lily.* (*Cl.* deuh² or doh² 朵)

H— Laan4 — 蘭   (N) *Holland; the Netherlands.* **Tr.**   (Adj) *Dutch.*

5   — — jue¹° — — 豬   (N) *guinea pig.* (*Lit. Dutch pig*) (*Cl.* jung²
種)

h— yip⁶ — 葉   (V) *lotus leaf.* (*Cl.* faai3 塊)

hoh⁶ 荷   1206   (V) *carry; load.* **Fml. SF** ‡   **AP hoh⁴ see 1205.**

— cheung¹° sat⁶ daan⁶* — 槍實彈   (SE) *carry loaded rifles; ready for action or emergencies.*

— foo⁶ — 負   (V) *carry a load; carry a burden.* **Fml. FE**

hoh⁶ 賀   1207   (V) *great; congratulate.* **SF** ‡

— lai5 — 禮   (N) *congratulatory present.* (*Cl.* gin⁶ 件)

— nin4 — 年   (N) *new-year's greetings.* **Mdn.** (*Cl.* chi3 次)

— sau⁶ — 壽   (N) *birthday greetings.* **Fml.** (*Cl.* chi3 次)

hoi¹ 開   1208

(V) *run or star (RT business concerns, courses, classes, etc.); hold (RT meetings, dances, parties, etc.); open (RT doors, windows, drawers, wardrobes, etc.); fire (RT guns, revolvers, etc.); switch on (RT lights, radios, air-conditioners, etc.); drive (RT cars); fly (RT airplanes); sail (RT yachts, boats, etc. write (RT cheques, bills, etc.); be ready (RT meals); set (RT tables).* **SF** ‡
(Asp) *away; off.*

— baan¹° — 班   (V) *run a class/course.*

— cha4 — 茶   (SE) *serve tea (used of waiters in restaurants/tea houses).*

— chaan¹° gwoon² — 餐館   (V) *run a Chinese restaurant (abroad).*

— che¹° — 車 (V) *start a car; the train leaves.*

5 — cheung¹° — 槍 (V) *open fire; fire a gun.*

— chi² — 始 (V) *commence; start; begin.* **FE**

— choi² — 採 (V) *exploit.* *(RT mines, oilfields, etc.)*

— chui⁴ — 除 (V) *sack; fire; dismiss from employment.*

— di¹° — 啲 (Adv) *further away; further apart.*

10 — do¹ — 刀 (V) *perform a surgical operation.* (N) *surgical operation.*
(*Cl.* chi³ 次)

— faat³ — 發 (V) *exploit.* *(RT mines, oilfield, etc.)*

— fei¹ gei¹ — 飛機 (V) *fly an aeroplane; the aeroplane departs.*

— foh² — 火 (V) *open fire.*

— jin³ — 戰 (V) *ditto.*

15 — foh³ — 課 (V) *school opens; a new term or academic year begins.*

— hok⁶ — 學 (V) *ditto.*

— fong³ — 放 (V) *open; open to the public.* *(Lit. open release)*

— ga³ — 價 (V) *state a price for sth; quote a price for doing sth.*
(*Lit. open price*)

— — waan⁴ ga³ — — 還價 (N) *bargaining.* *(Lit. open price, return price) (No Cl.)*

20 — gong² do¹° yau⁵ wa⁶ — 講都有話 (SE) *as the saying goes.*

— gung¹ — 工 (V) *start work.*

— hau² — 口 (V) *speak; say sth; utter (words); open one's mouth.*

— hui³ — 去 (V) *go there; go away.*

— jeung¹ — 張 (V) *begin to do business.* *(RT new shops)*

25 — ji¹ — 支 (N) *expenditure; expenses.* **Coll.** (*Sum:* bat¹° 筆; *Kind:* jung² 種.)

— siu¹ — 銷 (N) *ditto.* **Fml.**

— ji¹ piu³ — 支票 (V) *draw a cheque; write a cheque.*

— jik⁶ — 席 (V) *begin; start.* *(ROT formal Chinese dinners)*

— jo² chaan¹° — 早餐 (V) *breakfast is ready; ready to serve breakfast; set (a table) for breakfast.*

30 — lai⁴ — 嚟 (V) *come here; come over here.*

— mok⁶ — 幕 (V) *raise the curtain; open.* *(RT exhibitions, shows, etc.)*

— moon⁴ — 門   (V) *open the door.*

— — chat¹° gin⁶ si⁶ — — 七件事   (SE) *seven daily necessities— a traditional Chinese expression. (Lit. seven things for opening the door, i.e. firewood, rice, oil, salt, soy, vinegar and tea.)*

— paai³ dui³ — 派對   (V) *hold a dancing party* **Tr.**

35 — tiu³ mo⁵ wooi⁶* — 跳舞會   (V) *ditto.*

— po³ tau⁴* — 鋪頭   (V) *start a shop; run a store.*

— sam¹ — 心   (V) *be happy. (Lit. open heart)*   (Adj) *happy.*

— san¹ — 身   (V) *leave; depart. (RT ships, trains, etc.)*

— sau¹ yam¹ gei¹ — 收音機   (V) *switch on radio; listen to a broadcast.*

40 — si⁵ — 市   (V) *start business. (RT retail markets)*

— suen⁴ — 船   (V) *sail a ship; cast off the moorings.*

— tau⁴ — 頭   (Adv) *at first; at the beginning; in the beginning.*

— toi⁴* — 枱   (V) *set a dining table.*

— tung¹ — 通   (Adj) *open-minded; civilized*

45 — waan⁴ siu³ — 玩笑   (V) *make a joke.*

— wai⁶ — 胃   (Adj) *appetizing; ambitious* **(Fig.)**

— wooi⁶* — 會   (V) *hold a meeting; attend a meeting.*

— ye⁶ che¹° — 夜車   (V) *work at night. (Lit. drive a night train; GRT students.)*

— — gung¹ — 夜工   (V) *be on night duty; work on the night shift. (Lit. start night work)*

hoi² 海   **1209**   (N) *sea, ocean.*

— au¹° — 鷗   (N) *seagull. (Cl. jek³ 只)*

— bat⁶ — 拔   (N) *height above sea-level.*

— chaak⁶ — 賊   (N) *pirate.*

— do⁶ — 盜   (N) *ditto.*

5 — chaan² — 產   (N) *marine products.* **Fml.** *(Cl. jung² 種)*

— cho² — 草   (N) *seaweed. (Cl. tiu⁴ 條 or jung² 種)*

— daai³ — 帶   (N) *edible seaweed. (Cl. tiu⁴ 條)*

— dai² — 底   (N) *sea bottom.*   (Adj) *submarine.*

— — din⁶ bo³ — — 電報   (N) *submarine cable. (Cl. fung¹ 封)*

10 — — sui⁶ do⁶ — — 隧道   (N) *cross-harbour tunnel (in Hong Kong).* (*Cl.* tiu⁴條)

— do² — 島   (N) *(sea) island.*

— foot³ tin¹ hung¹ — 濶天空   (SE) *boundless as the sea and wide open as the sky (RT sb's future or journey); care-free (RT talks or articles). (Lit. see wide sky empty)*

— gau² — 狗   (N) *seal.*   (*Lit. sea dog*)   (*Cl.* jek³ 只)

— ging² — 景   (N) *seascape; sea view.*

15 — gwaan¹° — 關   (N) *customs house.*

— — yan⁴ yuen⁴ — — 人員   (N) *customs officer.*

H— Gwan¹° — 軍   (N) *Navy.*   (*Lit. sea army*)

— — Bo⁶ — — 部   (N) *Naval Ministry; Admiralty.*

— — — Jeung² — — — 長   (N) *Minister for the Navy.*

20 — — Kau⁴ Cheung⁴ — — 球場   (N) *Navy Football Ground.*

h— haap⁶ — 峽   (N) *strait.*

— him² — 險   (N) *marine insurance.* **SF**   (*Cl.* jung² 種)

— seung⁶ bo² him² — 上保險   (N) *ditto.* **FE**

— jit³ — 蜇   (N) *dried skin of jelly-fish (used as food).*   (*Cl.* faai³塊 ; *Strip:* tiu⁴條.)

25 — lok³ ying¹ — 洛英   (N) *heroin.* **Tr.**   (*Pack:* baau¹ 包 ; *Pound:* bong⁶ 磅.)

— mei⁶* — 味   (N) *marine delicacies, dried sea food.*   (*Cl.* jung² 種)

— ngoi⁶ — 外   (Adj) *overseas.*

— — tau⁴ ji¹ — — 投資   (SE) *overseas investment.*   (*Cl.* jung² 種)

— ngon⁶ — 岸   (N) *coast; shore; beach.*   (*Cl.* sue³ 處 *or* do⁶* 度) (Adj) *coastal.*

30 — — sin³ — — 綫   (N) *coast-line.*   (*Cl.* tiu⁴條)

— pei⁴ — 皮   (N) *water front.* **Coll.**   (*Cl.* sue³ 處 , daat³ 笪 *or* goh³ 個)

— pong⁴ — 旁   (N) *ditto.* **Fml.**

— si¹° — 獅   (N) *sea lion.*   (*Cl.* jek³ 只)

— sin¹° — 鮮   (N) *sea food.*   (*No Cl.*)

35 — — teng⁵ — — 艇   (N) *floating restaurant.*   (*Lit. sea food boat*) (*Cl.* jek³ 隻)

— — tong¹ — — 湯   (N) *sea-food soup.*   (*Course:* goh³ 個 ; *Bowl:* woon² 碗.)

— siu³ — 嘯   (N) *tidal wave; submarine earthquake.* *(Cl.* chi³次)

— suen² — 損   (N) *damage caused by the sea.* *(Cl.* jung² 種 *or* chi³次)

— tong⁴ (fa¹°) — 棠 (花)   (N) *begonia.* *(Cl.* deuh² *or* doh² 朵)

40 — tuen⁴ — 豚   (N) *dolphin.* *(Lit. sea pig)* *(Cl.* tiu⁴ 條).

— — biu yin² — — 表演   (N) *flipper show.* *(Lit. dolphin performance)* *(Cl.* goh³ 個 *or* chi³ 次)

— waan¹° — 灣   (N) *bay; gulf.*

— woon² — 碗   (N) *large bowl for food.* *(Lit. sea bowl)* *(Cl.* jek³ 只 *or* goh³ 個)

— yeung⁴ — 洋   (N) *sea; ocean.* **FE**

45 H— Yeung⁴ Jau¹° — — 洲   (N) *Oceania.*

h— yuen⁴ — 員   (N) *seaman; sailor.*

hoi·² 凱 1210   (N) *triumph; victory.* **Fml.** **SF** ‡

— goh¹° — 歌   (N) *song of triumph; song of victory.* *(Cl.* ji¹ 支 *or* sau² 首)

— suen⁴ — 旋   (V) *return in triumph.*

— — moon⁴ — — 門   (N) *triumphal arch; Arc de Triumphe (in Paris).* *(Cl.* do⁶ 度)

hoi·⁴ 孩 1211   (N) *child.* **Mdn.** **SF** ‡ **CP haai⁴**

— ji² — 子   (N) *child; son.* **Mdn.** **FE** **CP haai⁴ ji²**

— — min⁶ — — 面   (N) *baby face.* **CP haai⁴ ji² min⁶**

hoi·⁶ 害 1212   (V) *injure; harm; disadvantage.* **SF** ‡ *(Cl.* jung² 種)

— chue³ — 處   (N) *harm; disadvantage.* **FE** *(Cl.* jung² 種)

— chung⁴ — 蟲   (N) *harmful insect.* *(Cl.* tiu⁴ 條)

— kwan⁴ ji¹ ma⁵ — 群之馬   (SE) *a black sheep; one who acts in a way detrimental to public welfare.* *(Lit. a house that injuries a herd)*

hok³ 殼 (売，殼) 1213   (N) *husk; shell.*

hok⁶* 鶴 1214   (N) *crane.* *(Cl.* jek³ 只)

hok⁶ 學(孝)   1215   (V) *learn; study.* (P) *as a suffix denotes specialized area of study and corresponds to the English "—logy".*

— che¹° — 車   (V) *learn to drive; be a learner driver.*

— — ji² — — 紙   (N) *learner's licence.* **Coll.**

— — paai⁴ — — 牌   (N) *ditto.*

— dim³ — 店   (N) *profiteering school. (Lit. school shop)* **Ctmp.** (*Cl.* gaan¹ 間)

5 — fai³ — 費   (N) *school fee, tuition fee. (No Cl.)*

— foh¹° — 科   (N) *subject; academic subject.* (*Cl.* jung² 種)

— haau⁶ — 校   (N) *school.* (*Cl.* gaan¹ 間)

— — sang¹ woot⁶ — — 生活   (N) *school life.* (*Cl.* jung² 種)

— kei⁴ — 期   (N) *semester; school term.*

10 — — haau² si³ — — 考試   (N) *term-examination.* (*Cl.* chi³ 次)

— — mei⁵ — — 尾   (N) *end of term.*

— — — fong³ ga³ — — — 放假   (N) *break between terms.* (*Cl.* chi³ 次)

— lik⁶ — 歷   (N) *academic qualification.* (*Cl.* goh³ 個 *or* jung² 種)

— man⁶ — 問   (N) *learning; profound knowledge.* (*Cl.* jung² 種)

15 — nin⁴ — 年   (N) *academic year, school year.*

— — haau² si³ — — 考試   (N) *annual examination.* (*Cl.* chi³ 次)

— sang¹° — 生   (N) *student; pupil.* (*Cl.* goh³ 個)

— — wooi⁶* — — 會   (N) *students' association; students' union.*

— si¹ — 師   (V) *be an apprentice; learn a trade. (Lit. learn from expert)* (N) *apprentice.*

20 — — jai² — — 仔   (N) *apprentice.* **Der. Coll.**

— to⁴ — 徒   (N) *ditto.* **Fml.**

— si⁴ mo⁶° — 時髦   (V) *try to keep up with the fashion; follow the fashion.*

— si⁶ — 士   (SE) *Bachelor of Arts; B.A. Degree.*

— sik¹° — 識   (V) *master (languages or arts).* (N) *knowledge.* (*Cl.* jung² 種)

25 — wai⁶* — 位   (N) *place or vacancy at a school; university degree.*

— yip⁶ — 業   (N) *academic study. (Lit. learning career) (No Cl.)*

— — jung³ bo⁶ — — 進步   (SE) *success in study. (Lit progress made in study)*

— yuen⁶* — 院   (N) *post-secondary college.* (*Cl.* goh³ 個 *or* gaan¹ 間)

hon¹° 唵 **1216**
CC
(N) *motor horn.* **Tr.**

hon¹ 看 **1217** (V) *watch; guard.* **SF ‡ AP hon³ see 1218.**

— gaang¹ — 更 (V) *be a night watchman.* (N) *right watchman; night watcher.*

— gwoon² — 管 (V) *watch; guard.* **Fml.**

— sau¹ — 守 (V) *ditto.*

— moon⁴ — 門 (V) *watch the door; keep an eye on the house.*

5 — — gau² — — 狗 (SE) *watchdog.* **Lit. & Fig. Ctmp.** (*Cl.* jek³ 只 goh³ 個)

— woo⁶ — 護 (V) *look after (patients, small children, etc.).* (N) *nurse.*

hon³ 看 **1218** (V) *look at.* **Mdn. AP hon¹ see 1217.**

— fung¹ sai² faan⁴ — 風駛帆 (SE) *trim one's sail to suit the breeze; suit course of action to circumstances.*

— — — lei⁵ — — — 悝 (SE) *ditto.*

hon¹ 刊 **1219** (V) *publish.* **SF ‡ CP hon²**

— mat⁶ — 物 (N) *publications in general.* (*Cl.* bo⁶ 部 or boon² 本) **CP hon² mat⁶**

hon³ 漢 **1220** (N) *the Han Dynasty; the Han Chinese—China's major racial group; Chinese.* **Tr. SF ‡** (Adj) *Chinese.* **SF ‡**

H— Chiu⁴ — 朝 (N) *the Han Dynasty.* **Tr.**

— Doi⁶ — 代 (N) *ditto.*

h— gaan¹ — 奸 (N) *traitor; spy for foreigners.*

H— Hau² — 口 (N) *Hankow.* **Tr.**

5 — hok⁶ — 學 (N) *sinology; the school of classical studies under the Han Dynasty.* **Tr.** (*Cl.* jung² 種)

— — ga¹° — — 家 (N) *sinologist.* **Tr.**

— ji⁶ — 字 (N) *Chinese character.*

— Juk⁶ — 族   (N) *the Han; the Chinese; Chinese people.* **Tr. FE**

— yan⁴ — 人   (N) *ditto.*

10 — man⁶ — 文   (N) *Chinese; Chinese language.* *(GRT the written language)* **Tr. FE** *(Cl.* jung² 種)

— yue⁵ — 語   (N) *ditto.* *(GRT the spoken language)*

— Sing⁴ — 城   (N) *Seoul.*

hon⁴ 寒 1221   (Adj) *cold.* **Fml. SF** ‡

— daai³ — 帶   (N) *arctie circle; frigid zone.*

— ga³ — 假   (N) *winter vacation.* *(Cl.* chi³ 次)

— laang⁵ — 冷   (Adj) *cold.* **Fml. FE**

— lau⁴ — 流   (N) *cold spell; polar current.*

5 — sue² biu² — 暑表   (N) *thermometer.*

hon⁴ 韓 1222   (N) *Korea.* **SF** ‡

— Gwok³ — 國   (N) *Korea.* **FE**

— — choi³ — — 菜   (N) *Korea food.* *(Cl.* jung² 種)

— — Wa⁶* — — 話   (N) *Korean; Korean language.* *(Cl.* jung² 種)

— — yan⁴ — — 人   (N) *Korean; Korean people.*

hon⁵ 旱 1223   (N) *drought.* **SF** ‡   (Adj) *dry.*

— do⁶ — 稻   (N) *rice grown on dry land.* *(Cl.* jung² 種 *or* chi³ 次)

— joi¹ — 災   (N) *drought.* **FE** *(Cl.* chi³ 次)

— lui⁴ — 雷   (N) *thunder without rain.*

— tin¹° — 天   (N) *dry weather.*

hon⁶ 汗 1224   (N) *sweat; perspiration.*

— saam¹° — 衫   (N) *under-garment.* *(Cl.* gin⁶ 件)

— sin³ — 腺   (N) *sweat glands.* *(Cl.* tiu⁴ 條)

— sui² — 水   (N) *sweat; perspiration.* **FE** *(Cl.* dik⁶ 滴)

hong¹° 框   **1225**   (N) *frame; framework.*   **SF** ‡

hong¹° 眶   **1226**   (N) *eye socket.*   **SF** ‡

hong¹° 筐   **1227**   (N) *an open basket.*   **Mdn.**   **SF** ‡
— laam⁴* —   籃   (N) *an open basket.*   **Mdn.**   **FE**

hong¹ 康   **1228**   (N) *health.*   **SF** ‡
— fuk⁶ —   復   (V) *restore to health.*
— gin⁶ —   健   (Adj) *healthy.*
H—   Hei¹   康熙   (N) *Kanghsi, the second emperor of the Manchu (Ching) Dynasty, A.D. 1662–1723.*
— — Ji⁶ Din² — — 字典   (N) *"Kanghsi's Dictionary"; an authoritative Chinese dictionary compiled and published during the reign of Kanghsi.*

hong¹ 糠(穅)   **1229**   (N) *bran; chaff.*   *(No Cl.)*
— beng² —   餅   (N) *bran cake.*

hong¹° 腔   **1230**   (N) *accent; brogue; tune.*   **SF**
— diu⁶ —   調   (N) *accent; brogue; tune.*   **FE**   (*Cl.* jung² 種)

hong³ 炕   **1231**   (V) *toast; make toast.*   **SF**
                 CC
— doh¹° si⁶* —   多士   (V) *toast; make toast.*   **FE**   (N) *toast.*   (*Cl.* gin⁶ 件)
— min⁶ baau¹° —   麵包   (V) *ditto.*   (N) *ditto.*

hong⁴ 航   **1232**   (V) *sail navigate.*   **SF** ‡   (N) *aviation; navigation.*   **SF** ‡
— hoi² —   海   (V) *navigate.*   **FE**   (N) *navigation.*   **FE**   (*Cl.* chi³ 次)
— — hok⁶ haau⁶ — — 學校   (N) *school of navigation.*   (*Cl.* gaan¹ 間)

— — yat⁶ ˌgei³ — — 日記　(N) *log-book.* (*Cl.* bo⁶ 部 *or* boon² 本)

— hung¹ — 空　(V) *travel by air.* **FE.** (N) *aviation.* **FE Fml.** (*Cl.* chi³ 次)

5　— — doi⁶* — — 袋　(N) *travelling bag; airline bag.*

— — gung¹ si¹° — — 公司　(N) *airline.* (*Cl.* gaan¹ 間)

— — hok⁶ haau⁶ — — 學校　(N) *school of aviation.* (*Cl.* gaan¹ 間)

— — kuk¹° (chek³*) — — 曲 (尺)　(N) *pistol.* (*Cl.* ji¹ 支)

— — mo⁵ laam⁶ — — 母艦　(N) *aircraft carrier.* (*Cl.* jek³ 只)

10　— sin³ — 線　(N) *air-route; shipping-route.* (*Cl.* tiu⁶ 條)

— — to⁴ — — 圖　(N) *flight-chart; sea-chart.* (*Cl.* jeung¹ 張)

hong⁴ 降 1233　(V) *return to allegiance; surrender.* **SF** ‡ **AP gong³ see 969.**

— bing¹ — 兵　(N) *troops that have returned to their allegiance.*

— fuk⁶ — 復　(V) *return to allegiance; surrender.* **FE**

— kei⁴ — 旗　(N) *flag of surrender.* (*Cl.* ji¹ 支)

hong⁴ 行 1234　(V) *set up; fix up; make (RT beds).* **SF** ‡ (N) *trade; business; occupation; profession; row; line; tanks.* **SF** ‡ *(No Cl.)* **AP: (1) haang⁴ see 1102; (2) hang⁴ see 1132; (3) hong⁴ see 1133; (4) hong⁴* see 1235.**

— chong⁴ — 床　(V) *make up a temporary bed (such as a campbed).* **FE**

— ga¹° — 家　(N) *people in the same trade; people in the same line of business.*

— lit⁶ — 列　(N) *row; line.* **FE** *(No Cl.)*

— hong⁴ chut¹° jong⁶ yuen⁴ — 行出狀元　(SE) *there are successful persons in every trade or profession.*

5　— ng⁵ — 伍　(N) *ranks (of an army).* **FE** *(No Cl.)*

— — chut¹° san¹ — — 出身　(SE) *rise from the ranks.*

— yip⁶ — 業　(N) *trade; business; occupation; profession.* **FE** (*Cl.* goh³ 個 *or* jung² 種)

hong⁴* 行 1235　(N) *commercial firm; trading company.* **SF** (*Cl.* gaan¹ 間) **AP: (1) haang⁴ see 1102; (2) hang⁴ see 1132; (3) hang⁶ see 1133; (4) hong⁴ see 1234.**

hong⁶項 1236   (Cl) *for items; for lists, catalogues, programmes; for accounts; etc.*

— muk⁶ — 目   (N) *programme. (GRO entertainments).* (*Cl.* jung²
種 *or* goh³ 個)

hong⁶巷 1237   (N) *lane; alley.* **Fml. AP hong⁶* see 1238.**

— jin³ — 戰   (N) *street-fighting.* (*Cl.* chi³ 次)

hong⁶*巷 1238   (N) *lane; alley.* **Coll.** (*Cl.* tiu⁶ 條) **AP hong⁶ see 1237.**

— hau² — 口   (N) *entrance to a lane.*

hot³喝 1239   (V) *shout out; cheer; applaud; encore; drink.* **Mdn.**

— choi² — 采   (V) *cheer; applaud; encore.* **FE**
— jue⁶ — 住   (V) *shout attsb; stop sb.*

hot³渴 1240   (Adj) *thirsty.* **SF** ‡

— mong⁶ — 望   (V) *long for.* **Fig.**

huen¹° 圈 1241   (N) *circle; ring.*

— to³ — 套   (N) *trap; snore; noose.* **Fig.**

huen¹ 喧 1242   (V) *be noisy; make noise.* **Fml. SF** ‡

— wa¹ — 嘩   (V) *be noisy; make noise.* **Fml. FE**

huen²犬(犭) 1243   (N) *dog.* **Fml.**

huen³勸(劝) 1244   (V) *advise; remonstrate; persuade; mediate.* **Fml. SF** ‡

— fuk⁶ — 服   (V) *convince.*
— gaai² — 解   (V) *persuade; mediate.* **FE**
— guen¹ — 捐   (V) *call upon people for subscription.*
— guk¹° — 告   (V) *advise; remonstrate.* **Fml. FE. CP huen³ go³.**

huen³ 券   1245   (N) *admission ticket; deed.*   **SF** ‡

— kai³ — 契   (N) *deed; title deed.*   **Fml.**   **FE**   (*Cl.* jeung¹ 張)

huet³ 血   1246   (N) *blood.*   (*Drop:* dik⁶ 滴)

— aat³ — 壓   (N) *blood pressure.*   (*Cl.* jung² 種)

— ching¹° — 清   (N) *blood serum.*   (*Cl.* jung² 種)

— foo³ — 庫   (N) *blood bank.*   (*Cl.* goh³ 個 *or* gaan¹ 間)

— gwoon² — 管   (N) *blood vessel.*   (*Cl.* tiu⁴ 條)

5 — — ngaang⁶ fa³ — — 硬化   (N) *arteriosclerosis.*   (*Cl.* jung² 種)

— hei³ — 氣   (N) *vigour; vitality; passions; animal desires.*   (*No Cl.*)

— — fong¹ gong¹ — — 方剛   (SE) *full of vigour; full of vitality; dominated by animal desire.*

— — mei⁶ ding⁶ — — 未定   (SE) *ditto.*

— hon⁶ — 汗   (SE) *blood and sweat; hard labour.*

10 — — chin⁴* — — 錢   (SE) *hard-earned money; money earned by sheer hard work.*   (*Cl.* jung² 種)

— hui¹ — 虛   (N) *anaemia.*   (*Cl.* jung² 種)

— kwai¹ — 虧   (N) *ditto.*

— jaai³ — 債   (N) *blood debt.*   **Lit. & Fig.**   (*Cl.* jung² 種)

— — huet³ seung⁴ — — 血償   (SE) *blood debt to be settled by blood; blood for blood.*   **Lit. & Fig.**

15 — jeung¹ — 漿   (N) *blood plasma.*   (*Cl.* jung² 種)

— jik¹° — 跡   (N) *blood stain.*   (*Cl.* daat³ 笪)

— jin³ — 戰   (N) *bloody battle.*   (*Cl.* cheung⁴ 塲 *or* chi³ 次)

— kau⁴ — 球   (N) *blood corpuscle.*   (*Cl.* jung² 種 *or* goh³ 個)

— mak⁶ (lau⁴ tung¹) — 脈 (流通)   (N) *blood circulation.*   (*No Cl.*)

20 — yik⁶ (chun⁴ waan⁴) — 液 (循環)   (N) *ditto.*

— ngaam⁴ — 癌   (N) *leukemia.*   (*Cl.* jung² 種 *or* goh³ 個)

— saan¹ jeng³ — 栓症   (N) *thrombosis.*   (*Cl.* jung² 種 *or* goh³ 個)

— si¹° — 絲   (N) *blood capillary.*   (*Cl.* tiu⁴ 條)

— sing³ — 性   (N) *resolute desposition; physical courage; "guts".*   (*Cl.* jung² 種)

25 — — naam⁴ yi⁴ — — 男兒   (SE) *a man's man.*

— sui² — 水   (N) *water mixed with blood. (No Cl.)*
— tung² (gwaan¹ hai⁶) — 統 (關係)   (N) *blood relationship; consanguinity. (Cl.* jung² 種 *or* goh³個)
— yuen⁴ (gwaan¹ hai⁶) — 緣 (關係)   (N) *ditto.*
— yau⁶ beng⁶ — 友病   (N) *haemophilia. (Cl.* jung² 種 *or* goh³個)
30 — ying⁴ — 型   (N) *blood type; blood group. (Cl.* jung²種)

hui¹ 虛 1247   (Adj) *false; empty.* SF ‡

— ga² — 假   (Adj) *false; untrue; unreal.* FE
— ging¹ — 惊   (N) *false alarm; shock; nervous fear. (Cl.* chi³ 次 *or* cheung⁴塲)
— kau³ — 構   (V) *trump up.*
— mo⁴ — 無   (Adj) *empty; visionary; fake.* FE
5 — — jue² yi⁶ — — 主義   (N) *Nihilism. (Cl.* jung² 種 *or* goh³ 個)
— ngai⁶ — 僞   (Adj) *hypocritical; fake.* FE
— sam¹ — 心   (Adj) *humble; unprejudiced. (Lit. empty heart.)*
— sin³ — 線   (N) *dotted line; imaginary line. (Cl.* tiu⁴ 條)
— wing⁴ — 榮   (N) *vanity; conceit. (Cl.* jung² 種)
10 — — sam¹ (lei⁵) — — 心 (理)   (N) *ditto.*
— yeuk⁶ — 弱   (Adj) *weak; poor (RT health).*

hui¹° 墟 1248   (N) *market; market place.*

— cheung⁴ — 塲   (N) *market; market place.* FE
— kei⁴ — 期   (N) *market day.*
— yat⁶ — 日   (N) *ditto.*

hui² 許 1249   (V) *permit.* Fml. SF ‡

— hoh² — 可   (V) *permit.* Fml. FE (N) *permission.* Fml. FE
— — jing³ — — 証   (N) *permit. (Cl.* jeung¹ 張)

hui³ 去 1250   (V) *go; go away.*

— gaai¹° — 街   (V) *go out.*
— haang⁴ ha⁵ — 行吓   (V) *take a pleasure trip (to ssp).*

— gwoh³ — 過   (V) *have been (to ssp).*

— joh² — 咗   (V) *have gone (to ssp).*

5 — ngoi⁶ gwok³ — 外國   (SE) *go abroad.*

— sik⁶ faan⁶ — 食飯   (V) *eat out; have an ordinary meal.*

— tai² hei³ — 睇戲   (V) *go to the cinema.*

— tiu³ mo⁵ — 跳舞   (V) *go dancing; go to a dance.*

— yam² — 飲   (V) *go to a (formal) dinner.*

10 — yau⁴ sui² — 游水   (V) *go swimming.*

huk¹° 哭 1251   (V) *weep; cry; mourn for.* **Mdn.**

— song¹ — 喪   (V) *mourn for the dead; express one's condolence.* **FE**

— — lim⁵* — — 臉   (N) *mournful face; unpleasant face; extreme sadness.*

— yap¹° — 泣   (V) *weep; cry.* **Mdn. FE**

hung¹ 空 1252   (N) *air.* **Coll. SF** ‡ (Adj) *empty; hollow; vacant.* **Coll. AP hung³ see 1252.**

— che¹° — 車   (N) *empty car.* (*Cl.* ga³ 架)

— dei⁶ — 地   (N) *vacant ground; wasteland.* (*Cl.* fuk¹° 幅 *or* daat³ 笪)

— gaan¹ — 間   (N) *space.* **Fml.**

— gei¹ — 機   (N) *empty aircraft.* (*Cl.* ga³ 架 *or* jek³ 只)

5 — gong³ — 降   (Adj) *air-borne.*

— — si¹° — — 師   (N) *air-borne division.*

— gwan¹° — 軍   (N) *air force.* (*Cl.* ji¹ 支 *or* dui⁶ 隊)

— haan⁴ — 閒   (N) *leisure; spare time.* (Adj) *leisurely; unoccupied; free.*

— hau² gong² (baak⁶ wa⁶) — 口講 (白話)   (SE) *speak without proof; a mere statement is not proof.*

10 — — mo⁴ pang⁴ — — 無憑   (SE) *ditto.*

— hei³ — 氣   (N) *air; fresh air.* (*Breath:* daam⁶ 啖)

— — lau⁴ tung¹ — — 流通   (N) *air circulation. (No Cl.)* (Adj) *airy.*

— — tiu⁴ jit³ — — 調節   (V) *air-condition.* **Fml.**

— — (— —) gei¹   — — (— —) 機   (N) *air-conditioner.* **Fml.**

15 — hui¹   — 虛   (Adj) *empty. (GRT feelings, moods, etc.)*

— jaap⁶   — 襲   (N) *air raid; air strike; air attack.*   (*Cl.* chi³ 次)

— — ging² bo³   — — 警報   (N) *air-raid alarm.*   (*Cl.* chi³ 次)

— jin³   — 戰   (N) *air battle; aerial warfare; air action.*   (*Cl.* chi³ 次 or cheung⁴ 場)

— jung¹   — 中   (Adj) *&* (Adv) *in the air.*

20 — jung¹ foh³ wan⁶   — — 貨運   (N) *air freight.*   (*Cl.* jung² 種)

— — — — fai³   — — — — 費   (N) *ditto.*

— — lau⁴ gok³   — — 樓閣   (N) *castles in the air.*

— — siu² je²   — — 小姐   (N) *air hostess; air stewardess.*

— kwaang¹° kwaang¹°   — 框框   (Adj) *empty; hollow; vacant.*   (*GRT buildings)*

25 — kwong³   — 曠   (Adj) *vast; broad.*   (*GRT land, scenery, etc.)*

— ngaak⁶   — 額   (N) *vacancy; vacant place.*

— po³   — 鋪   (N) *empty shop space; empty shop.*   (*Cl.* gaan¹ 間)

— sam¹   — 心   (Adj) *hollow; tubular.*

— — (daai⁶) lo⁵ gwoon¹   — — (大) 老官   (SE) *man of vain pretensions.* *(Lit. hollow superstar)*

30 — sau²   — 手   (Adj) *empty-handed.*

— suen⁴   — 船   (N) *empty ship.*   (*Cl.* jek³ 只)

— tau⁴   — 投   (V) *air-drop.* (N) *air-drop*   (*Cl.* chi³ 次)

— tau⁴ ji¹ piu³   — 頭支票   (N) *rubber cheque; rubber check; dishonour-ed cheque.*   (*Cl.* jeung¹ 張)

— uk¹°   — 屋   (N) *empty house.*   (*Cl.* gaan¹ 間)

35 — wai⁶*   — 位   (N) *vacancy; empty seat.*

— wan⁶   — 運   (V) *airlift.* (N) *airlift.*   (*Cl.* chi³ 次)

— — foh³ mat⁶   — — 貨物   (N) *air cargo.*   (*Cl.* jung² 種)

— — yau⁴ gin⁶*   — — 郵件   (N) *ditto.*   (*ROT postal cargo)*

hung³ 空   1253   (Adj) *blank; deficient.* **Fml. SF ‡ AP hung¹ see 1251.**

— baak⁶   — 白   (Adj) *&* (N) *blank.* **Fml. FE**

— — ji¹ piu³   — — 支票   (N) *blank cheque; blank check.*   (*Cl.* jeung¹ 張)

— fat⁶   — 乏   (Adj) *deficient.* **Fml. FE**

hung¹ 凶   1254   (Adj) *evil; unlucky.*   **SF**   ‡

— che⁴ — 邪   (Adj) *evil; unlucky.*   **FE**
— siu⁶ — 兆   (N) *evil omen; bad omen.*
— uk¹° — 屋   (N) *haunted house.*   (*Cl.* gaan¹ 間)
— yat⁶* — 日   (N) *unlucky day; "black day".*

hung¹ 兇   1255   (Adj) *cruel; savage; wicked.*   **SF**   ‡

— ok³ — 惡   (Adj) *cruel; savage; wicked.*
— saat³ — 殺   (N) *cruel murder.*   (*Cl.* chi³ 次 *or* jung¹ 宗)
— — on³ — — 案   (N) *murder case, homicide case.*   (*Cl.* gin⁶ 件)
— sau² — 手   (N) *murderer.*
5   — to⁴ — 徒   (N) *villain; hooligan.*

hung¹ 胸(匈，胷)   1256   (N) *thorax, chest; bosom.*   **SF**   ‡
                                                 (P) *used in transliterations.*

— hau² — 口   (N) *thorax; chest; bosom.*   **FE**   ‡
— tong⁴ — 膛   (N) *ditto.*
— kam¹ — 襟   (N) *mind; outlook.*   (*ROT people*)
— waai⁴ — 懷   (N) *ditto.*
5   — kam¹ foot³ — 襟闊   (Adj) *broad-minded; liberal in outlook.*
— — jaak³ — — 窄   (Adj) *narrow-minded; jealous.*
H— Nga⁴ Lei⁶ — 牙利   (N) *Hungary.*   **Tr.**

hung² 孔   1257   (N) *hole; case; surname; peacock.*   **SF**   ‡

H— Foo¹ Ji² — 夫子   (N) *Confucious.*   **Tr.**   **FE**
— Ji² — 子   (N) *ditto.*
h— jeuk³* — 雀   (N) *peacock.*   **FE**   (*Cl.* jek³ 只)
— yuet⁶ — 穴   (N) *hole; cave.*   **FE**

hung² 恐(恐)   1258   (V) & (N) *fear.*   **SF**   ‡   (Adj) *fearful.*   **SF**
                                                               ‡

— fong¹ — 慌   (V) *fear; panic.*   **FE**   (N) *fear.*   **FE**   (*Cl.* jung²種)
(Adj) *fearful; panic.*   **FE**

— haak³ — 嚇   (V) *threaten; scare.*

— pa³ — 怕   (Adv) *probably; possibly.*

hung³ 控   1259   (V) *prosecute; control.*   **SF** ‡

— go³ — 告   (V) *prosecute; accuse.*   **FE**

— fong¹ — 方   (N) *prosecutor; public prosecutor.*

— jai³ — 制   (V) & (N) *control.*   **FE**

— — taap³ — — 塔   (N) *control tower.*   *(ROT aviation)*

hung⁴ 紅   1260   (Adj) *red.* (N) *red; symbol of good luck or happy events.*   **SF**

— bo² sek⁶ — 寶石   (N) *ruby.*   *(Cl.* nap¹° 粒)

— cha⁴ — 茶   (N) *black tea.*   *(Cl.* jung² 種)

— dai² — 底   (N) *HK$100 note.*   *(Lit. red back)*   **Sl.**   *(Cl. jeung¹* 張)

— dei⁶ jin¹° — 地氈   (N) *red carpet.*   *(Cl.* jeung¹ 張)

5 — dong¹ dong⁶ — 當當   (Adj) *very red; as red as blood.*

H— Gwan¹° — 軍   (N) *the Red Army.*

h— gwoo² — 股   (N) *share given without cash payment.*   *(Cl.* jung² 種)

H— Ham³ — 磡   (N) *Hung Hom.*   **Tr.**

H— Hon⁴ — 河   (N) *the Red River (in Yunnan).*   *(Cl.* tiu⁴ 條)

10 — Hoi² — 海   (N) *the Red Sea.*

h— hung⁴* dei⁶* — 紅地   (Adj) *reddish; light red.*

— hung⁶ (sui²) — 汞 (水)   (N) *mercurochrome.*   *(Bottle:* jun¹ 樽)

— yeuk⁶ sui² — 葯水   (N) *ditto.*   **Coll.**

— jiu¹ — 椒   (N) *pepper; red pepper.*   *(Cl.* jek³ 只)

15 — jo² — 棗   (N) *date; red date; Chinese date.*

— kai³ — 契   (N) *deed; stamped deed.*   *(Cl.* jeung¹ 張)

— kei⁴ — 旗   (N) *red flag.*   *(Cl.* ji¹ 支)

— lei⁶ — 利   (N) *dividend; bonus.*   *(GRT stocks)*   *(Cl.* jung² 種)

— loh⁴ baak⁶ — 蘿蔔   (N) *carrot.*

20 — luk⁶ dang¹° — 綠灯   (N) *traffic light.*   *(Lit. red green light).*   **Coll.** *(Cl.* jaan² 盞)

H— Mo⁴* — 毛   (Adj) *British.*   *(Lit. red hair)*   **Sl.**

— — Gwai² — — 鬼   (N) *the British.*   **Sl.**

h— m— nai⁴   — — 泥   (N) *cement.* (*Lit. British mud*) **Coll.**
(No Cl.)

— muk⁶ — 木   (N) *redwood.* (*Cl.* faai³ 塊 *or* tiu⁴ 條)

25 — naam⁴ luk⁶ nui⁵ — 男綠女   (SE) *gaily dressed men and women.*

H— Sap⁶ Ji⁶ Wooi⁶* — 十字會   (N) *the Red Cross.*

h— sik¹° — 色   (Adj) *red.* **FE** (N) *red colour.* **FE** (*Cl.* jung² 種
or yeung⁶ 樣)

H— S— Jung¹ Gwok³ — — 中國   (N) *Red China.*

hung⁴ 虹 1261   (N) *rainbow.* **SF**

— ngai⁴ — 霓   (N) *rainbow.* **FE** (*Cl.* tiu⁴ 條)

hung⁴ 洪 1262   (N) *flood.* **SF** ‡ (Adj) *loud.* **SF** ‡

— leung⁶ — 亮   (Adj) *loud; loud and high.* **FE**

— sui² — 水   (N) *flood.* **FE** (*Cl.* chi³ 次 *or* cheung⁴ 場)

hung⁴ 雄 1263   (Adj) *strong; virile; male.* **SF** ‡

— ji¹ — 姿   (N) *outstanding appearance.* (*Cl.* goh³ 個 *or* jung² 種)

— jong³ — 壯   (Adj) *strong; virile; well-proportioned.* **FE**

— sam¹ — 心   (N) *ambition (in good sense).* (*Cl.* jung² 種)

— sing³ — 性   (Adj) *male.* **FE**

hung⁴ 熊 1264   (N) *bear.* **SF**

— yan⁴* — 人   (N) *bear.* **FE** (*Cl.* jek³ 只)

hung⁶ 哄 1265   (V) *beguile; cheat; make an uproar.* **SF** ‡

— dung¹ yat¹° si⁴ — 動一時   (SE) *cause a senation.*

— naau⁶ — 鬧   (V) *make an uproar.* **FE** **Fml.**

— pin³ — 騙   (V) *beguile; coax; cheat.* **FE** **Fml.**

hung⁶ 汞 1266   (N) *mercury.* **Fml.** **SF**

— go¹° — 膏   (N) *mercurial ointment.* (*Cl.* jung² 種)

J

ja¹ 揸(擄) 1267　(V) *hold (with the hand); use (eating utensils); drive (a car); fly (an airplane).* **SF**

— che¹° — 車　(V) *drive (a car).* *(Lit. hold the car)* **Coll. FE**

— — ji² — — 紙　(N) *driving licence.* **Coll.** *(Cl.* jeung¹ 張 *)*

— — paai⁴ — — 牌　(N) *ditto.* *(Cl.* goh³ 個*)*

— do¹ cha¹° — 刀叉　(V) *use cutlery.* *(Lit. hold knife and fork)* **Coll. FE**

5　— faai³ ji² — 筷子　(V) *use chopsticks.* *(Lit. hold chopsticks)* **Coll. FE**

— fei¹ gei¹ — 飛機　(V) *fly (an aeroplane).* **Coll. FE**

— jaap³ — 剳　(V) *hoard.* **Coll.** (N) *hoard.* **Coll.** *(Cl.* chi³ 次 *)*

— na⁴ — 拿　(N) *confidence; security.* **Coll.** *(Cl.* jung² 種*)*

— sau² — 手　(V) *shake hands.* **Coll.**

10　— sui² bo¹° — 水煲　(N) *waiter (in a Chinese tea house).* *(Lit. holding the kettle)* **Coll. Der.**

ja¹° 渣 1268　(N) *refuse; sediment; dregs; leavings.* (P) *used in transliterations.*

J— Da² Ngan⁴ Hong⁴ — 打銀行　(N) *The Chartered Bank.* **Tr.** *(Cl.* gaan¹ 間*)*

j— ji² — 滓　(N) *refuse; sediment; dreg; leavings.* **FE** *(No Cl.)*

ja² 喳 1269　(Adj) *inferior; bad.* **Coll. CC**

— ye⁵ — 嘢　(SE) *inferior goods; bad material; good-for-nothing.* *(No Cl.)*

ja³ 榨 1270　(V) *squeeze; extort.* *(GRT taxes)*

— choi³ — 菜　(N) *pickled vegetable root.* *(Bottle:* jun¹ 樽 *; portion:* dip⁶ 碟*)*

— chui² — 取　(V) *squeeze; extort.* **FE**

— — sui³ foon² — — 稅款　(SE) *squeeze money from taxes; extort money from taxes.*

ja³ 詐 **1271** (V) *pretend.* **SF** ‡

— beng⁶ — 病　　(V) *malinger.* *(Lit. pretend to fall ill)*
— dai³ — 諦　(V) *pretend.* **FE**
— giu¹° — 嬌　(V) *sulk; behave as a spoiled child.*

ja³ 炸(煤，灯) **1272** (V) *blast; explode; deep fry (in boiling fat).*

— daan⁶* — 彈　(N) *bomb.*
— — juen¹ ga¹° — — 專家　(N) *bomb disposal expert; bomb disposal officer.*
— hoi¹ — 開　(V) *blast; explode.* **FE**
— ji² gai¹° — 子雞　(N) *fried chicken.* (*Cl.* jek³ 只)
⁵ — yeuk⁶ — 葯　(N) *explosive; gunpowder.* (*Pack:* baau¹ 包; *Kind:* jung² 種)

ja³ 咋 **1273** (FP) *is a contraction of* "je¹° a³", *used at end of statements* **CC** *with idea of a limitation of some kind.* **AP ja⁴ see 1274.**

ja⁴ 咋 **1274** (FP) *is a contraction of* "je¹° a⁴", *used at end of questions* **CC** *with a limitation of some kind.* **AP ja³ see 1273.**

ja⁶ 拃 **1275** (V) *obstruct; interrupt.* **Coll. SF** ‡ (PN) *handful;* **CC** *quantity held by a hand.*

— jue⁶ — 住　(V) *obstruct.* **Coll. FE**
— — tiu⁴ lo⁶ — — 條路　(SE) *obstruct the road.* **Coll.**
— luen⁶ — 亂　(V) *interrupt.* **Coll. FE**
— — goh¹ beng³ — — 歌柄　(SE) *interrupt a speech or conversation.* *(Lit. interrupt singing)* **Coll.**

jaai¹ 齋(斎) **1276** (V) *fast; go without meat.* **SF** ‡ (N) *fast; cooked vegetable.* **Coll. SF**

— choi³ — 菜　(N) *vegetarian dish.* *(GRT courses on a menu)* **Coll. FE**
— gaai³ — 戒　(V) *fast; go without meat.* **Fml. FE**
— kei⁴ — 期　(N) *fast day.* (*Day:* yat⁶ 日)

jaai³ 債   1277   (N) *debt; obligation.* **Coll.** (*Cl.* bat¹° 筆)

— huen³ — 券   (N) *debenture; bond.* (*Cl.* jeung¹ 張)
— jue¹ — 主   (N) *creditor.* **Coll.**
— kuen⁴ — 權   (N) *rights of creditor; right of claim.* (*Cl.* jung² 種)
— — yan⁴ — — 人   (N) *creditor.* **Fml.**
5   — mo⁶ — 務   (N) *debt; obligation.* **Fml.**   **FE**   (*Cl.* bat¹° 筆)
— — yan⁴ — — 人   (N) *debtor.* **Fml.**

jaai⁶ 寨(砦)   1278   (N) *walled village; military outpost; den (RT bandits, call girls, etc.).*

jaak³ 窄   1279   (Adj) *narrow.*

— gip⁶ — 狹   (Adj) *narrow and tight.*
— lo⁶ — 路   (N) *narrow road.* (*Cl.* tiu⁴ 條)

jaak³ 責   1280   (V) *reprove; rebuke; reprimand.* **SF** ‡   (N) *duty; responsibility; obligation.* **SF** ‡

— bei⁶ — 備   (V) *reprove; rebuke; reprimand.* **Fml.**   **FE**
— fat⁶ — 罰   (V) *ditto.* **Coll.**
— yam⁶ — 任   (N) *responsibility; duty; obligation.* **FE** (*Cl.* goh³ 個 or jung² 種)
— — sam¹ — — 心   (N) *sense of responsibility.* (*Cl.* jung² 種)

jaak³ 磧   1281   CC   (V) *press sth on; put sth on.* **Coll.**   **SF** ‡

— jue⁶ — 住   (V) *press sth on; put sth on.* **FE**   **Coll.**
— sat⁶ — 實   (V) *ditto.*

jaak⁶ 擇   1282   (V) *choose.* **Fml.**   **SF** ‡

— gaau¹ — 交   (V) *choose one's companions.*
— gat¹° — 吉   (V) *choose a lucky day.* (*GRT the opening of business concerns*)
— kei⁴ — 期   (V) *ditto.*
— yat⁶ — 日   (V) *ditto.*
5   — lun⁴ — 鄰   (V) *choose a neighbourhood for one's residence.*

jaak⁶宅 1283

(N) *private dwelling.* **Fml. SF ‡ AP jaak⁶* see 1284.**

— yuen⁶ — 院   (N) *private dwelling.* **Fml. FE**

jaak⁶*宅 1284

(N) *family.* *(With emphasis on the family living together as a unit).* *(No Cl.)* **AP jaak⁶ see 1283.**

jaak⁶摘 1285

(V) *pluck; pick.*

— cha⁴ — 茶   (V) *pick tea leaves.*

— fa¹° — 花   (V) *pick flowers.*

— luk⁶ — 錄   (V) *make extracts.* *(RT speeches, reports, books, etc.)* (N) *extracts.* *(RT speeches, reports, books, etc.)*

— ping⁴ gwoh² — 蘋果   (V) *pick apples.*

5   — yiu³ — 要   (V) *epitomize; summarize; make notes.* (N) *epitome; notes.* *(Cl. bo⁶ 部, boon² 本 or fan⁶ 份)*

jaam²斬 1286

(V) *chop off.*

— cho² chiu⁴ gan¹ — 草除根   (SE) *destroy at the root; completely eliminate.* *(Lit. cut down vegetation and remove roots)*

— hui³ — 去   (V) *chop off.* **FE**

— liu⁶* — 料   (SE) *buy preserved or roast meat for side dishes.*

— tau⁴* — 頭   (V) *behead.*

jaam⁶站 1287

(V) *stand up.* **Mdn. SF** (N) *station; stop.*

— lap⁶ — 立   (V) *stand up.* **Mdn. FE**

— tau⁴ — 頭   (N) *station; stop.* **Coll. FE**

jaam⁶暫 1288

(Adj) *temporary.* **SF ‡** (Adv) *temporarily.* **SF ‡**

— si⁴ — 時   (Adj) *temporary.* **FE** (Adv) *temporarily; for the time being.* **FE**

— — do³ chi² wai⁴ ji² — — 到此爲止   (SE) *that's all for now.*

— — yin⁶ jeung⁶ — — 現象   (SE) *passing phase.* *(Lit. temporary phenomenon).* *(Cl. goh³ 個 or jung² 種)*

jaan²盞 **1289**   (Cl) *for lamps, lights, etc.*

jaan³贊(賛) **1290**   (V) *assist; agree.* **SF** ‡

— joh⁶ — 助   (V) *assist; help to manage.* *(RT campaigns, movements, etc.)* **FE**

— sing⁴ — 成   (V) *agree to; agree with; approve.* **FE**

jaan³讚 **1291**   (V) *praise.* **SF** ‡

— mei⁵ — 美   (V) *praise.* **FE**

— — si¹° — — 詩   (N) *hymn.*   (Cl. sau² 首)

— yeung⁴ — 揚   (V) *praise; commend.*

jaan⁶撰 **1292**   (V) *compose (RT essays); compile or write (RT books).* **Fml.** **SF** ‡

— man⁴ — 文   (V) *compose.* *(RT essays)* **Fml.** **FE**

— jue³ — 著   (V) *compile or write.* *(RT books)* **Fml.** **FE**

— sut⁶ — 述   (V) *ditto.*

jaan⁶賺(賺，賺) **1293**   (V) *earn money (Coll.); cheat (Mdn.).* **SF** ‡

— chin⁴* — 錢   (V) *earn money; make money.* **Coll.** **FE**

— — saang¹ yi³ — — 生意   (N) *profitable business.*   (Cl. poon⁴ 盤 or jung² 種)

— ga¹ yung¹ — 家用   (V) *earn (sth extra) for household needs.*

— pin³ — 騙   (V) *cheat.* **Mdn.** **FE**

⁵ san¹ sui² — 薪水   (V) *earn a salary.*

— yan⁴ gung¹ — 人工   (V) *earn wages.*

jaang¹爭 **1294**   (V) *strive; struggle; fight; contend; dispute.* **SF** ‡

— aau³ — 拗   (V) *argue; quarrel; dispute.* (N) *argument; quarrel; dispute.*   (Cl. chi³ 次 or jung² 種)

— chaau² — 吵   (V) *ditto.* (N) *ditto.*

— jap¹° — 執   (V) *argue; quarrel; dispute.* (N) *argument; quarrel; dispute.*

— dun⁶ — 論   (V) *ditto.* (N) *ditto.*

5   — ba³ — 霸   (V) *compete for hegemony among nations.*

— duet⁶ — 奪   (V) *fight for possession of.* (RT *land, power, position, etc.*)

— fung¹ (hek³ cho³) — 風 (吃醋)   (SE) *fight for the favours of opposite sex.* (Lit. *fight for wind and eat vinegar*)

— ga¹ chaan¹ — 家產   (V) *quarrel over a family inheritance.*

— gung¹ — 功   (V) *strive to excel.*

10   — hei³ — 氣   (V) *fight for honour; fight for rivalry.*

— jue⁶ — 住   (V) *fight for; rush for.*

— — maai⁵ — — 買   (V) *rush to buy sth; rush on a shop.*

— kuen⁴ — 權   (V) *struggle for power.*

— ming⁴ (duet⁶ lei⁶) — 名 (奪利)   (SE) *strive for fame (and wealth).*

15   — sin¹ (hung² hau⁶) — 先 (恐後)   (SE) *contend to be first; strive for priority.*

jaang¹ 賸 1295 CC   (V) *owe (sth to sb).* (Prep) *to (as in quarter to ten).*

— dak¹° yuen⁵ — 得遠   (SE) *be poles apart; the world of difference; very different.*

— di¹° — 啲   (Adv) *almost; nearly.*

— — sei³ dim² jung¹° — — 四點鐘   (SE) *almost 4 o'clock; just coming up to 4 o'clock.*

— kui⁵ sap¹° man¹° — 佢十蚊   (SE) *owe him ten dollars.*

jaang¹° 踭 1296 CC   (N) *elbow.* Coll. SF ‡

jaang¹° 踭 1297 CC   (N) *heel.* Coll. SF ‡

jaap³ 劄 1298   (V) *hoard; record in detail.* SF ‡ (N) *hoardings; detailed records; contract for goods.* SF ‡

— daan¹° — 單   (N) *contract for goods.* (Cl. jeung¹ 張)

— foh³ — 貨   (V) *hoard.* **FE** (N) *hoard.* **FE** (*Cl.* chi³ 次 *or*
jung² 種)

— gei³ — 記   (V) *record in detail.* (N) *detailed records.* (*Cl.* bo⁶ 部
or boon² 本)

jaap³ 貶   1299   (V) *wink.* **Fml. SF** ‡

— ngaan⁵ — 眼   (V) *wink.* **Fml. FE**

jaap⁶ 閘   1300   (N) *flood-gate; water-gate; lock in a canal; barrier.* (*Cl.* do⁶ 度)

— baan² — 板   (N) *lock-gate; sluice gate.* (*RT rivers, canals,*
reservoirs, etc.) (*Cl.* do⁶ 度)

— moon⁴ — 門   (N) *ditto.*

— hau² — 口   (N) *entrance.* (*RT lock-gates; barriers, etc.)*

jaap⁶ 雜(什，   ) 1301   (Adj) *mixed; miscellaneous; sundry.*

— chaai¹ — 差   (N) *office boy; detective* (**Coll.**). (*Lit. sundry jobs.*)

— foh³ — 貨   (N) *sundries; groceries.* (*Cl.* jung² 種)

— — po³* — — 鋪   (N) *general store; grocery.*

— gei⁶ — 技   (N) *acrobatics.* (*Cl.* jung² 種)

5   — gung¹° — 工   (N) *Jack-off-all-trades; general labourer.* (*Lit. mis-*
cellaneous workers)

— hoh⁶ — 學   (N) *unsystematic knowledge; odd bits of information.*
(*Cl.* jung² 種)

— ji³ — 誌   (N) *magazine; periodical.* (*Cl.* bo⁶ 部 *or* boon² 本)

— jung² (ge³) — 種 (嘅)   (Adj) *crossbred; hybrid.*

— — jai² — — 仔   (N) *mongrel; bastard.* **AL**

10   — leung⁴ — 粮   (N) *various cereals; crops other than rice and wheat.*
(*Cl.* jung² 種)

— mo⁶ — 務   (N) *sundry duties.* (*Cl.* jung² 種)

— luen⁶ (mo⁴ jeung¹) — 亂 (無章)   (Adj) *confused; disorderly.*

— sa² — 耍   (N) *variety show.* (*Cl.* jung² 種)

— seng¹ — 聲   (N) *hissing; rumbling; background interference.* (*Lit.*
mixed noise) (*Cl.* jung² 種)

15 — sik¹° — 色   (N) *mixed colours.* (Adj) *variegated.*

— sui³ — 碎   (N) *mixed stew; "chop suey"* **(Tr.).** (*Portion:* dip⁶ *or* goh³ 個.)

jaap⁶ 集(亼)   1302   (V) *group together; get together; pool together; assemble.* **SF** ‡ (N) *collection.* (*ROT poems, essays, plays, etc.*) **SF** ‡

— hap⁶ — 合   (V) *group together, get together; pool together; assemble.* **FF**

— jung¹ — 中   (V) *concentrate.*

— — jing¹ san⁴ — — 精神   (SE) *concentrate.* (*ROT work of some kind; Lit. concentrate spirit*)

— — ying⁴ — — 營   (N) *concentration camp.*

5 — tai² — 體   (Adj) *collective.* (N) *large group; masses.*

— — fa³ — — 化   (V) *collectivize.* (N) *collectivization.* (*Cl.* jung² 種)

— — ging¹ jai³ — — 經濟   (N) *collective economy.* (*Cl.* jung² 種)

— — nung⁴ cheung⁴ — — 農場   (N) *collective farm.*

— — — jong¹° — — — 莊   (N) *ditto.*

10 J— T— Wan⁶ Sue¹ Hai⁶ Tung² — — 運輸系統   (SE) *Mass Transit System.* (*Lit. Collective transportation system*)

j— tuen⁴ — 團   (N) *bloc; combination of states; syndicate.*

— wooi⁶* — 會   (V) *assemble; convene.* (N) *assembly; convention.* (*Cl.* chi³ 次)

— — ji⁶ yau⁴ — — 自由   (SE) *freedom of assembly.* (*Cl.* jung² 種)

jaap⁶ 習   1303   (V) *practise.* **SF** ‡ (N) *practice; habit; custom.* **SF** ‡

— gwaan³ — 慣   (V) *accustom to; get used to.* (N) *personal habit; traditional custom; convention.* **FE** (*Cl.* jung² 種)

— — faat³ — — 法   (N) *law of custom.* (*Cl.* jung² 種)

— — sing⁴ ji⁶ yin⁴ — — 成自然   (Sy) *practice makes perfect; habit is second nature.*

— ji⁶ — 字   (V) *practise hand-writing; practise calligraphy.*

5 — juk⁶ — 俗   (N) *traditional custom; convention.* **FE** (*Cl.* jung² 種)

jaap⁶ 襲   **1304**   (V) *inherit; raid.* **Fml. SF** ‡

— gik¹° — 擊   (V) *make a surprise raid; pounce upon.*

— jik¹° — 職   (V) *hold a hereditary office.*

— ying⁴ — 營   (V) *raid a camp.*

jaat³ 扎   **1305**   (V) *bind; fasten.* **SF** ‡ (PN) *bundle; quantity contained in a bundle.* (jaat³ 扎)

— (ji²) fa¹° — (紙) 花   (V) *make artificial flowers.*

— gan² — 緊   (V) *bind tightly.*

— sat⁶ — 實   (V) *ditto.* (Adj) *strong; robust.*

— jik¹° — 職   (V) *fill an important position.* (*ROT secret societies*) **Sl.**

5   — ying⁴ — 營   (V) *set up a camp; pitch a tent.*

jaau¹ 嘲   **1306**   (V) *ridicule; jeer.* **SF** ‡

— siu³ — 笑   (V) *ridicule; jeer at.* **FE**

jaau² 爪 (爫)   **1307**   (V) *claw; scratch.* **SF** ‡ (N) *claw; talons.* (*Cl.* jek³ 只)

— laan⁶ — 爛   (V) *scratch raw; tear in pieces.*

— nga⁴ — 牙   (N) *agents; underlings.* (*RT gangs, warlords, ruthless landlords, etc.—Lit. claws and fangs*)

jaau² 找   **1308**   (V) *look for; change money.* **SF** ‡

— cham⁴ — 尋   (V) *look for.* **Fml. FE**

— chin⁴* — 錢   (V) *pay the balance of an account.* **FE**

— so³ mei⁵ — 數尾   (V) *ditto.*

— juk⁶ — 續   (V) *change money.* **FE**

5   — woon⁶ — 換   (V) *ditto.*

— — Mei⁵ gam¹° — — 美金   (V) *change into U.S. dollars; change U.S. dollars into other currencies.*

— so³ — 數   (V) *pay a bill.* (*GRT meals*)

jaau³ 罩（箄） 1309
(V) *cover; cover up.* **SF** ‡ (N) *cover; shade.* **SF** ‡

— jue⁶ — 住 (V) *cover; cover up.* **FE**

jaau⁶ 櫂（棹，掉） 1310
(V) *pull an oar; row a boat.* **SF** ‡

— jeung² — 槳 (V) *pull an oar.* **FE**

— suen⁴ — 船 (V) *row a boat.*

— teng⁵ — 艇 (V) *ditto.*

jau¹ 揫 1311
(V) *put; place; park (RT cars); block (RT traffic).* **SF** ‡ (Adj) *crowded; congested.* **SF** ‡

— bik¹° — 逼 (Adj) *crowded; congested.* **FE**

— yung² — 擁 (Adj) *ditto.*

— che¹° — 車 (V) *park; put.* *(ROT vehicles)* **FE**

— maai⁴ — 埋 (V) *put away; put sth back (where it belongs).*

5 — sak¹° — 塞 (V) *block.* *(RT traffic)* **FE** (Adj) *blocked; congested.* **FE**

jai² 仔 1312
(N) *son.* (P) *a particle added as a suffix to nouns to express the idea of sth diminutive.* **AP** ji² see 1430.

— mui⁵* — 女 (N) *one's own children.* *(Lit. son & daughter)* *(Cl. goh³ 個)*

jai³ 濟 1313
(V) *relieve.*

— gap¹° — 急 (V) *relieve one in need.*

— pan⁴ — 貧 (V) *help the poor.* **Fml.**

jai³ 際 1314
(N) *chance meeting.* **Fml.** **SF** ‡ (P) *added as a suffix to nouns to express the idea of the English prefix "inter—",* *e.g.* "gwok³ jai³" *for* "international".

— wooi⁶ fung¹ wan⁴ — 會風雲 (SE) *come into prominence in time of crisis; reach high-watermark of success.* *(Lit. meeting of wind and clouds)*

— yue⁶ — 遇 (N) *chance meeting (with sb).* **Fml. FE** *(Cl. chi³ 次)*

jai³ 祭 1315   (V) *sacrifice; worship.* **SF ‡**

— din⁶ — 奠   (V) *sacrifice; worship.* *(GRT ancestors)* **FE**
— jau² — 酒   (N) *guest of honour at ceremonial dinner; leader in art or literature* **(Fig.).**
— lai⁵ — 禮   (N) *sacrificial rite.* (*Cl.* chi³ 次 *or* jung² 種)
— man⁴ — 文   (N) *elegiac essay (gen. read aloud at funeral service).* (*Cl.* pin¹ 篇)
5 — si¹° — 司   (N) *priest.* *(GRT Jewish and Christian Churches)*
— so³ — 掃   (V) *sacrifice at ancestral tombs.*

jai³ 制 1316   (V) *limit; restrict; stop by force; overpower.* **SF ‡**
(N) *system.* **SF ‡**

— do⁶ — 度   (N) *system.* **FE**
— fuk⁶ — 服   (V) *overpower; subdue.* (N) *uniforms in general.* **FE**
(*Suit:* to³ 套)
— ji² — 止   (V) *stop sth by force; stop sb by recourse to law.* **FE**

jai³ 掣 1317   (N) *brake.* **Coll. AP** chit³ see 331.

jai³ 製 1318   (V) *manufacture; make.* **SF ‡**

— (din⁶) baan² — (電)版   (V) *electrotype; make blocks (for printing).*
— duk⁶ — 毒   (V) *manufacture drugs (illegally).*
— — gei¹ gwaan¹ — — 機關   (N) *heroin refinery; (illegal) drug manufacturer.* (*Cl.* goh³ 個 *or* gaan¹ 間)
— — gung¹ cheung⁴ — — 工場   (N) *ditto.*
5 — gong³ chong² — 鋼廠   (N) *steel-works.* (*Cl.* gaan¹ 間)
— jo⁶ — 造   (V) *manufacture.*
— — ban² — — 品   (N) *manufactured goods; products.* (*Cl.* jung² 種 *or* gin⁶ 件)
— — chong² — — 廠   (N) *factory.* (*Cl.* gaan¹ 間)
— — seung¹ — — 商   (N) *manufacturer.*

jai⁶ 滯 **1319**   (Adj) *indigestible; unsaleable; unlucky.* **SF** ‡

— hau² — 口   (Adj) *indigestible.* **FE**

— siu¹ — 銷   (Adj) *unsaleable; dull. (ROT sales)* **FE**

— wan⁶ — 運   (Adj) *unlucky; unfortunate.* **FE**

jak¹° 則 **1320**   (N) *rule; regulation.* **Fml. SF** ‡ (Adj) *then; and so.* **Bk. SF** ‡

— lai⁶ — 例   (N) *rules in general; regulations in general.* (*Cl.* jung² 種 or tiu⁴ 條)

jak¹° 側 **1321**   (N) *side. (Gen. used in combination with another word) (No Cl.)*

— bin¹° — 邊   (Prep) *beside; on one side.*

— min⁶ jeung⁶ — 面像   (N) *silhouette.*

jam¹° 鍼 (針) **1322**   (N) *injection; vaccine; needle.* (*Cl.* ji¹ 支 or hau² 口)

— gau³ — 炙   (N) *acupuncture. (Lit. acupuncture and cauterization)* (*Cl.* jung² 種)

— ji² — 紙   (N) *certificate of inoculation against cholera.* (*Cl.* jung¹ 張)

— sin³ (nui⁵ hung⁴) — 綫 (女紅)   (N) *needle-work. (Lit. needle and thread) (No Cl.)*

jam¹ 斟 **1323**   (V) *pour (RT tea, wine, etc.); discuss.*

— cha⁴ — 茶   (V) *pour tea; offer tea.* **FE**

— jau² — 酒   (V) *pour wine; offer wine.* **FE**

— jeuk³ — 酌   (V) *discuss; negotiate.* **Coll. FE**

jam¹ 砧 (碪) **1324**   (N) *chopping board.* **SF** ‡

— baan² — 板   (N) *chopping board.* (*Cl.* goh³ 個 or faai³ 塊)

jam² 怎 **1325**   (Adv) *why? how?* **Mdn. SF** ‡

— moh¹° — 麼   (Adv) *why?* **Mdn. FE**

— yeung⁶* — 樣   (Adv) *how? in what way?* **Mdn. FE**

jam²枕   1326   (N) *pillow.*   SF   ‡   AP jam³ see 1327.

— muk⁶ — 木   (N) *railway sleepers; railroad ties.*   (*Cl.* tiu⁴條)

— tau⁴ — 頭   (N) *pillow.*   FE

jam³枕   1327   (V) *recline the head on sth.*   SF   AP jam² see 1326.

— gwoh¹ doi⁶ daan³ — 戈待旦   (SE) *be ready for emergencies.*   (*Lit. pillowed on weapons, waiting for dawn)*

— jue⁶ — 住   (V) *recline the head on sth.*   FE

jam³浸   1328   (V) *soak.*   SF   ‡   (N) *baptism.*   SF   ‡   AP jam⁶ see 1329.

— lai⁵ — 禮   (N) *baptism (by immersion).*   (*ROT Christian ceremony)* (*Cl.* chi³次)

— sui² — 水   (V) *soak (in water).*   FE

— sap¹° — 濕   (V) *ditto.*

J— Sun³ W.ooi⁶* — 信會   (N) *the Baptist Church; the Baptists.*

jam⁶浸   1329   (V) *drown.*   SF   ‡   AP jam³ see 1328.

— sei² — 死   (V) *be drowned.*   FE

jam⁶喉   1330   (Cl) *for odours, smells, etc.*
           CC

jan¹真(眞)   1331   (Adj) *true; real; genuine; good.*   (*RT banknote)*

— ding⁶ ga³ a³? — 定假呀?   (SE) *"are you kidding?"; "I can't believe it."*   (*Lit. true or false)*

— hai⁶*? — 係?   (Adv) *really?*

— hai⁶ — 係   (Adv) *really.*

— — gong² dak¹° yung⁴ yi⁶ lak³ — — 講得容易嘞   (SE) *it's easier said than done.*

⁵ — hung¹ — 空   (N) *vacuum.*

— — gwoon² — — 管   (N) *vacuum-tube.*   (*Cl.* tiu⁴條)

— jing³ — 正 (Adj) *genuine; true; real.*

— — kiu² lak³! — — 嚙嘞! (SE) *what a coincidence!*

— — ngaam¹° lok³! — — 啱嘞! (SE) *ditto.*

10 — — — saai³ lak³! — — — 晒嘞! (SE) *ditto.*

— lei⁵ — 理 (N) *truth; orthodox principles.* (*Cl.* goh³ 個 *or* jung² 種)

— min⁶ muk⁶ — 面目 (SE) *true face.* (*Cl.* goh³ 個 *or* jung² 種)

— sam¹ (jan¹ yi³) — 心 (眞意) (Adj) *truthful; earnest.* (Adv) *truthfully; earnestly.*

— seung³ — 相 (N) *the truth about sth; true picture.* (*Cl.* goh³ 個)

15 — wa⁶* — 話 (N) *the truth; the facts.* (*Cl.* jung² 種)

jan¹ 珍 (珎) 1332 (V) *prize; treasure.* SF ‡ (Adj) *precious.* SF ‡

— bo² — 寶 (N) *precious thing.* (*Cl.* gin⁶ 件)

J— B— Gei¹ — — 機 (N) *Jumbo Jet.* **Tr.** (*Cl.* jek³ 只 *or* ga³ 架)

j— gwai³ — 貴 (Adj) *precious; valuable, costly.* **FE**

— jue¹ — 珠 (N) *pearl.* (*Cl.* nap¹° 粒)

5 — jung⁶ — 重 (SE) *take good care of; "take good care of yourself".* **(PL.)**

— sau¹ mei⁵ mei⁶ — 饈美味 (SE) *delicacies; dainties.* (*Lit. prize food and excellent flavours*) (*Cl.* jung² 種)

— sik¹° — 惜 (V) *prize; treasure.* **FE**

jan² 診 1333 (V) *examine illness.* **Fml.** SF ‡ **AP** chan² **SM see 212.**

jan² 疹 1334 (N) *skin eruptions; measles.* **Fml.** **AP** chan² **SM see 213.**

jan³ 振 1335 (V) *bestir oneself; develop (GRT industries).* SF ‡

— fan⁵ — 奮 (V) *bestir oneself.* **FE**

— — jing¹ san⁴ — — 精神 (SE) *summon up new energy; renew one's efforts.*

— hing¹ — 興 (V) *develop.* (*GRT industries*)

— — gung¹ yip⁶ — — 工業 (SE) *develop industries.* **FE**

5 — — sat⁶ yip⁶ — — 實業 (SE) *ditto.*

jan³ 賑 1336

(V) *relieve, aid.* *(RT disaster victims, poor people, etc.)* **SF** ‡

— jai³ — 濟   (V) *relieve; aid.* *(RT disaster victims; poor people; etc.)* **FE**

— joi¹ — 災   (V) *relieve disaster victims; aid famine victims.* **FE**

jan³ 震 1337

(V) *shake; shock.* **SF** ‡

— dung⁶ — 動   (V) *shake; shock; be terrified by shock.*

— ging¹ — 驚   (V) *shock; be terrified by shock.*

— no⁶ — 怒   (V) *tremble with anger; be in a towering rage.*

— tuen⁵ — 斷   (V) *be shaken by concussion; be broken to pieces by concussion.*

jan³ 鎮 1338

(V) *suppress.* **SF** ‡ (Adj) *calm.* **SF** ‡ (N) *small town; trading centre.* **SF**

— aat³ — 壓   (V) *suppress.* *(RT riots, strikes, rebellions, revolutions, etc.)*

— ding⁶ — 定   (V) *be calm (in mind).*

— jeung² — 長   (N) *mayor; head of a small town.*

— jing⁶ — 靜   (Adj) *calm; unruffled (despite trouble).*

5 — — jai¹ — — 劑   (N) *tranquilizer; sedative.* **Fml.** *(Cl.* nap¹° 粒)

— — yeuk⁶ — — 藥   (N) *ditto.*

jan⁶ 陣（陣） 1339

(N) *battle-field; battle array.* **SF** ‡ (Cl) *for breezes, winds, clouds, showers, rain; for smoke, odours, smells; etc.*

— dei⁶ — 地   (N) *battlefield.* **FE**

— jeung⁶ — 仗   (N) *battle combat; spectacular scene* **(Fig.).** *(Cl.* jung² 種 *or* goh³ 個)

— sin³ — 線   (N) *line of battle; line up of political parties.* *(Cl.* tiu⁴條)

— tung³ — 痛   (N) *labour pain; pain of childbirth.* *(Cl.* chi³ 次 *or* jung² 種)

5 — yue⁵ — 雨   (N) *intermittent rain.* *(Cl.* chi³ 次 *or* cheung⁴ 塲)

— yung⁴ — 容   (N) *battle array; make-up or composition.* *(RT delegations, casts, etc.)* *(Cl.* jung² 種 *or* goh³ 個)

jang¹曾 1340   (V) *duplicate.* **Fml. SF ‡ AP chang⁴ see 219.**

— jo² (foo⁶) — 祖 (父)   (N) *great-grandfather.*

— suen¹ — 孫   (N) *great-grandson.*

jang¹僧 1341   (N) *monk.* **CP SF ‡ AP sang¹° SM see 2667.**

— doh¹ juk¹° siu² — 多粥少   (SE) *too few jobs for too many people.* *(Lit. monks many gruel little.)*

— yan⁴ — 人   (N) *monk.* **CP FE**

jang¹增 1342   (V) *increase; add to.* **Fml. SF ‡**

— daai⁶ — 大   (V) *enlarge; swell; increase (in size).*

— doh¹ — 多   (V) *increase (in number).*

— fuk¹° — 幅   (N) *rate of increase.* *(Cl. goh³ 個 or* jung² 種)

— ga¹ — 加   (V) *increase; add to.* **FE**

5   — — sang¹ chaan² — — 生意   (V) *increase business.*

— jeung² — 長   (V) *increase; grow; expand.* (N) *increase; growth; expension.* *(Cl.* chi³ 次 or jung² 種)

— — lut⁶ — — 率   (N) *growth rate; rate of increase.* *(Cl.* goh³ 個 *or* jung² 種)

jang¹憎 1343   (V) *hate; detest.* **Coll. SF**

— han⁶ — 恨   (V) *hate; detest.* **Fml. FE** (N) *hatred; detestation.* *(Cl.* jung² 種)

jang⁶贈 1344   (V) *give (a present).* **SF ‡**

— ban² — 品   (N) *present; momento.* *(GRT sth given to customers)* *(Cl.* gin⁶ 件 *or* yeung⁶ 樣)

— huen³ — 券   (N) *complimentary coupon.* *(Cl.* jeung¹ 張)

— yuet⁶ — 閱   (N) *complimentary copy.* *(GRT magazines, books, etc.)*

jap¹° 執   1345   (V) *tidy up; clean up; pick up.* **Coll. SF** ‡

— aau³ — 拗   (Adj) *obstinate; stubborn.*

— baau¹ fuk⁶ — 包袱   (V) *resign; send sb packing. (Lit. tidy up packs)* **Coll.**

— chau⁴* — 籌   (V) *draw lots. (Lit. pick up lost)* **Coll.**

— chong⁴ — 牀   (V) *make a bed; tidy up a bed.*

5   — fong⁴* — 房   (V) *tidy up a room; clean up a room.*

— hang⁴ — 行   (V) *carry out. (RT plans, orders, duties, etc.)*

— — dung² si⁶* — — 董事   (N) *managing director.*

— — wai² yuen⁴ — — 委員   (N) *member on an executive committee.*

— — — wooi⁶* — — — 會   (N) *executive committee.*

10   — hau² sui² mei⁵° — 口水尾   (SE) *repeat what sb else has said. (Lit. pick up saliva tail)* **Coll.**

— yan⁴ hau² sui² mei⁵° — 人口水尾   (SE) *ditto.*

— hoi¹ — 開   (V) *take away; put away; tidy up.* **FE**

— jai² — 仔   (V) *be a midwife. (Lit. pick up babies)* **Coll.**

— jing³ — 政   (V) *come to power; be in power.*

15   — — dong² — — 黨   (N) *party in power.*

— jiu³ — 照   (N) *certificate; licence. (RT professional qualifications)*

— lap¹° — 笠   (V) *close down; go bankrupt. (RT shops, factories, etc.) (Lit. tidy up crates)* **Coll.**

— ma¹° — 媽   (N) *midwife.* **Coll.**

— sue¹ — 輸   (SE) *loss a chance; lose out.*

20   — toi⁴* — 枱   (V) *tidy up a table, clean up a table.*

— yeng⁴ — 贏   (SE) *make the most of an opportunity.*

— yip⁶ — 業   (V) *follow a profession; engage in a profession.*

jap¹° 汁   1346   (N) *juice.* **Coll. SF**

— jeung¹ — 漿   (N) *juice.* **Fml. FE** *(Cl.* jung² 種 *)*

— yik⁶ — 液   (N) *ditto.*

jat¹° 質   1347   (V) *question; ask; interrogate.* **SF** ‡ (N) *quality; disposition.* **SF** ‡ **AP** ji³ **see 1438.**

— dei⁶* — 地   (N) *quality. (GTO merchandise) (Cl.* jung² 種 *)*

— man⁶ — 問   (V) *question; ask; interrogate.* **FE**

jat⁶ 疾　1348

(N) *sickness; illness; disease.* **SF** ‡　(Adj) *hasty.* **SF** ‡

— beng⁶ — 病　(N) *sickness; illness; disease.* **FE** (*Cl.* jung² 種 *or* goh³ 個)

— yin⁴ lai⁶ sik¹° — 言厲色　(SE) *hasty speech and agitated appearance; nervous agitation.* **Fml.**

jat⁶ 嫉　1349

(V) *hate; be jealous of.* **Fml. SF** ‡　(Adj) *jealous.* **Fml. SF** ‡　(N) *jealousy.* **Fml. SF** ‡

— do³ — 妒　(V) *hate; be jealous of.* **Fml. FE**

— gei⁶ — 忌　(V) *hate; be jealous of.* **Fml. FE** (Adj) *jealous.* **Fml. FE** (N) *jealousy.* **Fml. FE**

— ok³ yue⁴ sau⁴ — 惡如仇　(SE) *hate evil-doers as if they were personal enemies.*

jat⁶ 姪　1350

(N) *nephew; niece (brother's children).* **SF**

— jai² — 仔　(N) *nephew. (brother's son)* **FE**

— nui⁵* — 女　(N) *niece. (brother's daughter)* **FE**

jat⁶ 窒　1351

(V) *suffocate; obstruct.* **SF** ‡

— ngoi⁶ — 碍　(V) *obstruct. (GRT plans, schemes, etc.)* **Fml. FE**

— sik¹° — 息　(V) *suffocate.* **FE**

jau¹ 週(周)　1352

(V) *revolve.* **Fml. SF** ‡　(Adv) *all round; everywhere.* **SF** ‡　(N) *period; year; week.* **SF** ‡

— boh¹° — 波　(V) *cycle; radio cycle.* (*Cl.* goh³ 個 *or* jung² 種)

— do³ — 到　(Adj) *satisfactory; thorough. (RT treatment or service in hotels, institutions, etc.)* (Adv) *satisfactorily; thoroughly. (RT treatment or service in hotels, etc.)*

— hon² — 刊　(V) *weekly; weekly magazine.* (*Cl.* bo⁶ 部 *or* boon² 本)

— juen³ — 轉　(V) *have cash available.*

5　— — bat¹° ling⁴ — — 不靈　(SE) *not enough cash to meet needs.*

— kei⁴ — 期　(N) *period, regular intervals; cycle.* **FE**

— — sing³ — — 性　(Adj) *periodic; coming in cycles.*

— lut⁶* — 率   (N) *frequency; radio frequency.* (*Cl.* goh³ 個 *or* jung²種)

— moot⁶ — 末   (N) *week-end.* **Fml.** (*Cl.* goh³ 個 *or* chi³次)

10 — nin⁴(gei²nim⁶) —年(紀念)   (N) *anniversary.* (*Cl.* goh³個 *or* chi³次)

— suen⁴ — 旋   (V) *deal with; cope with.* *(GRT people)*

— wai⁴ — 圍   (N) *surroundings.* (Adv) *around; in every direction; here and there; everywhere.* (PP) *around.*

jau¹ 舟 **1353** (N) *boat; vessel.* **Fml.** **SF** ‡

jau¹ 州 **1354** (N) *county; city.* **SF** ‡

jau¹ 洲 **1355** (N) *continent; island.* **SF** ‡

jau² 酒 **1356** (N) *spirits; wine; liquor; alcoholic drinks; formal dinner.*

— ba¹ — 吧   (N) *bar (for drinks).* (*Cl.* gaan¹ 間)

— baan⁶* — 辦   (N) *sample of wine.* (*Cl.* jung² 種 *or* yeung⁶ 樣)

— beng² — 餅   (N) *yeast-cake.*

— booi¹° — 杯   (N) *wine cup; glass.* (*Cl.* goh³ 個 *or* jek³ 只)

5 — choi³ — 菜   (N) *courses or dishes at a formal Chinese dinner.* (*Cl.* jung² 種)

— jik⁶ — 席   (N) *ditto.*

— dim³ — 店   (N) *hotel.* (*Lit. wine shop*) (*Cl.* gaan¹ 間)

— ga¹° — 家   (V) *restaurant; Chinese restaurant.* (*Cl.* gaan¹ 間)

— gwoon² — 館   (N) *ditto.*

10 — lau⁴ — 樓   (N) *ditto.*

— gwai² — 鬼   (N) *drunkard.* **Coll.**

— to⁴ — 徒   (N) *ditto.* **Fml.**

— jing¹° — 精   (N) *alcohol; spiritor; spirit of wine.*

— lim⁴ — 帘   (N) *"girlie bar"; Chinese-style "girlie bar".* (*Cl.* gaan¹ 間)

¹⁵ — sui² — 水   (N) *drinks in general.* (*Cl.* jung² 種)

— wooi⁶* — 會   (N) *cocktail party.*

— yi³ — 意   (N) *drunkenness.* *(No Cl.)*

jau² 走 1357   (V) *run; go away; engage in an occupation.*

— baak⁶ paai⁴* — 白牌   (V) *operate the business of* "*Pak Pai*"; *be an illegal taxi-driver.*

— gai¹° — 鷄   (V) *miss out;* "*miss the bus*". **Coll.**

— gau² — 狗   (N) *sporting dog; servile dependant* (**Fig.**)*;* "*running dog*". (*Cl.* jek³ 只 *or* goh³ 個)

— gong¹ woo⁴ — 江湖   (SE) *wander about from place to place; live like a gypsy; be a soldier of fortune.*

⁵ — hoi¹ — 開   (V) *go away.* **FE**

— lau⁶ fung¹ sing¹° — 漏風聲   (SE) *leak out news; divulge a secret.*

— — siu¹ sik¹° — — 消息   (SE) *ditto.*

— lo⁶* — 路   (V) *abscond; go away secretly.* **Coll.**

— long⁴* — 廊   (N) *corridor.* (*Cl.* tiu⁴ 條)

¹⁰ — si¹ (lau⁶ sui³) — 私(漏稅)   (V) *smuggle.*

— — haak³ — — 客   (N) *smuggler.*

— — wan⁶ duk⁶ — — 運毒   (V) *smuggle drugs.*

jau³ 咒(呪) 1358   (V) *imprecate; curse.* **SF**

— joh³ — 詛   (V) *imprecate; curse.* **Fml.** **FE**

— ma⁶ — 罵   (V) *abuse; curse.* **Fml.** **FE**

— yue⁵ — 語   (N) *imprecation; curse; magic formula.* (*Cl.* gui³ 句)

jau³ 晝 1359   (N) *day time.* **SF** ‡ *(No Cl.)*

— ye⁶ — 夜   (Adv) *day and night.*

— — bat¹° ting⁴ — — 不停   (SE) *carry on day and night; never cease.*

jau³ 縐（皺）

1360   (V) *shrink; wrinkle.* **SF** ‡

— hei² — 起   (V) *shrink; wrinkle.* **FE**

— — mei⁴ tau⁴ — — 眉頭   (V) *knit one's eyebrows; frown.*

— mei⁴ — 眉   (V) *ditto.*

— man⁴ — 紋   (N) *wrinkle; crease; fold.*   (*Cl.* tiu⁶ 條)

5   — sa¹ — 紗   (N) *crepe.*   (*Bolt:* pat¹° 疋)

jau⁶ 就

1361   (V) *make a compromise; give in; take up (employment).* **SF** ‡   (Adv) *then.*

— dak¹° lak³ — 得嘞   (SE) *it'll be all right; O.K.*

— faai³ — 快   (Adv) *will soon.*

— hai⁶ — 係   (SE) *that is; namely; no other than.*

— jik¹° — 職   (V) *take up a post; be inaugurated in an office.*

5   — yam⁶ — 任   (V) *ditto.* **Fml.**

— suen³ — 算   (Conj) *even though; even if.*

— wooi⁵ — 會   (AV) *will; shall.*

— yip⁶ — 業   (V) *take up employment.* **FE**   (N) *employment.*   (*No Cl.*)

— — gei¹ wooi⁶ — — 機會   (SE) *opportunity for employment.*   (*Cl.* chi³ 次 *or* jung² 種)

10   — — so³ ji⁶ — — 數字   (SE) *employment figure.*   (*Cl.* goh³ 個 *or* jung² 種)

jau⁶ 袖

1362   (N) *sleeves.*   (*Cl.* jek³ 只)

— hau² — 口   (N) *cuff of sleeve.*

— — nau² — — 鈕   (N) *cuff links.*   (*Cl.* nap¹° 粒 *Pair:* dui 對.)

— jan¹° boon² — 珍本   (N) *pocket-edition.*   (*Cl.* bo² 部 *or* jung² 種)

— — ji⁶ din² — — 字典   (N) *pocket dictionary.*   (*Cl.* bo⁶ 部 *or* boon² 本)

je¹ 遮

1363   (V) *obstruct; shut out; shelter; hide; cover up.* **SF** ‡   **AP** je¹° see 1364.

— chau² — 醜   (V) *hide one's shame.*

— sau¹ — 羞   (V) *ditto.* **Fml.**

— — chin⁴* — — 錢　(N) *hush money; blackmail money*. *(Cl.* bat¹° 筆 *)*

— sau¹ fai³ — 羞費　(N) *ditto*. **Fml.**

5 — dong² — 擋　(V) *obstruct (the view)*. **FE**

— jue⁶ — 住　(V) *obstruct (the view); cover up*. **FE**

— moon⁴ — 瞞　(V) *cover up; hide*. *(GRT bad things)*

— yim² — 掩　(V) *ditto*.

— taai³ yeung⁴ — 太陽　(V) *shut out the sun*. **FE**

10 — yat⁶ tau⁴* — 日頭　(V) *ditto*.

— yit⁶ tau⁴* — 熱頭　(V) *ditto*.

— yue⁵ — 雨　(V) *shelter from rain*. **FE**

je¹° 遮 1364　(N) *umbrella*. *(Cl.* ba² 把 *)* (P) *used in transliterations*. **AP** je¹ 遮 see 1363.

— si⁶* — 士　(N) *jersey*. *(ROT clothing material)* **Tr.** *(Yard:* ma⁵ 碼 *)*

je¹° 嗻 1365　(FP) *has delimiting function at the end of statements*.

— gwa³? — 啩? (FP) *has delimiting function at the end of questions which require some point to be remembered or realized*.

— ma³ — 嗎　(FP) *has delimiting function at the end of a statement expressing disagreement of some kind*.

je² 姐 1366　(N) *older sister*. **SF** ‡

— dai⁶ — 弟　(SE) *older sister(s) and younger brother(s)*. *(Cl.* goh³ 個 *)*

— foo¹° — 夫　(N) *brother-in-law; sister's husband*. *(Cl.* goh³ 個 *)*

— mooi⁶* — 妹　(SE) *sisters*. *(Lit. older and younger sisters)*

je² 者 1367　(Pron) *one who*. **Fml. SF** ‡ (P) *used as a suffix that corresponds to the English "—er" or "—ist"*.

je³ 借 1368　(V) *borrow; lend to*.

— bei² . . . — 俾 . . .　(V) *lend to*. **FE**

— che¹° — 車　(V) *borrow a car*.

— chin⁴* 　— 錢 　(V) *borrow money.*

— do¹ saat³ yan⁴ 　— 刀殺人 　(SE) *borrow a knife to slay sb else; involve sb else in a crime.*

5　— fa¹° ging³ fat⁶ 　— 花敬佛 　(SE) *borrow flowers to offer to Buddha; borrow things from sb to show hospitality to a guest.*

— sue¹ 　— 書 　(V) *borrow books.*

— tau⁴ je³ lo⁶ 　— 頭借路 　(SE) *find one kind of excuse or another; under any pretext whatever; "by hook or by crook". (Lit. borrow head borrow road)*

— teng⁵ got³ woh⁴ 　— 艇割禾 　(SE) *borrow money to invest in sth; make gain at the expense of sb else. (Lit. borrow a boat to reap paddy-rice)*

je³ 蔗 　1369 　(N) *sugar cane.* (*Cl.* ji¹ 支)

— tong⁴ 　— 糖 　(N) *cane sugar.* (*Pack:* baau¹ 包)

je³ 鷓 　1370 　(N) *partridge.* **SF** ‡

— gwoo¹° 　— 鴣 　(N) *partridge.* **FE** (*Cl.* jek³ 只)

je³ 這(这，迠) 　1371 　(Adj) *this.* **SF** **Mdn.** **AP** je⁵ see 1372.

je⁵ 這(这，迠) 　1372 　(Adj) *this.* **CP** **SF** **Mdn.** **AP** je³ see 1371.

jek¹° 唧 　1373 　(FP) *has a delimiting function at the end of statements.* (P) *used in transliteration.*

— kek⁶ 　— 喼 　(N) *jacket.* **Tr.** (*Cl.* gin⁶ 件)

jek³ 隻 　1374 　(N) *brand; a particular kind of goods.* **Coll.** *(No Cl.)* (Cl) *for utensils; for animals; for ships and boats; for birds; for some parts of the body, such as hands, legs; etc.*

— san¹ 　— 身 　(Adv) *all alone; by oneself.* **Fml.**

jek³ 脊 1375   (N) *spine*. **Coll. SF** ‡ **AP jik³ SM see 1458.**

— chue⁵ — 柱   (N) *spine; backbone*. **Coll. FE** (*Cl.* tiu⁴ 條)

— gwat¹° — 骨   (N) *spine* (*Cl.* tiu⁴ 條); *reliability* (**Fig.**).

— sui⁵ — 髓   (N) *spinal cord.* (*Cl.* tiu⁴ 條)

jek⁶ 蓆 1376   (N) *mat*. **Coll.** (*Cl.* jeung¹ 張) **AP jik⁶ SM see 1459.**

jeng¹ 精 1377   (Adj) *cunning; shrewd; smart.* *(Gen. in bad sense)* **SF AP jing¹ see 1490.**

— gwoh³ mo⁵ mei⁵ se⁴ — 過冇尾蛇   (SE) *extremely cunning; never willing to be the loser; never allowing oneself to be wronged.*

— jai² — 仔   (N) *"smart Alec"; "smart guy".*

— lek¹° — 叻   (Adj) *smart; intelligent; clever.* *(Gen. in bad sense)* **FE**

jeng² 井 1378   (N) *well; pit*. **Coll. AP jeng² SM see 1499.**

— sui² — 水   (N) *well water.* *(No Cl.)*

jeng³ 正 1379   (Adv) *exactly.* *(ROT time)* **Coll. SF** ‡ (Adj) *good; beautiful.* **Sl. AP:** (1) jing¹ see **1494;** (2) jing³ see **1495.**

jeng⁶ 淨(凈) 1380   (Adj) *clean.* **SF** ‡ **AP jing⁶ see 1505.**

jeuk³ 灼 1381   (Adj) *clear.* **Fml.** ‡ **AP cheuk³ see 255.**

jeuk³ 芍 1382   (N) *dahlia; peony.* **Fml. SF** ‡ **PA cheuk³ SM see 256.**

— yeuk⁶ — 藥   (N) *dahlia; peony.* **Fml. FE** (*Cl.* deuh² *or* doh² 朵)

jeuk³ 桌 1383   (N) *table; desk.* **Fml. SF** ‡ **PA cheuk³ SM see 257.**

— kau⁴ — 球   (N) *billiards.* **Fml.** (*Cl.* goh³ 個; *Game:* guk⁶ 局.)

jeuk³ 鵲(雀)   **1384**   (N) *bird.* **CP**   (*Cl.* jek³ 只)   **AP chẹuk SM** see 258.

— jai² — 仔   (N) *small bird.* **Coll.** (*Cl.* jek³ 只)

— niu⁵ — 鳥   (N) *birds in general.* **CP FE** (*Cl.* jek³)

jeuk³ 繳   **1385**   (N) *a string (fastened to an arrow or a dart).* **BK.** ‡ AP ging² see 932.

jeuk³ 著   **1386**   (V) *wear; put on.* (*ROT clothing*) **SF AP jue³** see 1574.

— saam¹° — 衫   (V) *wear; put on.* (*ROT clothing*) **FE**

jeuk³ 嚼   **1387**   (V) *chew; ruminate.* **Fml.** AP jiu⁶ SM see 1525.

jeuk⁶ 着   **1388**   (V) *switch on; turn on.* **SF** ‡ (Asp) *asleep; lit; on fire.* (Adj) *suitable; advantageous.* **SF** ‡

— dang¹° — 灯   (V) *switch on lights; turn on lights.*

— din⁶ lo⁴ — 電爐   (V) *switch on electric fire.*

— din⁶ si⁶ gei¹ — 電視機   (V) *switch on TV.*

— foh² — 火   (V) *be on fire; catch fire.*

5   — si⁴ — 時   (Adj) *at a suitable time; at right time; in good time.*

— so³ — 數   (Adj) *advantageous; to one's advantage.*

— toi⁴* dang¹° — 枱灯   (V) *switch on a desk light; turn on a table lamp.*

jeung¹ 將(夝)   **1389**   (V) *get hold of; take.* **SF** ‡ **AP jeung³** see 1389.

— choh³ jau⁶ choh³ — 錯就錯   (SE) *make the best of a bad job/bargain.*

— gai³ jau⁶ gai³ — 計就計   (SE) *turn sb's scheme back on himself; cause sb's machination to backfire.*

— gan⁶ — 近   (Adv) *almost; nearly; very soon; about to.*

— gung¹ suk⁶ jui⁶ — 功贖罪   (SE) *atone for mistakes by meritorious service; redeem sine by good deeds.*

5   — gwan¹ — 軍   (V) *seize the enemy.* (Itj) *"Check!" (in chess).* (N) *general (in armed forces).*

— jau⁶ — 就   (V) *compromise; make do with sth; accept a fail accompli.*

— kan⁴ bo⁶ jut³   —   勤補拙   (SE) *make up for lack of skill by industry.*

— ...lai⁴ chut¹° hei³   — ... 嚟出氣   (IC) *vent one's spleen on sb.*

— loi⁴   —   來   (N) *future. (No Cl.)* (Adv) *in the future; later on.* (Adj) *future.*

10 — sam¹ bei² sam¹   —   心比心   (SE) *judge other person's feelings by one's own; compare your feelings with sb else's.*

— yan⁴ bei² gei²   —   人比己   (SE) *ditto.*

jeung³ 將 1390

(V) *lead. (GRT troops)* **Fml. SF** ‡
(N) *general; military leader.* **SF ‡ AP jeung¹** see **1390.**

— bing¹   —   兵   (V) *lead troops; command trooys.*

— gwoon¹   —   官   (N) *military commander; general.*

— ling⁵   —   領   (N) *ditto.*

— sui³   —   帥   (N) *commander-in-chief.*

jeung¹ 漿 (槳) 1391

(V) *starch.* (N) *starch; flour paste; syrup.* **SF ‡**

— fan²   —   粉   (N) *starch powder. (No Cl.)*

— saam¹°   —   衫   (V) *starch clothes.*

— sui²   —   水   (N) *starch. (No Cl.)*

— tong³   —   熨   (SE) *starch and iron; laundry work.*

5 — woo⁴   —   糊   (N) *paste; flour paste. (Bottle:* jun¹樽)

jeung¹ 張 1392

(V) *open out; post up.* **Fml. SF ‡** (N) *Chinese surname.* (Cl) *for papers, documents, bills, bank-notes; for musical records, discs; for swords, knives; for furniture such as tables, chairs; etc.*

— hoi¹   —   開   (V) *open wide.* **FE**

— tip³ (go³ si⁶)   —   貼(告示)   (V) *post up (notices).*

— yeung⁴   —   揚   (V) *make widely known; give publicity to.*

jeung¹ 章 1393

(N) *chapter; rule. (No Cl.)*

— ching⁴   —   程   (N) *regulations. (Copy:* fan⁶ 份)

— gui³ faat³   —   句法   (N) *syntax. (Lit. chapter and sentence rules)* (Cl. jung² 種)

jeung¹樟 1394 (N) *camphor.* **SF** ‡

— muk⁶ — 木 (N) *camphor wood.* (*Cl.* faai³ 塊)

— — lung⁵ — — 槓 (N) *camphor-wood chest/box.*

— no⁵ — 腦 (N) *camphor.* **FE** (*Cl.* jung² 種)

— — beng² — — 餅 (N) *camphor cake.* (*Cl.* faai³ 塊)

⁵ — — jing¹° — — 精 (N) *essence of camphor.* (*Cl.* jung² 種)

— — yau⁴ — — 油 (N) *camphor oil.* (*Drop:* dik⁶ 滴; *Bottle:* jun¹ 樽.)

— — yuen⁴* — — 丸 (N) *camphor ball.* (*Cl.* nap¹° 粒)

— sue⁶ — 樹 (N) *camphor tree.* (*Cl.* poh¹ 盆)

jeung²槳(艣) 1395 (N) *an oar.* (*Cl.* ji¹ 支)

— geuk³ — 脚 (N) *rowlock.*

jeung²獎 1396 (V) *encourage; reward.* **SF** ‡ (N) *prize; reward.* **SF** ‡

— ban² — 品 (N) *prize; reward.* (*Cl.* gin⁶ 件)

— gam¹° — 金 (N) *bonus (RT business); reward (RT helping against crime).* (*Cl.* bat¹° 筆)

— hok⁶ gam¹° — 學金 (N) *scholarship; fellowship; grant.* (*Cl.* bat¹° 筆)

— huen³ — 券 (N) *lottery ticket.* (*Cl.* jeung¹ 張)

⁵ — jeung¹° — 章 (N) *decoration.*

— lai⁶ — 勵 (V) *encourage; reward.* **FE**

— paai⁴ — 牌 (N) *medal.*

jeung²掌 1397 (N) *palm (of the hand); sole (of shoe).* **SF** ‡

— ak¹° — 握 (V) *control; have sth in the grasp.*

— gwai⁶* — 柜 (N) *cashier-bookkeeper (in old-fashioned establishments).*

— jui² — 咀 (V) *slap the face; beat on the mouth (as punishment).*

— man⁴ seung³ sut⁶ — 紋相術 (N) *palmistry.* (*Cl.* jung² 種)

⁵ — seung³ — 相 (N) *ditto.*

— toh⁴ — 舵 (N) *steersman; leader (of a nation).* **(Fig.)**

jeung² 長   1398   (V) *grow up.* **SF** ‡ (Adj) *senior; old.* **SF** ‡ (N) *"Chief"; "head".* **SF** ‡ **AP cheung⁴ see 268.**

— daai⁶ — 大   (V) *grow up; bring up.* **Coll. FE**

— sing⁴ — 成   (V) *ditto.* **Fml. FE**

— booi³ — 輩   (N) *senior; person a generation older.* **Coll.**

— je² — 者   (N) *ditto.* **Fml.**

5   — ji² — 子   (N) *eldest son.*

— lo⁵ — 老   (N) *an elder.*

J— L— Wooi⁶* — 老會   (N) *the Presbyterian Church.*

jeung³ 醬   1399   (N) *sauce.* *(No Cl.)*

— yau⁴ — 油   (N) *bean sauce; soy.* **Mdn.** *(Bottle:* jun¹ 樽 *)*

— yuen⁴* — 園   (N) *shop for sale of condiment.* *(Cl.* gaan¹ 間 *)*

jeung² 漲   1400   (V) *rise (in tide).* **SF** ‡ (Adj) *full.* *(RT tide or flood)* **AP jeung³ see 1401.**

— chiu⁴ — 潮   (N) *high tide; flood-tide.* *(Cl.* chi³ 次*)*

jeung³ 漲   1401   (V) *swell (RT dimensions); rise (RT prices).* **PP jeung² see 1400.**

— daai⁶ — 大   (V) *swell* **FE**

— ga³ — 價   (V) *rise; increase.* *(RT prices)*

jeung³ 帳(賬)   1402   (N) *accounts* *(Cl.* bat¹° 筆*); tent.* *(Cl.* goh³ 個*).* **SF** ‡

— bo⁶* — 簿   (N) *account book.* *(Cl.* bo⁶ 部 *or* boon² 本*)*

— daan¹° — 單   (N) *bill; statement of accounts.* *(Cl.* jeung¹ 張 *)*

— fong⁴* — 房   (N) *cashier's office; accountant's office.* *(GRT old-fashioned establishments)* *(Cl.* goh³ 個 *or* gaan¹ 間 *)*

— mok⁶ — 幕   (N) *tent; tabernacle.*

5   — hong⁶ — 項   (N) *accounts; items in an account.* **Fml. FE** *(Cl.* bat¹° 筆*)*

— muk⁶ — 目   (N) *ditto.* **Coll.**

jeung³ 瘴   **1403**   (N) *miasma; pestilential vapour.*   **SF**   ‡

— hei³ — 氣   (N) *miasma; pestilential vapour.*   **FE**   (*Cl.* jung² 種)

jeung³ 障   **1404**   (V) *obstruct; hinder.*   **SF**   ‡   (N) *obstacle; hindrance.*   **SF**   ‡

— ngoi⁶ — 碍   (V) *obstruct; hinder.*   **FE**   (N) *obstacle; hindrance.*   **FE**   (*Cl.* jung² 種)

— — choi³ (paau²) — — 賽 (跑)   (N) *obstacle race.*   (*Cl.* hong⁶ 項)

jeung³ 仗   **1405**   (N) *war; battle*   **SF**   ‡   **AP jeung⁶ see 1406.**

jeung⁶ 仗   **1406**   (V) *rely on; trust in/to.*   **SF**   ‡   **AP jeung³ see 1405.**

— chi⁵ — 恃   (V) *rely on power or influence.*   *(in bad sense)*   **FE**

— laai⁶ — 賴   (V) *rely on; depend on.*   *(Gen. in good sense).*   **FE**

— yi⁶ — 義   (V) *devote oneself to righteous causes; act to secure justice for others.*

— — jap¹° yin⁴ — — 執言   (SE) *speak out in interest of justice/ righteousness.*

jeung⁶ 丈   **1407**   (N) *ten Chinese feet; measure of 10 Chinese feet.* *(No Cl.)*

— chek³ — 尺   (N) *measurement.*   (*Cl.* jung² 種)

— foo¹ — 夫   (N) *husband.*

— mo⁵ (neung⁴) — 母 (娘)   (N) *mother-in-law (wife's mother).*   **Fml.**

— yan⁴ — 人   (N) *father-in-law (wife's father).*   **Fml.**

jeung⁶ 杖   **1408**   (V) *beat.*   **Fml.**   **SF**   ‡   **AP jeung⁶* see 1409.**

jeung⁶* 杖   **1409**   (N) *walking stick.*   **SF**   ‡   **AP jeung⁶ see 1408.**

jeung⁶ 匠   **1410**   (N) *workman; mechanic.*   **SF**   ‡

jeung⁶ 象   **1411**   (V) *symbolize.*   **SF**   ‡   (N) *elephant* (*Cl.* jek³ 只); *symbol* **(SF).**

— jing¹ — 徵   (V) *symbolize; signify.*   **FE**   (N) *symbol; sign.*   (*Cl.* goh³ 個 *or* jung² 種)

— nga⁴ — 牙   (N) *ivory; elephant's tusk.*   (*Cl.* jek³ 只)

— — faai³ ji² — — 筷子   (N) *ivory chopstick.*   (*Cl.* jek³; *Pair:* dui³ 對)

— — (ji¹) taap³ — — (之)塔   (SE) *ivory tower; realm of pure art.* **Fig.**

⁵ — ying⁴ man⁴ ji⁶ — 形文字   (N) *hieroglyph.*   (*Cl.* jung² 種)

jeung⁶ 像   **1412**   (V) *resemble; like.*   **Mdn.**   **SF**   ‡   (N) *image; portrait.*   *(GRT persons)*   **SF**   ‡

— saang¹° — 生   (Adj) *life-like.*

— — fa¹° — — 花   (N) *artificial flower.*   (*Cl.* deuh² *or* doh² 朵)

jeung⁶ 橡   **1413**   (N) *rubber; rubber tree.*   **SF**   ‡

— gaau¹ — 膠   (N) *rubber.*   **FE**   *(No Cl.)*

— sue⁶ — 樹   (N) *rubber tree.*   **FE**   (*Cl.* poh¹ 槁)

ji¹ 滋   **1414**   (V) *nourish.*   **SF**   ‡

— bo² — 補   (V) *nourish; take nourishment.*   **FE**   (Adj) *nourishing.*

— yeung⁵ — 養   (V) *ditto.*   (Adj) *ditto.*

— — ban² — — 品   (N) *nourishment.*   (*Cl.* jung² 種)

— si⁶ — 事   (V) *make trouble; cause trouble; create a disturbance.*

⁵ — yau⁴ — 油   (Adj) *slow; lazy; couldn't—care—less.*   (Adv) *slowly; lazily; couldn't—care—less.*

— — daam⁶ ding⁶ — — 淡定   (Adj) *very slow and steady.*   (Adv) *very slowly and steadily.*

ji¹ 姿   **1415**   (N) *beauty; bearing; gesture.*   **SF**   ‡

— jing² — 整   (V) *act; pretend; be a hypocrite.*   **Coll.**

— sai³ — 勢   (N) *gesture; carriage; deportment.*   (*Cl.* jung² 種)

— sik¹° — 色   (N) *beauty.*   *(ROT women)*   **Fml.**   (*Cl.* jung² 種)

— taai³ — 態   (N) *gesture; bearing.*   (*Cl.* jung² 種)

ji¹ 資   **1416**   (N) *capital; wealth; money; qualification.*   **SF** ‡

— boon² — 本   (N) *capital (money).*   **Fml.**   **FE**

— — ga¹° — — 家   (N) *capitalist; financier.*

— — jue² yi⁶ — — 主義   (N) *capitalism.*   (*Cl.* jung² 種 *or* goh³ 個)

— chaan² — 產   (N) *capital; assets.*   **FE**   (*Cl.* jung² 種)

5 — — gaai¹ kap¹° — — 階級   (N) *bourgeois; the Bourgeousie.*   (*Lit. property class)*   (*Cl.* goh³ 個 *or* jung² 種)

— choi⁴ — 財   (N) *wealth; money.*   **Fml.**   **FE**   (*Cl.* bat¹° 筆 *or* jung² 種)

— gam¹° — 金   (N) *ditto.*

— gaak³ — 格   (N) *qualificational eligibility; requirement.*   (*Cl.* jung² 種 *or* goh³ 個)

— jat¹° — 質   (N) *aptitude.*   (*Cl.* jung² 種)

10 — joh⁶ hok⁶ haau⁶ — 助學校   (N) *subsidized school.*   (*Cl.* gaan¹ 間)

— liu⁶* — 料   (N) *data; fact; information.*   (*Cl.* jung² 種)

— — sat¹° — — 室   (N) *reference room.*   (*GRT newspapers, magazines, etc.)*   (*Cl.* gaan¹ 間 *or* goh³ 個)

ji¹ 吱   **1417**   (P) *used in onomatopoeia, or used with some other words to form final particles.*

— ja¹° — 喳   (Adj) *talkative; noisy.*   **Ono.**   **Coll.**

— ji¹ ja¹° ja¹° — 吱喳喳   (SE) *chatter together (RT children, women, etc.); chirp together (RT birds).*   **Ono.**

— ma³ — 嗎   (FP) *has delimiting function at end of statements.*

ji¹ 支   **1418**   (V) *pay; disburse; support.* **SF** ‡   (N) *branch.*   (*RT banks, shops, railway lines, rivers, etc.)* **SF** ‡   (Cl) *for songs, music; for armed forces, armies, navies; for slender, long and stiff objects such as pens, pencils, sticks; etc.*

— chaan² — 撐   (V) *prop up; support.*

— — ngai⁴ guk⁶ — — 危局   (SE) *give support in a perilous situation.*   **Fml.**

— chi⁴ — 持   (V) *support; back up.*   (N) *support; backing.*   (*Cl.* jung² 種)

— — je² — — 者   (N) *supporter.*

5 — chut¹° — 出   (V) *pay; disburse.* **FE**   (N) *expenditure; spending.* (*Cl.* bat¹° 筆 *or* jung² 種)

— dim³ — 店   (N) *branch.* *(RT shops, stores, etc.)*

— dui⁶ — 隊   (N) *detachment; colomn.* *(RT armed forces)*

— hei³ gwoon² — 氣管   (N) *bronchus.* (*Cl.* tiu⁴ 條)

— — — yim⁴ — — — 炎   (N) *bronchitis.* (*Cl.* jung² 種 *or* goh³ 個)

10 — hong⁴* — 行   (N) *branch office.* *(RT banks, firms, etc.)* (*Cl.* gaan¹ 間)

— paai³ — 派   (N) *branch.* *(RT families, sects, schools of thought, etc.)*

— piu³ — 票   (N) *cheque; check.* (*Cl.* jeung 張)

— — bo⁶* — — 簿   (N) *cheque book.* (*Cl.* bo⁶ 部 *or* boon² 本)

ji¹ 枝   1419   (N) *branch (of a tree).* **SF** ‡ (Cl) *for songs, music; for armed forces, armies, navies; for slender, long and stiff objects such as pens, pencils, sticks; etc.*

— jit³ — 節   (SE) *branches and knots; complication* **(Fig.).**

— — man⁶ tai⁴ — — 問題   (SE) *side issue; minor problem.*

— yip⁶ — 業   (SE) *branches and leaves; growth on trees; offspring* **(Fig.).**

ji¹ 知   1420   (N) *know; perceive.* **SF AP** ji³ **see 1421.**

— do³ — 道   (V) *know; perceive.* **FE**

— gaau¹ (pang⁴ yau⁵) — 交 (朋友)   (N) *bosom friend.*

— gei¹ (pang⁴ yau⁵) — 己 (朋友)   (N) *ditto.*

— sam¹° (pang⁴ yau⁵) — 心 (朋友)   (N) *ditto.*

5 — gang¹ jeuk³* — 更雀   (N) *robin.* (*Cl.* jek³ 只)

— — niu⁵ — — 鳥   (N) *ditto.*

— gok³ -– 覺   (N) *consciousness.* *(Lit. know and feel)* *(No Cl.)*

— ming⁴ yan⁴ si⁶ — 名人士   (SE) *well-known people; the elite of society.* **Fml.**

— sik¹° — 識   (N) *knowledge.* (*Cl.* jung² 種)

10 — — fan⁶ ji² — — 份子   (N) *intelligentsia.* (*Cl.* jung² 種 *or* goh³ 個)

— — gaai³ — — 界   (N) *ditto.*

— yam¹ — 音   (N) *an understanding friend; a connoisseur (of some form of art).*

ji³ 知(智)   **1421**   (N) *knowledge.*   **SF** ‡   **AP ji¹ see 1420.**

— sik¹° — 識   (N) *knowledge.*   (*Cl.* jung² 種)

— — fan⁶ ji² — — 份子   (N) *intelligentsia.*   (*Cl.* jung² 種 *or* goh³ 個)

— — gaai³ — — 界   (N) *ditto.*

ji¹ 蜘   **1422**   (N) *spider.*   **SF** ‡

— jue¹° — 蛛   (N) *spider.*   **FE**   (*Cl.* jek³ 只)

— — mong⁵ — — 網   (N) *spider's web; cobweb.*

ji¹ 之   **1423**   (P) *used to denote the possessive case in literary contexts, corresponding to the colloquial "ge³"* 嘅 *; used for euphony in some set expressions.*

— chin⁴ — 前   (Prep) & (Conj) *before.*   (Adv) *ago.*

— gaan¹ — 間   (IC) *between . . .; in between . . ..*

— ha⁶ — 下   (IC) *under . . .; below . . ..*

— hau⁶ — 後   (Prep) & (Conj) *after.*   (Adv) *later; since; from then; from now on.*

5   — ji³ — 至   (Adv) *extremely; exceedingly.*

— jung¹ — 中   (IC) *among . . .; amongst . . .; amid . . .; amidst . . ..*

— lui⁶* — 類   (SE) *etc.; and so forth; and so on.*   (*UIW* "dang² dang²" 等等 *FWS L. 38, V. 8*)

— ngoi⁶ — 外   (PP) *outside; apart from.*

— si⁴ — 時   (Conj) *when.*   **Fml.**

10   — soh² yi⁵ — 所以   (SE) *the reason why . . .; therefore.*

— yat¹° — 一   (IC) *one of . . ..*

ji¹ 芝   **1424**   (N) *iris; sesame.*   **SF** ‡

— laan⁴ — 蘭   (N) *irris.*   **Fml. FE**   (*Cl.* poh¹ 喬)

— ma⁴ — 蔴   (N) *sesame.*   (*Cl.* nap¹° 粒)

— — luk⁶ dau⁶* — — 綠豆   (SE) *very low (RT rank); very insignificant (RT details of sth); "small fry". (Lit. sesames and green beans)*

— si⁶* — 士   (N) *cheese.*   **Tr.**   (*Cl.* faai³ 塊 *or* gau⁶ 礴)

ji¹ 肢 1425 (N) *limb.* **SF** ‡

— gaai² — 解 (V) *dismember; mutilate.*

— tai² — 體 (N) *body; members and trunk of the body.*

ji¹ 脂 1426 (N) *rouge; fat (of animals).* **SF** ‡

— fan² — 粉 (N) *cosmetics; rouge and powder; feminine beauty.* (*Cl.* jung² 種)

— — hei³ — — 氣 (Adj) *feminine; womanly; ladylike.*

— fong¹ — 肪 (N) *fat (of animals).* **FE** (*Cl.* jung² 種)

ji¹ 祇 1427 (V) *venerate; respect.* **Fml. SF** ‡ **AP** ji² see 1428.

— ging³ — 敬 (V) *venerate; respect.* **Fml. FE**

ji² 祇(只) 1428 (Adv) *only.* **Fml. SF** ‡ **AP** ji¹ see 1427.

— ho² — 好 (Adv) *can only; the only thing to do is . . . .*

— yau⁵ — 有 (Adv) *ditto.*

— yiu³ — 要 (Adv) *as long as; only if.*

ji² 子 1429 (N) *son; child.* **Fml. SF** ‡

— daan⁶* — 彈 (N) *bullet.* (*Cl.* nap¹° 粒)

— dai⁶ — 弟 (SE) *children; descendents.* (*Lit. sons and younger brothers*) **Fml.**

— geung¹° — 薑 (N) *young ginger.* (*Cl.* gau⁶ 礎)

— gung¹ — 宮 (N) *womb; uterus.*

5 — jat⁶ — 姪 (SE) *sons and nephews.* **Fml.**

— ng⁵ sin³ — 午綫 (N) *the meridian.* (*Cl.* tiu⁴ 條)

— nui⁵ — 女 (SE) *sons and daughters; one's own children.* **Fml.**

— suen¹ — 孫 (SE) *sons and grandsons; descendants; posterity.*

ji² 仔 **1430**   (V) *bear; fill.* **Fml. SF** ‡ (Adj) *careful.* **SF** ‡ (Adv) *carefully.* **SF** ‡ **AP jai² see 1312.**

— gin³ — 肩   (V) *bear (responsibility); fill (a post).* **Fml. FE**

— — chung⁶ yam⁶ — — 重任   (SE) *bear a great responsibility; fill an important post.* **Fml.**

— sai³ — 細   (Adj) *careful.* **FE** (Adv) *carefully.* **FE**

ji² 姊 **1431**   (N) *elder sister.* **Fml. SF** ‡

— mooi⁶* — 妹   (N) *sisters. (Lit. elder and younger sisters)* **Fml.**

ji² 紫 **1432**   (N) & (Adj) *purple; violet. (RT colour)*

J— Gam³ sing⁴ — 禁城   (N) *the Forbidden City (in Peking).*

j— loh⁴ laan⁴ — 羅蘭   (N) *violet. (RT flowers)* (Cl. deuh² or doh² 朵)

— ngoi⁶ gwong¹ — 外光   (N) *ultra-violet ray.* (Cl. jung² 種)

— sik¹° — 色   (N) & (Adj) *purple; violet. (RT colour)* **FE**

ji² 止 **1433**   (V) *stop.* **Fml. SF** ‡

"— bo⁶" "— 步"   (SE) *"no admittance"; "halt". (RT notices, commands, etc.)*

— han⁴ — 痕   (V) *allay itch.*

— hot³ — 渴   (V) *quench thirst.*

— huet³ — 血   (V) *staunch bleeding.*

5 — — yeuk⁶ — — 藥   (N) *styptic.* (Cl. jung² 種)

— tung³ — 痛   (V) *stop pain; allay pain.*

— — yeuk⁶ — — 藥   (N) *anodyne.* (Cl. jung² 種)

ji² 址 **1434**   (N) *address; street address.* **SF** ‡

ji² 趾 **1435**   (N) *toe.* **SF** ‡

ji²指 1436   (V) *refer to; point to.* **SF** ‡   (N) *finger.* **SF** ‡

— chut¹° — 出   (V) *point out.*

— dim² — 點   (V) *give advice; advise.* **PL**

— do⁶ — 導   (V) *ditto.*

— gaau³ — 教   (V) *ditto.*

5   — si⁶ — 示   (V) *ditto.*

— ding⁶ — 定   (V) *earmark; assign.*

— fai¹ — 揮   (V) & (N) *command; order.*   *(RT military or police forces)*

— — bo⁶ — — 部   (N) *command post.*

— gaap³ — 甲   (N) *fingernail.* (*Cl.* jek³ 只)

10   — — chaat³* — — 刷   (N) *nail-brush.*

— — jin² — — 剪   (N) *nail-scissors.* (*Cl.* ba² 把)

— — yau⁴ — — 油   (N) *nail-varnish.* (*Cl.* jun¹ 樽)

— naam⁴ — 南   (N) *guide book; "A.B.C.".* *(RT places, languages, subjects of study, etc.)* (*Cl.* bo⁶ 部 or boon² 本)

— — jam¹° — — 針   (N) *compass; mariner's compass.*

15   — man⁴ — 紋   (N) *fingerprint.* (*Cl.* tiu⁴ 條 or jung² 種)

— — hok⁶ — — 學   (N) *dactylograph.* (*Cl.* jung² 種)

— mo⁴ — 模   (N) *fingerprint.* (*Cl.* jung² 種 or goh³ 個)

— sau² waak⁶ geuk³ — 手劃脚   (SE) *point right and left; gesticulate wildly.*

— tin¹ duk¹° dei⁶ — 天篤地   (SE) *ditto.*

20   — si² — 使   (V) *direct; instigate.*

— so³ — 數   (N) *index; index figure.*

— yi⁵ — 倚   (V) *depend upon; rely on.*

ji²紙 1437   (N) *paper.* (*Cl.* jeung¹ 張)

— bai⁶ — 幣   (N) *paper money; banknote.* **Fml.** (*Cl.* jung² 種 or jeung¹ 張)

— gan¹° — 巾   (N) *tissues; tissue paper.* *(Lit. paper handkerchief)* (*Cl.* jeung¹ 張, *Pack:* baau¹ 包 ; *Box:* hap⁶ 盒.)

— hap⁶* — 盒   (N) *carton; cardboard box.*

— seung¹° — 箱   (N) *Carton; cardboard box.*

5 — hap⁶* chong⁴ si¹ on³ — 盒藏屍案   (SE) *body-in-carton case; body-in-box case.*   (*Cl.* gin⁶ 件 *or* jung¹ 宗)

— seung¹ chong⁴ si¹ on³ — 箱藏屍案   (SE) *ditto.*

— je¹° — 遮   (N) *paper umbrella.*   (*Cl.* ba² 把)

— jeung¹° (bat¹° mak⁶) — 張 (筆墨)   (SE) *paper in general; stationery.* *(Lit. paper, pen and ink)*   (*Cl.* jung¹ 種)

"— lo⁵ foo²" "— 老虎"   (SE) *"paper tiper"; frightening in appearance but actually harmless.*   (*RT persons and things*)   (*Cl.* jek³ 只)

10 — paai⁴* — 牌   (N) *playing card.* **Mdn.**   (*Cl.* jeung¹ 張)

— pei⁴ — 皮   (N) *cardboard.*   (*Cl.* jeung¹ 張 *or* faai³ 塊)

— — hap⁶* — — 盒   (N) *carton; cardboard box.*

— sin³ — 扇   (N) *paper fan.*   (*Cl.* ba² 把)

— yin¹° — 烟   (N) *cigarette.* **Fml.**   (*Cl.* hau² 口 *or* ji¹支)

15 — yiu⁶* — 鷂   (N) *kite.* **Coll.**   (*Cl.* jek³ 只)

— yuen¹ — 鳶   (N) *ditto.* **Fml.**

ji³ 質   **1438**   (V) *pledge.* **Fml. SF** ‡   (N) *hostage.*   **SF** ‡   **AP jat¹°** see 1347.

— aat³ — 押   (V) *pledge.* **Fml. FE**

— ji² — 子   (N) *hostage.* **Fml. FE**

ji³ 至   **1439**   (V) *arrive; come.* **Fml. SF** ‡   (Adv) *most; best.*   (Conj) *until; unless.*

— doh¹ — 多   (Adv) *at most.*   (Adj) *most; uttermost.*

— gwai³ — 貴   (Adj) *most expensive; dearest.*

— peng⁴ — 平   (Adj) *most unexpensive; cheapest.*

— siu² — 少   (Adv) *at least.*   (Adj) *least; fewest.*

— yue¹ — 於   (Adv) *with regard to; in regard to.*

ji³ 致   **1440**   (V) *cause; convey.* **Fml. SF** ‡

— chi⁴ — 辭   (V) *make a speech; deliever a speech.*

— lik⁶ (yue¹) — 力 (於)   (SE) *give oneself to; devote one's energy to.*

— ming⁶ — 命   (V) *cause sb's death.* **Fml.**   (Adj) *fatal.* **Fml.**

— sei² — 死　　(V) *Cause sb's death.*　(Adj) *fatal.*

5　— sing³ — 勝　　(V) *gain a victory.*

— yi³ — 意　　(V) *convey compliments; send kind regards.*

ji³ 志　**1441**　　(V) *be interested in.*　**Fml.**　**SF** ‡　(N) *determination; ambition; will.*　**Fml.**　**SF** ‡

— chui³ — 趣　　(N) *inclination; devotion.　(RT occupation, hobbies, etc.)　(Cl.* jung² 種)

— hei³ — 氣　　(N) *great determination; personal ambition.*

— heung³ — 向　　(N) *ditto.*

— joi⁶ — 在　　(V) *be intersted in; aim at.*　**FE**

5　— yuen⁶ — 願　　(N) *wish; pledge.　(GRT free service of some kind)*

— — bing¹ — — 兵　　(N) *volunteer; military volunteer.*

— — gwan¹° — — 軍　　(N) *ditto.*

ji³ 痣　**1442**　　(N) *mole; birth mark.　(Cl.* nap¹° 粒 *or* daat³ 笪)

ji³ 智(知)　**1443**　　(N) *wisdom; intelligence.*　**SF** ‡　(Adj) *wise; intelligent.*　**SF** ‡

— lik⁶ — 力　　(N) *intelligence; mental power.*　**FE**　*(Cl.* jung² 種)

— — chaak¹° jim⁶ — — 測驗　　(N) *intelligence test; I.Q. test.　(Cl.* jung² 種 *or* chi³ 次)

— sik¹° — 識　　(N) *knowledge.　(Cl.* jung² 種)

— — fan⁶ ji² — — 份子　　(N) *intelligentsia.　(Cl.* jung² 種 *or* goh³ 個)

5　— — gaai³ — — 界　　(N) *ditto.*

— wai⁶ — 慧　　(N) *wisdom.*　**FE**　*(Cl.* jung² 種)

ji³ 置(寘)　**1444**　　(V) *set up; buy.*　**Fml.**　**SF** ‡

— dei⁶ — 地　　(V) *buy land.*

— ga¹ — 家　　(V) *set up a home; marry a wife.*

— yip⁶ — 業　　(V) *buy an estate.*

ji⁶ 自   **1445**   (N) & (Adj) *self.*   **SF**   ‡

— chung⁴ — 從   (Conj) *since.*   *(ROT time)*

— daai⁶ — 大   (Adj) *self important.*

— foo⁶ — 負   (Adj) *ditto.*

— dung⁶ — 動   (Adv) *voluntarily; automatically.* (Adj) *automatic; voluntary.*

5   — — boh¹° — — 波   (N) *automatic gears (of a car).* **Coll.**

— — chi⁴ — — 詞   (N) *intransitive verb.* **Gr.**

— — sau² biu¹° — — 手錶   (N) *automatic watch.*

— fai³ sang¹° — 費生   (N) *self-supporting pupil.*

— gei² — 己   (Pron) *oneself.* (Adv) *personally; by oneself.*

10   — — yat¹° goh³ yan⁴ — — 一個人   (Adv) *alone; all alone; by oneself.*

— hang⁴ che¹° — 行車   (N) *bicycle.* **Mdn.** *(Cl.* ga³ 架 *)*

— ji⁶ — 治   (V) *be self-governing.* (N) *autonomy; self-government. (No Cl.)* (Adj) *autonomous; self-governing.*

— — kuen⁴ — — 權   (N) *right of autonomy.* *(Cl.* jung² 種 *or* goh³ 個 *)*

— — kui¹ — — 區   (N) *autonomous region.* *(Lit. self-governing region)*

15   — joi⁶ — 在   (Adj) *easy and comfortable.*

— jue² — 主   (Adj) *independent.* *(GRT national sovereignty)*

— — kuen⁴ — — 權   (N) *sovereign rights; free-will.* *(Cl.* jung² 種 *)*

— juen⁶* — 傳   (N) *autobiography.* *(Cl.* bo⁶ 部 *or* pin¹ 篇 *)*

— jun⁶ — 盡   (V) *commit suicide.* **Fml.**

20   — saat³ — 殺   (V) *ditto.* **Coll.**

— kap¹° ji⁶ juk¹° — 給自足   (Adj) *self-sufficient.*

— lap⁶ — 立   (Adj) *independent.* *(GRT personal finance)*

— — sang¹ woot⁶ — — 生活   (N) *independent life (of persons).* *(Cl.* jung² 種 *)*

— loi⁴ sui² — 來水   (N) *running water; tap water.* *(Lit. self-coming water)*

25   — man⁵ — 刎   (V) *cut one's throat.*

— moon⁵ — 滿   (Adj) *conceited; self-contented.*

— ngoh⁵ — 我   (N) *self; ego.* **FE** (P) *particle used as the prefix "self".*

— — gaai³ siu⁶ — — 介紹   (V) *introduce oneself.* (N) *self-introduction.* *(Cl.* chi³ 次)

— — jue² yi⁶ — — 主義   (N) *egoism.*

30 — — jung¹ sam¹° — — — 中心   (Adj) *self-centred; ego-centric.*

— sau¹ — 修   (N) *self-study.* *(Cl.* jung² 種)

— sau² — 首   (V) *give oneself up (to the authorities).*

— seung¹ maau⁴ tun⁵ — 相矛盾   (Adj) *self-contradicting.*

— sik⁶ kei⁴ lik⁶ — 食其力   (SE) *live by one's own exertions; be a self-made man.*

35 — sun³ — 信   (Adj) *self-confident.*

— — lik⁶ — — 力   (N) *self-confidence.* *(Cl.* jung² 種)

— — sam¹ — — 心   (N) *ditto.*

— yau⁴ — 由   (N) *freedom; liberty.* *(Cl.* jung² 種) (Adj) *free; liberal.*

— — gong² — — 港   (N) *free port.*

40 — — luen⁵ oi³ — — 戀愛   (SE) *free love.*

— — yi³ ji³ — — 意志   (N) *free-will.*

— yin⁴ — 然   (Adv) *naturally.* (Adj) *natural.* (N) *Nature.* *(RT the natural universe)* *(No Cl.)*

— — foh¹° hok⁶ — — 科學   (N) *natural science.* *(Cl.* jung² 種)

— — gaai³ — — 界   (N) *the world of nature; the natural universe.*

45 — — yin⁶ jeung⁶ — — 現象   (N) *natural phenomenon.*

— yuen⁶ — 願   (Adv) *voluntarily.* (Adj) *voluntary.*

— yung⁶ — 用   (Adj) *for personal use.* *(GRT postal parcels)*

— — che¹° — — 車   (N) *private car.* **Fml.** *(Cl.* ga³ 架)

ji⁶ 字 1446   (N) *word; Chinese character; 5-minute period* **(Coll.).**

— bin¹° — 邊   (N) *radical of a Chinese character (when on the left or right side).*

— din² — 典   (N) *dictionary.* *(Cl.* bo⁶ 部 *or* boon² 本)

— fong⁴ — 房   (N) *type-setting room.* *(Cl.* gaan¹ 間 *or* goh³ 個)

— gui³ — 據   (N) *written receipt.* *(Cl.* jeung¹ 張)

5 — ho⁶ — 號   (N) *shop-sign (in Chinese characters); name of a business concern.*

— ji² — 紙　(N) *waste paper.* (*Cl.* jeung¹ 張)

— — loh⁴° — — 籮　(N) *waste paper basket.*

— jik¹° — 跡　(N) *handwriting.* (*Cl.* jung² 種)

— jung¹° — 鐘　(N) *5-minute period.* **Coll. FE**

10　— mo⁵* — 母　(N) *alphabet.* *(Lit. word mother)* (*Cl.* jung² 種 *or* goh³ 個)

— — chi³ jui⁶ — — 次序　(N) *alphabetical order.*

— — paai⁴ lit⁶ — — 排列　(N) *ditto.*

— lui⁵ — 彙　(N) *vocabulary; glossary.* (*Cl.* jung² 種) **AP ji⁶ wooi⁶ or ji⁶ wai⁶.**

— lui⁵ hong⁴ gaan¹ — 裏行間　(SE) *reading between the lines.*

15　— min⁶*(seung⁶) — 面 (上)　(N) *literal meaning; wording; phraseology.* *(No Cl.)*

— mok⁶ — 幕　(N) *subtitle; caption.* *(ROT motion pictures)* (*Cl.* jung² 種 *or* goh³ 個)

— ngaan⁵ — 眼　(N) *diction; choice of words; literary expression.* (*Cl.* jung² 種 *or* goh³ 個)

— tai² — 體　(N) *form of characters writing; style of printing types.* (*Cl.* jung² 種)

— tiu⁴ — 條　(N) *note; memorandum.* (*Cl.* jeung¹ 張)

20　— tau⁴ — 頭　(N) *radical of a Chinese character (when on the top); name of a secret society* **(Coll.).**

— — yau⁵* — — 友　(N) *member of a secret society; member of a triad society.*

— yam¹° — 音　(N) *pronunciation; sound (of a word).*

— yi⁶ — 義　(N) *meaning of a word.*

— ying⁴ — 形　(N) *the form of a written character.* (*Cl.* jung² 種 *or* goh³ 個)

ji⁶ 寺　**1447**　(N) *monastery; Buddhist monastery.* **SF ‡** (*Cl.* gaan¹ 間)

— yuen⁶ — 院　(N) *monastery; Buddhist monastery.* **FE** (*Cl.* gaan¹ 間)

ji⁶ 伺　**1448**　(V) *wait upon.* **SF ‡**

— hau⁶ — 候　(V) *wait upon.* **FE**

ji⁶飼 **1449**   (V) *feed; nourish.* **SF** ‡

— liu⁶ — 料   (N) *fodder.* (*Cl.* jung²種)

— yeung⁵ — 養   (V) *feed; nourish.* **FE**

ji⁶治 **1450**   (V) *govern; rule; manage.* **SF** ‡

— beng⁶ — 病   (V) *cure illness; heal disease.*

— bing¹ — 兵   (V) *train troops; command an army.*

— gwan¹ — 軍   (V) *ditto.*

— biu¹ (fong¹ faat³) — 標 (方法)   (SE) *temporary remedy; temporary solution.* (*Cl.* jung² 種 *or* goh³個)

5 — boon² (fong¹ faat³) — 本 (方法)   (SE) *basic cure in medicine; foundamental solution.* (*Cl.* jung² 種 *or* goh³ 個)

— ga¹ — 家   (V) *run a family properly.*

— gwok³ — 國   (V) *rule a country properly.*

— jong¹ — 裝   (V) *pack up for journey.*

— — fai³ — — 費   (N) *clothing allowance for journey.* (*Cl.* bat¹° 筆)

10 — lei⁵ — 理   (V) *govern; rule; manage.* **FE**

— liu⁴ — 療   (N⟍ *therapy.* (*Cl.* jung² 種)

— on¹ — 安   (N) *social order; law and order; internal security.* (*No Cl.*)

— — m¹ ho² — — 唔好   (SE) *social order is bad.*

— — taai³ waai⁶ — — 太壞   (SE) *ditto.*

15 — song¹ — 喪   (V) *manage a funeral.*

— sui² — 水   (V) *regulate rivers; regulate watercourses.* (*Gen. by building or repairing dykes*)

ji⁶痔 **1451**   (N) *pile.* **SF** ‡

— chong¹° — 瘡   (N) *pile; bleeding pile.* **FE**

jik¹°即(卽) **1452**   (Adv) *immediately.* **SF** ‡

— gwoon² — 管   (SE) *"go ahead, just try it"; there's no reason why one should not try.* (*Gen. followed by verbs*)

— hak¹° — 刻   (Adv) *at once; immediately.*

— si⁴ — 時   (Adv) *at once, immediately.*

— — chuen⁴ yik⁶ — — 傳譯   (SE) *simultaneous interpretation.*   (*Cl.* jung² 種 *or* chi³ 次)

5   — hai⁶ — 係   (SE) *"that is"; "i.e.".*

— — dak¹° goh³ gong² ji⁶ la¹° — — 得個講字啦   (SE) *that's mere talk. (Lit. that's the word for "talk")*

— — ga² la¹° — — 假啦   (SE) *"some hope!"; those are just empty promises; that's a delusion. (Lit. that's false)*

jik¹° 積   1453   (V) *accumulate.*   SF ‡

— aat³ — 壓   (V) *hold up; delay; defer; put off. (GRT official duties)*

— — gung¹ man⁴ — — 公文   (SE) *hold up official documents.*

— — — si⁶ — — — 事   (SE) *ditto.*

— chuk¹° — 蓄   (N) *savings.*   (*Cl.* jung² 種 *or* bat¹° 筆)

5   — faan⁶* — 犯   (N) *habitual criminal.*

— gik⁶ — 極   (Adj) *positive; energetic; optimistic; resolute.*

— — fai⁶ ji² — — 份子   (N) *activist.*

— jui⁶ — 聚   (V) *accumulate. (GRT money)*   FE

— muk⁶ — 木   (SE) *jigsaw puzzle; wooden blocks (for playing with). (Set:* foo³ 副)

10   — siu² sing⁴ doh¹ — 少成多   (Sy) *"take care of the pence and the pounds will take care of themselves"; "economy in trifles ensures abundance".*

jik¹° 蹟 (跡，迹)   1454   (N) *track; mark; stain.*   SF ‡

— jeung⁶ — 象   (N) *token; sign; omen.*

jik¹° 績   1455   (N) *merit; good deed.*   Fml.   SF ‡

— gung¹ — 功   (N) *merit; good deed.*   Fml.   FE   (*Cl.* jung² 種 *or* gin⁶ 件)

jik¹° 織   1456   (V) *weave; make cloth from threads.*   SF

— bo² — 補   (V) *darn.* (N) *darn.*   (*Cl.* daat³ 笪)

— bo³ — 布   (V) *weave cotton cloth.*

— — chong² — — 廠   (N) *cotton mill.* (*Cl.* gaan¹ 間)

— gam² — 錦   (N) *embroidery.* (*RT needlework)* (*Cl.* fuk¹° 幅) (Adj) *embroidered.* (*RT needlework)*

5   — jo⁶ chong² — 造廠   (N) *knitting factory.* (*Cl.* gaan¹ 間)

— saam¹° chong² — 衫廠   (N) *garment factory.* (*Cl.* gaan¹ 間)

jik¹° 職 (職) 1457   (N) *post; position; job; profession; occupation; trade.* **SF** ‡

— gung¹ — 工   (N) *workman; worker; employee.* (*RT staff of public utilities, large factories, leading business concerns, etc.)*

— — wooi⁶* — — 會   (N) *trade union.*

— wai⁶ — 位   (N) *post; position; job.* **Fml. FE** (*Cl.* goh³ 個 *or* jung² 種)

— yip⁶ — 業   (N) *profession; occupation; trade.* **Coll. FE** (*Cl.* jung² 種)

5   — — gaau³ yuk⁶ — — 教育   (N) *vocational education.* (*Cl.* jung² 種)

— — hok⁶ haau⁶ — — 學校   (N) *vocational school.* (*Cl.* gaan¹ 間)

— — si¹ gei¹ — — 司機   (N) *professional driver (GRT buses or taxis); chauffeur.*

— yuen⁴ — 員   (N) *staff; member of staff; employee.*

— — jai² — — 仔   (N) *subordinate staff; junior staff member.* **Coll.**

jik³ 脊 1458   (N) *spine.* **Fml. SF** ‡ **AP jek³ SM see 1375.**

jik⁶ 蓆 1459   (N) *mat.* **Fml. AP jek⁶ SM see 1376.**

jik⁶ 席 1460   (N) *formal Chinese dinner; post or position.* **SF** (PN) *number of tables at formal Chinese dinner.*

jik⁶ 夕 1461   (N) *evening; dusk.* **Fml. SF** ‡

— yeung⁴ — 陽   (N) *the setting sun; the afternoon sun; the evening of life* (**Fig.**).

jik⁶籍   **1462**   (N) *nationality; native place.*   **SF**   ‡

— gwoon³ — 貫   (N) *native place; home town; place of birth.*   *(Cl.* sue³ 處 *or* do⁶ 度)

jik⁶藉   **1463**   (V) *rely on.*   **Fml.**   **SF**   ‡

— hau — 口   (N) *make excuse; make a pretext.*

jik⁶寂   **1464**   (Adj) *lonely; silent.*   **SF**   ‡

— jik⁶ mo⁴ man⁴ — — 無聞   (SE) *unknown; unnoticed (by the general public)*

— jing⁶ — 靜   (Adj) *silent; quiet.*

— — dei⁶ daai³ — — 地帶   (SE) *"silent zone" (used in traffic signs).* *(Cl.* sue³ 處 *or* do⁶度)

— mok⁶ — 寞   (Adj) *lonely; solitary.*   **FE**

jik⁶ 直(直)   **1465**   (Adj) *straight; erect or vertical* **(SF).**

— cheung⁴* — 腸   (N) *rectum.*   *(Lit. straight bowel)*   *(Cl.* tiu⁴ 條)

— cheung⁴ jik⁶ to⁵ — 腸直肚   (SE) *straightforward; outspoken.*   *(Lit. straight bowel, straight belly)*

— ching⁴ — 情   (Adv) *simply; practically.*

— ging³ — 徑   (N) *diameter.* *(Cl.* tiu⁴ 條 *or* goh³ 個)

5   — gok³ — 覺   (N) *intuition; direct impression.* *(Cl.* jung² 種 *or* goh³ 個)

— gok³ — 角   (N) *right-angle.*   *(Lit. vertical angle)*

— hai⁶ (chan¹ suk⁶) — 系 (親屬)   (SE) *direct descendants (i.e. from father to son).*

— jip — 接   (Adj) *direct.*   (Adv) *directly.*

— — suen² gui² — — 選舉   (N) *direct election.*   *(Cl.* jung² 種)

10   — — sui³ — — 稅   (N) *direct taxation.*   *(Cl.* jung² 種)

— lap⁶ — 立   (Adj) *erect; vertical.*   **Fml.**   **FE**

— sin³ — 線   (N) *straight line.*   *(Cl.* tiu⁴ 條)

— sing¹ gei¹ — 升機   (N) *helicopter.*   *(Lit. vertical ascend machine)* *(Cl.* ga³ 架)

— yik⁶ — 譯   (N) *literal translation.* (*Cl.* jung² 種)

¹⁵ — ying⁶ (bat¹° wai⁵) — 認 (不諱)   (SE) *confess openly (without hiding anything).*

jik⁶ 值 (値)   1466   (V) *meet; happen.* **Fml. SF ‡** (N) *value.* **Fml. SF ‡**

— baan¹° — 班   (V) *go on to shift work; be on shift duty.*

— — gung¹ yan⁴ — — 工人   (N) *shift worker.*

— chin⁴* — 錢   (Adj) *valuable; expensive.* (*Lit. worth money*)

— dak¹° — 得   (Adj) *worth; worthy of; worthwhile.*

⁵ — — gei² nim⁶ — —紀念   (Adj) *memorable.* (*Lit. worth remembering*)

— yat⁶ — 日   (V) *be on duty.*

— — gwoon¹ — — 官   (N) *duty officer.*

jik⁶ 植 (植)   1467   (N) *plant.* **SF ‡**

— mat⁶ — 物   (N) *plants in general.* (*Cl.* poh¹ 樖)

— — gung¹ yuen⁴* — — 公園   (N) *botanical garden.*

— — hok⁶ — — 學   (N) *botany.* (*Subject:* foh¹° 科)

— — — ga¹° — — — 家   (N) *botanist.*

jik⁶ 殖   1468   (V) *colonize.* **SF ‡**

— man⁴ — 民   (V) *colonize.* **FE**

— — dei⁶ — — 地   (N) *colony.* (*Cl.* goh³ 個 *or* sue³ 處)

— — Jue² Yi⁶ — — 主義   (N) *Colonialism.* (*Cl.* jung² 種 *or* goh³ 個)

— — — — Je² — — — — 者   (N) *colonialist; colonizationist.*

jim¹ 尖   1469   (Adj) *sharp; tapering.* **SF ‡**

— bat¹° lat¹° — 筆用   (Adj) *tapering; pointed.* **Coll. FE**

— blat¹° — 筆用   (Adj) *ditto.*

— do¹° — 刀   (N) *sharp-pointed knife.* (*Cl.* ba² 把)

— lei⁶ — 利   (Adj) *sharp (edge or point).* **FE**

⁵ J— Sa¹ Jui² — 沙嘴   (N) *Tsim Sha Tsui.* **Tr.**

jim¹ 沾   1470   (V) *soak; moisten with.* **Fml.** **SF** ‡ **AP jim⁶ see 1471.**

— yim⁵ — 染   (V) *soak; moisten with.* **Fml.** **FE**

— yun⁶ — 潤   (V) *ditto.*

jim⁶ 漸   1471   (Adv) *gradually.* **SF** ‡ **AP jim¹ see 1470.**

— jim⁶* — 漸   (Adv) *gradually; by and by.*

— yap⁶ gaai¹ ging² — 入佳境   (SE) *circumstances gradually improve; better days will eventually come; time is a great healer.* *(Lit. gradually enter blissful regions)*

jim¹ 占   1472   (V) *tell fortune by casting lots.* **SF** ‡ **AP jim³ see 1473.**

— gwa³ — 卦   (V) *tell fortunes by casting lots; tell fortunes by means of the "8 diagrams" (basing on the "Book of Changes").* **FE**

—— sin¹ saang¹ —— 先生   (N) *fortune-teller (by casting lots).*

jim³ 占（佔）   1473   (V) *usurp; occupy; take by force.* **AP jim¹ see 1472.**

— ba³ — 霸   (V) *usurp; occupy; take by force. (GRT personal property)* **FE**

— duet⁶ — 奪   (V) *ditto.*

— gui³ — 據   (V) *ditto.*

— pin⁴ yi⁴ — 便宜   (SE) *gain some advantage; take advantage of. (Lit. usurp advantage)*

5 — ha⁶ fung¹° — 下風   (V) *be in an unfavourable situation.*

— ling⁵ — 領   (V) *occupy. (GRT territories, cities or positions after battles/wars)*

—— dei⁶ —— 地   (N) *occupied territory; occupied area. (GRT military forces)* (*Cl.* goh³ 個 or fuk¹° 幅)

—— kui¹ —— 區   (N) *ditto.*

—— gwan¹° —— 軍   (N) *occupation army.* (*Cl.* dui⁶ 隊 or ji¹ 支)

10 — seung⁶ fung¹° — 上風   (SE) *have the upper hand; hold a position of advantage.*

— yau¹ sai³ — 優勢   (SE) *ditto.*

— sin¹ — 先   (V) *get ahead of others; take the first place.*

— yau⁵ — 有   (V) *possess; get possession of.*   *(Gen. by legal means)*

— — kuen⁴ — — 權   (N) *rights of possession.*   (*Cl.* jung² 種 *or* goh³ 個)

jim¹沾   1474   (V) *be saturated with; be steeped in.*   **Fml. Fig. SF** ‡

— hon⁴ jim¹ laang⁵ — 寒沾冷   (SE) *a hot and cold sweat; shivering and sweating.*   *(GRT symptoms of influenza, malaria, etc.)*

— jim¹ ji⁶ hei² — — 自喜   (SE) *be self-indulgent; be frivolous.*

— yim⁵ — 染   (V) *be saturated with; be steeped in.*   **Fml. Fig. FE**

— — ok³ jaap⁶ — — 惡習   (SE) *be corrupted by evil customs.*

5   — — seung¹ hon⁴ — — 傷寒   (V) *suffer from typhoid; have influenza.* **Fml.**

jim¹瞻   1475   (V) *look up to.*   **Fml. SF** ‡

— chin⁴ gwoo³ hau⁶ — 前顧後   (SE) *be circumspect; be very careful; look forward and backward before making move.*

— yeung⁵ — 仰   (V) *look up to; reverence.*   **Fml. FE**

jim¹譫   1476   (N) *delirium; incoherent talk.*   **Fml. SF** ‡

— yue⁵ — 語   (N) *delirium; incoherent talk.*   **Fml. FE**   (*Cl.* jung² 種)

jin¹° 氈(氀,毡)   1477   (N) *blanket.* **FE** (*Cl.* jeung¹ 張)   (N) *rug; carpet; felt.*   **SF** ‡

— jau² — 酒   (N) *dry gin.* **Tr.** (*Bottle:* ji¹ 枝 *or* jun¹ 樽 ; *Cup or Glass:* booi 杯 .)

— mo⁶* — 帽   (N) *felt hat.* (*Cl.* gin⁶ 件 *or* deng² 頂)

jin¹顫   1478   (V) *tremble; shiver.*   **Fml. SF** ‡

— dung⁶ — 動   (V) *tremble; shiver (from fear or cold).*   **Fml. FE**

— seng¹ — 聲   (N) *trembling voice; shivering voice.* (*Cl.* jung² 種 *or* ba² 把)

jin¹° 箋(牋)   **1479**   (N) *fancy note-paper.*   **SF**   ‡

— ji² —   紙   (N) *fancy note-paper.*   **FE**   (*Cl.* jung¹ 張)

jin¹ 煎   **1480**   (V) *shallow fry in very hot fat.*   **SF**

— chaau² —   炒   (V) *shallow fry in very hot fat.*   **FE**

— daan⁶* —   蛋   (N) *fried egg.*   (*Cl.* jek³ 只)

— hoh⁴ baau¹° daan⁶* —   荷包蛋   (N) *ditto.*

— haam⁴ yue⁶* —   鹹魚   (N) *fried salted fish.*   (*Course:* dip⁶ 碟 *or* gin⁶ 件.)

⁵   — yue⁴* —   魚   (N) *fried fish.*   (*Cl.* tiu⁴ 條)

jin² 剪(翦)   **1481**   (V) *cut with scissors.*   **SF**   (N) *scissors.*   **SF**   ‡

— bo³ —   報   (V) *clip/cut from a newspaper.*   (N) *newspaper clippings/ cuttings.*   (*Cl.* duen⁶ 段)

— do¹° —   刀   (N) *scissors.*   **Fml.**   **FE**   (*Cl.* ba² 把)

— hoi¹ —   開   (V) *cut with scissors.*   **FE**

— laan⁶ —   爛   (V) *ditto.*

⁵   — tuen⁵ —   斷   (V) *ditto.*

jin² 展   **1482**   (V) *open out; spread out; develop.*   **Fml.**   **SF**   ‡

— hoi¹ —   開   (V) *open out; spread out.*   **Fml.**   **FE**

— laam⁵ (wooi⁶*) —   覽(會)   (N) *exhibition.*   (*Cl.* chin³ 次 *or* goh³ 個)

— mong⁶ —   望   (V) *look towards.*   (N) *outlook.*   (*Cl.* jung² 種 *or* goh³ 個)

jin² 輾   **1483**   (V) *roll over; crush with a roller.*   **SF**

— juen² —   轉   (V) *roll backwards and forwards; toss about.*   **FE**

— — faan² jak¹° — —   反側   (SE) *toss to and fro (when sleepless).*

— laan⁶ —   爛   (V) *crush to pieces.*

— sui³ —   碎   (V) *ditto.*

jin³ 箭   1484   (N) *arrow.*   (*Cl.* ji¹ 支)

— ba² — 把   (N) *target for archery.*

— doi⁶* — 袋   (N) *quiver.*

jin³ 薦   1485   (V) *recommend for an appointment.*   **SF**

— ji² — 紙   (N) *letter of recommendation; letter of reference; testimonial.*   **Coll.**   (*Cl.* jeung¹ 張)

— sue¹° — 書   (N) *ditto.*   **Fml.**   (*Cl.* fung¹ 封)

— yau⁵ — 引   (V) *recommend for an appointment.*   **Fml.**   **FE**

jin³ 餞   1486   (V) *bid farewell.*   **FS** ‡

— bit⁶ — 別   (V) *bid farewell; give a farewell party.*

— hang⁴ — 行   (V) *ditto.*

— — jau² — — 酒   (N) *farewell dinner.*   (*Cl.* chaan¹ 餐 *or* chi³ 次)

jin³ 戰   1487   (V) *fight a war; war; contest.*   **Fml.**   **SF** ‡   (N) *war; battle.*   **SF** ‡

— baai⁶ — 敗   (V) *lose a war; lose a battle; defeat; be defeated.*   **Fml.**

— che¹° — 車   (N) *war chariot; armoured tank.*   (*Cl.* ga³ 架)

— cheung⁴ — 場   (N) *battlefield.*   (*Cl.* goh³ 個 *or* sue³ 處)

— dei⁶ — 地   (V) *ditto.*

5   — dau³ — 鬥   (V) *fight.*   **FE**

— — gei¹ — — 機   (N) *fighter plane.*   (*Cl.* ga³ 架)

— — lik⁶ — — 力   (N) *fighting strength.*   (*Cl.* jung² 種)

— — yuen⁴ — — 員   (N) *combatant.*

— faan⁶* — 犯   (N) *war criminal.*

10   — foo¹ — 俘   (N) *prisoner of war; POW.*

— — ying⁴ — — 營   (N) *prisoner of war camp; POW camp.*

— guk⁶ — 局   (N) *war situation.*

— gung¹ — 功   (N) *meritorious war service.*   (*Cl.* jung² 種 *or* chi³ 次)

— gwoh² — 果   (N) *results or accomplishments of a battle/war.* (*Cl.* goh³ 個 *or* jung² 種)

15 — ho⁴ — 壕   (N) *war trench.* (*Cl.* tiu⁴ 條)

— jang¹ — 爭   (N) *war; warfare* (*Cl.* chi³ 次 , cheung⁴ 塲 , *or* jung² 種)

— si⁶ — 事   (N) *ditto.*

— jang¹ yue⁵ woh⁴ ping⁴ — 爭與和平   (SE) *war and peace, "War and Peace" (title of Leo Tolstoy's work).*

— kui¹ — 區   (N) *war-zone.* (*Cl.* goh³ 個 *or* sue³ 處)

20 — laam⁶ — 艦   (N) *warship.* (*Cl.* jek³ 只)

— lei⁶ ban² — 利品   (N) *war booty.* (*Cl.* gin⁶ 件 *or* jung² 種)

— leuk⁶ — 略   (N) *strategy.* (*Cl.* goh³ 個)

— si² — 史   (N) *war history.* (*Cl.* bo⁶ 部 *or* yip⁶ 頁)

— — si⁴ — 時   (Adv) *during the war; in wartime.* (Adj) *wartime.*

25 — si⁶ — 士   (N) *warrior.*

— sin³ — 綫   (N) *line of battle; front line.* (*Cl.* tiu⁴ 條)

— sing³ — 勝   (V) *win a war; win a battle; overcome.* **Fml.**

— sut⁶ — 術   (N) *tactics.* (*Cl* goh³ 個)

— yau⁵ — 友   (N) *comrade; comrade in arms.*

30 — yik⁶ — 役   (N) *battle; military compaign.* **FE** (*Cl.* goh³ 個 *or* chi³ 次)

jin⁶ 賤   1488   (Adj) *Cheap; low; mean.* **SF** ‡

— ga³ — 價   (Adj) *low-priced; cheap.* **Fml. FE**

— gaak³ — 格   (N) *low character; poor type of person; scamp.* **AL**

— gwat¹° tau⁴ — 骨頭   (N) *ditto.*

— maai⁶ — 賣   (V) *sell cheap.* **Fml.**

jing¹ 晶   1489   (N) *crystal.* **SF** ‡ (Adj) *brilliant; shining.* **SF** ‡

— ying⁴ (due⁶ muk⁶) — 瑩 (奪目)   (Adj) *brilliant; shining.* **FE**

jing¹ 精   1490   (Adj) *fine; delicate.* **Fml. SF** ‡ (N) *spirit; energy.* **Fml. SF** ‡ **AP jeng¹ see 1377.**

— bing¹ — 兵   (N) *picked troops; crack soldiers.* **Lit. & Fig.** (*Cl.* jung² 種 *or* goh³ 個)

— yui⁵ — 銳   (N) *ditto.*

— choi² — 彩   (Adj) *marvellous; interesting. (RT performances, concerts, shows, sports, etc.)*

— haau² — 巧   (Adj) *skillful; delicate; elegant; fine.*

5 — ji³ — 緻   (Adj) *ditto.*

— mei⁵ — 美   (Adj) *ditto.*

— sai³ — 細   (Adj) *ditto.*

— lik⁶ — 力   (N) *vitality; energy; vigour.* **FE** (*Cl.* jung² 種)

— ming⁴ (nang⁴ gon³) — 明 (能幹)   (Adj) *capable; clever.*

10 — san⁴ — 神   (N) *spirit; vitality.* (*Cl.* jung² 種) (Adj) *spiritual; mental.*

— — baau² moon⁵ — — 飽滿   (Adj) *full of spirits; very energetic.*

— — beng⁶ — — 病   (N) *mental disease.* (*Cl.* jung² 種 *or* goh³ 個)

— — fan¹ chik¹° — — 分析   (N) *psycho-analysis.* (*Cl.* jung² 種)

— — — lit⁶ — — — 裂   (N) *mental breakdown; nervous breakdown.* (*Cl.* jung² 種)

15 — — gaap⁶ jung¹ — — 集中   (V) *concentrate. (ROT mind or energy)*

— — luen⁵ oi³ — — 戀愛   (N) *platonic love.* (*Cl.* jung² 種)

— — sang¹ woot⁶ — — 生活   (N) *mental life; spiritual life.* (*Cl.* jung² 種)

— tung¹ — 通   (V) *be versed in; be expert in.*

— wa⁴ — 華   (SE) *the cream; the choicest parts of sth. (GRT literature, cut, etc.)*

20 — yik — 液   (N) *semen; sperm.* (*Cl.* jung² 種 *or* dik⁶ 滴)

jing¹ 睛   1491   (N) *the pupil of the eye.* **SF** ‡

jing¹ 貞   1492   (Adj) *chaste; pure; loyal.* **SF** ‡ (N) *chastity.* **SF** ‡

— cho¹ — 操   (N) *moral rectitude; chastity.* (*Cl.* jung² 種)

— git³ — 潔   (Adj) *chaste.* **FE** (N) *chastity.* **FE** (*Cl.* jung² 種)

— jung¹ — 忠   (Adj) *loyal; incorruptible.* **FE**

jing 偵   1493   (V) *spy.* **SF** ‡ (N) *detective.* **SF** ‡

— cha⁴ — 查   (V) *spy; investigate.* **FE**

— chaat³ — 察   (V) *ditto.*

— — gei¹   — — 機   (N) *reconnaissance plane.* (*Cl.* ga³ 架)

— chap¹°   — 緝   (N) *detective.* **FE**

5   — taam³   — 探   (N) *ditto.*

— — siu² suet³   — — 小說   (N) *detective story.* (*Cl.* bo⁶ 部 *or* pin¹ 篇)

jing¹ 正   **1494**   (N) *the first month of the year.* **SF** ‡ **AP: (1)** jung³ see 1379; **(2)** jing³ see 1495.

J— yuet⁶   — 月   (N) *January; the first month of the year.* **FE**

jing³ 正   **1495**   (Adv) *exactly.* *(ROT time)* **Fml. SF** ‡ (Adj) *respectable; upright.* **Fml. SF** ‡ **AP: (1)** jeng³ see 1379; **(2)** jing¹ see 1494.

— dong³   — 當   (Adj) *respectable; decent; legitimate.*

— — hang⁴ wai⁴   — — 行爲   (N) *legitimate conduct; correct behaviour.* (*Cl.* jung² 種)

— — saang¹ yi³   — — 生意   (N) *legitimate business.* (*Cl.* jung² 種)

— — sau² juk⁶   — — 手續   (N) *proper/correct procedure.* (*Cl.* jung² 種)

5   — — seung¹ ga¹   — — 商家   (N) *respectable businessman.*

— — — yam⁴   — — — 人   (N) *ditto.*

— — yiu¹ kau⁴   — — 要求   (N) *fair claim; proper demand.* (*Cl.* jung² 種 *or* goh³ 個)

— ging¹   — 經   (Adj) *serious; decent; respectable.* *(GRT speech or behaviour)*

— gok³   — 角   (N) *right angle.*

10   — hei³   — 氣   (N) *uprighteousness.* (*Cl.* jung² 種)

— (tai²) ji⁶   — (體) 字   (N) *full characters (i.e. not simplified characters).* *(ROT the style of written or printed Chinese)*

— jik⁶   — 直   (Adj) *upright; straightforward.* **FE**

— joi⁶   — 在   (Adv) *just; just now.* (Prep) *during.*

— — da² jeung³   — — 打仗   (SE) *during the war.*

15   — — gung¹ jok³   — — 工作   (SE) *just at work; just doing some kind of work.*

— kok³   — 確   (Adv) *accurately; correctly.* (Adj) *accurate; correct.*

— lei⁶   — 理   (N) *justice; truth.* (*Cl.* jung² 種)

— yi⁶ — 義   (N) *justice; truth.*

— — gam² — — 感   (SE) *sense of righteousness.*

20 — moon⁴ — 門   (N) *main door; main entrance.* (*Cl.* do⁶ 度 *or* goh³ 個)

— ng⁵ — 午   (N) *noon; mid-day.*

— paai³ — 派   (Adj) *good; moral; righteous; upright.* (*Cf.* "jing³ yi⁶" "正義" *in L.64, V.58*)

— seung⁴ — 常   (Adj) *normal.* (Adv) *normally.*

— sik¹° — 式   (Adj) *formal; official.*

25 — — cheung⁴ hap⁶ — — 場合   (N) *official function; formal occasion.* (*Cl.* jung² 種 *or* chi³ 次)

— — wooi⁶ yi⁵ — — 會議   (N) *official meeting; conference.* (*Cl.* jung² 種 *or* chi³ 次)

— — yin³ wooi⁶ — — 宴會   (N) *formal dinner; banquet.* (*Cl.* chi³ 次)

— soh² wai⁶ — 所謂   (SE) *as the saying goes.*

— yat¹° hai⁶ — 一係   (SE) *ditto.*

30 — yan⁴ (gwan¹ ji²) — 人（君子）   (N) *upright person; righteous man.*

jing¹ 征   1496   (V) *conquer; subjugate.* **Fml. SF** ‡   (N) *military expedition.* **Fml. SF** ‡

— do² — 討   (V) *subjugate.* **Fml. FE**

— fat⁶ — 伐   (V) *ditto.*

— fuk⁶ — 復   (V) *conquer.* **FE**

— — je² — — 者   (N) *conqueror.* **Fml.**

jing¹ 蒸   1497   (V) *steam; cook with steam-heat.* (N) *steam.* **SF** ‡

— faat³ — 發   (V) *evaporate.* (N) *evaporation.* (*Cl.* jung² 種)

— hei³ — 氣   (N) *steam.* **FE** *(No Cl.)*

— — yuk⁶ — — 浴   (N) *sauna.* (*Cl.* jung² 種 *or* chi³ 次)

— lau⁶ — 餾   (V) *distil; produce steam.*

5 — — sui² — — 水   (N) *distilled water.* (*Bottle:* jun¹ 樽 ; *Glass:* booi¹ 杯.)

— yuk⁶ beng² — 肉餅   (N) *steamed meat-cake.*

jing¹ 徵   1498   (V) *conscript soldiers; levy taxes.*   **SF**   ‡

— bing¹ —   兵   (V) *conscript soldiers; enlist soldiers.*   **FE**

— kau⁴ —   求   (V) *"wanted".*   *(RT newspaper in advertisements)*

— ping³ —   聘   (V) *employ a staff.*   **PL**

— sui³ —   稅   (V) *levy taxes.*   **FE**

jing² 井   1499   (N) *well; pit.*   **Fml.**   **AP** jeng² **SM** see 1378.

jing² 整   1500   (V) *make or manufacture; repair; cook (food); injure; damage.*   **SE**   ‡

— chan¹ —   親   (V) *injure; be injured.*   **FE**

— choi³ —   菜   (N) *cook food.*   **FE**

— chuen¹ —   穿   (V) *puncture; pierce through.*

— dun⁶ —   頓   (V) *readjust; put in order.* *(GRT organizations, institutions, etc.)*

5 — lei⁵ —   理   (V) *ditto.*

— foot³ —   濶   (V) *widen.*   *(Lit. make wide)*

— git³ —   潔   (Adj) *tidy; clean; in good order.*   **Fml.**

— ho² —   好   (V) *repair properly.*

— goh³ —   個   (N) *the whole (of sth).*   (Adj) *whole.*   **SF**   ‡

10 — — gwok³ ga¹ — —   國家   (N) *the whole country.*

— — gwok³ ching⁴ — —   過程   (SE) *the whole procedure; the whole story; from the beginning to the end.*

— — sai³ gaai³ — —   世界   (N) *the whole world.*

— — sing⁴ si⁵ — —   城市   (N) *the whole city.*

— laan⁶ —   爛   (V) *damage (externally).*

15 — lam³ —   冧   (V) *destroy; cause the collapse of.*

— sui³ —   碎   (V) *crush into small pieces; smash to pieces.*

— tuen⁵ —   斷   (V) *break into pieces.*

— waai⁶ —   壞   (N) *damage (internally).*

jing³政   **1501**   (N) *administration; government; politics.*   **SF** ‡

— bin³ — 變   (N) *coup d'etat; overthrow of a government.*   (*Cl.* chi³ 次)

— chaak³ — 策   (N) *policy.*   (*Cl.* goh³ 個 *or* jung² 種)

— dik⁶ — 敵   (N) *political enemy.*

— foo² — 府   (N) *government.*   **FE**

5   — — bo⁶ moon⁴ — — 部門   (N) *government department.*

— — gei¹ gwaan¹ — — 機關   (N) *ditto.*

— — nga⁴ moon⁴* — — 衙門   (N) *ditto.*

— gaai³ — 界   (N) *officialdom; government circles.*

— haak³ — 客   (N) *politician.*   *(Gen. in bad sense)*

10   — ji⁶ — 治   (N) *politics.*   (*Cl.* jung² 種)   (Adj) *political.*

— — dei⁶ lei⁵ — — 地理   (N) *political geography.*   (*Subject:* foh¹° 科)

— — faan⁶* — — 犯   (N) *political offender.*

— — ga¹° — — 家   (N) *statesman.*

— — ging¹ jai³ hok⁶   (N) *policital economy.*   (*Subject:* foh¹° 科)

15   — — gung¹ jok³ — — 工作   (N) *political activities.*   (*Cl.* jung² 種)

— — woot⁶ dung⁶ — — 活動   (N) *ditto.*

— — hok⁶ — — 學   (N) *political science.*   (*Subject:* foh¹° 科)

— — jit³ hok⁶ — — 哲學   (N) *political philosophy.*   (*Cl.* jung² 種)

— — jo² jik¹° — — 組織   (N) *political organization.*   (*Cl.* jung² 種 *or* goh³ 個)

20   — — tuen⁴ tai² — — 團體   (N) *ditto.*

— kuen⁴ — 權   (N) *administration; regime.*   (*Cl.* goh³ 個 *or* jung 種)

— tai² — 體   (N) *system of government.*   (*Cl.* jung² 種 *or* goh³ 個)

jing³症   **1502**   (N) *disease; symptom.*   **SF** ‡

— hau⁶ — 候   (N) *disease; symptom.*   **FE**

jing³證(証)   **1503**   (V) *prove; verify.*   **SF** ‡   (N) *proof; verification.*   **SF** ‡

— gin⁶* — 件   (N) *papers; certificates (in general).*   (*Cl.* jeung¹ 張 ; *Copy:* fan⁶ 份.)

— gui³ — 據   (N) *evidence; proof.*   (*Cl.* goh³ 個 *or* jung² 種)

— huen³ — 券   (N) *bonds; stocks.*   (*Cl.* jeung¹ 張)

— — gaau¹ yik⁶ soh² — — 交易所   (N) *stock exchange.*   (*Cl.* gaan¹ 間)

5   — ming⁴ — 明   (V) *prove; verify; certify.*   **FE**   (N) *proof; verification.* **FE**   (*Cl.* goh³ 個 *or* jung² 種)

— — sue¹° — — 書   (N) *testimonial; certificate; credential.*   (*Cl.* jeung¹ 張)

— sue¹° — 書   (N) *ditto.*

— sat⁶ — 實   (V) *confirm.*   (N) *confirmation.*   (*Cl.* goh³ 個 *or* chi³ 次)

— yam⁴ — 人   (N) *witness.*

jing⁶ 靜   1504   (Adj) *quiet; static.*

— din⁶ — 電   (N) *static electricity.*   (*Cl.* jung² 種)

— gai¹° gai¹° — 鷄鷄   (Adv) *quietly; stealthily; secretly.*   **(Coll.)**

— jing⁶ gai¹° (gai¹°) — 靜鷄   (Adv) *ditto.*

— gwoon¹ — 觀   (V) *contemplate; observe quietly.*   (N) *contemplation; quiet observation.*   (*Cl.* jung² 種)

5   — lik⁶ hok⁶ — 力學   (N) *statics.*   *(No Cl.)*

— mak⁶ — 脈   (N) *vein.*   (*Cl.* tiu⁴ 條)

jing⁶ 淨（凈）   1505   (Adj) *plain; pure; mono-chromatic.*   *(ROT colour)*   **SF**   ‡   **AP** jeung⁶ **see 1380.**

— chung⁵ — 重   (N) *net weight.*

— hai⁶ — 係   (Adv) *only; merely.*

— jik⁶ — 值   (N) *net value.*

— sik¹° (ga³) — 色（嘅）   (Adj) *plain; pure; monochromatic.*   *(ROT colour)*   **FE**

jip¹° 喼   1506   (N) *jeep.*   **SF Tr.**   (*Cl.* ga³ 架)   **CC**

— che¹° — 車   (N) *jeep.*   **FE Tr.**   (*Cl.* ga³ 架)

— jai² — 仔   (N) *ditto.*

jip³ 接   1507

(V) *meet (ships, planes, trains, etc.); welcome; carry; receive; accept; take over; put sb through on the phone.* **SF** ‡

— baan¹° — 班   (V) *take over a shift; succeed sb.* **(Fig.)**

— — yan⁴ — — 人   (N) *successor; next generation; younger generation.* **Fig.**

— baan⁶ — 辦   (V) *take over.* *(RT duties management, etc.)*

— gwoon² — 管   (V) *ditto.*

5 — sau² — 手   (V) *ditto.*

— yam⁶ — 任   (V) *ditto.*

— (foh²) che¹° — (火)車   (V) *meet a train.*

— do² — 到   (V) *received; have received. (GRT mail, telegrams, news, etc.)*

— doi⁶ — 待   (V) *entertain; receive.*

10 — — sat¹° — — 室   (N) *reception room.* (Cl. goh³ 個 or gaan¹ 間)

— fung¹ — 風   (V) *welcome back. (Lt. meet wind)* **Fml.**

— — jau² — — 酒   (N) *welcome dinner (in honour of a returning friend).* (Cl. chi³ 次 or jik⁶ 席)

— gan⁶ — 近   (V) *approach; get near to.*

— (fei¹) jei¹ — (飛)機   (V) *meet a plane.*

15 — hap¹° — 洽   (V) *negotiate; discuss.*

— jai³ — 濟   (V) *help sb in need; supply sth for those in want.*

— joi³ — 載   (V) *take passengers; carry goods or cargo.*

— juk¹° — 觸   (V) *contact; come in contact with.*

— tau⁴ — 頭   (V) *ditto.*

20 — lik⁶ choi³ (paau²) — 力賽(跑)   (N) *relay race.* (Cl. hong⁶ 項 or chi³ 次)

— man⁵ — 吻   (V) *kiss.* (N) *kiss.* (Cl. chi³ 次)

— naap⁶ — 納   (V) *accept; agree to. (GRT suggestions, proposals, etc.)*

— sang¹° — 生   (V) *be a mid-wife.* **Coll.**

— — poh⁴* — — 婆   (N) *midwife.* **Coll. Der.**

25 — sau¹ — 收   (V) *take over; receive. (GRT property or personal effects)*

— sau⁶ — 受   (V) *accept; receive. (GRT honours or compliments)*

— sin³ — 綫   (V) *put sb through on the phone; call sb on the phone; get sb on the phone.* **FE**

— — sang¹° — — 生   (N) *telephone operator; telephone girl.*

— suen⁴* — 船   (V) *meet a ship.*

³⁰   — ying³ — 應   (V) *be in reserve.*

jip³ 摺   1508   (V) *fold; fold up.*

— chek³ — 尺   (N) *folding ruler.* (*Cl.* ba² 把)

— dang³ — 櫈   (N) *folding stool.* (*Cl.* jeung¹ 張)

— sin³ — 扇   (N) *folding fan.* (*Cl.* ba² 把)

— yi² — 椅   (N) *folding chair.* (*Cl.* jeung¹ 張)

jit¹° 喞   1509   (V) *tickle; press or squeeze out sth (from a tube or a container).* **Coll.**

— geuk³ baan² dai² — 脚板底   (V) *tickle the sole of foot.*

— ng⁴ go¹° — 牙膏   (V) *squeeze tooth paste (from a tube).*

— yau⁴* — 油   (V) *service a car.* (*Lit. spout oil*)

jit³ 節   1510   (V) *refrain from; control; save.* **Fml. SF** ‡ (N) *festival.* **SF** (PN) *stanza; paragraph; verse.*

— gwa¹° — 瓜   (N) *hairy gourd.*

— jai⁶ — 制   (V) *refrain from; control.* (N) *contol.* (*Cl.* jung² 種)

— — sang¹ yuk¹° — — 生育   (N) *birth control.* (*Cl.* jung² 種)

— yuk⁶ — 育   (N) *ditto.*

⁵   — jau³ — 奏   (N) *rhythm of music.* (*Cl.* jung² 種)

— — gam² — — 感   (N) *sense of rhythm.* (*Cl.* jung² 種)

— muk⁶ — 目   (N) *programme.* (*Cl.* goh³ 個 *or* hong⁶ 項)

— saang² — 省   (V) *save; be thrifty; be economical.* **Fml. FE** (Adj) *thrifty; economical.* **Fml.**

— — nang⁴ yuen⁴ — — 能源   (SE) *save electricity; save power; save energy.* (*Lit. save energy resource*) **FE**

¹⁰   — — yung⁶ din⁶ — — 用電   (SE) *save electricity.* (*Lit. save use electricity*) **Fml.**

— sik⁶ — 食   (V) *diet; live on a subsistence diet; be on a slimming diet.*

— yat⁶ — 日   (N) *festival; feast-day.* **FE**

jit³ 折 **1511**   (V) *break.* **SF** ‡ (N) *10% of the original price.*
        SF ‡

— chung¹ baan⁶ faat³ — 衷辦法   (N) *compromise; electic solution/ method.* (*Cl.* goh³ 個 *or* jung² 種)

— — jue² yi⁶ — — 主義   (N) *eclecticism.* (*Cl.* goh³ 個 *or* jung² 種)

— kau³ — 扣   (N) *discount; percentage.* **FE**

— tau⁴ — 頭   (N) *ditto.*

5 — moh⁴ — 磨   (V) *torture; suffer.* (N) *torture; suffering.* (*Cl.* jung² 種 *or* chi³ 次)

— tuen⁵ — 斷   (V) *break off; break into two pieces.*

jit³ 哲 (喆) **1512**   (Adj) *wise.* **Fml.** **SF** ‡

— hok⁶ — 學   (N) *philosophy.* (*Lit. study of wisdom*) (*Cl.* jung² 種)

— — bok³ si⁶ — — 博士   (N) *doctor of philosophy; Ph.D.*

— — ga¹° — — 家   (N) *philosopher.*

— lei⁵ — 理   (N) *philosophy; philosophy of life.* (*Cl.* jung² 種)

5 — yan⁴ — 人   (N) *wise man.*

jit³ 浙 **1515**   (N) *Chekiang.* **SF Tr.**

J— Gong¹ (Saang²) — 江 (省)   (N) *Chekiang; Chekiang Province.* **FE Tr.**

jit⁶ 截 **1514**   (V) *stop; intercept; interrupt.* **SF** ‡

— git¹° (dik⁶ yan⁴) — 擊 (敵人)   (V) *intercept (enemies).*

— — gei¹ — — 機   (N) *interceptor (plane).* (*Cl.* ga³ 架)

— jue⁶ — 住   (V) *stop; intercept.* **FE**

— tuen⁵ — 斷   (V) *interrupt; sever.* **FE**

5 — — gaau¹ tung¹ — — 交通   (V) *interrupt communications; break off relations.*

jit⁶ 捷 **1515**   (Adj) *nimble; quick.* **SF** ‡ (P) *used in transliteration.*

— choi⁴ — 才   (N) *ready wit; quick wit.* **Fml.** (*Cl.* jung² 種)

— ging³ — 徑   (N) *short cut.* (*Lit. quick path*) (*Cl.* tiu⁴ 條)

J— Hak¹° (Si¹° Lok³ Fat⁶ Hak¹°) — 克 (斯洛伐克)   (N) *Czecho-slovakia.* **Tr.**

jiu¹朝   **1516**   (N) *morning.* **SF** ‡ *(No Cl.)* **AP chiu⁴ see 334.**

— hei³ — 氣   (N) *fresh morning air; the vigor of youth* **(Fig.).** *(Cl.* jung² 種)

— jik⁶ — 夕   (SE) *morning and evening; day and night.*

— maan⁵ — 晚   (SE) *ditto.*

— jo² — 早   (Adv) *in the morning.* (N) *morning.* **FE** *(No Cl.)*

5 — tau⁴ jo² — 頭早   (Adv) *ditto.* (N) *ditto.*

jiu¹招   **1517**   (V) *beckon; recruit.* **SF** ‡

— bing¹ — 兵   (V) *recruit soldiers; raise troops.*

— mo⁶ gwan¹ dui⁶* — 募軍隊   (V) *ditto.*

— ching² jik¹° yuen⁴ — 請職員   (V) *recruit or employ staff.*

— doi⁶ — 待   (V) *look after a guest/visitor.*

5 — — soh² — — 所   (N) *hostel; "hotel".* *(Cl.* gaan¹ 間)

— — yuen⁴ — — 員   (N) *receptionist; usher.*

— foo¹ — 呼   (V) *entertain (a guest/visitor); greet (sb you know); serve (a customer in a shop/restaurant); assist (a friend/relative in need).*

— — jau¹ do³ — — 週到   (SE) *satisfactory service. (RT hotels, restaurants, petrol stations, etc.)*

— — m⁴ do³ — — 唔到   (SE) *thank you for coming; sorry for not having looked after you better. (A polite expression gen. used at the end of a banquet/reception).*

10 — loi⁴ (saang¹ yi³) — 徠 (生意)   (V) *attract customers.*

— paai⁴ — 牌   (N) *trade-mark or trade name* **(Coll.);** *reputation* **(Fig.);** *signboard.*

— — dang¹° — — 灯   (N) *neon sign.*

— — gwong¹ gwoon² — — 光管   (N) *ditto.*

— — foh³ — — 貨   (SE) *the most acclaimed product; the most popular merchandise. (Lit. trade name goods)* *(Cl.* jung² 種)

15 — sau¹ hok⁶ saang¹° — 收學生   (V) *enrol or recruit pupils.*

— sau² — 手   (V) *beckon with the hand.*

— ye⁵ — 惹   (V) *provoke; irritate.*

— yiu⁴ (jong⁶ pin³) — 搖 (撞騙)   (V) *be an impostor; swindle by using another's name.*

425

jiu¹ 焦   1518

(V) *get scorched.* **Fml.** **SF** ‡   (Adj) *burned; worried; anxious.* **Fml.** **SF** ‡

— gap¹° — 急   (Adj) *anxious; worried; impatient.*

— lui⁶ — 慮   (Adj) *ditto.*

— taan³ — 炭   (N) *coke (made from coal).*   (*Cl.* gau⁶ 礁)

— to² jing³ chaak³ — 土政策   (SE) *"scorched earth" policy/tactics; fighting to the bitter end.*   (*Cl.* jung² 種 *or* goh³ 個)

jiu¹ 礁   1519

(N) *rock; shoals.* **SF** ‡

— sek⁶ — 石   (N) *rock; shoals.* **FE**   (*Cl.* gau⁶ 礁 *or* sue³ 處)

jiu¹° 蕉   1520

(N) *banana.*   (*Cl.* jek³ 隻)

jiu¹ 椒   1521

(N) *green pepper; red pepper.*   (*Cl.* jek³ 只)

jiu² 沼   1522

(N) *marsh.* **SF** ‡

— hei³ — 氣   (N) *marsh gas; fire-damp.*   (*Cl.* jung² 種 *or* jan⁶ 陣)

— jaak⁶ — 澤   (N) *marsh.* **FE**

jiu³ 照 (炤)   1523

(V) *shine; shine on sth; light up; illuminate; base upon; look after.* **SF** ‡   (Adv) *in accordance with.* **SF** ‡   (Prep) *according to.* **SF** ‡

— do⁶ lei⁵ — 道理   (Adv) *according to normal practice; according to regulations; as a rule; by rule.*

— kwai¹ gui² — 規矩   (Adv) *ditto.*

— gau⁶ — 舊   (Adv) *as before; as in the past.*

— gwoo³ — 顧   (V) *look after; take care of.* **FE**

⁵ — gwoon — 管   (V) *ditto.*

— liu⁶ — 料   (V) *ditto.*

— ying³ — 應   (V) *ditto.*

— jue⁶ — 住   (V) *shine; light up; shine on sth.* **FE**

— juk¹° — 足   (V) *base upon.* **FE**   (Adv) *in accordance with.* **FE**   (Prep) *according to.* **FE**

10　— kui⁵ gong²　— 佢講　(SE) *according what she/ he says.*
　— — wa⁶　— — 話　(SE) *ditto.*
　— ming⁴　— 明　(V) *illuminate.*　**FE**
　— — daan⁶*　— — 彈　(N) *illuminating flare; illuminating projectile.*
　— nei⁵ tai²　— 你睇　(SE) *according to what you think; as you see it.*
15　— — ge³ yi³ gin³　— — 嘅意見　(SE) *ditto.*
　— seung³　— 相　(V) *photograph; take pictures.*　**Mdn.**
　— — gei¹　— — 機　(N) *camera.*　(*Cl.* ga³ 架 *or* goh³ 個)
　— seung⁴　— 常　(Adv) *as usual.*
　— — faan¹ gung¹　— — 返工　(SE) *go to work as usual.*
20　— — ying¹ yip⁶　— — 營業　(SE) *business as usual.*
　— wooi⁶　— 會　(N) *diplomatic note.*　(*Copy:* fan⁶ 份)

jiu⁶ 召　1524　(V) *summon; call.*　**SF**　‡
　— jaap⁶　— 集　(V) *summon (a meeting); call (to arms).*　**FE**

jiu⁶ 嚼　1525　(V) *chew; ruminate.*　**Coll.**　**AP jeuk⁶ SM see 1387.**

jo¹ 租　1526　(V) *rent; lease; let.*　(N) *rent.*　(*No Cl.*)
　— bei²　— 俾　(V) *let to.*　(*RT houses, rooms, etc.*)
　— chin⁴*　— 錢　(N) *rent.*　**Coll.**　**FE**　(*No Cl.*)
　— gam¹°　— 金　(N) *ditto.*　**Fml.**　**FE**　(*No Cl.*)
　— ngan⁴*　— 銀　(N) *ditto.*
5　— daan¹°　— 單　(N) *rent receipt.*　(*Cl.* jeung¹ 張)
　— ding¹°　— 丁　(N) *tenant farmer.*
　— woo⁶　— 戶　(N) *ditto.*
　— je³　— 借　(V) *rent; lease; let.*　**Fml.**　**FE**
　— — dei⁶　— — 地　(N) *territory leased to another country.*　(*Cl.* goh³ 個 *or* fuk¹° 幅)
10　— jik⁶　— 值　(N) *amount of rent.*　(*Cl.* goh³ 個 *or* jung² 種)
　— kai³　— 契　(N) *deed (of lease); agreement (of rental).*　(*Cl.* jeung¹ 張)
　— yeuk³　— 約　(N) *ditto.*
　— mo⁶　— 務　(N) *matter relating to the tenure of a flat.*　(*Cl.* jung² 種)

jo¹遭(蹧)   1527   (V) *meet with.* *(GRT bad things)* **Fml.**   **SF**   ‡

— gip³   — 刦   (V) *meet with trouble or calamity.*

— yeung¹   — 殃   (V) *ditto.*

— yue⁶   — 遇   (V) *meet with.* *(GRT bad things)* **FE**   (N) *happening; one's lot in life.*   (*Cl.* jung² 種)

— — jin³   — — 戰   (N) *an encounter; a skirmish.*   (*Cl.* chi³ 次)

jo²早   1528   (Adj) & (Adv) *early.*

— cha⁴   — 茶   (N) *breakfast (Chinese style).*   *(Lit. early tea)*   (*Cl.* chaan¹ 餐)

— chaan¹°   — 餐   (N) *breakfast (Chinese or European style).*   (*Cl.* chaan¹ 餐 *or* goh³ 個)

— fan¹   — 婚   (N) *early marriage.*   *(No Cl.)*

— fan³   — 瞓   (V) *go to bed early.*

5   — hei²   — 起   (V) *get up early.*

— san⁴   — 晨   (SE) *"good morning" (morning greeting).*

— si⁵   — 市   (N) *morning market.*   (*Cl.* goh³ 個 *or* chi³ 次)

— suk⁶   — 熟   (Adj) *big for one's age; well developed (physically) for one's years.*

— tau²   — 唞   (SE) *"good night"; "sleep well"*   *(bed-time greeting).*

10   — wai⁶   — 慧   (Adj) *precocious; advanced for one's age.* *(RT a person's faculties or mental development)*   **Fml.**

jo²祖   1529   (N) *ancestor.*   **SF**   ‡

— cheun⁴   — 傳   (Adj) *handed down from one's ancestors; hereditory.*

— — bei³ fong¹°   — — 秘方   (SE) *medical prescription handed down from father to son.*   (*Cl.* tiu⁴ 條)

— — chaan² yip⁶   — — 產業   (N) *family inheritance; hereditary estate.*   (*Cl.* bat¹° 筆 *or* jung¹ 宗)

— yip⁶   — 業   (N) *ditto.*

5   — foo⁶   — 父   (N) *grandfather (father's father).*   **Fml.**

— — mo⁵   — — 母   (N) *grandparents (father's parents).*   **Fml.**

— gui¹   — 居   (N) *ancestral home; family seat.*

— jik⁶ — 籍   **(N)** *ancestral home; family seat.*
— gwok³ — 國   **(N)** *one's mother country; one's fatherland.*
10 — jung¹ — 宗   **(N)** *ancestors in general.*   **FE**
— sin¹° — 先   **(N)** *ditto.*
— mo⁵ — 母   **(N)** *grandmother (father's mother).*   **Fml.**

jo² 組   1530   **(V)** *group together; gather in.*   **SF** ‡

— hap⁶ — 合   **(V)** *syndicate; organize a syndicate.* **(N)** *syndicate.* (*Cl.* jung² 種 *or* goh³ 個)
— jik¹° — 織   **(V)** *organize; arrange systematically; make preparations for.* **(N)** *organization; organized systems; organized body of persons.* (*Cl.* goh³ 個 *or* jung² 種)
— — (nang⁴) lik⁶ — — (能) 力   **(N)** *organizing ability.*
— — sin² ga¹ ting⁴ — — 小家庭   **(SE)** *build a small home.*

jo² 澡   1531   **(V)** *bathe the body.*   **Mdn.**   **SF** ‡

— tong⁴ — 堂   **(N)** *public baths.*   **Mdn.**   (*Cl.* gaan¹ 間)

jo² 棗   1532   **(N)** *date; jujube.*

— ji² — 子   **(N)** *date; jujube.*   **Mdn.**   **FE**

jo² 蚤(蝨，虱)   1533   **(N)** *flea.*   **Mdn.**   **SF** ‡

jo³ 竈(灶)   1534   **(N)** *kitchen; kitchen range.*

J— Gwan¹ — 君   **(N)** *the Kitchen God.*
— San⁴ — 神   **(N)** *ditto.*
j— tau⁴ — 頭   **(N)** *range (for cooking).*
— toi⁴ — 臺   **(N)** *ditto.*

jo⁶ 做   1535   **(V)** *do; be; act; make; work; celebrate.*   **SF** ‡

— a³ tau⁴* — 阿頭   **(V)** *be a leader; be a "big chief".*   **Sl.**
— — yat¹° (goh¹°) — — 一(哥)   **(V)** *ditto.*

— tau⁴ yan⁴   — 頭人   (V) *be a leader; be a "big chief"*.

— yat¹° goh¹°   — 一哥   (V) *ditto.*

5   — cheung¹° sau²   — 槍手   (V) *sit an examination for sb else.*

— dak¹°   — 得   (SE) *"O.K.!" "fine!"; "all right!".* (*Lit. can do*)

— faat³   — 法   (N) *means; way.* (*Cl.* jung² 種)

— gung¹ foo¹   — 工夫   (V) *work; do some kind of work.* **FE**

— — jok³ — — 作   (V) *ditto.*

10   — si⁶   — 事   (V) *ditto.*

— hei²   — 起   (V) *finish doing sth on time.*

— hei³   — 戲   (V) *act on the stage or in a film; be a hypocrite or pretender* (**Fig.**).

— — gam³ jo⁶   — — 咁做   (SE) *act; pretend; be hypocritical.* (*Lit. like acting*)

— ho² yan⁴   — 好人   (V) *be a good man.*

15   — jue² jik⁶   — 主席   (V) *preside over; be chairman.* (*RT meetings, institutions, etc.*)

— maai⁵ maai⁶   — 買賣   (V) *do commercial business; run a business; buy and sell.*

— saang¹ yi³   — 生意   (V) *ditto.*

— — — gam³ jo⁶ — — — 咁做   (SE) *business-like; down-to-earth and serious.* (*Lit. like doing business*)

— mat¹° ye⁵   — 乜嘢   (Adv) *why? what for? for what reason?* (*Lit. do what?*)

20   — — — woh⁶? — — — 喎?   (SE) *what for? why?* (*Gen. used in contradicting or quarrelling*)

— ngau⁴ jo⁶ ma⁵   — 牛做馬   (SE) *work like a slave.* (*Lit. be an ox and a horse*)

— oi³   — 愛   (V) *make love.* (N) *love-making.* (*Cl.* chi³次)

— saam¹°   — 衫   (V) *make dresses.* (N) *dress-making.* (*No Cl.*)

— waai⁶ yan⁴   — 壞人   (V) *be a bad man.*

25   — yan⁴   — 人   (V) *be a man; behave like a man.* (N) *human existence; one's life on earth.* (*No Cl.*)

— — ching⁴ — — 情   (V) *give a present; do a favour.*

— — (ge³) yuen⁴ jak¹° — — (嘅) 原則   (SE) *ethic for living; moral principles of human behaviour.* (*Cl.* goh³個 *or* jung²種)

— yat⁶ gaang¹° — 日更   (V) *be on the day shift.*

— ye⁶ gaang¹° — 夜更   (V) *be on the night shift.*

30 — ying¹ hung⁴ — 英雄   (V) *do heroic deeds; be a hero; show off.*

— yiu⁴ (saang¹ si⁶) — 謠 (生事)   (V) *fabricate and spread rumours.*

jo⁶ 造 **1536**   (V) *create; make; build.* **AP cho³ see 347.**

— fa³ — 化   (V) *create.* (N) *God; the Creator; good fortune; good luck.*

— faan² — 反   (V) *rebel.* (N) *rebellion.* (Cl. chi³ 次)

— — paai³ — — 派   (N) *rebel; rebel forces; disobedient employee; rebel in the home.* **Lit. & Fig.**

— mat⁶ — 物   (V) *create; create things.* (N) *creation.*

5 — — jue² — — 主   (N) *God; the Creator.*

— suen⁴ — 船   (V) *build ships.*

— — chong² — — 廠   (N) *shipyard; dockyard.* (Cl. gaan¹ 間)

— — yip⁶ — — 業   (N) *shipbuilding.* (Cl. jung² 種)

joh² 左 **1537**   (N) & (Adj) *left.* **SF ‡**

— bin⁶ — 便   (N) *left; left side; left-hand side.* *(No Cl.)* (Adv) & (PP) *on the left; to the left.*

— sau² bin⁶ — 手便   (N) *ditto.* (Adv) & (PP) *ditto.*

— do⁶ (pong⁶ moon⁴) — 道 (旁門)   (N) *heresy; heretical doctrine.* (Cl. jung² 種) (Adj) *heretical.*

— gan⁶* — 近   (Adv) *approximately; about.* (PP) *near; near to; in the vicinity of; in the neighbourhood of.*

5 — yau⁶* — 右   (Adv) *ditto.* (PP) *ditto.*

— lun⁴* — 輪   (N) *revolver.* *(Lit. left turn)* (Cl. ji¹ 支)

— lun⁴ yau⁶ se³ — 鄰右舍   (SE) *near neighbours; next-door neighbours.*

— paai³ — 派   (N) *the left; leftist.* (Adj) *left; leftist.*

— yik⁶ — 翼   (N) *ditto.* (Adj) *ditto.*

10 — yau⁶ sau² — 右手   (N) *right-hand man; valuable helper; capable assistant.*

— — wai⁴ naan⁴ — — 爲難   (SE) *be in a dilemma.*

joh² 阻   **1538**   (V) *obstruct.*

— chi⁴   —   遲   (V) *hold up; delay.*   *(Lit. obstruct late)*

— gaai¹°   —   街   (N) *obstruction.*   *(GRT hawkers, prostitutes, etc.)* *(Cl.* chi³ 次)

— haak³   —   嚇   (V) *deter; frighten off.*

— ji²   —   止   (V) *stop; interrupt.*

⁵   — ngoi⁶   —   碍   (V) *obstruct; hinder; get in the way of.*

— sau² joh² geuk³   —   手阻脚   (V) *ditto.*

joh² 咀   **1539**   **CC**   (Asp) *used as a sign of past or perfect tense.*

joh³ 佐   **1540**   (V) *aid; assist;*   **Fml.**   **SF**   ‡   (P) *used in transliterations.*

J— Dun¹° Do⁶   —   敦道   (N) *Jordan Road.*   **Tr.**   *(Cl.* tiu⁴ 條)

— — — Ma⁵ Tau⁴ — — — —   碼頭   (N) *Jordan Road Ferry Pier.* **Tr.**

j— lei⁵   —   理   (V) *aid; assist.*   **Fml.**   **FE**

joh⁶ 坐   **1541**   (V) *sit; travel by.*   **Fml.**   ‡   (Prep) *by.*   *(RT means of transportation)*   **Fml.**   **AP choh⁵ SM see 358.**

— gwoon¹ sing¹ baai⁶   —   觀成敗   (SE) *sit on the fence.*   *(Lit. sit and watch the result—success or failure)*

— jeng² gwoon¹ tin¹   —   井觀天   (SE) *have a very circumscribed outlook; be insular.*   *(Lit. sit in a well; look at the sky.)*

joh⁶ 座   **1542**   (N) *seat.*   **SF**   ‡   (Cl) *for big buildings, bridges, pagodas; for mountains, hills; for towns, cities, etc.*

— wai⁶*   —   位   (N) *seat.*   **FE**

joh⁶ 助   **1543**   (V) *assist.*

— lei⁵   —   理   (V) *assist.*   **FE**   (N) *assistant.*   (Adj) *assistant.*

— — man⁴ yuen⁴ — — 文員   (N) *clerical assistant.*   *(Lit. assistant clerk)*

— sau³   —   手   (N) *assistant.*

joi¹ 栽   **1544**   (V) *plant; assist; care for.*   **Fml.**   **SF**   ‡

— jik⁶ — 植   (V) *plant.*   **Fml.**   **FE**
— jung² — 種   (N) *ditto.*
— pooi⁴ — 培   (V) *assist; cultivate; care for; tend.*   **FE**

joi¹ 災（灾，裁）   **1545**   (N) *disaster; calamity.*   **SF**   ‡

— hoi⁶ — 害   (N) *disaster; calamity.*   **FE**   (*Cl.* jung² 種 *or* chi³ 次)
— naan⁶ — 難   (N) *ditto.*
— man⁴ — 民   (N) *disaster victim.*

joi³ 載   **1546**   (V) *take passengers; carry goods or cargo.*

— foh³ — 貨   (V) *carry goods or cargo.*   **FE**
— haak³ — 客   (V) *take/carry passengers.*   **FE**
— yan⁴ — 人   (V) *ditto.*
— wan⁶ — 運   (V) *transport; convey.*   **FE**

joi³ 再   **1547**   (Adv) *again.*

— baan² — 版   (N) *second printing; second edition.*   (*Cl.* chi³ 次)
— gin³ — 見   (SE) *"good-bye"; "see you again".*
— wooi⁶ — 會   (SE) *ditto.*   **Mdn.**
— gong² — 講   (V) *repeat; say it again.*
⁵ — lai⁶ yat¹° chi³ — 嚟一次   (SE) *once again; encore.*   (*Lit. again come one time*)

joi⁶ 在   **1548**   (V) *be at; be in; be on.*   **Fml.**   **SF**   ‡   (prep) *at; in; on;* **Fml.**   **SF**   ‡

— cheung⁴ — 塲   (V) *be on the spot; be present at the scene.*
— chiu⁴ — 朝   (V) *be in power; come to the throne; be on the political stage.*
— — dong² — — 黨   (SE) *political party in power; boss's favourite* **(Joc.).**
— — paai⁴ — — 派   (SE) *ditto.*

5   — jik¹°   — 職   (Adj) *in service; working; holding a post; with a job.*

— hoi⁶   — 內   (prep) *within; inclusive of.*

— sam¹   — 心   (V) *take notice of; do sth cautiously.*   (Adv) *attentively; cautiously.*   (Adj) *attentive; cautious.*

— yi³   — 意   (V) *ditto.* (Adv) *ditto.* (Adj) *ditto.*

— ye⁵   — 野   (SE) *be in the opposition; be in the wilderness politically.*

10   — — dong²   — — 黨   (SE) *the opposition; a minority party; not a favourite with the boss (***Joc***).*

— — paai³   — — 派   (SE) *ditto.*

jok³ 作   1549   (V) *make; do; work; write; compose.*   **SF**   ‡

— bai⁶   — 弊   (V) *be dishonest; indulge in corrupt practices.*

— ban²   — 品   (N) *work.*   *(RT writers, artists, musicians, film directors, etc.)*   (Cl. bo⁶ 部 *or* gin⁶ 件)

— faan²   — 反   (V) *rebel*   (N) *rebellion.*   (Cl. chi³ 次)

— luen⁶   — 亂   (V) *ditto.*   (N) *ditto.*

5   — fai³   — 廢   (V) *make void; nullify.*

— ga¹°   — 家   (N) *writer.*   *(GRT literary works)*

— ga² gin³ jing³   — 假見証   (V) *bear false witness; give false evidence.*

— gin³ jing³ (yan⁴)   — 見証(人)   (V) *be a witness.*

— jing³ (yan⁴)   — 証人   (V) *ditto.*

10   — jin³   — 戰   (V) *engage in military operations.*   (N) *military operations.*   (Cl. chi³ 次)

— — gai³ waak⁶   — — 計劃   (SE) *plans for military operations.*

— — muk⁶ biu¹   — — 目標   (SE) *objective of military operations.*

— jong⁶   — 狀   (V) *pretend; be hypocritical; act a part of some kind.*

— kuk¹°   — 曲   (V) *compose music; write music.*

15   — — ga¹°   — — 家   (N) *composer.*

— man⁴*   — 文   (V) *write compositions.*   *(RPT school children.)*

— man⁴ jeung¹   — 文章   (V) *write essays; make excuses* (**Fig.**).

— ok³ doh¹ duen¹   — 惡多端   (SE) *be up to all kinds of evil.*

— si¹°   — 詩   (V) *write poems.*

20   — wai⁴   — 爲   (V) *be used as; be regarded as.*   (N) *outlook; prospect; behavious; acts.*   (Cl. jung² 種)

— yung⁶   — 用   (N) *function; use.*   **Fml.**

jok⁶ 昨   1550   (N) *yesterday.*   **SF**   ‡

— jiu¹ (jo²) — 朝 (早)   (N) & (Adv) *yesterday morning.*
— yat⁶ jiu¹ (jo²) — 日朝 (早)   (N) & (Adv) *ditto.*
— maan⁵ — 晚   (N) & (Adv) *last evening; last night.*
— yat⁶ — 日   (N) & (Adv) *yesterday.*   **FE**

jok⁶ 鑿   1551   (V) *chisel; tunnel.*   **SF**   ‡   **AP jok⁶* see 1552.**

— jeng² — 井   (V) *sink a well.*
— muk⁶ — 木   (V) *chisel wood.*
— tung¹ — 通   (V) *tunnel through.*

jok⁶* 鑿   1552   (N) *chisel.*   (*Cl.* goh³ 個 *or* ba² 把)   **AP jok⁶ see 1551.**

jong¹ 妝(粧)   1553   (V) *adorn oneself; dress up.*   **SF**   ‡

— baan⁶ — 扮   (V) *adorn oneself; dress up.*   **FE**

jong¹ 裝   1554   (V) *equip; install; load; put; contain;*   **SF**   ‡   **AP jong¹ see 1555.**

— bei⁶ — 備   (V) *equip; install.*   **FE**   (N) *equipment; installation.* (*Cl.* jung² 種 *or* yeung⁶ 樣)
— din⁶ dang¹° — 電話   (V) *install electric lights.*
— — wa⁶* — — 話   (V) *install a telephone.*
— faan⁶ — 飯   (V) *fill a bowl with rice; put rice into an empty bowl.*
5 — gaap³ che¹° — 甲車   (N) *armoured car.*   (*Cl.* ga³ 架)
— — chun⁴ loh⁴ che¹° — — 巡邏車   (N) *armoured scout car.*   (*Cl.* ga³ 架)
— laang⁵ hei³ — 冷氣   (V) *be air-conditioned; install an air-conditioner.*
— sau¹ — 修   (V) *repair.*   (*RT hourses*)
— sik¹° — 飾   (V) *decorate.*   (*RT rooms, houses, etc.*)   (N) *decoration.* (*RT rooms, houses, etc.*)   (*Cl.* jung² 種)
10 — — ban² — — 品   (N) *decorative fittings.*   (*Cl.* gin⁶ 件 *or* jung² 種)
— suen⁴ — 船   (V) *load a ship.*
— tin¹ sin³ — 天線   (N) *install an aerial.*

jong¹° 裝 　**1555** 　　(N) *style (GRT clothes, fashions, etc.).* (*Cl.* jung² 種 *or* goh³ 個) **AP jong¹ see 1554.**

jong¹ 椿 　**1556** 　　(N) *pile; piling.* *(for buildings)* (*Cl.* tiu⁴ 條)

jong¹ 莊（庄） 　**1557** 　　(N) *farm; firm.* **SF** ‡ (Adj) *solemn; res-pectful.* **SF** ‡

— ga³ — 稼 　(N) *farming; growing crops.* (*Cl.* jung² 種)

— ging³ — 敬 　(Adj) *respectful; reverent.* **FE**

— jung⁶ — 重 　(Adj) *ditto.*

— hau² — 口 　(N) *business firm.* (*Cl.* gaan¹ 間)

5 — yim⁴ — 嚴 　(Adj) *solemn; imposing.* **FE**

jong¹ 賍（贓） 　**1558** 　　(N) *stolen goods; loot.* **SF** ‡ (Adj) *corrupt.* **SF** ‡

— gwoon¹ — 官 　(N) *corrupt official.*

— mat⁶ — 物 　(N) *stolen foods; loot; booty; plunder; spoil.* (*Cl.* gin⁶ 件 *or* jung² 種)

jong³ 壯 　**1559** 　　(Adj) *strong; able-bodied.* **SF** ‡ (N) *chuang.* **Tr.** **SF** ‡

— ding¹° — 丁 　(N) *able-bodied man; person liable for military service.*

— gin⁶ — 健 　(Adj) *strong; healthy.* **FE**

— ji³ — 志 　(N) *resolution; determination; firmness.* (*Cl.* jung² 種)

J— Kuk⁶ — 族 　(N) *chuang.* *(ROT China's minority nationalities in Kwangsi Province)*

5 — lai⁶ — 麗 　(Adj) *magnificent; imposing; beautiful.* *(RGT buildings, architectures, etc.)*

— si⁶ — 士 　(N) *strong solider; brave man.*

jong³ 葬（塟） 　**1560** 　　(V) *bury.*

— lai⁵ — 禮 　(N) *funeral.* **Fml.** (*Cl.* chi³ 次 *or* jung² 種)

jong⁶ 狀   1561   (N) *form; circumstance.* **SF** ‡

— chi⁴ — 詞   (N) *written accusation; complaint.*   *(RT court actions)* *(Cl.* jeung¹ 張)

— fong³ — 況   (N) *circumstance; situation; condition.*   **FE**   *(Cl.* jung² 種 *or* goh³ 個)

— gwan³ — 棍   (N) *pettifogger; pettifogging lawyer.* **Ctmp.**

— ji² — 紙   (N) *form for filing a plaint.*   *(Cl.* jeung¹ 張)

5 — si¹° — 師   (N) *barrister.*

— taai³ — 態   (N) *form; shape; condition.*   *(GRT athletes, horses, etc.)*   *(Cl.* jung² 種 *or* goh³ 個)

— yuen⁴ — 元   (N) *person gaining first place in the national civil service examinations; successful man in his profession/trade* **(Fig.).**

jong⁶ 撞   1562   (V) *knock against; collide; bump into.* **CP Coll. AP chong⁴ SM see 377.**

— baan² — 板   (V) *"put one's foot in it"; get into trouble; run into danger.* **Sl.**

— daai⁶ baan² — 大板   (V) *ditto.*

— cham⁴ — 沉   (V) *collide and sink.*

— che¹° — 車   (N) *car crash.*   *(Cl.* chi³ 次)

5 — choi² (so³) — 彩 (數)   (SE) *a matter of luck; by luck.*

— do² — 倒   (V) *happen to meet sb; bump into; bump against.*

— gin³ — 見   (V) *ditto.*

— fei¹ gei¹ — 飛機   (N) *plane crash.*   *(Cl.* chi³ 次)

— jeng³ — 正   (V) *be in a head-on collision; Collide head-on.*   *(Lit. collide directly)*

10 — suen⁴ — 船   (N) *collision of ship; collision at sea.*   *(Cl.* chi³ 次)

jong⁶ 藏   1563   (N) *Tibetans* **(Tr.)**;   *treasury.* **Fml. SF** ‡ **AP chong⁴ see 375.**

J— Juk⁶ — 族   (N) *Tibetans.* **Tr. FE**

jong⁶ 臟   1564   (N) *viscera.* **SF** ‡

— foo² — 腑   (N) *viscera.*   *(RT heart, liver, lung, kidney, etc.)* *(No Cl.)*

jue¹ 朱　1565　(Adj) & (N) *red; scarlet.*　(P) *used in transliterations.*

— gwoo¹° lik¹° — 咕力　(N) *chocolate.*　**Tr.**　(*Cl.* nap¹° 粒)

— — — naai⁵ — — — — 奶　(N) *chocolate milk.* (*Bottle:* jun¹ 樽 ; *Cup:* booi¹ 杯)

— hung⁴ — 紅　(Adj) & (N) *red; scarlet.*

— sik¹° — 色　(Adj) & (N) *ditto.*

jue¹° 珠　1566　(N) *pearl.*　(*Cl.* nap¹° 粒)

— bo² — 寶　(N) *jewellery.*　(*No Cl.*)

— — dim³ — — 店　(N) *jewellery shop.*　(*Cl.* gaan¹ 間)

— suen³ — 算　(N) *calculating on the abacus.*　(*Cl.* jung² 種)

jue¹ 侏　1567　(N) *dwarf; pygmy; midget.*　**SF** ‡

— yue⁴ — 儒　(N) *dwarf; pygmy; midget.*　**FE**

jue¹° 豬(猪)　1568　(N) *pig.*　(*Cl.* jek³ 只)

— gung¹° — 公　(N) *boar.*　(*Cl.* jek³ 只)

— jai² — 仔　(N) *young pig.*　(*Cl.* jek³ 只)

— jung¹° — 鬃　(N) *hog's bristle.*　(*Cl.* tiu⁴ 條)

— mo⁴ — 毛　(N) *ditto.*

5　— mo⁵* — 母　(N) *sow.*　**Fml.**　(*Cl.* jek³ 只)

— na² — 嫲　(N) *ditto.*　**Coll.**

— no⁵ — 腦　(N) *pig's brain; stupidity* **(Fig.).**

— pa⁴* — 扒　(N) *pork chop.*　(*Cl.* faai³ 塊, gin⁶ 件 *or* goh³ 個)

— yau⁴ — 油　(N) *lard.*　(*No Cl.*)

10　— yuk⁶ — 肉　(N) *pork.*　(*Lit. pig meat*) (*No. Cl.*)

jue² 主　1569　(N) *master; owner; principal.*　**SF** ‡

— baan⁶ — 辦　(V) *take full charge of; take full responsibility for.* (*RT programmes, projects, exhibitions, charitable balls, etc.*)

— bat¹° — 筆　(N) *editor-in-chief.*

— pin¹ — 編   (N) *editor-in-chief.*

— chi⁴ — 詞   (N) *subject.* **Gr.**

5 — chi⁴ — 持   (V) *administer; take charge of.* *(RT to house-holds, businesses, ceremonies, affairs, etc.)*

— — ga¹ mo⁶ — — 家務   (V) *administer or manage a household; run a home; take on household duties.* **Fml.**

— choi³ — 菜   (N) *main course at a meal.*

— dung⁶ — 動   (Adj) *active; voluntary.* (N) *initiative; motivating power.*

— fan¹ — 婚   (V) *administer a wedding ceremony.*

10 — — yan⁴ — — 人   (N) *parent(s)/guardian(s) of the bridegroom/ bride. (Lit. direct wedding persons)*

— foo⁵ — 婦   (N) *housewife.*

— gok³ — 角   (N) *leading role; hero/heroine of a play/story.*

— gui³ — 句   (N) *principal clause.* **Gr.**

— gwoon¹ — 觀   (Adj) *subjective.* (N) *subjective viewpoint.*

15 — jeung¹ — 張   (N) *advocate; propose.* (N) *proposal.*

— jeung³ — 將   (N) *commander-in-chief; commanding officer.* **Lit. & Fig.**

— sui³ — 帥   (N) *ditto.*

— jik⁶ — 席   (N) *chairman.*

— kuen⁴ — 權   (N) *sovereignty.* (*Cl.* jung² 種 *or* goh³ 個)

20 — lik¹° — 力   (N) *main strength. (RT military forces, establishments, etc.)*

— — laam⁶ — — 艦   (N) *capital ship.* (*Cl.* jek³ 只)

— si³ — 使   (V) *instigate.*

— yan⁴* — 人   (N) *host; hostess.*

— yan⁴ ga¹ — 人家   (N) *ditto.*

25 — — gwok³ — — 國   (N) *host country.*

— yi³ — 意   (N) *idea; suggestion; decision; determination; mind.*

— yi⁶ — 義   (N) *doctrine or practice; "-ism".* (*Cl.* goh³ 個 *or* jung² 種)

— — je² — — 者   (N) *one who believes in and practises an "-ism"; "-ist".*

jue² 煮 1570 (V) *cook; boil.* **SF** ‡

— chaan¹° — 滄 (V) *cook a European meal; cook European food.*

— faan⁶ — 飯 (V) *cook a Chinese meal; cook Chinese food.*

— — poh⁴* — — 婆 (N) *cook-amah; housewife* **(Joc.).** *(Lit. cook rice old woman)*

jue³ 注 1571 (V) *emphasize; inject.* **SF** ‡

— jung⁶ — 重 (V) *emphasize; attach importance to; take seriously; take full account of.*

— si⁶ — 視 (V) *stare at; gaze.*

— yam¹° — 音 (V) *romanize Chinese characters; mark Chinese characters with phonetic symbols.* (N) *romanization.* *(Cl.* jung² 種*)*

— —·fong¹ faat³ — — 方法 (N) *system of romanization.* *(Cl.* jung² 種 *or* goh³ 個*)*

— — jai³ do⁶ — — 制度 (N) *ditto.*

— — ji⁶ mo⁵ — — 字母 (N) *phonetic alphabets used in romanizations.* *(Cl.* jung² 種*)*

— yi³ — 意 (V) *pay attention to; attach significance to.* (N) *attention.* *(No Cl.)*

jue³ 蛀 1572 (V) *eat or bore into.* *(RT worms/insects)* **SF** ‡

— chung⁴ — 虫 (N) *worm/insect which eats books, clothes, etc.*

— laan⁶ — 爛 (V) *spoil by worms/insects; eat holes in.*

— nga⁴ — 牙 (N) *decayed tooth.* *(Cl.* jek³ 只*)*

jue³ 註 1573 (V) *register; explain.* **SF** ‡

— chaak³ — 冊 (V) *register.* *(GRT records of professional bodies, schools, etc.)*

— gaai² — 解 (N) *explanatory notes.* *(Cl.* jung² 種 *or* goh³ 個*)*

— geuk³ — 脚 (N) *ditto.*

— siu¹ — 銷 (V) *cancel; write off.* *(RT registrations, accounts, etc.)*

jue³ 著   **1574**   (V) *write.* *(RT books, articles, etc.)* **Fml. SF** ‡
AP jeuk³ see **1386.**

— jok³ — 作   (V) *write.* *(RT books articles, etc.)*   **Fml. FE**

— sue¹ lap⁶ suet¹ — 書立說   (N) *ditto.*

— sut⁶ — 述   (V) *ditto.*

— meng⁴* — 名   (Adj) *famous; well-known.*

jue⁶ 住   **1575**   (V) *live in; stay.* (Asp) *used as a sign of progressive tense.*

— dak¹° hei² — 得起   (SE) *can afford to live somewhere.*

— gwai³ lau⁴* — 貴樓   (V) *pay a high rent for premises.*

— — uk¹° — — 屋   (V) *ditto.*

— jaak⁶ — 宅   (N) *dwelling house.* **Fml.** (*Cl.* gaan¹ 間)

5   — soh² — 所   (N) *ditto.*

— haak³ — 客   (N) *tenant; resident; occupant.*

— woo⁶ — 戶   (N) *ditto.*

— ji² — 址   (N) *residential address; street address.*

— m⁴ hei² — 唔起   (SE) *cannot afford to live somewhere.*

10   — moon⁵ yan⁴ — 滿人   (V) *be full of residents; be all occupied.* *(RT houses, flats, etc.)*

— peng⁴ lau⁴* — 平樓   (V) *pay a low rent for premises.*

— — uk¹° — — 屋   (V) *ditto.*

— uk¹° man⁶ tai⁴ — 屋問題   (N) *housing problems; question of housing.*

juen¹ 專(耑)   **1576**   (Adj) *special; despotic.* **SF** ‡

— che¹° — 車   (N) *special train; special bus.* (*Cl.* ga³ 架)

— ga¹° — 家   (N) *expert; specialist.*

— jai³ — 制   (Adj) *despotic; autocratic.*

— lei⁶ (kuen⁴) — 利(權)   (N) *monopoly; patent rights.* (*Cl.* jung² 種)

5   — moon⁴* — 門   (Adv) *exclusively; specially.* (Adj) *specialized; technical.*

— — hok⁶ haau⁶ — — 學校   (N) *technical school.* (*Cl.* gaan¹ 間)

— — yan⁴ choi⁴ — — 人材 (N) *specialized talent; expert.*

— sam¹ (ji³ ji³) — 心 (致志) (Adv) *with concentration; with fixed attention.*

juen¹ 磚 (甎) 1577   (N) *brick.* SF ‡

— tau⁴ — 頭 (N) *brick.* FE (*Cl.* gau⁶ 礚)

— uk¹° — 屋 (N) *brick house.* (*Cl.* gaan¹ 間)

juen¹ 尊 1578   (V) *respect; honour.* CP SF ‡ (Adj) *honourable; dignified.* CP SF ‡ AP jun¹ SM see 1613.

— ging³ — 敬 (V) *respect; give respect to; honour.* FE

— jung⁶ — 重 (V) *ditto.*

— gwai³ — 貴 (Adj) *honourable; noble.* FE

— yim⁴ — 嚴 (Adj) *dignified; solemn.* FE (N) *dignity; solemnity.*
(*Cl.* jung² 種)

juen¹ 遵 1579   (V) *obey.* Fml. AP jun¹ SM see 1614.

juen¹ 鑽 (鑚) 1580   (V) *bore.* SF ‡ AP juen³ see 1581.

— lung¹° — 窿 (V) *bore a hole.*

— muk⁶ chui² foh² — 木取火 (SE) *bore wood to produce fire by friction.*

— ying⁴ — 營 (V) *intrigue to secure position.* Fig.

juen³ 鑽 (鑚) 1581   (N) *diamond.* SF ‡ AP juen¹ see 1580.

— sek⁶ — 石 (N) *diamond.* FE (*Cl.* nap¹° 粒)

juen³ 轉 1582   (V) *change; turn.* SF ‡ AP juen³* see 1583.

— che¹° — 車 (V) *change train; change bus.*

— fei¹ — 飛 (V) *change ticket.* Coll.

— piu³ — 票 (V) *ditto.* Fml.

— fei¹ gei¹ — 飛機 (V) *change plane.*

⁵ — fung¹ — 風   (N) *change of wind; change of luck* (**Fig.**).   (*Cl.* chi³ 次)

— gei¹ — 機   (N) *turning point.*

— haau⁶ — 校   (V) *transfer to another school.*

— hok⁶ — 學   (V) *ditto.*

— hau² — 口   (V) *change one's attitude; change one's tune; tranship.*

¹⁰ — huen¹° — 圈   (V) *go in a circle.*

— joh² — 左   (V) *turn left.*

— san¹° — 身   (V) *turn round and stand still.*   (*Lit. turn the body*).

— sau² — 手   (V) *change hands; change ownership.*

— tau⁴ — 頭   (V) *turn around.*

¹⁵ — waan¹° — 灣   (V) *turn a corner; make a turn.*

— woon⁶ — 換   (V) *change for sth else; have sth else for a change.*

— yau⁶ — 右   (V) *turn right.*

juen³* 轉   1583   (V) *revolve.* **SF** ‡ **AP** juen³ see 1582.

— bin³ — 變   (V) *change; change from one side or direction to another.*

— dung⁶ — 動   (V) *revolve.* **FE**

— hau² gong² — 口港   (N) *entrepot.*   (*Cl.* goh³ 個)

— ngaan⁵ gaan¹° — 眼間   (Adv) *in the twinkling of an eye.*

juen⁶ 傳   1584   (N) *biography.* **SF** ‡ **AP** chuen⁴ see 395.

— gei³ — 記   (N) *biography.* **FE**   (*Cl.* bo⁶ 部 *or* boon² 本)

juet³ 啜   1585   (V) *suck; kiss.*

— min⁶ jue¹° — 面珠   (V) *kiss the cheek.*

— sau² ji² — 手指   (V) *such fingers.*

juet³ 輟   1586   (V) *stop.* **SF** ‡

— hok⁶ — 學   (V) *stop studies; finish schooling.*

juet⁶ 絕   **1587**   (V) *break off.* **SF** ‡   (Adj) *absolute.* **SF** ‡   (Adv) *absolutely.* **SF** ‡

— dui³ — 對   (Adj) *absolute.* **FE**   (Adv) *absolutely.* **FE**

— gaau¹ — 交   (V) *break off friendship.*

jui¹ 追   **1588**   (V) *bother; importune; chase; run after.*

— bing¹ — 兵   (N) *soldies in pursuit.*   (Cl. goh³ 個; dui⁶ 隊 *or* ji¹ 支)

— do³ sau³ — 到瘦   (SE) *bother desperately; importune terribly.*

— gon² — 趕   (V) *chase; run after.* **FE**

— gwoh³ — 過   (V) *overtake; surpass.*   (*Lit. chase pass*)

5 — jaai³ — 債   (V) *dun for debt.*

— kau⁴ — 求   (V) *court; pursue.*   (N) *courtship; pursuit.*   (Cl. chi³ 次)

jui¹ 狙   **1589**   (V) *snipe at.* **SF** ‡

— gik¹° — 擊   (V) *snipe at.* **FE**

— — bing¹ — — 兵   (N) *sniper.*

— — sau² — — 手   (N) *ditto.*

jui² 嘴(觜，咀)   **1590**   (V) *chew.* **Fml. SF** ‡   (N) *mouth.*

— jeuk³ — 嚼   (V) *chew.* **Fml. FE**

jui³ 醉   **1591**   (Adj) *drunk.* **SF** ‡

— fan¹ fan¹ — 醺醺   (Adj) *dead drunk; as tight as a tick; as drunk as a lord.*

— jau² — 酒   (Adj) *drunk.* **FE**

— — lo² — — 佬   (N) *drunkard; sot.*

— jui³* dei⁶* — 醉地   (Adj) *slightly tipsy; "merry"; "high"; "glorious".*

5 — sam¹ — 心   (Adj) *infatuated with; mad about.* (*Lit. drunken heart*)

— yi³ — 意   (N) *drunkenness; drunken fancy.*   (Cl. jung² 種)

jui³ 最   1592   (Adj) & (Adv) *most.*

— dai¹ haan⁶ do⁶ — 低限度   (Adv) *at least.*

— siu² — 少   (Adv) *ditto.*

— doh¹ — 多   (Adv) *at most.*

— gan⁶ — 近   (Adv) *recently.*   (Adj) *most recent; latest.*

⁵ — hau⁶ — 後   (Adj) *last.*   (Adv) *at last; at the end; finally.*

— — yat¹° doh³ (yan⁴) — — 一個（人）   (SE) *the last one (person).*

— — — yat⁶ — — — 日   (SE) *the last day.*

— ho² — 好   (Adj) *best.*   (N) *the best.*   *(No Cl.)*

— — bat¹° gwoh³ — — 不過   (SE) *nothing is better than that; that's the best.*   *(RGT actions or ideas)*

— waai⁶ — 壞   (Adj) *worst.*   (N) *the worst.*   *(No Cl.)*

— yai⁵ — 吟   (Adj) *ditto.*   (N) *ditto.*

jui⁶ 序   1593   (N) *preface.*   **Fml.**   **SF**   ‡   **AP** jui⁶* **SM** see 1594.

— man⁴ — 文   (N) *preface.*   **Fml.**   **FE**   (*Cl.* pin¹ 篇)

jui⁶* 序   1594   (N) **Coll.**   (*Cl.* pin¹ 篇)   **AP** jui⁶ **SM** see 1593.

jui⁶ 叙（敍）   1595   (V) *chat; talk; narrate.*   **Fml.**   **SF**   ‡

— gau⁶ — 舊   (V) *talk over old times.*   **Fml.**   **FE**

— sut⁶ — 述   (V) *narrate; state some fact, quote from.*   **Fml.**   **FE**

— taam⁴ — 談   (V) *chat.*   **Fml.**   **FE**

jui⁶ 罪（辠）   1596   (N) *crime; sin; guilt.*   **SF**   (*Cl.* tiu⁴ 條)

— faan⁶* — 犯   (N) *criminal; convict.*

— jong⁶ — 狀   (N) *criminal charge; circumstances of a crime.* (*Cl.* jung² 種 *or* goh³ 個)

— ok³ — 惡   (N) *crime; sin; guilt.*   **FE**   (*Cl.* tiu⁴ 條)

— — woot⁶ dung⁶ — — 活動   (N) *criminal activities.*   (*Cl.* jung² 種)

⁵ — on³ — 案   (N) *criminal case; crime.*   (*Cl.* gin⁶ 件)

— — gei² luk⁶ — — 紀錄 (N) *crime history; criminal record.*

— — jung² so³ — — 總數 (N) *overall crime rate.*

— — taai³ doh¹ — — 太多 (SE) *too many crimes.*

— yan⁴ — 人 (N) *sinner.*

jui⁶ 聚 1597 (V) *assemble.* **SF** ‡

— chaan¹° — 湌 (V) *have a "group dinner"; have a "no-host" meal.* (N) *"group dinner"; "no-host" meal.* (*Cl.* chi³ 次)

— do² — 賭 (V) *assemble for gambling.*

— jaap⁶ — 集 (V) *gather together; assemble.* (N) *assembly; meeting.* (*Cl.* chi³ 次)

— wooi⁶ — 會 (V) *ditto.* (N) *ditto.*

5   — jing¹ wooi⁶ san⁴ — 精會神 (SE) *concentration attention and energies.*

jui⁶ 嶼 1598 (N) *inlet.* **Fml. SF** ‡ **CP** yue⁴

juk¹° 竹 1599 (N) *bamboo.* **SF**

— chim¹° — 籤 (N) *slip of bamboo; tally.*

— sa¹ — 紗 (N) *cambric.* (*Bolt:* pat 疋)

— sue⁶ — 樹 (N) *bamboo.* **FE** (*Cl.* poh¹ 篍)

— sun² — 筍 (N) *bamboo shoot.* (*Cl.* goh³ 個 *or* jek³ 只)

5   — tung⁴* — 筒 (N) *bamboo tube.*

juk¹° 築 1600 (V) *build.* **Fml. SF** ‡

— seng⁴ — 城 (V) *build a city wall.*

— tai⁴ — 堤 (V) *raise a dyke or embankment.*

juk¹° 燭(烛) 1601 (N) *candle.* **SF** ‡ (*Cl.* ji¹ 支)

— gwong¹ — 光 (N) *candle-light.*

— jin² — 剪 (N) *snuffers.* (*Cl.* ba² 把)

— toi⁴ — 臺 (N) *candlestick.*

juk¹°觸   **1602**   (V) *irritate; touch.*   **SF**   ‡

— gok³ — 覺   (V) *touch.*   **FE**   (N) *the sense of touch.*   (*Cl.* jung² 種)

— moh² — 摸   (V) *ditto.*

— gok³ — 角   (N) *feeler; antenna.*   (*Cl.* tiu⁴ 條)

— so¹ — 鬚   (N) *ditto.*

— no⁶ — 怒   (V) *irritate; provoke.*   **Fml.**   **FE**

juk¹°囑   **1603**   (V) *instruct; request.*   **Fml.**   **SF**   ‡

— foo³ — 咐   (V) *instruct.*   **Fml.**   **FE**

— tok³ — 託   (V) *request.*   **Fml.**   **FE**

juk¹°祝   **1604**   (V) *bless; congratulate; pray.*   **SF**   ‡

— fuk¹° — 福   (V) *bless; invoke a blessing.*   (N) *blessing.*   (*Cl.* chi³ 次)

— go³ — 告   (V) *pray.*   **FE**

— to² — 禱   (V) *ditto.*

— hoh⁶ — 賀   (V) *congratulate; offer/send congratulations.*   **FE**

⁵ — sau⁶ — 壽   (V) *offer birthday congratulations.*

juk¹°粥   **1605**   (N) *gruel; congee.*   *(Bowl:* woon² 碗*)*

— min⁶ po³ — 麵舖   (N) *Chinese "snack-bar"; small restaurant mainly serving noodles and Chinese gruel.*   *(Lit. gruel noodles shop)*   (*Cl.* gaan¹ 間)

— sui² — 水   (N) *thin gruel; thin congee.*   *(Lit. gruel water)*   *(Bowl:* woon² 碗)

juk¹°足   **1606**   (Adj) *enough; sufficient.*   **SF**   ‡   (Adv) *enough; completely.*   **SF**   ‡   (N) *foot.*   **Fml.**

— gau³ — 夠   (Adj) *enough; sufficient.*   **FE**   (Adv) *enough; completely.*   **FE**

— juk¹° — 足   (Adv) *fully; completely.*   **Coll.**   **FE**

— kau⁴ — 球   (N) *football.*   (*Cl.* goh³ 個); *football or soccer match* (*Cl.* cheung⁴ 塲).

— — cheung⁴ — — 塲   (N) *stadium.*   *(mainly for soccer matches)*

juk³ 捉   1607   (V) *arrest; catch.*

— chaak⁶* — 賊   (V) *arrest or apprehend thieves.*
— lo⁵ sue² — 老鼠   (V) *catch rats.*

juk⁶ 逐   1608   (Adv) *one by one.*   **SF**   ‡

— jim⁶* — 漸   (Adv) *gradually; little by little.*
— wai⁴ — 圍   (Adv) *to one table after another; from one table to another.*   *(RT a formal Chinese dinner)*
— yat¹° juk⁶ yi⁶ — 一逐二   (Adv) *one by one; in succession.*   **FE**
— yat⁶ — 日   (Adv) *day by day; on a daily basis.*

juk⁶ 濁   1609   (Adj) *muddy; evil.*   **SF**   ‡

— mat⁶ — 物   (N) *lout; vulgar person.*   **AL**
— yan⁴ — 人   (N) *ditto.*
— sai³ — 世   (N) *evil times; immoral world.*
— sui² — 水   (N) *muddy water.*   *(No Cl.)*

juk⁶ 俗   1610   (Adj) *colloquial; common*   *(GRT languages).*   **SF**   ‡

— ji⁶ — 字   (N) *colloquial character; Cantonese character.*
— wa⁶* — 話   (N) *colloquial expression.*   *(Cl.* gui³ 句*)*   *(Adv) colloquially.*
— yue⁵ — 語   (N) *saying.*   *(Cl.* gui³ 句*)*
— — yau⁵ wa⁶ — — 有話   (SE) *as the saying is; as the saying goes.*

juk⁶ 族   1611   (N) *clan; tribe.*   **SF**   ‡

— jeung² — 長   (N) *elder of a clan.*
— po² — 譜   (N) *clan register; family tree.*
— yan⁴ — 人   (N) *clansman.*

juk⁶ 續   1612   (V) *continue.*   **SF**   ‡

— jo¹ — 租   (V) *renew a lease.*   *(Lit. continue to rent.)*
— yeuk³* — 約   (V) *renew; extend.*   *(RT contracts, leases, etc.)*

jun¹尊   **1613**   (V) *respect; honour.* **Fml. SF** ‡ (Adj) *honourable; dignified.* **Fml. SF** ‡

jun¹遵   **1614**   (V) *obey; observe.* **CP SF** ‡ **AP juen¹ see 1579.**

— chung⁴ — 從 (V) *obey; follow.* *(RT principles, doctrines, etc.)* **FE**

— hang⁴ — 行 (V) *carry out obediently.* *(RT orders, regulations, etc.)*

— sau² — 守 (V) *observe; honour or keep.* *(RT treaties, agreements, promises, etc.)* **FE**

jun¹樽(罇)   **1615**   (N) *bottle.*

— geng² (dei⁶ daai³) — 頸 (地帶) (N) *bottle neck.* *(RT traffic).* **Fig.** *(Cl.* goh³ 個 *or* tiu⁴條)

jun¹津   **1616**   (V) *subsidize.* **SF** ‡

— tip³ — 貼 (V) *subsidize; give extra pay.* (N) *subsidy; allowance.* *(Cl.* chi³ 次 *or* jung² 種)

— — hok⁶ haau⁶ — — 學校 (N) *subsidized school.* *(Cl.* gaan¹ 間)

jun²准 **1617**   (V) *allow; permit.*

— hui² — 許 (V) *allow; permit.* **FE**

— — jing³ — — 証 (N) *permit; credential.* *(Cl.* jeung¹張)

jun²準   **1618**   (Adj) *exact; correct.* **SF** ‡ (N) *rule; standard.* **SF** ‡

— bei⁶ — 備 (V) *prepare; get ready.* (N) *preparation.* *(Cl.* jung² 種)

— — gam¹° — — 金 (N) *reserve fund.* *(Cl.* jung² 種 *or* bat¹° 筆)

— jak¹° — 則 (N) *rule; standard.* *(Cl.* goh³ 個 *or* jung²種)

— kei⁴ — 期 (Adj) *punctual.* *(RT a date).* (Adv) *punctually.* *(RT a date).*

⁵ — kok³ — 確 (Adj) *correct; precise.* **FE**

— si⁴ — 時 (Adj) *punctual (RT on time)* (Adv) *punctually.* *(RT on time)*

jun³ 進   **1619**   (V) *enter; advance; move forward.* **SF** ‡

— bing¹ — 兵   (V) *move troops up to attack.*

— bo⁶ — 步   (V) *make progress; improve.*   (Adj) *progressive; improving.* (N) *progress.* (Cl. jung² 種)

— chut¹° hau² (mau⁶ yik⁶) — 出口 (貿易)   (SE) *imports and exports; import-export trade.* (Cl. jung² 種)

— gung¹ — 攻   (V) *attack; invade; make an assault.* (N) *attack; invasion.* (Cl. chi³ 次)

5   — hang⁴ — 行   (V) *undergo; proceed.*

— hau² — 口   (V) *import; enter a port.*

— — foh² — — 貨   (N) *imports; imported goods.* (Cl. jung² 種 or pai 批)

— — mau⁶ yik⁶ — — 貿易   (N) *import trade.* (Cl. jung² 種)

— — seung¹ — — 商   (N) *importer.*

10   — — sui³ — — 稅   (N) *import duty.* (Cl. jung² 種)

— tui² leung⁵ naan⁴ — 退兩難   (SE) *be in a dilemma.* (*Lit. advance retreat both difficult)*

— yap⁶ — 入   (V) *enter.* **Fml.** **FE**

jun⁶ 盡 (尽)   **1620**   (V) *exhaust.* **Fml.** **SF** ‡

— boon² fan⁶ — 本份   (SE) *do one's duty; do what one can.*

— jik¹° — 職   (SE) *ditto.*

— leung⁶ — 量   (Adv) *as much as possible.*

— — tai⁴ go¹ — — 提高   (V) *promote to a top grade.*

5   — — — — foh³ ga³ — — — — 貨價   (V) *increase to a ceiling price.*

— lik⁶ — 力   (Adv) *with all one's might; with might and main; desperately.*

jung¹ 中   **1621**   (Adj) *middle; central; medium.* **SF** ‡ (N) *China.* **SF** ‡ **AP jung³ see 1622.**

j— Chau¹ jit³ — 秋節   (N) *the Mid-Autumn Festival, the "Moon Cake Festival."* (Cl. goh³ 個)

j— chun⁴ — 旬   (N) *and* (Adv) *the middle of a month.*

j— Daai⁶ — 大   (N) *Chinese University of Hong Kong.* **SF** *(Cl.* gaan¹ 間)

— Man⁴ Daai⁶ Hok⁶ — 文大學   (N) *ditto.* **FE**

5   j— dang² — 等   (Adj) *medium; middle. (RT sizes; heights, prices, class of people, etc.)*

— — ga¹ ting⁴ — — 家庭   (SE) *middle-class family.*

— — ga³ chin⁴ — — 價錢   (Adj) *medium—priced.* (N) *medium price.*

— — go¹ do⁶ — — 高度   (Adj) *medium of height. (RT people)* (N) *medium height. (RT people)*

— — sam¹ choi⁴ — — 身材   (Adj) *medium—sized; of medium build. (RT people).* (N) *medium size. (RT people)*

10   J— Dung¹ — 東   (N) *Middle East.*

j— gaan¹° — 間   (PP) *in the middle of.* (Adj) *middle; central.* **FE** (N) *middle; centre. (No Cl.)*

— — fong⁴* — — 房   (N) *bed-room in middle of flat. (Lit. middle room)* (Cl. gaan¹ 間 or goh³ 個)

— — yan⁴* — — 人   (N) *middle-man; go-between.*

J— Gwok³ — 國   (N) *China.* **FE** (Adj) *China; Chinese.* **FE**

15   — — Daai⁶ Luk⁶ — — 大陸   (N) *Chinese Mainland.*

— — Gwok³ Foh³ Gung¹ Si¹° — — 國貨公司   (N) *China Products Co.* (Cl. gaan¹ 間)

— — Ngan⁴ Hong⁴ — — 銀行   (N) *The Bank of China.* (Cl. gaan¹ 間)

— — San¹ Nin⁴ — — 新年   (N) *Chinese New Year.*

— — yan⁴ — — 人   (N) *Chinese; Chinese people.*

20   — — yit⁶ — — 熱   (N) *enthusiasm for everything Chinese.* (Cl. jung² 種)

j— hok⁶ — 學   (N) *secondary school; middle school.* (Cl. gaan¹ 間)

— — bat¹° yip⁶ sang¹° — — 畢業生   (N) *school leavey; a student whose secondary education is completed.*

— — sang¹° — — 生   (N) *secondary school student.*

— — wooi⁶ haau² — — 會考   (N) *school-leaving certificate examination. (Lit. secondary schools' joint final examinations)* (Cl. chi³ 次 or nin⁴ 年)

25   — lap⁶ — 立   (Adj) *neutral; non-committal; impartial; unbiased.*

— — gwok³ — — 國   (N) *neutral nation.*

— — paai³   — — 派   (N) *party or people remaining neutral.*

— ma⁵ — 碼   (Adj) *medium sized.* *(GRT clothing)*   (N) *medium size.* *(GRT clothing)*

— — foo³   — — 袴   (N) *medium-sized trousers.* *(Cl.* tiu⁴ 條)

— — saam¹°   — — 衫   (N) *medium-sized coat/garment.* *(Cl.* gin⁶ 件)

J— man⁴ — 文   (N) *Chinese; Chinese language.* *(Cl.* jung² 種)

— — bo³ ji²   — — 報紙   (N) *Chinese language newspaper.* *(Cl.* fan⁶ 份 *or* jeung¹ 張)

— — hok⁶ haau⁶   — — 學校   (N) *Chinese school.* *(Cl.* gaan¹ 間)

— — jung¹ hok⁶   — — 中學   (N) *Chinese secondary school.* *(Cl.* gaan¹ 間)

35   — Naam⁴ — 南   (N) *South Central China.* *(Lit. Central south)*

j— nin⁴ — 年   (Adj) *middle-aged.* (N) *middle age.* *(No Cl.)*

— — yan⁴   — — 人   (N) *middle-aged people; middle-aged man.*

— po¹° — 鋪   (N) *middle berth.* *(RT sleeping cars; ships, bedrooms etc.)*

— sam¹° — 心   (N) *Centre.* *(RT institutions, activities, etc.)*

40   J— sik¹° — 式   (Adj) *Chinese-style.* *(GRT Clothes, cooking, etc.)*

— Wa⁴ — 華   (N) *China.* **Fml.** **FE**

— — Yan⁴ Man⁴ Gung⁶ Woh⁴ Gwok³   — — 人民共和國   (N) *the People's Republic of China.*

— Waan⁴ — 環   (N) *Central District.*

— — Gaai¹ Si⁵   — — 街市   (N) *Central Market.* **Coll.** *(Cl.* goh³ 個)

45   — Yeung¹ Si⁵ Cheung⁴ — 央市場   (N) *ditto.* **Fml.**

— Yat⁶ Jin³ Jang¹ — 日戰爭   (N) *the Sino—Japanese War.* *(Cl.* chi³ 次)

— yeuk⁶ — 葯   (N) *medicinal herb; Chinese medicine.* *(Cl.* jung² 種)

j— yeung¹ — 央   (Adj) *central.* *(GRT governments, administrations, systems, etc.)*

— — jing³ foo²   — — 政府   (N) *central government.*

50   J— yil — 醫   (N) *herbalist; Chinese doctor.*

J— Ying¹ — 英   (SE) *Sino-British, Chinese-English.* **SF**

— — bin¹ gaai³   — — 邊界   (N) *Sino-British border; Hong Kong border.* *(Cl.* tiu⁴ 條)

— — bin¹ ging² — — 邊境 (N) *Sino-British border; Hong Kong border.* (*Cl.* goh³ 個 *or* sue³ 處)

— — gwaan¹ hai⁶ — — 關係 (N) *Sino-British relations.* (*Cl.* jung² 種)

⁵⁵ — — Jin³ Jang¹ — — 戰爭 (N) *the Sino-British War.* (*GRT the opium war*) (*Cl.* chi³ 次)

— — man⁴ — — 文 (SE) *Chinese and English languages; bilingual (Chinese and English)*

j— yung⁴ — 庸 (N) *the Doctrine of the Mean, one of the "Four Books".* (*Cl.* bo⁶ 部 *or* boon² 本) (Adj) *between two extremes; a happy medium.*

— — ji¹ do⁶ — — 之道 (SE) *the doctrines or principles of the golden means.*

— — jong¹° — — 裝 (SE) *midi dress* (*suit:* to³ 套 ; *Cl.* gi⁶ 件).

jung³ 中   1622

(V) *win a lucky number; make a direct hit on a target.* SF ‡ AP jung¹ see 1621.

— choi² — 彩 (N) *win a lucky number.* FE

— jeung² — 獎 (V) *ditto.*

— dik¹° — 的 (V) *hit the bull's eye; hit the target.* FE

— fung¹ — 風 (V) *have a heart attack.* (*Lit. hit by wind*)

⁵ — ma⁵ biu¹° — 馬票 (V) *win a cash sweep.*

— seung¹ — 傷 (V) *defame.* (*Lit. hit and wound*). (N) *defamation.* (*Cl.* jung² 種)

— sue² — 暑 (V) *have sunstroke.* (*Lit. hit by heat*)

jung¹ 忠   1623

(Adj) *loyal; faithful.* SF ‡

— hau⁶ — 厚 (Adj) *loyal; honest; straightforward.* FE

— jik⁶ — 直 (Adj) *ditto.*

— guk¹° — 告 (V) *advise; give an advice.* (N) *advice; good advice.* (*Cl.* goh³ 個 *or* jung² 種)

— leung⁴ — 良 (Adj) *honest and virtuous.* (N) *honest people; virtuous person.*

⁵ — sam¹ — 心 (Adj) *loyal; faithful.* FE (N) *loyalty.* (*Cl.* jung² 種)

— san⁴ — 臣 (N) *loyal statesman/officer.*

— sat⁶ — 實 (Adj) *faithful; loyal; honest.* FE

— sing⁴ — 誠 (Adj) *honest and sincere.* (Adv) *honestly and sincerely.*

jung¹° 盅   1624   (N) *covered cup; bowl.* **SF** ‡   (*Cl.* goh³ 個 *or* jek³ 只)

jung¹ 終   1625   (V) *end; finish.* **Fml. SF** ‡   (N) *end; terminus.* **Fml. SF** ‡

— dim² — 點   (N) *terminus; destination.* **FE**

— ji² — 止   (V) *end; finish.* **FE**   (N) *end.*

— san¹ — 身   (N) & (Adj) *lifetime.*

— — daai⁶ si⁶ — — 大事   (SE) *the great affair of a lifetime; marriage (GRT women).*   (*Cl.* gin⁶ 件)

jung¹ 鍾   1626   (V) *love; like.* **SF** ‡   (N) *cup.* **Fml. SF** ‡

— booi¹° — 杯   (N) *cup.* **Fml. FE**   (*Cl.* goh³ 個 *or* jek³ 只)

— ching⁴ — 情   (V) *fall in love with.*

— oi³ — 愛   (V) *love; like.* **FE**

— yi³ — 意   (V) *ditto.*

jung¹° 鐘   1627   (N) *clock.*

— biu¹° — 錶   (SE) *clocks and watches.*   *(No Cl.)*

— — hong⁴* — — 行   (N) *watchmaker's shop.*   (*Cl.* gaan¹ 間)

— — po³* — — 舖   (N) *ditto.*

— lau⁴ — 樓   (N) *belfry; clock tower.*   (*Cl.* joh⁶ 座 *or* goh³ 個)

⁵ — tau⁴ — 頭   (N) *hour.*

jung¹ 宗   1628   (N) *clan; religion.* **SF** ‡   (Cl) *for court cases; for accidents, crimes, etc.*

— chan¹ — 親   (N) *clansman.*

— gaau³ — 教   (N) *religion.*   (*Cl.* goh³ 個 *or* jung² 種)

— — ji⁶ yau⁴ — — 自由   (N) *religious liberty.*   (*Cl.* jung² 種)

— — jin³ jaang¹ — — 戰爭   (N) *religious war.*   (*Cl.* chi³ 次 *or* jung² 種)

⁵ — ji² — 旨   (N) *aim; purpose.*

— juk⁶ — 族   (N) *clan.* **FE**

jung¹踪(蹤)   **1629**   (N) *trace; vestige.*   SF   ‡

— jik¹° — 跡   (N) *trace; vestige.*   FE

jung¹棕(椶)   **1630**   (Adj) *brown.*   SF   ‡   (N) *palm tree.*   SF   ‡

— sik¹° — 色   (Adj) *brown.*   SF   (N) *brown; brown colour.*   (*Cl.* jung² 種 *or* goh³ 個)

— sing⁴* — 繩   (N) *coir rope.*   (*Cl.* tiu⁴ 條)

— sue⁶ — 樹   (N) *palm tree.*   FE   (*Cl.* poh¹ 簳)

jung¹縱   **1631**   (V) *stagger around; stagger; wander.*   Coll.   SF (Adj) *perpendicular; vertical.*   SF   ‡   AP **jung³** see **1632.**

— waang⁴ — 橫   (SE) *perpendicular and horizontal.*

— wan¹ gai¹ — 瘟鷄   (SE) *stagger aimlessly; wander.*   *(Lit. staggering infected chicken)*

jung³縱   **1632**   (V) *spoil; indulge in.*   AP **jung¹** see **1631.**

— waai³ — 壞   (V) *spoil.*   FE

— — saai³ — — 晒   (V) *spoil completely.*

— yuk⁶ — 慾   (V) *indulge in sensual pleasures.*

jung²總(摠，揔)   **1633**   (Adj) *general; overall; chief.*   SF   ‡

— ba⁶ gung¹ — 罷工   (N) *general strike.*   (*Cl.* chi³ 次)

— bo⁶ — 部   (N) *headquarters; head office.*

— choi⁴ — 裁   (N) *director-general; president (of a bank).*

— duk¹° — 督   (N) *governor; viceroy.*

⁵ — fan¹ so³ — 分數   (N) *overall results in an examination; total marks in an examination.*

— sing⁴ jik¹° — 成績   (N) *ditto.*

— gai³ — 計   (V) *total number.*   (Adv) *totally.*

— gung⁶ — 共   (N) *ditto.*   (Adv) *ditto.*

— so³ — 數   (N) *ditto.*   (Adv) *ditto.*

¹⁰ — ging¹ lei⁵ — 經理   (N) *general manager.*

— jaam⁶ — 站   (N) *terminus (for public vehicles).*

— jeung³ — 賬   (N) *ledger.* (*Cl.* bo⁶ 部 *or* boon² 本)

— ji¹ — 之   (SE) *in a word; summing up.*

— yi⁴ ying⁴ ji¹ — 而言之   (SE) *ditto.*

15 — ji² fai¹ — 指揮   (N) *commander-in-chief.*

— si¹ ling⁶ — 司令   (N) *ditto.*

— lei⁵ — 理   (N) *premier (of a republic).*

— pin¹ chap¹° — 編輯   (N) *chief editor; editor in chief.*

— suen³ — 算   (Adv) *at last; in the end.*

20 — tung² — 統   (N) *president (of a nation).*

— yau⁵ yat¹° yat⁶ — 有一日   (SE) *some day; one day; sooner or later.*

jung² 粽 (糉)   1634   (N) *dumpling.* (*Cl.* jek³ 只)

jung² 種   1635   (N) *seed; race; tribe; kind; sort.* **SF** ‡ (*Cl.*) *for most abstract nouns; etc.* **AP jung² see 1636.**

— ji² — 子   (N) *seed.* **FE** (*Cl.* nap¹° 粒)

— juk⁶ — 族   (N) *race; tribe.* **FE**

— — kei⁴ si⁶ — — 歧視   (SE) *racial discrimination.* (*Cl.* jung² 種)

— — pin¹ gin³ — — 偏見   (SE) *racial prejudice.* (*Cl.* jung² 種)

5 — — sing⁴ gin³ — — 成見   (SE) *ditto.*

— jung² — 種   (Adj) *every kind of; all sorts of.*

— — sau² duen⁶ — — 手段   (SE) *all methods; by every means.*

— lui⁶ — 類   (N) *kind; sort.* **FE** (*Cl.* goh³ 個 *or* yeung⁶ 樣)

jung³ 種   1636   (V) *plant; cultivate; vaccinate.* **SF** ‡ **AP jung³ see 1635.**

— choi³ — 菜   (V) *plant vegetables.*

— dau⁶* — 痘   (V) *vaccinate; be vaccinated against smallpox.* **FE** (N) *vaccination against smallpox.* (*Cl.* chi³ 次)

— ngau⁴ dau⁶* — 牛痘   (V) *ditto.* (N) *ditto.*

— dei⁶ — 地   (V) *cultivate land; engage in farming.*

⁵ — tin⁴ — 田   (V) *cultivate land; engage in farming.*

— fa¹° — 花   (V) *grows flowers.*

— gwa¹° duk¹° gwa¹°, jung³ dau⁶ dak¹° dau⁶ — 瓜得瓜，種豆得豆 (Sy) *"Whatsoever a man soweth, that shall also he reap.";* *plant melons and get melons, now beans and get beans.*

— jik⁶ — 植   (V) *plant; cultivate.* **FE**

jung³ 綜   1637   (V) *consolidate; combine; gather up.* **Fml. SF** ‡ **CP jung¹**

— hap⁶ — 合   (V) *consolidate; combine; gather up.* **Fml. FE** (Adj) *compreshensive; synthetic* **Fml. FE** (N) *consolidation; combination; synthesis.* **Fml. FE** (*Cl.* jung² 種) **CP jung¹ hap⁶**

— — ji⁶ din² — — 字典   (N) *comprehensive dictionary.* (*Cl.* bo⁶ 部 *or* boon² 本) **CP jung¹ hap⁶ ji⁶ din²**

— — jit³ hok⁶ — — 哲學   (N) *synthetic philosophy.* (*Cl.* jung² 種) **CP jung¹ hap⁶ jit³ hok⁶**

jung³ 眾(衆，乒)   1638   (Adj) *every; all.* **SF** ‡ (N) *multitude; masses.* **SF** ‡

— hau² yat¹° chi⁴ — 口一詞   (SE) *say in union.*

— yan⁴ — 人   (N) *multitude; masses.* **FE** *(No Cl.)* (Pron) *every one; everybody.*

jung⁶ 重   1639   (V) *attach importance to.* **SF** ‡ (Adj) *important; weighty.* **Fml. SF** ‡ (Adv) *furthermore; further; more; still.* **SF** ‡ **AP: (1) chung⁴ see 441: (2) chung⁵ see 442.**

— chi² hing¹ bei² — 此輕彼   (SE) *be prejudiced; be biased.*

— dei⁶ — 地   (N) *reserved place; place not open to the general public.* (*Cl.* sue³ 處 *or* goh³ 個)

— foo³ hei¹ pan⁴ — 富欺貧   (SE) *favouring the rich and negleting the poor; being partial to the rich at the expense of the poor.*

— ga³ — 價   (N) *a great price.*

⁵ — jeng¹ gwoh³ mo⁵ mei⁵ se⁴ — 精過冇尾蛇   (SE) *extremely cunning; never willing to be a loser; never allowing oneself to be wronged.* **Sl.**

— long⁴ gwoh³ wa⁴ sau³ jek³ gau² — 狼過華秀隻狗   (SE) *greedy; covetous.* **Sl.**

— si⁶ — 視   **(V)** *attach importance to; take seriously; take full account of.* **FE**

— wai⁶ — 位   **(N)** *weighty responsibility; important post.*

— yam⁶ — 任   **(N)** *ditto.*

10   — yau⁵ — 有   **(Adv)** *furthermore; besides.* **FE**

— yiu³ — 要   **(Adj)** *important; significant; weighty.* **FE**

— — gwaan¹ tau⁴ — — 關頭   **(SE)** *decisive crisis; critical juncture; important moment.*

— — man⁶ tai⁴ — — 問題   **(N)** *grave question; important matter.*

jung⁶ 從   **1640**   **(Adj)** *accessory; related (aa in a family)* **Fml.**   **SF** ‡   **AP: (1) chung⁴ see 437; (2) sung¹ see 2970.**

— faan⁶* — 犯   **(N)** *accessory criminal; accomplice.* **Fml.**

— foo⁶ — 父   **(N)** *father's brother.* **Fml.**

— hing¹ dai⁶ — 兄弟   **(N)** *paternal first cousins (of the same family name).* **Fml.**

jut¹° 卒 (窣)   **1641**   **(V)** *finish.* **Fml. SF** ‡   **(N)** *soldier.* **Fml. SF** ‡

— ji¹ — 之   **(Adv)** *eventually; at last.*

— yip⁶ — 業   **(V)** *finish a course of study; graduate.* **Fml.**

K

ka¹ 卡 **1642**   (N) *guard-house; carriage/car* *(RT trains)*.

— che¹° — 車   (N) *truck; lorry.* *(Cl.* ga³ 架)
— gaai³ miu⁴ (jam¹°) — 介苗 (針)   (N) *B.C.G. Vaccine.* **Tr.** *(Cl.* ji¹ 支 *or* hau² 口)
— hau² — 口   (N) *guard-house.* **FE**
— kuk¹° — 曲   (N) *car-coat.* **Tr.** *(Cl.* gin⁶ 件)
5 — wai⁶* — 位   (N) *booth in a restaurant.* *(Lit. car/carriage seat)* *(Cl.* goh³ 個 *or* jeung¹ 張)

kai² 楷 **1643**   (N) *model; regular style of writing Chinese.* **SF** ‡

— mo⁴ — 模   (N) *model; pattern.* *(GRT behaviour, conduct, etc.)* **FE** *(Cl.* jung² 種 *or* goh³ 個)
— sue¹° — 書   (N) *regular style of writing Chinese.* **FE** *(Cl.* jung² 種)

kaat¹° 咭 **1644**   (N) *cards in generals.* **CC** **Tr.** *(Cl.* jeung¹ 張)

— pin³* — 片   (N) *visiting card; calling card.* **Tr.** *(Cl.* jeung¹ 張)

kaau³ 靠 **1645**   (V) *depend upon; rely on.* **SF**

— dak¹° jue⁶ — 得住   (Adj) *reliable; dependable.*
— gan⁶ — 近   (Prep) *close to; close by.*
— m⁴ jue⁶ — 唔住   (Adj) *unreliable; undependable.*
— saan¹° — 山   (N) *person worthy of financial or political backing.* *(Lit. reliable mountain)*
5 — tak³ — 托   (V) *depend upon; rely on.* **FE**

kai¹ 稽 **1646**   (V) *inspect; audit.* **SF** ‡   **AP kai² see 1647.**

— cha⁴ — 查   (V) *inspect.* *(GRT tickets)* **FE**
— cha⁴* — 查   (N) *inspector.* *(RT buses, trams, ferries, etc.)*
— hat⁶ — 核   (V) & (N) *audit.* **FE**

kai² 稽   **1647**   (V) *"kowtow"; knock the head on the ground.* **Bk.** **SF** ‡   **AP kai¹ see 1646.**

— sau² — 首   (V) *"kowtow"; knock the head on the ground.* **Bk.** **FE**

— song² — 顙   (V) *ditto.*

kai¹ 溪   **1648**   (N) *brook.* (*Cl.* tiu⁴ 條)

— gaan³ — 澗   (N) *brook.* **Fml.** **FE** (*Cl.* tiu⁴ 條)

kai² 啓(啟)   **1649**   (V) *start; reveal.* **SF** ‡

— ching⁴ — 程   (V) *start on a journey.* **Fml.** **FE**

K—Dak¹° (Fei¹) Gei¹ Cheung⁴ — 德 (飛) 機場   (N) *Kai Tak Airport.* **Tr.**

k—si⁶ — 示   (V) *reveal; indicate.* (N) *revelation; indication.* (*Cl.* jung² 種)

kai³ 契   **1650**   (V) *have close relationship with sb not actually related by blood; "adopt".* **SF** ‡   (N) *deed; contract.* **SF** ‡

— dai⁶ — 弟   (N) *younger "foster brother"; homosexual or sodomite* **(AL).**

— goh¹° — 哥   (N) *older "foster brother".*

— hing¹° — 兄   (N) *ditto.*

— gui³ — 據   (N) *deed; contract.* **Fml.** **FE** (*Cl.* jeung¹ 張)

⁵ — yeuk³ — 約   (N) *ditto.*

— jai² — 仔   (N) *"foster son". boy or man who is a favourite of sb (other than his parents)* **(Ctmp.).**

— ma¹° — 媽   (N) *"foster mother"; woman who gives special favours to sb—not her own child* **(Ctmp.).**

— nui⁵* — 女   (N) *"foster daughter"; girl or woman who is a favourite of sb (other than her parents)* **(Ctmp.).**

— ye⁴ — 爺   (N) *"foster father"; man who gives special facours to sb— not his own child* **(Ctmp.).**

kam¹ 襟   **1651**   (N) *lapel; opening of coat.* **SF** ‡

— hing¹ dai⁶* — 兄弟   (N) *men who marry sisters.*

— tau⁴ fa¹° — 頭花   (N) *Brooch.* (*Cl.* ji¹)

kam¹ 唅 1652
CC
(V) *endure; last.* (Adj) *lasting; durable.*

— jeuk³ — 着 (Adj) *lasting; durable.* *(RT clothing)*

— sai² — 使 (Adj) *lasting; durable.* *(RT machines, mechanical devices etc.)*

— yung⁶ — 用 (Adj) *ditto.*

kam² 凵 1653
CC
(V) *cover; raid (by police).* **SF** ‡

— dong³ — 檔 (V) *raid a den.* **FE** (N) *police raid (on a den).* (*Cl.* chi³ 次)

— jue⁶ — 住 (V) *cover; throw over; close up.* **FE**

kam⁴ 噚 1654
CC
(N) *yesterday.* **Coll. SF** ‡ **AP** cham⁴ **see 209.**

— maan⁵ — 晚 (N) & (Adv) *last evening, last night.*

— yat⁶ — 日 (N) & (Adv) *yesterday.* **FE**

— — jiu¹ (jo2) — — 朝(早) (N) & (Adv) *yesterday morning.* **FE**

kam⁴ 琴 1655
(N) *stringed instruments in general.*

kam⁵ 妗 1656
(N) *aunt (wives of mother's brothers).* **SF**

— mo⁵ — 母 (N) *aunt (wife of mother's brother).*

kan⁴ 勤 1657
(Adj) *hard-working; industrious; diligent.* **SF** ‡

— gim⁶ — 儉 (Adj) *diligent and frugal.* **FE**

— lik⁶ — 力 (Adj) *hard-working; industrious; diligent.* **FE**

kan⁴ 芹 1658
(N) *celery.* **SF** ‡

— choi³ — 菜 (N) *celery; Chinese celery.* (*Cl.* poh¹ 簹)

kan⁵ 近 1659
(Adj) *near; near to; short (in distance).* **CP AP** gan⁶ **SM see 851.**

kang³揹 1660   (V) *be entangled; be twisted.* **Coll. SF** ‡ *(Adj) capable; strong (RT tobacco and alcohol).* **SF** ‡

kap¹°吸 1661   (V) *inhale; absorb; attract.* **SF** ‡

— duk⁶ — 毒   (V) *be addicted to drugs; be a drug addict.*

— — je² — — 者   (N) *drug addict.* **Fml.**

— sau¹ — 收   (V) *absorb.* **FE**   (N) *absorption.* *(No Cl.)*

— sui² ji² — 水紙   (N) *blotting-paper.* *(Cl.* jeung¹張 *)*

⁵ — yan⁵ — 引   (V) *attract.* **FE**

— (—) lik⁶ — (—)力   (N) *attraction; power of attraction.* *(Cl.* jung² 種)

— yap⁶ — 入   (V) *inhale.* **FE**

kap¹°級 1662   (N) *grade; rank; class; a flight of steps.* **Coll.** *(No Cl.)*

kap¹°給 1663   (V) *give.* **Mdn.**

kap⁶及 1664   (V) *reach to; come up to.* **Fml. SF** ‡

— gaak³ — 格   (V) *pass (an examination).* *(Adj) qualified (for a job or profession).*

— sat¹° jong¹° — 膝裝   (N) *knee-length dress.* *(Suit:* to³ 套; *Cl.* gin⁶ 件)

— si⁴ — 時   (Adv) *in the nick of time; at the right time.*

kat¹°咳 1665   (V) *cough.* (N) *coughing.* *(Cl.* seng¹ 聲)

— sau³ — 嗽   (V) *cough.* **FE** (N) *coughing.* **FE** *(Cl.* seng¹ 聲)

kau¹摳 1666   (V) *put sth in; mix sth with.*
CC

— sui² — 水   (V) *put water in; mix water with.* *(RT wine, oil, etc.)*

kau¹ 溝 1667   (N) *a ditch; a drain.*   **CP   Coll.   SF   AP gau¹ SM see 861.**

— kui⁴ — 渠   (N) *a ditch; a drain.*   **CP   Coll.   FE**   (*Cl.* tiu⁴ 條)

kau³ 構 1668   (V) *construct; make; write. (RT sentences, stories, etc.)*   **CP   SF   ‡**   (N) *construction. (RT sentences, stories, etc.)*   **CP   SF   ‡   AP gau³ SM see 870.**

— jo⁶ — 造   (V) *construct; make; write. (RT sentences, stories, etc.)*   **CP   FE**   (N) *construction. (RT sentences, stories, etc.)*   **CP FE**   (*Cl.* goh³ 個 *or* jung² 種)

kau³ 購 1669   (V) *buy; purchase.*   **CP   SF   ‡   AP gau³ SM see 871.**

— maai⁵ — 買   (V) *buy; purchase.*   **CP   FE**   (N) *purchase.*   **CP FE**   (*Cl.* chi³ 次)
— — lik⁶ — — 力   (N) *purchasing power.*   **CP**   (*Cl.* jung² 種)
— — sui³ — — 稅   (N) *purchase tax.*   **CP**   (*Cl.* jung² 種)
— mat⁶ tin¹ tong⁴ — 物天堂   (SE) *shoppers' paradise.*   **CP**

kau³ 扣 1670   (V) *deduct; detain; fasten.*   **SF   ‡**

— chin⁴* — 錢   (V) *deduct money.*
— chui⁴ — 除   (V) *deduct.*   **FE**
— fan¹ (so³) — 分(數)   (V) *deduct marks. (RT examinations, contests, etc.)*
— jam¹ — 針   (N) *safety pin.*   (*Cl.* goh³ 個)
⁵ — jue⁶ — 住   (V) *fasten; hold.*   **FE**   *(RT hooks, pins, etc.)*
— lau⁴ — 留   (V) *detain. (RT prisoners, hostages, etc.)*   **FE**   (N) *detention. (RT prisoners, hostages, etc.)*   (*Cl.* chi³ 次)
— san¹ sui² — 薪水   (V) *deduct salary.*
— sui³ — 稅   (V) *deduct tax.*
— yan⁴ gung¹ — 人工   (V) *deduct wages.*

kau³ 叩 1671   (V) *knock.*   **SF   ‡**

— moon⁴ — 門   (V) *knock at a door.*   **Fml.**
— tau⁴ — 頭   (V) *knock the head on the ground; "kowtow".*   **Coll. Tr.**

463

kau⁴ 求   1672   (V) *request; seek; pray; demand; need.*   **SF** ‡

— ching⁴ — 情   (V) *ask a favour; ask for pardon.*

— choi⁴ — 財   (V) *seek riches; go after wealth.*

— lei⁶ — 利   (V) *ditto.*

— fan¹ — 婚   (V) *propose a marriage; ask sb's hand in marriage.*

⁵ — gwoh³ yue¹ gung¹ — 過於供   (SE) *demand exceeds supply. (Lit. demand more than supply)*

— hok⁶ — 學   (V) *seek knowledge; study; do research work.*

— yik¹° — 職   (V) *apply for a job.*   **Fml.**

— — sun³ — — 信   (N) *application for a job.*   (*Cl.* fung¹ 封)

— kei⁴ — 其   (DC) *as long as; only if.*

¹⁰ — ming⁴ — 名   (V) *seek fame.*

— san⁴ baai³ fat⁶ — 神拜佛   (SE) *pray (to Buddha); make requests known (to Buddha). (Lit. pray to spirits, worship Buddha)*

— yue⁵ — 雨   (V) *pray for rain.*

kau⁴ 球   1673   (N) *ball.*   **Fml.**

— cheung⁴ — 場   (N) *stadium; field (for ball games); court (for tennis); links (for golf).*

— moon⁴ — 門   (N) *goal (posts).*

— paak³* — 拍   (N) *racket. (RT tennis, badminton, ping-pong, etc.)*

kau⁵ 舅   1674   (N) *uncle (mother's brother).*   **SF** ‡

— foo⁶* — 父   (N) *uncle (mother's brother).*   **FE**

— mo⁵ — 母   (N) *aunt (wife of mother's brother).*

ke¹ 茄   1675   (P) *used in transliterations.*   **AP** ke³* **see 1676.**

— si⁶ me¹° — 士咩   (N) *cashmere.*   **Tr.**   (*Pound:* bong⁶ 磅)

ke³* 茄   1676   (N) *solanum; brinjal; eggplant; tomato.*   **SF AP** ke¹ **see 1675.**

— gwa¹° — 瓜   (N) *solanum; brinjal; eggplant.*   **Coll. FE**

— jap¹° — 汁   (N) *tomato sauce; ketchup.*   **Coll.**   (*Bottle:* jun¹ 樽)

ke⁴ 騎 1677 (V) *sit on; ride on; ride on the back of a four-legged animal.* **CP Coll. SF** ‡ **AP kei⁴ SM see 1679.**

— bing¹ — 兵 (N) *cavalry. (Lit. riding soldiers). (Cl.* dui⁶ 隊 *or* ji¹ 支)

— cheung⁴ — 牆 (V) *sit on the fence; be a time-server. (Lit. sit on the wall)*

— — faai³ — — 派 (N) *timeserver; opportunist.*

— foo² naan⁴ ha⁶ — 虎難下 (SE) *be in a dilemma. (Lit. ride tiger difficult to get down)*

5 — seung⁵ foo² booi³ — 上虎背 (SE) *ditto.*

— lau⁴* — 樓 (N) *balcony; verandah.*

— — dai² — — 底 (N) *pavement under a building; colonnade; covered sidewalk.*

— ngau⁴ wan² ma⁵ — 牛搵馬 (SE) *use a position as a stepping stone to sth else. (Lit. ride ox seek horse)*

kei² 踑 1678 (N) *home; house.* **Coll. SF** ‡ **CC**

kei⁴ 騎 1679 (V) *sit on; ride on; ride on the back of a four-legged animal.* **Fml. SF** ‡ **AP ke⁴ SM see 1677.**

kei⁴ 其 1680 (Pron) *his; her; its; their; this; that.* **Fml. SF** ‡

— jung¹ — 中 (Adv) *among(st) them; among(st) which; of them; of which.* (Prep) *among(st); amid(st).*

— — ji¹ yat¹° — — 之一 (SE) *one of them.*

— sat⁶ — 實 (Adv) *in fact; actually.*

— ta¹ (ge³) — 他(嘅) (Adj) *other.*

5 — yue⁴ — 餘 (N) *the remainder; the rest. (No Cl.)*

kei⁴ 旗 (旂) 1681 (N) *flag; banner. (Cl.* ji¹ 支)

— chi³ — 幟 (N) *flag; banner.* **FE** *(Cl.* ji¹ 支)

— gon¹° — 杆 (N) *flag-staff; flag-pole. (Cl.* ji¹ 支)

— laam⁶ — 艦 (N) *flag-ship. (Cl.* jek³ 只)

— po⁴* — 袍 (N) *cheung sam; gown.* **Tr.** *(Cl.* gin⁶ 件)

kei⁴ 期 **1682** (N) *period; date; deadline.* **SF** ‡
— haan⁶ — 限 (N) *deadline.* **FE**
— moon⁵ — 滿 (V) *expire.* *(RT leases, contracts, etc.)*
— piu³ — 票 (N) *promissory note; post-dated cheque.* (*Cl.* jeung¹ 張)

kei⁴ 棋(棊，碁) **1683** (N) *chess; draughts.* **Fml. SF** ‡
(*Game:* guk⁶ 局 *or* poon⁴ 盤)
— guk⁶ — 局 (N) *pattern of chessman in certain positions; situation.* **(Fig.)**
— ji² — 子 (N) *chess piece; chessman; draughtsman.* **Fml. FE** (*Cl.* jek³ 只; *Set:* foo³ 副)
— poon⁴* — 盤 (N) *chess board.*

kei⁴ 琪 **1684** (N) *valuable stone/gem of a white colour.* **Fml. SF** ‡

kei⁴ 奇(竒) **1685** (Adj) *strange; rare.* **SF** ‡
— gwaai³ — 怪 (Adj) *strange; rare.* **FE**
— jik¹° — 跡 (N) *miracle.* (*Cl.* gin⁶ 件 *or* goh³ 個)
— jong¹° yi⁶ fuk⁶ — 裝異服 (SE) *dress of unusual or peculiar style.* (*Cl.* jung² 種)
— si⁶ — 事 (N) *strange affair; sth wonderful, mysterious or unusual.* (*Cl.* gin⁶ 件)
⁵ — sue¹ — 書 (N) *rare book; strange book.* (*Cl.* bo⁶ 部 *or* boon² 本)
— taam⁴ — 談 (N) *strange talk; unusual tale.* (*Cl.* gin⁶ 件)
— yan⁴ — 人 (N) *strange man; eccentric.*

kei⁴ 祈 **1686** (V) *pray; beseech.* **SF** ‡
— kau⁴ — 求 (V) *beseech.* **FE**
— to² — 禱 (V) *pray.* **FE**
— — man⁴ — — 文 (N) *prayer.* (*Cl.* pin¹ 篇)

466

kei⁵ 企   **1687**   (V) *stand on one's feet.*   **SF**

— go¹   —   高   (V) *stand to one's full height.*
— hei² san¹   —   起身   (V) *stand on one's feet; stand up.*   **FE**
— tong⁴*   —   堂   (N) *waiter. (in Chinese tea hourses or restaurants).*
— yip⁶   —   業   (N) *enterprise.*   (*Cl.* jung² 種)

kek⁶ 屐   **1688**   (N) *clog; wooden shoe.*   (*Cl.* jek³ 只 ⁴ *pair:* dui³ 對)

kek⁶ 劇   **1689**   (N) *play; drama.*   **SF**   ‡

— boon²   —   本   (N) *script. (GRT plays)*
— cheung⁴   —   塲   (N) *theatre; stage.*
— jok³ ga¹°   —   作家   (N) *playwright.*
— — je²   — —   者   (N) *ditto.*

keuk³ 卻(却)   **1690**   (V) *reject; decline; withdraw.*   **Fml.**   **SF**   ‡

keung⁴ 强(強，彊)   **1691**   (Adj) *strong; powerful.*   **Fml.**   **SF**   ‡   **AP keung⁵ see 1692.**

— diu⁶   —   調   (V) *emphasize.*
— do⁶   —   盜   (N) *robber; bandit.*   **Mdn.**
— gaan¹   —   姦   (V) *rape.*   (N) *rape.*   (*Cl.* chi³ 次)
— — on³   — —   案   (N) *rape case.*   (*Cl.* jung¹ 宗 *or* gin⁶ 件)
⁵ — gwok³   —   國   (N) *powerful country; big country; "big power".*
— gin⁶   —   健   (Adj) *strong; vigorous.*   **FE**
— jong³   —   壯   (Adj) *ditto.*
— lo⁵   —   擄   (V) *kidnap.*
— ngaan⁶   —   硬   (Adj) *firm; unyielding.*   *(RT people)*

keung⁵ 强(強，彊)   **1692**   (V) *force to.*   **Fml.**   **SF**   ‡   **AP keung⁴ see 1691.**

— bik¹°   —   逼   (V) *compel; force.*   **FE**   (Adj) *compulsory.*
— — gaau³ yuk⁶   — —   教育   (N) *compulsory education.*   (*Cl.* jung² 種)

— bin⁶ — 辯   (V) *argue forcefully; refuse to admit one's fault/mistake.*

— gei³ — 記   (V) *memorize by rote.*

⁵ — jai³ — 制   (V) *restrain by law; enforce.*

— — jap¹° hang⁴ — — 執行   (V) *compulsory execution of law.* (*Cl.* jung² 種 *or* chi³ 次)

keung⁵ 鏹   1693   (N) *sulphuric acid; strong acid.* **Coll. SF** ‡
CC

— sui² — 水   (N) *sulphuric acid; strong acid.* **Coll. FE** (*Bottle:* jung¹ 樽)

kim⁴ 鉗   1694   (V) *pinch; gag.* **SF** ‡ **AP kim⁴* see 1695.**

— jai³ yin⁴ lun⁶ — 制言論   (SE) *prevent free speech.* (*Lit. gag speech*)

— — yue⁴ lun⁶ — — 輿論   (SE) *ditto.*

— jue⁶ — 住   (V) *pinch.* **FE**

kim⁴* 鉗   1695   (N) *pincers.* **Coll. AP kim⁴ see 1694.**

kim⁴ 乾   1696   (N) *heaven; male.* **Bk.** ‡ **AP gon¹ see 958.**

— kwan¹ — 坤   (SE) *male and female; heaven and earth.* **Bk.**

kim⁴ 虔   1697   (Adj) *pious; devout; sincere.* **SF** ‡

— sing⁴ — 誠   (Adj) *pious, devout; sincers.* **FE**

king¹ 傾   1698   (V) *overthrow; subvert; sabotage; chat.* **SF** ‡ (N) *overthrow; subversion; sabotage.* **SF** ‡

— dak¹° maai⁴ — 得埋   (Adj) *friendly; on intimate terms.*

— fuk¹° — 覆   (V) *overthrow; subvert; sabotage.* **FE** (N) *overthrowal; subversion; sabotage.* **FE** (*Cl.* jung² 種 *or* chi³ 次)

— ga¹ (dong⁶ chaan²) — 家 (蕩產)   (SE) *waste the family fortune; become bankrupt.*

— gai⁶* — 偈 (V) *chat; talk.* **Coll. FE**

5 — haan⁴ gai⁶* — 開偈 (SE) *have an idle chat; chat aimlessly.*

— poon⁴ daai⁶ yue⁵ — 盆大雨 (SE) *rain cats and dogs; have a pouring rain.*

king² 頃 1699 (N) *an instant.* **Fml. SF** ‡ (PN) *land measure of 100 mau about 15.13 acres.*

— hak¹° gaan¹° — 刻間 (Adv) *in an instant.* **Fml. FE**

king⁴ 鯨 1700 (N) *whale.* **SF** ‡

— yue⁴ — 魚 (N) *whale.* **FE** (*Cl.* tiu⁴ 條)

kit³ 揭 1701 (V) *reveal; unveil.* **SF** ‡

— chuen¹ — 穿 (V) *reveal; expose.*

— faat³ — 發 (V) *ditto.*

— gon¹ hei² yi⁶ — 竿起義 (SE) *start a revolution.* *(Lit. erect a flagpole, start righteousness)*

— mok⁶ — 幕 (V) *unveil.* **FE**

5 — — lai⁵ — — 禮 (N) *unveiling ceremony.* (*Cl.* chi³ 次)

kit³ 竭 1702 (V) *exhaust.* **Fml. SF** ‡

— jaak⁶ yi⁴ yue⁴ — 澤而漁 (SE) *drain the pond and catch the fish; kill the goose that lays the golden egg.* *(GRT texation).*

— lik⁶ — 力 (V) *exhaust one's strength; do one's utmost.* **Fml.**

— sing⁴ — 誠 (Adj) *absolutely sincere.*

kiu² 嘺 1703 (Adj) *coincidental.*
CC

— lak³ — 嘞 (SE) *"What a coincidence!"*

kiu⁴ 橋 1704 (N) *bridge.* (*Cl.* tiu⁴ 條 *or* do⁶ 度)

— paai⁴* — 牌 (N) *bridge.* *(ROT the card game)* (*Cl.* jung² 種)

— tau⁴ kiu⁴ mei⁵ — 頭橋尾 (SE) *both ends of a bridge/flyover.* *(Lit. bridge head bridge tail)* **AP kiu⁴*** see **1705.**

kiu⁴* 橋 **1705**   (N) *story; trick.* **Coll.** (*Cl.* tiu⁴ 條 *or* do⁶ 度)

kiu⁴ 僑 **1706**   (N) *person living abroad.* **SF** ‡

— baau¹ — 胞   (N) *overseas Chinese.* **Fml.**
— gui¹ — 居   (V) *live abroad.*
— man⁴ — 民   (N) *person living abroad.* **FE**

koi³ 蓋（盖，葢） **1707**   (V) *cover.* (Conj) *because.* **Bk.** ‡
                            AP goi³ see 948.

kok³ 確 **1708**   (Adj) *certain; true.* **SF** ‡

— ding⁶ — 定   (V) *ascertain; make sure.*
— sat⁶ — 實   (Adj) *certain; true.* **FE**

kong² 慷 **1709**   (Adj) *generous; magnanimous.* **Fml. SF** ‡ **CP** hong²

— koi³ — 慨   (Adj) *generous magnanimous.* **Fml. FE CP** hon² koi³

kong³ 抗 **1710**   (V) *resist; protect.* **SF** ‡

K— Jin³ — 戰   (N) *the War of Resistance Against the Japanese Invasion; the "Japanese War" (1937–1945).* (*Cl.* cheung⁴ 塲)
— Yat⁶ Jin³ Jang¹ — 日戰爭   (N) *ditto.*
— — git³ chuk¹° — — 結果   (N) *end of the Japanese War.* (*No Cl.*)
— — gi⁴ kei⁴ — — 時期   (SE) *during the war of Resistence; during the Japanese War.*
⁵ — — sing³ lei⁶ — — 勝利   (SE) *victory in the Japanese War; V–J Day.*
K— yi⁶ — 議   (V) *protest.* **FE** (N) *protest.* (*Cl.* jung² 種 *or* chi³ 次)

kuen⁴ 拳 **1711**   (N) *fist.* **SF** ‡

— geuk³ — 脚   (N) *martial arts; "Kung Fu".* (*Cl.* jung² 種)
— sut⁶ — 術   (N) *ditto.*

— si¹° — 師   (N) *boxer.*

— tau⁴ — 頭   (N) *fist; violence* (**Fig.**).

kuen⁴ 權   1712   (N) *right; privilege; authority; power.*   **SF**   ‡

— beng³ — 柄   (N) *power; authority.*   **FE**   (*Cl.* jung² 種)

— lik⁶ — 力   (N) *ditto.*

— lei⁶ — 利   (N) *right; privilege.*   **FE**   (*Cl.* jung² 種)

— mau⁴ — 謀   (N) *intrigue.*   (*Cl.* jung² 種)

⁵ — sai³ — 勢   (N) *power; influence. (in the bad sense)*   **FE**   (*Cl.* jung² 種)

— sut⁶ — 術   (N) *internal politics.*   (*Cl.* jung² 種)

kuen⁴ 顴   1713   (N) *cheek-bones.*   **SF**   ‡

— gwat¹° — 骨   (N) *cheek-bones.*   (*Cl.* gau⁶ 礎)

kuet³ 決 (決)   1714   (V) *decide.*   **SF**   ‡

— dau³ — 鬥   (N) *duel.*   (*Cl.* chi³ 次)

— ding⁶ — 定   (V) *decide.*   (N) *decision.*

— jin³ — 戰   (V) *fight a decisive battle.*   (N) *decisive battle.*   (*Cl.* cheung⁴ 場 *or* chi³ 次)

— sam¹ — 心   (N) *determination.*   (*Cl.* goh³ 個 *or* jung² 種)

⁵ — suen³ — 算   (V) *balance accounts. (RT banks, commercial firms, etc.)*

— — biu² — — 表   (N) *balance-sheet.*   (*Cl.* jeung¹ 張)

kuet³ 缺   1715   (V) & (N) *lack.*   **SF**   ‡

— dim³ — 點   (N) *shortcoming; defect.*   (*Cl.* goh³ 個 *or* jung² 種)

— fat⁶ — 乏   (V) *lack.*   **FE**   (N) *lack; shortage.*   (*Cl.* yeung⁶ 樣)

— siu² — 少   (V) *ditto.*   (N) *ditto.*

— foh³ — 課   (V) *miss a class; be absent from school.*

⁵ — ham⁶ — 憾   (N) *imperfection.*   (*Cl.* jung² 種)

— jik⁶ — 席   (V) *be absent from a meeting.*

kui¹ 區   1716   (V) *differentiate.* **SF** ‡   (N) *district; region.* **SF** (Adj) *small.* **Fml. SF** ‡ **AP Au¹ as a surname.**

— bit⁶ — 別   (V) *differentiate; discriminate.* **FE**

— kui¹ — 區   (Adj) *small.* **Fml. FE**

— — ji¹ dei⁶ — — 之地   (SE) *small place.* **Fml.** (*Cl.* sue³ 處 *or* daat³ 笪)

— — — sam¹ — — — 心   (SE) *one's private feelings.* **Fml.** (*Cl.* jung² 種)

5 — wik⁶ — 域   (N) *district; region.* **FE**

kui¹ 驅 (歐)   1717   (V) *drive out; pursue.* **SF** ‡

— fung¹ yau⁴ — 風油   (N) *carminative.* (*Cl.* jung² 種)

— — yeuk⁶ — — 葯   (N) *ditto.*

— juk⁶ — 逐   (V) *drive out; pursue.*

— — chut¹° ging² — — 出境   (V) *deport.* (N) *deportation.* (*Cl.* chi³ 次)

5 — — gei¹ — — 機   (N) *pursuit plane.* (*Cl.* ga³ 架 *or* jek³ 只)

— — laam⁶ — — 艦   (N) *destroyer.* (*Cl.* jek³ 只)

kui¹ 拘   1718   (V) *arrest; detain; restrain.* **Fml. SF** ‡

— bo⁶ — 捕   (V) *arrest; seize.* **FE** (N) *arrest.* (*Cl.* chi³ 次)

— chuk¹° — 束   (V) *restrain.* **FE**

— jap¹° — 執   (Adj) *ceremonious; formal.*

— lai⁵ — 禮   (Adj) *ditto.*

5 — lau⁴ — 留   (V) *detain.* **FE** (N) *detention.* (*Cl.* chi³ 次)

— — soh² — — 所   (N) *detention house/home/centre.* (*Cl.* gaan¹ 間 *or* goh³ 個)

— — ying⁴ — — 營   (N) *detention barracks.*

kui¹ 俱   1719   (Adv) *all.* **Bk. SF** ‡

— lok⁶ bo⁶ — 樂部   (N) *club; association.* (*Lit. all happy place*)

kui⁴ 渠 **1720**   (N) *drain; sewer; trench; ditch.* (*Cl.* tiu⁴ 條)

— kui⁴ tam⁵ tam⁵ — 渠氹氹   (SE) *trenches and holes. (GRT road works/excavations)*

kui⁵ 距 **1721**   (N) *distance.* **Coll. SF** ‡ **AP gui⁶ SM see 986.**

— lei⁴ — 離   (N) *distance; space; gap.* **Coll. FE**

kui⁵ 拒 **1722**   (V) *resist; refuse; reject.* **SF** ‡

— bo⁶ — 捕   (V) *resist arrest.*

— juet⁶ — 絕   (V) *refuse; reject; turn down.* **FE** (N) *refusal.* (*Cl.* goh³ 個 *or* chi³ 次)

kui⁵ 佢 **1723**   (Pron) *he; him; she; her; it.*
                      CC

— dei⁶ — 哋   (Pron) *they; them.*

— — ge³ — — 嘅   (Pron) *their; theirs.*

— ge³ — 嘅   (Pron) *his; her; hers.*

kuk¹° 曲 **1724**   (Adj) *crooked.* (N) *song.* **Fml. SF** ‡

— chek³* — 尺   (N) *pistol.* (*Cl.* ji¹ 支)*; carpenter's square.* (*Cl.* ba² 把)

— chi⁴ — 詞   (N) *words of songs.* (*Cl.* sau² 首 *or* pin¹ 篇)

— diu⁶ — 調   (N) *melody of songs.*

— gaai² — 解   (V) *misinterpret/distort the sense of a passage/speech.* (N) *misinterpretation of a passage/speech.* (*Cl.* jung² 種)

⁵ K— Gong¹ — 江   (N) *Chuchiang (a city also known as shaokuan (*siu⁴ Gwaan¹*) in North Kwangtung).*

k— gwan³ kau⁴ — 棍球   (N) *hockey.*

— jik⁶ — 直   (SE) *crooked and straight; rights and wrongs.*

— jit³ — 折   (SE) *ins and outs; ups and downs; complicated. (RT the course of events, affairs, stories, etc.)*

— jung¹ yan⁴ saan³ — 終人散   (SE) *when the music ends the people leave; the party/game is over.*

¹⁰ — po² — 譜   (N) *music book.*   (*Cl.* bo⁶ 部); *musical notation of songs.* (*Cl* ji¹ 支 *or* pin¹ 篇)

— sin³ — 線   (N) *curve; curved line. (GRT the female figure).*
(*Cl.* jung² 種)

— — mei⁵ — — 美   (N) *beautiful curves. (GRT female beauty).*
(*Cl.* jung² 種)

kung⁴ 窮（窮） 1725   (Adj) *poor; impoverished.*

— foo² — 苦   (Adj) *very impoverished; extremely poor.*

— — yan⁴ ga¹ — — 人家 (N) *poor family.*

— ga¹° — 家   (N) *poor families. (No Cl.)*

— — ji² dai⁶ — — 子弟   (SE) *children from a poor family.*

⁵ kau³ mok⁶ jui¹ — 寇莫追   (SE) *do not press a foe too far; do not be too exacting.*

— yan⁴ — 人   (N) *the poor; poor people.*

KW

kwa^{1} 誇 1726

(V) *exaggerate; boast; praise.* **SF** ‡

— daai^{6} — 大 (V) *exaggerate.* **FE**

— jeung^{1} — 張 (V) *ditto.*

— hau^{2} — 口 (V) *boast.* **FE**

— jeung^{2} — 獎 (V) *praise.* **FE** (N) *praise.* (*Cl.* chi^{3} 次 *or* jung^{2} 種)

5 — yiu^{6} — 耀 (V) *show off.*

kwaang$^{1°}$ 框 1727

(N) *frame; door frame.*

kwaat$^{1°}$ 𡃁 1728 CC

(N) *round; circle.* **coll.** (*Cl.* goh^{3} 個)

kwai^{1} 規 1729

(V) *regulate.* **SF** ‡ (N) *compasses; regulation.* **SF** ‡ **AP kwai$^{1°}$ see 1730.**

— bai^{6} — 避 (V) *pervert or evade the law.*

— ding^{6} — 定 (V) *make a rule; introduce a regulation; "go by the book".*

— gui^{2} — 矩 (N) *a pair of compasses; compass and square.* **Fml. FE** (N) *rule; regulation; discipline.* **Fig. FE** (Adj) *well-behaved.*

— jak$^{1°}$ — 則 (N) *rule; regulation.* (*Cl.* tiu^{4} 條)

5 — lai^{6} — 例 (N) *code; rule.* (*Cl.* tiu^{4} 條)

— mo^{4} — 模 (N) *scale; scope. (Ref. to size, degree, range of action, etc.)*

kwai$^{1°}$ 規 1730

(N) *bribe; "protection fee". (gen. collected from vice dens, hawkers, etc.)* **Sl.** (*Cl.* chi^{3} 次). **AP kwai^{1} see 1729.**

kwai^{1} 窺 1731

(V) *peep at; pry into.* **SF** ‡

— mong^{6} — 望 (V) *peep at; be a peeping Tom.* **FE**

— taam^{3} — 探 (V) *pry into.* **FE**

kwai¹ 虧 1732   (V) *owe.* **Fml. SF** •‡   (Adj) *deficient.* **Fml. SF** ‡

— foo⁶ — 負   (V) *be unfair to sb; fail to meet demand of friendship/duty.*

— him³ — 欠   (V) *owe debts; be in arrears; go bankrupt.* (N) *deficit.* (*Cl.* bat¹° 筆)

— hung¹ — 空   (V) *be unable to pay full amount; lose in business.*

— — gung¹ foon² — — 公欵   (V) *embezzle.* (N) *embezzlement.* (*Cl.* chi³ 次)

⁵ — sam¹ — 心   (V) *be unscrupulous; be ungrateful; be remorseful.* (Adj) *unconscionable; ungrateful; remorseful.*

— — si⁶ — — 事   (N) *unscrupulous act; ungrateful act.* (*Cl.* gin⁶ 件)

— — yan⁴ — — 人   (N) *ungrateful person.*

kwai⁴ 葵 1733   (N) *mallow; sunflower.* **SF** ‡

— choi³ — 菜   (N) *mallow; edible mallow.* **FE** (*Cl.* poh¹ 翕)

— fa¹° — 花   (N) *sunflower* (*Cl.* dueh² *or* doh² 朵); *spade (in playing cards)* (*Cl.* jek³ 只). **FE**

— sin³ — 扇   (N) *palm-leaf fan.* (*Cl.* ba² 把)

kwai⁴ 攜(携) 1734   (V) *bring; take.* **Fml. SF** ‡

— daai³ — 帶   (V) *bring; take.* **Fml. FE**

kwan¹ 坤(堃) 1735   (N) *earth; female.* (*Opp. of* kin⁴ 乾) **Bk.** ‡

kwan² 捆(綑) 1736   (V) *bind; tie.* (PN) *quantity contained in a bale/bundle.*

— bong² — 綁   (V) *bind up; tie up.*

kwan² 菌 1737   (N) *mushroom* (*Cl.* jek³ 只); *germ* (*Cl.* nap¹° 粒). **SF** ‡

kwan³ 困 1738   (V) *surround.* **SF** ‡   (Adj) *difficult.* **Fml. SF** ‡

— jue⁶ — 住   (V) *surround.* **FE**

— naan⁴ — 難   (Adj) *difficult.* **Fml. FE** (N) *difficulty; problem.* **FE** (*Cl.* goh³ 個 *or* jung² 種)

kwan³ 窘   1739   (V) *molest; embarrass.*   **SF** ‡   (Adj) *embarrassed; in straits.*

— bik¹° — 迫   (V) *molest; embarrass.*   **FE**   (Adj) *embarrassed; in straits.*   **FE**

— yiu⁶ — 擾   (V) *ditto.*   (Adj) *ditto.*

— ging² — 境   (N) *embarrassed situation.*   (*Cl.* jung² 種 *or* goh³ 個)

kwan⁴ 羣(群)   1740   (N) *masses; crowd.*   **SF** ‡   (PN) *herd, flock.*

— do² — 島   (N) *archipelago.*

— jung³ — 衆   (N) *masses; the general public.*   *(No Cl.)*

— — gaau³ yuk⁶ — — 教育   (N) *mass education.*   (*Cl.* jung² 種)

— — wan⁶ dung⁶ — — 運動   (N) *mass movement.*   (*Cl.* jung² 種)

kwan⁴ 裙   1741   (N) *skirt.*   (*Cl.* tiu⁴ 條)

— daai³ chan¹ — 帶親   (N) *relative by marriage.*   (*Cl.* jung² 種)

— — gwaan¹ hai⁶ — — 關係   (N) *ditto.*

kwong³ 礦(鑛)   1742   (N) *mine.*   **SF** ‡   **AP** gwong³ **SM see 1052.**

— chuen⁴ — 泉   (N) *mineral spring.*

— — sui² — — 水   (N) *mineral water.*   *(No Cl.)*

— gung¹° — 工   (N) *miner.*

— haang¹° — 坑   (N) *mine-shaft.*

⁵   — jeng² — 井   (N) *ditto.*

— kui¹ — 區   (N) *mining area.*   (*Cl.* goh³ 個)

— mak⁶ — 脈   (N) *vein of ore.*   (*Cl.* tiu⁴ 條)

— mat⁶ — 物   (N) *minerals in general.*   (*Cl.* jung² 種)

— — hok⁶ — — 學   (N) *mineralogy.*   (*Subject:* foh¹° 科)

¹⁰   — sa¹° — 砂   (N) *ore.*   (*Cl.* jung² 種 *or* nap¹° 粒)

— sek⁶ — 石   (N) *ditto.*

— saan¹ — 山   (N) *mine.*   **FE**   (*Cl.* goh³ 個 *or* joh⁶ 座)

— yip⁶ — 業   (N) *mining industry.*   (*Cl.* jung² 種)

kwong³擴 1743   (V) *enlarge; expand.* **SF** ‡

— daai⁶ — 大   (V) *enlarge; expand.*

— chung¹ — 充   (V) *ditto.*

— jeung¹ — 張   (V) *ditto.*

— sing¹ hei³ — 聲器   (N) *microphone; amplifier.*

kwong³曠 1744   (V) *neglect.* **SF** ‡ (N) *wilderness.* **SF** ‡

— foh³ — 課   (V) *skip classes (at school).*

— jik¹° — 責   (V) *neglect duties.*

— ye⁵ — 野   (N) *wilderness.*   (*Cl.* sue³ 處 or goh³ 個)

kwoo¹箍 1745   (V) *hoop; bind with a hoop.* **SF** ‡ **AP kwoo¹° see 1746.**

— geng² — 頸   (V) *mug; hoop sb's neck.* (N) *mugging.* (*Cl.* chi³ 次)

— — dong² — — 党   (N) *mugger; hooligan.*

— jue⁶ — 住   (V) *hoop; bind with a hoop.* **FE**

kwoo¹°箍 1746   (N) *a hoop.* **AP kwoo¹ see 1745.**

kwooi²潰 1747   (V) *fester; ulcerate.* **SF** ‡

— laan⁶ — 爛   (V) *fester; form pus.* **FE**

— yeung⁴ — 瘍   (V) *ulcerate.* **FE** (N) *ulcer.* (*Cl.* jung² 種)

kwooi²會 1748   (V) *calculate.* **Fml. SF** ‡ **AP: (1) wooi⁵ see 3288; (2) wooi⁶ see 3289; (3) wooi⁶* see 3290.**

— gai³ — 計   (V) *calculate.* **FE** (N) *accounting.* (*Cl.* jung² 種) **CP wooi⁶ gai³**

— — (yuen⁴) — — (員)   (N) *accountant.* **CP wooi⁶ gai³ (yuen⁴)**

kwooi²劊 1749   (V) *cut; amputate.* **Fml. SF** ‡

— ji² sau² — 子手   (N) *executioner.* **Fml.**

kwooi³ 繪   **1750**   (V) *draw.* *(RT sketches, maps, painting, etc.)* SF ‡

— (dei⁶) to⁴ — （地)圖   (V) *draw maps.*

— wa² — 畫   (V) *draw sketches; paint pictures.*

kwoot³ 括   **1751**   (V) *include.* SF ‡ (N) *parentheses; brackets.* SF ‡

— ho⁶* — 號   (N) *parentheses; brackets.* FE

— woo⁴ — 弧   (N) *ditto.*

kwoot³ 豁   **1752**   (V) *remit; exempt from.* Fml. SF ‡ (Adj) *broad-minded; liberal.* Fml. SF ‡

— daat⁶ (daai⁶ do⁶) — 達 (大度)   (Adj) *open-minded; liberal.* Fml. FE

— min⁵ — 免   (V) *remit; exempt from.* *(RT taxes, duties, penalties, etc.)* Fml. FE

— yin⁴ gwoon³ tung¹ — 然貫通   (SE) *suddenly see the light; the view suddenly becomes clear.*

— — hoi long⁵ — — 開朗   (SE) *ditto.*

L

la¹ 拉   **1753**   (P) *used in transliteration.* **AP³ laai¹ see 1757.**

L— Ding¹°   — 丁   (N) & (Adj) *Latin.* **Tr. FE**

— — man⁴   — — 文   (N) *Latin; the latin language.* **Tr. FE** (*Cl.* jung² 種)

— — man⁴ juk⁶   — — 民族   (N) *the Latin races; the Latin peoples.*

— — Mei⁵ Jau¹   — — 美洲   (N) *Latin America; South and Central America.* **Tr. FE**

la¹° 啦   **1754**   (FP) *expresses idea of requesting, commanding or advising at end of imperative statements; expresses idea of an agreement of some kind having been reached.*

— ma³   — 嗎   (FP) *expresses idea of disagreeing or contradicting.*

la³ 喇   **1755**   (P) *used in transliterations.* (FP) *used to indicate polite refusal, the completion of an action, or "transition" from one situation to another.*

— ba¹°   — 叭   (N) *horn; bugle; trumpet.*

— — geuk³   — — 脚   (N) *bell-bottom (of trousers). (Lit. trumpet bottom) (No Cl.)*

la⁴ 嘞   **1756**   (FP) *transforms statements of the perfect tense into questions that indicate doubt or surprise.*

laai¹ 拉   **1757**   (V) *arrest; pull.* **AP la¹ see 1753.**

— che²   — 扯   (Adv) *on an average.*

— lin⁶*   — 鍊   (N) *zipper: zip-fastener.* (*Cl.* tiu⁴ 條)

— seung⁶ bo² ha⁶   — 上補下   (SE) *even up (things or accounts). (Lit. pull above make up below)*

— siu² tai⁴ kam⁴   — 小提琴   (V) *play the violin.*

laai¹° 孻   **1758**   (Adj) *youngest; last. (RT one's own child)* **SF ‡**

— jai²   — 仔   (N) *the youngest son; the last son.*

— nui⁵*   — 女   (N) *the youngest daughter; the last daughter.*

laai² 瓓   1759   (V) *lick; lap up.*   **AP laai⁵ SM see 1760.**
     CC

— gon¹ jeng⁶   — 乾淨   (V) *lick clean.*

laai⁵ 瓓   1760   (V) *lick; lap up.*   **AP laai² SM see 1759.**
     CC

— gon¹ jeng⁶   — 乾淨   (V) *lick clean.*

laai³ 癩   1761   (N) *skin disease; itch.*   (*Cl.* nap¹° 粒)

— chong¹°   — 瘡   (N) *skin disease; impetigo.*   (*Cl.* nap¹° 粒 *or* goh³ 個)

laai⁶ 賴(頼)   1762   (V) *depend on; rely on; evade; blame.*   **SF** ‡

— fan¹   — 婚   (V) *repudiate a marriage contract.*

— jaai³   — 債   (V) *evade one's debts.*

— jeung⁶   — 仗   (V) *depend on; rely on.*   **FE**

— kaau³   — 靠   (V) *ditto.*

5   — yan⁴   — 人   (V) *blame sb else; accuse sb wrongly.*

laai⁶ 嚹   1763   (V) *leave behind; omit.*   **SF** ‡
     CC

— dai¹   — 低   (V) *leave behind; omit.*   **FE**

— joh²   — 咗   (V) *ditto.*

— lok⁶   — 落   (V) *ditto.*

— liu⁶   — 尿   (V) *urinate involuntarily.*   **Coll.**

5   — si²   — 屎   (V) *defecate involuntarily.*   **Coll.**

laam² 攬(擥)   1764   (V) *embrace; hold; hug.*   **Coll. SF** ‡

— jue⁶   — 住   (V) *embrace; hold; hug.*   **Coll. FE**

— sat⁶   — 實   (V) *ditto.*

laam² 欖 1765 (N) *olive.* **SF**

— kau⁴ — 球 (N) *American football; English rugby. (Lit. olive-shape ball)*

— wat⁶ — 核 (N) *olive seed.*

laam³ 躝 1766 (V) *step over.* **Coll. SF ‡ CC**

— gwoh³ — 過 (V) *step over.* **Coll. FE**

laam⁴ 籃 1767 (N) *basket.* **Fml. SF ‡ AP laam⁴* SM see 1768.**

— kau⁴ — 球 (N) *basket ball.*

laam⁴* 籃 1768 (N) *basket.* **Coll.** (*Cl.* goh³ 個 *or* jek³ 只) **AP laam⁴* SM see 1767.**

laam⁴ 藍 1769 (Adj) & (N) *blue.* **SF ‡**

— laam⁴* dei⁶* — 藍地 (Adj) *bluish.*

— leng⁵ (gaai¹ kap¹°) — 領(階級) (N) *blue collar worker; mechanic; factory workman. (Lit. blue collar class)*

— sik¹° — 色 (Adj) *blue.* **FE** (N) *blue.* (*Cl.* jung² 種 *or* goh³ 個)

laam⁵ 覽 1770 (V) *look at; sight-see.* **Fml. SF ‡**

laam⁶ 濫 1771 (V) *overflow; go to excess.* **Fml. SF ‡**

— chui² — 取 (V) *charge/take too much; sell at too high a price.* (*GRT fees, service charges, rents, selling prices, etc.*) **Fml.**

— sau¹ — 收 (V) *ditto.*

— gaau¹ — 交 (V) *form undesirable relationship.* **Fml.**

— ying⁴ — 刑 (N) *excessive punishment.* **Fml.** (*Cl.* jung² 種)

laam⁶ 艦 1772 (N) *warships in general.* (*Cl.* jek³ 只)

— dui⁶* — 隊 (N) *fleet; naval fleet.* (*Cl.* ji 支)

— jeung² — 長 (N) *captain of a warship.*

laam⁶ 纜   **1773**   (N) *cable; hawser; rope.*   (*Cl.* tiu⁴ 條)

— che¹° — 車   (N) *peak-tram.*   *(Lit. cable car)*   (*Cl.* ga³ 架)

— — fei¹° — — 飛   (N) *peak-tram fare (No Cl.); peak-tram ticket* (*Cl.* jeung¹ 張).

— — jaam⁶ — — 站   (N) *peak-tram stop.*

laan¹ 躝   **1774**   (V) *crawl; slither; creep.*   **Coll.**   **SF** ‡
                CC

— dei⁶* — 地   (V) *crawl; slither; creep.*   **Coll.**   **FE**

— tang⁴ — 籐   (N) *creeper.*   (*Cl.* tiu⁴ 條 *or* poh¹ 篙)

laan⁴ 攔   **1775**   (V) *interrupt; obstruct; fence off.*   **SF** ‡

— jit⁶ — 截   (V) *interrupt; obstruct.*   **FE**

— joh² — 阻   (V) *ditto.*

— jit⁶ gei¹ — 截機   (N) *interceptor plane.*   (*Cl.* ga³ 架)

— jue⁶ — 住   (V) *fence off; enclose; surround.*   *(RT buildings, lands, etc.)*   **FE**

laan⁴ 欄   **1776**   (N) *railing; fence.*   **SF** ‡

— gon¹° — 杆   (N) *railing; fence.*   **FE**   (*Cl.* do⁶ 度 *or* tiu⁴ 條)

— hoh⁴ — 河   (N) *ditto.*

laan⁴ 蘭   **1777**   (N) *orchid.*   **SF** ‡

— fa¹ — 花   (N) *orchid.*   **FE**   (*Cl.* deuh² 朵 *or* doh² 朵)

L— Jau¹ — 州   (N) *Lanchou.*   **Tr.**

laan⁵ 懶   **1778**   (Adj) *lazy.*   **SF**

— doh⁶ — 惰   (Adj) *lazy.*   **Fml.**   **FE**

— laan⁵* dei⁶* — 懶地   (Adj) *a little lazy.*

— lo² haai⁴ — 佬鞋   (N) *slip-ons.*   *(Lit. lazy man's shoes)*   (*Cl.* jek³ 只 *; pair:* dui³ 對 .)

laan⁶ 爛 1779   (Adj) *broken; damaged; rotten.* **SF** ‡

— joh² — 咗   (Adj) *broken; damaged; rotten.* **FE**

— hau² — 口   (N) *swearing; cursing; abusive language.* *(Lit. broken mouth)* *(Cl.* gui³ 句)

— jai² — 仔   (N) *hooligan.*

— lo⁶ — 路   (N) *damaged road; road under repair.* *(Lit. broken road)* *(Cl.* tiu⁶ 條)

5   — saang¹ gwoh² — 生果   (N) *rotten fruit.*

— yung⁴ yung⁴ — 溶溶   (Adj) *ragged; worn out; worn away to nothing.* *(RT clothes, banknotes, books, etc.)*

laang¹° 呤 1780   (N) *round; circle.* **Tr.** **CC**

laang⁵ 冷 1781   (Adj) *cold.* **AP laang⁵° see 1782.**

— beng⁶ — 病   (V) *be sick through cold and damp.* (N) *a cold.* *(Cl.* chi³ 次)

— chan¹ — 親   (V) *ditto.* (N) *ditto.*

— cheung⁴ — 塲   (N) *dull and boring sequence of film shots.* *(Cl.* goh³ 個 *or* chi³ 次)

— daam⁶ — 淡   (Adj) *indifferent; not enthusiastic.* *(Lit. cold and insipid)*

5   — hei³ — 氣   (N) *cold air.* *(Cl.* jung² 種)

— — cho⁴ — — 槽   (N) *air-conditioner duct.* *(Cl.* tiu⁴ 條)

— —·hau⁴ — — 喉   (N) *ditto.*

— — gei¹ — — 機   (N) *air-conditioner.* *(Lit. cold air machine)* *(Cl.* ga³ 架)

— laang⁵* dei⁶* — 冷地   (Adj) *coldish.*

10   — laang⁵ ching¹ ching¹ — 冷清清   (SE) *extremely lonely; extremely quiet; without sound or movement.*

— siu³ — 笑   (V) *sneer.* *(Lit. cold laugh)*

— — yat¹° ha⁵ — — 一吓   (V) *laugh sardonically; sneer.* *(Lit. cold laugh)* (N) *sardonic laughter; sneer.* *(Cl.* seng¹ 聲 *or* ha⁵吓)

— — — seng¹ — — — 聲   (V) *ditto.* (N) *ditto.*

— tin¹° — 天   (N) *winter; cold weather.* **Coll.**

15 — yit⁶ sui² hau⁴ — 熱水喉   (SE) *cold and hot water.* *(RT amenities in houses, hotels, etc.)* *(No Cl.)*

laang⁵° 冷   1782

          CC

(N) *knitting yarn.* **Tr.** **Coll.** *(Thread:* tiu⁴ 條; *pound:* bong⁶ 磅.) **AP laang⁵** see **1781.**

— saam¹° — 衫   (N) *hand-knitted cardigan/pull-over.* **Tr.** **Coll.** *(Cl.* gin⁶ 件)

laap⁶ 臘（膗，腊） 1783

(V) *preserve.* *(ROT meat)*

— sap³* — 鴨   (N) *preserved duck; dried duck.* *(Cl.* jek³ 只)

— cheung⁴* — 腸   (N) *sausage; chinese sausage.* *(Lit. preserved sausage)* *(Cl.* tiu⁶ 條; *Catty:* gan¹ 斤.)

— mei⁶* — 味   (N) *preserved meat in general.* *(Cl.* jung² 種)

— yuk⁶ — 肉   (N) *preserved pork.* *(No Cl.)*

laap⁶ 蠟（蜡） 1784

(N) *wax.*

— jeung⁶ — 像   (N) *wax-figure.*

— — yuen⁶* — — 院   (N) *wax museum.* *(Cl.* gaan¹ 間 *or* goh³ 個)

— ji² — 紙   (N) *stencil.* *(Cl.* jeung¹ 張)

— juk¹° — 燭   (N) *candle.* *(Cl.* ji¹ 支)

5 — — toi⁴ — — 臺   (N) *candlestick.* *(Cl.* goh³ 個 *or* joh⁶ 座)

laap⁶ 抯 1785

        CC

(V) *gather together; take a glance.* **Coll.** **SF** ‡

— (ha⁵) ngaan⁵ — (吓)眼   (N) *take a glance.* **Coll.** **FE**

— (maai⁴) saai³ — (埋)嗮   (V) *gather together.* **Coll.** **FE**

laap⁶ 擸（垃） 1786

(Adj) *confused; mixed.* **SF** ‡   (N) *rubbish.* **SF** ‡

— jaap⁶ — 雜   (Adj) *confused; mixed; odds and ends.* **FE**

— luen⁶* — 亂   (Adj) *ditto.*

— saap³ — 搔 (圾)   (N) *rubbish/garbage.* **Coll.** **FE** *(No Cl.)*

— — che¹° — — 車   (N) *garbage van.* *(Cl.* ga³ 架)

5 — — tung² — — 桶   (N) *rubbish bin.* *(Cl.* goh³ 個 *or* jek³只)

laap⁶ 立 1787

(V) *stand up; establish; draw up.* **SF ‡** (Adv) *immediately.* **SF ‡ AP lap⁶ SM see 1809.**

— ban² — 品 (V) *establish one's virtue; become a respectable man.* **Coll.**

— dak¹° — 德 (V) *ditto.*

— cheung⁴ — 場 (N) *standpoint.*

— ding⁶ kuet³ sam¹ — 定決心 (SE) *be determined; make up one's mind.*

5 — ha⁶ kuet³ sam¹ — 下決心 (SE) *ditto.*

— faat³ — 法 (V) *draw up laws; legislate.*

— — gei¹ gwaan¹ — — 機關 (N) *legislative organization.*

— hap⁶ tung⁴ — 合同 (V) *draw up an agreement/contract.*

— yeuk³ — 約 (V) *ditto.*

10 — hak¹° — 刻 (Adv) *immediately; at once.*

— jik¹° — 即 (Adv) *ditto.*

— him³ — 憲 (V) *establish a constitution.*

— — gwok³ — — 國 (N) *constitutional country.*

— jeung⁶ — 像 (V) *erect/build a status.*

15 — sam — 心 (V) *make up one's mind.*

— yi³ — 意 (V) *ditto.*

laat⁶ 辣（辢） 1788

(Adj) *spicy; strong.* *(RT taste, liquor, tobacco, etc.)*

— jau² — 酒 (N) *strong wine/liquor.* (*Cl.* jung² 種)

— jiu¹ — 椒 (N) *green pepper; red pepper.* (*Cl.* jek³ 隻)

— laat⁶* dei⁶* — 辣地 (Adj) *hottish (in taste).*

— sau² chui¹ fa¹ — 手搥花 (SE) *vicious murder of a female.*

5 — ya⁵ — 嘢 (N) *hot food; spicy food.* (*Cl.* jung² 種)

— yin¹° — 烟 (N) *strong tobacco.* (*Cl.* jung² 種)

laat⁶ 列 1789

(N) *row; line.* *(RT buildings, windows, trees, etc.)* **CP** *(No Cl.)* **AP lit⁶ see 1908.**

laau⁴ 撈 1790

(V) *grapple, dredge; fish for.* **CP AP: (1) lo¹ see 1925; (2) lo⁴ see 1926.**

— chaai⁴ — 柴 (V) *gather driftwood out of the water.*

— yue⁴* — 魚 (V) *fish with a net/basket.*

lai⁴ 犁   **1791**   (V) & (N) *plow.*   **SF**   ‡

— do¹° — 刀   (N) *plowshare.*   (*Cl.* ba² 把)
— pa⁴* — 耙   (N) *harrow.*
— tin⁴ — 田   (V) *plow; plow field.*

lai⁴ 嚟   **1792**   (V) *come; order.*   (*RT food, drinks, etc.*)
           CC

— lai⁴ hui³ hui³ —   嚟去去   (SE) *travel from place to place; come and go.*

lai⁵ 禮   **1793**   (N) *politeness; courtesy; ceremony; rite.*   **SF**   ‡
              (No Cl.)

— baai³ — 拜   (N) *week; worship.*
L— B— Luk⁶ — — 六   (N) *Saturday.*
l— b— mai⁵ — — 尾   (N) *week-end.*   **Coll.**
L— B— Ng⁵ — — 五   (N) *Friday.*
5 — — Saam¹ — — 三   (N) *Wednesday.*
— — Sei³ — — 四   (N) *Thursday.*
l— b— tong⁴ — — 堂   (N) *Church; Chapel.*   (*Cl.* gaan¹ 間)
L— B— Yat¹° — — 一   (N) *Monday.*
— — Yat⁶ — — 日   (N) *Sunday.*
10 — — Yi⁶ — — 二   (N) *Tuesday.*
l— fuk⁶ — 服   (N) *formal dress suit; ceremonial dress suit.*   (*Cl.* to³ 套)
— huen³ — 券   (N) *gift cheque; gift coupon.*   (*Lit. a bank's ceremonial ticket or token*)   (*Cl.* jeung¹ 張)
— maau⁶ — 貌   (N) *good manner.* (*Lit. polite appearance*)   (*Cl.* jung² 種)
— mat⁶ — 物   (N) *gift.*   (*Cl.* jung² 種 *or* gin⁶ 件)
15 — tong⁴ — 堂   (N) *auditorium; assembly hall.*   (*Cl.* gaan¹ 間 *or* goh³ 個)

lai⁶ 麗   **1794**   (Adj) *beautiful.*   **Fml.**   **SF**   ‡

L— Dik¹° (Din⁶ si⁶) — 的 (電視)   (N) *Rediffusion TV; RTV.*   **Tr.** *(No Cl.)*

— — — — Jung¹ Man⁴ Toi⁴ — — — — 中文台   (N) *RTV-Chinese;*
RTV-I.

— — — — Ying¹ Man⁴ Toi⁴ — — — — 英文台   (N) *RTV-English;*
RTV-II.

— do¹ — 都   (Adj) *beautiful. (GRT clothes)* **Fml. FE**

5 — yan⁴ — 人   (N) *beautiful woman; a beauty.* **Fml. FE**

lai⁶ 荔 1795   (N) *lichee.* **SF Tr.**

— ji¹° — 枝   (N) *lichee.* **FE Tr.**

lai⁶ 例 1796   (N) *rule; regulation; example.* **SF ‡** (Adj) *routine.*
SF ‡

— ga³ — 假   (N) *vacation leave; customary vacation.* (*Cl.* chi³ 次)

— hang⁴ — 行   (Adj) *according to routine practice; routine.* **FE**

— — gung¹ si⁶ — — 公事   (SE) *routine business; routine procedure;*
routine.

— ji² — 子   (N) *example.* **Mdn. FE**

5 — kwai¹ — 規   (N) *rule; regulation.* (*Cl.* tiu⁴ 條 *or* goh³ 個)

— ngoi⁶ — 外   (N) *exception.* (Adj) *exceptional; extra.*

— paai⁴* — 牌   (N) *routine; normal; ordinary. (RT food, work, etc.)*

— — choi³ — — 菜   (N) *customary food served at a dinner; usual*
dishes prepared for a meal. (*Cl.* goh³ 個)

— — gung¹ foo¹ — — 工夫   (N) *routine work.* (*Cl.* jung² 種)

10 — tong¹ — 湯   (N) *"to-day's soup" prepared in quantity at restaurants*
and sold at special price. (*Course:* goh³ 個 ; *bowl:* woon² 碗.)

— yue⁴ — 如   (Adv) *for example; for instance.*

lak³ 嘞 1797   (FP) *used as a sign of polite refusal, completed action,*
   CC   *or a transition from one situation to another.*

lak⁶ 勒 1798   (V) *strangle.* **SF ‡**

— dau³ — 竇   (Adj) *hard to get along with; unfriendly; difficult.*
(RT people's disposition, temperament, etc.)

— ma⁵ — 馬   (V) *rein in a horse.*

— sei² — 死　(V) *strangle*.　**FE**

— sok³ — 索　(V) *extort; squeeze; blackmail*.　(N) *extortion; squeeze; blackmail*.　(*Cl*. jung² 種 *or* chi³ 次)

⁵ — — on³ — — 案　(N) *blackmail case*.　(*Cl*. jung¹ 宗 *or* gin⁶ 件)

lak⁶ 肋　1799　(N) *rib*.　**SF** ‡

— gwat¹° — 骨　(N) *rib*.　**FE**　(*Cl*. tiu⁴ 條)

— mok⁶* — 膜　(N) *pleura*.

— — yim⁴ — — 炎　(N) *pleurisy*.　(*Cl*. jung² 種 *or* goh³ 個)

lam¹° 蔴　1800　(N) *bud; flower bud*.　**SF** CC

lam³ 冧　1801　(V) *collapse*.　(*RT buildings, hills, etc*.)　**AP lam⁶** see CC **1802.**

— saan¹ — 山　(N) *landslide*.　(*Lit. collapse of a hill*)　(*Cl*. chi³ 次)

— uk¹° — 屋　(N) *collapse of a house/building*.

lam⁶ 冧　1802　(V) *pile up; repeat*.　**SF** ‡　**AP lam³** see 1801. CC

— baan¹° — 班　(V) *repeat the same class/form*.

— hei² — 起　(V) *pile up*.　(*RT things*)　**FE**

— jong¹° — 莊　(SE) *the banker won again*.　(*Lit. repeat banker; RT mahjong game.*)

— yan⁴ dui¹° — 人堆　(SE) *crowd together; pile on top of one another*.　(*ROT people*)

lam⁴ 林　1803　(N) *forest; woods*.　**SF** ‡

— muk⁶ — 木　(N) *forest; wood*.　**Fml.**　**FE**

— yam³ daai⁶ do⁶ — 蔭大道　(N) *tree-lined road; boulevard*.　(*Lit. tree shadow road*)　(*Cl*. tiu⁴ 條)

— — lo⁶ — — 路　(N) *ditto*.

— yip⁶ — 業　(N) *forestry*.　(*Cl*. jung² 種)

lam⁴ 淋   1804   (V) *water; get soaked.* **SF** ‡

— fa¹° — 花   (V) *water flowers.*
— sap¹° — 濕   (V) *get soaked.* **FE**
— — saam¹° — — 衫   (SE) *get soaked to the skin.*
— — san¹ — — 身   (SE) *ditto.*
5   — sui² — 水   (V) *water; put water on sth.* **FE**

lam⁴ 痳 (淋)   1805   (N) *strangury; bladder disease.* **SF** ‡

— jing³ — 症   (N) *strangury; bladder disease.* **FE**   (*Cl.* goh³ 個 or jung² 種)

lam⁴ 臨   1806   (V) *descend; come to.* **Fml.** ‡   (Adv) *on the point of; hear to.* **SF** ‡   (Adj) *temporary.* **SF** ‡

— bit⁶ — 別   (Adv) *on the point of departure; just before going.*
— haang⁴ — 行   (Adv) *ditto.*
— jau² — 走   (Adv) *ditto.*
— do² — 到   (V) *approach; come to some particular point.*
5   — gap¹° — 急   (Adv) *in an urgent situation; on the brink of an emergency; urgently.*
— si⁴ lam⁴ gap¹° — 時臨急   (Adv) *ditto.*
— hot³ gwat⁶ jeng² — 渴掘井   (SE) *start digging a well when thirsty; too late to do sth.*
— si⁴ — 時   (Adj) *temporary; provisional.* **FE**
— — gung¹° — — 工   (N) *temporary employment.*   (*Cl.* fan⁶ 份)
10   — — ji² fai¹ bo⁶ — — 指揮部   (N) *temporary command post.*

lam⁵ 凜   1807   (V) *shiver with cold or fear.* **Fml.** **SF** ‡

— dam² — 揲   (Adv) *one after another; continuously.* **Coll.**
— lit⁶ — 冽   (Adj) *piercingly cold.* **Fml.**
— yin⁴ — 然   (Adj) *stern; severe.* **Fml.**

lap¹° 笠   1808   (V) *muzzle.* **SF** ‡   (N) *hamper; talk basket.* **SF**

— gei³ — 記   (N) *Chinese-style undervest.* **Sl.**   (*Cl.* gin⁶ 件)
— saam¹° — 衫   (N) *ditto.* **Coll.**   (*Cl.* gin⁶ 件)

lap⁶ 立   1809   (V) *stand up; establish; draw up.* **Fml. SF** ‡ (Adv) *immediately.* **Fml. SF** ‡ **AP laap⁶ SM see 1787.**

lat¹° 甩   1810   (V) *lose; get rid of.*
           CC

— dai² — 底   (V) *break an appointment; break one's word.* **Coll.**

— san¹ — 身   (V) *escape from danger; get out of trouble.* *(Lit. let go body)* **Coll.**

— sau² — 手   (V) *get rid of; let go.*

— sik¹° — 色   (V) *fade.* *(GT colour, paint, etc.)*

lau¹ 摟   1811   (V) *hold up.* **Fml. SF** ‡ **AP: (1) lau⁴ see 1812; (2) lau⁵ see 1813.**

— go¹ foo³ geuk³ — 高袱脚   (V) *hold up trouser (e.g. in rain).* **Fml. FE**

lau⁴ 摟   1812   (V) *drag; pull.* **Fml. SF** ‡ **AP: (1) lau¹ see 1811; (2) see 1813.**

— hin¹ — 牽   (V) *drag; pull.* **Fml. FE**

lau⁵ 摟   1813   (V) *embrace; hug.* **Fml. SF** ‡ **AP: (1) lau¹ see 1811; (2) lau⁴ see 1812.**

— jue⁶ — 住   (V) *embrace; hug.* **Fml. FE**

— po⁵ — 抱   (V) *ditto.*

lau¹° 褸   1814   (N) *overcoats in general.* *(Cl. gin⁶ 件)*
           CC

lau⁴ 留（雷）   1815   (V) *remain; grow.* *(RT beards, moustaches, hair, etc.)*

— baan¹° — 班   (V) *repeat a class/form (at school).*

— kap¹° — 級   (V) *ditto.*

— baat³ ji⁶ so¹ — 八字鬚   (SE) *grow a moustache.*

— bo⁶ — 步   (SE) *"please don't come further."* *(said to hosts by visitors when leaving)* **PL**

⁵ — cheung⁶ so¹ — 長鬚   (SE) *grow a long beard.*

— — tau⁴ faat¹ — — 頭髮   (SE) *grow long hair.*

— ching⁴ — 情   (V) *make allowances; be sympathetic.*

— chuen⁴ — 存   (V) *keep; preserve.*

— dai¹ — 低   (V) *leave behind; leave sth for sb.*

¹⁰ "— dak¹° ching¹ saan¹ joi⁶, m⁴ pa³ mo⁵ chaai⁴ siu¹" — 得青山在，
唔怕冇柴燒   (Sy) *While there's life, there's hope. (Lit. As long as a mountain remains green there'll be plenty of firewood.)*

— faan⁶ — 飯   (V) *provide food for a visitor.*

— sik⁶ — 食   (V) *ditto.*

— hok⁶ — 學   (V) *further one's studies abroad. (Lit. stay abroad and study)*

— — Mei⁵ Gwok³ — — 美國   (V) *further one's studies in the United States.*

¹⁵ — — saang¹° — — 生   (V) *overseas student; one who studies abroad.*

— lok⁶ — 落   (V) *leave behind; hand down.*

— — yi⁶ heung¹ — — 異鄉   (SE) *leave behind in a strange place; be unable to go home.*

— luen⁵ — 戀   (V) *unwilling to leave sb/ssp.*

— meng⁴* — 名   (V) *leave behind a good reputation/name.*

²⁰ — naan⁴ — 難   (V) *make things difficult for sb; make trouble for sb; be hard on sb.*

— sam¹ — 心   (V) *take notice of; pay attention to; do sth cautiously.* (Adv) *cautiously; attentively.* (Adj) *cautious; attentive.*

— san⁴ — 神   (V) *ditto.* (Adv) *ditto.* (Adj) *ditto.*

— yi³ — 意   (V) *ditto.* (Adj) *ditto.* (Adv) *ditto.*

— so¹ — 鬚   (V) *grow a beard/moustache.*

²⁵ — suk¹° — 宿   (V) *keep sb for the night.*

— tong⁴ — 堂   (V) *detain a child in school after normal hours; get detention (at school). (Lit. remain in classroom)* (N) *detention in school (as a punishment).* (Cl. chi³ 次)

— woo⁴ so¹ — 鬍鬚   (SE) *grow a beard.*

— yi¹ — 醫   (V) *stay in hospital.*

— yue⁴ dei⁶ — 餘地   (SE) *leave sb some ground to stand on; do not press a person too hard.*

lau⁴ 榴   **1816**   (N) *pomegranate.*   **SF**   ‡

— daan⁶* — 彈   (N) *shrapnel.*

—— paau³ —— 砲   (N) *howitzer.*   (*Cl.* moon⁴ 門 *or* ji¹支)

— sue⁶ — 樹   (N) *pomegranate tree.*   **FE**   (*Cl.* poh¹ 喬)

lau⁴ 瘤   **1817**   (N) *tumour; swelling.*   **Fml.**   **AP lau⁴* SM see 1818.**

lau⁴* 瘤   **1818**   (N) *tumour; swelling.*   **Coll.**   **AP lau⁴ SM 1817.**

lau⁴ 劉(刘)   **1819**   (V) *kill; destroy.*   **Fml.**   **SF**   ‡   (N) *surname, bc ttle-axe.*   **(SF)**

— bing¹ ging¹ dik⁶ — 兵驚敵   (SE) *put soldiers to death as a warning to the enemy.*

lau⁴ 樓   **1820**   (N) *building; floor.*   **Fml.**   **SF**   ‡   **AP lau⁴* see 1821.**

— baan² — 板   (N) *flooring in an upper storey; floor.*   (*Cl.* chang⁴層 *or* faai³塊)

— ha⁶ —·下   (Adv) & (Adj) *downstairs.*   (N) *lower deck; ground floor.* *(No Cl.)*

— seung⁶ — 上   (Adv) & (Adj) *upstairs.*   (N) *upstairs.*   *(No Cl.)*

— tai¹ — 梯   (N) *stairway.*   (*Cl.* do⁶ 度)

⁵ —— cheung² gip³ (on³) —— 搶刼(案)   (N) *robberies on staircases.* (*Cl.* jung¹ 宗 *or* gin⁶件)

—— hau² —— 口   (N) *entry/exit to a stairway; landing at the top of a flight of stairs.*

— yue⁵ —·宇   (N) *buildings in general.*   **Fml.**   (*Cl.* joh⁶座)

lau⁴* 樓   **1821**   (N) *building; tenement flat.*   **Coll.**   (*Cl.* gaan¹ 間 , joh⁶座 *or* chang⁴層)   **AP lau⁴ see 1820.**

— fa¹° — 花   (N) *building still in blue print stage.*   **Coll.**   (*Cl.* jung² 種)

— ga³ — 價   (N) *price of flats, apartments, or buildings.*   (*Cl.* goh³個 *or* jung² 種)

lau⁴ 流 **1822**   (V) *flow (RT water); shed (RT blood, tears, etc.); drift.*
SF ‡ (N) *class; grade; kind.* **SF** ‡ *(No Cl.)*

— bei⁶ tai³ — 鼻涕   (V) *have a running nose.*

— chaan² — 產   (V) *miscarry; fail to materialize.* **(Fig.)**

— chuen⁴ — 傳   (V) *hand down (RT traditions); spread (RT rumours); circulate (RT books, newspapers, etc.).*

— daan⁶* — 彈   (N) *stray bullet.* (*Cl.* nap¹° 粒)

5 — dong⁶ — 蕩   (V) *loiter; wander about.*

— duk⁶ — 毒   (V) *have evil effect.* (N) *poisonous influences (RT habits, morals, teachings, etc.); wide-spread vice.* (*Cl.* jung² 種)

— — ching¹ nin⁴ — — 青年   (V) *poison young minds.*

— dung⁶ — 動   (Adj) *mobile; floating.*

— — chaan¹° che¹° — — 餐車   (N) *mobile canteen.* (*Cl.* ga³ 架)

10 — — ji¹ boon² — — 資本   (N) *floating capital.* (*Cl.* bat¹° 筆)

— fong³ — 放   (V) *send to exile; banish.* (N) *exile; banishment.* (*Cl.* chi³ 次)

— mong⁴ — 亡   (V) *ditto.* (N) *ditto.*

— — jing³ foo² — — 政府   (N) *government in exile.*

— hang⁴ — 行   (V) *become popular.* (Adj) *prevalent; fashionable; popular.*

15 — — beng⁶ — — 病   (N) *epidemic.* (*Cl.* jung² 種 or goh³ 個)

— — goh¹° kuk¹° — — 歌曲   (N) *popular song; pop song.* (*Cl.* sau² 首 or ji¹ 支)

— — sing³ gam² mo⁶ — — 性感冒   (N) *influenza; flu.* **Fml. FE**

— — yam¹ ngok⁶ — — 音樂   (N) *popular music; pop music.* (*Cl.* jung² 種)

— hon⁶ — 汗   (V) *perspire; sweat.* **FE**

20 — huet³ — 血   (V) *bleed; shed blood.* **FE**

— kau³ — 寇   (N) *bandit.* **Fml.**

— lei⁴ (sat¹° soh²) — 離 (失所)   (SE) *live a vagrant life; live as a refugee.*

— lei⁶ — 利   (Adv) *fluently.* (Adj) *fluent.*

— lo⁶ — 露   (V) *reveal; show.* (*RT feelings/sentiments*)

25 — — jan¹ ching⁴ — — 眞情   (V) *reveal one's true feelings/love.*

— long⁶ — 浪   (V) *wander about from place to place; loaf.*

— — gong¹ woo⁴ — — 江湖   (SE) *move about the country without regular employment.*

— — haak³ — — 客   (N) *wanderer; loafer.* **FE**

— — ji² — — 者   (N) *ditto.*

30   — — yan⁴ — — 人   (N) *ditto.*

— man⁴ — 氓   (V) *vagrant; loafer; vagabond; hooligan; rascal.*

— ngaan⁵ lui⁶ — 眼淚   (V) *shed tears.* **FE**

— sa¹ — 沙   (N) *quick-sand; shifting sand.* *(No Cl.)*

— sin³ ying⁴ — 線型   (Adj) *streamlined.*

35   — sing¹° — 星   (N) *Meteor.* *(Cl.* nap¹° 粒)

— sui² — 水   (SE) *flowing water.* *(No Cl.)*

— — bo⁶* — — 簿   (N) *journal of accounts.* *(Cl.* bo⁶ 部 *or* boon² 本)

— — jeung³ — — 賬   (N) *ditto.*

— tung¹ — 通   (V) *circulate.* *(GT money, air, etc.)*   (N) *circulation.* *(RT money, air, etc.)* *(No Cl.)*

lau⁴ 琉(瑠)   1823   (N) *opaque; beryl.* **SF** ‡

— lei⁴ — 璃   (N) *opal; beryl.* **FE**   *(Cl.* faai³ 塊 *or* gau⁶ 礛)

— — nga⁵ — — 瓦   (N) *glazed tiled.*

lau⁴ 硫   1824   (N) *sulphur.* **SF** ‡

— keung⁵ sui² — 鏹水   (N) *sulphuric acid.* *(Bottle:* jun¹ 樽)

— suen¹° — 酸   (N) *ditto.*

— wong⁴ — 磺   (N) *sulphur.* **FE**   *(Cl.* jung² 種)

lau⁵ 柳   1825   (N) *willow.* **SF** ‡

— sue⁶ — 樹   (N) *willow; willow tree.* **FE**   *(Cl.* poh¹ 蔀)

— sui⁵ — 絮   (N) *willow catkins.* *(No Cl.)*

— tiu⁴* — 條   (Adj) *striped.*   (N) *willow wand.* *(Cl.* ji¹ 支)

— — bo³ — — 布   (N) *striped cottons.* *(Bolt:* pat¹° 疋)

lau⁶ 漏   **1826**   (V) *leak.* **FE**

— la³ — 罅   (N) *leak; loophole.* **Coll.** (*Cl.* goh³ 個 *or* tiu⁴ 條)

— sui² — 水   (V) *leak.* **FE**

— sui³ — 稅   (V) *evade taxes by smuggling.*

lau⁶ 陋   **1827**   (Adj) *low; vile; humble.* **Fml.** **SF** ‡

— hong⁶ — 巷   (N) *low-class alley.* **Fml.** (*Cl.* tiu⁴ 條)

— jaap⁶ — 習   (N) *low practices.* (*Cl.* jung² 種)

— kwai¹ — 規   (N) *illegalities in collecting fees; bribes.* (*Cl.* bat¹° 筆 *or* jung² 種)

— sat¹° — 室   (N) *humble house; tiny room.* **Fml.** (*Cl.* gaan¹ 間)

lau⁶ 溜   **1828**   (V) *skate; slip away.* **SF** ‡

— bing¹ — 冰   (V) *skate.* **FE**

— — haai⁴ — — 鞋   (N) *roller skates.* (*Cl.* jek³ 只; *Pair:* dui³ 對.)

— jau² — 走   (V) *slip away.* **FE**

le³ 咧   **1829**   (P) *used frequently with some other words to form final particles.* **AP:** (1) le⁵ see 1830; (2) le⁶ see 1831.

— me¹° — 咩   (FP) *transforms statements of the perfect tense into questions that indicate doubt or surprise.*

le⁵ 咧   **1830**   (FP) *expresses idea of repudiating blame or denying a charge/accusation.* **AP:** (1) le³ see 1829; (2) le⁶ see 1831.

le⁶ 咧   **1831**   (FP) *express idea of suggesting or recommending.* **AP:** (1) le³ see 1829; (2) le⁵ see 1830.

lei⁴ 梨（棃）   **1832**   (N) *pear.* **Fml.** **SF** ‡ **AP** lei⁴ **SM** see 1833.

— woh¹ — 窩   (N) *dimple in the cheek.*

lei⁴* 梨（棃）   **1833**   (N) *pear.* **Coll.** **AP** lei⁴ **SM** see 1832.

lei⁴ 籬   1834   (N) *bamboo fence.*   **SF** ‡

— ba¹ — 笆   (N) *bamboo fence.*   **FE**   (*Cl.* do⁶ 度)

lei⁴ 離   1835   (Prep) *from; away from.*   **SF** ‡   **AP lei⁴ see 1836.**

— bit⁶ — 別   (V) *part from; bid good-bye.*

— do² — 島   (N) *outlying island; off-shore island.*

— fan¹ — 婚   (V) *be divorced from sb.*   (N) *divorce.*   (*Cl.* chi³ 次)

— ga¹ (chut¹° jau²) — 家 (出走)   (V) *leave home.*

5 — ging² — 境   (V) *evacuate/deport from a territory.*

— hap⁶ hei³ — 合器   (N) *clutch (in a car).*   (*Lit. disconnecting connecting device)*   **Fml.**

— hoi¹ — 開   (V) *leave; depart from.*

— kei⁴ — 奇   (Adj) *accentric; warped; mysterious.*

— po² — 譜   (Adj) *ridiculous; unbelievable; not realistic; "off the beam".*   **SE**

10 — sam¹° — 心   (V) *leave the centre; fly out at a tangent.*   (Adj) *centrifugal.*   (N) *centrifugence.*   (*Cl.* jung² 種)

— — lik⁶ — — 力   (N) *centrifugal force.*   (*Cl.* jung² 種)

— tai⁴ — 題   (SE) *wandering from the subject; miss the point.*

— — maan⁶ jeung⁶ — — 萬丈   (SE) *ditto.*

— — ge³ suet³ wa⁶ — — 嘅說話   (N) *digression.*   (*Cl.* gui³ 句 *or* faan¹ 番)

15 — yuen⁵ — 遠   (Adv) *at a distance, from far away.*

lei⁶ 離   1836   (V) *leave far away.*   **Bk.**   **SF** ‡   **AP lei⁴ see 1835.**

lei⁴ 釐 (厘)   1837   (V) *regulate.*   **Fml.**   **SF** ‡   (Adj) *small; minute.*   **SF** ‡   (N) *the thousandth part of a Chinese foot/tael.*   *(No Cl.)*

— ding⁶ — 定   (V) *regulate; put in order.*   **FE**

— jai³ — 制   (V) *ditto.*

— fan¹ ji¹ gaan¹ — 分之閒   (SE) *very trifling.*

— mai⁵ — 米   (N) *millimetre.*   *(No Cl.)*

lei⁴ 罹 1838   (V) *suffer; incur.* **Fml. SF** ‡

— naan⁶ — 難   (V) *be killed in an accident of some kind.*

lei⁵ 里 1839   (N) *lane; village.* **SF** ‡ (*Cl.* tiu⁴ 條) (N) *"li" (a Chinese mile about 1890 feet English measure)* **Tr.** (*No Cl.*)

lei⁵ 哩 1840   (N) *mile; English mile.* (*No Cl.*)

lei⁵ 浬 1841   (N) *nautical mile.* (*No Cl.*)

lei⁵ 俚 1842   (N) *slang.* **Fml. SF** ‡ (Adj) *slang; unpolished; rustic; vulgar.* **Fml. SF** ‡

— juk⁶ — 俗   (Adj) *rustic; vulgar.* **Fml. FE**

— yue⁵ — 語   (N) *slang; slang/uncouth expression.* (*Cl.* gui³ 句)

lei⁵ 理 1843   (V) *look after; take notice of; manage.* **SF** ‡ (N) *reason.* **SF** ‡

— faat³ — 髮   (V) *have one's haircut.* **Fml.**

— — dim³ — — 店   (N) *barber's shop.* **Fml.** (*Cl.* gaan¹ 間)

— — si¹ foo⁶* — — 師傅   (N) *Barber.* **PL**

— foh¹° — 科   (N) *faculty/department of science.* (*No Cl.*)

5   — — hok⁶ saang¹° — — 學生   (N) *science student.*

— ga¹ — 家   (V) *attend to household duties; do the work of a housewife.*

— ji³ — 智   (N) *reason; rational faculty; the mind.* (*No Cl.*)

— seung² — 想   (N) & (Adj) *ideal.*

— — jue² yi⁶ — — 主義   (N) *idealism.* (*Cl.* jung² 種 *or* goh³ 個)

10   — sing³ — 性   (N) *reason; intellect.* **FE** (*Cl.* jung² 種)

— — dung⁶ mat⁶ — — 動物   (N) *rational creature; being with reasoning faculties.* (*Cl.* jung² 種)

— yau⁴ — 由   (N) *reason; cause.*

lei⁵ 裏(裡) 1844   (N) *lining of garment.* (*Cl.* faai³ 塊 *or* fuk¹° 幅) **AP** lui⁶ see **1995.**

— bo³ — 布   (N) *coarse lining.* **FE** (*Cl.* faai³ 塊 *or* fuk¹° 幅)

lei⁵ 履   **1845**   (V) *carry out; keep.* **Fml. SF ‡** (N) *shoe; conduct/action.* **CP Fml. SF ‡ AP lui⁵ SM see 1966.**

— hang⁴ — 行   (V) *carry out; keep.* (*RT agreements, promises, etc.*)

— — hap⁶ yeuk³ — — 合約   (V) *carry out/abide by an agreement.*

— — nok⁶ yin⁴ — — 諾言   (V) *keep one's words; honour one's promises.*

— lik⁶ (biu⁴) — 歷(表)   (N) *record of conduct; list of qualifications; statement of antecedents.* (*Cl.* goh³ 個 *or* jeung¹ 張)

lei⁵ 悝   **1846**   (N) *sail.* (*Cl.* fuk¹° 幅)
           CC

lei⁵ 鯉   **1847**   (N) *carp.* **SF ‡**

— yue⁴* — 魚   (N) *carp.* **FE** (*Cl.* tiu⁴ 條)

lei⁵ 李   **1848**   (N) *plum; surname.* **AP lei⁵* see 1849.**

lei⁵* 李   **1849**   (N) *plum.* **Coll. AP lei⁵ see 1848.**

lei⁶ 利(秒)   **1850**   (V) *take advantage of.* **SF ‡** (Adj) *sharp (RT weapons); profitable; convenient.* **SF ‡** (N) *profit; interest.* **SF** (*Cl.* jung² 種)

— bin⁶ — 便   (Adj) *convenient; handy.* **FE**

— chin⁴ — 錢   (N) *profit; net profit.* **FE Coll.** (*Cl.* jung² 種)

— yun⁶ — 潤   (N) *ditto.* **Fml.**

— gei² suen² yan⁴ — 己損人   (SE) *benefit oneself at the expense of others.*

5   — gei² jue² yi⁶ — 己主義   (N) *selfishness.* (*Cl.* jung² 種 *or* goh³ 個)

— hei³ — 器   (N) *weapons in general.* (*Cl.* jung² 種)

— hoi⁶ — 害   (Adj) *terrific; fierce; terrible.*

— — gwaan¹ hai⁶ — — 關係   (SE) *a matter of life or death; a matter of profit or loss.*

— kuen⁴ — 權   (N) *economic rights.* (*Cl.* jung² 種)

10   — ling⁶ ji³ fan¹   —   令智昏   (SE) *be blinded by the lust for gain.*
   — lut⁶*   —   率   (N) *interest rate; bank-rate.*   (*Cl.* jung² 種)
   — seung⁶ ga¹ lei⁶   —   上加利   (SE) *compound interest.*   (*Lit. interest upon interest*)   (*Cl.* jung² 種)
   — sik¹°   —   息   (N) *interest on money.*   (*Cl.* jung² 種)
   — ta¹ jue² yi⁶   —   他主義   (N) *altruism.*   (*Cl.* jung² 種 *or* goh³ 個)
15   — yau⁵   —   誘   (V) *beguile/corrupt sb with money.*
   — yik¹°   —   益   (N) *benefit; advantage.*   (*Cl.* jung² 種)
   — yung⁶   —   用   (V) *utilize; make use of; take advantage of.*   **FE**
   — — ga³ jik⁶   — —   價值   (SE) *worth using (sth or sb).*

lei⁶ 痢 1851   (N) *dysentery.*   **SF**   *(No Cl.)*
   — jat⁶   —   疾   (N) *dysentery.*   **FE**   *(No Cl.)*

lei⁶ 脷 1852   (N) *tongue.*   **Coll.**   (*Cl.* tiu⁴ 條)
          CC

lei⁶ 蒞(涖) 1853   (V) *arrive; enter.*   **Fml.**   **SF**   ‡
   — lam⁴   —   臨   (V) *arrive; enter.*   **Fml.**   **FE**

lek¹° 叻 1854   (Adj) *smart; sharp; clever; brilliant.*   **Coll.**
          CC
   — jai²   —   仔   (N) *clever boy; "smart alec".*

leng³ 靚 1855   (Adj) *beautiful (RT appearance); good (RT quality).*
          CC   AP: (1) leng³° see 1856; (2) ling³ see 1894.
   — lau   —   溜   (Adj) *beautiful; pretty.*   **FE**

leng³° 靚 1856   (Adj) *small; good for-nothing.*   **Ctmp.**   **SF**   ‡   **AP:**
          CC   (1) leng³ see 1855; (2) ling³ see 1894.
   — jai²   —   仔   *small boy; fop; good-for-nothing young fellow.*   **Ctmp.**

leng⁴ 零 1857   (Adv) *over; more than.*   **CP**   **SF**   ‡   (N) *zero;
          naught.*   **CP**   **AP** ling⁴ **SM** see 1895.

leng⁴靈 1858   (V) *come true. (RT fortune-telling, dreams, etc.)* **Coll. SF** (Adj) *responsive; fulfilling expectations. (RT fortune-telling, dreams, etc.)* **Coll. SF AP ling⁴ see 1896.**

— yim⁶ — 驗   (V) *come true. (RT fortune-telling, dreams, etc.)* **Coll. FE** (Adj) *responsive; fulfilling expectations. (RT fortune-telling, dreams, etc.)* **Coll. FE**

leng⁴鯪 1859   (N) *dace; Canton dace.* **SF** ‡

— yue⁴* — 魚   (N) *dace; Canton dace.* **FE** (*Cl.* tiu⁴ 條)

leng⁵領 1860   (N) *collar.* **Coll.** (*Cl.* tiu⁴ 條) **AP ling⁵ see 1897.**

— daai³* — 帶   (N) *neck-tie.* (*Cl.* tiu⁴ 條)

— taai¹° — 呔   (N) *ditto.*

— — gip⁶* — — 夾   (N) *tie clip.*

leng⁵嶺 1861   (N) *mountain range.* **Coll. SF** ‡ **AP ling⁵ SM see 1898.**

L— Naam⁴ — 南   (SE) *Kwangtung and Kwangsi; south of the pass bordering North Kwangtung.* **Coll.**

leuh¹髁 1862   (V) *spit; spit out.* **Coll. SF** ‡ **CC**

— chut¹° lai⁴ — 出嚟   (V) *spit out; dribble.* **FE**

— hau² sui² — 口水   (V) *spit. (as a bad habit)* (N) *spitting. (as a bad habit)* (*Cl.* chi³ 次)

— huet — 血   (V) *vomit blood.*

leuk⁶略(畧) 1863   (Adv) *slightly; a little.* **Fml. SF** ‡ (N) *plan; strategy.* **Fml. SF** ‡

— leuk⁶* — 略   (Adv) *slightly; a little.* **Fml. FE**

— yau⁵ — 有   (Adv) *ditto. (gen. followed by verbs or nouns)*

— — jik¹° chuk¹° — — 積蓄   (SE) *have some savings.*

leuk⁶ 掠   **1864**   (V) *rob; plunder.* **Fml. SF** ‡

— chui² — 取   (V) *rob; plunder.* **Fml. FE**

— duet⁶ — 奪   (V) *ditto.*

leung² 兩   **1865**   (N) *tael; ounce.*   *(No Cl.)*

leung⁴ 良   **1866**   (Adj)   *good.* **Fml. SF** ‡ (N)   *"credit"*   *(in examination).*

— fong¹° — 方   (N) *good prescription; effective remedy.*   (*Cl.* tiu⁴ 條)

— ga¹ — 家   (N) *respectable family.* **Fml. SF** ‡

— — foo⁵ nui⁵ — — 婦女   (N) *respectable women.*

— gei¹ — 機   (N) *good chance; favourable opportunity.* **Fml.** (*Cl.* chi³ 次)

5 — ji¹ — 知   (N) *instinctive morality; conscience.* **Fml.** (*Cl.* jung² 種)

— man⁴ — 民   (N) *law-abiding people; loyal subjects.* **Fml.**

— nang⁴ — 能   (N) *innate ability.* **Fml.** (*Cl.* jung² 種)

— sam¹ — 心   (N) *conscience.*   *(Lit. good heart)*

— — faat³ yin⁶ — — 發現   (SE) *conscience is pricked/stirred.*

10 — — yau⁵ kwai⁵ — — 有愧   (SE) *have a guilty conscience; be conscience-stricken.*

— san⁴ mei⁵ ging² — 辰美景   (SE) *beautiful day in pleasant surroundings.*

— si¹ yik¹° yau⁵ — 師益友   (SE) *good teachers and worthy friends.*

— tin⁴ — 田   (N) *fertile field; good land.* **Fml.** (*Acre:* mau⁵ 畝)

— yau⁵ — 友   (N) *good companion; worthy friend.* **FE**

15 — ye⁵ — 夜   (N) *clear night; late at night.* **Fml.**

— yeuk⁶ — 葯   (N) *good medicine.* **Fml.** (*Cl.* jung² 種)

— yi¹ — 醫   (N) *good doctor/physician.* **Fml.**

— yuen⁴ — 緣   (N) *happy union; good match.* **Fml.** *(RT marriage)* (*Cl.* chi³ 次)

leung⁴ 糧（粮）   **1867**   (N) *foodstuff; food ration; pay* (**Fig.**). **SF** ‡

— foon² — 欵   (N) *pay-roll.* **Fml.** (*Cl.* fan⁶ 份)

— — cheung² gip³ on³ — — 搶刼案   (N) *pay-roll robbery.* (*Cl.* gin⁶ 件 *or* jung¹ 宗)

— kei⁴ — 期   (N) *pay-day.* **Coll.** (*Cl.* chi³ 次)

— sik⁶ — 食   (N) *foodstuffs; (food) rations.* **FE** (*Cl.* jung² 種)

leung⁴ 涼(凉)   1868   (Adj) *cool; cold.* **SF** ‡

— fan² — 粉   (N) *jelly; black jelly.* (*Cl.* jung² 種)

— haai⁴ — 鞋   (N) *sandal. (Lit. cool shoes)* (*Cl.* jek³ 只 ; *pair:* dui³ 對.)

— huet³ — 血   (N) *cold blood.* **SF** ‡ (Adj) *cold-blooded.*

— — dung⁶ mat⁶ — — 動物 (N) *cold-blooded creature.* **Lit. & Pig.** (*Cl.* jung² 種 *or* goh³ 個)

5 — jam³ jam³ — 浸浸   (Adj) *very cool.*

— kek⁶ — 屐   (N) *platform shoes. (Lit. cool clogs)* (*Cl.* jek³ 只 ; *Pair:* dui³ 對)

— paang⁴ — 柵   (N) *awning.*

— song² — 爽   (Adj) *cool.* **FE Coll.**

leung⁴ 樑   1869   (N) *beam (of roof).* (*Cl.* tiu⁴ 條)

— seung⁶ gwan¹ ji² — 上君子   (SE) *burglar. (Lit. gentleman of the beams)*

leung⁴ 量   1870   (V) *measure; measure out.* **SF** ‡ **AP** leung⁶ see **1871.**

— dei⁶ — 地   (V) *measure land.*

— dok⁶ — 度   (V) *measure; estimate.* **FE**

— mai⁵ — 米   (V) *measure out rice; buy rice.* **Coll.**

leung⁶ 量   1871   (N) *measure; quantity.* **SF** ‡ **AP leung⁴** see **1870.**

leung⁵ 兩(两)   1872   (Adj) & (Pron) *two; both.*

— chek³ gin³ fong¹° — 呎見方   (SE) *two feet square; a square 2 feet by 2.*

— ga¹° — 家   (Pron) *both; both of (ROT families, persons etc.)*.

— Gwong² — 廣   (SE) *Kwangtung and Kwangsi; Provinces.*

— lo⁵ — 老   (SE) *father and mother; an aged couple.   (No Cl.)*

leung⁶ 諒   1873   (V) *forgive; excuse.*   **Fml.   SF   ‡**

— gaai² — 解   (V) *forgive; excuse.*   **Fml.   FE**   (N) *understanding; mutual understanding.*   (Cl. jung² 種)

lik⁶ 瀝   1874   (V) *drip.*   **Fml.   SF   ‡**   (N) *tar; bitumen.*   **Fml.   SF   ‡   CP lik⁶°.**

— cheng¹° — 青   (N) *tar; bitumen.*   **FE**   (*Drum:* tung² 桶)

— huet³ — 血   (V) *drip blood.*   **Fml.   CP lik⁶° huet³**

lik⁶ 力   1875   (N) *strength; energy; power.*   **SF**   (Cl. jung² 種)

— hok⁶ — 學   (V) *study hard.*   **Fml.**   (N) *dynamics.*   (*Subject:* foh¹° 科)

— leung⁶ — 量   (N) *strength; energy; power*   **FE**   (Cl. jung² 種)

lik⁶ 曆(厤)   1876   (N) *Calendar; almanac.*   **Fml.   SF   ‡**

— faat³ — 法   (N) *calendar; calculations of time based on observation of heavenly bodies; astronomy.*   **FE**   (Cl. jung² 種)

— sue¹ — 書   (N) *almanac.*   **Fml.   FE**   (Cl. bo⁶ 部 or boon² 本)

lik⁶ 歷   1877   (Adj) *successive.*   **Fml.   SF   ‡**   (N) *history.*   **SF   ‡**

— doi⁶ — 代   (Adv) *for many generations past.*   (N) *successive generations.   (No Cl.)*

— lik⁶ hok² so² — 歷可數   (SE) *every one may be counted.*

— lik⁶ joi⁶ muk⁶ — — 在目   (SE) *clearly visible; every detail before the eyes.*

— loi⁴ — 來   (Adv) *hitherto.*   **Fml.**

⁵ — nin⁴ — 年   (Adv) *for many years past.*

— si² — 史   (N) *history; science of history.*   **FE**   (Cl. jung² 種 or goh³ 個)

— si⁴ — 時   (V) *last; take; endure.*   **Fml.**

lim⁴ 廉   **1878**   (Adj) *honest; incorrupt; cheap.* **Fml. SF** ‡

— ga³ — 價   (Adj) *cheap; low-priced.* **Fml. FE**

— — ban² — — 品   (N) *low-priced goods.* (*Cl.* jung² 種 *or* gin⁶ 件)

— git³ — 潔   (Adj) *honest; incorrupt.* **Fml. FE**

L— Jing³ Juen¹ Yuen⁴ — 政專員   (SE) *Independent Commissioner against corruption; I.C.A.C.*

5   — — (— —) Gung¹ Chue⁵ — — (— —) 公署   (N) *the Office of the I.C.A.C.* (*Cl.* gaan¹ 間 *or* goh³ 個)

— Gei³ — 記   (N) *ditto.* **Joc.**

— jo¹ lau⁴* — 租樓   (N) *low-rent flats.* (*Lit. cheap rent houses*) (*Cl.* gaan¹ 間)

— — uk¹° — — 屋   (N) *ditto.*

lim⁴ 簾(籬) **1879**   (N) *blinds; window, screens.* **Fml. SF** ‡ **AP** lim⁴* **SM** see 1880.

lim⁴* 簾(籬)   **1880**   (N) *blinds; window screens.* **Coll.** (*Cl.* fuk¹° 幅 *or* faai³ 塊) **AP** lim⁴ **SM** see 1879.

lim⁴ 鐮(鎌)   **1881**   (N) *sickle.* **SF** ‡

— do¹° — 刀   (N) *sickle.* **FE** (*Cl.* ba² 把)

lim⁵ 臉   **1882**   (N) *face; reputation.* **Mdn. SF** ‡ **AP** lim⁵* **SM** see 1883

lim⁵* 臉   **1883**   (N) *face; reputation.* **CP Mdn. SF** ‡ **AP** lim⁵ **SM** see 1882.

— hung⁴ — 紅   (Adj) *blushing; flushed with anger.* **Fml.**

— nuen⁶ — 嫩   (Adj) *bashful; diffident.* **Fml.**

— pei⁴ bok⁶ — 皮薄   (Adj) *ditto.*

— — hau⁵ — — 厚   (Adj) *thick-skinned; shameless.* **Fml.**

5   — seung⁶ mo⁴ gwong¹ — 上無光   (SE) *lose face; be put out of contenance.*

— sik¹° — 色   (N) *facial expression; contenance.* **Fml.** (*Cl.* jung² 種 *or* goh³ 個)

lim⁵ 殮 1884   (V) *shroud a corpse.* **CP**   **SF**   ‡   **AP** lim⁶ **SM** see **1885.**

— fong⁴ — 房   (N) *mortuary.* (*Cl.* gaan¹ 間)

— si¹ — 屍   (V) *shroud a corpse.* **FE**

lim⁶ 殮 1885   (V) *shroud a corpse.* **Fml.** **SF** ‡ **AP** lim⁵ **SM** see **1884.**

lin⁴ 連 1886   (V) *include.* **SF** ‡ (Adv) *even.* (Adj) *successive; consecutive.* **SF** ‡ (N) *a company of soldiers.* (*No Cl.*)

— gung¹ baau¹ lin⁶* — 工包料   (SE) *contract for labour and material* (*RT buildings; clothes, etc.*)

— hei³ — 氣   (Adv) *in succession; continuously; one after another.*

— juk⁶ — 續   (Adv) *ditto.*

— jeung² — 長   (N) *commanding officer of a company.*

5 — jip³ chi⁴ — 接詞   (N) *conjunction.* **Gr.**

— juk¹° sui² do¹° wan² m⁴ do² yat¹° chaan¹ (sik⁶) — 粥水都搵唔倒一(餐)食 (SE) *cannot earn one's daily bread; cannot keep oneself.* (*Lit. cannot even earn a meal of thin gruel*)

— kam¹° — 襟   (N) *husbands of sisters.*

— lui⁶ — 累   (V) *implicate; involve.*

— maai⁴ — 埋   (V) *include.* **FE**

10 — mong⁴ — 忙   (Adv) *at once; in a hurry.*

— yat⁶ — 日   (Adv) *for several successive days.*

lin⁴ 蓮 1887   (N) *lotus.* **SF** ‡

— fa¹° — 花   (N) *lotus; water lily.* **FE** (*Cl.* deuh² or doh² 朵)

— ji² — 子   (N) *lotus seed.* (*Cl.* nap¹° 粒)

— ngau⁵ — 藕   (N) *lotus root.* (*Cl.* ji¹ 支)

— pung² — 篷   (N) *pool of lotus seed.*

lin⁶ 鏈 1888   (N) *chain.* **Fml.** **SF** ‡ **AP** lin⁶* **SM** see **1889.**

— sok³ — 索   (N) *chain.* **Fml.** (*Cl.* tiu⁴ 條)

lin⁶* 鏈 **1889**   (N) *Chain.* **Coll.** (*Cl.* tiu⁴ 條) **AP lin⁶ SM see 1888.**

— huen¹° — 圈   (N) *chain link.*

lin⁶ 煉 **1890**   (V) *smelt; refine.*

— daan¹ — 丹   (V) *prepare drug of immortality.*
— gong³ chong² — 鋼廠   (N) *steel foundry.* (*Cl.* gaan¹ 間)
— naai⁵ — 奶   (N) *condensed milk.* (*Tin* gwoon³ 碗)
— tit³ — 鉄   (V) *smelt iron.*
5   — tong⁴ — 糖   (V) *refine sugar.*
— — chong² — — 廠   (N) *sugar refinery.* (*Cl.* gaan¹ 間)
— yuk⁶ — 獄   (N) *purgatory.*

lin⁶ 練 **1891**   (V) & (N) *exercise; drill.* **SF** ‡

— bing¹ — 兵   (V) *drill troops.*
— gwan¹° — 軍   (V) *ditto.*
— jaap⁶ — 習   (V) *practise; do practice/exercise.* **FE** (N) *practice; exercise; drill.* (*Cl.* jung² 種 *or* goh³ 個)
— — bo⁶* — — 簿   (N) *exercise book.* (*Cl.* bo⁶ 部 *or* boon² 本)

lin⁴ 憐 **1892**   (V) *pity; sympathize; have compassion on* **SF** ‡

— gwoo¹ sik¹° gwa² — 孤惜寡   (SE) *have compassion on orphans and widows.*
— man⁵ — 憫   (V) *pity; sympathize.* **FE**
— sut¹° — 恤   (V) *ditto.*
— oi³ — 愛   (V) *have compassion on; be fond of.*
5   — sik¹° — 惜   (V) *ditto.*
— pan⁴ — 貧   (V) *have compassion on the poor.*

ling¹⁰ 嶺 **1893**   (N) *hand bell; small bell;* **Ono. SF** ‡
                CC

— ling¹° — 嶺   (N) *handbell; small bell.* **Ono. FE**
— — cha⁴ cha⁴* — — 嚓鑔   (SE) *bells and cymbals.* **Ono.**
— — seng¹ — — 聲   (V) *tinkle.* **Ono.** (N) *tinkling.* **Ono.** (*Cl.* jung² 種)

ling³靚 1894   (Adj) *shining; glossy.*   **AP (1) leng³ see 1855; (2) leng³°**
     CC   **see 1856.**

— laap³ laap³ — 啦啦   (Adj) *shining, glossy.*   **FE**

ling⁴零 1895   (Adv) *over; more than; "and something".*   **Fml. SF**
        ‡ (N) *zero; naught.*   **Fml. AP leng⁴ SM see 1857.**

— ling⁴ sing¹ sing¹ — 零星星   (Adj) *trivial; miscellaneous.*

— sing¹ — 星   (Adj) *ditto.*

— sui³ — 碎   (Adj) *ditto.*

— — sap¹° sing¹ — — 濕星   (Adj) *ditto.*

⁵ — maai⁵ — 買   (V) *buy retail.*

— maai⁶ — 賣   (V) *sell retail.*

— — seung¹ — — 商   (N) *retailer.*

— se³ — 舍   (Adv) *remarkably.*   **Coll.**

— — bat¹° — — 不同   (SE) *remarkably different.*   **Coll.**

¹⁰ — — m⁴ tung⁴ — — 唔同   (SE) *ditto.*

ling⁴靈 1896   (Adj) *ingenious; sensitive.*   **Fml. SF** ‡ (N) *soul/*
        spirit.   **Fml. SF** ‡ **AP leng⁴ see 1858.**

— daan¹ — 丹   (N) *elixir of immortality.*   (*Cl.* nap¹° 粒 *or* jung² 種)

— gam² — 感   (N) *inspiration.*   (*Cl.* jung² 種)

— gei¹ — 機   (N) *ingenious contrivance; quick wit.*   *(No Cl.)*

— man⁵ — 敏   (Adj) *sensitive; manoeuvrable.*   **FE**

— wan⁴ — 魂   (N) *soul and spirit; soul.*   **FE**

⁵ — woot⁶ — 活   (Adj) *ingenious; bright; manoeuvrable.*   **FE**

ling⁵領 1897   (V) *lead; guide; receive.*   **SF** ‡ (N) *collar; territory.*
        (SF). AP leng⁵ see 1860.

— ching⁴ — 情   (V) *receive a favour; be grateful to sb;*   (Adj) *grateful*
(Adv) *gratefully.*

— gong² — 港   (N) *pilot of a port.*   **Fml.**

— hoi² — 海   (N) *territorial waters.*

— hung¹ — 空   (N) *territorial air.*

⁵ — jau⁶ — 袖   (N) *leader of a group/party.*   (*Lit. collar and sleeve*)

— — choi⁴ nang⁴ — — 才能   (N) *leadership; ability to lead.* (*ROT capacity*)

— jeung¹° — 章   (N) *collar-badge.*

— leuk⁶ — 略   (V) *comprehend; apprehend; appreciate.*

— ng⁶ — 悟   (V) *ditto.*

10 — wooi⁶ — 會   (V) *ditto.*

— sai² — 洗   (V) *receive baptism; be baptized.*

— sau¹ — 收   (V) *receive; accept.* **FE**

— ṣau⁶ — 受   (V) *ditto.*

— seung² — 賞   (V) *receive a reward; be rewarded.*

15 — si⁶* — 事   (N) *consul.* (Adj) *consular.*

— — gwoon² — — 館   (N) *consulate.* (*Cl.* gaan¹ 間)

— to² — 土   (N) *territory.* **FE** (Adj) *territorial.*

— — jue² kuen⁴ — — 主權   (N) *territorial rights.* (*Cl.* jung² 種)

— — yuen⁴ jing² — — 完整   (N) *territorial integrity.* (*No Cl.*)

ling⁵嶺 1898 (N) *mountain range.* **Fml. SF** ‡ **AP leng⁵ SM see 1861.**

L — Naam⁴ — 南   (SE) *Kwangtung and Kwangsi; area South of the Pass bordering North Kwangtung.* **Fml.**

ling⁴羚 1899 (N) *antelope.* **SF** ‡

— yeung⁴ — 羊   (N) *antelope.* **FE** (*Cl.* jerk³ 只)

ling⁴綾 1900 (N) *gauze; thin silk.* **SF** ‡

— loh⁴ chau⁴ duen⁶ — 羅綢緞   (SE) *thin silk in general.* **FE** (*Bolt:* pat¹° 正)

ling⁴菱 1901 (N) *water-chestnut.* **SF** ‡

— fan² — 粉   (N) *flour made from water-chestnut.* (*No Cl.*)

— gok³ — 角   (N) *water-chestnut.* **FE** (*Cl.* jek³ 只)

ling⁴ 凌   1902   (V) *humiliate.* **Fml.** **SF** ‡

— ga³ — 駕   (V) *surpass; overtake.* **Fml.** **Fig.**

— lai⁶ — 厲   (Adj) *fearless; fierce; terrible.*   (Adv) *fearlessly; terribly.*

— luen⁶ — 亂   (Adj) *in great disorder.*

— san⁴ — 晨   (N) *early morning; early dawn.* **Fml.**

5 — yuk⁶ — 辱   (V) *humiliate; insult; put sb to shame.* **Fml.** **FE**

ling⁶ 另   1903   (Adv) *in addition; additionally; specially.* **SF** ‡

— hei² lo⁴ jo³ — 起炉灶   (SE) *start sth new to complete with sb; find another way of doing sth.* *(Lit. set up another kitchen range)*

— ngaan⁵ seung¹ hon¹ — 眼相看   (SE) *pay special regard to; treat sb exceptionally well.*

— ngoi⁶ — 外   (Adv) *in addition; additionally; specially.* **FE**

— yi⁵ — 議   (V) *discuss further.*

ling⁶ 令   1904   (V) *cause to; give rise to.* **SF** ‡   (Adj) *honourable.* **PL** **SF** ‡   (N) *order; command.* **SF** ‡

— chi⁴ — 慈   (N) *mother of another person; "your mother".* *(Lit. honourable mother)* **PL**

— sau⁶ tong⁴* — 壽堂   (N) *ditto.*

— chin¹ gam¹° — 千金   (N) *daughter of another person; "your daughter."* *(Lit. honourable thousand gold)* **PL**

— oi³ — 嬡   (N) *ditto.* *(Lit. honourable daughter)* **PL**

5 — do³ — 到   (V) *cause to; give rise to.* **FE**

— juen¹ (yung¹°) — 尊(翁)   (N) *father of another person; "your father".* *(Lit. honourable old man)* **PL**

— kei⁴ — 旗   (N) *command flag; signal flag.* *(Cl. ji¹ 支)*

— long⁴* — 郎   (N) *son of another person; "your son".* *(Lit. honourable lad)* **PL**

lip¹° 𨋢   1905   (N) *lift; elevator.* **Tr.** *(Cl. ga³ 架)*   **CC**

lip⁶ 獵   **1906**   (V) *hunt; pursue animals.*

— cheung¹° — 槍   (N) *shotgun; hunting gun.*   (*Cl.* ji¹ 支)
— gau² — 狗   (N) *hunting-dog; pointer.*
— jong¹° — 裝   (N) *hunting costume.*   (*Cl.* to³ 套)
— yan⁴ — 人   (N) *huntsman; hunter.*

lit³ 纈   **1907**   (N) *knot; knob.*
            CC

lit⁶ 列   **1908**   (V) *list; itemize.* **Fml. SF** ‡   (N) *row; line.* (*RT buildings, windows, trees, etc.)* **Fml.** *(No Cl.)* **AP laat⁶ see 1789.**

— che¹° — 車   (N) *a train.* **Fml.** (*Cl.* lit⁶ 列)
— gui² — 舉   (V) *list; put down item by item.* **FE**
— ha⁶ — 下   (V) *list as follows.*
— jik⁶ — 席   (V) *be in attendance at a meeting.*
⁵ — keung⁴ — 強   (N) *the big powers; powerful countries.* *(No Cl.)*
L — Ning⁴ 列寧   (N) *Lenin.* **Tr.**

lit⁶ 烈   **1909**   (Adj) *blazing; brave.* **Fml. SF** ‡

— foh² — 火   (N) *blazing fire.* **Fml.**
— si⁶ — 士   (N) *martyr; hero who died for his country.* (*Lit. brave man)*
— yat⁶ — 日   (N) *the scorching sun.* **Fml.**

lit⁶ 裂   **1910**   (V) *crack open.* **SF** ‡

— hoi¹ — 開   (V) *crack open; split open.*
— han⁴ — 痕   (N) *fissure.* **Lit. & Fig.** (*Cl.* tiu⁴ 條)
— la³ — 罅   (N) *crack; crevice.* (*Cl.* tiu⁴ 條)
— man⁴ — 紋   (N) *ditto.*

liu¹ 撩   **1911**   (V) *stir up; poke (with some instruments).* **CP SF** ‡ **AP: (1) liu² see 1912; (2) liu⁴ see 1913.**

— chut¹° lai⁴ — 出嚟   (V) *bring out ny poking.*
— foh² — 火   (V) *stir poks a fire.*

liu²撩   1912

(V) *stir up; poke (with some instruments)*.   **CP**   **SF**   ‡
AP: (1) liu¹ see 1911; (2) liu⁴ see 1913.

— chut¹° lai⁴   — 出嚟   (V) *bring out by poking*.

— foh²   — 火   (V) *stir a fire*.

liu⁴撩   1913

(V) *tease; excite*.   **SF**   ‡

— seng²   — 醒   (V) *awaken; disturb a sleeping person*.

— yan⁴   — 人   (V) *tease sb; incite sb*.   **FE**

liu⁴燎   1914

(V) *burn*.   **Fml.**   **SF**   ‡

— yuen⁴   — 原   (V) *set a prairie on fire*.   **Fml.**

— — ji¹ foh²   — — 之火   (SE) *a great prairie-fire*.   (*Cl.* cheung⁴ 塲)

liu⁴潦   1915

(Adj) *careless*.   **Fml.**   **SF**   ‡   **AP lo⁵ see 1942.**

— cho⁴   — 草   (Adj) *careless; scribbling (in writing)*.   **CP lo⁵ cho²**

liu⁴瞭   1916

(Adj) *clear-sighted; bright*.   **Fml.**   **SF**   ‡   **AP liu⁵**
SM see 1917.

— mong⁶   — 望   (V) *keep a look-out*.

— — toi⁴   — — 台   (N) *look-out post*.

— yue⁴ ji² jeung²   — 如指掌   (SE) *as clear as pointing to the palm of the hand*.

liu⁵瞭   1917

(Adj) *clear-sighted; bright*.   **Fml.**   **SF**   ‡   **AP liu⁴ SM see 1916.**

liu⁴療   1918

(V) *heal; cure*.   **Fml.**   **SF**   ‡

— ji⁶   — 治   (V) *heal; cure*.   **Fml.**   **FE**

— yeung⁵   — 養   (V) *convalesce*.   (N) *convalescence*.   (*Cl.* chi³ 次 or
jung² 種)

— — yuen⁶*   — — 院   (N) *sanatorium*.   (*Cl.* gaan¹ 間)

liu⁴遼   **1919**   (Adj) *distant; far away.* **Fml. SF ‡**

— foot³ — 闊   (Adj) *vast; far and wide.*

L— Ning⁴ (Saang²) — 寧省   (N) *Liaoning; Liaoning Province.* **Tr.**

l— yuen⁵ — 遠   (Adj) *distant; far away.* **Fml. FE**

liu⁴鐐   **1920**   (N) *fetters; handcuffs.* **SF ‡**

liu⁴寥   **1921**   (Adj) *few.* **Fml. SF ‡**

— liu⁴ mo⁴ gei² — 寥無幾   (SE) *very few.* **Fml.**

liu⁵了   **1922**   (V) *finish; end; settle up.* **Fml. SF ‡** (Adv) *clearly.* **Fml. SF ‡** (FP) *in Mandarin used as sign of completed action, similar to the Cantonese* "lak³" 嘞 .

— bat¹° hei² — 不起   (Adj) *wonderful; high and mighty.*

— gaai² — 解   (V) *understand; comprehend.* **Fml.**

— git³ — 結   (V) *finish; end; settle up.* **Fml. FE**

— si⁶ — 事   (V) *ditto.*

⁵ — yin⁴ — 然   (Adv) *clearly; fully.* **Fml. FE**

liu⁶料   **1923**   (V) *anticipate; arrange.* **Fml. SF ‡ AP liu⁶*** see **1924.**

— lei⁵ — 理   (V) *arrange; manage; put in order.* **Fml. FE**

— seung² — 想   (V) *anticipate; consider; reckon; imagine.* **Fml. FE**

— si⁶ yue⁴ san⁴ — 事如神   (SE) *predict things like a supernatural being.*

liu⁶*料   **1924**   (N) *materials in general.* (*Cl.* jung² 種) **AP liu⁶** see **1923.**

lo¹撈   **1925**   (V) *earn a living; make money; get rich in a reprehensible manner; gain notoriety.* **Coll. SF ‡ AP:** (1) **laau⁴** see **1970;** (2) **lo⁴** see **1926.**

— ga¹° — 家   (N) *rowdy; racketeer; "spiv".*

— sai³ gaai³ — 世界   (V) *earn a living; make money; get rich by fair means or foul; gain notoriety.* **Coll. FE**

lo⁴ 撈   **1926**   (V) *grapple; dredge; fish for.* **Fml.** **AP:** (1) laau⁴ see 1970; (2) lo¹ see **1925.**

lo² 佬   **1927**   (N) *fellow; man; "chap"; "guy".* **SF** ‡ *(GRT artificers, craftsmen; workmen, etc.)*

lo⁴ 勞   **1928**   (V) *trouble; bother.* **Fml.** **SF** ‡   (N) *labour.* **Fml.** **SF** ‡ **AP** lo⁶ see **1929.**

— dung⁶ — 動   (V) *trouble sb; bother sb.* **Fml.** **FE** (N) *labour; factory work.* **Fml.** **FE** (*Cl.* jung² 種)

— — jit³ — — 節   (N) *Labour Day.*

— — lik⁶ — — 力   (N) *labour force.* (*Cl.* jung² 種)

— faan⁴ — 煩   (V) *trouble sb to do sth.* **PL**

⁵ — — nei⁵ — — 你   (SE) *"may I trouble you to . . ."; "would you mind . . .".*

— gung¹ — 工   (N) *worker; workman; labourer.* **Fml.**

— — ling⁵ jau⁶ — — 領袖   (N) *labour leader.*

— — san⁴ sing³ — — 神聖   (N) *the sanctity of labour.* *(No Cl.)*

— — tuen⁴ tai² — — 團體   (N) *labour union.*

¹⁰ — hei³ — 氣   (Adj) *angry; moody; temperamental.*

— ji¹ — 資   (N) *capital and labour.* *(Lit. labour and capital)* *(No Cl.)*

— — chung¹ dat⁶ — — 衝突   (N) *clash between capital and labour.* (*Cl.* jung² 種 *or* chi³ 次)

— — gaan¹ hai⁶ — — 關係   (N) *relations between capital and labour.* (*Cl.* jung² 種)

— — gau² fan¹ — — 糾紛   (N) *dispute between capital and labour.* (*Cl.* jung² 種 *or* chi³ 次)

¹⁵ — — jaang¹ jap¹° — — 爭執   (N) *ditto.*

— lik⁶ (ge³ gung¹ jok³) — 力(嘅工作)   (N) *manual work; physical work.* (*Cl.* jung² 種)

— luk¹° — 碌   (Adj) *weary; toilsome.*

— sam¹ — 心   (V) *do mental work; do brainwork.*

— — ge³ gung¹ jok³ — — 嘅工作   (N) *mental work.* (*Cl.* jung² 種 fan⁶ 份)

²⁰ — san⁴ — 神   (Adj) *weary.*

— — ge³ gung¹ jok³ — — 嘅工作   (N) *wearisome work/job.* (*Cl.* jung² 種 *or* fan⁶ 份)

lo⁶ 勞 **1929**   (V) *reward; encourage.* **AP lo⁴ see 1928.**

— gwan¹ — 軍   (V) *reward troops; encourage soldiers.*

lo⁴ 癆 **1930**   (N) *tuberculosis.* **SF** ‡

— beng⁶ — 病   (N) *tuberculosis.* **FE** (*Cl.* jung² 種 *or* goh³ 個)

— jing³ — 症   (N) *ditto.*

lo⁴ 爐(炉) **1931**   (N) *stove; oven; fireplace.* **SF** ‡ **AP lo⁴* SM see 1932.**

— jo³ — 灶   (N) *stove; oven; cooking-range.* **FE**

lo⁴* 爐(炉) **1932**   (N) *store; oven; geyser.* **Coll.** **AP lo⁴ SM see 1931.**

lo⁴ 蘆 **1933**   (N) *reed.* **SF** ‡

— dik⁶ — 荻   (N) *reed.* **FE** (*Cl.* tiu⁴ 條)

— wai⁵ — 葦   (N) *ditto.*

lo⁴ 鸕 **1934**   (N) *fishing cormorant.* **SF** ‡

— chi⁴ — 鷀   (N) *fishing cormorant.* **FE** (*Cl.* jek³ 只)

lo⁴ 牢 **1935**   (N) *jail; prison; pen; cage.* **SF** ‡

— lung⁴ — 籠   (N) *pen; cage.* **Fml. FE**

— so¹ — 騷   (N) *complaint; grievance; grumble.* (*Cl.* jung² 種)

— yuk⁶ — 獄   (N) *jail; prison.* **Fml. FE**

lo⁴ 盧 **1936**   (Adj) *black.* **Bk. SF** ‡ (P) *used in transliteration.*

— bei² — 比   (N) *rupee.* **Tr.**

— bo³ — 布   (N) *Rouble.* **Tr.**

lo⁵ 老   1937   (Adj) *old.* (P) *used as a prefix to names or words indicating rank when polite address is intended.*

— baak³ — 伯   (N) *old gentleman; "granddad".*

— baan² — 闆   (N) *boss; employer; proprietor.*

— chan³ — 襯   (N) *dupe; food; simpleton; "sucker".*

— — tau⁴ lo⁵ chin¹° dai² — — 頭老千底   (SE) *crook who poses as a simpleton. (Lit. dupe's head crook's mind)*

5 — dim¹° — 千   (N) *card cheat; swindler.* **Coll. FE**

— daai⁶* — 大   (Adj) *old.* **FE**

— dau⁶ — 豆   (N) *father; "the old man".* **Coll.**

— foo² — 虎   (N) *tiger.* (*Cl.* jek³ 只)

— — gei¹ — — 機   (SE) *parking meter. (Lit. tiger machine eating coins)* (*Cl.* goh³ 個 *or* ga³ 架)

10 — gung — 公   (N) *husband.* **Coll.**

— hong⁴ juen¹ — 行尊   (N) *expert of long standing; person very experienced in a trade/profussion.*

— ji¹ gaak³ — 資格   (Adj) *very experienced; veteran.*

— juk¹° — 迹   (Adj) *sophisticated in speech/behaviour.*

— jung² — 總   (N) *chief editor; "the chief".* **Joc. Coll.**

15 — lo⁵* dei⁶* — 老地   (Adj) *oldish.*

— mo⁵* — 母   (N) *mother.* **Coll.**

— nin⁴ — 年   (N) *old age. (No Cl.)* (Adj) *old.* **Fml.**

— — yan⁴ — — 人   (N) *old people; the aged; old man.* **Fml.**

— yan⁴ — 人   (N) *ditto.*

20 — — yuen⁶* — — 院   (N) *home for the aged.* (*Cl.* gaan¹ 間)

— poh⁴ — 婆   (N) *wife.* **Coll.**

— sat⁶ — 實   (Adj) *honest; straight forward; plain. (ROT colour).*

— sau² — 手   (Adj) *very experienced; veteran.* (N) *veteran; "old hand". (RT trades professions, etc.)*

— si¹ — 師   (N) *teacher; school master.* **PL**

25 — sue² — 鼠   (N) *rat/mouse.* (*Cl.* jek³ 只)

— — dit³ lok⁶ tin¹ ping⁴ — — 跌落天平   (SE) *boost oneself too much. (Lit. a rat falls into the scales—otherwise nobody would weight (praise) it.)*

— yau⁵ (gei³) — 友(記)   (N) *old friend.* **Coll.**

lo⁵ 擄(虜)   1938   (V) *take captive.*   **SF**   ‡

— gip³ — 刦   (V) *rob; plunder; take captive.*   **FE**

— leuk⁶ — 掠   (V) *ditto.*

— yan⁴ lak⁶ suk⁶ — 人勒贖   (SE) *hold captives for ransom.*

lo⁵ 櫓(艣)   1939   (N) *scull.*   (*Cl.* ji¹ 支)

lo⁵ 魯   1940   (Adj) *rash; rude; careless.*   **SF**   ‡

— mong⁵ — 莽   (Adj) *rash; rude; careless.*   **FE**

lo⁵ 鹵   1941   (N) *natural salt.*   **Fml.**   **SF**   ‡

— mei⁶* — 味   (N) *pickled meat.*   (*Course:* dip⁶ 碟)

— yim⁴ — 壏   (N) *natural salt.*   **FE**   (*Cl.* nap¹° 粒)

lo⁵ 潦   1942   (Adj) *unlucky in life.*   **SF**   ‡   (N) *flood; heavy rain.*   **Fml.**   **SF**   ‡   **AP** liu⁴ see 1915.

— do² — 倒   (Adj) *unlucky in life.*   **FE**

lo⁶ 路   1943   (N) *road.*   (*Cl.* tiu⁴ 條)

"— bat¹° tung¹ hang⁴"   "— 不通行"   (SE) *"no thoroughfare".*

— bin¹° — 邊   (N) *kerb; kerbstone.*   (*Lit. road edge*)   (*Cl.* sue³ 處 *or* tiu⁴ 條)

— ging¹ — 經   (V) *pass; pass by; pass through.*

— gwoh³ — 過   (V) *ditto.*

⁵   — hau² — 口   (N) *corner/turning of a road.*   (*Lit. road mouth*)

— kuen⁴ — 權   (N) *the right of the road; right of way.*   (*Lit. road right*)

— min⁶* — 面   (N) *surface of the road.*   (*Lit. road face*)   (*No Cl.*)

— — gaau¹ tung¹ — — 交通   (N) *road traffic; traffic on the road.*   (*Lit. road surface traffic*)   (*No Cl.*)

— paai⁴* — 牌   (N) *traffic sign; road sign.*   (*Cl.* faai³ 塊 *or* goh³ 個)

10   — seung⁶   —   上   (Adv) *in the street; on the way.*

— sin³   —   綫   (N) *line/route. (RT buses, trains, etc.); lead/thread (RT mysteries); approach made through important friends/persons.* (*Cl.* tiu⁴ 條)

L— Tau³ Se⁵   —   透社   (N) *Reuter's News Agency.* **Tr.** (*Cl.* gaan¹ 間)

lo⁶ 露   1944   (V) *appear; reveal; expose.* **SF** ‡

— booi³   —   背   (Adj) *bare-backed.*

— — jong¹°   — —   裝   (N) *bare-backed dress.* (*Cl.* gin⁶ 件)

— chut¹°   —   出   (V) *expose; reveal; appear; show.* **FE**

— — boon² loi⁴ min⁶ muk⁶   — —   本來面目   (SE) *show one's true face; take off one's mask; come out in one's true colours.*

5   — — jan¹ min⁶ muk⁶   — —   眞面目   (SE) *ditto.*

— gwat¹°   —   骨   (Adj) *undisguised; barefaced. (Lit. showing bones)*

— tin¹   —   天   (Adj) *open-air.*

— — hei³ yuen⁶*   — —   戲院   (N) *open-air cinema; drive-in theatre.* (*Cl.* gaan¹ 間)

— toi⁴   —   台   (N) *veranda; balcony.*

10   — ying⁴   —   營   (V) *camp.* (N) *camping* (*Cl.* chi³ 次)

loh¹° 囉   1945   CC   (V) *prattle; chatter.* **Coll. SF** ‡   (FP) *puts at end of questions to express idea of contradiction or disagreement.* **AP:** (1) loh³ see **1946**; (2) loh⁴ see **1947.**

— luen¹   —   攣   (Adj) *restless; uneasy; disappointed.* **Coll.**

— soh¹   —   唆   (V) *prattle; chatter; demand excessively; cause unnecessary trouble; complain without cause.* **Coll. FE** (Adj) *loquacious; chattering.* **Coll.**

loh³ 囉   1946   CC   (P) *always used with some other word to form final particles.* **AP:** (1) loh¹° see **1945**; (2) loh⁴ see **1947.**

— boh³   —   嚕   (FP) *expresses idea of reminding at end of statements.*

— gwa³   —   啩   (FP) *expresses idea of reminding at end of questions.*

loh⁴ 囉   1947   CC   (FP) *expresses idea of agreeing to what sb has said.* **AP:** (1) loh¹° see **1945**; (2) loh³ see **1946.**

loh² 攞   **1948**   (V) *collect (RT salaries, wages, etc.); get (RT licences; passports, etc.); draw money from a bank.*

— chau⁴* — 籌   (V) *get a tally/ticket/tab (for baggage porters or for a patients at charitable clinic).*

— che¹° paai⁴ — 車牌   (V) *get a driver's licence.*

— chim¹ jing³ — 簽証   (V) *get a visa.*

— choi² — 彩   (V) *get an apology/damages.*

5 — daam² — 胆   (V) *creak trouble for sb.*

— faan¹ sing⁴ boon² — 返成本   (V) *cover the coat of production. (Lit. get back the coat)*

— ga³ — 假   (V) *apply for leave.*

— geng³ tau⁴ — 鏡頭   (V) *get in right position; adjust the lens. (RT taking photographs)*

— gok do⁶ — 角度   (V) *ditto.*

10 — jaai³ — 債   (V) *collect debts.*

— meng⁶ — 命   (V) *take sb's life; put sb. to death.*

— woo⁶ jiu³ — 護照   (V) *get a passport.*

— yan⁴ ching⁴ — 人情   (V) *ask a favour; make a request.*

— — meng⁶ — — 命   (V) *take sb's life; put sb to death.*

loh² 裸(躶)   **1949**   (Adj) *naked; nude.*   **SF** ‡

— paau² — 跑   (V) *streak.*   (N) *streaking.*   (Cl. chi³ 次)

— tai² — 體   (Adj) *naked; nude.*   **FE**

loh³ 爍   **1950**   (N) *smoky smell; burning smell*   **Coll.**   **SF** ‡
         CC

— chiu⁴ — 嚧   (N) *smoky smell; burning smell.*   **Coll.**   **FE**   (Cl. jam⁶ 喉 or bung⁶ 嗙)

— mei⁶ — 味   (N) *ditto.*

loh⁴ 羅   **1951**   (V) *recruit.*   **Fml.**   **SF** ‡   (N) *gauge; thin silk; net.*   **SF** ‡   (P) *used in translations.*

— jam¹° — 針   (N) *compass-needle.*   (Cl. ji¹ 支)

— ji³ — 致   (V) *recruit. (RT professional/talented people).*   **Fml.**   **FE**

L— Ma⁵ — 馬 (N) *Rome.* **Tr.**

— — ji⁶ (mo⁵) — — 字(母) (N) *Roman alphabet letters.* **Tr.**

5 — — — ping¹ yam¹° — — — 拼音 (N) *romanization.* **Tr.** (*Cl.* jung² 種)

— — Nei⁴ A³ — — 尼亞 (N) *Romania.* **Tr.**

— — so³ muk⁶ ji⁶ — — 數目字 (N) *Roman numerals.* **Tr.**

l—mong⁵ — 網 (N) *net.*

— poon⁴* — 盤 (N) *compass.*

10 — saan³ — 傘 (N) *ceremonial silk umbrella carried in state processions.* (*Cl.* ba² 把 *or* tong⁴ 幢)

L—Woo⁴ — 湖 (N) *Lo Wu.* **Tr.**

loh⁴籮 1952 (N) *bamboo basket.*

loh⁴鑼 1953 (N) *gong.* **Fml. SF ‡ AP loh⁴* SM see 1954.**

— gwoo² — 鼓 (N) *gongs and drums, music for Cantonese opera.*

— — sau² — — 手 (N) *musician for Cantonese opera.*

loh⁴* 鑼 1954 (N) *gong.* **Coll. AP loh⁴ SM see 1953.**

loh⁴蘿 1955 (N) *radish; turnip; carrot.* **SF ‡**

— baak⁶ — 蔔 (N) *radish; turnip; carrot; chilblain.* **(Fig.) FE**

L— Baak⁶ Tau⁴ — 蔔頭 (N) *"Jap"; Japanese.* (*Lit. turnip head*) **Der.**

loh⁴螺(蠃) 1956 (Adj) *spiral.* **Fml. SF ‡**
(N) *snail.* **Fml. SF ‡**
AP loh⁴* SM see 1957.

loh⁴* 螺(蠃) 1957 (N) *snail.* **Coll.**
AP loh⁴ SM see 1956.

— si¹° deng¹° — 絲釘 (N) *screw.* (*Cl.* hau² 口)

— suen⁴ jeung² — 旋槳 (N) *propeller; screw propeller.* (*Cl.* goh³ 個 *or* foo³ 副)

—— juen³ —— 轉   (Adj) *spiral.*

—— mo⁵* —— 母   (N) *nut for screw/bolt.*

loh⁴ 邏   1958   (P) *used in transliterations.*
AP loh⁶ see 1959.

— chap¹° — 輯   (N) *logic.* **Tr.** (*Cl.* jung² 種)

loh⁶ 邏   1959   (V) *patrol.* **Fml. SF ‡**

loi⁴ 來   1960   (V) *come.* **Fml. SF ‡**
(P) *used in transliterations.*
AP loi⁶ see 1961.

— ban¹ — 賓   (N) *guest.* **Fml.**

— fuk¹° cheung¹° — 福槍   (N) *rifle.* **Tr.** (*Cl.* ji¹ 支)

— lik⁶ — 歷   (N) *antecedents; previous records.* (*No Cl.*)

—— bat¹° ming⁴ —— 不明   (SE) *questionable antecedents; doubtful background.*

5 — lo⁶* — 路   (Adj) *imported.*

—— foh³ —— 貨   (N) *foreign-made goods; imported merchandise.* (*Cl.* jung² 種)

— loi⁴ wong⁵ wong⁵ — 來往往   (SE) *come and go; coming and going; intercourse.*

— wong⁵ — 往   (SE) *ditto.*

— wooi⁴ — 回   (SE) *to and from; there and back; return or two-way (ref. to journeys or tickets).*

10 —— fei¹° —— 飛   (N) *round ticket; return ricket.* **Coll.** (*Cl.* jeung¹ 張)

—— piu³ —— 票   (N) *ditto.* **Fml.**

L— Yan¹° Hoh⁴ — 因河   (N) *Phine River.* **Tr.** (*Cl.* tiu⁴ 條)

l— yan⁴ — 人   (N) *bearer of sth; messenger.*

— yuen⁴ — 源   (N) *resource; origin.*

15 —— jing³ —— 証   (N) *certificate of origin.* (*Cl.* jeung¹ 張)

loi⁶ 來   1961   (V) *encourage by reward.* **Fml. SF ‡**

— baak³ gung¹ — 百工   (SE) *encourage artisans to come.* **Fml.**

loi⁴佅(徕，勑) **1962**   (V) *induce the people to come.* **Fml. SF** ‡

loi⁶睞 **1963**   (V) *look at; squint.* **Fml. SF** ‡

lok³咯 **1964 CC**   (FP) *used as a sign of polite refusal, completed action, or a transition of one situation to another.*

lok³洛 **1965**   (N) *name of a tributary of the Yellow River.*

L— Hoh⁴ — 河   (N) *Lo River.* *(in Honan Province)* **Tr.** *(Cl.* tiu⁴ 條)

— Yeung⁴ — 陽   (N) *Loyang.* *(in Honan Province)* **Tr.**

— — ji² gwai³ — — 紙貴   (SE) *"paper is dear in Loyang" (quoted from an old saying)—said in praise of a man's writings; a very popular book* **(Fig.)**

lok³烙 **1966**   (V) *brand; burn.* **SF** ‡

— tit³ — 鉄   (N) *branding-iron.* *(Cl.* faai³ 塊)

— yan³ — 印   (V) & (N) *brand.* **FE**

lok³絡 **1967**   (V) *connect; liaise.* **SF** ‡   (N) *unreeled silk.* **SF** ‡

— chau⁴* — 綢   (N) *unreeled silk; sarsenet.* *(Bolt:* pat¹° 疋)

— yik⁶ — 繹   (V) *continue; more along one after another.* **Fml.**

— — bat¹° juet⁶ — — 不絕   (Adj) *continuous; unbroken.* *(RT traffic, people, etc.)*

lok³駱 **1968**   (N) *camel.* **SF** ‡

— toh⁴ — 駝   (N) *camel.* **FE** *(Cl.* jek³ 只 or pat¹° 匹)

— — mo⁴ — — 毛   (N) *camel's hair.* *(No Cl.)*

— — yung⁴* — — 絨   (N) *cloth made of camel's hair.* *(Bolt:* pat¹° 疋)

lok⁶落 1969   (V) *go down; descend; get off; serve with (salt, sugar, etc.).* **SF**

— baan¹° — 班   (V) *finish a day's work; be off duty.*

— che¹° — 車   (V) *get off a car; alight from a carriage.*

— daai⁶ yue⁵ — 大雨   (V) *rain heavily; rain cats and dogs.* *(Lit. fall big rain)*

— yue⁵ — 雨   (V) *rain.*

5 — daan¹° — 單   (V) *take/write down an order for a meal.*

— dai⁶ — 第   (V) *fail in examinations.* **Fml.**

— di¹° — 啲   (Adv) *further down.*

— haak³ — 客   (V) *let passengers get off.* *(RT buses, trains, ships, airplanes, etc.)*

— hau⁶ — 後   (V) *fall behind.* (Adj) *backward; behind the times (in thinking).*

10 — — gwok³ ga¹ — — 國家   (N) *under-developed country.*

— huen¹ to³ — 圈套   (V) *fall into a trap.*

— hui³ — 去   (V) *go down.* **FE**

— hung¹ — 空   (V) *be in vain; prove abortive; come to nothing.* *(RT plans, hopes, etc.)*

— lai⁴ — 嚟   (V) *come down.*

15 — lau⁴* — 樓   (V) *go downstairs; pay a bill at (the counter of) a restaurant* **(Sl.).**

— lik⁶ — 力   (V) *work hard; exert strength; make every endeavour.*

— ng⁵ — 伍   (V) *drop behind others; become outdated.*

— sau² — 手   (V) *put one's hand to; start to do sth; set about doing sth.*

— suen² — 選   (V) *fail to be elected.*

20 — tong⁴ — 糖   (V) *add/put in sugar; serve food or drink with sugar.*

— yim⁴ — 鹽   (V) *add/put in salt; serve food or drink with salt.*

lok⁶樂 1970   (Adj) *happy; pleased.* **SF** ‡ (N) *joy; pleasure.* **SF** ‡ **AP: (1) ngaau⁶ see 2324; (2) ngok⁶ see 2367.**

— gwoon¹ — 觀   (Adj) *optimistic.* *(Lit. happy view)*

— — ge³ yan⁴ — — 嘅人   (Adj) *optimist.*

— — jue² yi⁶ — — 主義   (N) *optimism.* *(Cl. jung² 種 or goh³個)*

— si⁶ — 事   (N) *joy; pleasure.* *(Cl. jung² 種 or gin⁶ 件)*

⁵ — to² — 土   (N) *a place free from sorrow.* (*Cl.* sue³ 處 *or* goh³ 個)
— yi³ — 意   (Adj) *willing; glad.* (Adv) *willingly; gladly.*
— yuen⁴ — 園   (N) *paradise; garden of pleasure.*

long¹ **哴** 1971   (Adj) *hard to get along with.* **Coll. SF ‡ AP:**
              CC   **long² see 1972.**

— lai² — 嚟   (Adj) *hard to get along with; not friendly; difficult (RT people).* **Coll. FE**

long² **哴** 1972   (V) *rinse; glaze; spread glaze.* **Coll. SF ‡ AP:**
              CC   **long¹ see 1971.**

— chi⁴ — 瓷   (V) *glaze; spread glaze.* **Coll. FE**
— yau⁶* — 釉   (V) *ditto.*
— gon¹ jeng⁶ — 乾淨   (V) *rinse clean.* **Coll. FE**
— hau² — 口   (V) *rinse out the mouth.*

long³ **晾** 1973   (V) *raise up; shore up.* **Coll. SF ‡ AP: long⁶ see 1974.**

— geuk³ — 脚   (V) *put the feet up on sth.* **Coll.**
— hei² — 起   (V) *raise up by putting sth under-neath.* **Coll.**

long⁶ **晾** 1974   (V) *spread out to dry.* **Coll. SF ‡ AP: long³**
              CC   **see 1973.**

— gon¹ — 乾   (V) *spread out to dry; dry in the air.* **Coll. FE**
— saam¹° — 衫   (V) *dry/air clothes.* **Coll.**

long⁴ **郎** 1975   (N) *young gentleman; husband.* **Fml. SF ‡**

— choi⁴ nui⁵ maau⁶ — 才女貌   (SE) *the man is talented, and the woman pretty; a perfect couple.*
— gwan¹ — 君   (N) *husband.* **Fml. FE**

long⁴ **狼** 1976   (Adj) *reckless; daring.* **SF Coll.** (N) *wolf.* (*Cl.* jek³ 只)

— booi³ (bat¹° hom¹) — 狽(不堪)   (Adj) *embarrassed; helpless.*
— — wai⁴ gaan¹ — — 爲奸   (SE) *band together for evil purposes.*

— daam² — 胆   (Adj) *reckless daring.*   (*Lit. wolf gall-bladder*)   **Coll. FE**

— toil — 胎   (Adj) *ditto.*

5   — duk⁶ — 毒   (Adj) *merciless; vindictive.*

— kwan⁴ — 羣   (N) *wolf pack.*

— sam¹ gau² fai³ — 心狗肺   (SE) *wolf's heart and dog's lungs; cruel, savage and fierce disposition.*

long⁵ 朗   1977   (Adj) *clear; bright; distinct.*   **SF** ‡

— jung⁶ — 誦   (V) *recite.*   (*RT poetry, prose, etc.*)   (N) *recitation.* (*RT poetry, prose, etc.*)   (*Cl. chi³* 次)

— yuet⁶ — 月   (N) *bright moon.*

long⁶ 浪   1978   (N) *wave*

— fa¹° — 花   (N) *surf; foam.*

— fai³ — 費   (V) & (N) *waste.*   (*RT time and money*)

— ji² — 子   (N) *prodigal son.*

— maan⁶ — 漫   (Adj) *romantic.*   **Tr.**

5   — — jue² yi⁶ — — 主義   (N) *romanticism.*   (*RT literature, art, etc.*) (*Cl. jung²* 種 *or* goh³ 個)

— muk⁶ — 木   (N) *seesaw.*   (*Cl. tiu⁴* 條)

— yan⁴ — 人   (N) *vagabond; "ronin" (Japanese).*   **Tr.**

luen¹ 攣   1979   (V) *curl up; coil.*   **Coll. SF** ‡   (Adj) *crooked; bent.* **CP Coll. SF** ‡

— gung¹° — 弓   (Adj) *crooked; bent.*   **Coll. FE**

— kuk¹° — 曲   (Adj) *ditto.*

— maai⁴ — 埋   (V) *curl up; coil.*   **Coll. FE**

— mo⁴° — 毛   (N) *curly hair.*   (*No Cl.*)

luen⁴ 聯   1980   (V) *unite; contact; connect; liaise; sew; stitch.*   **SF** ‡

— bong¹ — 邦   (N) *commonwealth.*   (*Lit. united country*)

— hap⁶ — 合   (V) *united; join; make or become one.*

L— H— Gwok³ —— 國   (N) *United Nations; United Nations Organization; U.N.; U.N.O.*

l— lok³ — 絡   (V) *contact; connect; liaise.* **FE**   (N) *Contact; connection; liaison.* **FE**   (*Cl.* chi³ 次)

⁵ —— gwoon¹ —— 官   (N) *liaison officer.*

—— yuen⁴ —— 員   (N) *ditto.*

— mang⁴ — 盟   (V) *form an alliance.*

— saam¹° — 衫   (V) *sew; make clothes.* **Coll. FE**

— sin³ bo⁶ — 線步   (V) *put in/make stitches; stitch.* **Coll. FE**

luen⁵ 戀   1981   (V) *love; be fond of.* **SF** ‡   (N) *love.* **SF** ‡

— ga¹ — 家   (V) *be fond of staying at home.*

— oi³ — 愛   (N) *love; love affairs.* (*Cl.* chi³ 次)

luen⁶ 亂   1982   (Adj) *disorderly; confused; at random.*

— gong² — 講   (V) *speak at random; engage in loose/irresponsible talking.*

— lun⁴ — 倫   (V) *incest.*

— lung⁴ — 籠   (V) *make a mess of sth; leave sth in disorder; do sth in an unusual way.* (*Lit. disorder cage*) **Sl.**

— saai³ daai⁶ lung⁴ — 哂大籠   (V) *ditto.*

⁵ — sai³ — 世   (N) *times of disorder.*

luet³ 捋   1983   (V) *stroke; roll up.* **Call. SF** ‡

— go¹ — 高   (V) *roll up.* **Coll. FE**

—— saam¹° jau⁶ —— 衫袖   (V) *roll up sleeves.*

— so¹ — 鬚   (V) *stroke the beard.* **Coll.**

luet³ 劣   1984   (Adj) *inferior; bad.* **Fml. SF** ‡

— foh³ — 貨   (N) *inferior goods.* (*Cl.* jung² 種)

— gan¹ sing³ — 根性   (N) *innate wickedness.* (*Cl.* jung² 種)

— jik¹° — 跡   (N) *notorious past/record; bad reputation.* (*Cl.* jung² 種)

— ma⁵ — 馬   (N) *vicious horse; nag.* (*Cl.* pat¹° 匹)

lui⁴ 雷   **1985**   (N) *thunder.* (*Cl.* goh³ 個 *or* chi³ 次)

— din⁶ — 電   (N) *thunder and lightning.* (*Cl.* chi³ 次)

— gung¹ — 公   (N) *god of thunder.*

— pek³ — 劈   (V) *be struck by lightning.*

lui⁴ 擂   **1986**   (V) *grind; beat.* **SF** ‡

— gwoo² — 鼓   (V) *beat a drum.*

— ngaan⁴ liu⁶* — 顏料   (V) *grind colours.*

lui⁴ 鐳   **1987**   (N) *radium.* **Tr.** **SF**

— ding³ — 錠   (N) *radium.* **Tr.** **FE** (*Cl.* jung² 種)

lui⁴ 驢   **1988**   (N) *donkey; ass.* (*Cl.* jek³ 只)

— jai² — 仔   (N) *donkey. ass.* **Coll.** (*Cl.* jek³ 只)   (N) *hard work.* **Coll.** **Fig.** (*Cl.* chi³ 次)

lui⁴ 累   **1989**   (V) *bind; tie up.* **Fml.** **SF** ‡
AP: (1) lui⁵ see 1990; (2) lui⁶ see 1991.

— chau⁴ — 囚   (N) *bound/fettered prisoner.* **Fml.**

lui⁵ 累   **1990**   (V) *accumulate.* **SF** ‡ **AP:** (1) lui⁴ see 1989; (2) lui⁶ see 1991.

— jik¹° — 積   (V) *accumulate.* **FE**

— jun³ — 進   (Adj) *progressive; in mathematical progression*

— — sui³ — — 稅   (N) *progressive taxation.* (*Cl.* jung² 種)

lui⁶ 累   **1991**   (V) *involve; complicate.* (*RT people*) **SF** ‡
AP: (1) lui⁴ see 1989; (2) lui⁵ see 1990.

— kap⁶ — 及   (V) *involve sb in trouble.* **FE**

— — mo⁴ gwoo¹ — — 無辜   (SE) *involve innocent people in trouble; make the innocent suffer.*

lui⁵鋁 **1992** (N) *aluminium.* **Tr.** (*Cl.* jung² 種)

— pin³* — 片 (N) *aluminium plate.* (*Cl.* faai³ 塊)

lui⁵屢(屢) **1993** (Adv) *often; repeatedly.* **SF** ‡

— chi³ — 次 (Adv) *often; repeatedly.* **FE**
— lui⁵ — 屢 (Adv) *ditto.*
— si³ lui⁵ yim⁶ — 試屢驗 (SE) *prove efficacious time after time.*

lui⁵旅 **1994** (V) *travel.* **SF** ‡ (N) *brigade.* (*RT armed forces*) (*No Cl.*)

— dim³ — 店 (N) *inn; small hotel.* (*Cl.* gaan¹ 間)
— gwoon² — 館 (N) *ditto.*
— fai³ — 費 (N) *travelling expense.* (*Cl.* bat¹° 筆)
— haak³ — 客 (N) *traveller.*
5 — hang⁴ — 行 (V) *travel.* **FE** (N) *travelling; pleasure trip; excursion.* (*Cl.* chi³ 次)
— — che¹° — — 車 (N) *station wagon; estate car.* (*Lit. travel car*) (*Cl.* ga³ 架)
— — doi⁶* — — 袋 (N) *travel bag.*
— — ge³ ye⁵ — — 嘅嘢 (N) *clothing or things for a journey.* **Coll.** (*No Cl.*)
— — ge³ yi¹ mat⁶ — — 嘅衣物 (N) *ditto.*
10 — — se⁵ — — 社 (N) *travel agency.* (*Cl.* gaan¹ 間)
— jeung² — 長 (N) *brigade Commander.*
— yau⁴ — 遊 (V) *go sightseeing; travel.*
— — che¹° — — 車 (N) *coach; tourist coach.* (*Cl.* ga³ 架)
— — tuen⁴ — — 團 (N) *sightseeing tour.* (*Lit. travelling group*)

lui⁵裏(裡) **1995** (N), (PP), (Adj) & (Adv) *inside.* **SF** ‡ AP lei⁵ see **1844.**

— bin⁶ — 便 (N), (PP), (Adj) & (Adv) *inside.* **FE**
— tau⁴ — 頭 (N), (PP), (Adj) & (Adv) *ditto.*

lui⁵履 **1996** (N) *shoe.* **Fml.** **SF** ‡ AP lei⁵ SM see **1845.**

lui⁵ 彙   **1997**   (V) *Collect.* **CP SF** ‡ (N) *glossary; vocabulary.* **CP SF** ‡ *(see 1446/13)* **AP: (1) wai⁶ SM** see **3215; (2) wooi⁶ SM** see **3293.**

— bo³ — 報   (V) *make a collective report.* **CP**

— jaap⁶ — 集   (V) *Collect.* **CP FE**

lui⁶ 類(類)   **1998**   (V) *be similar to; look like; seem.* **SF** ‡ (N) *kind; species.* *(No Cl.)*

— chi⁵ — 似   (V) *be similar to; look like; seem.* **FE**

— juk⁶ — 族   (N) *kind; species.* **FE**

lui⁶ 淚(泪)   **1999**   (N) *tears.* (*Cl.* dik⁶ 滴)

— han⁴ — 痕   (N) *traces of tears.* (*Cl.* tiu⁴ 條 *or* sue³ 處)

— wong¹ wong¹ — 汪汪   (Adj) *tearful.*

lui⁶ 慮   **2000**   (V) *consider.* **SF** ‡

— do³ — 到   (V) *foresee; anticipate.* **Fml.**

— kap⁶ — 及   (V) *ditto.*

luk¹⁰ 轆   **2001**   (V) *roll; smash; crush (with wheels or rollers).* **Coll. SF** ‡ (N) *wheel.* **Coll. SF** ‡

— laan⁶ — 爛   (V) *smash/crush under rollers, etc.*

— lo⁶ gei¹ — 路機   (N) *roller.* *(RT road making)* (*Cl.* ga³ 架)

— sei² — 死   (V) *roll over and kill sb.* *(RT accidents)*

luk¹⁰ 碌   **2002**   (Adj) *ordinary; commonplace; tedious; busy.* **Fml. SF** ‡ (PN) *a length/section of sth.* *(GRT bamboo, sugarcane, etc.)*

— ga³ chong⁴ — 架床   (N) *bunk bed.* **Coll.** (*Cl.* jeung¹ 張)

— luk¹° — 碌   (Adj) *commonplace ordinary.* **Fml.**

— — ji¹ booi³ — — 之輩   (SE) *man with no real ability; very ordinary person.*

— — yung⁴ yan⁴ — — 庸人   (N) *ditto.*

luk⁶六(陸)   2003   (Adj) & (N) *six.*

— chuk¹° — 畜   (N) *the six domestic animals (horse, ox, goat, pig, dog, and fowl).*

L— Yuet⁶ — 月   (N) *June.*

luk⁶陸   2004   (N) *land; dry land.*   **SF** ‡

— chan⁴ — 沉   (V) *engulf; be engulfed.*   *(GRT islands)*

— dei⁶ — 地   (N) *land; dry land.*   **FE**   *(Cl.* faai³ 塊 *or* fuk¹° 幅 *)*

— gwan¹° — 軍   (N) *army; land forces.*   *(Cl.* ji¹ 支; dui⁶ 隊 *or* goh³ 個*)*

— jin³ — 戰   (N) *land operations.*   *(Cl.* chi³ 次*)*

— — dui⁶* — — 隊   (N) *marine corps.*   *(Cl.* ji¹ 支 *or* dui⁶ 隊 *)*

— juk⁶ — 續   (Adv) *one after another; continuously.*

— seung⁶ — 上   (Adv) *on the road; by road; by land; overland.*

— — gaau¹ tung¹ — — 交通   (N) *traffic on the roads.*   *(Lit. land traffic)*   *(No Cl.)*

luk⁶綠   2005   (Adj) & (N) *green.*   **SF** ‡

— cha⁴ — 茶   (N) *green tea.*   *(Cup:* booi¹ 杯*)*

— dau⁶* — 豆   (N) *green bean.*   *(Cl.* nap¹° 粒*)*

— luk⁶* dei⁶* — 綠地   (Adj) *greenish.*

— sik¹° — 色   (Adj) *green.*   **FE**   (N) *green.*   **FE**   *(Cl.* jung² 種*)*

5   — yuk¹° — 玉   (N) *beryl emerald.*   *(Cl.* nap¹° 粒 *or* faai³ 塊*)*

luk⁶氯   2006   (N) *chlorine.*   **SF** ‡

— fa³ naap⁶ — 化鈉   (N) *sodium chloride.*   *(Cl.* jung² 種*)*

— hei³ — 氣   (N) *chlorine gas.*   **FE**   *(Cl.* jung¹ 種*)*

luk⁶錄   2007   (V) *record.*   *(RT tapes, documents, etc.)*   **SF** ‡
(N) *record, file.*   **SF** ‡

— yam¹° — 音   (V) *record (on tape).*   **FE**   (N) *tape-recording.*   *(Cl.* chi³ 次)*

— — daai³* — — 帶   (N) *tape (for recording).*   *(Cl.* tiu⁴ 條; *Reel:* beng² 餅 *or* guen² 卷)*

— — gei¹ — — 機   (N) *tape-recorder.*   (*Cl.* ga³ 架)

— yung⁶ — 用   (V) *give a job to an applicant.*

luk⁶鹿   **2008**   (N) *deer; stag.* **Fml. SF ‡ AP luk⁶* SM see 2009.**

— mei⁵ (ba¹) — 尾(巴)   (N) *deer's tail (a precious delicacy).* (*Cl.* tiu⁴ 條)

— yung⁴ — 茸   (N) *deer's antler.* (*Cl.* ji¹ 支)

luk⁶*鹿   **2009**   (N) *deer; stag.* **Coll.** (*Cl.* jek³ 隻) **AP luk⁶ SM see 2008.**

luk⁶爐   **2010**   (V) *scald (by steam).* **Coll. SF ‡**
      CC

— chan¹ sau² — 親手   (V) *scald hands (by accident).* **Coll.**

— gai¹ daan⁶* — 鷄蛋   (N) *scald eggs; boil eggs.* **Coll.**

lun⁴倫   **2011**   (N) *moral principle.* **SF ‡** (P) *used in transliterations.*

L— Dun¹° — 敦   (N) *London.* **Tr.**

l— lei⁵ — 理   (N) *moral principle.* **FE** (*Cl.* jung² 種)

— — hok⁶ — — 學   (N) *ethics; moral philosophy.* (*Cl.* jung² 種)

lun⁴淪   **2012**   (V) *sink.* **Fml. Fig. SF ‡**

— lok⁶ — 落   (V) *sink; ruin.* **Fml. Fig. FE** (N) *perdition.* (*Cl.* chi³ 次)

— — tin¹ ngaai⁴ — — 天涯   (SE) *become an outcast.*

— mong⁴ — 亡   (V) *lose; ruin; be ruined.* (*RT nations, governments, etc.)*

lun⁴輪   **2013**   (V) *come in turn; take turns.* **SF ‡** (N) *service.* (*RT trains, buses, ferries, etc.)* (*No Cl.)*

— baan¹° — 班   (Adv) *in turn; by turns; one after another.*

— lau⁴* — 流   (Adv) *ditto.*

— do³ — 到   (V) *be one's turn; one's turn has come.*

— jue⁶ lai⁴ — 住嚟   (V) *be one's turn to do sth; do sth in turn.*

— — yat¹° goh³ yat¹° goh³ lai⁴ — — 一個一個嚟   (V) *ditto.*

— lau⁴* lai⁴ — 流嚟   (V) *ditto.*

— poon⁴* — 盤   (N) *roulette.*

— suen⁴ — 船   (N) *steamship.* **Fml.** (*Cl.* jek³ 只)

— — gung¹ si¹° — — 公司   (N) *shipping company.* **FE** (*Cl.* gaan¹ 間)

lun⁴ 隣(鄰) 2014   (N) *neighbour.* **SF** ‡

— gan⁶ — 近   (Adj) *near to.*

— gui¹ — 居   (N) *neighbour.*

— lei⁵ — 里   (N) *ditto.*

— se³ — 舍   (N) *ditto.*

⁵ — gwok³ — 國   (N) *neighbournig country*

lun⁴ 鱗 2015   (V) *scale (of fish).* (*Cl.* faai³ 塊)

— chi³ — 次   (Adv) *like scales on a fish; in orderly rows.*

— gaap³ — 甲   (N) *scales.* (*RT fish in general*) (*Cl.* faai³ 塊)

lun⁵ 卵 2016   (N) *egg; roe.* **Fml.** **AP lun⁵* SM see 2017.**

lun⁵* 卵 2017   (N) *egg; roe.* **CP** (*Cl.* nap¹° 粒) **AP lun⁵ SM see 2016.**

— chaau⁴ — 巢   (N) *ovaries.*

— saang¹ — 生   (Adj) *produced from an egg.*

lun⁶ 論 2018   (V) *discuss; judge.* **SF** ‡

— bong⁶ gai³ suen³ — 磅計算   (V) *calculate by pounds.*

— diu⁶ — 調   (N) *viewpoint; opinon.* (*RT speeches, editorials, etc.*) (*Cl.* jung² 種 *or* goh³ 個)

— duen³ — 斷   (V) *judge; conclude.* (N) *judgement; conclusion.* (*Cl.* jung² 種 *or* goh³ 個)

— gan¹ maai⁶ — 斤賣   (V) *sell by the catty.*

5   — jun⁶ — 盡   (Adj) *clumsy; inconvenient; stupid.* **Coll.**

— kap⁶ — 及   (V) *discuss; talk about.* **Fml.** **FE**

— man⁴ — 文   (N) *thesis; article.* (*Cl.* pin¹ 篇)

lun⁶ 吝   **2019**   (Adj) *miserly; niggardly.* **Fml.** **SF** ‡

— sik¹° — 嗇   (Adj) *miserly; niggardly.* **Fml.** **FE**

— — gwai² — — 鬼   (N) *miser.* **Fml.** **AL**

lun⁶ 紊   **2020**   (Adj) *confused; tangled.* **CP** **SF** ‡ **AP** man⁶ **SM** see 2099.

— luen⁶ — 亂   (Adj) *confused; tangled.* **CP** **FE**

lung¹° 窿   **2021** **CC**   (N) *hole.*

lung⁴ 龍   **2022**   (N) *dragon; quene.* (*Cl.* tiu⁴ 條) **AP** lung⁴* see 2023.

— ha¹° — 蝦   (N) *lobster.* (*Cl.* jek³ 只)

— mei⁵ — 尾   (N) *end of a long queue.* (*Lit. dragon tail*) **Coll.** (*Cl.* tiu⁴ 條)

— suen⁴ — 船   (N) *dragon boat.* (*Cl.* jek³ 只)

— tau⁴ — 頭   (N) *front of a long queue.* (*Lit. dragon head*) **Coll.**

5   — yeung⁴* — 洋   (N) *dollar; silver dollar (which in late Ching period featured a dragon).*

lung⁴* 龍   **2023**   (N) *money.* **Sl.** (N) *money.* **Sl.** (*No Cl.*) **AP** lung⁴ see 2022.

lung¹ 籠   **2024**   (V) *snare; inveigle.* **SF** ‡ (N) *cage.*

— lok³ — 絡   (V) *snare; inveigle.* **FE**

lung⁴ 聾 **2025**   (Adj) *deaf.* **SF**   (N) *the deaf.* **SF** ‡

— ge³ — 嘅   (Adj) *deaf.* **FE**

— yan⁴ — 人   (N) *the deaf; deaf person.* **FE**

lung⁴ 隆 **2026**   (Adj) *solemn; impressive.* **SF** ‡

— ching⁴ hau⁶ yi³ — 情厚意   (SE) *great favours.*

— jung⁶ — 重   (Adj) *solemn, impressive.* **FE**

lung⁵ 槓 **2027**   (N) *trunk.*

— seung¹° — 箱   (N) *trunks in general.*

lung⁶ 弄 **2028**   (V) *play with; toy with.* **Fml. SF** ‡

— ba² hei³ — 把戲   (V) *use magic arts; play games; play tricks on sb.* (*Fig.*)

— hei³ faat³ — 戲法   (V) *ditto.*

— ga² sing⁴ jan¹ — 假成眞   (SE) *honour what was originally promised as a joke.*

— haau² faan² juet⁶ — 巧反拙   (SE) *try to be clever and prove foolish.*

lut⁶ 率 **2029**   (N) *rate.* **SF** ‡ **AP** sut¹° see 2979.

lut⁶ 律 **2030**   (N) *law; statute.* **SF** ‡

— faat³ — 法   (N) *laws and statutes in general.* (*Cl.* tiu⁴ 條)

— lai⁶ — 例   (N) *ditto.*

— si¹° — 師   (N) *lawyer; attorney; solicitor.*

— — sun³ — — 信   (N) *a solicitor's letter.* (*Cl.* fung¹ 封)

lut⁶ 栗 **2031**   (N) *chestnut.* **SF** ‡

— ji² — 子   (N) *chestnut.* **FE**

— sik¹° — 色   (N) *chestnut-colour.*

— sue⁶ — 樹   (N) *chestnut tree.* (*Cl.* poh¹ 槁)

M

m⁴ 唔 **2032** (Adj) *not.* **SF** ‡
CC

— chut¹° kei⁴ a¹°! — 出奇吖! (SE) *it's not surprising at all; don't think it strange.*

— daan¹ ji² — 單止 (Conj) *not only.*

— ji² — 祇 (Conj) *ditto.*

— dak¹° haan⁴ — 得閒 (SE) *not free; no time; busy.*

5 — doh¹ m⁴ siu² — 多唔少 (Adv) *more or less.*

— fong¹ wooi⁵ — 慌會 (Adv) *never before; hardly.*

— gam² dong¹ — 敢當 (SE) *I don't deserve it, it's very kind of you to do/say so, thank you for your services. (Lit. I daren't take it.)*

— gan² yiu³ — 緊要 (SE) *never mind; it doesn't matter. (Lit. it isn't important.)*

— gin³ gwoon¹ choi⁴ m⁴ lau⁴ ngaan⁵ lui⁶ — 見棺材,唔流眼淚 (SE) *a tiger will not change his spots this side of the grave. (Lit. without seeing his coffin he will never shed tears (i.e. repent).)*

10 — gin³ joh² — 見咗 (V) *lose sight of; lose possession of.*

— ging¹ m⁴ gok³ — 經唔覺 (Adv) *unconsciously; without being aware; without noticing.* **Coll.**

— goi¹ — 該 (SE) *thanks; thank you (for service); please (do sth for me); I'm sorry; I beg your pardon; excuse me. (Lit. should not bother you)* **PL**

— — (nei⁵) sin¹ — — (你)先 (SE) *thank you (for service) in advance. (Lit. thank you first)* **PL**

— — saai³ (nei⁵) — — 晒(你) (SE) *thank you for every thing; thank you so much.* **PL**

15 — gwaai dak¹° — 怪得 (V) *can't be blamed for; its no wonder that.*

— hai⁶ — 係 (Adj) *not.* **FE** (Itj) *no.*

— — gwa³ — — 啩 (SE) *I just can't believe it; you don't mean it? (Lit. I doubt if it's true.)*

— — ne¹° — — 呢 (Adv) *otherwise; or else. (Lit. if not)*

— hap⁶ gaak³ — 合格 (V) *fail in examinations.* (Adj) *not qualified for a job/profession.*

— kap⁶ gaak³ — — 格   (V) *fail in examinations.* (Adj) *not qualified for a job/profession.*

— ho² — 好   (AV) *shouldn't; mustn't; don't.* (*Adj*) *no good; bad.*

— — ge³ yi³ si³ — — 嘅意思   (N) *bad meaning; bad sense.* (*Cl.* goh³ 個 *or* jung²種)

— — haak³ hei³ a³ — — 客氣呀   (SE) *don't stand on ceremony; make yourself at home.* **PL**

— — — — lak³ — — — — 嘞   (SE) *ditto.*

25 — — kui¹ a³ — — 拘呀   (SE) *ditto.*

— — yi³ si³ — — 意思   (V) *feel bad/sorry about sth; have a quilty conscience.* **PL**

— hoi¹ wai⁶ — 開胃   (Adj) *lacking appetite; disgusting.* (*Fig.*)

— ji¹ bin¹° tau⁴ cheung⁴ — 知邊頭長   (SE) *dilemma; God alone knows which alternative is better.* (*Lit. not know which end is longer*)

— — dim² suen³ ho² lok³ — — 點算好咯   (SE) *I don't know what will happen; I don't know what to do.*

— ji³ do³ — 至到   (Adv) *not to such an extent as; not to such a degree as.*

— — yue¹ — — 於   (Adv) *ditto.*

30 — ji³ joi⁶ — 志在   (V) *not care about; "not care a damn".*

— joi⁶ foo⁴ — 在乎   (V) *ditto.*

— ji⁶ joi⁶ — 自在   (Adj) *embarrassed; uneasy; "cross".*

35 — on¹ lok⁶ — 安樂   (Adj) *ditto.*

— kung⁴ m⁴ gaau³ hok⁶ — 窮唔教學   (SE) *if one isn't poor, he's not a teacher; teachers are not at all well-off.*

— lei⁵ saam¹ chat¹° yi⁶ sap⁶ yat¹° — — 三七二十一   (SE) *couldn't care less; pay no attention to.*

— lun⁶ — 論   (Conj) *no matter.*

— — ...; do¹° — — ...; 都   (IC) *no matter; no matter whether ...*

40 — — bin¹°+Cl...., do¹° — — 邊+Cl.... 都   (IC) *no matter which; whichever.*

— — bin¹° goh³ ...; do¹° — — 邊個...; 都   (IC) *no matter who ...; whoever.*

— — bin¹° sue ...; do¹° — — 邊處..., 都   (IC) *no matter where ..., wherever.*

— — dim² yeung⁶* ..., do¹° — — 點樣 ...; 都   (IC) *no matter how ...; anyhow.*

536

— — gei² dim² jung¹° . . ., do¹° — — 幾點鐘 . . ., 都   (IC) *no matter what time . . .; whenever.*

45 — — gei² doh¹° . . ., do¹° — — 幾多 . . ., 都   (IC) *no matter how much/many . . . .*

— — gei² si⁴* . . ., do¹° — — — 時 . . .,   都   (IC) *no matter when . . .; whenever.*

— — mat¹° ye⁵ . . ., do¹° — — 乜嘢 . . ., 都   (IC) *no matter what . . .; whatever.*

— sai² — 使   (AV) *needn't; not have to.*   (Adj) *unnecessary.*

— — chin⁴* — — 錢   (Adj) *free; free of charge.*

50 — — doh¹ je⁶ — — 多謝   (SE) *don't mention it.* *(Lit. needn't thank me)* **PL**

— — m⁴ goi¹ — — 唔該   (SE) *ditto.*

— — gai³ lak³ — — 計嘞   (SE) *it's too sad a story to tell; its too long a story to tell.*

— — gong² lak³ — — 講嘞   (SE) *ditto.*

— — haak³ hei³ a³ — — 客氣呀   (SE) *don't stand on ceremony; make yourself at home.* **PL**

55 — — — — lak³ — — — — 嘞   (SE) *ditto.*

— — kai¹ lak³ — — 拘嘞   (SE) *ditto.*

— — pa³ — — 怕   (SE) *don't worry, never fear.* *(Lit. no need to fear)*

— seng¹ gau², ngaau⁵ sei² yan⁴ —聲狗, 咬死人   (SE) barking dogs do not bite; a quiet person is sometimes more dangerous than a noisy person.

— sik¹° ji⁶ ge³ (yan⁴) — 識字嘅(人)   (N) *illiterate.* *(Lit. people who don't know words/characters)*

60 — tung¹ — 通   (SE) *do you mean to tell me that . . .?   Is it really true that . . .?*   (Adj) *not correct (ref. to grammar).*   (Adv) *not through (ref. to way or road.)*

— — . . . a⁴? — — . . . 呀?   (IC) *Do you mean to tell me that . . .? Is it really true that . . .?*

— — . . . la⁴? — — 嘛   (IC) *Do you mean to tell me that . . .? Is it really true that . . .?*

— — . . . le³ me¹° — — . . . 咧?   (IC) *Do you mean to tell me that . . .? Is it really ture that . . .?*

— — . . . me¹°? — — . . . 咩?   (IC) *Do you mean to tell me that . . .? Is it really true that . . .?*

— tung⁴ — 同   (Adj) *different.* *(Lit. not same)*

m⁵ 五(伍)   2033   (Adj) & (N) *five.*   **Coll.**   **AP** ng⁵ **SM** see **2292.**

ma¹ 孖   2034   (Adj) & (N) *twin.*   **SF** ‡   (Adj) *double.*   **SF** ‡   **CC**

— hing¹ dai⁶ — 兄弟   (N) *twin brothers.*   (*Cl.* dui³ 對)

— jai² — 仔   (N) *twin boys.*   **FE**   (*Cl.* dui³ 對)

— nui⁵* — 女   (N) *twin girls.*   **FE**   (*Cl.* dui³ 對)

— ji² — 指   (N) *double dumb.*   (*Cl.* jek³ 只)

— ji² mooi⁶ — 姊妹   (N) *twin sisters.*   (*Cl.* dui³ 對)

— saang¹ (ge³) — 生(嘅)   (Adj) *twins (in general).*   **FE**

ma¹⁰ 媽   2035   (N) *mother; old woman.*   **AP** ma⁴ **SM** see **2036.**

— mi⁴ — 咪   (N) *mummy.*   **Coll.**

ma⁴ 媽   2036   (N) *mother.*   **CP**   **SF** ‡   **AP** ma¹° **SM** see **2035.**

— ma¹° — 媽   (N) *mummy.*   **CP**   **FE**

ma¹⁰ 螞   2037   (N) *leech.*   **Fml.**   **SF** ‡

— wong⁴ — 蟥   (N) *leech.*   **Fml.**   **FE**   (*Cl.* jek³ 只)

ma⁵ 螞   2038   (N) *ant.*   **Fml.**   **SF** ‡

— ngai⁵ — 蟻   (N) *ant.*   **Fml.**   **FE**   (*Cl.* jek³ 只)

ma⁶ 螞   2039   (N) *grasshopper.*   **Fml.**   **SF** ‡

— jaak³ — 蚱   (N) *grasshopper.*   **Fml.**   **FE**   (*Cl.* jek³ 只)

ma³ 嗎   2040   (FP) *is a contraction of* "m⁴ a³" *used at end of questions.*   **AP** ma⁵° see **2041.**

ma⁵° 嗎   **2041**   (P) *use in transliterations.*   **AP ma³ see 2040.**

— fe¹° — 啡   (N) *morphia; morphine.*   **Tr.**   *(Pack :* baau¹包 ; *Pound :* bong⁶磅)

ma⁴ 嫲   **2042**   (N) *grandmother; grandma.* *(father's mother)*   **Coll.**
            CC   **SF**   ‡

— ma⁴ — 嫲   (N) *grandmother; grandma.* *(father's mother)*   **Coll.**
   FE

ma⁴ 麻   **2043**   (N) *hemp; measles.*   **SF**   ‡   **(AP) ma⁴* see 2044.**

— bei³ — 痹   (Adj) *numb.*

— bo³ — 布   (N) *hempen fabric; linen.*   *(Bolt :* pat¹°疋)

— chan² — 疹   (N) *measles.*   **Fml.**   *(Cl.* chi³ 次)

— faan⁴ — 煩   (V) *trouble; bother.*   (Adj) *troublesome; difficult.*   (N) *trouble; difficulties.*   *(Cl.* jeung² 種)

5 —— nei⁵ —— 你   (SE) *thank you for all the trouble.*   *(Lit. sorry to trouble you)*   **PL**

— jeuk³* — 雀   (N) *sparrow.*   *(Cl.* jek³ 只)*; mahjong (set :* foo³ 副)

—— geuk³ —— 脚   (N) *people at the same table playing mahjong; mahjong player; mahjong "partner".*   *(Lit. mahjong leg).*   *(Cl.* jek³ 只)

—— gwoon² —— 館   (N) *"mahjong school," legalized mahjong den.* *(Cl.* gaan¹ 間)

— ji² — 子   (N) *pockmarks; pock-marked person.*   **Mdn.**

10 — ma⁴* dei⁶* — 麻地   (Adj) *so so; not very good; not too bad.*

— jui³ — 醉   (V) *anaesthetize; hypnotize.*   **(Fig.)**

—— yeuk³ —— 藥   (N) *anaesthetic.*   *(Cl.* jung² 種)

— yeuk⁶ — 藥   (N) *ditto.*

ma⁴* 麻   **2044**   (N) *measles.*   **Coll.**   *(Cl.* chi³ 次)   **AP ma⁴ see 2043.**

ma⁴ 麻   **2045**   (N) *leprosy.*   **SF**   ‡

— fung¹° — 瘋   (N) *leprosy.*   *(Cl.* jung² 種)

—— beng⁶ —— 病   (N) *ditto.*

— — — yan⁴ — — — 人   (N) *leper.*

— — (—) yuen⁶* — — (—) 院   (N) *leprosarium.*   (*Cl.* gaan¹ 間)

ma⁴ 蔴   2046   (N) *hemp; sesame.*   **SF** ‡

— bo³   — 布   (N) *hempen fabric; linen.*   (*Cl.* pat¹° 疋)

— jeung³   — 醬   (N) *sesame paste.*

— yau⁴   — 油   (N) *sesame oil.*   *(No Cl.)*

ma⁵ 馬   2047   (N) *horse.*   (*Cl.* jek³ 只 *or* pat¹° 匹)   (P) *used in transliterations.*

— bin¹   — 鞭   (N) *whip.*   (*Cl.* tiu⁴ 條)

— biu¹°   — 票   (N) *cash sweep ticket.*   (*Lit. horse ticket*)   (*Cl.* jeung¹ 張)

— cheung⁴   — 塲   (N) *racecourse.*

— chaak⁶   — 賊   (N) *mounted highwayman.*

⁵ — che¹°   — 車   (N) *carriage.*   (*Lit. horse cart*)   (*Cl.* ga³ 架)

— cho⁴   — 槽   (N) *manger.*   **FE**   (*Cl.* tiu⁴ 條 *or* goh³ 個)

— daap⁶   — 踏   (N) *stirrup.*

— dang³   — 鐙   (N) *ditto.*

— daat⁶   — 達   (N) *motor.*   **Tr.**   (*Set:* foo³ 副)

¹⁰ — fong⁴   — 房   (N) *stable.*

— foo¹   — 夫   (N) *stable boy; groom.*

— tung⁴   — 童   (N) *ditto.*

— foo³   — 褲   (N) *riding-breeches.*   (*Lit. horse trousers*)   (*Cl.* tiu⁴ 條)

— geung¹   — 韁   (N) *bridle; rein.*   (*Cl.* tiu⁴ 條)

¹⁵ — lak⁶   — 勒   (N) *ditto.*

— gwa³*   — 褂   (N) *Chinese-style ceremonial jacket worn by men.* (*Cl.* gin⁶ 件)

— hak¹°   — 克   (N) *mark.*   (*RT German currency*)   **Tr.**

M— H— Si¹° — — 斯   (N) *Marx.*   **Tr.**

— — — Jue² Yi⁶ — — — 主義   (N) *Marxism.*   **Tr.**   (*Cl.* jung² 種)

²⁰ m— hau² tit³   — 口鐵   (N) *tin.*   (*Cl.* faai³ 塊)

— hau⁶ paau³   — 後炮   (SE) *wise after the event.*

— hei³ — 戲   (N) *circus.* *(Lit. horse show)* *(Cl.* baan¹° 班 *or* cheung⁴ 塲)

— jai² — 仔   (N) *junior triad member; "sidekick".* **Sl.**

— jung¹° (mo⁴) — 鬃(毛)   (N) *horse's mane.* *(Cl.* tiu⁴ 條)

25 — kau⁴ — 球   (N) *polo.*

— lik⁶ — 力   (N) *horse-power.* *(Cl.* pat¹° 匹)

— ling⁴ — 鈴   (N) *horse-bell.*

— — sue⁴ — — 薯   (N) *potato.*

— lo⁶ — 路   (N) *motor-road; road.* *(Cl.* tiu⁴ 條)

30 — — jung¹ sam¹° — — 中心   (N) *the middle of a motor road.*

— — sam¹° — — 心   (N) *ditto.*

M— Loi⁴ A³ — 來亞   (N) *Malaya.* **Tr.**

— — Sai¹ A³ — — 西亞   (N) *Malaysia.* **Tr.**

m— mei⁵ — 尾   (N) *horse's tail.* *(Cl.* tiu⁴ 條)

35 M— Nei⁴ Laai¹ — 尼拉   (N) *Manila.* **Tr.**

m— on¹° — 鞍   (N) *saddle.*

— pat¹° — 匹   (N) *horses in general.* *(Cl.* jek³ 只)

— pei³ — 屁   (N) *flattery; rot.* **Coll.** *(Cl.* jung² 種)

— — gwoo² — — 股   (N) *hind-quarters of a horse.*

40 — — jing¹° — — 精   (N) *flatterer; today.* **Coll.** **Mdn.**

— seung⁶ — 上   (Adv) *immediately; at once.*

— wooi⁶* — 會   (N) *jockey club.* **Coll.** **SF**

ma⁵瑪   **2048**   (N) *agate.* **SF** ‡   (P) *used in transliterations.*

M— Lai⁶ Yi¹ Yuen⁶* — 麗醫院   (N) *Queen Mary Hospital.* **Tr.** *(Cl.* gaan¹間)

m— no⁵ — 璃   (N) *agate.* **FE** *(Cl.* nap¹° 粒 *or* faai³塊)

ma⁵碼   **2049**   (N) *wharf/pier* **(SF)**; *yard (RT measure).*

— tau⁴ — 頭   (N) *wharf; pier.* **FE**

ma⁶罵   **2050**   (V) *curse; use abusive language.* **Mdn.** **SF** ‡

maai⁴ 埋   2051   (V) *get near to* (**Coll.***); bury.* (SE) (Asp) *expresses idea of moving towards sb/sth; also of finishing off sth requiring to be done.*

— bin⁶ — 便   (Adv) & (PP) *inside; in.* (N) *inside.* *(No Cl.)*

— chong⁴ — 藏   (V) *hide; conceal.*

— — dei⁶ lui⁴ — — 地雷   (V) *lay mines.*

— daan¹° — 單   (SE) *"bill please".* *(RT restaurants, tea-houses, etc.)*

5 — di¹° — 啲   (V) *get closer/near to sb/sth.*

— fuk⁶ — 伏   (V) & (N) *ambush.*

— hui³ — 去   (V) *get near to; go over to.*

— jik⁶ — 席   (V) *take one's seat; get together.* *(RT formal Chinese dinners)*

— jong³ — 葬   (V) *bury.* **FE**

10 — lai⁴ — 嚟   (V) *come closer; come over here.*

— moot⁶ — 沒   (V) *conceal; not give due recognition.*

— — yan⁴ choi⁴ — — 人材   (SE) *give no opportunity to talented persons; let talented persons pass unnoticed.*

— ngon⁶ — 岸   (V) *go ashore; moor at wharf/pier; lie at anchor.*

— tau⁴ — 頭   (V) *moor at wharf/pier; arrive at station.* *(RT trains)*

maai⁵ 買   2052   (V) *buy; purchase.* **SF**

— baan⁶* — 辦   (N) *compradore.*

— bo² him² — 保險   (V) *insure oneself (against) (Lit. buy insurance)*

— yin³ soh¹° — 燕梳   (V) *ditto.* **Tr.**

— choi³ — 菜   (V) *buy food for side dishes.*

5 — sung³ — 餸   (V) *ditto.*

— ge³ hok⁶ wai⁶* — 嘅學位   (N) *a bought place (at a private school).*

— hei³ fei¹° — 戲飛   (V) *book tickets for a show of some kind.* *(Lit. buy a show tickets).*

— hung¹ maai⁶ hung¹ — 空賣空   (SE) *speculation on the rise and fall in the stock market*

— jue² — 主   (N) *buyer.* **Fml.**

10 — lo⁶ chin⁴ — 路錢   (N) *toll for the use of a road.* *(Lit. buy road money)* **Coll. Sat.** *(Cl.* chi³ 次)

— maai⁶ — 賣 (N) *trade; buying and selling.*

— seng⁴ — 成 (V) *satisfactorily to conclude a transaction.* *(Lit. buy successfully)*

— siu² gin³ siu² — 少見少 (SE) *getting fewer and fewer.*

— yap⁶ — 入 (V) *buy; buy in; purchase.* **Fml. FE**

15 — ye⁵ — 嘢 (V) *shop; do shopping.* *(Lit. buy things)*

maai⁶ 賣 2053   (V) *sell; advertise.* *(RT newspapers, magazines, etc.)* **SF**

— bo³ ji² — 報紙 (V) *sell newspapers; advertise in newspapers, publish in newspapers.* **Coll. FE**

— chut¹° — 出 (V) *sell; sell out.* **FE**

— foh³ yuen⁴ — 貨員 (N) *salesman; salesgirl.*

— gwok³ — 國 (V) *be disloyal to/betray one's country.*

5 — — chaak⁶ — — 賊 (N) *traitor.*

— gwong² go³ — 廣告 (V) *advertise; give publicity.*

— jiu¹ paai⁴ — 招牌 (V) *ditto.*

— jue² — 主 (N) *seller.* **Fml.**

— lat¹° — 用 (V) *reject/desert sb; cast aside.*

10 — lik⁶ — 力 (V) *do what one can; exert strength.*

— mat⁶ wooi⁶* — 物會 (N) *bazaar/jumble sale for charitable purposes.*

— yam⁴ — 淫 (V) *go into prostitution; be a prostitute.* (N) *prostitution.* (Cl. chi³ 次)

— — dei⁶ fong¹ — — 地方 (N) *brothel.*

— yau⁵ kau⁴ wing⁴ — 友求榮 (SE) *betray a friend for personal gain.*

maak³ 擘 2054   (V) *pull apart with hands; open.* **CP SF ‡**

— hoi¹ — 開 (V) *pull apart; open.* **FE**

— — hau² — — 口 (V) *open the mouth.*

— laan⁶ — 爛 (V) *tear; pull to pieces.*

maan⁴ 蠻 2055   (Adj) *barbarous.* (N) *barbarous tribes in the south of China.* **SF ‡**

— lik⁶ — 力 (N) *Herculean strength.* (Cl. jung² 種)

— waang⁴ (mo⁴ lei⁵) — 橫 (無理)   (Adj) *barbarous; uncivilized; unreasonable.*

— yi⁴ — 夷   (N) *barbarous tribes in general.* **Fml. FE** *(Cl.* jung⁴ 種)

maan⁴ 饅   2056   (N) *steamed bread.* **SF** ‡

— tau⁴ — 頭   (N) *steamed bread.* **FE** *(Cl.* goh³ 個 *or* gau⁶ 礎)

maan⁵ 晚   2057   (Adj) *late.* **Fml. SF** ‡   (N) *night; evening.* **SF** ‡ *(No Cl.)*

— booi³ — 輩   (N) *younger generation.*

— chaan¹° — 餐   (N) *supper. (European style)*

— faan⁶ — 飯   (N) *ditto. (Chinese style) (Cl.* chaan¹ 餐)

— daat⁶ — 達   (V) *achieve success comparatively late in life.*

5 — sing⁴ — 成   (V) *ditto.*

— fuk¹° — 福   (N) *happiness/good fortune in later life. (Cl.* jung² 種)

— wan⁶ — 運   (N) *ditto.*

— hak¹° — 黑   (N) *night; evening.* **FE** *(No Cl.)*

— jo⁶ — 造   (N) *late/second crop. (Cl.* chi³ 次)

10 — woh⁴ — 禾   (N) *ditto.*

— jong¹° — 裝   (N) *evening dress worn by women. (Gwon:* gin⁶ 件 ; *suit:* to³ 套)

— lai⁵ fuk⁵ — 禮服   (N) *a dress suit (Cl.* to³ 套); *evening dinner jacket. (Cl.* gin⁶ 件)

— nin⁴ — 年   (N) *old age.* **Fml.**

— sui³ — 歲   (N) *ditto.*

maan⁶ 萬 (万)   2058   (Adj) *ten thousand; myriad.* (N) *ten thousand; myriad. (No Cl.)*

— fa¹ tung⁴ — 花筒   (N) *Kaleidoscope. (Lit. 10,000 patterns tube)*

— nang⁴ — 能   (Adj) *almighty; all-powerful.*

— — bok³ si⁶ — — 博士   (N) *"know-all". (Lit. "Dr. almighty")* **Joc.**

— sui³ — 歲   (SE) *long life. (Lit. 10,000 years old)*

⁵ — yat¹° — —   (Adv) *in case.* (Conj) *if. (Lit. 10,000 to 1)*
 — ying³ ling⁴ daan¹ — 應靈丹   (N) *cure-all;* (**Fig.**)*; remedy. (Lit. ten thousand respond effective pills) (Cl.* nap¹° 粒 *or* jung² 種)

maan⁶曼 2059   (Adj) *specious.* **Fml. SF** ‡ (P) *used in transliterations.*

M— Guk¹° — 谷   (N) *Bangkok.* **Tr.**

maan⁶慢 2060   (Adj) *slow.*

— haang⁴ — 行   (SE) *"please be careful"; "please watch your steps". (said by hosts to visitors when leaving)* **PL**
— maan⁶* haang⁴ a³ — 慢行呀   (V) *ditto.*
— maan⁶* — 慢   (Adv) *slowly.*
— — haang⁴ — — 行   (V) *walk carefully; go slowly.*
⁵ — sau² maan⁶ geuk³ — 手慢脚   (SE) *slow in one's movements.*
— tiu⁴ si¹ lei⁵ — 條斯理   (SE) *ditto.*
— sing³ beng⁶ — 性病   (N) *chronic disease. (Cl.* jung² 種 *or* goh³ 個)

maan⁶蔓 2061   (V) *spread about; diffuse.* **SF** ‡

— yin⁴ — 延   (V) *spread about; diffuse.* **FE**

maang¹綳(繃) 2062   (V) *tie up; bind tightly.* **AP bang¹ SM see 71.**

— bo³ jeung³ — 布帳   (V) *stretch an awning.*
— maang¹ gan² — 綳緊   (Adj) *very tight in cash.*
— ying⁴ mok⁶ — 營幕   (V) *stretch a camp.*

maang⁴盲 2063   (N) & (Adj) *blind.* **SF**

— cheung⁴* — 腸   (N) *appendix. (RT anatomy) (Cl.* tiu⁴ 條)
— — yim⁴ — — 炎   (N) *appendicitis. (Cl.* goh³ 個 *or* jung² 種)
— chung⁴ — 從   (V) *follow blindly. (RT leaders, doctrines, etc.)*
— ge³ — 嘅   (Adj) *blind.* **FE**
⁵ — ngaan⁵ — 眼   (Adj) *ditto.*

— gung¹°   — 公   (N) *blind man.*   **Coll.**   **FE**

— — juk¹°   — — 竹   (N) *blindman's stick; guide/advice* (**Fig.**).   (*Cl.* ji¹ 支)

— yan⁴   — 人   (N) *the blind; blind person.*   **Fml.**   **FE**

maang⁵ 猛   2064   (Adj) *valiant; fierce; strong (RT medicine, sunbeam, etc.)*   **SF** ‡

— gam³   — 咁   (Adv) *fiercely.*

— lit⁶   — 烈   (Adj) *fierce; strong. (RT medicine, sunbeams, etc.)*   **FE**

— sau³   — 獸   (N) *wild beast.*   (*Cl.* jek³ 只)

— yung⁵   — 勇   (Adj) *valiant; brave.*   **FE**

maang⁵ 錳   2065   (N) *manganese.*   **Fml.**   **Tr.**   **AP maang⁵° SM 2066.**

maang⁵° 錳   2066   (N) *manganese.*   **Coll.**   **Tr.**   (*Cl.* jung² 種)   **AP maang⁵ SM see 2065.**

maang⁵ 蜢   2067   (N) *grasshopper.*   **Fml.**   **SF** ‡   **AP maang⁵* SM see 2068.**

maang⁵* 蜢   2068   (N) *grasshopper.*   **Coll.**   (*Cl.* jek³ 只)   **AP maang⁵ SM see 2067.**

maat³ 抹   2069   (V) *wipe; rub out (with cloth).*   **AP moot³ see 2220.**

— bo³   — 布   (N) *dish-cloth; duster.*   (*Cl.* tiu⁴ 條)

— che¹°   — 車   (V) *clean a car.*

— — jai²   — — 仔   (N) *car cleaner.*

— — lo²   — — 佬   (N) *ditto.*

⁵ — gon¹ jeng⁶   — 乾淨   (V) *wipe/sweep clean.*

— ngaan⁵ lui⁶   — 眼淚   (V) *wipe away tears.*

maau¹° 貓（猫）   2070   (N) *cat.*   (*Cl.* jek³ 只)

— huk¹° lo⁵ sue² song¹—ga² chi⁴ bei¹ —哭老鼠喪—假慈悲   (SE) *crocodile tears. (Lit. a cat weeping over the death of a rat—hypocrisy or false compassion)*

— huk¹° lo⁵ sue² song¹—ga² ho² sam. — 哭老鼠喪— 假好心   (SE) *crocodile tears.* *(Lit. a cat weeping over the death of a rat-hypocrisy or false compassion)*

— jai² — 仔   (N) *kitten.* *(Cl. jek³只)*

— juk³° lo⁵ sue² — 捉老鼠   (SE) *cat-and-mouse tactics; cat catches mouse/rat.*

⁵ — tau⁴ ying¹° — 頭鷹   (N) *owl.* *(Cl. jek³只)*

maau⁴矛   **2071**   (Adj) *contradictory.* **SF** ‡ (N) *spear.* *(Cl. ji¹ 支)*

— tun⁵ — 盾 (Adj) *contradictory.* **FE** (N) *contradiction.* *(Cl. jung² 種 or goh³個)*

maau⁴茅   **2072**   (Adj) *reckless (RT driving); rough/dirty (RT ball games).* (N) *straw; reed; thatch.* **SF** ‡

— cho² — 草   (N) *straw; reed; thatch.* **FE** *(Cl. tiu⁴條)*

— lo⁴ — 廬   (N) *thatched house; cottage; hut; one's own residence* **(PL).** *(Cl. gaan¹間)*

M— Toi⁴ (Jau²) — 台(酒)   (N) *Mao Tai (Chinese).* *(strong spirits named after a place in Kweichow Province).* **Tr.** *(Bottle:* jun¹樽 *or* ji¹支 ; *Cup:* booi¹杯)

maau⁴錨   **2073**   (N) *anchor.* **Fml.** **SF** ‡ AP Naau⁴ SM see 2258.

maau⁵牡   **2074**   (N) *peony; male of quadrupeds.* **Coll.** **SF** ‡ AP mau⁵ SM see 2116.

— daau¹° — 丹   (N) *peony; "mowtan" peony; tree peony.* *(Cl. deuh² or doh² 朵)*

— luk⁶* — 鹿   (N) *male deer.* *(Cl. jek³只)*

maau⁶貌   **2075**   (N) *appearance; face.* **Fml.** **SF** ‡

— chau⁵ — 醜   (Adj) *ugly; unattractive.*

— chi⁵ — 似   (V) *resemble; look alike on facial appearance.*

— hap⁶ san⁴ lei⁴ — 合神離   (SE) *external acquiescence with internal dissent.*

— mei⁵ (yue⁴ fa¹) — 美(如花)   (Adj) *pretty; attractive.*

mai¹ 咪   2076 CC

(V) *"swot"; study hard.* **Coll. SF ‡ AP: (1)** mai¹° see 2077; **(2)** mai⁵ see 2078; **(3)** mai¹° see 2123.

— gau² ging¹° — 狗經   (V) *study tips on dog-races.*

— ma⁵ ging¹° — 馬經   (V) *study tips on horse-races.*

— sue¹ — 書   (V) *review lessons; swot up lessons.* **Coll.**

mai¹⁰ 咪   2077 CC

(N) *mile (No Cl.); microphone* (*Cl.* goh³ 個). **Tr. AP: (1)** mail see 2076; **(2)** mai⁵ see 2078; **(3)** mei¹° see 2123.

mai⁵ 咪   2078 CC

(V) *don't; not to.* (Av) *shouldn't, mustn't.* **AP: (1)** mail see 2076; **(2)** mai¹° see 2077; **(3)** mei¹° see 2123.

— hui³ ji⁶ — 去自   (SE) *don't go now.*

— ji⁶ (sin¹) — 自(先)   (SE) *wait a minute; not now.*

— yuk¹° — 郁   (V) *don't move.*

mai⁴ 迷   2079

(V) *infatuate; be possessed by; be lost in.* (P) *used as a suffix to nouns to express idea of being "mad about" sb/sth, corresponding to the English "fan", e.g. "juk¹° kau⁴ mai⁴" for "football fan", etc.*

— gung¹ — 宮   (N) *labyrinth.*

— luen⁵ — 戀   (V) *be enamoured of sb; be madly in love with sb.*

— nei⁵ — 你   (Adj) *mini; miniature; small.* **Tr.**

— — jong¹° — — 裝   (SE) *mini dress.* **Tr.** (*Suit:* to³ 套; *Cl.* gin⁶ 件)

5   — — kwan⁴ — — 裙   (N) *mini-skirt.* **Tr.** (*Cl.* tiu⁴ 條)

— sat¹° fong¹ heung³ — 失方向   (SE) *lose one's way.* **Fig.** *(Lit. lose directions)*

— sun³ — 信   (V) *believe blindly; be superstitious.* *(Lit. infatuate believe)* (Adj) *superstitious.* (N) *superstition.* (*Cl.* jung² 種)

— tau⁴ mai⁴ no⁵ — 頭迷腦   (SE) *obsessed by; doting on; carried away by; lost in.* *(Lit. infatuate head and infatuate brain)*

— waak⁶ — 惑   (V) *tempt; mislead; confuse.*

10   — waan⁶ yeuk⁶ — 幻藥   (N) *L.S.D.* *(Lit. obsession fantasy medicine)* (*Pill:* nap¹° 粒; *Package:* baau¹ 包)

mai⁵米   **2080**   (N) *rice/husked rice* (*Grain;* nap¹° 粒); *metre.*   (*No Cl.*)

— daat⁶ — 達   (N) *metre.* **Tr. FE** (*No Cl.*)

— do¹° yau⁵ dak¹° hat¹° — 都有得乞   (SE) *end up in tragedy; have a very sad ending.* (*Lit. even have to beg for rice*)

— faan⁶ baan¹° jue² — 飯班主   (N) *employer; one who decides about the employment of sb else.* **Coll.**

mak¹⁰嘜   **2081**   (N) *mark; trade mark.* **Coll. SF** ‡   **CC**

— tau⁴ — 頭   (N) *mark; trade mark.* **Coll. FE**

mak⁶墨   **2082**   (N) *ink.* (P) *used in transliterations.*

— luk⁶ sik¹° — 綠色   (N) *blue-black colour.*

M— Sai¹ Goh¹° — 西哥   (N) *Mexico.* **Tr.**

m— sui² — 水   (N) *ink; liquid ink.* (*Bottle:* jun¹樽)

— — bat¹° — — 筆   (N) *fountain pen.* (*Cl.* ji¹枝)

⁵ — yin⁶ — 硯   (N) *inkstone.* (*Cl.* faai³ 塊 *or* goh³ 個)

— yue⁴ — 魚   (N) *cuttle-fish.* (*Lit. ink-fish*) (*Cl.* jek³只)

mak⁶默   **2083**   (Adj) *silent; tacit.* **Fml. SF** ‡   (Adv) *tacitly.* **Fml. SF** ‡

— hui² — 許   (V) *approve tacitly.* (N) *tacit approval.* (*Cl.* jung²種)

— kai³ — 契   (N) *tacit understanding.* (*Cl.* jung²種)

— kek⁶ — 劇   (N) *pantomime.* (*Cl.* chut¹°齣)

— sue¹ — 書   (N) *dictation.* (*as exercise at school*) (*Cl.* chi³次)

⁵ — to² — 禱   (V) *pray in secret.*

— ying⁶ — 認   (V) *recognize tacitly.* (N) *tacit recognition.* (*Cl.* jung²種)

mak⁶麥   **2084**   (N) *wheat.* (*Cl.* poh¹斛)

— fan² — 粉   (N) *oatmeal.* (*Bowl;* woon² 碗)

— miu⁴ — 苗   (N) *sprouting wheat.* (*Cl.* poh¹斛)

— nga⁴ — 芽   (N) *wheat-sprout; malt.* (*Cl.* nap¹° 粒)

— — tong⁴* — — 糖   (N) *malt-sugar.*   *(No Cl.)*

5 — pin³* — 片   (N) *oats; rolled oats.*   *(Tin;* gwoon³ 礶 *)*

— sui⁶ — 穗   (N) *ear of wheat.*   *(Cl.* nap¹° 粒 *)*

— tin⁴ — 田   (N) *wheat-field.*   *(Cl.* faai³ 塊 *or* fuk¹° 幅 *; Acre:* mau⁶ 畝)

mak⁶ 脈(衇，脉) 2085   (N) *pulse.*   **SF** ‡

— moon⁴ — 門   (N) *wrist pulse.*   *(Cl.* do⁶ 度 *or* sue³ 處 *)*

— pok³ — 博   (N) *pulse beat.*   **Coll.**   *(Cl.* chi³ 次 *)*

— sik¹° — 息   (N) *ditto.*   **Fml.**

mak⁶ 陌 2086   (N) *footpaths through fields; street.*   **Fml.   SF** ‡

— saang¹° — 生   (Adj) *unfamiliar; unacquainted.*

— — dei⁶ fong¹ — — 地方   (N) *place with which one is not familiar/ acquainted.*   *(Cl.* do⁶ 度 *or* sue³ 處 *)*

— — yan⁴ — — 人   (N) *stranger.*

man⁴ 文 2087   (N) *language (written) (seldon used on its own)*   **AP: man⁶ see 2088.**

— fa³ — 化   (N) *culture; education.*   *(Cl.* jung² 種 *)*   (Adj) *cultural.*

— — cham¹ leuk⁶ — — 侵略   (N) *cultural aggression.*   *(Cl.* jung² 種 *)*

— — saam¹ — — 衫   (N) *western-style undervest; singlet (with short sleeves).*   *(Cl.* gin⁶ 件 *)*

— faat³ — 法   (N) *grammar.*   **Coll.**   *(Cl.* jung² 種 *)*

5 — lei⁵ — 理   (N) *ditto.*   **Fml.**

— foh¹° — 科   (N) *arts; liberal arts (as subjects at universities).*   *(No Cl.)*

— fong⁴ sei³ bo² — 房四寶   (SE) *stationery.*   **Fml.**   *(Cl.* jung² 種 *)*

— — yung⁶ gui⁶ — — 用具   (N) *ditto.*

— gui⁶ — 具   (N) *ditto.*   **Coll.**

10 — — dim³ — — 店   (N) *stationer; stationery shop.*   *(Cl.* gaan¹ 間 *)*

— gin⁶* — 件   (N) *document; official paper.*   *(Cl.* jeung¹ 張 *)*

— go³ — 告   (N) *proclamation; official notice.*   *(Cl.* jeung¹ 張 *)*

— hok⁶ — 學   (N) *literature.* (*Cl.* jung² 種)

— — ga¹° — — 家   (N) *man of letters; literary person.*

15 — hok⁶ yuen⁶* — — 院   (N) *faculty of arts.*

— ji⁶ — 字   (N) *writing; written language; characters.* (*Cl.* jung² 種)

— maang⁴ — 盲   (N) *illiterate.* *(Lit. literary blind)*

— ming⁴ — 明   (Adj) *civilized.* (N) *civilization.* (*Cl.* jung² 種)

— — gwok³ ga¹ — — 國家 (N) *civilized country.*

20 — — yan⁴ — — 人   (N) *civilized people.*

— ngai⁶ — 藝   (N) *literature and art; arts in general.* (*Cl.* jung² 種)

M— Ng— Fuk⁶ Hing¹ — — 復興 (N) *the Renaissance.* (*Cl.* chi³ 次)

m— ng— pin³ — — 片   (N) *literary film.* (*Cl.* chut¹° 齣)

— pang⁴ — 憑   (N) *diploma.* (*Cl.* jeung¹ 張)

25 — — baan¹° — — 班   (N) *diploma course.* (*Cl.* baan¹° 班 or goh³ 個)

— yi⁵ sik⁶ wai⁴ tin¹ — 以食爲天   (SE) *the masses attach most importance to food.* *(Lit. people regard food as Heaven)*

— yin⁴ — 言   (N) *literary style of Chinese writing.* (*Cl.* jung² 種)

— yuen⁴ — 員   (N) *clerk.*

man⁶ 文   2088   (V) *gloss.* **Fml. SF** ‡ **AP** man⁴ see 2087.

— gwoh³ — 過   (V) *gloss; conceal a fault.* **Fml. FE**

— sik¹° — 飾   (V) *ditto.*

man⁴ 紋   2089   (V) *tattoo the body.* (N) *tattoo; stripe; line; grain (in general).* **SF** ‡ (*Cl.* tiu⁴ 條)

— san¹° — 身   (V) *tattoo the body.* **FE** (N) *tattoo.* **FE** (*Cl.* jung² 種)

man⁴ 蚊   2090   (N) *mosquito.* **Fml. AP** man⁴° **SM** see 2091.

man⁴° 蚊   2091   (N) *mosquito.* (*Cl.* jek³ 只) *dollar (No Cl.)* **Coll. AP** man⁴ **SM** see 2090.

— hau² — 口   (N) *mosquito bite.* (*Cl.* goh³ 個 or nap¹° 粒)

— naan³ — 蠻   (N) *ditto.*

— jeung³ — 帳   (N) *mosquito net.* (*Cl.* tong⁴幢)

— yin¹° heung¹° — 烟香   (N) *mosquito. incense (used as expellant).* (*Cl.* ji¹支)

man⁴ 民   2092   (N) *people.* **Fml. SF** ‡

— bing¹ — 兵   (N) *militia.* (*Cl.* ji¹ 支 or dui⁶隊)

— tuen⁴ — 團   (N) *ditto.*

— ching⁴ — 情   (N) *public opinion; will of the people.* (*Cl.* jung²種)

— sam¹ — 心   (N) *ditto.*

5   — yi³ — 意   (N) *ditto.*

— — chaak¹° yim⁶ — — 測驗   (N) *public opinion survey.* (*Cl.* chi³ 次)

— hei³ — 氣   (N) *morale of the people.* (*Cl.* jung² 種)

— jue² — 主   (Adj) *democratic* (N) *democracy.* (*Lit. people master*) (*Cl.* jung² 種)

— — gwok³ ga¹ — — 國家   (N) *democratic country.*

10   — juk⁶ — 族   (N) *people; tribe; nation.* (*ROT ethnic distinctions*)

— jung³ — 衆   (N) *masses; the general public.* (*No Cl.*)

— kuen⁴ — 權   (N) *rights of the people; civil rights.* (*Cl.* jung⁴ 種)

— si⁶ — 事   (N) *Civil suit.* **SF** ‡

— — faat³ — — 法   (N) *civil law.* (*Cl.* jung² 種)

15   — — — ting⁴ — — — 庭   (N) *civil court.*

— — on³ — — 案   (N) *civil suit.* **FE** (*Cl.* gin⁶ 件)

— — so³ jung⁶ — — 訴訟   (N) *action in a civil court.* (*Cl.* jung² 種 or chi³ 次)

— yung⁶ — 用   (Adj) *civil; civilian.* (*Lit. people use*)

— — gung¹ lo⁶ — — 公路   (N) *public highway; public road.* (*Lit. people use highway*) (*Cl.* tiu⁴ 條)

man⁴ 聞   2093   (V) *hear; smell.* **SF** ‡ **AP man⁶ see 2094.**

— do² — 倒   (V) *smell.* **Coll. FE**

— meng⁴* — 名   (Adj) *well-known; famous.*

— soh² mei⁶ man⁴ — 所未聞   (SE) *hear what one has never heard before; learn something new.*

man⁶ 聞   2094   (N) *reputation.*   **Fml.**   **SF**   ‡   **AP man⁴ see 2093.**

— yan⁴ — 人   (N) *reputable person; celebrity.*

man⁵ 敏   2095   (Adj) *efficient; swift.*   **SF**   ‡

— jit⁶ — 捷   (Adj) *efficient; swift.*   **FE**

man⁵ 鰵   2096   (N) *codfish.*   **SF**   ‡

— yue⁴ — 魚   (N) *codfish.*   **FE**   (*Cl.* tiu⁴ 條)

— — gon¹ yau⁴ — — 肝油   (N) *cod-liver oil.*   (*Bottle:* jun¹ 樽)

man⁵ 吻   2097   (V) *kiss; tally; coincide.*   **SF**   ‡   (N) *kiss.*   **SF**   ‡
(*Cl.* goh³ 個 *or* chi³ 次)

— bit⁶ — 別   (V) *kiss sb. goodbye.*

— hap⁶ — 合   (V) *tally; coincide.*   **FE**

man⁶ 問   2098   (V) *ask; ask questions; make inquiries.*   **SF**   ‡

— daap³ — 答   (N) *dialogue; catechism.*   (*Cl.* chi³ 次 *or* gui³ 句)

— hau⁶ — 候   (V) *send kind regards; ask after sb.*

— ho⁶* — 號   (N) *question mark.*   **SF**

— wa⁶* foo⁴ ho⁶* — 話符號   (N) *ditto.*   **FE**

⁵ — si⁶ chue³ — 事處   (N) *inquiry/information counter.*

— tai⁴ — 題   (N) *question; problem; issue.*

man⁶ 紊   2099   (Adj) *confused; tangled.*   **Fml.**   **SF**   ‡   **AP lun⁶ SM**
see 2020.

— luen⁶ — 亂   (Adj) *confused; tangled.*   **Fml.**   **FE**

mang¹ 擝   2100   (V) *pull sth.*   *(from pockets, boxes, etc.)*   **SF**   ‡
        CC   **AP mang³ SM see 2101.**

— chut¹° — 出   (V) *pull sth.*   *(from pockets, boxes, etc.)*   **FE**

— lat¹° — 甪   (V) *ditto.*

— jue⁶ — 住   (V) *pull; keep pulling.*

— sat⁶ — 實   (V) *pull tight.*

mang³ 擝   2101   (V) *pull sth.*   *(from pockets, boxes, etc.)*   **SF**   ‡
           CC   **AP mang¹ SM see 2100.**

— chut¹°   — 出   (V) *pull sth.*   *(from pockets, boxes, etc.)*

— lat¹°   — 甪   (V) *ditto.*

— jue⁶   — 住   (V) *pull; keep pulling.*

— sat⁶   — 實   (V) *pull tight.*

mang² 懜   2102   (Adj) *annoyed; restless and anxious.*   **Coll. SF**   ‡

— jang²   — 悙   (Adj) *annoyed; restless and anxious.*   **Coll. SF**   ‡

mang⁴ 盟   2103   (V) *ally.*   **SF**   ‡   (N) *ally; alliance.*   **SF**   ‡

— gei¹   — 機   (N) *allied aircraft.*   *(Cl.* ga³ 架 *or* jek³ 只*)*

— gwan¹°   — 軍   (N) *allied forces.*   *(Cl.* ji¹ 支 *or* dui⁶ 隊*)*

— gwok³   — 國   (N) *ally.*   **FE**

— jue²   — 主   (N) *person who administers an alliance oath; leader of alliance.*

⁵ — yeuk³   — 約   (N) *treaty of alliance; covenant.*   *(Cl.* tiu⁴ 條 *or* jung² 種)*

mang⁴ 萌   2104   (V) *sprout; put forth buds.*   **SF**   ‡

— nga⁴   — 芽   (V) *sprout; bud.*   **FE**

mat¹° 乜   2105   (Adv) *what; why.*   **SF**   ‡   **AP mi¹° SM see 2135.**
          CC

— gam³ gwai³ a³?   — 咁貴呀?   (SE) *why so expensive?*

— ye⁵   — 嘢   (Adv) & (Pron) *what.*   **FE**

— suet³ wa⁶ a¹°!   — 說話吖!   (SE) *not at all; You're welcome.*   **PL**

— ye⁵ do¹° jai³ — — 都制   (SE) *do whatever comes into one's head.* *(Used in the bad sense).*   **Coll.**

— — — lai⁴ — — — 嚟   (SE) *ditto.*

— — si⁶ hau⁶ — — 時候   (Adv) *what time; when.*

— — wa⁶*? — — 話   (SE) *what do/did you say?*

— — woh⁶? — — 喎?   (SE) *what for?*

mat⁶ 勿   2106   (Adv) *shouldn't; mustn't; don't.* **Fml. SF** ‡

mat⁶ 物   2107   (N) *thing.* **Fml. SF** ‡

— ban² — 品   (N) *articles/things in general.* (*Cl.* gin⁶ 件)

— gin⁶* — 件   (N) *ditto.*

— chaan² — 產   (N) *local products.* (*Cl.* jung² 種)

— ga³ — 價   (N) *commodity price.* (*Cl.* goh³ 個 *or* jung² 種)

5 — — fei¹ jeung³ — — 飛漲   (SE) *commodity prices are soaring/ rocketing; inflationary spiral.* (*Lit. commodity prices fly and increase*)

— — ji² so³ — — 指數   (N) *price index.* (*Cl.* goh³ 個 *or* jung² 種)

— gwai¹ yuen⁴ jue² — 歸原主   (SE) *let the thing be returned to its proper owner.*

— jat¹° — 質   (N) & (Adj) *material.*

— — man⁴ ming⁴ — — 文物   (N) *material civilization/progress.* (*Cl.* jung² 種)

10 — ji¹ — 資   (N) *resources.* (*RT persons, nations, etc.*) (*Cl.* jung² 種)

— lik⁶ — 力   (N) *ditto.*

— jue² — 主   (N) *owner of sth.*

— lei⁵ (hok⁶) — 理(學)   (N) *physics.* (*subject:* foh¹° 科)

— — bin³ fa³ — — 變化   (N) *physical changes.* (*Cl.* jung² 種)

15 — — ji⁶ liu⁴ — — 治療   (N) *physiotherapy.* (*Cl.* jeung² 種)

— — yin⁶ jeung⁶ — — 現象   (N) *physical phenomena.* (*Cl.* jung² 種)

mat⁶ 密   2108   (Adj) *secret; dense; intimate.* **SF** ‡

— chit³ — 切   (Adj) *closely connected.*

— — gwaan¹ hai⁶ — — 關係   (N) *close relationship/connection.* (*Cl.* jung² 種)

— din⁶ — 電   (N) *secret telegram.* (*Cl.* fung¹ 封)

— ma⁵ din⁶ bo³ — 碼電報   (N) *ditto.*

5 — ma⁵ — 碼   (N) *secret code.* (*Cl.* jung² 種)

— sat⁶ — 實   (Adj) *tight-lipped; maxi* (**Tr.**).

— — jong¹° — — 裝   (N) *maxi dress.* **Tr.** (*Suit:* to³ 套; *Cl.* gin⁶ 件)

— si³ — 使   (N) *secret envoy.*

— yau⁵ — 友   (N) *intimate friend.*

mat⁶ 蜜   2109   (N) *honey.*   **SF** ‡

— fung¹° — 蜂   (N) *bee.*

— — dau³ — — 竇   (N) *beehive.*

— gam¹° — 柑   (N) *Mandarin (orange).*

— gwa¹° — 瓜   (N) *honey-dew.*   *(RT a kind of melon)*

5   — jin³ — 餞   (Adj) *honey-preserved.*   (N) *confections.*   (*Cl.* jung² 種)

— jo² — 棗   (N) *honey dates; preserved dates.*

— tong⁴ — 糖   (N) *honey.*   **FE**   *(No Cl.)*

— yuet⁶ — 月   (N) *honey moon.*

mat⁶ 襪（袜）   2110   (N) *socks; stockings.*   (*Cl.* jek³ 只 ; *Pair:* dui³ 對)

— foo³ — 褲   (N) *panty-hose; tights.*   *(Lit. stocking-pants)*   (*Cl.* tiu⁴ 條)

mau¹ 跍   2111   (V) *squat down.*   **Coll.**   **SF** ‡
CC

— dai¹ — 低   (V) *squat down.*   **Coll.**   **FE**

mau⁴ 謀   2112   (V) & (N) *plan; plot.*   **SF** ‡

— choi⁴ hoi⁶ meng⁶ — 財害命   (SE) *plot to acquire wealth and take sb's life.*

— faan² — 反   (V) *plan rebellion/revolt.*

— hoi⁶ — 害   (V) *plot to injure.*

— leuk⁶ — 略   (N) *plan; strategy.*   **FE**   (*Cl.* jung² 種 *or* goh³ 個)

5   — saat³ — 殺   (V) & (N) *murder.*

— — on³ — — 案   (N) *murder case.*   (*Cl.* gin⁶ 件)

— sang¹ — 生   (V) *plan to make a living.*

— si⁶ joi⁶ yan⁴ sing⁴ si⁶ joi⁶ tin¹ — 事在人，成事在天   (SE) *man proposes but God disposes.*

mau⁴牟 2113 (V) *make; take.* **Fml. SF** ‡

— lei⁶ — 利 (V) *make profit.* **Fml.** (Adj) *profit-making.* **Fml.**

— — gei¹ gau³ — — 機構 (N) *profit-making body/institution.* **Fml.**

— — si¹ haau⁶ — — 私校 (N) *private profit-making school.* **Fml.**

mau⁵某(厶) 2114 (P) *used as a substitute for sth unknown or unspecified (such as names, times, dates, etc.), corresponding to the English "so-and-so" "such-and-such", "X", "a certain", etc.*

— dei⁶ — 地 (SE) *a certain place.*

— sue³ — 處 (SE) *ditto.*

— gaap³ — 甲 (SE) *a certain person.*

— yan⁴ — 人 (SE) *ditto.*

⁵ — haau⁶ — 校 (SE) *a certain school.*

— jung² gei⁶ suet⁶ — 種技術 (SE) *a certain kind of technique.*

— Sin¹ Saang¹ — 先生 (SE) *Mr. X.*

— Mau⁵ — 某 (P) *used as a substitute for sth unknown or unspecified (names, times, dates, etc.), corresponding to the English "so-and-so", "such-and-such", "x", "a certain", etc.*

— nin⁴ man⁵ yuet⁶ — 年某月 (SE) *in a certain month and a certain year; some time ago.*

¹⁰ — yuet⁶ mau⁵ yat⁶ — 月某日 (SE) *on a certain date; on a certain day of a certain month; some time ago.*

mau⁵畝 2115 (N) *acre; Chinese acre (about 733½ sq. yds., or 6.6 mau=1 acre). (No Cl.)*

mau⁵牡 2116 (N) *peony; male of quadrupeds.* **Fml. SF** ‡ **AP maau⁵ SM see 2074.**

mau⁶貿 2117 (V) & (N) *trade; barter.* **SF** ‡

— yik⁶ — 易 (V) *trade; barter.* **FE** (N) *trade; barter.* **FE** (*Cl.* jung¹ 宗)

— — gung¹ si¹° — — 公司 (N) *trading firm/company.* (*Cl.* gaan¹ 間)

mau⁶ 茂 **2118** (Adj) *exuberant; luxuriant; abundant.* **SF** ‡

— sing⁶ — 盛 (Adj) *exuberant; luxuriant; abundant.* **FE**

mau⁶ 謬 **2119** (Adj) *ridiculous.* **SF** ‡

— gin³ — 見 (N) *misleading notion.* (*Cl.* jung² 種)

— lun⁶ — 論 (N) *ridiculous words; nonsense.* (*Cl.* jung² 種)

me¹° 咩 **2120** (N) *bleating of sheep.* **Ono.** **SF** ‡ (FP) *transforms*
CC *statements into questions that indicate doubt or surprise.*

— me¹° seng¹ — 咩聲 (N) *bleating of sheep.* **Ono.** **FE** (*Cl.* jung²
種)

me¹ 狇 **2121** (V) *carry on the back.*
CC

— baau¹ fuk⁶ — 包袱 (V) *carry a pack; be burdened with (Fig.).*

— daai³* — 帶 (N) *pack wrapper (for carrying babies).* (*Cl.* tiu⁴ 條)

— jai² — 仔 (V) *carry a baby/child pickaback.*

— wok⁶ — 鑊 (V) *fail; be scolded/reprimanded. (Lit. carry rice-cooking pot)* **Sl.**

me² 歪 **2122** (Adj) *wry; slanting.* **Coll.** **SF** ‡ **AP waai¹ see 3157.**

— jui² — 咀 (N) *wry mouth.*

— min⁶ — 面 (N) *wry face; grimace.*

mei¹° 咪 **2123** (V) *close; shut; smile.* **Coll.** **SF** ‡ **AP: (1) mai¹**
CC **see 2076; (2) mai¹° see 2077; (3) mai⁵ see 2078.**

— maai⁴ hau² — 埋口 (V) *keep silent; shut one's mouth.*

— — ngaan⁵ — — 眼 (V) *close one's eyes, die.*

— mai¹° jui² — 咪咀 (V) *wear a smiling/grimace.*

— — siu³ — — 笑 (V) *smile.* **Coll.** (Adv) *similingly.* **Coll.**

mei⁴微   2124   (Adj) *small; trifling.* **SF** ‡

— bat¹° juk¹° do⁶   — 不足道   (SE) *insignificant; not worth mentioning.*

— fung¹   — 風   (N) *light breeze.*   (*Cl.* jan⁶陣)

— kwan²   — 菌   (N) *germ; bacteria.*   (*Cl.* jung²種)

— miu⁶   — 妙   (Adj) *delicate; subtle.*   (*RT situations, positions, etc.)*

5 — sai³   — 細   (Adj) *small; trifling.* **FE.**

— siu²   — 小   (Adj) *ditto.*

— sang¹ mat⁶   — 生物   (N) *microbe.*   (*Cl.* jung²種)

— siu³   — 笑   (V) & (N) *smile.* **Fml.**

— yue⁵   — 雨   (N) *light rain; shower.*   (*Cl.* jan⁶陣)

mei⁴眉   2125   (N) *eyebrow.* **SF** ‡   (*Cl.* tiu⁴條)

— loi⁴ ngaan⁵ hui³   — 來眼去   (V) *exchange glances.*   (*GRT people in love)*

— tau⁴   — 頭   (N) *eyebrow.* **FE**   (*Cl.* tiu⁴ 條 *or* do⁶道)

— — yat¹° jau³   — — — 一縐   (SE) *frown.*

mei⁵美   2126   (Adj) *beautiful.* **Fml. SF** ‡   (N) *America.* **Tr. SF** ‡

— dak¹°   — 德   (N) *virtue; excellent conduct.*   (*Cl.* jung²種)

M— gam¹°   — 金   (N) *American dollar; U.S. currency.* **Coll.** *(No Cl.)*

— yuan⁴   — 元   (N) *ditto.* **Fml.**

m— gam²   — 感   (N) *beautiful/artistic taste.*   (*Cl.* jung²種)

5 — ging²   — 景   (N) *beautiful scenery.*   (*Cl.* goh³ 個 *or* jung²種)

M— Gwok³   — 國   (N) *the United States of America; the U.S.A.* **Coll. SF**   (Adj) *American (When followed by a Noun).*

— Lei⁶ Gin¹° (Hap⁶ Jung³ Gwok³)   — 利堅(合衆國)   (N) *ditto.* **Fml. FE**

— Gwok³ Ngan⁴ Hong⁴   — 國銀行   (N) *the Bank of America.*   (*Cl.* gaan¹間)

— — to² saang¹°   — — 土生   (N) *U.S.—born Chinese; second generation of Chinese born in the U.S.A.* **Coll.**

10 — Jik⁶ Wa⁴ Yan⁴   — 籍華人   (N) *ditto.* **Fml.**

— Gwok³ Wa⁴ Kiu⁴ — 國華僑   (N) *overseas Chinese residents of the U.S.A.*

—— yan⁴ —— 人   (N) *American; American citizen.*

m— hok⁶ — 學   (N) *aesthetics.* (*Subject:* foh¹°科)

M— Jau¹ — 洲   (N) *the Continent of America.*

15   m— lai⁶ — 麗   (Adj) *beautiful; good-looking; charming.* **Fml.**   **FE**

— mooi⁵ — 滿   (Adj) *perfect; superb; splendid.* **Fml.**

— mui⁵ — 女   (N) *a beauty; a pretty girl.*

— sik¹° — 色   (N) *ditto.*

— yan⁴ — 人   (N) *ditto.*

20   — sa¹ tung⁴ — 沙酮   (N) *methadone.* **Tr.** (*Cl.* jung²種)

——— ji⁶ liu⁴ jung¹ sam¹° ——— 治療中心   (N) *methadone clinic/Centre.* (*Cl.* goh³個 *or* gaan¹間)

— sut⁶ — 術   (N) *art; fine art.* (*Cl.* jung²種)

—— ban² ——品   (N) *works of art.* (*Cl.* gin⁶件)

—— ga¹° ——家   (N) *artist.*

25   —— gaai³ ——界   (N) *the world of art.*

—— gwoon² —— 館   (N) *art gallery.* (*Cl.* gaan¹間)

—— jin² laam⁵ (wooi⁶*) ——展覽 (會)   (N) *exhibition of fine arts.* (*Cl.* chi³次 *or* goh³個)

mei⁵鎂   2127   (N) *magnesium.* **Tr.** (*Cl.* jung²種)

mei⁵尾   2128   (N) *tail; end; "distinction"/"credit" (in examination).* (*Cl.* tiu⁴條)   **AP mei¹°** see 2129.

— ba¹ — 巴   (N) *tail.* **Mdn.**   **FE** (*Cl.* tiu⁴條)

— fong⁴* — 房   (N) *bed-room between the middle room and kitchen; bed-room at the rear of a flat.* (*Lit. rear room*) (*Cl.* gaan¹ 間 *or* goh³個)

— gwat¹° — 骨   (N) *coccyx; rump.* (*Cl.* tiu⁴條)

— lung⁴ gwat¹° — 龍骨   (N) *ditto.*

5   — hau⁶ — 後   (Adv) *finally; afterwards.*

mei⁵°尾   **2129**   (Adj) *last; final.*   **SF**   ‡   **AP mei⁵ see 2128.**

— laai¹°   — 孻   (Adj) *last; final.*   **FE**

— yi⁶*   — 二   (Adj) *last but one; second from last.*

mei⁶未   **2130**   (Adv) *not; not yet.*   **SF**

— bit¹°   — 必   (Adv) *not necessarily; not beyond doubt.*

— chang⁴   — 曾   (Adv) *not; not yet.*   **FE**

— fan¹°   — 婚   (N) *fiance; fiancee.*   **Coll.**

— — chai¹   — — 妻   (N) *fiancee.*   (*Lit. not yet married wife*)

5   — — foo¹   — — 夫   (N) *fiance.*   (*Lit. not yet married husband*)

— — foo¹ chai¹   — — 夫妻   (N) *an engaged couple; fiance and fiancee.* (*Lit. not yet married husband and wife*)   (*couple:* dui³ 對)

— — — foo⁵   — — — 婦   (N) *ditto.*

— — ma⁴ ma¹°   — — 媽媽   (SE) *unwedded mother.*

— ji¹ so³   — 知數   (N) *the unknown quantity; "X" (RT mathematics,* **Lit. & Fig.***).*

10   — ji³ do³   — 至到   (Adv) *not to the extent of; not to such a degree as.*

— — yue¹   — — 於   (Adv) *ditto.*

— min⁵   — 免   (Adv) *inevitably; necessarily.*

— sing⁴ nin⁴   — 成年   (Adj) *not of age; minor; junior.*

— yau⁵ noi⁶*   — 有耐   (Adv) *too soon.*

mei⁶味   **2131**   (N) *taste; flavour.*   **SF**

— do⁶   — 道   (N) *taste; flavour; interest.*   **FE**   (*Cl.* jung² 種)

— jing¹°   — 精   (N) *flavouring essence.*   (*Cl.* jung² 種)

mei⁶媚   **2132**   (V) *fawn on; seduce.*   **SF**   ‡   (Adj) *seductive.*   **SF**   ‡

— ngaan⁵   — 眼   (N) *bewitching eyes.*   (*Pair:* dui³ 對)

— taai³   — 態   (N) *seductive appearance (of a pretty woman).*   (*Cl.* jung² 種)

— waak⁶   — 惑   (V) *fawn on; seduce.*   **FE**

— yeuk⁶   — 葯   (N) *aphrodisiac.*   (*Cl.* jung² 種)

meng⁴* 名   2133   (N) *name.* **Coll.** **AP ming⁴ see 2143.**

meng⁶ 命   2134   (N) *life of animal/human being.* **Coll.** (*Cl.* tiu⁴ 條) **AP ming⁶ see 2147.**

— on³ — 案   (N) *homicide case.* (*Cl.* gin⁶ 件)

— sui² — 水   (N) *fate; destiny.* **Coll.**

mi¹° 乜   2135 CC   (Adv) *what; why.* **SF ‡ AP mat¹° SM see 2105.**

— gam³ gwai³ a³? — 咁貴呀?   (SE) *why so expensive?*

— ye⁵ — 嘢   (Adv) *what.* **FE**

— — si⁴ hau⁶ — — 時候   (Adv) *what time; when.*

mik⁶ 覓(覔)   2136   (V) *search for; hunt for; seek.* **Fml. SF ‡**

min⁴ 棉   2137   (N) *cotton.* (*No Cl.*)

— bo³ — 布   (N) *cotton cloth.* (*Bolt:* pat¹° 疋 ; *yard:* ma⁵ 碼)

— fa¹ — 花   (N) *cotton.* **FE** (*No Cl.*)

— naap⁶ — 衲   (N) *wadded or padded jacket.* (*Cl.* gin⁶ 件)

— pei⁵ — 被   (N) *wadded or padded coverlet; cotton quilt.* (*Cl.* jeung¹ 張)

⁵ — toi¹° — 胎   (N) *ditto.*

— sa¹ — 紗   (N) *cotton yarn.* (*Cl.* gwoo² 股)

min⁵ 免   2138   (V) *exempt from; be free from.* **SF ‡**

— fai³ — 費   (Adj) *free of charge.*

— ji³ — 至   (Conj) *lest.*

— sui³ — 稅   (V) *exempt from taxes/duties.* (Adj) *tax-free; duty-free.*

— — ban² — — 品   (N) *duty-free goods.* (*Cl.* jung² 種)

⁵ — yik⁶ (sing³) — 疫 (性)   (Adj) *immune from infection.*

min⁵ 勉   2139   (V) *exert oneself; urge.* **SF** ‡   (Adv) *reluctantly.* **SF** ‡   (Adj) *reluctant.* **SF** ‡

— keung⁵ — 強   (V) *make strenuous efforts; compel; exhort.*   (Adv) *reluctantly; strenuously.* **FE**   (Adj) *reluctant; strenuous.* **FE**

— — wai⁴ chi⁴ — — 維持   (SE) *manage to survive; break even.* *(Lit. strenuously survive)*

— lai⁶ — 勵   (V) *urge; encourage.* **FE**

— lik⁶ — 力   (V) *exert one's strength.* **FE**

min⁶ 面   2140   (N) *face.* **SF**   **AP min⁶* see 2141.**

— bo⁶ — 部   (N) *face; facial feature.*

— hung¹ — 孔   (N) *ditto.*

— cheng¹ — 青   (Adj) *afraid; scared; pale.*   *(Lit. face green)*

— — sun⁴ baak⁶ — — 唇白   (SE) *look very pale; grow very pale.* *(Lit. face green lips white)*

5   — chin⁴ — 前   (N) *front; front side.*   *(No Cl.)*   (Adv) *in front.*

— dui³ min⁶ — 對面   (Adv) *face to face.*

— gui⁶ — 具   (N) *mask.*

— hung⁴ (hung⁴) — 紅 (紅)   (V) *flush; blush.*   *(Lit. face red)*

— ji² — 子   (N) *face* **(Fig.)***; social standing; public image.*

10   — — daai⁶ — — 大   (Adj) *reputable; influential; powerful.*   *(ROT social standing)* **Fml.**

— jik¹° — 積   (N) *surface area; area.*

— jue¹° — 珠   (N) *cheeks.*   *(GRT babies, small children, etc.)*

— lo⁶ siu³ yung⁴ — 露笑容   (SE) *smile; smiling face.*   *(Lit. face reveals smiling appearance)*

— maau⁶ — 貌   (N) *face; facial description; look/appearance of sb.* **Fml. FE**

15   — muk⁶ — 目   (N) *ditto.*

— min⁶ — 面   (Adv) *in every respect; from every aspect.*   *(Lit. every face)*

— — kui¹ yuen⁴ — — 俱圓   (SE) *be diplomatic with everyone; try to please everyone.*

— pei⁴ hau⁵ — 皮厚   (Adj) *thick-skinned; shameless.*

— si³ — 試   (N) *interview; oral examination.*   *(Cl. chi³ 次)*

20   — sik¹° — 色   (N) *complexion; countenance.*   *(Lit. face colour)*

min⁶* 面   2141   (N) *face/visage; surface.* **Fig.**   **AP min⁶ see 2140.**

— daai⁶   —   大   (Adj) *reputable; influential; powerful.*   *(ROT social standing)* **Coll.**

— saam¹°   —   衫   (N) *jacket of a man's suit.*   *(Cl.* gin⁶ 件*)*

min⁶ 麵   2142   (N) *raw noodles; noodles.*   *(Cl.* tiu⁴ 條*; catty:* gan¹ 斤*)*

— baau¹°   —   飽   (N) *bread.*

— fan²   —   粉   (N) *flour; wheaten flour.*   *(No Cl.)*

ming⁴ 名   2143   (N) *name; reputation.* **Fml. SF ‡ AP meng⁴* see 2133.**

— chaak³   —   冊   (N) *list of names; muster-roll.*   *(Cl.* fan⁶ 份*)*

— daan¹°   —   單   (N) *ditto.*   *(Cl.* jeung¹ 張*)*

— chi⁴   —   詞   (N) *terminology; term; noun.*   *(Lit. name word)*

— ching¹   —   稱   (N) *name; term; title.*   **FE**

⁵ — fan⁶   —   分 (份)   (N) *ditto.*

— muk⁶   —   目   (N) *ditto.*

— gui³   —   句   (N) *sophisticated remark; famous quotation.*   *(Cl.* gui³ 句)

— yin⁶   —   言   (N) *ditto.*

— ho⁶   —   號   (N) *name.*   *(GRT persons)*   **FE**

¹⁰ — ji⁶   —   字   (N) *ditto.*

— lau⁴   —   流   (N) *well-known people.*

— mong⁶   —   望   (N) *reputation.*   **FE**

— yue⁶   —   譽   (N) *ditto.*   (Adj) *Honorary.*

— — jue² jik⁶   — —   主席   (N) *honorary chairman.*

¹⁵ — — ling⁵ si⁶*   — —   領事   (N) *honourary consul.*

— — wooi⁶* yuen⁴   — —   會員   (N) *honorary member.*

— ngaak⁶*   —   額   (N) *quota; maximum number.*   *(ROT persons)*

— pin³*   —   片   (N) *visiting card; calling card.*   *(Lit. name card)* *(Cl.* jeung¹ 張)

— sing³   —   勝   (N) *famous scenic resort.*   *(Cl.* sue³ 處, do⁶ 度 *or* goh³ 個)

²⁰ — yi¹   —   臣   (N) *famous doctor.*

— yin² yuen⁴   —   演員   (N) *well-known actor/actress.*

ming⁴ 明   2144   (V) *understand.*   **SF**

— baak⁶ — 白   (V) *understand.*   **Coll.**   **FE**

— liu⁴ — 瞭   (V) *ditto.*   **Fml.**

— faan⁴ — 礬   (N) *alum.*   (*Cl.* jung²種)

— foh² da² gip³ — 火打趷   (SE) *armed robbery.*   (*Cl.* jung¹宗 *or* chi³ 次)

5   — ji¹ — 知   (V) *know quite well; be aware of.*

— — gwoo³ faau⁶ — — 故犯   (SE) *commit a wilful crime/offence; deliberately break the law.*

— — — man⁶ — — — 問   (SE) *feign ignorance and ask questions; draw sb out.*

— jing³ — 証   (N) *clear evidence.*   (*Cl.* jung²種 *or* goh³個)

— jiu¹ — 朝   (Adv) & (N) *tomorrow morning.*   **Mdn.**

10   — jue¹ — 珠   (N) *pearl.*   (*Cl.* nap¹°粒)

M- Jue¹ Toi⁴ — 珠台   (N) *TVB—Pearl.*   (*TV programme*)   (*Cl.* goh³ 個)

m- kok³ — 確   (Adj) *precise; clear and definite.*

— ma⁵ — 碼   (N) *straightforward message—without using code (RT telegrams); price-tag for all to see.*   (*Cl.* jung²種)

— — din⁶ bo³ — — 電報   (N) *open-coded telegram.*   (*Cl.* fung¹封)

15   — — sat⁶ ga³ — — 實價   (SE) *be for sale at marked price.*

— maai⁵ ming⁴ maai⁶ — 買明賣   (SE) *handle/complete an open transaction.*

— maan⁵ — 晚   (Adv) & (N) *tomorrow evening/night.*

— nin⁴ — 年   (Adv) & (N) *next year.*   **Mdn.**

— ming⁴ — 明   (Adv) *evidently; obviously.*

20   — sing¹ — 星   (N) *morning star.*   (*Cl.* nap¹°粒); *movie star.*   (*Cl.* goh³個)

— sun³ pin³* — 信片   (N) *post card.*   (*Cl.* jeung¹張)

— tin¹ — 天   (Adv) & (N) *tomorrow.*   **Mdn.**

ming⁴ 鳴   2145   (V) *sound; cry out.*   **Fml.**   **SF**   ‡

— gam¹° — 金   (V) *beat a gong.*   **Fml.**

— loh⁴ — 鑼   (V) *ditto.*   **Coll.**

— gam¹° sau¹ bing¹ — 金收兵 (SE) *beat a retreat.*

— je⁶ — 謝 (V) *express thanks.* **Fml.**

— paau³ (ji³ ging³) — 砲 (致敬) (V) *fire a salute.*

— yuen¹ — 寃 (V) *cry out for redress.*

ming⁴ 螟 2146 (N) *caterpillar.* **Fml. SF ‡**

— ling⁴ — 蛉 (N) *caterpillar.* **Fml. FE** (*Cl.* tiu⁴ 條)

— — ji² — — 子 (N) *adopted son.* **Fml.**

ming⁶ 命 2147 (N) *order, fate.* **Fml. SF ‡ AP** meng⁶ see 2134.

— ling⁶ — 令 (N) *order; command.* **Fml. FE**

— wan⁶ — 運 (N) *fate; destiny.* **Fml. FE**

mit¹° 搣 2148 (V) *pinch; peel off; tear.* **Coll. SF ‡ CC**

— hoi¹ — 開 (V) *peel off; pull open.* (*RT* skin, fruit, wrappings, etc.) **Coll. FE**

— laan⁶ — 爛 (V) *tear; tear up.* **Coll. FE**

— sui³ — 碎 (V) *ditto.*

— min⁶ jue¹° — 面珠 (V) *pinch the cheek.*

mit⁶ 滅 (威) 2149 (V) *destroy.* **SF ‡**

— foh² hei³ — 火器 (N) *fire extinguisher.* (*Cl.* goh³ 個 or jung² 種)

— — tung⁴* — — 筒 (N) *ditto.*

— hau² — 口 (V) *slay a person to prevent his betrayal of a secret.* (*Lit. destroy mouth*)

— mong⁴ — 亡 (V) *destroy; perish.* (*RT* nations; tribes. etc.) **FE**

mit⁶ 蔑 2150 (V) *despise; look down on.* **Fml. SF ‡** (N) *comtempt.* **Fml. SF ‡**

— si⁶ — 視 (V) *despise; look down on.* **Fml. FE** (N) *comtempt.* **Fml. FE** (*Cl.* jung² 種)

mit⁶ 篾 2151 (N) *bamboo splint.* **SF**

— cheng¹° — 青 (N) *Bamboo splint.* **FE** (*Cl.* tiu⁴ 條)

— kwoo¹° — 箍 (N) *hoop twisted with bamboo splints.*

miu¹° 喵 2152 (V) & (N) *miaow.* **Ono. SF**

— miu¹° seng¹ — 喵聲 (N) *miaow.* **Ono. FE** (*Cl.* jung² 種)

miu² 嗷 2153 (V) *purse the lips.* **Coll. SF** ‡
CC

— jui² — 咀 (V) *purse the lips (as a sign of contempt).* **Coll. FE**

— miu² jui² — 嗷咀 (V) *ditto.*

miu⁴ 苗 2154 (Adj) *slender.* **Fml. SF** ‡ (N) *posterity; descendants, sprout.* **SF** ‡

— tiu⁴ — 條 (Adj) *slender; graceful.* (*GRT female figures*)

— — san¹ choi⁴ — — 身材 (N) *slender/graceful figure.*

— — tai² taai³ — — 體態 (N) *ditto.* **Fml.**

— yui⁶ — 裔 (N) *posterity; descendants.* **FE**

miu⁴ 描 2155 (V) *describe; sketch.* **SF** ‡

— se² — 寫 (V) *describe; depict.* **FE** (N) *description; depiction.* **FE** (*Cl.* jung² 種)

— waak⁶ — 畫 (V) & (N) *sketch; portray.* **FE**

miu⁴ 瞄 2156 (V) *aim; take aim.* **SF**

— jun² — 準 (V) *aim; take aim.* (*RT guns, bombs, etc.*) **FE**

— — hei³ — — 器 (N) *gun-sight; bomb-sight.* (*Cl.* jung² 種 *or* goh³ 個)

miu⁵ 秒 2157 (N) *second.* (*RT time or degree*) (*No Cl.*)

— jung¹° — 鐘 (N) *second.* (*ROT time*) (*No Cl.*)

miu⁵ 渺   **2158**   (Adj) *vague; indistinct; boundless.*   **SF**   ‡

— mong⁴ — 茫   (Adj) *vague; indistinct; boundless.*   **FE**

— siu² — 小   (Adj) *small; insignificant.*   *(RT rank, position, etc.)*

miu⁵ 藐   **2159**   (V) *look down upon; treat with contempt; scorn.*   **Fml.** **SP** ‡ (Adj) *contemptuous; scornful.*   **Fml.** **SF** ‡ (N) *contempt, scorn.*   *(Cl.* jung² 種)

— si⁶ — 視   (V) *look down on; treat with contempt; scorn.*   **Fml.** **FE** (Adj) *contemptuous; scornful.*   **Fml.** **FE** (N) *contempt; scorn.*   **Fml.** **FE**   *(Cl.* jung² 種)

miu⁶ 妙(玅)   **2160**   (Adj) *wonderful; miraculous; cute; humorous.*

— si⁶ — 事   (N) *fine/wonderful matter.*   *(Cl.* gin⁶ 件)

— yan⁴ — 人   (N) *a fine man; a "good sport".*

— yak⁶ — 藥   (N) *particulary effective medicine; specific medicine; sovereign remedy.*   *(Lit. miraculous medicine)*   *(Cl.* jung² 種)

miu⁶ 廟(庙)   **2161**   (N) *temple.*   **Fml.** **SF** **AP** miu⁶* **SM** see **2162.**

— juk¹° (gung¹°) — 祝 (公)   (N) *temple curator/caretaker.*

— yue⁵ — 宇   (N) *temples in general.*   **Fml.** **FE**   *(Cl.* gaan¹ 間)

miu⁶* 廟(庙)   **2162**   (N) *temple.*   **Coll.**   *(Cl.* gaan¹ 間)   **AP** miu⁶ **SM** see **2161.**

mo⁴ 無   **2163**   (V) *not to have.*   **Fml.** **SF**   ‡

— chaan² gaai¹ kap¹° — 產階級   (N) *proletarian; the Proletariate.*

— — je² — — 者   (N) *ditto.*

— dai² dung⁶ — — 洞   (N) *bottomless pit.*   **Lit.** **& Fig.**

— — sam¹ taam⁴ — — 深潭   (N) *ditto.*

⁵ — fa¹ gwoh² — 花果   (N) *fig; blossomless fruit.*

— fei¹ — 非   (Adv) *simply; solely.*

— ga¹ hoh² gwai¹ — 家可歸   (V) *become homeless; lose one's home.* (Adj) *homeless.*

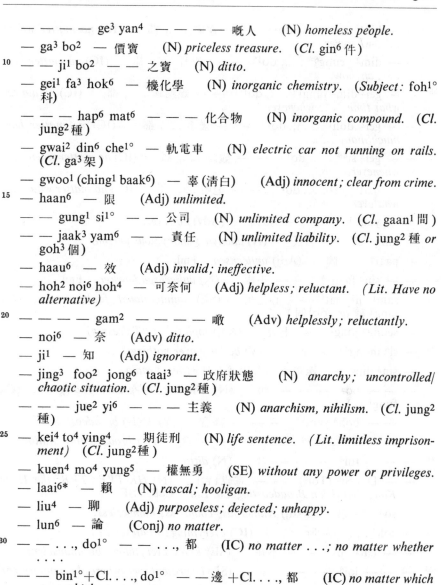

— — — — ge³ yan⁴ — — — — 嘅人   (N) *homeless people.*

— ga³ bo² — 價寶   (N) *priceless treasure.* (*Cl.* gin⁶ 件)

10 — — ji¹ bo² — — 之寶   (N) *ditto.*

— gei¹ fa³ hok⁶ — 機化學   (N) *inorganic chemistry.* (*Subject:* foh¹° 科)

— — — hap⁶ mat⁶ — — — 化合物   (N) *inorganic compound.* (*Cl.* jung² 種)

— gwai² din⁶ che¹° — 軌電車   (N) *electric car not running on rails.* (*Cl.* ga³ 架)

— gwoo¹ (ching¹ baak⁶) — 辜 (清白)   (Adj) *innocent; clear from crime.*

15 — haan⁶ — 限   (Adj) *unlimited.*

— — gung¹ si¹° — — 公司   (N) *unlimited company.* (*Cl.* gaan¹ 間)

— — jaak³ yam⁶ — — 責任   (N) *unlimited liability.* (*Cl.* jung² 種 *or* goh³ 個)

— haau⁶ — 效   (Adj) *invalid; ineffective.*

— hoh² noi⁶ hoh⁴ — 可奈何   (Adj) *helpless; reluctant.* (*Lit. Have no alternative)*

20 — — — — gam² — — — — 噉   (Adv) *helplessly; reluctantly.*

— noi⁶ — 奈   (Adv) *ditto.*

— ji¹ — 知   (Adj) *ignorant.*

— jing³ foo² jong⁶ taai³ — 政府狀態   (N) *anarchy; uncontrolled/chaotic situation.* (*Cl.* jung² 種)

— — — jue² yi⁶ — — — 主義   (N) *anarchism, nihilism.* (*Cl.* jung² 種)

25 — kei⁴ to⁴ ying⁴ — 期徒刑   (N) *life sentence.* (*Lit. limitless imprisonment)* (*Cl.* jung² 種)

— kuen⁴ mo⁴ yung⁵ — 權無勇   (SE) *without any power or privileges.*

— laai⁶* — 賴   (N) *rascal; hooligan.*

— liu⁴ — 聊   (Adj) *purposeless; dejected; unhappy.*

— lun⁶ — 論   (Conj) *no matter.*

30 — — . . ., do¹° — — . . ., 都   (IC) *no matter . . .; no matter whether . . . .*

— — bin¹°+Cl. . . ., do¹° — — 邊 +Cl. . . ., 都   (IC) *no matter which . . .; whichever.*

— — bin¹° goh³ . . .; do¹° — — 邊個 . . ., 都   (IC) *no matter who . . .; whoever.*

— — bin¹° sue³ . . ., do¹°   — — 邊處 . . ., 都   (IC) *no matter where* . . .; *wherever.*

— — dim² yeung⁶* . . ., do¹°   — — 點樣 . . ., 都   (IC) *no matter how* . . ., *anyhow.*

35   — — gei² dim² jung¹° . . ., do¹°   — — 幾點鐘 . . ., 都   (IC) *no matter what time* . . .; *whenever.*

— — gei² doh¹° . . ., do¹°   — — 幾多 . . ., 都   (IC) *no matter how much/many* . . . .

— — gei² si⁴* . . ., do¹°   — — 幾時 . . ., 都   (IC) *no matter when* . . ., *whenever.*

— — mat¹° ye⁵ . . ., do¹°   — — 乜嘢 . . ., 都   (IC) *no matter what* . . ., *whatever.*

— — yue⁴ hoh⁴   — — 如何   (Adv) *however.*

40   — ming⁴ si⁶   — 名氏   (N) *anonym; anonymous person.*

— paai⁴   — 牌   (Adj) *unlicensed.* **Fml.**

— — siu² faan³*   — — 小販   (N) *unlicensed hawker.* **Fml.**

— sam¹ ji¹ sat¹°   — 心之失   (SE) *unintentional fault/mistake.* (*Cl.* jung² 種 *or* goh³ 個)

— seung⁶ jong¹°   — 上裝   (Adj) *topless.* (*RT dresses*)

45   — si⁶ mong⁴   — 事忙   (V) *be busy over nothing.*

— sin³ din⁶   — 線電   (Adj) & (N) *wirless; radio.*

— — — bo³   — — — 報   (N) *wireless telegram; radiogram.* (*Cl.* fung¹ 封)

— — — boh³ yam¹°   — — — 播音   (V) & (N) *broadcast.*

— — — — toi⁴   — — — — 台   (N) *broadcasting station.*

50   — — — toi⁴   — — — 台   (N) *ditto.*

— — Din Si⁶ (Toi⁴)   — — 電視(台)   (N) *HK-TVB; TVB; the Hong Kong Television Broadcasting Co. Ltd.* **Coll. SF**

— so³   — 數   (Adj) *Numerous; countless; numberless.*

— soh² . . .   — 所 . . . .   (IC) *everything; whatever* . . . .

— — bat¹° ji¹   — — 不知   (SE) *know everything; be omniscient.*

55   — — — joi⁶   — — — 在   (SE) *be present everywhere; be omnipresent.*

— — — nang⁴   — — — 能   (SE) *be able to do everything; be omnipotent.*

— — — wai⁴   — — — 爲   (SE) *do everything evil.*

— — wai⁶ — — 謂   (SE) *it doesn't matter; never mind; no problem at all.*

— sui² cho³ suen¹° — 水醋酸   (N) *acetic anhydride.*   (*Cl.* jung² 種)

60   — tiu⁴ gin⁶* — 條件   (Adj) *unconditional.*

— — — tau⁴ hong⁴ — — — 投降   (N) *unconditional surrender.* (*Cl.* jung² 種 *or* chi³ 次)

— wai⁶ (ge³) — 謂 (嘅)   (Adj) *wasteful; useless; superfluous.*

— — — ying³ chau⁴ — — — 應酬   (SE) *social engagements that could have been avoided; useless social activities.*

— yin¹ foh² yeuk⁶ — 烟火葯   (N) *smokeless powder.* (*Cl.* jung²種)

65   — — mooi⁴ — — 煤   (N) *smokeless coal.* (*Cl.* jung² 種)

— yuen⁴ mo⁴ gwoo³ — 緣無故   (SE) *without any cause/reason.*

mo⁴ 毛   2164   (N) *hair (on the body)* (*Cl.* tiu⁴ 條); *Chinese surname.*

— bat¹° — 筆   (N) *brush; Chinese writing-brush.* (*Cl.* ji¹ 支)

— beng⁶ — 病   (N) *fault; defect.* (*Cl.* jung² 種 *or* goh³ 個)

— bo³ — 布   (N) *flannelette; gingham.* (*Lit. hairy cloth*) (*Yard:* ma⁵ 碼)

— — sui⁶ yi¹ — — 睡衣   (N) *pyjamas made of flannelette.* (*Cl.* to³ 套)

5   — chung⁵ — 重   (N) *gross weight; tare.*

— jik¹° mat⁶ — 織物   (N) *wooleen goods.* (*Cl.* jung² 種)

— jin¹° — 氈   (N) *felt* (*Cl.* fuk¹° 幅); *wool blanket* (*Cl.* jeung¹ 張).

— laang¹° — 冷   (N) *knitting yarn.* **Tr.** (*thread;* tiu⁴ 條 ; *pound,* bong⁶ 磅)

mo⁴ 巫   2165   (N) *witch.* **SF** ‡

— poh⁴* — 婆   (N) *witch.*

— si¹° — 師   (N) *wizard.*

— sut⁶ — 術   (N) *witchcraft; wizardry.* (*Cl.* jung² 種)

— yi¹ — 醫   (N) *witch doctor.*

mo⁴ 誣   2166   (V) *make a false accusation.* **SF** ‡

— go³ — 告   (V) *make a false accusation.* **FE**

— nip⁶ — 揑   (V) *trump up a charge.*

mo⁴ 模 **2167**   (V) *imitate; copy.* **SF** ‡   (N) *mould; model.* **SF** ‡

— dak⁶ yi⁴ — 特兒   (N) *model.*   *(ROT world of fashions, photography, art, etc.)* **Tr. FE**

— faan⁶ — 範   (N) *model; good example.*

— — siu² hok⁶ — — 小學   (N) *model primary school.*   (*Cl.* gaan¹ 間)

— fong² — 仿   (V) *imitate; copy.*   (N) *imitation; copy.*   (*Cl.* jung² 種)

5   — ying⁴ — 型   (N) *mould; model; pattern.* **FE**

mo⁵ 母 **2168**   (N) *mother.* **SF** ‡

— chan¹ — 親   (N) *mother.* **FE**

M— C— Jit³ — — 節   (N) *mother's day.*

m— daai³* — 帶   (N) *master tape.*   (*Cl.* tiu⁴ 條, guen² 捲 *or* beng² 餅)

— gaau³ — 教   (N) *mother's teachings.*   (*Cl.* jung² 種)

5   — gwok³ — 國   (N) *motherland. mother country.*

— haau⁶ — 校   (N) *mother school; alma mater.*   (*Cl.* gaan¹ 間)

— ji² — 子   (N) *mother and son.*

— kuen⁴ — 權   (N) *mother right; maternal authority.*   (*Cl.* jung² 種)

— laam⁵ — 艦   (N) *mother ship; aircraft carrier.*   (*Cl.* jek³ 只)

10   — sing³ — 性   (N) *motherhood.*   (*Cl.* jung² 種)

— yam¹° — 音   (N) *vowel.*

— yue⁵ — 語   (N) *mother tongue.*   (*Cl.* jung² 種)

mo⁵ 冇 **2169**   (V) *not to have.*   (AV) *didn't.*   **CC**

— che¹° gaai¹ kap¹° — 車階級   (N) *one who does not own a car; not a car owner.* **Joc.**

— — ji¹ yan⁴ — — 之人   (N) *ditto.*

— choh³ — 錯   (SE) *that's right.*   (Adj) *right; correct.*   *(Lly: no mistake)*

— daam² — 胆   (Adj) *cowardly.*

— daam⁶ ho² sik⁶ — 啖好食   (SE) *in desperate circumstances; in financial difficulties.*   *(Lit. not a mouthful of good food)*

— do¹° mo⁵ cheung¹° — 刀冇槍   (SE) *without any arms or weapons; defenceless.*

— fan⁶* — 份 (V) *not to be involved or implicated in; have nothing to do with it.*

— gaau¹ yik⁶ — 交易 (SE) *not for sale; not to do business; "nothing doing".* **Sl.**

— gam³ — 咁 (Adv) *not so.*

10 — gei² hoi⁶ — 幾耐 (Adv) *not very long (in time).*

— haau⁶ — 效 (Adj) *invalid; ineffective.*

— hong⁴ — 行 (Adj) *hopeless; unsuccessful.* **Coll.**

— jam¹ mo⁵ sin³ — 針冇線 (SE) *lack of appropriate tools for a job; lack of appropriate means of communication with sb. (Lit. no needle no thread)*

— jeuk³ saam¹° — 着衫 (Adj) *naked; nude.*

15 — ji¹ gaak³ — 資格 (Adj) *not qualified; not eligible.*

— ji¹ gok³ — 知覺 (Adj) *unconscious.*

— kwai¹ gui² — 規矩 (SE) *"behave yourself"; misbehave.*

— lai⁵ (maau⁶) — 禮 (貌) (Adj) *impolite; ill-mannered; rude.*

— lei⁴ san⁴ hai³ — 厘神氣 (SE) *listless. (Lit. not the least vitality/spirits)*

20 — lui⁴ gung¹ gam³ yuen⁵ — 雷公咁遠 (SE) *miles apart/away; very far away. (Lit. so far that thunder can't reach)*

— man⁶ tai⁴ — 問題 (SE) *"no problem at all", "it doesn't matter".*

— mei⁵ se⁴ — 尾蛇 (N) *tailless snake; snake without a (usually vulnerable) tail; person who is never willing to be the loser (Fig.). (Cl. tiu⁴ 條)*

— — — gam³ jeng¹ — — — 咁精 (SE) *extremely cunning; never willing to be the loser; never allowing oneself to be wronged.*

— mei⁶ do⁶ — 味道 (Adj) *boring; fed-up; not interesting.*

25 — yan⁵ — 癮 (Adj) *ditto.*

— ni¹° ji¹ goh¹° (jai²) cheung³ — 呢支歌 (仔) 唱 (SE) *that will never happen; that won't be possible. (Lit. no such a song to sing)*

— ok³ yi³ — 惡意 (Adj) *without any harm intended; without evil intent.*

— paai⁴ — 牌 (Adj) *unlicenced.*

— — siu² faan³* — — 小販 (N) *unlicensed hawker.*

30 — po² — 譜 (Adj) *ridiculous; unbelievable; unimaginable; "off the beam".*

— sam¹ gei¹ — 心機   (Adj) *not devoted; not conscientious; not attentive.*

— seng¹ hei³ — 聲氣   (SE) *have no (good) news; hopeless; unsuccessful.*

— si⁶ — 事   (Adj) *not occupied; not engaged; free*   (SE) *"all clear", "nothing to report"; "no accidents".*

— soh² wai⁶ — 所謂   (SE) *It dosen't matter; Never mind; No problem at all.*

35 — sui² — 水   (SE) *no money.*

— sung³ faan⁶ — 餸飯   (N) *a humble meal; a poor meal. (Lit. no side-dishes rice;—polite expression used by a host/hostess to guests)*

— yam¹ gung¹ — 陰功   (SE) *lack of secret merit/conscience.*

— yan⁴ ching⁴ (mei⁶) — 人情 (味)   (Adj) *unkind; ruthless; merciless.*

— yan⁴ sing³ — 人性   (Adj) *inhuman.*

— ye⁵ ho² gong² — 嘢好講   (SE) *Have nothing to say; not have anything good to say.*

— — je¹ tau⁴ — — 遮頭   (SE) *nowhere to take cover.*

— yi³ si³ — 意思   (Adj) *meaningless; pointless; insignificant.*

— yung⁶ — 用   (Adj) *useless*

mo⁵ 舞 **2170**   (V) *brandish; dance.* **SF ‡** (N) *dance.* **SF** (*Cl.* jek³ 只 *or* jung² 種)

— bai⁶ — 弊   (V) *be corrupt; indulge in malpractices. (GRT officials)*

— chi⁴ — 池   (N) *dancing floor.*

— do⁶ — 蹈   (N) *dance.* **FE** (*Cl.* jung² 種)

— gim³ — 劍   (V) *brandish a sword.*

— nui⁵* — 女   (N) *dance hostess.*

— teng¹° — 廳   (N) *ballroom. (Cl.* gaan¹ 間)

— yuen⁶* — 院   (N) *ditto.*

— toi⁴ — 台   (N) *stage. (Lit. dancing platform)* **Lit. & Fig.**

mo⁵ 侮 **2171**   (V) & (N) *insult.* **SF ‡**

— yuk⁶ — 辱   (V) *insult.* **FE** (N) *insult.* **FE** (*Cl.* jung² 種)

mo⁵ 武   2172   (Adj) *military.* **Fml. SE** ‡   (N) *force of arms.* **Fml. SF** ‡

— duen³ — 斷   (V) *make an arbitrary decision.* (Adj) *arbitrary.* (N) *arbitrary decision.* (*Cl.* jung² 種 *or* goh³ 個)

— lik⁶ — 力   (N) *force of arms; military force.* **FE** (*Cl.* jung² 種)

— — gon¹ sip³ — — 干涉   (N) *military interference.* (*Cl.* jung² 種 *or* chi³ 次)

— gwoon¹ — 官   (N) *military officer, military attaché.*

5   — hei³ — 器   (N) *weapon; military equipment.* (*Cl.* jung² 種 *or* gin⁶ 件)

— jong¹° — 裝   (Adj) *armed; equipped with arms.*

— — bo⁶ dui⁶* — — 部隊   (N) *armed forces.* (*Cl.* ji¹ 支 *or* jung² 種)

— — jung¹ lap⁶ — — 中立   (N) *armed neutrality.* (*Cl.* jung² 種)

— — woh⁴ ping⁴ — — 和平   (N) *armed peace.* (*Cl.* jung² 種)

10   — ngai⁶ — 藝   (N) *martial arts.* (*Cl.* jung² 種)

— sut⁶ — 術   (N) *ditto.*

mo⁶ 冒   2173   (V) *venture; brave; imitate.* **SF** ‡

— chung¹ — 充   (V) *pretend to be; pass oneself off as.*

— faan⁶ — 犯   (V) *offend; give offence.*

— fung¹ (yue⁵) — 風 (雨)   (V) *brave the wind; face a bad weather*

— him² — 險   (V) *venture; risk; take one's chance.* **FE** (Adj) *adventurous; risky.*

— — ga¹° — — 家   (N) *adventure.*

— — — lok⁶ yuen⁴ — — — 樂園   (SE) *paradise of adventurers.*

— — jing¹ san⁴ — — 精神   (N) *spirit of adventure.* (*Cl.* jung² 種)

— meng⁴* — 名   (V) *use/take the name of another; masquerade as sb else.*

— ming⁴ ding² tai³ — 名頂替   (V) *ditto.*

10   — mooi⁶ — 昧   (Adj) *presumptuous; rash.*

— paai⁴ — 牌   (V) *imitate/forge a trademark.*

— — foh³ — — 貨   (N) *imitation/pirated goods* (*Cl.* jung² 種); *impostor* (**Fig.** *Cl.* goh³ 個).

— sei² — 死   (V) *brave death.*

— ying⁶ — 認   (V) *lay a false claim to.*

15   — yue⁵ — 雨   (V) *brave the rain.*

mo⁶ 帽   2174   (N) *hats in general.*   **Fml.**   **AP mo⁶* PM see 2175.**

mo⁶* 帽   2175   (N) *hats in general.*   **Coll.**   (*Cl.* gin⁶ 件 *or* deng² 頂)
     AP mo⁶ SM see 2174.

— dim³ — 店   (N) *hat-shop.*   (*Cl.* gaan¹ 間)
— ga³* — 架   (N) *hat-rack; hat-stand.*
— hap⁶* — 盒   (N) *hat-box.*

mo⁶ 募   2176   (V) *enlist.*   **SF** ‡

— bing¹ — 兵   (V) *enlist/raise troops.*   **FE**
— guen¹ — 捐   (V) *ask/appeal for subscriptions. (for charitable purposes)*

mo⁶ 墓   2177   (N) *grave; tomb.*   (*Cl.* goh³ 個 *or* joh⁶ 座)

— bei¹ — 碑   (N) *gravestone.*   (*Cl.* faai³ 塊)

mo⁶ 務   2178   (Adv) *necessarily; by all means.*   **Fml. ST** ‡   (N)
     affair; matter.   **Fml. SF** ‡

— bit¹° — 必   (Adv) *necessarily; by all means.*   **Fml. FE**
— sui¹ — 須   (Adv) *ditto.*

mo⁶ 霧   2179   (N) *mist; fog.*   (*Cl.* jan⁶ 陣 *or* chi³ 次)

— hei³ — 氣   (N) *mist; fog.*   **FE**   (*Cl.* jan⁶ 陣 *or* chi³ 次)
— lo⁶ — 露   (N) *ditto.*

moh¹ 摩   2180   (V) *touch; feel with the hand; polish.*   **SF** ‡   (P)
     used in transliterations.

— chaat³ — 擦   (N) *friction; conflict.*   **Lit. & Fig.**   (*Cl.* jung² 種
     or chi³ 次)
— dang¹° — 登   (Adj) *modern; fashionable; prevailing; trendy.*
— — nui⁵ ji² — — 女仔   (N) *modern-styled girl.*
— — — long⁴ — — — 郎   (N) *ditto.*

— kuen⁴ chaat³ jeung² — 拳擦掌 (SE) *be ready for action.* *(Lit. rub fist polish palm)*

M– Lok³ Goh¹° — 洛哥 (N) *Morocco.* **Tr.**

— Moon⁴ Gaau³ — 門敎 (N) *Mormon.* **Tr.**

— Naap⁶ Goh¹° — 納哥 (N) *Monaco.* **Tr.**

— Sai¹° — 西 (N) *Moses.*

¹⁰ m— tin¹ daai⁶ ha⁶ — 天大廈 (N) *skyscraper.* *(Cl.* joh⁶ 座)

— tok³ che¹° — 托車 (N) *motor-car.* **Tr.** *(Cl.* ga³ 架)

moh¹ 魔 2181   (N) *demon; devil.* **SF** ‡

— gwai — 鬼 (N) *demon; devil.* *(Cl.* goh³ 個 *or* jek³ 只)

— lik⁶ — 力 (N) *fascination influence/power of personality.* *(Cl.* jung² 種)

— sut⁶ — 術 (N) *magic.* **Lit. & Fig.** *(Cl.* jung² 種)

— — si¹° — — 師 (N) *magician.* **Lit. & Fig.**

— wong⁴ — 王 (N) *King Devil; prince of evil; person upsetting everybody and everything* **(Fig.).**

moh¹° 嚤 2182   (Adj) *slow; late.* **Coll.** (P) *used in transliterations.* **CC**

— loh¹° cha¹° — 囉差 (N) *Indian; Indian people.* **Sl. Joc.**

— sau² moh¹ geuk³ — 手嚤脚 (SE) *slow in actions/movements.* **Coll.**

moh¹ 麼(麽) 2183   (FP) *used at end of questions in Mandarin to express doubt or surprise, corresponding to the Cantonese* "me¹°" 咩.

moh² 摸 2184   (V) *touch; group.* **CP SF** ‡ **AP mok³ SM see**

— hak¹° — 黑 (V) *group in the dark.*

— maang⁴ gung¹° — 盲公 (N) *blindman's buff.* *(Cl.* chi³ 次)

— moon⁴ deng¹° — 門釘 (SE) *visit sb and find him out; visit sb in vain.* *(Lit. touch door-nail)*

— sok³ — 索 (V) *grope; grapple with (a problem).* **CP FE**

⁵ – yue⁴* — 魚 (V) *catch fish with the hands.*

moh⁴ 蘑   2185   (N) *mushroom.*   **Fml.**   **SF**   ‡

— gwoo¹° — 菇   (N) *mushroom.*   **Fml.**   **FE**   (*Cl.* jek³ 只)

moh⁴ 磨   2186   (V) *grind; whet.*   **SF**   ‡   **AP: (1)** moh⁶ **see 2187;**
                  (2) moh⁶* **see 2188.**

— chaat³ — 擦   (N) *friction; conflict.*   **Lit.** *&* **Fig.**   (*Cl.* jung² 種 *or*
chi³ 次)

— do¹ — 刀   (V) *grind/whet a knife.*

— gwong¹ — 光   (V) *burnish; gloss.*

— waat⁶ — 滑   (V) *ditto.*

⁵ — kuen⁴ chaat³ jeung² — 拳擦掌   (SE) *be ready for action.*   (*Lit. rub
fist and palm*)

— lin⁶ — 煉   (V) *discipline; train.*   (*ROT people*)

— min⁶ fan² — 麵粉   (V) *grind flour.*

moh⁶ 磨   2187   (N) *mill.*   **SF**   ‡   **AP: (1)** moh⁴ **see 2186; (2)** moh⁶*
                  see 2188.

— fong¹° — 坊   (N) *mill.*   **FE**

moh⁶* 磨   2188   (N) *mill; millstone.*   **Coll.**   **AP: (1)** moh⁴ **see 2186;**
                  (2) moh⁶ **see 2187.**

mok¹° 剝   2189   (V) *exploit; skin.*   **SF**   ‡

— pei⁴ — 皮   (V) *skin; peel.*   **FE**

— seuk³ — 削   (V) *exploit; squeeze.*   **FE**   (N) *exploitation; squeeze.*
(*Cl.* jung² 種 *or* chi³ 次)

mok³ 摸   2190   (V) *touch; grope.*   **Fml.**   **SF**   ‡   **AP** moh² **SM see
2184.**

— saak³ — 索   (V) *grope.*   **Fml.**   **FE**

mok⁶ 莫   2191   (AV) *do not; don't.*   **Fml.**   **SF**   ‡

— choi⁴ — 財   (Adj) *poor; having no money.*   **Sl.**

— ming⁴ kei⁴ miu⁶ — 名其妙   (SE) *very mysterious and abstruse;
difficult to explain.*   (*Lit. cannot name the mystery*)

M— Si¹ Foh¹° — 斯科   (N) *Moscow.*   **Tr.**

mok⁶ 幕(幙)   **2192**   (N) *curtain; screen.*   **SF**   ‡
— hau⁶ — 後   (Adv) *behind the scene/curtain.*
— — gung¹ jok³ — — 工作   (SE) *work done behind the scenes.*

mok⁶ 漠   **2193**   (V) *ignore.*   **Fml.**   **SF**   ‡   (Adj) *aloof.*   **Fml.**   **SF**   ‡   (N) *desert.*   **SF**   ‡
— bat¹° gwaan¹ sam¹ — 不關心   (SE) *totally unconcerned.*
— si⁶ — 視   (V) *ignore; regard as unimportant.*   **Fml.**   **FE**
— yin⁴ — 然   (Adj) *aloof; cold.*   **Fml.**   **FE**

mong⁴ 亡(亾)   **2194**   (V) *die; lose.*   **Fml.**   **SF**   ‡
— gwok³ — 國   (V) *lose one's country.*
— — no⁴ — — 奴   (N) *slave without a country.*
— ming⁶ ji¹ to⁴ — 命之徒   (N) *ruffian; desperado.*
— yau⁵ — 友   (N) *deceased friend.*

mong⁴ 忘   **2195**   (V) *forget.*   **SF**   ‡
— gei³ — 記   (V) *forget.*   **FE**
— yan¹ foo⁶ yi⁶ — 恩負義   (SE) *be ungrateful.*

mong⁴ 忙   **2196**   (Adj) *busy.*   **SF**   ‡
— luk¹° — 碌   (Adj) *busy; fully occupied.*   **FE**
— jung¹ yau⁵ choh³ — 中有錯   (SE) *haste causes errors.*

mong⁴ 杧(芒)   **2197**   (N) *mango.*   **Tr.**   **SF**   ‡   **AP mong⁴° SM**
            CC   **see 2198.**

mong⁴ 杧(芒)   **2198**   (N) *mango.*   **CP Tr.**   **SF**   ‡   **AP mong⁴**
                                      SM see 2197.
— gwoh² — 果   (N) *mango.*   **CP Coll.**   **FE**

mong⁴ 茫   **2199**   (Adj) *boundless; vast.*   **Fml.**   **SF**   ‡
— mong⁴ daai⁶ hoi² — 茫大海   (SE) *the boundless sea/ocean.*

mong⁵網 2200   (V) *net; catch.* **SF** ‡   (N) *net; web; network.*
SF ‡

— kau⁴ — 球   (N) *tennis.* (*Cl.* goh³ 個 *Game:* cheung⁴ 場 *or* guk⁶ 局)

— — cheung⁴ — — 場   (N) *tennis court.*

— — paak³* — — 拍   (N) *tennis racket.*

— yue⁴* — 魚   (V) *catch fish with a net.*

mong⁵莽 2201   (Adj) *rude; rough; reckless.* **SF** ‡

— jong⁶ — 撞   (Adj) *rude; rough; reckless.* **FE**

mong⁵蟒 2202   (N) *python.* **SF** ‡

— se⁴ — 蛇   (N) *python.* **FE** (*Cl.* tiu⁴ 條)

mong⁵妄 2203   (Adj) *false.* **Fml. SF** ‡

— ji⁶ juen¹ daai⁶ — 自尊大   (SE) *boast about oneself; be self- opinion-
ated.*

— seung² — 想   (V) *indulge in false hopes.* (N) *false hope; illusion.*
(*Cl.* jung² 種)

mong⁶望 2204   (V) *look at; gaze.* **SF** ‡

— gin³ — 見   (V) *look at; gaze; see.* **FE**

— yuen⁵ geng³ — 遠鏡   (N) *telescope.*

mooi⁴梅 2205   (N) *plum; prune.*

— duk⁶ — 毒   (N) *syphilis.* (*Cl.* jung² 種)

— fa¹° — 花   (N) *plum blossom; plum.* **FE** (*Cl.* deuh² 朵 *or* doh² 朵)

— — deng¹° — — 疔   (N) *syphilitic sore.* (*Cl.* nap¹° 粒)

mooi⁴霉 2206   (N) *damp; mildew.* **SF** ‡

— hei³ — 氣   (N) *damp; mildew.* **FE** (*Cl.* jung² 種)

— laan⁶ — 爛   (Adj) *spoiled by damp and mildew.*

mooi⁴媒   2207   (N) *go-between; match-maker.* **SF** ‡

— gaai³ (mat⁶) — 介 (物)   (N) *medium. (RT communications; languages, cultures, etc.)*

— yan⁴* — 人   (N) *go-between; match-maker.* **FE**

— yan⁴ gung¹° — 公   (N) *male match-maker.* **Coll. Joc. FE**

— — poh⁴* — — 婆   (N) *female match-maker.* **Coll. Joc. FE**

mooi⁴媒   2208   (N) *coal. (No Cl.)*

— haang¹° — 坑   (N) *coal-pit.*

— hei³ — 氣   (N) *gas; coal gas; town gas. (No Cl.)*

— — gung¹ si¹° — — 公司   (N) *gas company. (Cl.* gaan¹間)

— — gwoon² — — 管   (N) *gas pipe.* **Fml.** *(Cl.* tiu⁴條)

5   — — hau⁴ — — 喉   (N) *ditto.* **Coll.**

— — lo⁴ — — 爐   (N) *gas-stove.*

— jeng² — 井   (N) *shaft of a coal mine.*

— kwong³ — 礦   (N) *coal-mine.*

— — gung¹ yan⁴ — — 工人   (N) *coal-miner.*

10   — taan³ — 炭   (N) *coal; charcoal.* **FE** *(No Cl.)*

mooi⁴枚   2209   (Cl) *for coins; for rings; for fruits; etc.* **Mdn.**

mooi⁴玫(玟)   2210   (N) *rose.* **SF** ‡

— gwai³ (fa¹°) — 瑰 (花)   (N) *rose.* **FE** *(Cl.* deuh² 朵 *or* doh² 朵)

mooi⁵每   2211   (Adj) *every; each.* **SF** ‡

— chi³ — 次   (Adv) *&* (N) *each time; every occasion.*

— fung⁴ — 逢   (Adv) *whenever; every time that.*

— gaak³ — 隔   (Adv) *at intervals of. (RT time and space)*

— — leung⁵ dim² jung¹° — — 兩點鐘   (Adv) *at 2 hourly intervals.*

5   — — saam¹ chek³ — — 三呎   (Adv) *at 3 feet intervals.*

— goh³ lai⁵ baai³ — 個禮拜   (Adv) *&* (N) *every week.*

— — yuet⁶ — 個月   (Adv) & (N) *every month.*

— nin⁴ — 年   (Adv) & (N) *every year.*

— yan⁴ mooi⁵ — 人每   (SE) *one to/for each person.*

10 — yat⁶ — 日   (Adv) & (N) *every day.*

mooi⁶妹 2212   (N) *younger sister.* **SF ‡ AP mooi⁶* SM see 2213.**

— foo¹° — 夫   (N) *brother-in-law (younger sisters husband).*

mooi⁶*妹 2213   (N) *younger sister.* **Coll. AP mooi⁶ SM see 2212.**

mooi⁶昧 2214   (V) *blind.* **Fml. SF ‡** (Adj) *dark.* **Fml. SF ‡**

— leung⁴ sam¹ — 良心   (V) *close one's mind to; go against one's conscience.*

moon⁴門 2215   (N) *door.* (*Cl.* do⁶ 度 *or* jek³ 只) (*Cl.) for cannons, etc.* **Mdn.**

— chan² — 診   (V) *see out-patients at clinic/doctor's office.*

— dang¹ woo⁶ dui³ — 登戶對   (SE) *well-matched. (RT family background of a married couple)*

— fong⁴* — 房   (N) *porter's lodge; porter.*

— gung¹ — 公   (N) *doorkeeper.*

5 — hau² — 口   (N) *entrance; doorway.*

— — saang¹ yi³ — — 生意   (N) *retail business in general.* (*Cl.* jung² 種)

— si⁴ (saang¹ yi³) — 市 (生意)   (N) *ditto.*

— jung¹° — 鐘   (N) *door-bell.* **Coll.**

— ling⁴ — 鈴   (N) *ditto.* **Fml.**

10 — kwaang¹° — 框   (N) *door-frame.*

— laam⁶ — 檻   (N) *threshold; door-sill.* **Mdn.** (*Cl.* do⁶ 度)

— mei⁴ — 楣   (N) *door-lintel.*

— lo⁶ — 路   (N) *opening; recommendation. (RT jobs)* (*Cl.* tiu⁴ 條 *or* goh³ 個)

— nga⁴ — 牙   (N) *front teeth.*   (*Cl.* jek³ 只)

15 — ngoi⁶ — 外   (Adv) *outside the door.*

— — hon³ — — 漢   (N) *outsider; person ignorant of some trade/ profession.*

— paai⁴ — 牌   (N) *door-plate.*

— — ho⁶ so³ — — 號數   (N) *house number.*

— san⁴ — 神   (N) *door-god.* *(RT paper images pasted on doors)* (*Cl.* jeung¹ 張 *or* goh³ 個)

— sang¹° — 生   (N) *pupil; disciple.* **Fml.**

— to⁴ — 徒   (N) *ditto.*

— woo⁶ — 戶   (N) *doors in general.* **FE**   (*Cl.* do⁶ 度)

— — hoi¹ fong³ jing³ chaak³ — — 開放政策   (SE) *the open-door policy.* (*Cl.* jung² 種)

— — ji¹ gin³ — — 之見   (SE) *cliquishness; political prejudice.* (*Cl.* jung² 種 *or* goh³ 個)

25 — — sing⁴ gin³ — — 成見   (SE) *ditto.*

moon⁴ 們   2216

(P) *used in Mandarin as sign of the plural for personal nouns/pronouns.*

moon⁴ 瞞   2217

(V) *deceive; conceal.*   **SF**   ‡

— pin³ — 騙   (V) *deceive; defraud.*   **FE**

— yan² — 隱   (V) *conceal; hide.*   **FE**

moon⁵ 滿   2218

(Adj) *full.*

— hau² — 口   (SE) *speak profusely about sth; full of.* (*Lit. full mouth*)

— — woo⁴ yin⁴ — — 胡言   (SE) *full of stupid talk.*

— — ying¹ sing⁴ — — 應承   (SE) *make profuse promises.*

— joh⁶ — 座   (Adj) *full.* *(RT theatres, buses, etc.)*

5 — juk¹° — 足   (V) *satisfy; be satisfied.*

M— Juk⁶ — 族   (N) *the Manchus.*

m— kei⁴ — 期   (V) *expire.* *(RT leases, agreements, licences, etc.)*

— min⁶ siu³ yung⁴ — 面笑容   (SE) *always a smile on the face.* *(Lit. full face smiling expression)*

— — chung¹ fung¹ — — 春風   (SE) *be beaming with pleasure.* *(Lit. full face spring breeze)*

10 — ngaak⁶* — 額   (SE) *full quota/allowance; filled.*

— waai⁴ sam¹ si⁶ — 懷心事   (SE) *full of concern.*

— yan⁴ — 人   (Adj) *full.* *(Lit. full of people)*

— yi³ — 意   (Adj) *satisfactory; satisfied.*

— yuet⁶ — 月   (SE) *celebration of the birth of a child—about a month after the event.* *(Lit. full month)*

15 — — jau² — — 酒   (N) *Chinese style Christening party; dinner held about a month after the birth of an infant.*

moon⁶ 悶（憑）   2219   (V) *stifle; bore; make people bored.* (Adj) *stifling; boring.*

— hei³ — 氣   (N) *stifling air; low spirits.* (Cl. jung² 種)

— jan² — 酒   (N) *wine drink when alone.*

— pin³* — 片   (N) *dull and boring film.* (Cl. chut¹° 齣)

— sei² yan⁴ — 死人   (V) *be bored to death; extremely boring.*

5 — yau⁵* — 友   (N) *bore; boring person.* *(ROT people)*

— yit⁶ — 熱   (Adj) *sultry; stifling; hot and depressing.* *(ROT weather)*

moot³ 抹   2220   (V) *wipe out; obliterate.* **AP maat³ see 2069.**

— saat³ — 煞   (V) *wipe out; obliterate.* **FE**

— — si⁶ sat⁶ — — 事實   (SE) *explain away.*

moot⁶ 末   2221   (Adj) *last.* **Fml. SF** ‡ (N) *the end.* **Fml. SF** ‡ *(No Cl.)*

— lo⁶ — 路   (N) *the end of a journey; the last straw.* (Cl. tiu⁴ 條)

— yat⁶ — 日   (N) *the last day; the end of sb/sth.*

moot⁶ 茉   2222   (N) *jasmine.* **SF** ‡

— lei⁶* (fa¹°) — 莉 (花)   (N) *jasmine.* (Cl. deuh² 朵 or doh² 朵)

moot⁶ 沒 2223   (V) *not to have.* **Mdn. SF** ‡   (AV) *didn't.* **Mdn. SF** ‡

— jing¹ da² choi² — 精打彩   (SE) *dispirited and discouraged; listless.*

— sau¹ — 收   (V) *confiscate.* (N) *confiscation.* (*Cl.* chi³ 次)

— yau⁵ — 有   (V) *not to have.* **Mdn. FE** (AV) *didn't.* **Mdn. FE**

— yeuk⁶ — 葯   (N) *myrrh.* **Tr.** *(No Cl.)*

muk⁶ 木 2224   (N) *wood.* *(No Cl.)* (Adj) *wooden.*

— baai⁴* — 排   (N) *timber raft.* (*Cl.* jek³ 只)

— baan² — 板   (N) *board; piece or block of wood.* **FE** (*Cl.* faai³ 塊)

— choi⁴ — 材   (N) *timber.* *(No Cl.)*

— liu⁶* — 料   (N) *ditto.*

5 — chong² — 廠   (N) *timber yard.* (*Cl.* gaan¹ 間)

— ga³* — 架   (N) *wooden framework; gallows.*

— gung¹° — 工   (N) *carpenter.*

— jeung⁶* — 匠   (N) *ditto.*

— gwa¹° — 瓜   (N) *papaya.*

10 — kau⁴ — 球   (IV) *cricket.* (*Cl.* goh³ 個; *Game:* cheung⁴ 塲 *or* guk⁶ 局.)

— hei³ — 器   (N) *wooden articles.* (*Cl.* gin⁶ 件)

— hong¹ — 糠   (N) *sawdust.* (*Cl.* nap¹° 粒)

— jau² jing¹° — 酒精   (N) *wood-alchohol.* *(No Cl.)*

— jong¹ — 椿   (N) *wooden pile.* (*Cl.* tiu⁴ 條)

15 — kek⁶ — 屐   (N) *clog; patten.* (*Cl.* jek³ 只; *Pair:* dui³ 對.)

— naai⁵ yi¹ — 乃伊   (V) *mummy.* **Tr.**

— ngau⁶ — 偶   (N) *puppet; wooden idol.*

— — hei³ — — 戲   (N) *puppet show.* **Fml.** (*Cl.* chut¹° 齣)

— tau⁴ hei³ — 頭戲   (N) *ditto.* **Coll.**

20 — sat¹° — 虱   (N) *bug.* (*Cl.* jek³ 只)

— seung¹° — 箱   (N) *wooden packing-case; wooden box.*

— taan³ — 炭   (N) *charcoal.* *(No Cl.)*

— tau⁴ — 頭   (N) *blockhead; fool.* **AL**

— uk¹° — 屋   (N) *wooden hut.* (*Cl.* gaan¹ 間)

²⁵ — — gui¹ man⁴ — — 居民   (N) *squatter.* *(Lit. wooden hut resident)*

— — kui¹ — — 區   (N) *squatter area.*

— yau⁴ — 油   (N) *wooden-oil.* *(No Cl.)*

muk⁶沐 2225   (V) *wash; bathe.* **Fml.** **SF** ‡

— yue⁵ jit³ fung¹ — 雨櫛風   (SE) *be bathed by the rain and combed by the wind; go through hardships of toil and travel.*

— yuk⁶ — 浴   (V) *wash; bathe.* **Fml.** **FE**

muk⁶目 2226   (N) *eye.* **Fml.** **SF** ‡

— hiu¹° — 標   (N) *objective.*

— chin⁴ — 前   (Adv) *at present.* **Fml.**

— — ying⁴ sai³ — — 形勢   (N) *present situation.*

— dik¹° (mat⁶) — 的 (物)   (N) *aim; target.*

⁵ — — dei⁶ — — 地   (N) *destination.*

— gik¹° — 擊   (V) *see sth with one's own eyes; be an eyewitness.*

— — jing³ yan⁴ — — 証人   (N) *eyewitness.* *(RTO court cases)*

— lik⁶ — 力   (N) *eye-sight; strength of vision.*

— luk⁶* — 錄   (N) *catalogue.* *(Cl.* goh³個 *,* jeung¹ 張 *or* fan⁶份 *)*

muk⁶牧 2227   (V) *tend animals.* **SF** ‡

— dei⁶ — 地   (N) *grazing area; pasture-lano.*

— si¹° — 師   (N) *pastor; minister; vicar; preacher; chaplain.*

— tung⁴ — 童   (N) *cowboy.*

— yan⁴ — 人   (N) *herdman; cowherd.*

⁵ — yeung⁴ yan⁴ — 羊人   (N) *shepherd.*

muk⁶睦 2228   (Adj) *friendly.* **Fml.** **SF** ‡

— lun⁴ — 鄰   (V) *be friendly with neighbours.*

— — jing³ chaak³ — — 政策   (SE) *good neighbour policy.* *(Cl.* jung² 種 *or* goh³個 *)*

mung⁴蒙   2229   (Adj) *ignorant.* **Fml. SF** ‡

— gwong¹ gwoo³ — 光顧   (SE) *thanks for your patronage.* *(phrase used in old-fashioned shops)* **PL**

M— Gwoo² — 古   (N) *Mongolia.* **Tr.**

m— mooi⁶ — 眛   (Adj) *ignorant; dull.* **Fml. FE**

mung⁴矇   2230   (Adj) *blurred; dim; smudged.*

— bai³ — 蔽   (V) *cloud; hoodwink; deceive; obscure.*

— cha⁴ cha⁴ — 查查   (Adj) *blurred; dim; smudged; ignorant; silly; stupid; idiotic.* **FE**

mung⁵ 懵（懞）   2231   (Adj) *dull; stupid; foolish.* **Fml. SF** ‡ AP mung⁵* SM see **2232.**

mung⁵* 懵（懞）   2232   (Adj) *dull; stupid; foolish.* **Coll. SF** ‡ AP mung⁵ SM see **2231.**

— dung² — 懂   (Adj) *dull; stupid; foolish.* **Coll. FE**

— mung⁵* bai³ — 懵閉   (Adj) *ditto.*

— jai² — 仔   (N) *idiot; fool; simpleton.* *(GRT young men)* **AL**

— lo² — 佬   (N) *ditto.* *(GRT middle-aged men)* **AL**

⁵ — yan⁴ — 人   (N) *ditto.*

mung⁶夢（梦）   2233   (V) *dream.* (N) *dream.* (*Cl.* cheung⁴ 塲)

— bat¹° sang¹ fa¹ — 筆生花   (SE) *dream of being a successful writer.*

— gin³ — 見   (V) *see in a dream; have a dream; dream.* **FE**

— ging² — 境   (N) *dream world.*

— heung¹ — 鄉   (N) *dream land.*

⁵ — jung¹ — 中   (Adv) *in a dream.*

— — mung⁶ — — 夢   (N) *dream within a dream.* (*Cl.* cheung⁴ 塲)

— lui⁵ — 裏   (Adv) *in a dream.*

— — ching⁴ yan⁴ — — 情人   (SE) *dream/ideal lover.*

— seung² — 想   (V) *hope and dream; have illusions.* (N) *ideal; hope; illusion.*

10 — — bat¹° do³ — — 不到   (SE) *it was a complete surprise; I would never have even dreamt of it.*

   — — sat⁶ yin⁶ — — 實現   (SE) *the dream has come true; the ideal has been realized.*

   — yim² — 魘   (N) *nightmare.* *(Cl.* chi³ 次 *or* cheung⁴ 場 *)*

N

na¹° 瘩   **2234**   (N) *scar; scab.*   (*Cl.* daat³ 笪 *or* goh³ 個)
    CC

na² 乸   **2235**   (N) *mother; female.*   **Sl.**   **SF**   ‡
    CC

— seng¹ na² hei³ — 聲乸氣   (N) *effeminate voice.*   **Coll.**   **Ctmp.** (*Cl.* jung² 種)

— ying⁴ — 形   (N) *effeminate appearance/manner.*   **Coll.**   **Ctmp.** (*Cl.* jung² 種)

na⁴ 拿(拏)   **2236**   (V) *capture; bring/take*   **(Mdn.).**   **SF**   ‡

— bo⁶ — 捕   (V) *capture.*   **FE**

— wok³ — 獲   (V) *ditto.*

— hui³ — 去   (V) *take; take it away.*   **Mdn.**   **FE**

— loi⁴ — 來   (V) *bring; bring it here.*   **Mdn.**   **FE**

5   — sau² — 手   (Adj) *good at; expert in.*

— — ho² hei³ — — 好戲   (SE) *opera which is some singer's speciality; speciality in general.*

na⁴ 嗱   **2237**   (Itj) *look; there we/you are; there it is.*
    CC

na⁵ 那   **2238**   (Pron) & (Adj) *that; those.*   **Mdn.**   **SF**   ‡   **AP na⁶ SM see 2239.**

— chue³ — 處   (Adv) *there; in that place.*   **Mdn.**   **FE**

— lui⁵ — 裏   (Adv) *ditto.*

— yi⁴ — 兒   (Adv) *ditto.*

— goh³ — 個   (Pron) & (Adj) *that.*   **Mdn.**   **FE**

5   — moh¹° yeung⁶ — 麼樣   (Adv) *thus; in that way.*   **Mdn.**   **FE**

— yeung⁶ — 樣   (Adv) *ditto.*

— se¹ — 些   (Pron) & (Adj) *those.*   **Mdn.**   **FE**

na⁶ 那 2239　　　(Pron) & (Adj) *that; those.*　**Fml.**　**SF** ‡　**AP na⁵ SM**
see 2238.

na⁵ 哪 2240　　　(Pron) & (Adj) *which? which one? which ones?*　**Mdn.**
SF ‡

— chue³ — 處　　(Adv) *where? in which place?*　**Mdn.**　**FE**
— lui⁵ — 裏　　(Adv) *ditto.*
— yi⁴ — 兒　　(Adv) *ditto.*
— goh³ — 個　　(Adj) & (Pron) *which? which one?*　**Mdn.**　**FE**
⁵ — se¹ — 些　　(Pron) & (Adj) *which? which ones?*　**Mdn.**　**FE**

naai² 跐 2241　　(V) *step on; trample.*　**Coll.**　**SF** ‡
　　　　CC

— chan¹ — 親　　(V) *step on; trample.*　**Coll.**　**FE**

naai³ 嬭 2242　　(V) *tie; tow.*　**Coll.**　**SF** ‡
　　　　CC

— jue⁶ — 住　　(V) *tie; tow.*　**Coll.**　**FE**
— — yat¹° jek³ teng⁵ — — 一只艇　　(V) *take a small boat in tow.*

naai⁵ 奶 2243　　(N) *breast; milk.*　**AP: (1) naai⁵ see 2244; (2) naai⁴ see**
2245.

— cha⁴ — 茶　　(N) *tea with milk (and sugar).*　(*Cup:* booi¹ 杯)
— fan² — 粉　　(N) *powder milk.*　(*Tin:* gwoon³ 罐)
— jaau³ — 罩　　(N) *brassiere.*
— ma¹° — 媽　　(N) *wetnurse.*　(*Lit. milk mother*)
— tau⁴ — 頭　　(N) *nipple; teat.*　(*Cl.* goh³ 個 *or* nap¹° 粒)
— yau⁴ — 油　　(N) *cream.*　(*No Cl.*)

naai⁵° 奶 2244　　(N) *polite form of address to married women.*　**CP**
SF ‡　**AP: (1) naai⁵ see 2243; (2) naai⁴ see 2245.**

naai⁴ 奶 2245　　(N) *polite form of address to husband's mother.*　**CP**
SF ‡　**AP: (1) naai⁵ see 2243; (2) naai⁵° see 2244.**

— naai⁴* — 奶　　(N) *husband's mother; polite form of address to
husband's mother.*　**CP**　**FE**

naam⁴ 南   2246   (N) *south.*   *(No Cl.)*   (Adj) *southern.*

— bin⁶ — 便   (N) *south.*   **FE**

— fong¹ — 方   (N) *ditto.*

N— Boon³ Kau⁴ — 半球   (N) *the Southern Hemisphere.*

— Ging¹ — 京   (N) *Nanking.*

5   n— gwa¹° — 瓜   (N) *pumpkin.*

N— Hon⁴ — 韓   (N) *South Korea.*

— Mei⁵ (Jau¹) — 美 (洲)   (N) *South America.*

— yeung⁴ — 洋   (N) *the South Seas.*   *(GRT South East Asia)*

— Yeung⁴ Kwan⁴ Do² — 洋群島   (N) *the South Sea Islands.*

10   — Yuet⁶ — 越   (N) *South Vietnam.*

naam⁴ 喃(諵)   2247   (V) *mutter; grumble.*   **SF** ‡

— moh⁴* — 嘸   (V) *say Taoist prayer.*

— moh⁴ lo² — 嘸佬   (N) *Taoist priest.*   **Coll. Der.**

— maam⁴ ji⁶ yue⁵ — 喃自語   (SE) *mutter to oneself.*

naam⁴ 男   2248   (Adj) *male.*   **SF** ‡   (N) *man.*   **SF** ‡

— ban³ seung³ — 儐相   (N) *best man.*   **Fml.**

— ga¹ — 家   (N) *bridgroom's family.*   *(Lit. male family)*   *(Cl.* tau² 頭)

— gung¹° — 工   (N) *male worker; man-servant.*

— — yan⁴ — — 人   (N) *ditto.*

5   — hok⁶ saang¹° — 學生   (N) *male student; schoolboy.*

— sang¹° — 生   (N) *ditto.*

— jai² — 仔   (N) *boy; young men.*

— jong¹° — 裝   (Adj) *male; men's.*   *(GRT clothes, jewelery, etc.)*

— — bo⁶ — — 部   (N) *men's wear counter.*   *(RT department stores)*

— — saam¹° — — 衫   (N) *men's wear.*   *(Cl.* gin⁶ 件)

— yan⁴* saam¹° — 人衫   (N) *ditto.*

— nui⁵ — 女   (SE) *men and women; boys and girls; male and female*

— — hok⁶ haau⁶ — — 學校   (N) *co-educational school.* (*Cl.* gaan¹ 間)

— — ping⁴ dang² — — 平等   (SE) *sex equality.*

15 — — — kuen⁴ — — — 權   (SE) *equal rights for both sexes.*

— — tung⁴ haau⁶ — — 同校   (N) *co-education.* (*No Cl.*)

— yan⁴* — 人   (N) *man.*

— yan⁴ daai⁶ jeung⁶ foo¹ — 人大丈夫   (SE) *be a man; play the man; manliness.* (*Lit. manly "tough guy"*)

naan³ 蠻 2249   (N) *bite of insects; mosquito bite; eruption.* (*Cl.*
CC   nap¹° 粒)

naan⁴ 難(难) 2250   (Adj) *difficult; hard; troublesome.* **SF AP**
naan² see 2251.

— bo² — 保   (V) *hard to say; difficult to guarantee.*

— chaan² — 產   (N) *difficult labour (in childbirth).* (*Cl.* chi³ 次)

— dak¹° — 得   (Adj) *rare; hard to find.*

— nang⁴ hoh² gwai³ — 能可貴   (Adj) *ditto.*

5 — wan² — 搵   (Adj) *ditto.*

— gwaai³ — 怪   (V) *one can hardly blame; it's no wonder that.*

— gwaan¹ — 關   (N) *difficulty; problem.* **FE**

— tai⁴ — 題   (N) *ditto.*

— gwoh³ — 過   (Adj) *hard to get over; sad.* (*RT bad news*)

10 — haang⁴ — 行   (Adj) *difficult to walk over; uneven.* (*RT roads*)

— ham¹ — 堪   (Adj) *embarrassed.*

— wai⁴ ching⁴ — 爲情   (Adj) *ditto.*

— ji⁶ — 字   (N) *difficult word/character in a book.*

— min⁵ — 免   (Adj) *unavoidable; inevitable.*

15 — sau⁶ — 受   (Adj) *intolerable; hard to bear.*

— yan⁵ — 忍   (Adj) *ditto.*

— sik⁶ — 食   (Adj) *hard to eat; not tasty.*

— tai² — 睇   (Adj) *ugly; unpleasant to look at.*

— teng¹ — 聽   (Adj) *unpleasant to hear; discordant.*

20 — wai⁴* — 爲   (V) *make things difficult for sb; give sb trouble; be hard on sb.*

— yam² — 飲   (Adj) *hard to drink; not palatable.*

naan⁶ 難(难)   **2251**   (N) *Disaster; calamity.* (*Cl.* jung² 種 *or* chi³ 次)   **AP naan⁴ see 2250.**

— man⁴   — 民   (N) *refugee; victim of disaster/war.*

— — ying⁴   — — 營   (N) *refugee camp.*

naan⁵ 赧   **2252**   (Adj) *blushing; shamefaced.* **Fml.** **SF** ‡

— ngaan⁴   — 顏   (Adj) *blushing; shamefaced.* **Fml.** **FE**

— — si⁶ chau⁴   — — 事仇   (SE) *be humiliated into working for an enemy.* (*Lit. blushingly/shamefacedly serve enemy*)

naap⁶ 納   **2253**   (V) *pay; give.* **SF** ‡

— cha¹ heung²   — 差餉   (V) *pay the rates.*

— dei⁶ sui³   — 地稅   (V) *pay land-tax.*

— sui³   — 稅   (V) *pay tax.*

— — yan⁴   — — 人   (N) *tax payer.*

naap⁶ 衲   **2254**   (N) *quilt; pad.* **SF** ‡

naap⁶ 鈉   **2255**   (N) *sodium.* (*Cl.* jung² 種)   **AP naat³ see 2256.**

naat³ 鈉   **2256**   (V) *burn; sear.* **Coll.** **SF** ‡ **AP naap⁶ see 2255.**

— chan¹   — 親   (V) *burn; get burned.* **Coll.** **FE**

— jeuk⁶   — 着   (V) *sear; set alight (without use of flames).* **Coll.** **FE**

naat⁶ 捺   **2257**   (V) *press down; extinguish.* **SF** ‡ (N) *down stroke to the right.* (*ROT Chinese writing*) (*No Cl.*)

— sik¹°   — 熄   (V) *extinguish (cigarette).* **FE**

naau⁴ 錨   **2258**   (N) *anchor.* **CP** **AP maau⁴ SM see 2073.**

— po⁵   — 泡   (N) *buoy.*

naau⁵ **撓** 2259   (V) *confuse; disturb.* **Fml. SF** ‡ **AP naau**⁵* see **2260.**

— luen⁶ — 亂   (V) *confuse; disturb.* **Fml. FE**

naau⁵* **撓** 2260   (Adj) *disorderly.* **Coll. SF** ‡ **AP naau**⁵ see **2259.**

— gaau⁶ — 挍   (Adj) *disorderly; messy; troublesome.*

naau⁶ **鬧（閙）** 2261   (V) *scold; disturb.* **SF** ‡ (N) *noise.* **SF** ‡

— ching⁴ sui⁵ — 情緒   (V) *become moody (RT adults); become naughty (RT children)*

— fung¹ chiu⁴ — 風潮   (V) *try to cause a riot/strike.*

— gaak³ ming⁶ — 革命   (V) *try to start a revolution.*

— jung¹° — 鐘   (N) *alarm-clock.* *(Lit. noise clock)*

5 — san¹ fong⁴ — 新房   (SE) *jokes played on bride by the bridegroom's friends on wedding night—a former Chinese custom.* *(Lit. disturb new room)*

— si⁶ — 事   (V) *cause a disturbance in public places; make a scene.*

— yan⁴ — 人   (V) *scold people.*

nai⁴ **泥（坭）** 2262   (N) *mud; earth.* **SF**

— chau¹° (yue⁴*) — 鰍 (魚)   (N) *loach.* *(Cl. tiu⁴ 條)*

— dei⁶ — 地   (N) *muddy ground.* *(Cl. faai³ 塊)*

— juen¹° — 磚   (N) *mud brick.* *(Cl. gau⁶ 礦)*

— sa¹° — 沙   (N) *mud and sand; useless thing.* *(No Cl.)*

5 — sui² lo² — 水佬   (N) *bricklayer; mason.* *(Lit. mud waterman)*

— — si¹ foo⁶* — — 師傅   (N) *ditto.*

— — lo² hoi¹ moon⁴ hau², gwoh³ dak¹° ji⁶ gei² gwoh³ dak¹° yan⁴ — — 佬開門口，過得自己過得人   (Sy) *live and let live; be considerate of others.* *(Lit. a mason building a doorway enables both himself and others to pass through it.)*

— tam⁵ — 氹   (N) *puddle.* *(Lit. mud puddle)*

— to² — 土   (N) *mud; earth.* **FE** *(No Cl.)*

10 — yan⁴ — 人   (N) *clay-figure.*

nak¹° 齸 **2263**   (Adj) *tongue-tied.* **Coll.** **SF** ‡
          CC

— nga⁴* — 牙   (N) *tongue-tied.* **Coll.** **FE**

nam²諗 **2264**   (V) *consider; ponder over; think over.* **Coll.** **SF** ‡
          CC

— gwoh³ — 過   (V) *consider; ponder over; think over.* **Coll.** **FE**

— m⁴ tung¹ — 唔通   (V) *be unable to figure out/solve a problem.*

— tau⁴ — 頭   (N) *careful consideration; well-throught-out idea.* **Coll.**

nam⁴腍 **2265**   (Adj) *tender (RT food); easy-going (RT people).*
          CC   **Coll.** **SF** ‡

— sin⁶ — 善   (Adj) *easy-going; good-natured.* **Coll.** **FE**

— yuen⁵ — 軟   (Adj) *tender; well-cooked.* **Coll.** **FE**

nam⁵稔 **2266**   (V) *know sb very well.* **Fml.** **SF** ‡

— gaau¹ — 交   (V) *know sb very well.* **Fml.** **FE**

— sik¹° — 識   (V) *ditto.*

— suk⁶ — 熟   (V) *ditto.*

nam⁶喰 **2267**   (Adj) *in deep/sound sleep.* **Coll.** **SF** ‡
          CC

— fan³ — 瞓   (Adj) *in deep/sound sleep.* **Coll.** **FE**

nan²撚 **2268**   (V) *play a trick on sb; raise (RT pets, flowers, etc.)*
          CP **Coll.** **SF** ‡ **AP nin²** see **2380.**

— fa¹° — 花   (V) *grow flowers.* **CP** **Coll.** **FE**

— fa³ — 化   (V) *pull sb's leg; play a trick on sb.* **CP** **Coll.** **FE**

— jeuk³* (jai²) — 雀(仔)   (V) *raise birds.* **CP** **Coll.** **FE**

nang³椺 **2269**   (V) *tie up; tow.* **Coll.** **SF** ‡

— jue⁶ — 住   (V) *tie up. (RT dogs, boats, keys, etc.)* **Coll.** **FE**

nang⁴ 能   2270   (AV) *can; could.* **SF** ‡ (N) *ability; energy.* **SF** ‡

— gau³ — 夠   (AV) *can; could.* **FE**

— je² doh¹ lo⁴ — 者多勞   (SE) *able people always have many calls on their time.* (*Lit. able people more hard work*)

— lik⁶ — 力   (N) *ability.* (*GRT financial resources, skills*) (*Cl.* goh³ 個 *or* jung² 種)

— yuen⁴ — 源   (N) *energy; energy resources; power; power resource.* (*Cl.* jung² 種)

5   — — duen² kuet³ — — 短缺   (N) *shortage of energy.* (*Cl.* chi³ 次 *or* jung² 種)

— — ngai⁴ gei¹ — — 危機   (SE) *energy crisis.* (*Cl.* chi³ 次 *or* goh³ 個)

nap¹° 粒   2271   (Cl) *for small things in general; for grains of cereals, sand, etc.; for diamends, beads, stars, etc.*

— seng¹ m⁴ chut¹° — 聲唔出   (SE) *in silence; without uttering a sound.*

nap¹° 凹 (冚)   2272   (Adj) *concave.* **CP SF** ‡

— dat⁶ — 凸   (SE) *concave and convex; hollows and projections.* **CP**

— — bat¹° ping⁴ — — 不平   (Adj) *uneven.* (*RT roads*) **CP**

— — tau³ geng³ — — 透鏡   (N) *concave-convex lens.* **CP**

— geng³ — 鏡   (N) *concave lens.* **CP**

5   — joh² — 咀   (V) *be dented.* **CP**

nap⁶ 渚   2273   (Adj) *sticky; slow.* **Coll. SF** ‡ **CC**

— noh⁶ — 懦   (Adj) *slow in one's movements.* **Coll. FE**

— yau⁴* — 油   (Adj) *sticky with oil; feeling unwell* (**Fig.**). **Coll. FE**

nat⁶ 吶 (訥)   2274   (V) *shout; stammer.* **Fml. SF** ‡ **CP naap⁶ AP nut⁶ SM** see 2414.

— haam³ — 喊   (V) *shout in triumph.* **Fml. FE** (N) *noise of shouting in battle.* **Fml. FE CP naap⁶ haam³.**

— hau² (nat⁶ sit⁶) — 口 (吶舌)   (V) *stammer.* **Fml. FE CP naap⁶ hau² (naap⁶ sit⁶).**

nau¹ 嬲   2275   (Adj) *angry.* **Coll.**
                CC

— baau³ baau³   — 爆爆   (Adj) *angry; mad.*   **Coll.**   **FE**

— hei² seung⁵ lai⁴   — 起上嚟   (SE) *become determined; make up one's mind.*   *(Lit. become angry)*

nau² 扭   2276   (V) *twist; turn on/off.*   **SF**   ‡

— chan¹   — 親   (V) *twist and hurt; sprain.*   **FE**

— seung¹   — 傷   (V) *ditto.*

— daai⁶ seng¹ di¹°   — 大聲啲   (V) *turn the volume up.*

— go¹ di¹°   — 高啲   (V) *ditto.*

5   — dai¹ di¹°   — 低啲   (V) *turn the volume down.*

— sai³ seng¹ di¹°   — 細聲啲   (V) *ditto.*

— gai³*   — 計   (V) *play a trick; impose on.*   (Adj) *tricky; cunning.*

— — jo² jung¹   — — 祖宗   (SE) *extremely tricky and wicked person.*

— gon¹   — 乾   (V) *wring dry.*   **Coll.**

10   — hoi¹   — 開   (V) *turn on.*   *(RT radios, TV sets, etc.)*   **FE**

— man⁴   — 紋   (Adj) *cross-grained; naughty (RT children).*

— — chaai⁴   — — 柴   (N) *cross-grained firewood (Cl.* tiu⁴ 條*); naughty person* (**Fig.** *Cl.* goh³ 個).

— sik¹°   — 熄   (V) *turn off.*   *(RT radios, TV sets, etc.)*   **FE**

— tuen⁵   — 斷   (V) *twist off.*

15   — yi⁵ jai²   — 耳仔   (V) *twist ears; be henpecked* (**Sl.**).

nau² 紐   2277   (P) *used in transliterations.*

— sai¹ Laan⁴   — 西蘭   (N) *New Zealand.*   **Tr.**

— Yeuk³   — 約   (N) *New York.*   **Tr.**

nau² 鈕   2278   (N) *button.*   (*Cl.* nap¹° 粒)

— moon⁴   — 門   (N) *button hole.*

— yi⁵   — 耳   (N) *button loop.*

nau⁶ 穤（潵） 2279   (Adj) *satiated; weary with food.* **Coll. SF**
‡

— hau⁴ — 喉   (Adj) *satiated; weary with food.* **Coll. FE**

ne¹° 呢 2280   (Itj) *look; there we are; there it is.* (FP) *indicates question.* **AP: (1) nei; see 2281; (2) nei¹° see 2282.**

nei⁴ 呢 2281   (N) *woolen cloth.* **Fml. SF** ‡ **AP: (1) ne¹° see 2280; (2) nei⁴° see 2282.**

— yung⁴* — 絨   (N) *woolen cloth.* **Fml. FE** (Bolt: pat¹° 疋)

nei⁴° 呢 2282   (N) *woollen cloth.* **CP Fml. SF** ‡ **AP: (1) ne¹° see 2280; (2) nei⁴ see 2281.**

— yung⁴* — 絨   (N) *woollen cloth.* **CP Fml. FE** (*Bolt:* pat¹° 疋)

nei⁴ 尼 2283   (N) *Buddhist nun.* **Fml. SF** ‡ (P) *used in transliterations.*

— gwoo¹° — 姑   (N) *Buddhist nun.* **Fml. FE**

— — am¹° — — 庵   (N) *Buddhist nunnery.* **Fml. FE** (*Cl.* gaan¹ 間)

— lung⁴ — 龍   (N) *nylon.* **Tr.** *(No Cl.)*

— — si¹ mat⁶ — — 絲襪   (N) *nylon stocking.* (*Cl.* jek³ 只 ; *pair:* dui³ 對)

5 — — yue⁵ lau¹° — — 雨褸   (N) *rain-coat made of nylon.* (*Cl.* gin⁶ 件)

nei⁴ 彌 2284   (V) *fill; replace.* **CP Fml. SF** ‡ (P) *used in transliteration.*

— bo² — 補   (V) *fill; replace; make up.* **CP FE**

— Choi³ A³ — 賽亞   (N) *Messiah.* *(Protestant)* **CP Tr.**

N— Dun¹° Do⁶ — 敦道   (N) *Nathan Road.* **CP Tr.** (*Cl.* tiu⁴ 條)

n— saat³ — 撒   (N) *the mass (Catholic).* **CP Tr.** (*Cl.* chi³ 次)

nei⁵ 你 2285   (Pron) *you.* *(singular)*

— dei⁶ — 哋   (Pron) *you.* *(Plural)*

— — ge³ — — — 嘅   (Pron) & (Adj) *your.* *(Plural)*

— do¹° mo⁵ gaai² ge³! — 都冇解嘅   (SE) *how very naughty you are! You're impossible!* *(Lit. you can't be explained)*

— do⁶ — 度   (Adv) *your place.*

5 — sue³ — 處   (Adv) *ditto.*

— ge³ — 嘅   (Pron) & (Adj) *your. (singular)*

— gong² dak¹° ho² teng¹ je¹° — 講得好聽啫   (SE) *you are merely glossing it over; you're just 'being too polite.*

— — — — — — gwa³? — — — — — — — 啩?   (SE) *aren't you just trying to gloss it over?* *(Lit. aren't you putting it too nicely?)*

— hai⁶ m⁴ hai⁶ gong² siu³ a³? — 係唔係講笑呀?   (SE) *are you kidding? are you joking? are you serious? I can't believe it.*

10 — m⁴ hai⁶ gong² siu³ a¹° ma³? — 唔係講笑吖嗎?   (SE) *ditto.*

— yau⁵ mo⁵ gaau² choh³ a³? — 有冇搞錯呀?   (SE) *ditto.*

— ho² ma³? — 好嗎?   (SE) *how are you?*

— wa⁶ dim² suen³ ho² ne¹°? — 話點算好呢?   (SE) *what do you suggest should be done?*

— — ho² m⁴ ho² a³? — — 好唔好呀?   (SE) *what do you think/say?*

15 — — — ma³? — — — 嗎?   (SE) *ditto.*

— wooi⁵ dim² ne¹° — 會點呢?   (SE) *what will/would you do?*

— — — yeung⁶* jo⁶ ne¹° — — — 樣做呢?   (SE) *ditto.*

— yau⁵ soh² bat¹° ji¹ ge³ lak³ — 有所不知嘅嘞   (SE) *there's something you didn't understand/know.*

— yi⁵ wai⁴ jek¹°! — 以爲啁!   (SE) *that's only what you think!*

20 — — — la¹! — 以爲啦!   (SE) *ditto.*

nei⁶膩 2286   (Adj) *greasy; indigestible.* SF ‡

— hau⁴ — 喉   (Adj) *greasy.* FE

— jai⁶ — 滯   (Adj) *indigestible.* FE

nei⁶餌 2287   (N) *bait; cake.* SF ‡

neung⁴娘(孃) 2288   (N) *young lady; mother.* Fml. SF ‡

— chan¹ — 親   (N) *one's own mother.* PL FE

— ji² — 子   (N) *young lady; woman; one's own wife* (PL). Fml. FE

— — gwan¹° — — 軍   (N) *female troops; amazons; women on the side of a quarrel* (**Joc.**).   (*Cl.* ji¹ 支 *or* dui⁶ 隊)

— neung⁴ — 娘   (N) *empress.* **Fml.**

ng¹ 哼 2289   (P) *used as interjection to express idea of despising, disapproving, or contradicting.* **CP**

ng⁴ 吾 2290   (Pron) *I; me.* **Bk.**

ng⁴ 蜈 2291   (N) *centipede.* **SF** ‡

— gung¹° — 蚣   (N) *centipede.* **FE**   (*Cl.* tiu⁴ 條)

ng⁵ 五(伍) 2292   (Adj) & (N) *five.* **AP m⁵ SM see 2033.**

— gam¹° — 金   (N) *the five metals (gold, silver, copper, iron and tin); hardware.*   (*Cl.* jung² 種)

— — dim³ — — 店   (N) *hardware store.*   (*Cl.* gaan¹ 間)

— — po³* — — 舖   (N) *ditto.*

— guk¹° — 穀   (N) *cereals in general.*   (*Lit. five grains*)   (*Cl.* jung² 種)

5   — — fung¹ dang¹ — — 丰登   (SE) *abundant harvest of all kinds of grain.*

— gwoon¹ — 官   (SE) *the five sense organs (i.e. ear, eye, nose, mouth and heart; or ear, eye, nose, tongue and skin.); facial features.*

— hau² tung¹ seung¹ — 口通商   (N) *opening of the five treaty ports (Shanghai, Canton, Ningpo, Foochow and Amoy) to foreign ships in 1842.* (*Cl.* chi³ 次)

— si⁴ yap⁶ jik⁶ gau² si⁴ yau⁵ dak¹° sik⁶ — 時入席九時有得食   (SE) *dinner is usually served hours late.* (*Lit. Guests come to dine at 5 O'clock, but food comes at 9*)

Ng— Sei³ Wan⁶ Dung⁶ — 四運動   (N) *the demonstration held by university students in Peiping (now known by its former name Peking) on May 4th 1918 against feudalism and imperialism—a movement recognized as the Renaissance of China.*   (*Cl.* chi³ 次)

10   — sin³ po² — 線譜   (N) *the five lines of the staff notation in music.* (*Cl.* jeung¹ 張 *or* boon² 本)

Ng— Yat¹° Lo⁴ Dung⁶ Jit³ — — 一勞動節 (N) *May Day.*
— Yeung⁴ Sing⁴ — 羊城   (N) *the city of the five rams—Canton (from an old fable).*
— Yuet⁶ — 月   (N) *May.*
— — Jit³ — — 節   (N) *Dragon Boat Festival.*

ng⁵ 伍 2293   (N) *a file of five men; the ranks.* **SF** ‡

ng⁵ 午 2294   (N) *noon.* **SF** ‡

— chaan¹° — 湌   (N) *lunch. (European style)* **Fml.**
— faan⁶ — 飯   (N) *ditto. (Chinese style)*
— chin⁴ — 前   (Adv) & (N) *forenoon.* **Fml.**
— hau⁶ — 後   (Adv) & (N) *afternoon.* **Fml.**
5 — si⁴ — 時   (N) *noon; the period from 11 a.m. to 1 p.m.*
— ye⁶ — 夜   (Adv) & (N) *midnight.* **Fml.**

ng⁵ 仵 2295   (N) *undertaker; coroner.* **SF** ‡

— jok³* — 作   (N) *undertaker; coroner.* **FE**

ng⁵ 忤 2296   (V) *disobey; be unfilial.* **SF** ‡ (Adj) *disobedient; un-filial.* **SF** ‡
— yik⁶ — 逆   (V) *disobey; be unfilial.* **FE** (Adj) *disobedient; unfilial.* **FE**

ng⁶ 悟 2297   (V) *awake; apprehend.* **Fml. SF** ‡

— sing² — 醒   (V) *awake; become aware of.* **Fml. FE**
— sing³ — 性   (N) *power of apprehension; intelligence.* (*Cl.* jung² 種)
— — go¹ — — 高   (Adj) *quick of apprehension.*
— — ho² — — 好   (Adj) *ditto.*

ng⁶ 悮（誤） 2298   (V) *do sth by mistake.* **Fml. SF** ‡
   (N) *mistake: error.* **Fml. SF** ‡
— dim² — 點   (Adj) *late; behind schedule. (GRT trains, planes, etc.)*

— gaai² — 解　　**(V)** *misinterpret; distort.　(RT doctrines, theories, speeches, etc.)*　**(N)** *misinterpretation.*　*(Cl.* jung² 種)

— saat³ — 殺　　**(V)** *kill by mistake; commit manslaughter.*　**(N)** *unintentional homicide; manslaughter.*　*(Cl.* chi³ 次 *or* jung² 宗)

— si⁶ — 事　　**(V)** *spoil sth; cause failure of sth.　(RT results of delay, oversight, arbitrariness, etc.)*

5　— sun³ — 信　　**(V)** *misplace confidence.*

— wooi⁶ — 會　　**(V)** *misunderstand.*　**Fml.**　**(N)** *misunderstanding.*　**Fml.**　*(Cl.* jung² 種)

nga⁴ 牙　2299　　**(N)** *tooth.*　**SF** ‡

— chaat³* — 刷　　**(N)** *tooth-brush.*

— chi² — 齒　　**(N)** *tooth.*　**FE**　*(Cl.* jek³ 只 ; *Set:* paang⁴ 棚)

— chim¹° — 籤　　**(N)** *tooth-pick.*　*(Cl.* ji¹ 支)

— chong⁴ — 床　　**(N)** *jawbone; inlaid bed-stead.*　**Fml.**

5　— — yuk⁶* — — 肉　　**(N)** *gum.　(No Cl.)*

— yuk⁶* — 肉　　**(N)** *ditto.*

— foh¹° — 科　　**(N)** *dentistry.*　*(Cl.* foh¹° 科)

— — yi¹ sang¹° — — 醫生　　**(N)** *dentist.*

— yi¹ — 醫　　**(N)** *ditto.*

10　— gaau³ — 較　　**(N)** *jawbone* **(Coll.)**; *eloquence* **(Sl.).**

— — chaan² — — 剷　　**(N)** *boaster.*　**Sl.　Ctmp.**

— — yau⁵* — — 友　　**(N)** *ditto.*

— go¹° — 膏　　**(N)** *tooth-paste.*　*(Cl.* ji¹ 支)

— nga⁴° jai² — 牙仔　　**(N)** *infant; baby boy.*

15　— — nui⁵* — — 女　　**(N)** *infant; baby girl.*

— tok³* — 托　　**(N)** *denture.*

— tung³ — 痛　　**(N)** *toothache.*　*(Cl.* chi³ 次)

— — gam² seng¹° — — 噉聲　　**(SE)** *complain about hardship or difficult work; feel pain.*

— yin¹ — 烟　　**(Adj)** *very dangerous; hair-raising.　(Lit. tooth smoke)*　**Coll.**

nga⁴ 芽   2300   (N) *sprout; bud.*   *(No Cl.)*

— cha⁴ — 茶   (N) *bud-tea (a high-grade quality).*   (*Cl.* jung² 種)
— choi³ — 菜   (N) *bean-sprout.*   (*Cl.* poh¹ 篰)

nga⁴ 衙   2301   (N) *government office.*   **SF** ‡

— moon⁴* — 門   (N) *government office.*   **FE**   (*Cl.* gaan¹ 間)

nga⁵ 瓦   2302   (N) *tile.*   (*Cl.* faai³ 塊)

— min⁶* — 面   (N) *roof.*   (*ROT old-fashioned Chinese brick-houses*)
— tung⁴* — 筒   (N) *earthware pipe.*
— yiu⁴* — 窰   (N) *kiln.*

ngaai⁴ 崖   2303   (N) *cliff; precipice.*   **SF** ‡

— guk¹° — 谷   (N) *precipice; over-hanging cliff.*
— sek⁶ — 石   (N) *cliff; rock.*   (*Cl.* gau⁶ 礪)

ngaai⁴ 捱(挨)   2304   (V) *put up with; endure; bear; suffer from.*   **SF** ‡   **AP aai⁴ see 10.**

— beng⁶ — 病   (V) *endure ill health; suffer from illness.*
— foo² — 苦   (V) *endure hardship.*
— gaan¹ dai² ye⁶ — 更抵夜   (V) *put up with hard work at night; stay up late.*
— ngaan⁵ fan³ — 眼瞓   (V) *ditto.*
⁵ — ye⁶* — 夜   (V) *ditto.*
— gei¹ dai² ngoh⁶ — 飢抵餓   (V) *endure hunger.*
— to⁵ ngoh⁶ — 肚餓   (V) *ditto.*
— kung⁴ — 窮   (V) *endure poverty.*
— m⁴ jue⁶ — 唔住   (V) *be unable to bear; be unbearable.*
¹⁰ — sai³ gaai³ — 世界   (V) *endure the trials of life.*

ngaai⁶ 艾   2305   (N) *artemisia; moxa.* **SF** ‡

— go¹ — 蒿   (N) *artemisia; moxa.* **FE**   (*Cl.* poh¹° 篰)

— jek³ — 灸   (V) *cauterize with moxa.*

— yung⁴ — 茸   (N) *moxa punk.*   (*No Cl.*)

ngaai⁶ 刈   2306   (N) *mow.* **SF** ‡

— cho² — 草   (N) *mow.* **FE**

—— gei¹ ——— 機   (N) *mowing-machine.*   (*Cl.* ga³ 架)

ngaak⁶ 啱   2307   (Adj) *contrary; opposing.* **CP Coll. SF** ‡ **CC**

— fung¹ — 風   (N) *head-wind; contrary/unfavourable wind.* **CP Coll.**   (*Cl.* jan⁶ 陣)

— sui² — 水   (N) *contrary/unfavourable tide or current.* **CP Coll.**   (*No Cl.*)

ngaak⁶ 額   2308   (N) *forehead; quota; fixed number.* **SF** ‡ **AP** ngaak⁶* see 2309.

— gok³ — 角   (N) *temple (on the head).*

— ngoi⁶ — 外   (Adj) *above the quota/fixed number; extra.*

— tau⁴ — 頭   (N) *forehead.*

ngaak⁶* 額   2309   (N) *quota; fixed number; authorized quantity.* **Coll. AP** ngaak⁶ see 2308.

ngaan¹° 啱   2310   (V) *be suitable for.* **SF** ‡ (Adj) *correct, right; suitable; fit.* **CC**

— gai² — 偈   (Adj) *friendly; on intimate terms.* **Coll.**

— kiu² — 嶠   (Adj) *ditto.*

— gai² peng⁴ yau⁵ — 偈朋友   (N) *good friend; bosom friend.* **Coll.**

— kiu² pang⁴ yau⁵ — 嶠朋友   (N) *ditto.*

⁵ — lak³ — 嘞   (SE) *What a coincidence!*

— saai³ lak³ — 哂嘞   (SE) *ditto.*

— ngaam¹° haang⁴ hoi¹ joh² — 唔行開咀   (SE) *have stepped out for a moment; have just gone out.*

—— seung¹ faan² —— 相反   (Adv) *on the contrary; just on the contrary.*

— ... sam¹ sui² — ... 心水   (IC) *satisfy sb; coincide with requirements of sb. (Lit. suited to someone's ideas)*

10 — sai² — 使   (Adj) *suitable; fit. (RT tools, equipments, machines, etc.)*

—— ngaam¹° yung⁶ —— 唔用   (Adj) *ditto.*

— yung⁶ — 用   (Adj) *ditto.*

ngaan⁴ 巖(岩) 2311   (N) *cave; crag.* SF ‡

— cha⁴ — 茶   (N) *cliff tea. (a high grade quality)* (Cl. jung² 種 ; Cup: booi¹ 杯)

— chaam⁴ — 巉   (Adj) *rugged; irregular. (GRT paths, roads, etc.)*

— dung⁶ — 洞   (N) *cave; open mountain cave.* FE

— yuet⁶ — 穴   (N) *ditto.*

5 — sek⁶ — 石   (N) *drag, rock.* (Cl. gau⁶ 礁)

ngaan⁴ 癌 2312   (N) *cancer.* SF ‡

— beng⁶ — 病   (N) *cancer.* (Cl. goh³ 個 or jung² 種)

— jing³ — 症   (N) *ditto.*

— jung² — 腫   (Adj) *cancerous.* (N) *cancerous growth.* (Cl. sue³ 處 or goh³ 個)

ngaan⁴ 顏 2313   (N) *colour.* SF ‡

— liu⁶* — 料   (N) *colour for paints; painting material.* (Cl. jung² 種)

— sik¹° — 色   (N) *colour.* FE (Cl. jek³ 只 or goh³ 個)

ngaan⁴ 擘 2314   (V) *grind; play stringed instrument.* Coll. SF ‡
         CC

— moot⁶* — 末   (V) *pulverize; triturate.* Coll.

— sui³ — 碎   (V) *grind fine.* Coll.

— yin⁴ sok³ — 絃索   (V) *play Chinese fiddle.* Coll.

ngaan⁵ 眼   2315   (N) *eye.*   SF   (*Cl.* jek³ 只 ; *Pair:* dui³ 對)

— baak⁶* — 白   (N) *the white of the eye.*   (*No Cl.*)

— ding⁶ ding⁶ — 定定   (SE) *stare with astonishment.*

— chin⁴ — 前   (Adv) *before the eyes; at present; now.*

— fa¹ (liu⁴ luen⁶) — 花 (撩亂)   (Adj) *dim-sighted; having blurred vision.*

5   — fan³ — 瞓   (Adj) *sleepy.*   (*Lit. eyes sleep*)

— foh¹° — 科   (N) *ophthalmology.*   (*Cl.* foh¹科)

— — yi¹ sang¹ — 科醫生   (N) *ophthalmologist.*

— yi¹ — 醫   (N) *ditto.*

— foot³ to⁵ jaak³ — 闊肚窄   (SE) *eyes are bigger than the stomach; unable to do what was planned.*   (*Lit. eye wide stomach narrow*)

10   — fuk¹° — 福   (N) *a delight to the eyes.*   (*Lit. eye happiness*)   (*Cl.* jung² 種)

— geng³* — 鏡   (N) *spectacles; reading glasses.*   (*Cl.* dui³ 對 *or* foo³ 副)

— — doi⁶* — — 袋   (N) *spectacle-case.*

— — hap⁶* — — 盒   (N) *ditto.*

— — ga³* — — 架   (N) *frame of spectacles/glasses.*   (*Cl.* goh³ 個 *or* foo³ 副)

15   — — gwaang¹° — — 框   (N) *ditto.*

— — gung² si¹° — — 公司   (N) *optician.*

— — po³* — — 舖   (N) *ditto.*   Coll.

— go¹ sau² dai¹ — 高手低   (SE) *depreciate the achievements of others though unable to equal them.*   (*Lit. eye high hand low*)

— gok³ — 角   (N) *corner of the eye; canthus.*

20   — — go¹ — — 高   (Adj) *proud; insolent; high and mighty.*   (*Lit. canthus high*)

— hung⁴ — 紅   (Adj) *jealous; envious.*   (*Lit. eye red*)   Coll.

— gwong¹° — 光   (N) *eyesight; vision; outlook.*

— — yuen⁵ daai⁶ — — 遠大   (Adj) *far-sighted.*   Fig.

— gwong¹ gwong¹ — 光光   (Adv) *in a dream; in a trance; indecisively; aimlessly; without action.*   (*Lit. eye wide open*)

25   — jing¹° — 睛   (N) *eye.*   FE   (*Cl.* jek³ 只 ; *Pair:* dui³ 對)

— muk⁶ — 目   (N) *ditto.*

— jue¹° — 珠   (N) *pupil of the eye. (Lit. eye pearl)*   (*Cl.* nap¹° 粒 *or* goh³ 個)

— tung⁴ yan⁴* — 瞳人   (N) *ditto.*

— juet³ — 拙   (Adj) *having poor eyesight; dull and clumsy.*

30   — jung¹ deng¹° — 中釘   (SE) *a person who is a thorn in the flesh; a potential enemy. (Lit. a nail in the eye)* **Fig.**

— kau⁴ — 球   (N) *eye-ball.* **Fml.**

— wat⁶ — 核   (N) *ditto.* **Coll.**

— lik⁶ — 力   (N) *power of vision; perception; shrewdness.*

— — go¹ — — 高   (Adj) *having good judgement.*

35   — — ho² — — 好   (Adj) *having good eyesight.*

— lui⁶ — 淚   (N) *tears.* (*Cl.* dik⁶ 滴)

— maang⁴ (ge³) — 盲 (嘅)   (Adj) *blind.*

— — — yan⁴ — — — 人   (N) *the blind; blind person.*

— mei⁴ (mo⁴) — 眉 (毛)   (N) *eyebrow.* (*Cl.* tiu⁴ 條 *or* do⁶ 道)

40   — pei⁴ — 皮   (N) *eyelid.* (*Cl.* faai³ 塊)

— sik¹° — 色   (N) *discrimination; a wink or nint given with the eyes.*

— yap¹° mo⁴° — 翕毛   (N) *eyelash.* (*Cl.* tiu⁴ 條 *or* jap¹° 執)

— yim⁴ — 炎   (N) *opthalmia.* **Fml.**

— yit⁶ — 熱   (N) *ditto.* **Coll.**

ngaan⁶ 雁（鴈）   2316   (N) *wild goose.* **SF**

— jan⁶ — 陣   (N) *wild geese flying in formation.* (*Cl.* jung² 種 *or* goh³ 個)

— ngoh⁴ — 鵝   (N) *wild goose.* **FE** (*Cl.* jek³ 只)

ngaan⁶ 贋（贗）   2317   (Adj) *counterfeit; false.* **Fml. SF** ‡

— bai⁶ — 幣   (N) *counterfeit coin/note.* **Fml.**

— chaau¹ — 鈔   (N) *counterfeit note.* **Fml.** (*Cl.* jeung¹ 張)

— jai³ ban² — 製品   (N) *counterfeit goods.* (*Cl.* jung² 種 *or* gin⁶ 件)

— ngai⁶ — 僞   (Adj) *counterfeit; false.* **Fml. FE**

ngaang⁶ 硬 2318   (Adj) *stiff; hard; solid; firm; obstinate.* **SF** ‡

— bai⁶ — 幣   (N) *general term for small coins.* **Coll.** (*Cl.* jung² 種 or goh³ 個)

— bik¹° — 逼   (V) *coerce; force to accept.*

— cheung² (ngaang⁶ yiu³) — 槍 (硬要)   (SE) *determine to have sth; make forcible demands.*

— do⁶ — 度   (N) *degree of hardness.* (*Cl.* jung² 種 or goh³ 個)

5   — geng² — 頸   (Adj) *obstinate; stubborn; stiff-necked.* **Coll. FE**

— sing³ — 性   (Adj) *ditto.* **Fml.**

— ji² baan² — 紙板   (N) *cardboard.* (*Cl.* faai³ 塊)

— — pei⁴ — — 皮   (N) *ditto.*

— jik⁶ — 直   (Adj) *firm; straight forward; honest.* **FE**

10   — muk⁶ — 木   (N) *hard wood.* (*Cl.* tiu⁴ 條 or jung² 種)

— paang¹ paang¹ — 繃繃   (Adj) *firm; determined.*

— sam¹ — 心   (Adj) *hard-hearted; callous.*

— sui² — 水   (N) *hard water.* (*Cl.* jung² 種)

ngaat⁶ 齧 (嚙) 2319   (V) *bite.* **Fml. SF   AP** ngit⁶ **SM see 2349.**

— nga⁴* — 牙   (V) *make biting noise when asleep.* **Coll.**

ngaau⁴ 餚 (肴) 2320   (N) *meats; delicacies.* **Fml. SF** ‡

— jaau⁶ — 饌   (N) *meats; delicacies.* **Fml. FE**

ngaau⁴ 淆 (殽) 2321   (V) *arrange in order.* **Fml. SF** ‡ (Adj) *mixed; confused.* **Fml. SF** ‡

— jaap⁶ — 雜   (Adj) *mixed; confused.* **Fml. FE**

— luen⁶ — 亂   (Adj) *ditto.*

— lit⁶ — 列   (V) *arrange in order.* **Fml. FE**

ngaau⁴ 熬 2322   (V) *decoct; simmer.* **SF** ‡ **AP** ngo⁴ **see 2350.**

— juk — 粥   (V) *simmer/boil congee.*

— lin⁶ — 煉   (V) *decoct.* **FE**

— tong¹ — 湯   (V) *simmer/boil soup.*

— yeuk⁶ — 藥   (V) *decoct medicine.*

ngaau⁵ 咬(齩) 2323   (V) *bite.*

— chan¹ — 親   (V) *be injured by a bite.*

— seung¹ — 傷   (V) *ditto.*

— chuen¹ — 穿   (V) *pierce by biting.*

— hoi¹ — 開   (V) *bite off.*

⁵ — tuen⁵ — 斷   (V) *ditto.*

— nga⁴ chit³ chi² — 牙切齒   (SE) *gnash the teeth in anger.*

— yat¹° daam⁶ — 一啖   (V) *take a bite.*

ngaau⁶ 樂 2324   (V) *love; enjoy.* **Fml. SF** ‡ **AP: (1) lok⁶ see 1970; (2) ngok⁶ see 2367.**

— kwan⁴ — 羣   (V) *enjoy life in a group.*

— sin⁶ ho² si¹ — 善好施   (SE) *love to do philanthropic work.*

ngai¹ 哛 2325   (V) *importune; implore.* **Coll. SF CC**

— kau⁴ — 求   (V) *implore; beg.* **Coll. FE**

— lai⁴ ngai¹ hui³ — 嚟哛去   (SE) *importune/implore persistently.* **Coll.**

— ngai¹ sai¹ sai¹ — 哛嘶嘶   (SE) *ditto.*

ngai⁴ 危 2326   (V) *endanger.* **SF** ‡ (Adj) *dangerous.* **SF** ‡ (N) *danger; crisis.* **SF** ‡

— gei¹ — 機   (N) *crisis.* *(Lit. dangerous opportunity)* (*Cl.* chi³ 次 *or* goh³ 個)

— him² — 險   (Adj) *dangerous; perilous; risky; hazardous.* **FE** (N) *danger; peril; risk; hazard.* **FE** (*Cl.* goh³ 個 jung² 種)

— — (ge³) si⁴ hak¹° — — (嘅)時刻   (SE) *the critical moment; the crucial moment.*

— — lau⁴ yue⁵ — — 樓宇   (N) *dangerous building; condemned building.* (*Cl.* joh⁶ 座 *or* gaan¹ 間)

⁵ — lau⁴ — 樓   (N) *ditto.*

— — jue⁶ haak³ — — 住客   (N) *ex-tenants of dangerous buildings.*

— hoi⁶ — 害   (V) *endanger.* **FE**

— kap⁶ — 及   (V) *ditto.*

ngai⁴ 霓 2327   (N) *rainbow; variegated colours.* **SF** ‡

— hung⁴ — 虹   (N) *rainbow/variegated colours* (*Cl.* do⁶ 道); *neon* (**Tr. SF** *No Cl.*).

— — gwong¹ gwoon² — — 光管   (N) *neon light; neon tube.* **Tr. FE** (*Cl.* ji¹ 支)

ngai⁵ 蟻（螘） 2328   (N) *ant.* (*Cl.* jek³ 只)

— dau³ — 竇   (N) *ant-hill.*
— lung¹° — 窿   (N) *ditto.*
— suen¹° — 酸   (N) *formic acid.* (*Cl.* jung² 種)
— yeung⁵ — 痒   (N) *formication.* (*Cl.* jung² 種)

ngai⁶ 毅 2329   (N) *perseverance.* **SF** ‡   (Adj) *resolute; determined.* **SF** ‡   (Adv) *resolutely; determinedly.* **SF** ‡

— lik⁶ — 力   (N) *perseverance.* **FE** (*Cl.* jung² 種)
— yin⁴ — 然   (Adj) *resolute; determined.* **FE**   (Adv) *resolutely; with determination.* **FE**

ngai⁶ 藝（蓺） 2330   (N) *arts.* **SF** ‡

— sut⁶ — 術   (N) *arts; fine art.*
— — ga¹° — — 家   (N) *artist.*
— yuen⁴ — 員   (N) *actor; actress; artist.* (*GRT television*)

ngai⁶ 偽 2331   (Adj) *false; counterfeit.*

— bai⁶ — 幣   (N) *counterfeit coin.* (*Cl.* goh³ 個); *counterfeit note.* (*Cl.* jeung¹ 張)
— chaau¹° — 鈔   (N) *counterfeit note.* (*Cl.* jeung¹ 張)
— gwan¹ ji² — 君子   (N) *hypocrite.* (*Lit. false gentleman*)
— — je² — — 者   (N) *ditto.*
⁵ — jing³ — 証   (N) *perjury.* (*Cl.* jung² 種)
— jing³ foo² — 政府   (N) *puppet government.*
— jo⁶ (ge³) — 造(嘅)   (Adj) *counterfeit.* **FE**
— sin⁶ — 善   (N) *hypocrisy.* (*Lit. false kindness*) (*Cl.* jung² 種) (Adj) *hypocritical.*

ngan⁴哈 **2332**
CC

(V) *grunt; grumble; take out sth; feel with the hand.* **Coll.** **SF** ‡

— cham⁴ — 沉   (V) *grunt; grumble.* **Coll.** **FE**

— ngam⁴ cham⁴ cham⁴ — 哈沉沉   (V) *ditto.*

— chin⁴* — 錢   (V) *take out one's own money.* **FE**

— hoh⁴ baau¹° — 荷包   (V) *feel for one's own purse (to pay); be a pickpocket.* **FE**

ngan¹夭 **2333**
CC

(Adj) *tiny; puny; little (RT money, Sl.).* **Coll.** **AP** ngan³ see 2334.

— di¹° gwa³? — 啲啩?   (SE) *is it not too little? can't you give some more?* **Sl.**

— dak¹° jai⁶ gwa³? — 得濟啩?   (SE) *ditto.*

— sai³ — 細   (Adj) *tiny; puny.* **Coll.** **FE**

ngan³夭 **2334**
CC

(V) *jiggle the feet.* **Coll.** **SF** ‡ **AP** ngan¹ see 2333.

— geuk³ — 脚   (V) *jiggle the feet.* **Coll.** **FE**

— ngan³ geuk³ — 夭脚   (SE) *enjoy life; become much better off.* **Coll.**

ngan⁴銀 **2335**

(N) *silver; dollar (Sl.).* *(No Cl.)* **AP** ngan⁴* see 2336.

— baau¹° — 包   (N) *wallet.*

— — jai² — — 仔   (N) *purse.* *(Lit. small wallet)*

— chin⁴* — 錢   (N) *dollar.* **Coll.** **FE**

— daan¹° — 單   (N) *money-order; draft.* *(Cl. jeung¹ 張)*

⁵ — gan¹ — 根   (N) *money market; currency.*

— hei³ — 器   (N) *silverware.* *(Cl. gin⁶ 件)*

— ho⁶ — 號   (N) *small bank; money changer.* *(Cl. gaan¹ 間)*

N — hoh⁴ — 河   (N) *the Milky Way.* *(Cl. tiu⁴ 條)*

— hong⁴ — 行   (N) *bank.* *(Cl. gaan¹ 間)*

¹⁰ — — chuen⁴ foon² — — 存欵   (N) *bank-deposit.* *(Cl. jung² 種)*

— — chuen⁴ jip³* — — 存摺   (N) *pass-book; bank-book.* *(Cl. bo⁶ 部 or boon² 本)*

— — ga¹° — — 家　(N) *banker.*

— — ga³ yat⁶ — — 假日　(N) *bank holiday.* (*Cl.* yat⁶ 日)

— — gip³ on³ — — 刼案　(N) *bank robbery; bank hold-up.* (*Cl.* jung¹ 宗 or gin⁶ 件)

15　— — jai¹ dui³ — — 擠兌　(N) *run on a bank.* (*Cl.* chi³ 次)

— — — tai⁴ — — — 提　(N) *ditto.*

— — lai⁵ huen³ — — 禮劵　(N) *gift cheque; gift coupon.* (*Lit. a bank's ceremonial ticket or token)* (*Cl.* jeung¹ 張)

— — lei⁶ lut⁶* — — 利率　(N) *bank-rate.* (*Cl.* goh³ 個 *or* jung² 種)

— — woo⁶ hau² — — 戶口　(N) *bank-account.*

20　— — wooi⁶ piu³ — — 滙票　(N) *bank-draft.* (*Cl.* jeung¹ 張)

— ji² — 紙　(N) *bank-note.* (*Cl.* jeung¹ 張)

— — bin² jik⁶ — — 貶值　(V) *devalue.* *(ROT money)* **Fml.** (N) *devaluation of currency.* **Fml.** (*Cl.* chi³ 次)

— — faat³ hong⁴ doh¹ joh² — — 發行多咀　(SE) *reflation.* (*Lit. bank-notes have been issued too many)* **Coll.**

— — yan³ doh¹ joh² — — 印多咀　(SE) *ditto.*

25　— — m⁴ gin³ sai² — — 唔見使　(SE) *depreciation of currency; devaluation of currency.* (*Lit. bank-notes not see spending)* **Coll.**

— — — jik⁶ chin⁴* — — — 值錢　(SE) *ditto.* (*Lit. bank-note not valuable)*

— — suk¹° sui² — — 縮水　(SE) *ditto.* (*Lit. bank-note shrink)*

— jue¹ — 硃　(N) *vermilion.* *(No Cl.)*

— kwong³ — 礦　(N) *silver mine.*

30　— leung² — 両　(N) *money.* **Fml.**

— mok⁶ — 幕　(N) *silver screen.* *(RT showing films, slides, etc.)* (*Cl.* goh³ 個 *or* fuk¹° 幅)

— sik¹° — 色　(N) *silver colour.* (*Cl.* jung² 種)

— sui² — 水　(N) *discount/premium on exchange.* **Coll.**

— — go¹ — — 高　(SE) *high discount/premium rate on exchange.*

35　— yuen⁴ — 圓　(N) *silver dollar.* **Fml.**

ngan⁴* 銀 2336　(N) *money (Sl. No Cl.); coin* (SF). **AP ngan⁴*** see 2335.

— jai² — ·仔　(N) *small change; ¢10/¢50 coin.* **FE**

ngan⁶ 靭(靱)   **2337**   (Adj) *flexible; elastic; disobedient.* **Coll. SF** ‡   (N)*flexibility; elasticity.* **Coll. SF** ‡   **AP: (1)** ngan¹ see **2338; (2)** yan⁶ see **3333.**

— lik⁶ —   力   (N) *flexibility; elasticity.* **Coll. FE** (*Cl.* jung² 種)

— sing³ —   性   (N) *ditto.*

— lik⁶ daai⁶ —   力大   (Adj) *flexible; elastic.* **Coll. FE**

— sing³ daai⁶ —   性大   (Adj) *ditto.*

5 — pei⁴ —   皮   (Adj) *disobedient; naughty.* (*GRT children*) **FE**

ngan⁶° 靭(靱)   **2338**   (Adj) *disobedient.* **Coll. SF** ‡   **AP: (1)** ngan⁶ see **2337; (2)** yan⁶ see **3333.**

— pei⁴ ngan⁶ yuk⁶ —   皮靭肉   (SE) *very disobedient; extremely naughty.* (*GRT children*)

ngap¹° 噏   **2339**   (V) *prattle; gossip.* **Coll. SF** ‡   **AP:** ngap⁶ see **CC**   **2340.**

— saam¹ ngap¹° sei³ —   三噏四   (SE) *prattle; gossip.* **Coll. FE**

ngap⁶ 噏   **2340**   (V) *nod; beckon.* **Coll. SF** ‡   **AP:** ngap¹° see **CC**   **2339.**

— sau² —   手   (V) *beckon (with one's hand).* **Coll. FE**

— tau⁴ —   頭   (V) *nod (one's head).* **Coll. FE**

ngat¹° 扤   **2341**   (V) *stuff; cram in.* **CC**

— moon⁵ —   滿   (V) *stuff full.*

— sat⁶ —   實   (V) *ram in.*

ngat⁶ 兀   **2342**   (Adj) *firm; erect.* **Fml. SF** ‡

— lap⁶ —   立   (V) *stand firm/erect.* **Fml. FE**

ngau¹ 勾   **2343**   (V) *entice.* **CP Coll. SF AP** gau¹ **SM** see **862.**

— daap³ —   搭   (V) *entice.* **CP Coll. FE**

— yan⁵ —   引   (V) *ditto.*

ngau¹° 鈎（鉤） 2344

(V) *hook; get hooked.* **CP Coll. SF** ‡
(N) *a hook.* **CP Coll. AP** gau¹ **SM see 863.**

— jue⁶ — 住   (V) *hook; get hooked.* **CP Coll. FE**

ngau⁴ 牛 2345

(N) *ox; bull; cow; calf.* **SF** ‡

— che¹° — 車   (N) *ox-cart.* (*Cl.* ga³ 架)

— dau⁶* — 痘   (N) *smallpox vaccine.* (*Lit. calf vaccine)* (*Cl.* jung² 種 *or* chi³ 次)

— gei³ — 記   (N) *Chinese-style under pants.* **Sl.** (*Cl.* tiu⁴ 條)

— — lap¹° gei³ — — 笠記   (N) *under-wear.* **Sl.** (*Cl.* to³ 套)

— geng² — 頸   (Adj) *stubborn; obstinate.*

— hei³ — 氣   (Adj) *ditto.*

— sing³ — 性   (Adj) *ditto.*

— gok³ — 角   (N) *ox horn.* (*Cl.* jek³ 只)

— gung¹° — 公   (N) *bull; male ox.* (*Cl.* jek³ 只)

10 — jai² — 仔   (N) *cow-boy* (*Cl.* goh³ 個); *calf* (*Cl.* jek³ 只).

— — bo³ — — 布   (N) *cloth to make jeans; denim.* (*Cl.* jung² 種)

— — foo³ — — 袄   (N) *jeans; levis.* (*Cl.* tiu⁴ 條)

— jing¹ — 精   (Adj) *ill-tempered.* (N) *an ill-tempered person.*

— kwan⁴ — 群   (N) *cattle.*

15 — lei⁶ — 脷   (N) *ox-tongue.* **Coll.** (*Cl.* tiu⁴ 條)

— mong⁴ — 虻   (N) *horse-fly; gad-fly.* (*Cl.* jek³ 只)

— na² — 乸   (N) *cow.* (*Cl.* jek³ 只)

— naai⁵ — 奶   (N) *cow's milk; milk.* (*Bottle:* jun¹ *or* ji¹ 支 ; *Cup;* booi¹ 杯)

— — cheung⁴ — — 塲   (N) *dairy.*

20 — — gung¹ si¹° — — 公司   (N) *ditto.* (*Cl.* gaan¹ 間)

— pa⁴* — 扒   (N) *beefsteak.* (*Cl.* faai³ 塊, gin⁶ 件 *or* goh³ 個)

— pei⁴ — 皮   (N) *cowhide.* (*Cl.* jeung¹ 張 *or* faai³ 塊)

— — gaau¹ — — 胶   (N) *ox-glue.* (*Cl.* jung² 種)

— tau⁴ foo³ — 頭袄   (N) *Chinese-style underpants.* (*Cl.* tiu⁴ 條)

25 — wan¹ — 瘟   (N) *rinderpest.* (*Cl.* jung² 種 *or* chi³ 次)

— yik⁶ — 疫   **(N)** *ditto.*

— yau⁴ — 油   **(N)** *butter (No Cl.)*

— yuk⁶ — 肉   **(N)** *beef. (No Cl.)*

— — cha⁴ — — 茶   **(N)** *beef-tea. (Cup.* booi¹ 杯)

ngau⁵偶   **2346**   **(Adv)** *accidentally; occasionally.* **SF** ‡ **(N)** *idol.* **SF** ‡

— jeung⁶ — 像   **(N)** *idol; image.* **FE**

— yin⁴ — 然   **(Adv)** *accidentally; occasionally; now and then; at times.* **FE**

ngau⁵藕   **2347**   **(N)** *lotus root. (Cl.* ji¹ 支)

ngau⁶吽   **2348**   **(Adj)** *sick; dull.* **Coll. SF** ‡ **CC**

— dau⁶ — 呞   **(Adj)** *sick; unwell; dull.* **Coll. FE**

ngit⁶齧(嚙)   **2349**   **(V)** *bite.* **Fml. SF** ‡ **AP** ngaat⁶ **SM** see **2319.**

— bei³ (wai⁴ mang⁴) — 臂 (爲盟)   **(SE)** *bite each other's arms as a pledge. (RT a man and a woman)* **Fml.**

ngo⁴熬   **2350**   **(V)** *suffer; endure.* **Fml. SF** ‡ **AP** ngaau⁴ see **2322.**

— gwat¹° — 骨   **(V)** *be put in a dangerous/embarrassing situation.* **Coll.**

— jin¹ — 煎   **(V)** *suffer; harass.* **Fml. FE**

ngo⁴撤   **2351**   **(V)** *shake.* **Coll. SF** ‡ **CC**

— sik¹° — 骰   **(V)** *shake the dice (at games).*

— wan⁴ — 匀   **(V)** *shake thoroughly.*

ngo⁴遨   **2352**   **(V)** *travel.* **Fml. SF** ‡

— yau⁴ — 遊   **(V)** *travel.* **Fml. FE**

ngo⁶ 傲 2353   (Adj) *proud.* **SF** ‡   (N) *self-respect.*   **SF** ‡

— hei³ — 氣   (N) *pride; self-respect.*   **FE**   (*Cl.* jung² 種)

— gwat¹° — 骨   (N) *ditto.*

— maan⁶ — 慢   (Adj) *proud; arrogant.*   **FE**

ngoh⁴ 俄 2354   (Adv) *suddenly. presently.*   **Fml. SF** ‡   (P) *used in transliteration.*

Ng— Gwok³ — 國   (N) *Russia.*   **Tr.**

— Loh⁴ Si¹° — 羅斯   (N) *ditto.*

ng— king² — 頃   (Adv) *presently; in a moment.*   **Fml. FE**

— yin⁴ — 然   (Adv) *suddenly.*   **Fml. FE**

ngoh⁴ 鵝(鵞) 2355   (N) *goose; domestic goose.*   **SF   AP: ngoh⁴* SM see 2356.**

— jeung² — 掌   (N) *goose's foot (a delicacy).*   (*Cl.* jek³ 只)

— mo⁴ — 毛   (N) *goose feather.*   (*Cl.* tiu⁴ 條)

— — sin³ — — 扇   (N) *fan made with goose feathers.*   (*Cl.* ba² 把)

ngoh⁴* 鵝(鵞) 2356   (N) *goose; domestic goose.*   **Coll.**   (*Cl.* jek³ 只)   **AP ngoh⁴ SM see 2355.**

ngoh⁵ 我 2357   (Pron) *I; me.*

— dei⁶ — 哋   (Pron) *we; us.*

— — ge³ — — 嘅   (Adj) *our.*   (Pron) *ours.*

— do⁶ — 度   (Adv) & (N) *my place.*

— sue³ — 處   (Adv) & (N) *ditto.*

⁵ — ge³ — 嘅   (Adj) *my.*   (Pron) *mine.*

— gwoo² ... do¹° m⁴ ding⁶ — 估 ... 都唔定   (IC) *I guess that . . .; in my opinion perhaps . . .*

— ji¹ do³ — 知道   (SE) *I know; I understand.*

— ji¹ do³ ... — 知道 ...   (IC) *I know that . . .*

— m⁴ hai⁶ gei² ching¹ choh² — 唔係幾清楚   (SE) *I'm not quite sure.*

10 — m⁴ hai⁶ gei² ching¹ choh² . . .   — 唔係幾清楚 . . .   (IC) *I'm not quite sure . . .*

— m⁴ gei³ dak¹° gei² ching¹ choh²   — 唔記得幾清楚   (SE) *I don't remember correctly.*

— m⁴ gei³ dak¹° gei² ching¹ choh² . . .   — 唔記得幾清楚 . . .   (IC) *I don't remember correctly . . .*

— m⁴ ji¹   — 唔知   (SE) *I don't know.*

— m⁴ ji¹ . . .   — 唔知 . . .   (IC) *I don't know . . .; I don't know.*

15 — m⁴ wa⁶ dak¹° ding⁶   — 唔話得定   (SE) *I can't say for sure.*

— m⁴ wa⁶ dak¹° ding⁶ . . .   — 唔話得定 . . .   (IC) *I can't say for sure . . .*

— ngaan⁵ mong⁶ nei⁵ ngaan⁵, nei⁵ ngaan⁵ mong⁶ nogh⁵ ngaan⁵   — 眼望你眼，你眼望我眼   (SE) *stare aimlessly at each other. (Lit. I look at your eyes, and you look at mine)*

— siu² sik⁶   — 少食   (SE) *I don't smoke. (Lit. I seldom smoke)* **PL**

— wa⁶ . . . jau⁶ jan¹   — 話 . . . 就眞   (IC) *I'm convinced that . . .; I really do mean that . . .*

ngoh⁶ 餓   2358   (Adj) *hungry.*

— gwai²   — 鬼   (N) *uninvited guest. (Lit. hungry ghost)* **Ctmp.** (*Cl.* jek³ 只)

ngoi⁴ 獃(呆)   2359   (Adj) *foolish; simple-minded; idotic.* **Coll. SF ‡ AP daai¹ SM see 447.**

— ban⁶   — 笨   (Adj) *foolish; simple-minded; idiotic.* **Coll. FE**

— lo²   — 佬   (N) *fool; simpleton; idiot.* **Coll.**

ngoi⁶ 外   2360   (N), (PP), (Adj) & (Adv) *outside.* **SF ‡**

— bin⁶   — 便   (N), (PP), (Adj) & (Adv) *outside.* **FE**

— min⁶   — 面   (N), (PP), (Adj) & (Adv) *ditto.*

— tau⁴   — 頭   (N), (PP), (Adj) & (Adv) *ditto.*

— biu²   — 表   (N) *appearance; outward feature. (Cl.* goh³ 個 *or* jung² 種)

5 — gwoon¹   — 觀   (N) *ditto.*

— maau⁶   — 貌   (N) *ditto.*

— biu² seung⁶ — 表上   (Adv) *in appearance; outwardly; externally.*

— dei⁶ — 地   (Adj) *foreign; outside.* (N) *foreign land; other place.* *(Lit. outside place)* (Cl. sue³ 處 or do⁶ 度)

— fau⁶ — 埠   (N) *foreign port; other place.*

10   — foh¹° — 科   (N) *surgery.* *(Subject:* foh¹° 科)

— — yi¹ sang¹° — — 醫生   (N) *surgeon.*

— foo⁶* — 父   (N) *father-in-law.* *(wife's father)*

— ga¹° — 家   (N) *family of a married woman's parents.* *(Lit. outside family)*

— gaai³ (yan⁴ si⁶) — 界 (人士)   (N) *outsider.* *(GRT professional circles of some kind)*

15   — gaau¹ — 交   (Adj) *diplomatic.* (N) *diplomacy.* (Cl. jung² 種)

— — aat³ lik⁶ — — 壓力   (N) *diplomatic pressure.* (Cl. jung² 種)

— — bo⁶ — — 部   (N) *Foreign Ministry; Foreign Office.*

— — — jeung² — — — 長   (N) *Foreign Minister.*

— — ga¹° — — 家   (N) *diplomat.*

20   — — gwoon¹ — — 官   (N) *ditto.*

— — sau² duen⁶ — — 手段   (N) *diplomacy; diplomatic tactic.* (Cl. jung² 種)

— ging² — 景   (N) *outside shots; location shooting.* *(RT making films)*

— — sip³ ying² dui⁶* — — 攝影隊   (N) *camera crew.* *(RT film shootings)* (Cl. dui⁶ 隊 or goh³ 個)

— gung¹ — 公   (N) *grandfather; grandpa.* *(mother's father)*

25   — gwok³ — 國   (N) *foreign country.* *(Lit. outside country)*

— — foh³ — — 貨   (N) *foreign goods; imported goods.* (Cl. jung² 種)

— — wa⁶* — — 話   (N) *foreign language.* *(RT spoken languages)* (Cl. jung² 種)

— (一) man⁴ — (一) 文   (N) *ditto.* *(RT written languages)*

— — wan⁶ lai⁴ — — 運嚟   (SE) *import; imported.*

30   — — yap⁶ hau² — — 入口   (SE) *ditto.*

— — yan⁴ — — 人   (N) *foreigner.*

— hong⁴ — 行   (Adj) *unskilled; ignorant.*

— jaai³ — 債   (N) *foreign loan.* (Cl. bat¹° 筆)

— jik⁶ — 藉 (Adj) *foreign.* *(ROT nationalities)* **Fml.** **SF** ‡

35 — — yan⁴ si⁶ — — 人士 (N) *foreigner.* **Fml.**

— kan⁴ (gung¹ jok³) — 勤 (工作) (N) *outdoor duty.* *(Cl.* jung² 種*)*

— kiu⁴ — 僑 (N) *foreign resident.*

— lau⁴ — 流 (V) *export; go abroad.* *(Lit. outside flow)*

— mo⁵* — 母 (N) *mother-in-law.* *(wife's mother)*

40 Ng— Mung⁴ Gwoo² — 蒙古 (N) *Outer Mongolia.*

ng— poh⁴ — 婆 (N) *grandmother; grandma.* *(mother's mother)*

— saang¹° — 甥 (N) *nephew.* *(sister's son)*

— — nui⁵* — — 女 (N) *niece.* *(sister's daughter)*

— to³* — 套 (N) *jacket.* *(Gen. worn by women on top of a cheung sam of blouse)* *(Cl.* gin⁶ 件*)*

45 — wai⁴ — 圍 (Adj) *off-course.* *(RT horse or greyhound races)* **SF** ‡

— — do² dong³ — — 賭檔 (N) *off-course betting shop.*

— wai⁴ gau² — 圍狗 (N) *off-course betting on greyhound races.* *(Cl.* dong³ 檔*)*

— — ma⁵ — — 馬 (N) *off-course betting on horse races.* *(Cl.* dong³ 檔)*

— wooi⁶ — 滙 (N) *foreign exchange.* *(Cl.* jung² 種)*

50 — — gwoon² jai² — — 管制 (N) *foreign exchange control.* *(Cl.* jung² 種 *or* goh² 個)*

— — paai⁴ ga³ — — 牌價 (N) *foreign exchange rate.*

— — si⁵ cheung⁴ — — 市場 (N) *foreign exchange market.*

ngoi⁶ 礙 (碍)   2361   (V) *impede; hinder; obstruct.* **Fml.** **SF** ‡

— ngaan⁵ — 眼 (Adj) *displeasing to the eyes.*

— sau² ngoi⁶ geuk³ — 手碍腳 (V) *impede; hinder; obstruct.* **FE**

— si⁶ — 事 (V) *impede an affair.*

ngok⁶ 咢   2362   (V) *perk up the head.* **Coll.** **SF** ‡
CC

— go¹ tau⁴ — 高頭 (V) *perk up the head.* **Coll.** **FE**

ngok⁶ 腭 (齶)   2363   (N) *roof of the mouth.*   **SF**   ‡   *(No Cl.)*

ngok⁶ 鱷 (鰐)   2364   (N) *crocodile; alligator.*   **SF**   ‡

— yue⁴ — 魚   (N) *crocodile; alligator.*   **FE**   (*Cl.* tiu⁴ 條)

— — pei⁴ — — 皮   (N) *crocodile skin.*   (*Cl.* faai³ 塊)

ngok⁶ 愕   2365   (Adj) *startled; frightened.*   **Fml.**   **SF**   ‡

— yin⁴ — 然   (Adj) *startled; frightened.*   **Fml.**   **FE**

ngok⁶ 岳   2366   (N) *wife's parents.*   **Fml.**   **SF**   ‡

— foo⁶ — 父   (N) *father-in-law.*   *(wife's father)*   **Fml.**

— mo⁵ — 母   (N) *mother-in-law.*   *(wife's mother)*   **Fml.**

ngok⁶ 樂   2367   (N) *music.*   **SF**   ‡   **AP: (1)** lok⁶ see 1970: **(2)** ngaau⁶ see 2324.

— dui⁶* — 隊   (N) *band; orchestra.*   (*Cl.* dui⁶ 隊 *or* goh³ 個)

— tuen⁴ — 團   (N) *ditto.*

— hei³ — 器   (N) *musical instrument.*   (*Cl.* júng² 種 *or* gin⁶ 件)

— jeung¹ — 章   (N) *musical composition; melody.*   (*Cl.* ji¹ 支 *or* sau² 首)

⁵ — kuk¹° — 曲   (N) *ditto.*

— lei⁵ — 理   (N) *theory of music.*   (*Cl.* jung² 種)

— po² — 譜   (N) *musical score; score sheets.*   (*Cl.* bo⁶ 部 , boon² 本 , jeung¹ 張 *or* fan⁶ 份)

ngon⁶ 岸   2368   *shore; bank.*   **SF**   ‡

— seung⁶ — 上   (Adv) *on the shore/bank.*

ngong⁶ 戇   2369   (Adj) *stupid; simple-minded.*   **Coll.**   **SF**   ‡

— gui¹ (gui¹) — 居 (居)   (Adj) *stupid; foolish.*   **Coll.**   **FE**

— jik⁶ — 直   (Adj) *simple-minded.*   **Coll.**   **FE**

ni¹° 呢   2370   (Pron) & (Adj) *this.*   SF   ‡
         CC

— bin⁶ hoi² — 便海   (Adv) & (N) *this side of the harbour—a Hong Kong expression.*

— chang⁴ — 層   (SE) *this matter/point; this floor/flat.*

— yat¹° chang⁴ — 一層   (SE) *ditto.*

— chi³ — 次   (Adv) & (N) *this time.*

⁵ — di¹° — 啲   (Pron) & (Adj) *this (ROT uncountable nouns); these.*
     FE

— — che¹° — — 車   (SE) *these cars.*

— — yan⁴ — — 人   (SE) *these people; these persons.*

— (yat¹°) do⁶ — (一)度   (Adv) *here.* *(Lit. this place)*

— — sue³ — — 處   (Adv) *ditto.*

¹⁰ — gei² yat⁶ — 幾日   (Adv) *in these few days.*

— goh³ — 個   (Adj) *this. (ROT nouns that take the classifier "goh³"* 個)   **FE** (Pron) *this; this one. (ROT nouns that take the classifier "goh³"* 個)   **FE**

— — lai⁵ baai³ — — 禮拜   (Adv) & (N) *this week.*

— — sing¹ kei⁴ — — 星期   (Adv) & (N) *ditto.*

— — yuet⁶ — — 月   (Adv) & (N) *this month.*

¹⁵ — nin⁴ — 年   (Adv) & (N) *this year.*

— yat¹° nin⁴ — 一年   (Adv) & (N) *ditto.*

— paai⁴* — 排   (Adv) *these past days; most recently.*

— yat¹° paai⁴* — 一排   (Adv) *ditto.*

— sai³ — 世   (SE) *the whole of one's life; the rest of one's life.*

²⁰ — yat¹° sai³ — 一世   (SE) *ditto.*

ni¹ 腬   2371   (V) *hide oneself.* **Coll.** SF ‡

— maai⁴ — 埋   (V) *hide oneself.* **Coll.** **FE**

nik¹° 匿   2372   (V) *hide; avoid.* **Fml.** SF ‡ (Adj) *anonymous.* SF
     ‡

— bei⁶ — 避   (V) *hide; avoid.* **Fml.** **FE**

— ming⁴ — 名   (Adj) *anonymous.* **FE**

— — jok³ je² — — 作者   (N) *anonymous writer.*

— — sun³ — — 信   (N) *anonymous letter.* (*Cl.* fung¹ 封)

nik¹° 暱(昵)   2373   (Adj) *familiar ; intimate.* **Fml.** **SF** ‡

— gan⁶ — 近   (V) *be familiar/intimate with sb.* **Fml.** **FE**

— oi³ — 愛   (V) *ditto.*

nik¹° 搦   2374 **CC**   (V) *seize ; carry.* **Coll.** **SF** ‡

— jue⁶ — 住   (V) *seize ; take hold of.* **Coll.** **FE**

— lai⁴ nik¹° hui³ — 嚟搦去   (SE) *Carry sth back and forth.* **Coll.**

nik⁶ 溺   2375   (V) *drown ; be fond of.* **Fml.** **SF** ‡

— bai⁶ — 斃   (V) *drown ; be drowned.* **Fml.** **FE**

— sei² — 死   (V) *ditto.*

— jau² — 酒   (V) *be/become addicted to liquor.* **Fml.**

— jik¹° — 職   (V) *neglect duties.* **Fml.**

5 — oi³ — 愛   (V) *be over fond of ; dote on.* **Fml.** **FE**

nim¹ 拈   2376   (V) *pluck ; pick up with finger.* **SP** ‡

— fa¹° — 花   (V) *pluck flowers.*

— — ye⁵ cho² — — 惹草   (SE) *indulge in a lascivious life ; be fond of women.* (*Lit. pluck flowers touch grass*)

— hei² — 起   (V) *pick up with fingers.* **FE**

nim⁴ 黏(粘)   2377   (V) *paste ; adhere.* **SF** ‡ **CP niml** (Adj) *sticky ; adhesive.* **SF** ‡ **CP niml**

— jue⁶ — 住   (V) *paste/adhere tightly.*

— sat⁶ — 實   (V) *ditto.*

— lik⁶ — 力   (N) *adhesive power.* (*Cl.* jung² 種) **CP niml lik⁶**

— mok⁶* — 膜   (N) *mucous membrane.* (*Cl.* chang⁴ 層 *or* faai³ 塊) **CP nim¹ mok⁶***

5 — si⁶ daam¹°   —   士担   **(V)** *put postage stamps on letters, etc.*

— yau⁴ piu³   —   郵票   **(V)** *ditto.*

— to²   —   土   **(N)** *clay.*   *(No Cl.)*   **CP nim¹ to²**

nim⁶ 念   2378   **(V)** *remember; think of; say prayer.*   **SF ‡**

— gau² ching⁴   —   舊情   **(V)** *remember/miss old times.*

— ging¹   —   經   **(V)** *say prayers; pray.*   **FE**

— jue¹°   —   珠   **(N)** *rosary (Cl.* chuen³ 串 *); bead (Cl.* nap¹° 粒*).*

— nim⁶ bat¹° mong⁴   —   念不忘   **(SE)** *bear in mind.*

5 — seung²   —   想   **(V)** *remember; think of.*   **Fml.   FE**

— — foo⁶ mo⁵   — —   父母   **(SE)** *remember/think of parents.*

— sue¹   —   書   **(V)** *recite a lesson from memory; read aloud; go to school.* **(Mdn.)**

— suk⁶   —   熟   **(V)** *remember/learn by heart.*

— tau⁴   —   頭   **(N)** *thought; reflection.*

nin¹° 乳   2379   **(N)** *breast.*   **Coll.**   *(Cl.* jek³ 只 *; Pair:* dui³ 對 *)* 年   **CC**

— tau⁴   —   頭   **(N)** *nipple; teat.*   **Coll.**   *(Cl.* goh³ 個 *or* nap¹° 粒 *)*

nin² 撚   2380   **(V)** *wring with fingers.*   **SF ‡**   **AP nan²** see **2268.**

— gon¹ gin⁶ saam¹°   —   乾件衫   **(V)** *wring a coat dry.*

— kui⁵ jek³ sau²   —   佢只手   **(V)** *wring his hand.*

— laan⁶   —   爛   **(V)** *break up sth with fingers.*

— tuen⁵   —   斷   **(V)** *twist off with fingers.*

nin⁴ 年   2381   **(N)** *year.*   *(No Cl.)*   **(Adj)** *annual.*   **SF ‡**

— baan¹°   —   班   **(N)** *year.*   *(RT student's level of study)*   *(No Cl.)*

— kap¹°   —   級   **(N)** *ditto.*

— ching¹ ge³ yat¹° doi⁶   —   青嘅一代   **(SE)** *the young generation; the rising generation.*

— heng¹ ge³ yat¹° doi⁶   —   輕嘅一代   **(N)** *ditto.*

⁵ — fung² — 俸　　(N) *annual salary.* *(No Cl.)*

　— san¹ — 薪　　(N) *ditto.*

　— gaam³ — 鑑　　(N) *year-book; annual report.* *(Cl.* bo⁶ 部 *or* boon² 本)*

　— gam¹° — 金　　(N) *annuity.* *(Cl.* chi³ 次 *or* fan⁶ 份)*

　— gei² — 紀　　(N) *age.* *(GRT people)*

¹⁰ — sui³ — 歲　　(N) *ditto.*

　— ling⁴ — 齡　　(N) *ditto.*

　— gei² daai⁶ — 紀大　　(Adj) *old; elderly.*

　— — lo⁵ — — 老　　(Adj) *ditto.*

　— lo⁵ — 老　　(Adj) *ditto.*

¹⁵ — gei² heng¹ — 紀輕　　(Adj) *young.*

　— — sai³ — — 細　　(Adj) *ditto.*

　— heng¹ — 輕　　(Adj) *ditto.*

　— mei⁵ — 尾　　(N) *the end of the year.*

　— — fa¹ hung⁴ — — 花紅　　(N) *annual bonus; annuity.* *(Cl.* fan⁶ 份 *or* chi³ 次)*

²⁰ — — seung¹ leung⁴ — — 雙粮　　(N) *annual double-pay.* *(Cl.* chi³ 次)*

　— — — san¹ — — — 薪　　(N) *ditto.*

　— nin⁴ — 年　　(Adv) *every year; year by year; annually.*

　— siu³ mo⁴ ji¹ — 少無知　　(SE) *young and ignorant.*

　— tau⁴ — 頭　　(N) *the beginning of the year.*

nin⁵ 碾　2382　(V) *husk grain/rice.* **SF** ‡

　— guk¹° — 穀　　(V) *husk grain/rice.* **FE**

　— mai⁵ — 米　　(V) *ditto.*

　— — chong² — — 廠　　(N) *rice-hulling mill.* *(Cl.* gaan¹ 間)*

　— sui³ — 碎　　(V) *pulverize.*

ning¹ 擰　2383　(V) *carry with hand; bring, take.* **CP SF ‡ AP** ning⁶ see 2384.

　— bei² — 俾　　(V) *bring/take sth to sb.* **FE**

　— chut¹° ning¹ yap⁶ — 出擰入　　(SE) *take sth in and out.*

— chut¹° yung⁵ hei³   — 出勇氣   (SE) *take courage; be brave.*

— . . . hui³   — . . . 去   (V) *take (sth) away to.*   **FE**

⁵ — jue⁶   — 住   (V) *hold (sth firmly in the hand).*

— . . . lai⁴   — . . . 嚟   (V) *bring sth here.*

— . . . lai⁴ gong²   — . . . 嚟講   (IC) *take . . . for example.*

— sung³   — 餸   (V) *take cooked food from kitchen to dining room.*

ning⁶ 擰   2384   (V) *shake (head); turn (wheel); pinch (cheeks).*   **CP SF** ‡ **AP ning¹ see 2383.**

— juen³ tau⁴   — 轉頭   (V) *turn round; (turn the head).*

— min⁶ jue¹°   — 面珠   (V) *pinch the cheeks.*   **FE**

— tau⁴   — 頭   (V) *shake one's head.*

— taai⁵   — 軚   (V) *turn the steering wheel.*   **FE**

ning⁴ 寧   2385   (V) *prefer; would rather (do sth).*   (Adv) *rather.*   **SF** ‡   (N) *name of place.*   **SF** ‡

N— Ha⁶   — 夏   (N) *Ninghsia (a province in Northwest China).*   **Tr.**

— — Wooi⁴ Juk⁶ Ji⁶ Ji⁶ Kui¹   — — 回族自治區   (N) *Ninghsia Hui Auto-nomous Region.*   **Tr.**

n— ho²   — 可   (V) *prefer; would rather (do sth).*   **FE**   (Adv) *rather.*   **FE**

— yuen⁶   — 願   (V) *ditto.*   (Adv) *ditto.*

ning⁴ 檸   2386   (N) *lemon.*   **Tr. SF** ‡

— mung¹°   — 檬   (N) *lemon.*   **Tr. FE**

— — cha⁴   — — 茶   (N) *lemon tea.*   **Tr.**   (*Cup:* booi¹ 杯)

nip⁶ 揑(捏)   2387   (V) *fabricate; trump up.*   **Fml. SF** ‡

— jo⁶   — 造   (V) *fabricate; trump up.*   **Fml. FE**

— — jui⁶ ming⁴   — — 罪名   (SE) *trumped-up charge.*   (*Cl.* goh³ 個 *or* tiu⁴ 條)

— — yiu⁴ yin⁴   — — 謠言   (SE) *spread rumours.*

nip⁶ 鎳 **2388**   (N) *nickel.* **Fml.** **AP** nip⁶° **SM** see **2389.**

nip⁶° 鎳 **2389**   (N) *nickel.* **Coll.** **AP** nip⁶ **SM** see **2388.**

— bai⁶ — 幣   (N) *nickel; nickel coin.* **Coll.** **FE**

niu¹ 朳 **2390**   (Adj) *slender; thin.* **Coll.** **SF** ‡
                  CC

— sai³ — 細   (Adj) *slender; small.* **Coll.** **FE**

— yau³ — 幼   (Adj) *ditto.*

— sau³ — 瘦   (Adj) *thin; attenuated.* **Coll.** **FE**

niu⁵ 鳥 **2391**   (N) *bird.* **Fml.** **SF** ‡

— cheung¹° — 槍   (N) *shot gun.* (*Cl.* ji¹ 支)

— jun⁶ gung¹ chong⁴ — 盡弓藏   (SE) *when birds have gone, bows are put away; military officers discharged in times of peace.*

niu⁶ 尿（溺） **2392**   (N) *urine.* (*Cl.* chi³ 次 *or* duk¹° 篤)

— chi³ — 厠   (N) *public lavatory (for urinating).*

— do⁶ — 道   (N) *ureter.* (*Cl.* tiu⁴ 條)

— gwoon² — 管   (N) *ditto.*

— hei³ — 器   (N) *chamber pot/vessel.*

⁵ — woo⁴* — 壺   (N) *ditto.*

no⁴ 奴 **2393**   (N) *slave.* **SF** ‡

— choi⁴ — 才   (N) *slave; "yes-man".* **AL** **FE**

— — seung³ — — 相   (N) *servile disposition (of a "yes-man" conduct/ behaviour).* (*Cl.* jung² 種)

— ngaan⁴ pei⁵ sat¹° — 顏婢膝   (SE) *ditto.* (*Lit. slave's face servant's knees*) **Fml.**

— sing³ — 性   (N) *ditto.* **Coll.** (*Cl.* jung² 種)

⁵ — dai⁶ — 隸   (N) *slave.* **Coll.** **FE**

— — maai⁵ maai⁶ — — 買賣   (N) *slave trade.*   (*Cl.* jung² 種)

— — mau⁶ yik⁶ — — 貿易   (N) *ditto.*

— — sang¹ woot⁶ — — 生活   (N) *life of servitude.*   (*Cl.* jung² 種)

— yik⁶ — 役   (N) *slavery.*   (*Cl.* jung² 種)

no⁵ 努   2394   (V) *exert strength; put forth effort.*   SF ‡

— lik⁶ — 力   (V) *exert strength; put forth effort.*   FE

— — fan⁵ dau³ — — 奮鬥   (SE) *struggle with all one's energy; strive with might and main.*

— — ga¹ chaan¹ — — 加餐   (SE) *try to eat more; make an effort to improve one's health.*

no⁵ 腦   2395   (N) *brain.*   SF ‡

— beng⁶ — 病   (N) *brain trouble.*   (*Cl.* jung² 種 *or* goh³ 個)

— chung¹ huet³ — 充血   (N) *congestion of the brains; cerebral haemorrhage.*   (*Cl.* jung² 種)

— chut¹° huet³ — 出血   (N) *effusion of blood on the brain; apoplexy.*   (*Cl.* jung² 種)

— jung³ fung¹ — 中風   (N) *ditto.*

5   — yat⁶ huet³ — 溢血   (N) *ditto.*

— gan¹ — 筋   (N) *nerve of the brain; wits* (**Fig.**)*; power of thought.* *(No Cl.)*

— — gaan² daan¹ — — 簡單   (Adj) *simple minded.*

— — ling⁴ man⁵ — — 靈敏   (Adj) *quick-witted; alert.*

— goi³ — 蓋   (N) *skull.*

10   jeung¹ — 漿   (N) *brain matter.* *(No Cl.)*

— lik⁶ — 力   (N) *brain; mental vigour/energy.*

— — bat¹° juk¹° — — 不足   (N) *neurasthenia.*   (*Cl.* jung² 種)

— — sui¹ yeuk⁶ — — 衰弱   (N) *ditto.*

— mok⁶* — 膜   (N) *covering membrane of the brain.*

15   — — yim⁴ — — 炎   (N) *cerebro-spinal meningitis.*   (*Cl.* jung² 種 *or* goh³ 個)

— sai³ baau¹° — 細胞   (N) *brain cell.*

— san⁴ ging¹ — 神經   (N) *cranial nerve.*   (*Cl.* tiu⁴ 條)

no⁶ 怒 2396   (Adj) *angry.* **Fml. SF** ‡ (N) *anger.* **Fml. SF** ‡

— chiu⁴ — 潮   (N) *raging tide; tide of wrath.* **Fig.** *(Cl.* jung² 種 *or* goh³ 個*)*

— hei³ — 氣   (N) *anger; rage; wrath.* **Fml. FE** *(No Cl.)*

— — chung¹ chung¹ — — 沖沖   (SE) *be in great rage.*

noh⁴ 挪 2397   (V) *move; borrow.* **Fml. SF** ‡

— dung⁶ — 動   (V) *move; move from one place to another.*

— yi⁴ — 移   (V) *ditto.*

— hoi¹ — 開   (V) *move away; set aside.* **Fml.**

— je³ — 借   (V) *borrow.* **Fml. FE**

⁵ N— Wai¹° — 威   (N) *Norway.* **Tr.**

n— yung⁶ — 用   (V) *embezzle/misappropriate funds.* **Fml.**

noh⁶ 糯（粳） 2398   (N) *glutinous rice.* **SF** ‡

— mai⁵ — 米   (N) *glutinous rice.* **FE** *(Cl.* nap¹° 粒*)*

— — go¹° — — 糕   (N) *cake made with glutinous rice.* *(Cl.* gau⁶ 磈 *or* gin⁶ 件*)*

— — jau² — — 酒   (N) *sweet spirits made from glutinous rice.* *(Cup:* booi¹ 杯*)*

noh⁶ 懦 2399   (Adj) *weak; timid.* **SF** ‡

— foo¹ — 夫   (N) *coward.*

— yeuk⁶ — 弱   (Adj) *weak; timid.* **FE**

noi⁶ 內 2400   (Adj) *in; within; inside.*

— chaak⁶ — 賊   (N) *fifth columist; enemy agent inside an organization.*

— gaan¹ — 奸   (N) *ditto.*

— dei⁶ — 地   (N) *interior; inland.*

— foh¹° — 科   (N) *medicine; medical practice (as distinct from surgery).* *(No Cl.)*

5 — — yi¹ sang¹° — — 醫生　(N) *physician.*
　— foo³ — 褲　(N) *underpants.* **Fml.** (*Cl.* tiu⁴ 條)
　— gok³ — 閣　(N) *Cabinet (in a government).*
　— gong² — 港　(N) *inland harbour.*
　— hoh⁴ — 河　(N) *inland river.* (*Cl.* tiu⁴ 條)
10 — — hong⁴ hang⁴ — — 航行　(N) *navigation on inland rivers.* (*Cl.* chi³ 次)
　— hoi² — 海　(N) *inland sea.*
　— hong⁴ — 行　(Adj) & (N) *expert.*
　— ji² — 子　(N) *one's own wife; "my wife".* **PL**
　— yan⁴ — 人　(N) *ditto.*
15 — jaai³ — 債　(N) *domestic loans; government bonds.* (*Cl.* bat¹° 筆)
　— ji⁶ — 痔　(N) *internal hemorrhoid.*
　— jin³ — 戰　(N) *civil war.* (*Cl.* chi³ 次 or cheung⁴ 塲)
　— luen⁶ — 亂　(N) *ditto.*
　— jong⁶ — 臟　(N) *internal organs of the body; viscera.*
20 — kan⁴ (gung¹ jok³) — 勤 (工作)　(N) *work/shift in an office.* (*Cl.* jung² 種)
　— lung⁴* — 槞　(N) *floor-space.* (*Lit. inside cage*)
　— mok⁶ — 幕　(Adj) *behind the scenes.*
　— — san¹ man⁴* — — 新聞　(N) *inside story/information.* (*Cl.* jung² 種 or goh³ 個)
　N— Mung⁴ Gwoo² — 蒙古　(N) *Inner Mongolia.* **Tr.**
25 — — — Ji⁶ Ji⁶ Kui¹ — — — 自治區　(N) *Inner Mongolia Autonomous Region.* **Tr.**
　n— ngoi⁶ — 外　(SE) *inner and outer; intermal and external; native and foreign; home and abroad; inclusive and exclusive.*
　— — foh¹° — — 科　(SE) *medicine and surgery.*
　— seung¹ — 傷　(N) *internal injury.* (*Cl.* jung² 種)
　— sin³ — 線　(N) *extension (RT telephones); inside track (RT race courses); informer; influence (through the families of government officials).* (*Cl.* tiu⁴ 條)
30 — yi¹ — 衣　(N) *undervest.* **Fml.** (*Cl.* gin⁶ 件)
　— — foo⁵ — — 褲　(N) *underwear.* **Fml.** (*Cl.* to³ 套)
　— — noi⁶ foo³ — — 內褲　(N) *ditto.*
　— ying³ — 應　(N) *treachery within.* (*Cl.* jung² 種)
　— yung⁴ — 容　(N) *content.*

noi⁶ 奈(奈) 2401　　(N) *remedy; recourse.* **Fml. SF** ‡

— hoh⁴ — 何　(SE) *what remedy/alternative is there? (always implying a negative answer)* **Fml.**

— . . . m⁴ hoh⁴ — . . . 唔何　(IC) *What can . . . do to sb else?*

noi⁶ 耐 2402　(Adv) *long (in time).* (N) *patience.* **SF** ‡

— di¹° si⁴ gaan³ — 啲時間　(Adv) & (N) *a longer time.*

— sam¹ — 心　(N) *patience; perseverance; persistence.* **FE** (*Cl.* jung² 種 *or* fan⁶ 份)

— sing³ — 性　(N) *ditto.*

nok⁶ 諾 2403　(V) & (N) *promise.* **Fml. SF** ‡

— yin⁴ — 言　(N) *promise; word of honour.* **Fml. FE**

nong⁴ 囊 2404　(V) *contain.* **Fml. SF** ‡ (N) *bag; sack.* **SF** ‡

— doi⁶* — 袋　(N) *bag; sack.* **FE**

— jung¹ mat⁶ — 中物　(SE) *things in one's bag; things that can easily be obtained. (No Cl.)*

— kwoot³ — 括　(V) *contain; include.* **Fml. FE**

nong⁴ 瓤 2405　(N) *flesh of melons.* **SF** ‡

nuen⁵ 暖(煖) 2406　(Adj) *warm (in temperature).*

— lau⁴ — 流　(N) *warm ocean-current.* (*Cl.* chi³ 次 *or* do⁶ 道)

— lo⁴ — 爐　(N) *heating stove.*

— nap¹° nap¹° — 粒粒　(Adj) *extremely warm (in temperature).*

— sui² woo⁴* — 水壺　(N) *thermos flash.*

⁵ — woo⁴* — 壺　(N) *ditto.*

nuen⁶ 嫩   **2407**   (Adj) *tender (RT meat); young (RT persons, plants, etc.)*

— jai²   — 仔   (N) *small boy.* **Coll.**

— miu⁴   — 苗   (N) *young tree.* (*Cl.* poh¹ 篇)

— nga⁴   — 芽   (N) *tender shoot.* (*Cl.* poh¹ 篇 *or* tiu⁴ 條)

— yip⁶   — 葉   (N) *young leaf.* (*Cl.* faai³ 塊)

5   — yuk⁶   — 肉   (N) *tender meat.* (*No Cl.*)

nui⁵ 女   **2408**   (Adj) *female.* **SF** ‡   (N) *girl; woman.* **SF** ‡ **AP** nui⁵* see 2409.

— ban³ seung³   — 儐相   (N) *bridesmaid.* **Fml.**

— ga¹ — 家   (N) *bride's family.* (*Lit. female family*) (*Cl.* tau⁴ 頭)

— gung¹° — 工   (N) *woman worker; domestic maid.*

— gung¹° yan⁴, — 工人   (N) *ditto.*

5   — hok⁶ saang¹°   — 學生   (N) *girl student; schoolgirl.*

— sang¹° — 生   (N) *ditto.*

— jai² — 仔   (N) *girl; young lady.* **Coll. FE**

— ji² — 子   (N) *ditto.* **Fml.**

— — lei⁵ faat³ sat¹° — — 理髮室   (N) *"girlie" barber's shop.* (*Cl.* gaan¹ 間)

10   — — mei⁵ yung⁴ yuen⁶* — — 美容院   (N) *ditto.*

— jong¹° — 裝   (Adj) *female; women's.* (*GRT clothes, jewelry, etc.*)

— — bo⁶ — — 部   (N) *ladies' wear counter.* (*RT department stores*)

— — saam¹° — — 衫   (N) *women's wear.* (*Cl.* gin⁶ 件)

— yan⁴* saam¹° — 人衫   (N) *ditto.*

15   — sai³ — 婿   (N) *son-in-law.*

— yan⁴* — 人   (N) *woman.* **FE**

— — seng¹ — — 聲   (N) *effeminate/female voice.* (*Cl.* ba² 把)

— — ying⁴ — — 形   (N) *effeminate appearance/manner.* **Ctmp.** (*Cl.* jung² 種)

nui⁵* 女   **2409**   (N) *daughter; call-girl (Sl.).* **AP nui⁵ see 2408.**

nung¹ 燶   2410   (Adj) *scorched.*

— joh² — 咗   (V) *get scorched; speculate and lose.* (Sl.)

nung⁴ 農   2411   (N) *agriculture; farming.* SF ‡

— chaan² ban² — 產品   (N) *agricultural product.* (*Cl.* jung² 種)

— jok³ mat⁶ — 作物   (N) *ditto.*

— chuen¹° — 村   (N) *countryside.* (*Lit. farming village) (No Cl.*)
(Adj) *rural.*

— — gaau³ yuk⁶ — — 教育   (N) *rural education.* (*Cl.* jung² 種)

5   — — gin³ chit³ — — 建設   (N) *rural reconstruction.* (*Cl.* jung² 種)

— — ging¹ jai³ — — 經濟   (N) *rural economy.* (*Cl.* jung² 種)

— foh¹° — 科   (N) *agricultural course in a college.* (*subject:* foh¹° 科)

— foo¹ — 夫   (N) *peasant; countryman.* (*old-fashioned)* **Fml.**

— gui⁶ — 具   (N) *agricultural implement/tool.* (*Cl.* jung² 種 *or* gin⁶
件)

10   — man⁴ — 民   (N) *farmer; peasant.* (*A very respectable term in*
China)

— yip⁶ — 業   (N) *agriculture.* (*Cl.* jung² 種)

— — fa³ hok⁶ — — 化學   (N) *agricultural chemistry.* (*Subject:*
foh¹° 科)

— — gei¹ hei³ — — 機器   (N) *agricultural machinery.* (*Cl.* jung² 種
or foo³ 副)

— — hok⁶ haau⁶ — — 學校   (N) *agricultural school.* (*Cl.* gaan¹ 間)

nung⁴ 濃   2412   (Adj) *strong; heavy; dense.* SF ‡ **AP yung⁴ SM**
see 3599.

— cha⁴ — 茶   (N) *strong tea.* (*Cup:* booi¹ 杯)

— mat⁶ — 蜜   (Adj) *dense.* (*RT hair, trees, etc.)*

— mei⁴ — 眉   (N) *heavy eyebrows.* (*Cl.* do⁶ 道)

— yue⁵ — 雨   (N) *heavy rain.* (*Cl.* jan⁶ 陣 *or* cheung⁴ 塲)

5   — yuk¹° — 郁   (N) *strong.* (*RT tea, wine, etc.)* **FE**

nung⁴ 膿 2413   (N) *pus.* SF ‡

— baau¹° — 包   (N) *pustule; worthless scoundrel.* **(AL).**
— chong¹° — 瘡   (N) *abscess.*
— huet³ — 血   (N) *bloody pus.* *(No Cl.)*
— jung² — 腫   (N) *purulent swelling.* *(No Cl.)*
⁵ — sui² — 水   (N) *pus.* **FE** *(No Cl.)*

nut⁶ 吶（訥） 2414   (V) *shout; stammer.* **Fml.** **SF** ‡ **CP naap⁶** **AP nat⁶ SM see 2274.**

— haam³ — 喊   (V) *shout in triumph.* **Fml.** **FE** (N) *noise of shouting in battle.* **Fml.** **FE** **CP naap⁶ haam³**
— hau² (nut⁶ sit⁶) — 口（吶舌）   (V) *stammer.* **Fml.** **FE** **CP naap⁶ hau² (naap⁶ sit⁶)**

O

o¹ 擸 2415
CC
    (V) *reach sth with the hand.* **Coll.**

— m⁴ do² — 唔倒   (V) *be unable to reach sth with the hand.*

— yuen⁵ di¹° — 遠啲   (V) *reach a little further.*

o² 襖 2416   (N) *coat; jacket.* **Mdn.** SF ‡

o³ 奧 2417   (Adj) *mysterious.* **Fml.** SF ‡ (N) *mystery.* **Fml.** SF
‡ (P) *used in transliterations.*

— bei³ — 秘   (Adj) *mysterious.* **Fml.** FE (N) *mystery.* **Fml.** FE
(*Cl.* jung² 種 *or* goh³ 個)

O— Dei⁶ Lei⁶ — 地利   (N) *Austria.* **Tr.**

— Gwok³ — 國   (N) *ditto.*

— Hung¹ — 匈   (Adj) *Austro-Hungarian.* SF ‡

⁵ — — Bin¹ Ging² — — 邊境   (SE) *The "Hungarian Border".* (*Lit.*
Austro-Hungarian border) (*Cl.* goh³ 個 *or* sue³ 處)

o— miu⁶ — 妙   (Adj) *marvellous; mysterious.* **Fml.** FE

o³ 懊 2418   (V) & (N) *regret; reproach.* SF ‡ (Adj) *vexed; irritated.*
SF ‡

— fooi³ — 悔   (V) & (N) *regret.* **FE**

— han⁶ — 恨   (V) *reproach.* **FE** (N) *reproach; remorse.* (*Cl.* jung²
種)

— no⁵ — 惱   (Adj) *vexed; irritated.* **Fml.** FE

o³ 澳 2419   (N) *bay; dock.* SF ‡ (P) *used in transliterations.*

O— Daai⁶ Lei⁶ A³ — 大利亞   (N) *Australia.* **Tr.**

— Jau¹ — 洲   (N) *ditto.*

— Moon⁴* — 門   (N) *Macao.* (*Lit. bay gate*)

oh¹ 阿 **2420**   (V) *flatter.* **Fml.** **SF** ‡ (P) *used in transliterations.*
AP a³ see 5.

O— Foo³ Hon⁶ — 富汗   (N) *Afghanistan.* **Tr.**

— Lei⁴ Toh⁴ Fat⁶ — 彌陀佛   (SE) *Amida. (Buddha)* **Tr.**

o— wa⁴ tin⁴ — 華田   (N) *Ovaltine. (Cup:* booi¹ 杯 *; Tin;* gwoon³ 罐)

— yue⁴ (fung⁶ sing⁴) — 諛 (奉丞)   (V) *flatter.* **Fml.** **FE** (N)
flattery. **Fml.** **FE** (*Cl.* jung² 種)

oh¹ 屙 **2421**   (V) *go to stool.*
CC SF ‡

— liu⁶ — 尿   (V) *urinate; pass water.*

— si² — 屎   (V) *defecate; go to stool.*

oh¹ 疴 (痾) **2422**   (V) *suffer from dysentery/diarrhea.* **SF**

— au² — 嘔   (SE) *diarrhea and vomiting.*

— huet — 血   (V) *pass blood.*

— lei⁶ — 痢   (V) *suffer from dysentery.* **FE**

— to⁵ — 肚   (V) *suffer from diarrhea.* **FE**

oh⁴ 哦 **2423**   (Itj) *yes; very well.*
CC

oh⁶ 啊 **2424**   (Itj) *oh.*
CC

oi¹ 埃 **2425**   (N) *dust.* **Fml.** **SF** ‡ (P) *used in transliterations.* **AP**
aai¹ see 11.

O— kap⁶ — 及   (N) *Egypt.* **Tr.**

— — yan⁴ — — 人   (N) *Egyptian.* **Tr.**

oi¹ 哀 **2426**   (V) *grieve; mourn.* **Fml.** **SF** ‡

— do⁶ — 悼   (V) *grieve; mourn.* **Fml.** **FE**

— kau⁴ — 求   (V) *beg for mercy; beseech.*

— lin⁴ — 憐   (V) *pity; compassionate.*

oi³ 愛   **2427**   (V) *love; be fond of; treasure.* **SF**   (N) *love.* **SF**

— ching⁴ — 情   (N) *love; affection.*   **FE**   (*Cl.* jung² 種)

— choi⁴ yue⁴ meng⁶ — 財如命   (SE) *love money as one's life; be extremely covetous.*

— daai³ — 戴   (V) *love and respect.*

— gwok³ — 國   (V) *love one's country; be patriotic.*

5   — — (sam¹) — — (心)   (N) *patrotism.*   (*Cl.* jung² 種)

— — ji³ si⁶ — — 志士   (N) *ardent patriot.*

— ho³ — 好   (V) *be fond of; have a fancy for.*   (*RT things*)   **FE**

— mo⁶ — 慕   (V) *love; like; have affection for.*   **FE**

— yuet⁶ — 悅   (V) *ditto.*

10   — mok⁶ nang⁴ joh⁶ — 莫能助   (SE) *love without being able to help.*

— sik¹° — 惜   (V) *treasure; spare; care for.*   (*RT things*)   **FE**

— uk¹° kap⁶ woo¹ — 屋及烏   (SE) *when one loves a house, affection extends even to the crows on the roof; "love me, love my dog".*

— yan⁴ yue⁴ gei² — 人如己   (SE) *love others as oneself; love one's neighbour as oneself.*

O— Yi⁵ Laan⁴ — 爾蘭   (N) *Ireland.*   **Tr.**

ok³ 惡   **2428**   (Adj) *evil; hard; severe (RT people).*   **SF**   ‡   **AP** woo³ **see 3268.**

— ba³ — 霸   (N) *rascal; hooligan; rough; rowdy.*

— gwan³ — 棍   (N) *ditto.*

— bo³ — 報   (N) *evil recompense.*   (*Cl.* jung² 種)

— duk⁶ — 毒   (Adj) *evil-minded; wicked.*   **FE**

5   — gau² — 狗   (N) *fierce dog.*

— gong² — 講   (Adj) *hard/difficult to say; unpredictable.*

— gwai² — 鬼   (N) *evil spirit; demon.*   (*Cl.* jek³ 只)

— moh¹ — 魔   (N) *ditto.*   (*Cl.* goh³ 個)

— jaap⁶ — 習   (N) *evil/bad habit.*   (*Cl.* jung² 種)

10   — jo⁶ — 做   (Adj) *hard/difficult to do.*

— jok³ kek⁶ — 作劇   (N) *practical joke.*   (*Cl.* goh³ 個 *or* jung² 種)

— sei² — 死   (Adj) *severe; difficult; unfriendly; hard to get along with.* (*RT people*)   **FE**

— seung¹ yue⁵ — 相與   (Adj) *ditto.*

— sik⁶ — 食   (Adj) *hard to eat; distasteful.*

15 — yan⁴ — 人   (N) *evil/wicked person.*

— yau⁵ ok³ bo³ — 有惡報   (SE) *evil has its recompense.*

— yi³ — 意   (N) *evil will; wicked idea.*

on¹ 安   2429   (Adj) *safe; peaceful.* **SF** ‡   (N) *safety; peace.* **SF** ‡

— chaap³ — 挿   (V) *arrange jobs (for people; arrange accommodation) (for people; offices, schools, etc.); look after refugees/victims of disasters.*

— ji³ — 置   (V) *ditto.*

— chuen⁴ — 全   (Adj) *safe; secure.* (N) *safety; security.* *(No Cl.)*

— ding⁶ — 定   (Adj) *steady; stable.* *(RT economy, law and order, etc.)*

5 O— Fai¹ (Saang²) — 徽 (省)   (N) *Anhwei; Anhwei Province.* **Tr.**

o— fan⁶ (sau² gei²) — 份 (守己)   (SE) *be content with one's lot.*

— gui¹ lok⁶ yip⁶ — 居樂業   (SE) *live in peace and be content with one's occupation.*

— haan⁴ — 閑   (Adj) *leisurely; idle; indolent*

— sik¹° — 適   (Adj) *ditto.*

10 — yat⁶ — 逸   (Adj) *ditto.*

— jam² mo⁴ yau¹ — 枕無憂   (SE) *sleep without anxiety.*

— jing⁶ — 靜   (Adj) *quiet; tranquil.*

— lok⁶ — 樂   (Adj) *peaceful and happy.*

— min⁶ — 眠   (V) *sleep peacefully.* (N) *peaceful sleep.* *(Cl.* chi³ 次)

15 — sui⁶ — 睡   (V) *ditto.* (N) *ditto.*

— min⁴ yeuk⁶ — 眠葯   (N) *sleeping pill; sedative.* *(Cl.* nap¹° 粒)

— paai⁴ — 排   (V) *arrange; make arrangements.* (N) *arrangements in general.* *(Cl.* goh³ 個 *or* jung² 種)

— sam¹ — 心   (V) *set one's mind at ease; compose oneself.*

— — gung¹ jok³ — — 工作   (SE) *be intent on one's work.*

on¹ 鞍   2430   (N) *saddle.* **SF** ‡

on³ 案 **2431** (N) *law cases in general.* **SF** ‡ (*Cl.* gin⁶ 件 *or* jung¹ 宗)

— gin⁶* — 件 (N) *law case; criminal case; civil case.* **FE** (*Cl.* gin⁶ 件 *or* goh³ 個)

on³ 按 **2432** (V) *mortgage; massage, press with hand.* **SF** ‡ (N) *deposit; massage; mortgage.* **SF** ‡

— gam¹° — 金 (N) *deposit money—general term.* (*sum:* bat¹° 筆)

— kit³ — 揭 (V) & (N) *mortgage.*

— jo¹ — 租 (N) *deposit.* (*ROT rent*) (*sum:* bat¹° 筆 ; *month:* yuet⁶ 月)

— moh¹ — 摩 (V) *apply massage to.* (N) *massage.* (*Cl.* jung² 種 *or* chi³ 次)

15 — — yuen⁶* — — 院 (N) *massage parlour.* (*Cl.* gaan¹ 間)

ong³ 盎 **2433** (N) *jug.*

P

pa¹ 趴 2434   (V) *squat down; lie down.* **Coll. SF** ‡
CC

— dai¹ — 低   (V) *squat down; lie down.* **Coll. FE**

pa³ 怕 2435   (V) *be afraid of; hate; dislike.* (Adj) *afraid.* (Adv) *probably*

— chau² — 醜   (Adj) *shy; bashful.*

— dak¹° jui⁶ yan⁴ — 得罪人   (SE) *be afraid of giving offence.*

— lo⁵ poh⁴ — 老婆   (V) *be hen-pecked.*

— naan⁴ wai⁴ ching⁴ — 難爲情   (SE) *feel embarrassed.*

— pa³ — 怕   (Adj) *fearful; scared.* **Sl.**

— si⁶ — 事   (Adj) *timid; apprehensive; nervous of what might happen.*

pa⁴ 扒 2436   (V) *paddle (a boat); be a pickpocket.* **SF** ‡

— lung⁴ suen⁴ — 龍船   (V) *paddle a dragon boat.*

— ngan⁴ baau¹° — 銀包   (V) *steal/pick a wallet.*

— sau² — 手   (N) *pickpocket.*

— tau⁴ — 頭   (V) *overtake (GRT driving).* (*Lit. climb head*)

⁵ — teng⁵ — 艇   (V) *paddle a sampan.*

pa⁴ 爬 2437   (V) *climb; crawl.*

— do³ — 到   (V) *climb up to ssp.*

— saan¹ — 山   (V) *hike (on hills).* (N) *hiking (on a hill).* (*Cl.* chi³ 次*)*

pa⁴ 耙 2438   (V) & (N) *harrow.*

— dei⁶ — 地   (V) *harrow land.*

— tin⁴ — 田   (V) *harrow fields.*

639

paai³ 派 2439 (V) *deliver; despatch; issue; send; pay.* **SF** ‡
(N) *clique; group; party* (Tr.). **SF** ‡ **AP paai³°**
see **2440.**

— bing¹ — 兵 (V) *despatch/send troops.*

— bit⁶ — 別 (N) *clique; group. (GRT political parties, institutions, etc.)*

— hai⁶ — 系 (N) *ditto.*

— bo³ ji² — 報紙 (V) *deliver newspapers.*

5 — chau⁴* — 籌 (V) *issue tallies/tickets. (GRT factories, charitable clinics, etc.)*

— dui³ — 對 (N) *part; dance; ball. (ROT dancing parties)* **Tr. FE**

— pin³* — 片 (V) *pay "protection fee"; give bribes. (GRT hawkers, vice dens, etc.)* **Sl.**

— sun³ — 信 (V) *deliver mail.*

— — lo² — — 佬 (N) *postman; mailman.* **Coll.**

— yan⁴ — 人 (V) *send people (to do sth.)*

paai³° 派 2440 (Adj) *fashionable; modish; modern.* (N) *style; mode; "class". (RT clothes, behaviour, etc.)* **SF** ‡ **AP paai³** see **2439.**

— tau⁴ — 頭 (N) *style; "class".* **FE** *(RT clothes, behaviour, etc.)* **Coll. FE** (*Cl.* jung² 種)

— — daai⁶ — — 大 (Adj) *stylish; "classy"* **Coll.**

— — gau³ — — 夠 (Adj) *ditto.*

paai⁴ 排 2441 (V) *display; arrange.* (N) *row; aisle; platoon (ROT troops). (No Cl.)*

— baan² — 版 (V) *set up or compose sth for printing.*

— yan³ — 印 (V) *ditto.*

— cheung⁴ — 塲 (N) *style; "class". (RT clothes; behaviour, etc.)* **Coll.** (*Cl.* jung² 種)

— — daai⁶ — — 大 (Adj) *stylish; "classy".* **Coll.**

5 — — gau³ — — 夠 (Adj) *ditto.*

— cheung⁴ lung⁴ — 長龍 (V) *queue up; line up.* **Coll.**

— dui⁶* — 隊 (V) *ditto.* **Fml.**

— chik¹° — 斥   **(V)** *expel; reject.*

— gwat¹° — 骨   **(N)** *spare-rib.*   (*Cl.* faai³ 塊)

10   — gaai² — 解   **(V)** *settle difficulties; mediate disputes.*

— naan⁴ gaai² fan¹ — 難解紛   **(SE)** *ditto.*

— hei³ — 戲   **(V)** *rehearse.*   *(ROT plays, opera. etc.)*   **(N)** *rehearsal.* *(ROT plays, opera, etc.)*   (*Cl.* chi³ 次)

— lin⁶ — 練   **(V)** *ditto.*   **(N)** *ditto.*

— yin² — 演   **(V)** *ditto.*   **(N)** *ditto.*

15   — jeung² — 長   **(N)** *platoon leader.*

— ji⁶ — 字   **(V)** *set up type; compose type.*   **(N)** *type-setting.*   (*Cl.* chi³ 次)

— — fong⁴* — — 房   **(N)** *type-setting room.*   (*Cl.* gaan¹ 間 *or* goh³ 個)

— — gung¹ yan⁴ — — 工人   **(N)** *type-setter.*

— kau⁴ — 球   **(N)** *volley-ball.*   (*Cl.* goh³個 ; *Game:* guk⁶ 局 *or* cheung⁴ 塲)

20   — lit⁶ — 列   **(V)** *arrange in series.*   **FE**

— ngoi⁶ — 外   **(V)** *be anti-foreign; adopt an anti-foreign attitude.*

— — wan⁶ dung⁶ — — 運動   **(N)** *anti-foreign movement.*   (*Cl.* jung² 種)

— sit³ — 泄   **(V)** *excrete; eliminate; discharge.*

— sui² leung⁶ — 水量   **(N)** *displacement.*   *(GRT ships)*

paai⁴ 牌   **2442**   **(N)** *licence; sign; signboard.*   **SF**   **AP**   **paai⁴*** **see 2443.**

— bin² — 區   **(N)** *sign; signboard.*   **FE**

— jiu³ — 照   **(N)** *license.*   **FE**

— lau⁴ — 樓   **(N)** *ceremonial arch/portal.*

paai⁴* 牌   **2443**   **(N)** *playing card; mahjong.*   (*set:* foo³ 副 ; *Tile:* jek³ 只.)   **AP paai⁴ see 2442.**

paak³ 拍   **2444**   **(V)** *slap; tap.*   **AP: (1) paak³*** **see 2445; (2) paak³°** **see 2446.**

— din⁶ bo³ — 電報   **(V)** *send a telegram.*

— dong³ — 檔   **(V)** *work as a team; be a partner with sb in some activity.*   **(N)** *partner; business partner; co-worker; colleague.*   **Coll.**

— jeung² — 掌　(V) *applaud; clap hands.*

— sau² (jeung²) — 手 (掌)　(V) *ditto.*

5　— ma⁵ pei³ — 馬庇　(V) *flatter; toady; creep.　(Lit. tap horse's flanks)* **Coll.**

— maai⁶ — 賣　(V) *auction; sell by auction.*　(N) *auction; auction sale.* (*Cl.* chi³ 次)

— — hong⁴* — — 行　(N) *auctioneer.　(Cl.* gaan¹ 間)

— moon⁴ — 門　(V) *knock at a door.*

— toh¹° — 拖　(V) *have a "date" with sb; walk side by side or hand in hand (RT courting couples).*

10　— woo¹ ying¹° — 烏蠅　(SE) *slack (in trade or business); go after the small fry in cases of corruption, racketeering etc., while leaving the ring-leaders untouched.　(Lit. swat flies)*

paak³* 拍　2445

(N) *racket (RT tennis, ping pong, etc.); swat.* **AP: (1) paak³ see 2444; (2) paak³° see 2446.**

paak³° 拍　2446

(P) *used in transliterations.*　**AP: (1) paak³ see 2444; (2) paak³* see 2445.**

— na² — 乸　(N) *partner.　(RT dance, business, etc.)* **Tr.**

— ti² — 啲　(N) *party; dance; ball.* **Tr.**

paak³ 魄　2447

(N) *the animal or inferior soul; the animal or sentient life which pertains to the body.* **Fml.　SF ‡**

— lik⁶ — 力　(N) *courage; vigour; perseverance.　(Cl.* jung² 種)

paak³ 泊　2448　CC

(V) *park (cars).* **Coll.　SF ‡**

— che¹° — 車　(V) *park (cars).* **Coll.　FE**

— — biu¹° — — 錶　(N) *parking meter.*

— — dei⁶ fong¹ — — 地方　(N) *parking space.*

— — wai⁶* — — 位　(N) *ditto.*

paan¹ 攀(扳)　2449

(V) *climb; scramble up.* **Fml.　SF ‡**

— dang¹ — 登　(V) *climb; scramble up.* **Fml.　FE**

paan³ 盼   2450

(V) *long for; hope for.*   **SF** ‡

— mong⁶ — 望   (V) *long for; hope for.*   **FE**

paang⁴ 膨   2451

(V) *swell; inflate.*   **SF** ‡   (N) *swell; inflation.*   **SF** ‡

— jeung³ — 脹   (V) *swell; inflate.*   **FE**   (N) *swell; inflation.*   **FE** *(No Cl.)*

paang⁴ 蟛(蟚)   2452

(N) *small land crab.*   **SF** ‡

— kei⁴* — 蜞   (N) *small land crab.*   **FE**   (*Cl.* jek³ 只)

paang⁴ 棚   2453

(N) *shed; matshed.*   **SF** ‡

— chong² — 廠   (N) *shed; matshed.*   **FE**

— ga³* — 架   (N) *scaffolding.*

paang⁵ 棒   2454

(N) *cudgel; club.*   **Fml.**

— kau⁴ — 球   (N) *base-ball.*   (*Cl.* goh³ 個; *Game;* guk⁶ 局 *or* cheung⁴ 塲.)

paau¹ 拋   2455

(V) *throw; throw down; throw up; cast.*   **SF** ‡

— go¹ — 高   (V) *throw up.*   **FE**

— hei³ — 棄   (V) *abandon; cast aside.*

— juen¹ yan⁵ yuk⁶ — 磚引玉   (SE) *cast a brick to get a gem; throw a sprat to catch a mackerel.*

— lok⁶ (lai⁴) — 落 (嚟)   (V) *throw down.*   **FE**

⁵ — long⁶ tau⁴ — 浪頭   (V) *bluff sb.*   (*Lit. throw wave head*).

— mat⁶ sin³ — 物線   (N) *parabola.*   (*Cl.* tiu⁴條)

— mong⁵ — 網   (V) *cast a net.*

— naau⁴ — 錨   (V) *lie at anchor; cast anchor.*

paau¹° 泡   2456   (N) *bubble; foam.* **SF** ‡ **AP: (1) paau³** see **2457; (2) po⁵** see **2540; (3) pok¹°** see **2547.**

— goh¹° — 哥   (N) *pick-pocket.* **Sl.**

— moot⁶ — 沫   (N) *foam; froth.*   *(No Cl.)*

— ying² — 影   (N) *glittering bubble; unreality.* **Fig.**

paau³ 泡   2457   (V) *infuse; decoct; soak.* **SF** ‡ **AP: (1) paau¹°** see **2456; (2) po⁵** see **2540; (3) pok¹°** see **2547.**

— cha⁴ — 茶   (V) *infuse tea.* **FE**

— jai³ — 製   (V) *decoct (RT Chinese medicine); discipline (RT people).* **FE**

— sap¹° — 濕   (V) *soak; dip.* **FE**

paau² 跑   2458   (V) *run; gallop.* **SF** ‡

— chaai¹ — 差   (N) *messenger.* **Mdn.**

— che¹° — 車   (N) *sports car.* *(Cl.* ga³ 架)

— gau — 狗   (V) *race dogs.* (N) *dog-races.* *(Cl.* chi³ 次 *or* cheung⁴ 塲)

— — cheung⁴ — — 塲   (N) *race-course for dogs.*

5 — ma⁵ — 馬   (V) *ride on horseback; gallop; race horses.* **FE** (N) *horse-riding; galloping; horse-race.* *(Cl.* chi³ 次)

— — cheung⁴ — — 塲   (N) *race-course.*

P— M— Dei⁶* — — 地   (N) *Happy Valley.*

paau³ 炮   2459   (V) *bombard.* **SF** ‡ (N) *bombardment; firecracker.* **SF** ‡

— gik¹° — 擊   (V) *bombard.* **FE** (N) *bombardment.* **FE** *(Cl.* chi³ 次)

— gwang¹ — 轟   (V) *ditto.* (N) *ditto.*

— jeung⁶* — 仗   (N) *fire-crackers.* **Coll. FE** *(String:* chuen³ 串 ; *Package:* baau¹ 包.)

— juk¹° — 竹   (N) *ditto.* **Fml.**

paau³ 砲(礮，礟)   2460   (N) *cannon; big gun.* *(Cl.* ham² 砍 ; moon⁴ 門 *or* juen¹ 尊)

— bing¹ — 兵   (N) *artillery-man.* *(Cl.* ji¹ 支 *or* dui⁶ 隊)

— daan⁶* — 彈   (N) *cannon ball.*

— dui⁶* — 隊   (N) *artillery unit.*   (*Cl.* ji¹ 支 *or* dui⁶ 隊)

— laam⁶ — 艦   (N) *gunboat (large).*   (*Cl.* jek³ 只)

⁵ — tang⁵ — 艇   (N) *ditto.   (small)*

— laam⁶ jing³ chaak³ — 艦政策   (N) *gunboat policy.*   (*Cl.* goh³ 個 *or* jung² 種)

— lau⁴ — 樓   (N) *gun-turret.*   (*Cl.* goh³ 個 *or* joh⁶ 座)

— ngaan⁵ — 眼   (N) *port-hole for guns; touch-hole.*

— sau² — 手   (N) *gunner.*

— seng¹ — 聲   (N) *noise of guns.*   (*Cl.* chi³ 次 *or* jan⁶ 陣)

— toi⁴* — 台   (N) *fort; fortress.*   (*Cl.* goh³ 個 *or* joh⁶ 座)

paau³ 豹   2461   (N) *leopard.*   (*Cl.* jek³ 只)

paau⁴ 刨   2462   (V) *pare/plane away; swot* (**Coll.**).   **SF**   ‡

— muk⁶ — 木   (V) *pare/plane wood.*   **FE**

— sue¹ — 書   (V) *swot; study hard.*   (*RT school work*)   **Coll.**   **FE**

— waat⁶ — 滑   (V) *pare/plane smooth.*

paau⁴ 鉋(刨)   2463   (N) *plane (carpenter's tool); razor.*   **SF**   ‡   **AP paau⁴* SM see 2464.**

paau⁴* 鉋(刨)   2464   (V) *plane (carpenter's tool); razor.*   **Coll.**   **SF**   **AP paau⁴ SM see 2463.**

pai¹ 批   2465   (V) *criticise; approve.*   **SF**   ‡   (Adj) *&* (Adv) *wholesale.*   **SF**   ‡   (N) *criticism; approval.*   **SF**   ‡

— bok³ — 駁   (V) *reject; disapprove of.*   (*RT petitions, appeals, etc.*)   **FE**   (N) *reject; disapproval.*   (*RT petitions, appeals, etc.*)   **FE**   (*Cl.* chi³ 次 *or* jung² 種)

— faat³ — 發   (V) *sell wholesale.*   **FE**   (Adj) *&* (Adv) *wholesale.*   **FE**

— — ga³ (chin⁴) — — 價(錢)   (N) *wholesale price.*

— jun² — 准   (V) *approve; give approval.*   **FE**   (*Cl.* chi³ 次 *or* jung² 種)

— ping⁴ — 評   (V) *criticize.* **FE**   (N) *criticism.* **FE**   (*Cl.* goh³ 個 or jung² 種)

— poon³ — 判   (V) *ditto.*   (N) *ditto.*

— ping⁴ ga¹° — 評家   (N) *critic.*

pan³ 噴   2466   (V) *spray; puff.* **SF** ‡

— chuen⁴ — 泉   (N) *geyser.*

— faan⁶ — 飯   (Adj) *funny; laughable; humorous.*   (*Lit. spurt out food*)

— hei³ — 氣   (V) *exhale; blow out breath.*

— mo⁶ hei³ — 霧器   (N) *atomizer.*

5 — se⁶ gei¹ — 射機   (N) *jet plane.*   (*Cl.* ga³ 架)

— sui² — 水   (V) *spray/spurt water.*

— — chi⁴ — — 池   (N) *fountain.*

— — woo⁴* — — 壺   (N) *clothes sprinkler.*

— yau⁶* — 油   (V) *spray paint.*

10 — yin¹° — 烟   (V) *puff (from smoking).*

— yin¹ mo⁶ — 烟霧   (V) *give off fumes; fume.*

pan⁴ 貧   2467   (Adj) *poor; impoverished.* **Fml. SF** ‡   (N) *poverty.* **Fml. SF** ‡

— fat⁶ — 乏   (Adj) *destitute; in straits.*   (N) *destitution; deficiency.*   (*Cl.* jung² 種)

— foo² — 苦   (Adj) *poverty-stricken.*

— kwan³ — 困   (Adj) *ditto.*

— foo³ — 富   (SE) *poverty and wealth; rich and poor.*

5 — huet³ — 血   (N) *anaemia.*   (*Cl.* jung² 種)

— — beng⁶ — — 病   (N) *ditto.*

— — jing³ — — 症   (N) *ditto.*

— kung⁴ — 窮   (Adj) *poor; improverished.* **Fml. FE**   (N) *poverty.* **Fml. FE**   (*Cl.* jung² 種)

— man⁴ — 民   (N) *poor people; the poor.* **Fml.**

10 — — kui¹ — — 區   (N) *slum area/district; the slums.*

— — hok⁶ haau⁶ — — 學校   (N) *school for poor students.*   (*Cl.* gaan¹ 間)

pan⁴ 頻 **2468**   (Adj) *hurried; hasty.* **Coll.** **SF** ‡ (Adv) *repeatedly; incessantly.* **SF** ‡

— lan⁴ — 啢   (Adj) *hurried; hasty.* **Coll.** **FE**

— pan⁴ — 頻   (Adv) *repeatedly; incessantly.* **FE**

— — chui¹ chuk¹° — — 催促   (SE) *arge incessantly.*

— — lan⁴ lan⁴ — — 啢啢   (Adv) *in a great hurry.*

5 — pok³ — 樸   (Adj) *always in a hurry; restless.*

pan⁴ 蘋 **2469**   (N) *flowering plant of some kind.* **Fml.** **SF** **AP** ping⁴ see **2514.**

pan⁵ 牝 **2470**   (Adj) & (N) *female.* *(RT animals, birds, etc.)* **Fml.** **SF** ‡

— gai¹° si¹ san⁴ — 鷄司晨   (SE) *the hen ruling the morning; the wife wearing the breeches.*

— luk⁶* — 鹿   (N) *female deer.* *(Cl.* jek³ 只 *)*

pang⁴ 朋 **2471**   (V) *associate; join.* **Fml.** **SF** ‡ (N) *friend.* **SF** ‡

— bei² wai⁴ gaan¹ — 比爲奸   (SE) *associate/join together for treasonable purposes.*

— yau⁵ — 友   (N) *friend.* **FE**

pang⁴ 硼 **2472**   (N) *borax.* **SF** ‡

— sa¹ — 砂   (N) *borax.* **FE** *(Cl.* jung² 種 *)*

— suen¹° — 酸   (N) *boric acid.* *(Cl.* jung² 種 *)*

pang⁴ 憑(憑) **2473**   (V) *depend upon; rely on.* **SF** ‡ (Adv) *according to.* **SF** ‡

— daan¹° — 單   (N) *voucher; invoice.* *(Cl.* jeung¹ 張 *)*

— gui³ — 據   (N) *proof; evidence.* *(Cl.* yeung⁶ 樣 *)*

— jing³ — 証   (N) *ditto.*

— hung¹ — 空   (Adv) *without proof/evidence.*

5 — jik⁶ — 藉   (V) *depend on; rely on.* **FE**

— kaau³ — 靠   (V) *ditto.*

— leung⁴ sam¹ — 良心   (Adv) *according to conscience; conscientiously.*

— piu³ yap⁶ joh⁶ — 票入座   (SE) *admission by ticket only.*

pat¹° 匹   **2474**   (V) *marry; match.* **Fml. SF** ‡   (N) *one of a pair; mate.* **Fml. SF** ‡   (Cl) *for horses, etc.* (PN) *roll/ bolt of cloth.*

— foo¹ — 夫   (N) *husband; ordinary man.* **Fml.**

— foo⁵ — 婦   (N) *married woman; ordinary woman.*

— ngau⁵ — 偶   (N) *married couple.* **Fml.**

— pooi³ — 配   (V) *marry; match.* **Fml. FE**

pat¹° 疋   **2475**   (N) *piece-goods.* **SF** ‡   (PN) *roll/bolt of cloth.*

— tau⁴ — 頭   (N) *piece-goods in general.* (*Bolt:* pat¹° 疋)

— — po³* — — 鋪   (N) *piece-goods store.* (*Cl.* gaan¹ 間)

pàu² 剖   **2476**   (V) *cut open.* **Fml. SF** ‡

— fuk¹° — 腹   (V) *cut open belly.*

— — sang¹ chaan² — — 生產   (SE) *caesarean operation/section.*

— hoi¹ — 開   (V) *cut open.* **Fml. FE**

— si¹ — 屍   (V) *dissect a corpse.* (*RT post-mortem examinations*)

— yim⁶ — 賒   (V) *ditto.*

pei¹ 披   **2477**   (V) *open; wear.* **Fml. SF** ‡

— duk⁶ — 讀   (V) *open and read.*

— laam⁵ — 覽   (V) *ditto.*

— yuet⁶ — 閱   (V) *ditto.*

— faat³ — 髮   (V) *wear hair dishevelled.*

5   — tau⁴ saan² faat³ — 頭散髮   (V) *ditto.*

— gin¹ — 肩   (N) *cape; stole.*   (*Cl.* gin⁶ 件)

— yi¹ — 衣   (V) *wear clothes.*   **Fml.**

pei¹ 砒   2478   (N) *arsenic.*   **SF** ‡

— seung¹ — 霜   (N) *arsenic; red sulphide of arsenic.*   (*No Cl.*)

pei¹ 剝   2479   (V) *peel; pare; trim.*   **Coll.**   **SF** ‡   **CP pai¹.**   **CC**

— chaang⁴* — 橙   (V) *peel oranges.*

— geuk³ gaap³ — 脚甲   (V) *pare/trim toe-nails.*

— gon¹ jeng⁶ — 乾淨   (V) *peel clean.*

— pei⁴ — 皮   (V) *peel (RT fruits).*   **FE**

5 — sau² gaap³ — 手甲   (V) *pare/trim finger-nails.*

pei² 鄙   2480   (V) *despise.*   **Fml.**   **SF** ‡   (Adj) *modest; mean; parsimonious.*   **Fml.**   **SF** ‡

— bok⁶ — 薄   (Adj) *modest; humble; underestimated.*   **Fml.**   **FE**

— si⁶ — 視   (V) *despise; look down on.*   **Fml.**   **FE**

— jin⁶ — 賤   (Adj) *mean; low; base; humble.*   **Fml.**   **FE**

— lau⁶ — 陋   (Adj) *ditto.*

5 — lun⁶ — 吝   (Adj) *parsimonious; miserly.*   **Fml.**   **FE**

— yan⁴ — 人   (Pron) *I; me.*   **Fml.**   **PL**

pei³ 譬   2481   (Adv) *for example.*   **SF** ‡   (N) *simile.*   **SF** ‡

— yue⁴ (gong²) — 如（講）   (Adv) *for example; for instance.*   **FE**

— yue⁶ — 喻   (V) *simile.*   **FE**

pei⁴ 皮   2482   (N) *leather; skin; hide; fur; bark.*   (*Cl.* faai³ 塊 *or* chang⁴ 層)   **AP pei⁴*** **see 2683.**

— cho² — 草   (N) *furs in general.*   **Fml.**   **FE**   (*Cl.* jung² 種 *or* gin⁶ 件)

— daai⁴* — 帶   (N) *leather belt.* (*Cl.* tiu⁴ 條)

— daan⁶* — 蛋   (N) *duck eggs preserved in lime.* (*Cl.* jek³ 只)

— fai³ — 費   (N) *overheads; overhead expenses; overhead charges.* (*Lit. skin expenses*) **Fml. FE** (*Cl.* bat¹° 筆 *or* jung² 種)

5   — foo¹ — 膚   (N) *skin; human skin.* **FE** (*Cl.* faai³ 塊 *or* chang⁴ 層)

    — — beng⁶ — — 病   (N) *skin disease.* (*Cl.* jung² 種)

— gaak³ — 革   (N) *leather.* **FE** (*Cl.* jung² 種)

— gip¹° — 喼   (N) *leather suitcase.*

— seung¹° — 箱   (N) *ditto.*

10   — haai⁴ — 鞋   (N) *leather shoes.* (*Cl.* jek³ 只; *pair:* dui³ 對)

    — — bo⁶ — — 部   (N) *shoe counter/section.* (*RT department stores*)

pei⁴* 皮   **2483**   (N) *fur/fur-coat* (*Cl.* gin⁶ 件); *overheads* (*No Cl.*). **Coll.**

pei⁴ 疲   **2484**   (Adj) *tired.* **Fml. SF** ‡

— guen⁶ — 倦   (Adj) *tired; weary; exhausted.* **Fml. FE**

— lo⁴ — 勞   (Adj) *ditto.*

pei⁴ 枇   **2485**   (N) *loquat.* **SF** ‡

— pa⁴ gwoh² — 杷果   (N) *loquat.* **FE**

pei⁴ 琵   **2486**   (N) *pipa—a plucked instrument.* **Tr. SF** ‡

— pa⁴ — 琶   (N) *pipa—a plucked instrument.* **Tr. FE**

pei⁴ 貔   **2487**   (N) *leopard-like beast.* **SF** ‡

— yau¹° — 貅   (SE) *male and female of fabulous leopard—like beast; naughty and wild children* (**Sl.**).

pei⁴ 脾   **2488**   (N) *temper; spleen; stomach.* **SF** ‡

— hei³ — 氣   (N) *temper; disposition.* **FE** (*Cl.* jung² 種)

— jong⁶ — 臟   (N) *spleen.* **FE**

— wai⁶ — 胃   (N) *stomach; appetite digestion* (**Fig.**).

pei⁴裨 **2489**   (N) *benefit; advantage.* **SF** ‡

— yik¹° — 益   (N) *benefit; advantage.* **FE** *(No Cl.)*

pei⁵被 **2490**   (N) *quilt; coverlet.* (*Cl.* jeung¹ 張) **AP: (1) bei⁶ see 82; (2) bei⁶* see 83.**

— daan¹° — 單   (N) *sheets for a bed.* (*Cl.* jeung¹ 張)

— po¹ — 鋪   (N) *bedding.* *(No Cl.)*

— to³* — 套   (N) *large bag for holding bedding.*

pek³ 劈 **2491**   (V) *split open; rend.* **SF** ‡

— chaai⁴ — 柴   (V) *split firewood.*

— hoi¹ — 開   (V) *split open.* **FE**

— laan⁶ — 爛   (V) *split; rend.* **FE**

— sui³ — 碎   (V) *ditto.*

peng⁴* 瓶 **2492**   (N) *jug; vase.* **Coll.** **SF** ‡ **AP ping⁴ SM see 2515.**

peng⁴平 **2493**   (Adj) *cheap; inexpensive.* **Coll.** **AP ping⁴ see 2516.**

— maai⁵ peng⁴ maai⁶ — 買平賣   (SE) *do business at a reasonable profit.* *(Lit. cheap buy cheap sell)*

— maai⁶ — 賣   (N) *bargain sale.* (*Cl.* chi³ 次)

— ye⁵ mo⁵ ho² — 嘢有好   (N) *cheap things are no good.*

pik¹°僻 **2494**   (Adj) *secluded; quiet.* **Fml.** **SF** ‡

— chue² — 處   (V) *reside/dwell in a secluded place.* **Fml.**

— gui¹ — 居   (V) *ditto.*

— jing⁶ — 靜   (Adj) *secluded; quiet.* **Fml.** **FE**

pik¹°闢   2495   (V) *correct; open up.*

— fong¹ — 荒   (V) *open up wild country.* **Fml.** **FE**

— tin⁴ — 田   (V) *ditto.*

— yiu⁴ — 謠   (V) *correct/deny rumours.* **FE**

pik¹°癖   2496   (N) *craving; bad habit.* **SF** ‡

— ho³ — 好   (N) *craving; bad habit.* **FE** (*Cl.* jung² 種)

— sing³ — 性   (N) *ditto.*

pik¹°霹   2497   (N) *noise of thunder.* **Ono.** **SF** ‡

— lik¹° (yat¹° seng¹) — 靂 (一聲)   (N) *noise of thunder.* **Ono.** **FE**
(No Cl.)

pin¹扁   2498   (Adj) *small.* **Fml.** **SF** ‡ **AP bin² see 97.**

— jau¹ — 舟   (N) *skiff; small boat.* **Fml.** (*Cl.* yip⁶ 葉)

pin¹偏   2499   (V) *be biased/prejudiced; take sides.* **SF** ‡ (Adj) *biased; prejudiced; partial; remote.* **SF** ‡ (Adv) *against one's wish; adversely.* **SF** ‡

— gin³ — 見   (N) *prejudice.* **FE** (*Cl.* jung² 種)

— pik¹° — 僻   (Adj) *remote; deserted.*

— pin¹ — 偏   (Adv) *against one's wish; adversely.* **FE**

— pho² — 頗   (Adj) *partial; unfair.* **FE**

⁵ — sam¹ — 心   (Adj) *biased/prejudiced against.* **FE** (N) *bias; prejudice.* **FE** (*Cl.* jung² 種)

— taan² — 袒   (V) *be biased/prejudiced; take side.* **FE**

pin¹篇   2500   (N) *space; section.* (*RT newspapers, magazines, etc.*) **SF** ‡ (*Cl*) *for poems, psalms, pieces of prose, etc.*

— fuk¹° — 幅   (N) *space; section.* (*RT newspapers, magazine, etc.*)
(No Cl.)

pin¹ 編   2501   (V) *make arrangements (RT class instruction, accommodation, etc.); compile (RT dictionaries, glossaries, etc.); edit (RT newspapers, magazines, etc.).* **SF**

— baan¹° — 班   (V) *make arrangements for classes.*

— — jai³ do⁶ — — 制度   (N) *system of class arrangements.*

— chap¹° — 輯   (V) *edit. (RT newspapers, magazines, etc.)* **FE** (N) *editor. (RT newspapers, magazines, etc.)*

— je² — 者   (N) *ditto.*

5 — chap¹° bo⁶ — 輯部   (N) *editorial department/staff.*

— jai³ — 制   (N) *system of organization; staff structure.*

— jue³ — 著   (V) *compile. (RT dictionaries, glossaries, etc.)* **FE**

— kek⁶ (ga¹°) — 劇 (家)   (N) *playwright.*

— paai⁴ — 排   (V) *make arrangements; arrange.* **FE**

10 — yap⁶ — 入   (V) *include; enrol.*

pin¹ 翩   2502   (V) *flutter.* **Fml. SF** ‡ (Adj) *elegant; imposing* **SF** ‡ (Adv) *elegantly; imposingly.* **SF** ‡

— pin¹ — 翩   (V) *flutter/move about. (GRT birds, butterflies, etc.)* **Lit. & Fig.**

— — gung¹ ji² — — 公子   (SE) *elegant young man; "dandy"* (**Der.**)

— — hei² mo⁵ — — 起舞   (SE) *dance elegantly/imposingly.*

pin³ 片   2503   (Adj) *small; short; one-sided.* **SF** ‡ *(Cl) for atmosphere, phenomena, etc.; for meats, clouds, etc.* **AP pin³* see 2504.**

— duen⁶ — 段   (N) *small section/part taken out of context. (No Cl.)*

— hak¹° — 刻   (N) *a brief moment.*

— ga² ming⁴ — 假名   (N) *the square form of the Japanese syllabary; katakana. (Cl. jung² 種)*

— min⁶ — 面   (Adj) *one-sided; unilateral.*

5 — — hap⁶ tung⁴ — — 合同   (N) *unilateral agreement/contract. (Cl. fan⁶ 份 or goh³ 個)*

— — — yeuk³ — — — 約   (N) *ditto.*

— — kuet³ ding⁶ — — 決定   (N) *one-sided decision.*

— — tai² faat³ — — 睇法   (N) *one-sided view.*

pin³* 片   **2504**   (N) *film/moving* (*Cl.* chut¹° 齣); *medicinal tablets* (*Cl.* faai³ 塊); *bribe/protection fee* (*Cl.* chi³ 次). **Coll. AP pin³ see 2503.**

pin³ 騙   **2505**   (V) & (N) *swindle.* **SF** ‡

— chin⁴* — 錢   (V) *swindle money (out of sb).*

— guk⁶ — 局   (N) *plan for cheating; confidence trick.*

— ji² — 子   (N) *swindler; cheat.*

— sut⁶ — 術   (N) *swindle; trick; wiles.* (*Cl.* jung² 種)

pin⁴ 便   **2506**   (Adj) *advantageous.* **SF** ‡   (N) *advantage.* **SF** ‡ **Cf. bin⁶ 便 see 100.**

— yi⁴ — 宜   (Adj) *advantageous; cheap and good.* **FE** (N) *advantage; gain.* **FE** (*Cl.* chi³ 次)

ping¹ 乒   **2507**   (N) *ping-pong; table-tennis.* **Man.** ‡ **AP bing¹ see 104.**

— pong¹ kau⁴ — 乓球   (N) *ping-pong; table-tennis.* **Man. FE** (*Cl.* goh³ 個 ; *games:* guk⁶ 局 or cheung⁴ 場.)

ping¹ 拼   **2508**   (V) *mix up; spell; risk one's life.* **SF** ‡

— meng⁶ — 命   (V) *risk one's life.* **FE** (Adv) *with one's life at stake; at great risk.*

— poon⁴* — 盤   (N) *assorted roast meats.* (*Lit. mixed plates*)

— yam¹° — 音   (V) *spell phonetically; romanize.* (*GRT the Chinese language*) (N) *spelling; romanziation.* (*GRT the Chinese language*) (*Cl.* jung² 種)

— — jai³ — — 制   (N) *system of romanizaton.* (*GRT the Chinese language*) (*Cl.* jung² 種 or goh³ 個)

⁵ — — faat³ — — 法   (N) *ditto.*

ping¹ 姘   **2509**   (V) *have illicit sexual relations with.* **SF** ‡

— sik¹° — 識   (V) *have illicit sexual relation with.* **FE**

— tau⁴ — 頭   (N) *paramour; lover.*

ping¹抨 **2510** (V) *attack; criticize.* **SF** ‡

— gik¹° — 擊 (V) *denounce sb's faults; criticize severely.* **FE**

ping¹砰 **2511** (N) *noise of falling rocks.* **Ono.** **AP ping⁴ see 2512.**

ping⁴砰 **2512** (N) *name of place.* **Coll.** **SF** ‡ **AP ping¹ see 2511.**

P— Sek⁶ — 石 (N) *Pingshih.* *(in North Kwangtung)* **Tr.**

ping³聘 **2513** (V) *employ; appoint; be betrothed.* **SF** ‡

— chan¹ — 親 (V) *be betrothed/engaged to.* **FE**

— ching² — 請 (V) *employ; appoint; engage.* **FE** **PL**

— gam¹° — 金 (N) *money paid on betrothal.* *(Cl.* bat¹°筆)

— lai⁵ — 禮 (N) *ditto.*

⁵ — sue¹° — 書 (N) *letter of appointment.* *(Cl.* jung¹ 封)

ping⁴蘋 **2514** (N) *apple.* **SF** ‡ **AP pan⁴ see 2469.**

— gwoh² — 果 (N) *apple.* **FE**

ping⁴瓶 **2515** (N) *jug; vase.* **Fml.** **SF** ‡ **AP peng⁴* SM see 2492.**

ping⁴平 **2516** (Adj) *equal; ordinary; level; average.* **SF** ‡ **AP peng⁴ see 2493.**

— bo⁶ ching¹ wan⁴ — 步青雲 (SE) *attain suddenly to wealth/position/ fame; spring to the sky from ground level.*

— dei⁶ dang¹ tin¹ — 地登天 (SE) *ditto.*

— booi³ — 輩 (N) *people of the same generation.* *(GRT family connections)*

— daam⁶ — 淡 (Adj) *mild (in colour); mild-flavoured; nothing exciting.*

⁵ — dang² — 等 (Adv) *equally.* (Adj) *equal.* (N) *equality.* *(No Cl.)*

—— doi⁶ yue⁶ —— 待遇   (N) *equal treatment.*   (*Cl.* jung² 種)

—— woo⁶ wai⁶ —— 互惠   (SE) *reciprocity based on equality.* (*Cl.* jung² 種)

— dei⁶ — 地   (N) *level/flat ground.*   (*Cl.* faai³ 塊)

—— fung¹ boh¹ —— 風波   (SE) *unexpected trouble sudden catastrophe.*   (*Cl.* chi³ 次)

10   —— yat¹° seng¹ lui⁴ —— 一聲雷   (N) *ditto.*

— ding⁶ — 定   (V) *arrive at a peaceful settlement; put under control.* *(GRT rebellions, civil wars, etc.)*

— faan⁴ — 凡   (Adj) *ordinary; common place; undistinguished.*

— ping⁴ mo⁴ kei⁴ — 平無奇   (Adj) *ditto.*

— seung⁴ — 常   (Adj) *ditto.*

15   — fong¹° — 方   (Adj) *square.*   *(ROT shape)*

—— chek³ —— 尺   (N) *square foot.*   *(No Cl.)*

— fong⁴ — 房   (N) *one-storied house; bungalow.*   (*Cl.* gaan¹ 間)

•— ga² ming⁴ — 假名   (N) *cursive form of the Japanese syllabary; hiragana.*   (*Cl.* jung² 種)

— gwan¹ — 均   (Adv) *on the average.*   (Adj) *average.*

20   —— sau¹ yap⁶ —— 收入   (N) *average income.*   (*Cl.* jung² 種 *or* goh³ 個)

—— so³ —— 數   (N) *average number.*

—— yan⁴ so³ —— 人數   (N) *average number of persons.*

— gwong¹° — 光   (Adj) *of zero diopter.*

—— ngaan⁵ geng³* —— 眼鏡   (N) *glasses/spectacles of zero diopter; plain glasses/spectacles.*   *(Set:* foo³ 副 *or* dui³ 對 *)*

25   — hang⁴ — 行   (Adj) *parallel.*

—— sin³ —— 綫   (N) *parallel lines.*   (*Cl.* tiu⁴ 條)

— jing⁶ — 靜   (Adj) *quiet; tranquil; calm.*

— man⁴ — 民   (N) *common people; civilian.*

— min⁶* — 面   (N) *plane; surface.*

30   —— gei² hoh⁴ —— 幾何   (N) *plane geometry.*   (*Subject:* foh¹° 科)

—— saam¹ gok³ (hok⁶) —— 三角（學）   (N) *plane trigonometry.* (*Subject:* foh¹° 科)

— on¹ (mo⁴ si⁶) — 安(無事)　(Adj) *safe; peaceful; health.*　(Adv) *safe and sound.*

P— O— ye⁶ — — 夜　(N) *Christmas Eve.　(Lit. peaceful night)*　(*Cl.* mann⁵ 晚 *or* goh³ 個)

p— se⁶ paau³ — 射砲　(N) *trench mortar.*　(*Cl.* ham² 砍 ; moon⁴門 *or* juen¹ 尊)

³⁵ — si⁴ — 時　(Adv) *usually; ordinarily.*　(N) *peacetime.*

— sing¹° — 聲　(N) *even/level tone.　(ROT the Chinese language)*

— yat⁶ — 日　(Adv) *in an ordinary day.*

— yuen⁴ — 原　(N) *plain; flat countryside.*　(*Cl.* faai³ 塊 *or* goh³ 個)

ping⁴萍　2517　(N) *duckweed; uncertain track* (**Fig.**).　**Fml.**　**SF**　‡

— jung¹ mo⁴ ding⁶ — 踪無定　(SE) *duckweed leaves no certain tracks; sb's whereabouts are uncertain.*

— sui — 水　(SE) *casual meeting/acquaintance.　(Lit. duckweed water)*

— — seung¹ fung⁴ — — 相逢　(SE) *patches of duckweed meeting; unexpected meeting of persons abroad.*

ping⁴評　2518　(V) & (N) *review; comment; judge.*　**SF**　‡

— ding⁶ — 定　(V) *grade; review.　(RT examination papers; literary works, etc.)*　**FE**

— ga³ — 價　(V) *evaluate; appraise.*　**FE**　(N) *evaluation; appraisal.*　**FE**　(*Cl.* jung² 種 *or* chi³ 次)

— lun⁶ — 論　(V) *discuss; comment.　(RT current events)*　**FE**　(N) *discussion; comment.　(RT current events)*　**FE**　(*Cl.* jung² 種)

— — ga¹° — — 家　(N) *critic; reviewer.*

⁵ — poon³ — 判　(V) & (N) *judge.　(GRT contests)*　**FE**

— — yuen⁴ — — 員　(N) *judge; referee.　(GRT contests)*

— yue⁵ — 語　(N) *comment; review; critical remark.*　**FE**　(*Cl.* jung² 種 *or* gai³ 句)

ping⁴屏　2519　(N) *screen.*　**SF**　‡

— fung¹° — 風　(N) *moveable screen.*　(*Cl.* goh³ 個 *or* do⁶ 道)

pit³ 撇 2520   (V) *run away.* **Sl.** (N) *down stroke to the left (ROT Chinese writing); one thousand dollars* (**Sl.**). *(No Cl.) (Cl) for moustaches, etc.*

— hoi¹ — 開   (V) *leave off; put aside; shake off. (RT people, business, work, etc.)*

— lat¹° — 甩   (V) *abandon; abandon; get away (from a pursuit).*

pit³ 瞥 2521   (V) *peep at; glance at.* **Fml.** **SF** ‡

— baak³ — 伯   (N) *peeper; peeping Tom.* **Coll.** **Tr.**

— gin³ — 見   (V) *peep at; glance at.* **Fml.** **FE**

piu¹ 飄 2522   (V) *drift; float.* **SF** ‡ (Adj) *adrift; swift.* **SF** ‡

— bok⁶ — 泊   (V) *travel/drift about with no fixed abode.*

— — gong¹ woo⁴ — — 江湖   (SE) *travel/drift about all over the country; lead a vagrant life.*

— dong⁶ — 蕩   (V) *be blown about; flutter in the wind. (RT flags)*

— dung⁶ — 動   (V) *ditto.*

⁵ — yeung⁴ — 揚   (V) *ditto.*

— fat¹° — 忽   (Adj) *speedy/swift like the wind.*

— lau⁴ — 流   (V) *float about, drift about.*

— ling⁴ — 零   (Adj) *lonely and aimless.*

— — yin⁴ — — 然   (Adj) *lofty; self-deceiving.*

piu¹ 漂 2523   (V) *drift; float.* **AP piu³ see 2524.**

— bok⁶ — 泊   (V) *travel/drift about with; no fixed abode.*

— — gong¹ woo⁴ — — 江湖   (SE) *travel/drift about all over the country; lead a vagrant life.*

— — mo⁴ ding⁶ — — 無定   (SE) *wander aimlessly.*

— lau⁴ — 流   (V) *float about; drift about.*

piu³ 漂 2524   (V) *bleach.* **SF** ‡ **AP piu¹ see 2523.**

— baak⁶ — 白   (V) *bleach.* **FE**

— — fan¹ — — 粉   (N) *bleaching powder.*

— — sui² — — 水　　(N) *bleach (in liquid form)*.

— bo³ — 布　　(V) *bleach linen*.

— — gung¹ yan⁴ — — 工人　　(N) *bleacher*.

— leung⁶ — 亮　　(Adj) *beautiful; wonderful*. *(RT looks, factics, etc.)*

— yim⁵ — 染　　(V) *bleach and dye*. (N) *bleaching and dyeing*.

piu³ 票　　2525　　(N) *ticket; cheque; bill; warrant; certificate; document*. SF ‡ *(Cl.* jung¹ 張 *)*

— fong⁴ — 房　　(N) *ticket office; booking office*.

— — ga³ jik⁶ — — 價值　　(SE) *value of a film as indicated by ticket sales; popularity of a film*.

— gan¹° — 根　　(N) *stub; counterfoil*. *(Cl.* jung¹ 張 *)*

— gui³ — 據　　(N) *certificates/bills in general*. **FE** *(Cl.* jeung¹ 張 *)*

— — gaau¹ woon⁶ soh² — — 交換所　　(N) *cleaning house*. *(Cl.* gaan¹ 間 *)*

— min⁶* ga³ jik⁶ — 面價值　　(N) *face-value*. **Lit. & Fig.**

— yau⁵ — 友　　(N) *amateur*. *(GRT Peking opera)*

piu⁴ 嫖　　2526　　(V) *visit prostitutes*. **SF ‡**

— gei⁶ — 妓　　(V) *visit prostitutes*. **FE**

— se³ — 舍　　(V) *ditto*.

— haak³ — 客　　(N) *frequenter of brothels*.

piu⁵ 剽　　2527　　(V) *rob; plagiarize*. **Fml. SF ‡**

— leuk⁶ — 掠　　(V) *rob with violence*. **Fml. FE**

— sit³ — 窃　　(V) *plagiarize*. **Fml. FE** (N) *plagiarism*. **Fml. FE** *(Cl.* jung² 種 *or* chi³ 次 *)*

po¹ 鋪（舖）　　2528　　(V) *pave; spread sth on; extend*. **SF ‡ AP:** (1) po¹° see 2529; (2) po³ see 2530; (3) po³* see **2531.**

— chong⁴ — 床　　(V) *make a bed*.

— goi³ — 蓋　　(N) *bedding*. *(No Cl.)*

— hoi¹ — 開   (N) *spread out.*

— jung¹ — 張   (V) *extend; make much of a little.*   **FE**

⁵ — lo⁶ — 路   (V) *pave a road/path; pave the way for.*   **(Fig.)**   **FE**

— — min⁶* — — 面   (V) *pave a road/path.*   **FE**

po¹° 鋪 (舖)   2529   (N) *berth; bed.*   *(No Cl.)*   **AP: (1) po¹** see 2528; (2) po³ see 2530; (3) po³* see 2531.

po³ 鋪 (舖)   2530   (N) *shops in general.*   **SF** ‡   **AP: (1) po¹** see 2528; (2) po¹° see 2529; (3) po³* see 2531.

— bo² — 保   (N) *guarantee for sb given by a shopkeeper.*   (*Cl.* jung² 種 *or* goh³ 個)

— jue² — 主   (N) *shopkeeper.*

— min⁶* — 面   (N) *shop-front.*

— tau⁴* — 頭   (N) *shop; store.*   (*Cl.* gaan¹ 間)

— — foh² gei³ — — 伙記   (N) *shop-assistant.*

— wai⁶* — 位   (N) *a shop space.*

po³* 鋪 (舖)   2531   (N) *shop.*   *(GRT specific commodities)*   **SF** ‡ (*Cl.* gaan¹ 間)   **AP: (1) po¹** see 2528; (2) po¹° see 2529; (3) po³ see 2530.

po² 普   2532   (Adj) *common; general; universal.*   **SF** ‡

— kap⁶ — 及   (Adj) *universal; extending to all; available for all.*   **FE**

— pin³ — 遍   (Adj) *ditto.*

— tung¹ — 通   (Adj) *common; general; ordinary.*   **FE**

— — ji¹ sik¹° — — 知識   (N) *common knowledge.*   (*Cl.* jung² 種)

— — seung⁴ sik¹° — — 常識   (N) *ditto.*

— — wa⁶* — — 話   (N) *current Mandarin; common speech; language generally understood.*   (*ROT the Chinese language*)   (*Cl.* jung² 種)

po² 甫   2533   (V) *begin.*   **Fml.**   **SF** ‡   (Adv) *just now; just then.*   **Fml.**   **SF** ‡   **AP po³** see 2534.

po³ 甫 2534   (N) *ten "li"; ten Chinese miles. (No Cl.)* **AP po²** see 2533.

po⁴ 袍 2535   (N) *robe; long gown.* **SF** (*Cl.* gin⁶ 件)

— jaak⁶ — 澤   (N) *comrade in arms.* **Fml.**

po⁴ 菩 2536   (N) *linden; grape.* **SF** ‡

— tai⁴ — 提   (N) *grape (misnomer in Cantonese, Cl.* nap¹° 粒 *); intelligence of "bodhi"* (**Tr.** *of a Sanskrit sound, No Cl.*).

— — ji² — — 子   (N) *grape (misnomer in Cantonese); bead (of a rosary)* (*Cl.* nap¹° 粒)

— — sue⁶ — — 樹   (N) *linden; the "Bo" tree.* **Tr.** (*Cl.* poh¹ 槁)

po⁴ 葡 2537   (N) *grape; vine.* **SF** ‡

— to⁴ — 萄   (N) *grape* (*Cl.* nap¹° 粒); *cherry-apple* (*Cl.* goh³ 個)

— — gon¹° — — 乾   (N) *raisin.* (*Cl.* nap¹° 粒)

— — jau² — — 酒   (N) *grape wine.* (*Bottle:* jun¹ 樽 *or* ji¹ 支 ; *Cup:* booi¹ 杯.)

P— T— Nga⁴ — — 牙   (N) *Portugal.* **Tr.**

5   p— t— sue⁶ — — 樹   (N) *vine.* (*Cl.* poh¹ 槁)

— — tong⁴* — — 糖   (N) *glucose.* (*Lit. grape-sugar*) (*No Cl.*)

— — yuen⁴ — — 園   (N) *vineyard.*

po⁴ 蒲 2538   (N) *rush; coarse rush.* **SF** ‡

— cho² — 草   (N) *rush; coarse rush.* **FE** (*Cl.* poh¹ 槁)

— (—) baau¹° — (—) 包   (N) *rush-bag.*

— (—) jek⁶ — (—) 蓆   (N) *rush-mat.* (*Cl.* faai³ 塊 *or* jueng¹ 張)

— din³* — 墊   (N) *rush kneeling-mat.*

5   — tuen⁴ — 團   (N) *ditto.*

— gung¹° ying¹° — 公英   (N) *dandelion.* (*Cl.* pho¹ 槁)

— kiu² — 蕎   (N) *duckweed.* **Coll.** (*Cl.* faai³ 塊)

po⁵ 抱   **2539**   (V) *hug; embrace; enfold.*   **SF** ‡

— gat¹° ping⁴   —   不平   (SE) *bear a grudge for a wrong.*

— bi⁴ bi¹°   —   啤啤   (V) *nurse/embrace a bady.*

— foo⁶   —   負   (N) *ambition; ideal; goal.*

— ham⁶   —   憾   (V) *regret; feel sorry.*

— hip³   —   歉   (V) *ditto.*

— jue⁶   —   住   (V) *hug; embrace; enfold.*   **FE**

po⁵ 泡   **2540**   (N) *bubble; froth; life-belt.*   **Coll. SF** ‡ **AP: (1) paau¹° see 2456; (2) paau³ see 2457; (3) pok¹° see 2547.**

— moot⁶   —   沫   (N) *bubble; froth.*   **Coll. FE**

poh¹ 稿   **2541**   *(Cl.) for plants, trees, vegetables, etc.*   **CC**

poh¹ 頗   **2542**   (Adv) *very.*   **Fml. SF** ‡ **AP poh¹ SM see 2543.**

poh² 頗   **2543**   (Adv) *very.*   **CP SF** ‡ **AP poh² SM see 2542.**

— wai⁴   —   爲   (Adv) *very.*   **CP Fml. FE**

poh² 叵(叵)   **2544**   (Adj) *unexpected.*   **Fml. SF** ‡

— chaak¹°   —   測   (Adj) *unpredictable; unfathomable; unreliable.*   *(RT people's thoughts, reactions, etc.)*

poh³ 破   **2545**   (V) *split; break.*   **SF** ‡

— chaai⁴   —   柴   (V) *split firewood.*

— chaan²   —   產   (Adj) *bankrupt.* (N) *bankruptcy.* *(Cl.* chi³ 次)

— chui⁴   —   除   (V) *eliminate; remove.*

— — mai⁴ sun³   — —   迷信   (V) *break down superstitions.*

⁵ — — jeung³ ngoi⁶   — —   障碍   (V) *remove hindrances.*

— fai³   —   費   (V) *lavish; waste.*

— gaai³ — 戒   (V) *break a vow.*

— gaak³ — 格   (V) *go against rules/customs.*

— gau⁶ — 舊   (Adj) *old and shabby.*

10 — gei² luk⁶ — 紀錄   (Adj) *record-breaking.*

— hau² daai⁶ ma⁶ — 口大罵   (SE) *abuse freely; use vulgar and severe language.*

— laan⁶ — 爛   (Adj) *broken; ragged.*

— lai⁶ — 例   (V) *go against/depart from precedent.*

— lok⁶ woo⁶* — 落戶   (N) *decayed family; vagabond.*

15 — on³ — 案   (V) *crack/clear up/solve a case.* (N) *solution of a case.* (*Cl.* chi³ 次)

— — lut⁶ — — 率   (N) *detection rate.* (*Cl.* goh³ 個)

— seung¹ fung¹ — 傷風   (N) *tetanus.* (*Cl.* jung² 種)

— — — kwan² — — — 菌   (N) *tetanic germ.* (*Cl.* nap¹° 粒 *or* jung² 種)

— sui³ — 碎   (Adj) *smashed; broken to shivers.* **Lit. & Fig.**

20 — — dik¹° sam¹ — — 的心   (SE) *a broken heart.*

— tai³ wai⁴ siu³ — 涕爲笑   (SE) *change tears into laughter.*

— tin¹ fong¹ — 天荒   (Adv) *in an unprecedented way; for the very first time.* (*RT events, actions, etc.*)

— waai⁶ — 壞   (V) *destroy; ruin.* (N) *destruction; ruin.* (*Cl.* jung² 種 *or* chi³ 次)

— — jung¹ lap⁶ — — 中立   (V) *violate neutality.*

25 — — ming⁴ yue⁶ — — 名譽   (V) *libel; defame.*

— — sui² ba³ — — 水壩   (V) *destroy a dike.*

— wok⁶ — 獲   (V) *seize.* (*RT drugs, contraband, etc.*)

poh⁴ 婆   2546   (N) *grandmother; old woman; wife; female.* **SF** ‡ (P) *used in transliterations.*

P— Loh⁴ Jau¹° — 羅洲   (N) *Borneo.* **Tr.**

— — Moon⁴ — — 門   (N) *Brahman.* **Tr.**

— — — Gaau³ — — — 教   (N) *Brahmanism.* **Tr.** (*Cl.* jung² 種 *or* goh³ 個)

p— poh⁴* — 婆   (N) *grandmother.* (*mother's mother*) **Coll. FE**

5 — poh⁴ ma¹° ma¹° — 婆媽媽   (SE) *indecisive; hesitant.*

pok¹° 泡   2547 CC

(N) *blister.*   **CP**   **AP:** (1) **paau¹°** see 2456; (2) **paau³** see 2457; (3) **po⁵** see 2540.

pok³ 撲（扑）   2548

(V) *rush/pounce on; flap (wings).*   **SF** ‡

— bei⁶ — 鼻   (V) *strike nostrils.*   *(RT smell)*

— dai¹ — 低   (V) *rush/pounce on.*   **FE**

— hak¹° — 克   (N) *poker.*   *(RT card games)*   **Tr.**   *(Set:* foo³ 副 ; *Game:* cheung⁴ 場 .)

— hung¹ — 空   (V) *miss a punch; fail to get what one wants.*

5 — mit⁶ — 滅   (V) *extinguish; beat out.*

— — jui⁶ hang⁴ — — 罪行   (SE) *fight against crime; keep crime-free.*

— yik⁶ — 翼   (V) *flap wings.*   **FE**

pok³ 樸   2549

(Adj) *plain; simple.*   **SF** ‡

— sat⁶ — 實   (Adj) *plain; simple.*   **FE**

— so³ — 素   (Adj) *ditto.*

pok³ 朴   2550

(N) *a kind of oak.*

— siu¹ — 硝   (N) *epsom-salt.*   *(Cl.* jung² 種)

pong³ 謗   2551

(Adj) *defamatory; scurrilous.*   **Fml.**   **SF** ‡

— sue¹ — 書   (N) *defamatory/scurrilous publication.*   *(Cl.* jung² 種)

— yue⁵ — 語   (N) *defamatory/scurrilous rumour.* · *(Cl.* jung² 種)

pong⁴ 旁   2552

(Adj) *side; by the side of.*   **SF** ‡   (PP) *beside.*   **SF** ‡

— bin¹° — 邊   (Adj) *side; by the side of* **FE** (PP) *beside.*   **FE**

— hai⁶ — 系   (N) *Collateral branch of a family.*

— jing³ — 証   (N) *circumstantial evidence; side referee.*

— gwoon¹ — 觀   (V) *look on; observe as a bystander.*

5 — — je² — — 者   (N) *onlooker; looker-on.*

— — — ching¹ — — — 清   (SE) *onlookers see things more objectively.*

— ting³ — 听   (V) *be present at a meeting; be an auditor at a course/class.* (N) *observer at a meeting.*

— — sang¹ — — 生   (N) *student attending university courses without being enrolled.*

— yan⁴ — 人   (N) *bystander; outsider.*

10 — yeuk⁶ mo⁴ yan⁴ — 若無人   (SE) *extremely proud and supercilious. (Lit. as if nobody is present)*

pong⁴ 膀 2553   (N) *groin; loin.* SF ‡

— gwong¹ — 胱   (N) *bladder.*

pong⁴ 龐(龎) 2554   (Adj) *big; mixed.* SF ‡

— daai⁶ — 大   (Adj) *big; gigantic.* FE

— jaap⁶ — 雜   (Adj) *mixed; disorderly.* FE

pong⁴ 徬(彷) 2555   (Adj) *perturbed; fearful.* SF ‡

— wong⁴ — 徨   (Adj) *perturbed; fearful.* FE

pong⁵ 蚌 2556   (N) *oyster/mussel.* (Cl. jek³ 只)

— gap³ — 蛤   (N) *oyster/mussel.* FE (Cl. jek³ 只)

pooi¹ 坯 2557   (N) *unbaked brick/tile.*

— juen¹ — 磚   (N) *unbaked brick.* FE

— mo⁴ — 模   (N) *mould for making earthenware.*

— nga⁵ — 瓦   (N) *unbaked tile.* FE

pooi¹ 胚 2558   (N) *embryo.* Fml. SF ‡

— ji² — 子   (N) *potenti ality of the coming; the makings of. (GRT feminine beauty)* Lit. & Fig. Fml.

— toi¹ — 胎   (N) *embryo; pregnant womb.* Fml. FE

665

pooi³ 配 2559   (V) *match; mate.* **SF** ‡

— bei⁶ — 備   (V) *equip with.* (N) *equipment.* (*Cl.* jung² 種)

— daap³ — 搭   (V) *associate with; be sb' partner; arrange a jockey for a horse.*

— dui³ — 對   (V) *match; mate; couple; pair.* **FE**

— hap⁶ — 合   (V) *ditto.*

5 — ngau⁵ — 偶   (N) *married couple.* (*Pair:* dui³ 對)

— soh² si⁴ — 鎖匙   (V) *fit a key; make a duplicate key.*

— yeuk⁶ — 葯   (V) *compound medicines.*

pooi³ 佩 2560   (V) *respect; wear (RT jewellery, medals, etc.).* **SF** ‡

— daai³ — 戴   (V) *wear; adorn.* (*RT jewellery, medals, etc.*) **FE**

— fuk⁶ — 服   (V) *respect; admirē; appreciate.* **FE**

— gim³ — 劍   (V) *wear a sword.*

— yuk⁶ — 玉   (V) *wear a jade pendant as an ornament.*

pooi⁴ 培 2561   (V) *cultivate; nournish; foster.* **SF** ‡

— jik⁶ — 植   (V) *cultivate; nourish; foster talents.* **FE**

— yeung⁵ — 養   (V) *ditto.*

— yuk⁶ — 育   (V) *ditto.*

pooi⁴ 賠 2562   (V) *compensate; pay damages.* **SF** ‡

— bat¹° si⁶ — 不是   (V) *apologize; make apology.* **Fml.**

— jui⁶ — 罪   (V) *ditto.*

— lai⁵ — 禮   (V) *ditto.*

— bo² — 補   (V) *compensate; pay damages; indemnify; make up a definciency/loss.* **Fml. FE**

5 — chin⁴* — 錢   (V) *ditto.* **Coll.**

— seung⁴ — 償   (V) *ditto.* **Fml.** (N) *ditto.*

— — ming⁴ yue⁶ — — 名譽   (SE) *compensation for defamation of character.* (*Cl.* chi³ 次 *or* jung² 種)

— — suen² sat¹° — — 損失   (SE) *compensation for damage/loss.*

— foon² — 欵   (N) *reparations; indemnity.* (*GRT war*) (*Cl.* chi³ 次 *or* jung² 種)

pooi⁴ 陪   2563   (V) *accompany sb; escort sb.*

— boon⁶ — 伴   (V) *accompany; keep sb company.*

— chan³ — 襯   (V) *contrast (RT colours in paintings, characters in novels, etc.); praise/blame by allusion; bring forward an illustration.*

— ga³ — 嫁   (V) *give dowry to a daughter.*

— haak³ — 客   (V) *entertain a visitor; be a companion to a guest of hanour.*

⁵ — sam² tuen⁴ — — 審團 (N) *jury.*

— — yuen⁴ — — 審員 (N) *juror; member of a jury.*

— siu³ — 笑   (V) *greet with a reluctant smile.*

pooi⁴ 徘   2564   (V) *pace to and fro.* **Fml.** **SF** ‡

— wooi⁴ — 徊   (V) *pace to and fro.* **Fml.** **SF**

pooi⁵ 倍   2565   (V) & (N) *double.*

— so³ — 數   (N) *multiple.*

poon¹ 番   2566   (N) *Panyu.* **Tr.** **SF** ‡ **AP faan¹ see 642.**

— Yue⁴ (Yuen⁶) — 禺 (縣)   (N) *Panyu (a District close to Canton City).* **Tr.** **FE.**

poon³ 判   2567   (V) *judge; bring in a verdict.* **SF**

— chi⁴ — 詞   (N) *verdict; sentence.*

— duen³ — 斷   (V) *judge; give judgement.* **FE** (N) *judgement.* **FE** (*Cl.* goh³ 個 *or* jung² 種)

— gung¹° — 工   (N) *sub-contractor.*

— tau⁴* — 頭   (N) *ditto.*

⁵ — gwoon¹ — 官   (N) *judge (an antiquated term).*

— kuet³ — 決   (V) *bring in a verdict.* **FE** (N) *verdict.* **FE**

— lai⁶ — 例   (N) *legal precedent.*

poon³ 拌 2568   (V) *risk; mix.* **SF** ‡

— laan⁶ — 爛   (V) *be/become desperate.*

— sei² — 死   (V) *risk one's life; court death.*   **FE**

— wan⁴ — 勻   (V) *mix sth. well.*

poon³ 胖 2569   (Adj) *fat.* **Mdn. SF** ‡ **AP pooi⁴ SM see 2570.**

— ji² — 子   (N) *fat parson.* **Mdn. FE**

poon⁴ 胖 2570   (Adj) *fat.* **Fml. SF** ‡ **AP pooi³ SM see 2569.**

poon⁴ 磐 2571   (N) *rock* **Fml. SF** ‡

— sek⁶ — 石   (N) *rock (Cl.* gau⁶ 礎*); firm foundation (**Fig.** No Cl.).*

poon⁴ 蟠 2572   (V) *coil; curl around.* **SF** ‡

— gui³ — 踞   (V) *coil; curl around; squat; sit cross-legged.*   **FE**

— gui³ — 據   (V) *occupy; encroach upon.*

— to⁴ — 桃   (N) *flat peach.*

poon⁴ 盆 2573   (N) *basin: tub.* **SF** ‡

poon⁴ 盤 2574   (V) *interrogate; consider.* **SF** ‡ (N) *plate; dish; travelling expenses.* **SF** ‡ **AP poon⁴* see 2575.**

— cha⁴ — 查   (V) *interrogate; cross-examine.* **FE** (N) *interrogation; cross-examination.* (*Cl.* chi³ 次)

— man⁶ — 問   (V) *ditto.* (N) *ditto.*

— chin⁴ — 纏   (N) *travelling expenses.* **Fml.** (*Cl.* bat¹° 筆)

— chuen¹ — 川   (N) *ditto.*

⁵ — fai³ — 費   (N) *ditto.*

— suen³ — 算   (V) *consider; make a mental calculation.* **Lit. & Fig.**

— suen⁴ — 旋   (V) *go/fly round.*

poon⁴* 盤   **2575**   (N) *quotation (RT goods, stocks, etc.); odds (RT betting); bidding.* **Coll. SF AP poon⁴ see 2574.**

— hau² — 口   (N) *quotation (RT goods; stocks, etc.); odds. (RT betting); bidding.* **Coll. FE**

poon⁵ 伴   **2576**   (N) *companion; company.* **Coll. AP boon⁶ see 155.**

poot³ 潑   **2577**   (V) *spill; sprinkle.* **SF** ‡   (Adj) *spiteful.* **SF** ‡
                       (N) *shrew.* **SF** ‡

— foo⁵ — 婦   (N) *shrew.* **Coll.**

— laat⁶ — 辣   (Adj) *spiteful; vicious; saucy.* **FE**

— sik¹° — 熄   (V) *extinguish by throwing on water.*

— sui² — 水   (V) *spill sprinkle water.* **FE**

poot³ 撥   **2578**   (V) *fan.* **SF** ‡

— foh² — 火   (V) *foment trouble; fan a flame.* **FE**

— laang⁵ sui² — 冷水   (V) *discourage; paint a gloomy picture. (Lit. throw cold water on)*

— man¹° — 蚊   (V) *fan away/chase mosquitoes.*

— sin³ — 扇   (V) *fan; cool off by fanning.*

puk¹° 仆   **2579**   (V) *fall down.* **Coll. SF** ‡

— do² — 倒   (V) *fall down.* **Coll. FE**

— gaai¹° — 街   (V) *drop dead; get into trouble.* **Sl.**

— jik⁶ — 直   (V) *ditto.*

pung² 捧   **2580**   (V) *hold up in both hands.* **SF** ‡   **AP: (1) bung² SM see 161; (2) fung² SM see 767.**

— jue⁶ — 住   (V) *hold up in both hands.* **FE**

pung³ 碰(掁)   **2581**   (V) *bump; knock; chance to meet sb.*

— jong⁶ — 撞   (V) *bump against/into.* **FE**

— do² — 倒   (V) *bump into; bump against; chance/happen to meet sb.* **FE**

— deng¹° (ji²)　—　釘 (子)　　(V) *meet with a refusal.*

— gei¹ wooi⁶　—　機會　　(V) *take a chance; trust to luck.*

5　— wan⁶ hei³　—　運氣　　(V) *ditto.*

— gin³　—　見　　(V) *chance/happen to meet sb.*　**FE**

— ngaam¹°　—　啱　　(V) *chance/happen to meet sb; happen unexpectedly.* (Adv) *accidentally; fortunately.*

— tau⁴　—　頭　　(V) *meet/join together*　*(RT friends; acquaintances, etc.)*

pung⁴ 篷　2582

(N) *awning; covering.　(GRT boats, huts, etc.)* **SF** ‡

— chong²　—　廠　　(N) *matshed.　(Cl.* gaan¹ 間)

— faan⁴　—　帆　　(N) *canvas used as awning/covering.　(Cl.* faai³ 塊)

pung⁴ 蓬　2583

(Adj) *dishevelled.　(RT hair)* **SF** ‡　(N) *raspberry.* **SF**

— sung¹　—　鬆　　(Adj) *dishevelled.　(RT hair)* **SF**

— tau⁴ gau³ min⁶　—　頭垢面　　(SE) *with dishevelled hair and grimy face.*

S

sa¹ 卅   **2584**   (Adj) *thirty.* *(Gen. followed by nouns, classifiers or num-*
        CC   *bers)* **Coll. SF** ‡

— a⁶ — 呀   (Adj) *thirty.* *(Gen. followed by nouns, classifiers or*
numbers) **Coll. SF** ‡

— — bo⁶ sue¹ — — 部書   (SE) *30 books.*

— bo⁶ sue¹ — 部書   (SE) *ditto.*

— a⁶ chat¹° — 呀七   (Adj) & (N) *thirty-seven.*

— chat¹° — 七   (Adj) & (V) *ditto.*

— a⁶ goh³ yan⁴ — 呀個人   (SE) *30 persons.*

— goh³ yan⁴ — 個人   (SE) *ditto.*

— a⁶ man¹° — 呀文   (SE) *30 dollars.* *(No Cl.)*

— man¹° — 文   (SE) *ditto.*

— a⁶ yat⁶ — 呀日   (SE) *30 days.* *(No Cl.)*

— yat⁶ — 日   (N) *ditto.*

sa¹ 沙   **2585**   (N) *sand.* *(Cl.* nap¹° 粒 *)*

— baan² — 板   (N) *mudguard; fender of a motor-car.* *(Lit. sand*
board) *(Cl.* faai³ 塊 *)*

— baau¹° — 包   (N) *sandbag.*

— chan⁴ — 塵   (N) *dust.* *(Cl.* nap¹° 粒 *)*

— — (baak⁶ fok³) — — (白霍)   (Adj) *cocky; frivolous.* **Coll.**

5 — cheung⁴ — 塲   (N) *battle-field.* **Fml.**

— chung⁴* — 虫   (N) *mosquito larvae.* *(Cl.* tiu⁴ 條 *)*

— dui¹° — 堆   (N) *sand-hill.* **Coll.**

— yau¹ — 丘   (N) *ditto.* **Fml.**

— jau¹ — 洲   (N) *shoal; sandbank.*

10 — ji² — 紙   (N) *sand-paper.* *(Cl.* jeung¹ 張 *)*

— jui¹° — 錐   (N) *sandpiper; snipe.* *(Cl.* jek³ 隻 *)*

— lei⁴* — 梨   (N) *pear; russet pear.*

— lik¹° — 礫   (N) *pebble; sandstone.* **Fml.** *(Cl.* nap¹° 粒 *)*

— sek⁶ — 石   (N) *ditto.* **Coll.**

15 — lut⁶* — 律   (N) *salad.* **Tr.** *(No Cl.)*

— — yin¹ chong¹ yue⁴* — — 烟鯧魚   (N) *smoked pomfret with salad.*

— mok⁶ — 漠   (N) *desert.*

— ngaan⁵ — 眼   (N) *trachoma. (No Cl.)*

— taan¹° — 灘   (N) *beach.*

20 — — lo⁵ sue² — — 老鼠   (N) *thief operating on beaches. (Lit. beach rat)* **Sl.**

— tin⁴ — 田   (N) *sand-flat; tidal land.* (*Cl.* fuk¹° 副 *or* faai³ 塊)

S— T— — —   (N) *Shatin. (Lit. sand field)* **Tr.**

s— tong⁴ — 糖   (N) *granulated sugar. (No Cl.)*

— woh¹° — 鍋   (N) *earthenware cooking pot.*

sa¹° 痧 2586   (N) *colic; cholera.* **SF** ‡

— hei³ yuen⁴* — 氣丸   (N) *cholera pill.* (*Cl.* nap¹° 粒)

sa¹° 砂 2587   (N) *pebble; cearse sand; gravel; ore.* **SF** ‡

— lam⁴ — 淋   (N) *gravel. (ROT a disease)* (*Cl.* jung² 種)

— lik¹° — 礫   (N) *pebble; cearse sand, sandstone.* **FE** (*Cl.* nap¹° 粒)

— sek⁶ — 石   (N) *ditto.*

sa¹° 紗 2588   (N) *gauze; untwisted thread; yarn.* **SF**

— bo³ — 布   (N) *gauze; cotton cloth.* (*Cl.* faai³ 塊)

— — yip⁶ — — 業   (N) *cotton-spinning industry.* (*Cl.* jung² 種)

— cheung¹° — 窗   (N) *fine netting fitted in windows (to exclude insects).*

— chong² — 廠   (N) *cotton mill.* (*Cl.* gaan¹ 間)

5 — dang¹° — 灯   (N) *gauze lantern.* (*Cl.* jaan² 盞 *or* ji¹ 支)

— ding³ — 錠   (N) *spindle in cotton mill.*

— saam¹° — 衫   (N) *shirt/coat made of tulle.* (*Cl.* gin⁶ 件)

sa¹° 鯊 2589   (N) *shark.* **SF** ‡

— yue⁴ — 魚   (N) *shark.* **FE** (*Cl.* tiu⁴ 條)

sa² 灑（洒） 2590   (V) *sprinkle; wave hands.* **SF** ‡

— sau² — 手   (V) *wave hand; motion sb off with hand gestures.* **FE**

— — ning⁶ tau⁴* — — 擰頭   (SE) *make gestures with hand and head to indicate disapproval or disagreement. (Lit. waving hand shaking head)*

— sui² — 水   (V) *sprinkle water.* **FE**

sa² 耍 2591   (V) *play tricks. (RT juggling, magic. gymnastics, etc.)*

— ba² hei³ — 把戲   (V) *juggle; conjure; do tricks in magic.* **Lit. &** **Fig.**

— hei³ faat³ — 戲法   (V) *ditto.*

— fa¹° cheung¹° — 花槍   (V) *quarrel in a joking manner; indulge in fits of temper (GRT married couples, young lovers, etc.).*

— gung¹ foo¹ — 工夫   (V) *do "Kung Fu"; exhibit Chinese boxing.*

⁵ — kuen⁴ geuk³ — 拳脚   (V) *ditto.*

— sau² duen⁶ — 手段   (V) *be full of tricks; show oneself clever at sb's expense; play a game with sb.*

saai¹ 摋 2592   (V) *waste.* **Coll. SF** ‡
CC

— chin⁴* — 錢   (V) *waste money.* (N) *waste of money. (No Cl.)*

— hei³ — 氣   (SE) *waste of breath. (Lit. waste air)*

— si⁴ gaan³ — 時間   (V) *waste time.* (N) *waste of time. (No Cl.)*

— — hau⁶ — — 候   (V) *ditto.* (N) *ditto.*

⁵ — saai³ — 晒   (SE) *all wasted.*

— taat³ — 撻   (V) *waste.* **Coll. FE**

saai² 徙 2593   (V) *change residence; resettle.* **Fml. SF** ‡

— gui¹ — 居   (V) *change residence; immigrate.* **Fml. FE**

— ji³ — 置   (V) *resettle—a Hong Kong term. (RT refugees, poor families, etc.)*

— — kui¹ — — 區   (N) *resettlement area.*

saai³ 曬(晒) 2594   (V) *dry in the sun; sunbathe.* **SF ‡**

— gon¹ — 乾   (V) *dry in the sun.* **FE**

— long⁶ — 晾   (V) *ditto.*

— paang⁴* — 棚   (N) *drying platform.*

— saam¹° — 衫   (V) *dry laundry in the sun; expose clothes to the sun.*

5   — yi¹ fuk⁶ — 衣服   (V) *ditto.*

— taai³ yeung⁴ — 太陽   (V) *sumbathe; take a sunbath.* (N) *sunbath.* **Coll.** *(No Cl.)*

— yat⁶ tau⁴* — 日頭   (V) *ditto.* (N) *ditto.*

— yit⁶ tau⁶* — 熱頭   (V) *ditto.* (N) *ditto.*

saai³ 嗮 2595   (Asp) *entirely; completely; all.* CC

saai⁵ 舓(餂) 2596   (V) *lick; lap.*

— duk⁶ ching⁴ sam¹ — 犢情深   (SE) *show parental love.* *(Lit. lick calf deep affection)*

— min⁶ — 面   (V) *lick/wash the face.* *(RT cats)*

saak³ 索 2597   (V) *ask for; extort.* **Fml. SF ‡ AP sok³ SM see 2895.**

— chui² — 取   (V) *ask for; demand.* **Fml. FE**

— ja³ — 詐   (V) *extort; squeeze.* **Fml. FE**

— yan² — 隱   (V) *trace hidden meanings in a book.* **Fml.**

— yan⁵ — 引   (N) *introduction; index.* **Fml.**

— yin⁴ mo⁵ mei⁶ — 然無味   (SE) *insipid; favourless.* **Fml. Lit. & Fig.**

saak³ 揀 2598   (PN) *a piece/portion of.* *(RT cakes, fruit, etc.)* CC

saam¹ 三(叄) 2599   (Adj) & (N) *three.* **AP saam³ see 2600.**

— cha¹° — 叉   (N) *fork; trident.*

— — lo⁶ — — 路   (N) *fork.* *(RT roads)* *(Cl. tiu⁴ 條)*

— — — hau² — — — 口   (N) *fork. (RT road junctions)*

S— Faan⁴ Si⁵ — 藩市   (N) *San Francisco.* **Tr.**

⁵ s— fan⁶ ji¹ yat¹° — 份之一   (N) *one-third; ⅓; one out of three.*

— — yat¹° — — 一   (N) *ditto.*

— fong⁴ haak³ — 房客   (N) *sub-tenant (of pant or whole of premises).*

— goh³ woh⁴ seung⁶* mo⁵ sui² sik⁶ — 個和尚冇水食   (SE) *pass the buck. (Lit. three monks have no water to drink)*

— gok³ (ying⁴) — 角 (形)   (N) *triangle.*

¹⁰ — — foo³ — — 袯   (N) *briefs. (Lit. triangular underpants) (Cl.* tiu⁴ 條*)*

— — luen⁵ oi³ — — 戀愛   (SE) *the eternal triangle. (Lit. triangular love) (Cl.* jung² 種*)*

— hap⁶ wooi⁶* — 合會   (N) *triad society; secret society.*

— — — ji⁶ tau⁴ yau⁵* — — — 字頭友   (N) *member of secret or triad society.*

— hoi⁶ — 害   (SE) *the "three deadly vices" (i.e. sex, narcotics and triad societies or narcotics, gambling and prostitution)—a Hong Kong term.*

¹⁵ — jek³ sau² — 隻手   (N) *pickpocket. (Lit. three hands)*

— — — ji² — — — 指   (SE) *"three fingers". (a term used to indicate amount of drink in glass)*

— man⁴ ji⁶ — 文治   (N) *sandwiches.* **Tr.** *(Cl.* gin⁶ 件 *or* faai³ 塊*)*

"— nin⁴ ling⁴ baat³ goh³ yuet⁶" "— 年零八個月"   (SE) *the Japanese occupation of Hong Kong, which lasted 3 years and 8 months from December 1941 to August 1945. (Cl.* chi³ 次 *or* goh³ 個*)*

— sap⁶ — 十   (Adj) & (N) *thirty.* **FE**

²⁰ S— yuet⁶ — 月   (N) *March.*

saam³ 三(叁)   **2600**   (Adv) *thrice.* **Fml. SF ‡ AP saam¹ see 2599.**

— si¹ — 思   (V) *think thrice; think again and again.* **Fml. FE**

saam¹° 衫   **2601**   (N) *garments/clothes in general (Cl.* gin⁶ 件*); clothes (No Cl.).*

— foo³ — 褲   (N) *clothing; a suit of clothes. (Lit. coat & trousers) (Cl.* to³ 套*)*

— — baai⁴ mat⁶ — — 鞋襪   (N) *clothes (in general). (Lit. coat, trousers, shoes, socks.) (No Cl.)*

675

— jau⁶ — 袖   (N) *sleeve*.   (*Cl*. jek³ 只)
— kwan⁴ — 裙   (N) *lady's suit*.   (*Lit. blouse & skirt*)   (*Cl*. to³ 套)
5 — liu⁶* — 料   (N) *material for clothing*.   (*Kind*: jung² 種 ; *Length*: fuk¹° 幅.)

saam¹杉   2602   (N) *pine*.   **Fml.   SF   ‡   AP chaam³ SM see 176.**

saam¹舢   2603   (N) *sampan; small boat*.   **Tr.   SF   ‡**
        CC

— baan² — 板   (N) *sampan; small boat*.   (*Lit. three boards*)   **Tr. FE**   (*Cl*. jek³ 隻)

saan¹山   2604   (N) *mountain; hill*.   (*Cl*. goh³ 個 *or* joh⁶座)

— ai³ — 隘   (N) *mountain pass*.
— bang¹ — 崩   (N) *land-slide*.   (*Lit. hill collapse*)   (*Cl*. chi³次)
— boh¹° — 坡   (N) *slope of a hill*.
— dei⁶ — 地   (N) *hilly country*.   (*Cl*. goh³ 個 *or* sue³處)
5 — deng² — 頂   (N) *mountain peak; hilltop*.
— fung¹° — 峯   (N) *ditto*.
— tau⁴ — 頭   (N) *ditto*.
S— Dung¹ (Saang²) — 東 (省)   (N) *Shantung; Shantung Province*. **Tr.**
s— foh³ — 貨   (N) *wood and bamboo-ware—baskets, tubs, etc*.   (*Lit. hill goods*)   (*Cl*. jung² 種)
10 — gai¹° — 鷄   (N) *pheasant*.   (*Cl*. jek³ 只)
— geuk³ — 脚   (N) *foot of a mountain or hill*.
— ha⁶ bin⁶ — 下便   (N) *ditto*.
— goh¹° — 歌   (N) *mountaineer's song; rustic song*.   (*Cl*. sau² 首 *or* ji¹支)
— gong¹° (jai²) — 崗 (仔)   (N) *hill; small hill*.
15 — jai² — 仔   (N) *ditto*.
— guk¹° — 谷   (N) *valley; ravine*.
— ja¹ — 揸   (N) *hill haw*.
— — beng² — — 餅   (N) *cake made from hill haws*.   (*Cl*. gau⁶ 礌 *or* gin⁶ 件)

— — go¹° — — 糕   **(N)** *jelly made from hill haws.*   *(Cl.* gau⁶ 礁 *or* gin⁶ 件)

20   — leng⁵   — 嶺   **(N)** *mountain range.*

— mak⁶   — 脈   **(N)** *ditto.*

— lo⁶   — 路   **(N)** *path over a mountain/hill.*   *(Cl.* tiu⁴ 條)

— nai⁴   — 泥   **(N)** *soil from a mountain/hill.*   *(No Cl.)*

— — king¹ se³   — — 傾瀉   **(N)** *landslide.* *(Lit. hill soil collapse)* *(Cl.* chi³ 次)

25   S— Sai¹ (Saang²)   — 西 (省)   **(N)** *Shansi; Shansi Province.* **Tr.**

s— sui²   — 水   **(N)** *landscape.* *(No Cl.)*

— — wa⁶* — — 畫   **(N)** *landscape painting.*   *(Cl.* fuk¹° 幅)

— yiu¹   — 腰   **(N)** *half-way up a hill.* *(Lit. hill waist)*

saan¹ 刪 2605   **(V)** *expunge; delete; revise.* **SF** ‡

— chui⁴   — 除   **(V)** *expunge; delete.* **FE**

— hui³   — 去   **(V)** *ditto.*

— gaam²   — 減   **(V)** *abridge.* **(N)** *abridgement.*   *(Cl.* chi³ 次 *or* sue³ 處)

— goi²   — 改   **(V)** *revise; erase and alter.* **(N)** *revision.*   *(Cl.* chi³ 次 *or* sue³ 處)

saan¹ 珊 2606   **(N)** *coral.* **SF** ‡

— woo⁴   — 瑚   **(N)** *coral.* **FE** *(Cl.* faai³ 塊)

— — do² — — 島   **(N)** *coral island.*

saan¹ 閂 2607 CC

(V) *switch/turn off (RT light, wireless, tv, etc.) ; close (RT doors, windows, etc.).* **SF** **AP** saan¹° *see* 2608.

— cheung¹°   — 窗   **(V)** *close windows.*

— din⁶ dang¹°   — 電灯   **(V)** *switch/turn off electric lights.*

— din⁶ si⁶ gei¹   — 電視機   **(V)** *switch/turn off a tv set.*

— maai⁴ moon⁴ jo⁶ wong⁴ dai³   — 埋門做皇帝   **(SE)** *be extremely self-important; be distatorial to one's staff.* *(Lit. close the door and act the emperor)*

5   — moon⁴   — 門   **(V)** *close doors; close down (RT shops).*

— sau¹ yam¹ gei¹   — 收音機   **(V)** *switch/turn off a radio or wireless.*

saan¹° 閂 2608
CC
(N) *bar.* *(RT doors, gates, etc.)* SF ‡ AP saan¹
see 2607.

saan² 散 2609 (Adj) *scattered; desultory; disorderly.* SF ‡ AP
saan³ see 2610.

— bing¹ (yau⁴ yung⁵) — 兵 (游勇) (N) *disbanded soldiers.*

— faat³ — 髮 (N) *dishevelled hair.* *(No Cl.)*

— gung¹° — 工 (N) *day-labourer.*

— gwong¹° — 光 (Adj) *astigmatic.* (N) *astigmatism.* *(No Cl.)*

5 — — ngaan⁵ — — 眼 (N) *astigmatic eye.* (*Cl.* jek³ 隻 ; *Pair:* dui³
對.)

— — (ngaan⁵) geng³ — — (眼) 鏡 (N) *astigmatic glasses/spectacles.*
(*Cl.* foo³ 副 *or* dui³ 對)

— jai² — 仔 (N) *junior triad member;. "side-kick".*

— ji² — 紙 (N) *small denomination notes.* (*Cl.* jung¹ 張)

— maan⁶ — 漫 (Adj) *desultory; scattered.* FE

10 — ngan⁴* — 銀 (N) *small change.*

— sa¹ — 沙 (N) *scattered sand* (*Cl.* nap¹° 粒)*; lack of organization*
(Fig. Cl. poon⁴ 盆).

— — yat¹° yeung⁶ — — 一樣 (SE) *very desultory.* *(Lit. like scat-*
tered sand)

saan³ 散 2610 (V) *dismiss; break up; disperse; spread.* SF ‡
AP saan² see 2609.

— bo³ — 佈 (V) *spread; promulgate.*

— — siu¹ sik¹° — — 消息 (V) *spread/announce news.*

— — yiu⁴ yin⁴ — — 謠言 (V) *spread rumours.*

— bo⁶ — 步 (V) *stroll; take a walk.* (N) *stroll; walk.* (*Cl.* chi³ 次)

5 — cheung⁴ — 塲 (SE) *the audience/spectators disperse after a show/*
performance; a show/performance has finished.

— faat³ — 發 (V) *distribute.* *(RT handbills, brochures, etc.)*

— — chuen⁴ daan¹° — — 傳單 (V) *distribute handbills.*

— hok⁶ — 學 (V) *break up school.*

— hoi¹ — 開 (V) *disperse, scatter.* FE

10 — moon⁶ — 悶 (V) *dissipate care; take some recreation.*

— sam¹ — 心 (V) *ditto.*

— wooi⁶* — 會 (V) *dismiss/close a meeting; break up a meeting.*

saan³ 傘   **2611**   (N) *umbrella; parachute.* **Fml. SF** ‡

— bing¹ — 兵   (N) *paratroops.*

saan³ 疝   **2612**   (N) *hernia.* **SF** ‡

— hei³ — 氣   (N) *hernia.* **FE** *(No Cl.)*

saan³ 訕   **2613**   (V) *backbite.* **Fml. SF** ‡

— pong³ — 謗   (V) *backbite.* **Fml. FE**

saan³ 涮   **2614**   (N) *cook food in a fondue dish or "Mongolian pot"* *(ROT northern Chinese menu)* **SF** ‡ **CP chaat³**

— woh¹° yeung⁴ yuk⁶ — 窩羊肉   (N) *cook mutton/food in a fondue dish or "Mongolian hot pot".* *(ROT Northern Chinese menu)* **FE CP chaat³ woh¹° yeung⁴ yuk⁶**

— yeung⁴ yuk⁶ — 羊肉   (N) *ditto.* **CP chaat³ yeung⁴ yuk⁶**

saan⁴ 孱   **2615**   (Adj) *weak; feeble; enervated.* **SF** ‡

— yeuk⁶ — 弱   (Adj) *weak; feeble; enervated.* **FE**

saang¹ 生   **2616**   (V) *live; give birth to; produce; suffer from.* **SF** ‡
                          (Adj) *living; alive; raw; unfamiliar; inexperienced.* **SF** ‡
                          (N) *life; livelihood.* **SF** ‡

— beng⁶ — 病   (V) *become/fall ill.* **Fml.**

— bo⁶* — 暴   (Adj) *like a stranger of.*

— — yan⁴ — — 人   (N) *stranger.*

— haak³ — 客   (N) *ditto.*

5 — min⁶* yan⁴ — 面人   (N) *ditto.*

— chaan² — 產   (V) *produce.* **FE**   (N) *production.* **FE** *(No Cl.)*

— — lik⁶ — — 力   (N) *productivity.* *(Cl. jung² 種)*

— — lut⁶* — — 率   (N) *ditto.*

— — sui¹ tui³ — — 衰退   (N) *recession in production.* *(Cl. chi³ 次)*

10 — choi³ — 菜   (N) *lettuce.* *(Cl. poh¹ 殕)*

— chong¹° — 瘡   (V) *have boils.*

— chuen⁴ — 存   (V) *exist; survive.* (N) *existence; survival.* *(No Cl.)*

— — ging⁶ jaang¹ — — 競爭   (N) *struggle for survival.* (*Cl.* jung² 種)

— chung⁴ — 蟲   (V) *have worms.*

15   — daan⁶* — 蛋   (V) *lay eggs.*

— dung³ chong¹° — 凍瘡   (V) *have chilblains.* **Mdn.**

— loh⁴ baak⁶ — 蘿蔔   (V) *ditto.* **Coll.**

— dung⁶ — 動   (Adj) *lively; full of life; vivid.*

— — miu⁴ se² — — 描寫   (N) *vivid/lively description.* (*Cl.* jung² 種)

20   — fa¹ lau⁵ — 花柳   (V) *suffer from venereal disease.* **Coll.**

— sing³ beng⁶ — 性病   (V) *ditto.* **Fml.**

— gai³ — 計   (N) *means of gaining livelihood.* (*Cl.* jung² 種)

— — man⁶ tai⁴ — — 問題   (N) *a matter of one's livelihood.*

— geung¹ — 羌   (N) *green ginger.* (*Cl.* gau⁶ 礐)

25   — gwoh² — 果   (N) *fruit.* (*Cl.* goh³ 個)

— ha¹° gam³ tiu³ — 蝦咁跳   (SE) *be annoyed; be restless and anxious.* *(Lit. jump like a live shrimp)*

— hei³ — 氣   (V) *get angry.* (N) *vitality; spirit of life.* (*Cl.* jung² 種)

— — boot⁶ boot⁶ — — 勃勃   (SE) *full of life/vitality.*

— ji⁶ — 字   (N) *vocabulary; new word.* *(Lit. unfamiliar word)*

30   — lei⁵ (hok⁶) — 理(學)   (N) *physiology.* (*Subject:* foh¹° 科)

— — hok⁶ ga¹° — — 學家   (N) *physiologist.*

— lei⁶ — 利   (V) *bear interest; make profit.*

— sik¹° — 息   (V) *ditto.*

— lik⁶ gwan¹° — 力軍   (N) *fresh troops; reinforcements.* (*Cl.* ji¹ 支)

35   — lo⁶ — 路   (N) *the way out; solution.* *(Lit. living road)* (*Cl.* tiu⁴ 條)

— mat⁶ — 物   (N) *creature; living thing; animals and plants in general.*

— — gaai³ — — 界   (N) *the world of living things.*

— — hok⁶ — — 學   (N) *biologist.* (*Subject:* foh¹° 科)

— — — ga¹° — — — 家   (N) *biologist.*

40   — min⁶ — 麵   (N) *raw noodles; noodles.* (*Cl.* tiu⁴ 條; *Catty:* gan¹ 斤)

— ming⁶ — 命   (N) *life.* **Fml. FE** (*Cl.* tiu⁴ 條)

— — bo² jeung³ — — 保障   (N) *protection of life.* (*Cl.* jung² 種)

— ngaam⁴ jing³ — 癌症   (V) *suffer from cancer; contract cancer; cause cancer.*

— sau² — 手   (Adj) *inexperienced.*   (N) *inexperienced worker; greenhorn.*

45 — sau³ — 銹   (V) *rust; become covered with rust.* (*Lit. grow rust*) (Adj) *rusty.*

— sei² gwaan¹ tau⁴ — 死關頭   (N) *a question/matter of life or death; a most crucial moment.*

— si¹ — 絲   (N) *raw silk.* (*Cl.* tiu⁴ 條)

— si⁶ — 事   (V) *cause trouble; create mischief; make a disturbance.*

— sing³ — 性   (Adj) *obedient; well-behaved.*

50 — soh¹ — 疏   (Adj) *out of practice (RT ability/skill); having drifted apart or become like strangers (RT friends).*

— taai³ hok⁶ — 態學   (N) *ecology.* (*Subject:* foh¹° 科)

— tit³ — 鉄   (N) *cast iron.* (*Lit. raw iron*) (*Cl.* gau⁶ 礦 *or* faai³ 塊)

— waan⁴ — 還   (V) *survive.* (*RT accidents, disasters, etc.*)

— — je² — — 者   (N) *survivor.* (*RT accidents, disasters, etc.*)

55 — woot⁶ — 活   (V) *live.* (N) *livelihood; life.*

— — bit¹° sui¹ ban² — — 必需品   (N) *daily necessities; necessities of life.* (*Lit. living necessity*) (*Cl.* jung² 種)

— — bo² jeung³ — — 保障   (N) *security of livelihood.* (*Cl.* jung² 種)

— — ching⁴ do⁶ — — 程度   (N) *standard of living.* (*Cl.* goh³ 個 *or* jung² 種)

— — fai³ yung⁶ — — 費用   (N) *cost of living.* (*Cl.* goh³ 個 *or* jung² 種)

60 — yat⁶ — 日   (N) *birthday.*

— — jau² — — 酒   (N) *birthday dinner/party.* (*Lit. birthday wine*) (*Cl.* chaan¹ 餐)

— yau⁴ — 油   (N) *peanut-oil.* (*No Cl.*)

yeung⁵ — 養   (V) *bring up; beget.*

— — yi⁴ nui⁵ — — 兒女   (SE) *bring up children.*

65 — yi⁴ yuk⁶ nui⁵ — 兒育女   (SE) *ditto.*

— yi³ — 意   (N) *business; commercial activities.* (*Cl.* daan⁵ 單 *or* poon⁴ 盤)

— — lo² — — 佬   (N) *businessman.*   **Der.**

— yuk⁶ — 育   (V) *give birth; produce.*   **FE** (N) *birth; childbirth.*
(*Cl.* chi³ 次)

saang¹ 牲   2617   (N) *animals; sacrificial beasts.*   **Fml.**   **SF** ‡

— chuk¹° — 畜   (N) *domestic animals—a general term.*   **FE** (*Cl.*
jek³ 只)

— hau² — 口   (N) *ditto.*

saang¹° 甥   2618   (N) *nephews and nieces who are children of one's
sisters.*   **SF** ‡

saang¹ 省   2619   (V) *save; economize.*   **Fml.**   **SF** ‡   (Adj) *thrifty;
economical.*   **Fml.**   **SF** ‡   (N) *province.*   **AP sing²**
see 2823.

— chin⁴* — 錢   (V) *save money; be economical.*   **Fml.**

— gim⁶ — 儉   (Adj) *thrifty; economical.*   **Fml.**   **FE**

— lik⁶ — 力   (N) *save/conserve one's strength.*   **Fml.**

S— seng⁴ — 城   (N) *Canton City.*   *(Lit. province city)*   **Coll.**

5 s— sik¹° — 釋   (V) *release; let go.*   **Fml.**

— wooi⁶ — 會   (N) *provincial capital.*   **Fml.**

— yung⁶ — 用   (V) *save; economize.*   **Fml.**   **FE**

saang² 揩   2620   (V) *scrub; scour; polish by scouring.*   **Coll.**   **SF** ‡
CC

— gon¹ jeng⁶ — 乾淨   (V) *scour clean.*

— sau² — 手   (V) *scrub hands.*

— tung⁴ go¹° — 銅膏   (N) *brass polish.*   *(No Cl.)*

saap³ 霎   2621   (V) *dazzle.*   **SF** ‡   (Adv) *suddenly.*   **SF** ‡

— hei³ — 氣   (V) *disagree/argue (RT adults); disobey (RT children).*
(Lit. waste breath)   **Sl.**

— hgaan⁵ — 眼   (V) *dazzle the eyes.*

— — gaan¹° — — 間   (Adv) *suddenly; in a moment.*   **FE**

— yin⁴ gaan¹° — 然間   (Adv) *ditto.*

saat³ 撒　2622　(V) *cast; sow.* **SF** ‡

— giu¹° — 嬌　(V) *sulk; behave as a spoilt child.*

— jung² — 種　(V) *sow seed.* **FE**

— laai⁶ — 賴　(V) *lie and cheat.*

— mong⁵ — 網　(V) *cast a net.*

saat³ 殺　2623　(V) *kill; slaughter; murder.* **SF** ‡

— chung⁴ — 虫　(V) *kill insects; get rid of worms.*

— — yeuk⁶ — — 藥　(N) *insecticide. (Lit. kill insects medicine)* *(No Cl.)*

— sau² — 手　(N) *killer.*

— tau⁴* — 頭　(V) *behead.*

⁵ — yan⁴ — 人　(V) *kill; slaughter; murder.*

— — faan⁶* — — 犯　(N) *murderer.*

— — hung¹ sau² — — 兇手　(N) *ditto.*

saat³ 煞　2624　(Adj) *baleful; malignant.* **Fml. SF** ‡

— hei³ — 氣　(N) *baleful/malignant influence.* *(Cl.* jung² 種*)*

— sing¹° — 星　(N) *unlucky star; person bringing pestilence/ill-fortune.*

saau¹ 筲　2625　(N) *bamboo basket for holding food/rice.*

— gei¹° — 箕　(N) *bamboo basket for holding food/rice.*

S— G— Waan¹° — — 灣　(N) *Shaukiwan.* **Tr.**

saau² 稍　2626　(Adv) *slightly; somewhat.* **Fml. SF** ‡

— mei⁴ — 微　(Adv) *slightly; somewhat.* **Fml. FE**

— wai⁴ — 為　(Adv) *ditto.*

saau³ 哨　2627　(Adj) *protruding. (ROT teeth)* **SF** ‡ (N) *sentinel; whistle.* **SF** ‡

— bing¹ — 兵　(N) *sentinel.* **FE**

— bo² — 堡　(N) *outpost.*

— ji²　— 子　(N) *whistle; police whistle.* **Mdn.** **FE**

— nga⁴　— 牙　(N) *protruding tooth.* (*Cl.* jek³ 只 ; *Set:* paang⁴棚)

sai¹ 西　**2628**　(Adj) *western; European.* **SF** ‡ (N) *West.* **S**? ‡ (*No Cl.*)

S— Baak³ Lei⁶ A³　— 伯利亞　(N) *Siberia.* **Tr.**

S— Baan¹° Nga⁴　— 班牙　(N) *Spain.* **Tr.**

— Bak¹°　— 北　(N) *Northwest (of China).* (*Lit. west north*)

— beng²　— 餅　(N) *European-style cake.* (*Cl.* gin⁶ 件 *or* faai³ 塊)

5　— Boon³ Kau⁴　— 半球　(N) *the Western Hemisphere.*

— chaan¹°　— 餐　(N) *European meal; European food.*

— Dak¹°　— 德　(N) *West Germany.* **Tr.**

— Fong¹　— 方　(Adj) *Western; Occidental.* (N) *the West; the Occident.*

— — jaap⁶ tuen⁴　— — 集團　(SE) *Western Bloc.*

10　— — yan⁴　— — 人　(N) *Westerner; European.* **Fml.**

— yan⁴　— 人　(N) *ditto.* **Coll.**

— foo³　— 袂　(N) *Western-style trousers/slacks.* (*Cl.* tiu⁴條)

— Gung³　— 貢　(N) *Ho Chi Minh City (formerly Saigon); Sai Kung— a district in the New Territories.* **Tr.**

s—gwa¹　— 瓜　(N) *water-melon.*

15　— haang⁴　— 行　(Adj) *westward.* (Adv) *westward bound.*

— — che¹° leung⁶　— — 車輛　(N) *westward-bound car/traffic.* (*Cl.* ga³架)

— — din¹ che¹°　— — 電車　(N) *westward-bound tram.* (*Cl.* ga³架)

— — gei¹ gei¹　— — 飛機　(N) *westward-bound plane* (*Cl.* ga³架)

— — suen⁴ jek³　— — 船　(N) *westward-bound ship.* (*Cl.* jek³ 只)

20　S— jong¹°　— 裝　(Adj) *western-style.* (*ROT Clothes*) (N) *Western-style clothes.* (*Cl.* to³套)

— — saam¹° kwan⁴　— — 衫裙　(N) *Western-style ladies' suits.* (*Cl.* to³套)

— Jong⁶　— 藏　(N) *Tibet.* (*Lit. west treasure*)

— — Ji⁶ Ji⁶ Kui¹　— — 自治區　(N) *Tibet Autonomous Region.*

s— kau⁴*　— 芹　(N) *celery (European kind).* (*Cl.* poh¹ 樖)

25　— laang⁵° ngau⁴ pa⁴*　— 冷牛扒　(N) *sirloin steak.* **Tr.** (*Cl.* faai³ 塊)

S— Naam⁴ — 南   (N) *Southwest (of China).*   *(Lit. West south)*

— lik⁶ — 曆   (N) *Western calendar.*

— On¹ — 安   (N) *Sian. (in Shensi province).*   **Tr.**

— sik¹° — 式   (Adj) *Western-style. (Gen. ref. to clothes, furniture, etc.)*

30   — — ga¹ si¹ — — 傢俬   (N) *Western-style furniture.*   *(Cl.* gin⁶ 件 ; *set:* to³ 套*)*

— — soh¹° fa³* — — 梳化   (N) *Western-style sofa.*   *(Cl.* jeung¹ 張 ; *set:* to³ 套*)*

— yeuk⁶ — 藥   (N) *Western medicine.*   *(Cl.* jung² 種 *)*

— yeung⁴ — 洋   (N) *Portugal (local term) ; foreign countries in general.*

— — choi³ — — 菜   (N) *watercress.*   *(Lit. Portuguese vegetable)* *(Cl.* poh¹ 樖 *)*

35   — — jai² — — 仔   (N) *Portuguese man.*   **Coll.**   **Der.**

sai¹ 犀   2629   (Adj) *sharp-edged.*   **SF** ‡   (N) *rhinoceros.*   **SF** ‡

— gok³ — 角   (N) *rhinoceros horn.*   *(Cl.* jek³ 只 *)*

— lei⁶ — 利   (Adj) *sharp-edged; terrific; fierce, capable.*   **FE**

— ngau⁴ — 牛   (N) *rhinoceros.*   **FE**   *(Cl.* jek³ 只 *)*

sai¹ 篩   2630   (V) *sift; bolt.*   **SF** ‡   **AP sai¹° see 2631.**

— fan² — 粉   (V) *bolt flour.*

— mai⁵ — 米   (V) *sift rice.*

sai¹° 篩   2631   (N) *sieve.*   **AP sai¹ see 2630.**

— dau² — 斗   (N) *bamboo sieve.*

sai² 洗   2632   (V) *wash.*

— che¹° — 車   (V) *clean a car.*   *(Lit. wash car)*

— gon¹ jeng⁶ — 乾淨   (V) *wash clean.*

— lai⁵ — 禮   (N) *baptism.*   *(**Lit. & Fig.** (Cl.* chi³ 次 *or* jung² 種 *)*

— paai⁴* — 牌   (V) *shuffle cards.*

5   — saam¹° — 衫   (V) *do laundry; wash clothes.*

— san¹ — 身   (V) *take a bath.*

— — fong⁴* — — 房   (N) *bathroom.*   (*Cl.* goh³ 個 *or* gaan¹ 間)

— woon² dip⁶ — 碗碟   (V) *wash dishes.*   (*Lit. to wash bowls and plates*) (N) *dish-washing.*   (*Cl.* chi³ 次)

sai²使   **2633**   (V) *send (RT people); spend (RT money); use; cause to; give rise to.* **SF** ‡   (AV) *be necessary; need (only negative context, see* m⁴ sai² m 2032/48.) **AP: (1) si² see 2761; (2) si³ see 2762.**

— chin⁴* — 錢   (V) *spend money.*

— dak¹° — 得   (Adj) *capable (RT people); usable (RT things)*

— do³ — 到   (V) *cause to; give rise to.* **FE**

— fai³ — 費   (N) *expenses in general.*   (*Cl.* bat¹° 筆)

— yung⁶ — 用   (N) *ditto.*

— hak¹° chin⁴* — 黑錢   (V) *bribe; offer/give a bribe.*

— mat¹° — 乜   (Adv) *why must?*

— yan⁴ hui³ — 人去   (V) *cause sb to go.*

— — lai⁴ — — 嚟   (V) *cause sb to come.*

sai²駛   **2634**   (V) *drive; fly; sail.* **Coll. SF** ‡

— che¹° — 車   (V) *drive a car;* **Coll. FE**

— fei¹ gei¹ — 飛機   (V) *fly an airplane.* **Coll. FE**

— suen⁴ — 船   (V) *pilot/sail a ship/boat.* **Coll. FE**

sai³細   **2635**   (Adj) *small; young; delicate.*

— bo⁶ — 步   (N) *short step/pace.*

— daam² — 胆   (Adj) *timid; cautious.*

— fa¹° — 花   (N) *small flower.*   (*Cl.* cleuh² *or* doh² 朵)

— goh³ ge³ si⁴ hau⁶ — 個嘅時候   (SE) *when one was a small child; during one's childhood.*

5   — kwan² — 菌   (N) *germ; bacteria.*   (*Cl.* jung² 種 *or* nap¹° 粒)

— gwoo³ — 故   (N) *trivial matter/cause (No Cl.)*

— ho⁶* — 號   (N) *half-bottle.* *(Lit. small mark)*
— jai² — 仔   (N) *youngest/younger son.*
— ji² — 紙   (N) *small denomination notes.* (*Cl.* jeung¹ 張)
10 — ji³ — 緻   (Adj) *delicate; fine.*
— jit³ — 節   (N) *detail.*
— lo² — 佬   (N) *younger brother.*
— — goh¹° — — 哥   (V) *small boy.*
— lo⁶ — 路   (N) *ditto.*
15 — — jai² — — 仔   (N) *ditto.*
— man¹° jai² — 蚊仔   (N) *ditto.*
— lo⁶ nui⁵* — 路女   (N) *small girl.*
— ma⁵ — 碼   (N) *small size.* (*GRT clothing*)
— nui⁵* — 女   (N) *youngest/younger daughter.*
20 — sai³* dei⁶ — 細地   (Adj) *smallish.*
— sam¹ — 心   (Adj) *careful; attentive.*
— seng¹ — 聲   (Adj) *low; soft (RT voices, sounds, etc.); quiet.* (Adv) *in a low voice; quietly.*
— siu² — 小   (Adj) *small; tiny.*

sai³ 婿 (壻) 2636   (N) *son-in-law.* **SF** ‡

sai³ 世 2637   (N) *generation/age (No Cl.); the world* (SE).

— baak³ — 伯   (N) *father's friend.* **PL**
— — mo⁵ — — 母   (N) *wife of father's friend.* **PL**
— doi⁶ — 代   (N) *generation/age.* **FE**
— ga¹° — 家   (N) *high-born/wealthy family.*
5 — gaai³ — 界   (N) *the world.* **FE**
— — chut¹° meng⁴* — — 出名   (Adj) *world-famous; world-renowned.*
— — yau⁵ meng⁴* — — 有名   (Adj) *ditto.*
S— G— Daai⁶ Jin³ — — 大戰   (N) *World War.* (*Cl.* chi³ 次)
s— g— gwoon² — — 觀   (N) *world view; philosophical view of the world.* (*Cl.* jung² 種)

10　— — moot⁶ yat⁶ — — 末日　　(SE) *the end of the world; the last days.*

— — seung⁶ — — 上　　(Adv) *in the world.*

— — si⁵ cheung⁴ — — 市塲　　(N) *world market.*

— — sing³ — — 性　　(Adj) *world-wide; universal; international.*　*(Lit. world nature)*

S— G— Yue⁵ — — 語　　(N) *Esperanto.*　(*Cl.* jung²種)

15　s— gaau¹ — 交　　(N) *family friend of long standing; friends for generations back.*

— gei² — 紀　　(N) *century.*

— gwoo³ — 故　　(Adj) *shrewd; sophisticated; familiar with the ways of the world.*

— jaap⁶ — 襲　　(Adj) *hereditary.*

— jat⁶ — 姪　　(N) *friend's son.* **PL**

20　— — nui⁵* — — 女　　(N) *friend's daughter.* **PL**

— juk⁶ — 俗　　(N) *customs of the world; mundane affairs.*　(*Cl.* jung²種)

— sai³ doi⁶ doi⁶ — 世代代　　(SE) *from generation to generation; for successive ages.*

— si⁶ — 事　　(N) *affairs of life; worldly affairs.*　(*Cl.* jung²種)

— — ge³ ye⁵ — — 嘅嘢　　(N) *ditto.* **Coll.**

25　— gaai³ seung⁶ ge³ ye⁵ — 界上嘅嘢　　(N) *ditto.* **Coll.**

sai³勢　　2638　　(N) *power; influence.* **SF** ‡

— bat¹° leung⁵ laap⁶ — 不兩立　　(SE) *impossible for both to exist together.*

— gwan¹ lik⁶ dik⁶ — 均力敵　　(SE) *balance of power.*

— hung¹ (gaap⁶ long⁴) — 兇(夾狼)　　(Adj) *desperate; fierce.*

— lik⁶ — 力　　(N) *power; influence.* **FE**　(*Cl.* jung²種)

5　— — faan⁶ wai⁴ — — 範圍　　(SE) *sphere of power/influence.*

sai⁶誓　　2639　　(V) *swear; vow; take an oath.* **SF** ‡

— yuen⁶ — 愿　　(V) *swear; vow; take an oath.* **FE**　(N) *vow; oath.*　(*Cl.* goh³個 *or* chi³次)

688

sai⁶ 逝   **2640**   (V) *pass away; die.*   **Fml.**   **SF**   ‡

— sai³   — 世   (V) *pass away; die.*   **Fml.**   **FE**

sak¹° 塞   **2641**   (V) *jam; block; stop (RT flow of fluids/gases)*   **SF**   ‡
                            (N) *cork; stopper*   **SF**   ‡

— che¹°   — 車   (N) *traffic jam.*   *(Lit. jam cars)*   *(Cl.* chi³ 次*)*

— jue⁶   — 住   (V) *jam; block; stop up.*   **FE**

— sat⁶   — 實   (V) *ditto.*

— moon⁵   — 滿   (V) *stuff full.*

sam¹° 心   **2642**   (N) *heart; mind.*   **SF**

— che⁴   — 邪   (Adj) *sensitive; imaginative; capricious; suspicious.*

— doh¹   — 多   (Adj) *ditto.*

— cheung⁴   — 腸   (N) *heart; disposition; personal principles/intentions.* **FE**   *(Cl.* jung² 種*)*

— dei⁶*   — 地   (V) *ditto.*

5 — cheung⁴ ho²   — 腸好   (Adj) *kind-hearted.*

— dei⁶* ho²   — 地好   (Adj) *ditto.*

— ching⁴   — 情   (N) *mood; frame of mind.*   *(Cl.* jung² 種*)*

— ging²   — 境   (N) *ditto.*

— ching⁴ ho²   — 情好   (Adj) *in the right mood; in a merry mood.*

10 — — m⁴ ho²   — — 唔好   (Adj) *in a bad mood; in a melancholy mood; moody.*

— dak¹°   — 得   (N) *expertise; experience; skill.*

— daai⁶ sam¹ sai³   — 大心細   (SE) *indecisive; undecided.*

— ding⁶   — 定   (Adj) *calm; cool; confident.*

— dung⁶   — 動   (V) *be moved/tempted.*

15 — faan⁴ (yi³ luen⁶)   — 煩 (意亂)   (Adj) *worried; vexed; restless and disquieted.*

— foh²   — 火   (N) *anger.*   *(Lit. heart fire)*

— — sing⁶   — — 盛   (Adj) *ill-tempered; temperamental.*

— fong¹ (yi⁶ luen⁶)   — 慌 (意亂)   (Adj) *confused in mind.*

— luen⁶   — 亂   (Adj) *ditto.*

20 — fooi¹ yi³ laang⁵ — 灰意冷   (V) *be disheartened; lose heart.* *(Lit. heart pale idea cold)*

   — taam⁵ — 淡   (V) *ditto.*

   — fuk¹° (pang⁴ yau⁵) — 腹 (朋友)   (N) *bosom friend.*

   — — suet³ wa⁶ — — 說話   (SE) *heart-to-heart talk.* *(Lit. heart stomach speech)*

   — fuk⁶ hau² fuk⁶ — 服口服   (SE) *be heartily willing and completely convinced.*

25 — gai³ — 計   (N) *device; plan; scheme; trick.*

   — sut⁶ — 術   (N) *ditto.*

   — gap¹° — 急   (Adj) *anxious; worried; impatient.*

   — gei¹ — 機   (N) *attention; carefulness.* *(No Cl.)*

   — go¹ — 高   (Adj) *ambitious.*

   — tau⁴ go¹ — 頭高   (Adj) *ditto.*

   — gong¹ (bo² booi³) — 肝 (寶貝)   (N) *darling; treasure; sweetheart; lover.*

   — seung⁶ yan⁴ — 上人   (N) *ditto.*

   — han² sau² laat⁶ — 狠手辣   (SE) *cold-blooded; ruthless.*

   — hau² — 口   (N) *chest; pit of stomach.*

35 — — tung³ — — 痛   (N) *pain in chest/pit of stomach.*

   — hip³ — 怯   (Adj) *fearful; timid.*

   — hui¹ — 虛   (Adj) *ditto.*

   — huet³ — 血   (SE) *labour of love.* *(Lit. heart blood)* *(No Cl.)*

   — — loi⁴ chiu⁴ — — 來潮   (SE) *suddenly think of a thing; come to a sudden comprehension of any matter.* *(Lit. heart blood come tide)*

40 — hung¹ — 胸   (N) *mind; heart; will.* **FE** *(Cl. jung² 種)*

   — — foot³ — — 闊   (Adj) *broad-minded.*

   — — jaak³ — — 窄   (Adj) *narrow-minded.*

   — hung⁴ — 紅   (Adj) *sanguine; hopeful.*

   — jik⁶ — 直   (Adj) *straight forward and honest.*

45 — — hau² faai³ — — 口快   (SE) *blunt and outspoken, but honest.*

   — jong⁶ — 臟   (N) *heart.* *(RT organ)* **FE**

   — saan² — 散   (Adj) *distracted; unable to concentrate.*

   — san⁴ — 神   (N) *mind; mentality.* **FE** *(No Cl.)*

— — bat¹° ding⁶ — — 不定 (Adj) *absent-minded; perturbed; flurried.*

50 — — fong² fat¹° — — 彷彿 (Adj) *ditto.*

— lei⁵ — 理 (N) *mind; psychology.* **FE** (*Cl.* jung² 種)

— — hok⁶ — — 學 (N) *psychology.* *(as a field of study)* (*Subject:* foh¹° 科)

— — jin³ — — 戰 (N) *psychologyical warfare.* (*Cl.* jung² 種 *or* chi³ 次)

— — jok³ yung⁶ — — 作用 (N) *psychological effect/reaction.* (*Cl.* jung² 種)

55 — on¹ lei⁵ dak¹° — 安理得 (SE) *with a clear conscience; free from any qualms of conscience; peace of mind.*

— si¹ — 思 (N) *idea; thinking; thoughts.* *(No Cl.)*

— sui² — 水 (N) *ditto.*

— si⁶ — 事 (N) *matter of the mind; care; concern; worry.* (*Cl.* jung² 種 *or* gin⁶ 件)

— suen³ — 算 (N) *mental calculations/arithmetic.* (*Cl.* jung² 種)

60 — tiu³ — 跳 (N) *pulsation; palpitation.* (*Cl.* chi³ 次)

— yi³ — 意 (N) *affection; sympathy.* (*Cl.* jung² 種)

— yuen⁵ — 軟 (Adj) *tender-hearted.*

— yuen⁶ — 愿 (N) *wish; desire.* (*Cl.* goh³ 個 *or* jung² 種)

sam¹森 2643 (Adj) *stern; strict.* **SF** ‡ (N) *forest; jungle.* **SF** ‡

— lam⁴ — 林 (N) *forest; woods; jungle.* **FE**

— yim⁴ — 嚴 (Adj) *stern; strict.* *(RT laws, regulations, etc.)* **FE**

sam¹深 2644 (Adj) *deep; profound; dark (RT colours).* **SF**

— cham⁴ — 沉 (Adj) *quiet and clever.*

— foo¹ kap¹° — 呼吸 (N) *deep breathing.* (*Cl.* chi³ 次 *or* jung² 種)

— fooi¹ (sik¹°) — 灰(色) (Adj) & (N) *dark grey.*

— gaau¹ — 交 (N) *intimate/close relationship.* (*Cl.* jung² 種)

5 — gan⁶ si⁶ — 近視 (Adj) *extremely near-sighted.*

— hung⁴ — 紅 (Adj) *dark red.*

— haang¹° — 坑 (N) *deep pit.* (*Cl.* goh³ 個 *or* tiu⁴ 條)

— hau⁶ — 厚   (Adj) *profound.* *(RT friendship, affections, etc.)*

— hoi² yue⁴* — 海魚   (N) *deep-sea fish.* *(Cl.* tiu⁴ 條 *or* jung² 種)

10 — mau⁴ yuen⁵ lui⁶ — 謀遠慮   (Adj) *thoughtful and far-seeing.*

— si¹ suk⁶ lui⁶ — 思熟慮   (N) *contemplation; deep thought.* *(Cl.* jung² 種)

— sik¹° — 色   (N) *deep colour.* *(Cl.* jung² 種 *or* goh³ 個)

— sui² hoi² — 水海   (N) *deep sea.*

— sun³ (bat¹° yi⁴) — 信 (不疑)   (V) *have implicit faith in; be profoundly convinced of.*

15 — yap⁶ — 入   (V) *penetrate deeply into; study thoroughly.*

— — dik⁶ jan⁶ — — 敵陣   (V) *penetrate deeply into the enemy's positions.*

— — yin⁴ gau³ — — 研究   (V) *study thoroughly.* **FE**

— ye⁶ — 夜   (N) *late night.*

sam¹參   2645   (N) *ginseng.* **Tr. SF** ‡ *(Cl.* ji¹ 支 *or* tiu⁴ 條) **AP:** (1) chaam¹ see 174; (2) cham¹ see 204.

sam²審   2646   (V) *investigate; try; judge.* **SF** ‡

— cha⁴ — 查   (V) *examine; investigate.* **FE**

— mei⁵ — 美   (V) *search for the best.* (N) *aesthetics.* *(Cl.* jung² 種)

— — gwoon¹ nim⁶ — — 觀念   (N) *aesthetic concepts.* *(Cl.* jung² 種)

— — hok⁶ — — 學   (N) *aesthetic study.* *(Cl.* jung² 種)

5 — man⁶ — 問   (V) *investigate; interrogate; try.* **FE** (N) *investigation; trial.* **FE** *(Cl.* chi³ 次)

— on³ — 案   (V) *try a case.*

— poon³ — 判   (V) *judge; sentence.* **FE**

— san⁶ — 慎   (Adj) *cautious; careful.*

sam²嬸   2647   (N) *aunt (wife of father's younger brother); polite address to a middle-aged woman.*

— mo⁵ — 姆   (N) *sisters-in-law.* **Coll.**

sam²瀋   2648   (V) *pour out water.* **Fml. SF** ‡   (N) *name place.* **SF** ‡

S— Yeung⁴ — 陽   (N) *Shenyang. (in Liaoning Province)* **Tr.**

sam²滲   2649   (V) *sprinkle with; scatter.* **CP SF** ‡ **AP sam³** see 2650.

— fooi¹ — 灰   (V) *scatter ashes over.*

— gwoo² yuet⁶ fan² — 古月粉   (V) *scatter/cast pepper.*

— woo⁴ jiu¹ fan² — 胡椒粉   (V) *ditto.*

— wan⁴ — 匀   (V) *scatter evenly.*

sam³滲   2650   (V) *infiltrate; leak.* **SF** ‡ **AP sam²** see 2649.

— lau⁶ — 漏   (V) *leak.* **FE**

— tau³ — 透   (V) *infiltrate.* **Lit. & Fig. FE** (N) *infiltration.* **Lit. & Fig. FE** (*Cl.* jung² 種 *or* chi³ 次)

— yap⁶ — 入   (V) *ditto.* (N) *ditto.*

sam⁶甚   2651   (Adv) *even; very.* **Fml. SF** ‡

— ji³ — 至   (Adv) *even.* **FE**

— moh¹° — 麼   (Adj) & (Pron) *what?* **Mdn.**

san¹辛   2652   (Adj) *troublesome; pungent; grievous.* **SF** ‡

— foo² — 苦   (Adj) *troublesome; difficult; tired; suffering.* **FE**

— kan⁴ — 勤   (Adj) *industrious; hard-working.* **Fml. FE**

— lo⁴ — 勞   (Adj) *ditto.*

— laat⁶ — 辣   (Adj) *pungent; peppery.* **FE Lit. & Fig.**

⁵ — suen¹ — 酸   (Adj) *grievious; tragic; sad; miserable.* **FE**

san¹鋅   2653   (N) *zinc.* (*Cl.* jung² 種)

— baan² — 板   (N) *zinc sheet.* **Fml.** (*Cl.* faai³ 塊)

— tit³ — 鐵   (N) *ditto.* **Coll.**

san¹ 薪   **2654**   (N) *firewood; salary.*   **SF**   ‡

— fung² — 俸   (N) *salary.*   **Fml.**   **FE**   (*Cl.* fan⁶ 份)

— sui² — 水   (N) *ditto.*   **Coll.**

san¹ 新   **2655**   (Adj) *new; fresh.*

— bing¹ — 兵   (N) *new soldier/recruit.*

— chan⁴ doi⁶ je⁶ — 陳代謝   (SE) *assimilation of the new and excretion of the old.*

— chiu⁴ — 潮   (Adj) *fashionable; popular.*   (*Lit. new tide*)

— — jong¹° — — 裝   (N) *fashionable dress; up-to-date dress.*   (*Cl.* gin⁶ 件 *or* to³ 套)

5   — — kek⁶ — — 屐   (N) *platform shoes.*   (*Lit. fashionable clogs*)   (*Cl.* jek³ 隻 ; *pair:* dui³ 對)

— chuk¹° chuk¹° — 簇簇   (Adj) *brand-new.*

— daai⁶ luk⁶ — 大陸   (N) *the new continent, i.e. America.*

S— Dak¹° Lei⁵ — 德里   (N) *New Delhi.*   **Tr.**

— Do¹ Hei³ Yuen⁶* — 都戲院   (N) *Isis Theatre.*   (*Lit. New Capital Theatre*)   (*Cl.* gaan¹ 間)

10   s— faat³ ming⁴ — 發明   (V) *invent.*   (N) *invention.*   (*Cl.* jung² 種 *or* yeung⁶ 樣)

— fan¹ — 婚   (Adj) *newly-wedded.*

— — foo¹ foo⁵ — — 夫婦   (N) *newly-wedded couple.*   (*Cl.* dui³ 對)

— foh³ — 貨   (N) *fresh consignment of goods.*   (*Cl.* pai¹ 批)

— fong⁴ — 房   (N) *bridal-chamber.*   (*Cl.* gaan¹ 間 *or* goh³ 個)

15   — foon² — 欵   (Adj) *fashionable; stylish.*

S— Ga¹ Boh¹° — 加坡   (N) *Singapore.*   **Tr.**

— Gaai³ — 界   (N) *the New Territories.*

— Gaau³ — 教   (N) *Protestantism.*

— — To⁴ — — 徒   (N) *Protestant.*

20   — Gam¹° Saang¹° — 金山   (N) *Australia.*   (*Lit. new gold mountain*)   **Coll.**

s— gei² luk⁶ — 紀錄   (N) *new record.*   (*Cl.* goh³ 個)

— gei² yuen⁴ — 紀元   (N) *new era.*

S— Geung¹ — 疆   (N) *Sinkiang.* *(a province in administrative status)* **Tr.**

— — Wai⁴ Ng⁴ Yi⁵ Ji⁶ Ji⁶ Kui¹ — — 維吾爾自治區   (N) *Sinkiang Uighur Autonomous Region.* **Tr.**

25 s— jeng⁶ — 淨   (Adj) *new.* **FE**

— jo¹ woo⁶ — 租戶   (N) *new tenant of a flat/apartment.*

— jue⁶ woo⁶ — 住戶   (N) *ditto.*

— jung¹° — 鐘   (N) *summer time; daylight-saving time.* *(Lit. new clock)*

— kei⁴ — 奇   (Adj) *novel; strange.*

30 — kiu⁴* — 橋   (N) *new story; new trick.* **Coll.** *(Cl.* tiu⁴ 條*)*

— kui¹ — 區   (N) *resettlement estate.* *(Lit. new area)*

— lau⁴* — 樓   (N) *new building.* *(RT those built after 1946)* *(Cl.* gaan¹ 間, *or* joh⁶ 座*)*

— lik⁶ — 曆   (N) *new calendar; solar calendar.*

— long⁴ (goh¹°) — 郎 (哥)   (N) *bridegroom; groom.*

35 — man⁴* — 聞   (N) *news.* *(RT papers, radio, TV, etc.)* *(Cl.* duen⁶ 段 *or* goh³ 個*)*

— man⁴ gaai³ — 聞界   (N) *the press.* *(No Cl.)*

— — gei³ je² — — 記者   (N) *newsman; reporter; journalist.*

— — gung¹ jok³ je² — — 工作者   (N) *ditto.*

— — go² — — 稿   (N) *news article.* *(Cl.* pin¹ 篇*)*

40 — — hok⁶ — — 學   (N) *journalism.* *(Subject:* foh¹° 科*)*

— — ji² — — 紙   (N) *newspaper.* *(copy:* fan⁶ 份 *or* jeung¹ 張; *sheet or page:* jeung¹ 張*)*

— — tung¹ sun³ se⁵ — — 通訊社   (N) *news agency.* *(Cl.* gaan¹ 間*)*

— neung⁴* — 娘   (N) *bride.*

S— Nin⁴ — 年   (N) *the New Year.*

45 s— po⁵ — 抱   (N) *daughter-in-law.* *(Lit. newly cherished one i.e. in husband's family)*

S— Sai¹ Laan⁴ — 西蘭   (N) *New Zealand.* **Tr.**

— Sai³ Gaai³ — 世界   (N) *the New World.*

s— san¹ dei⁶* — 新哋   (Adj) *newish.*

— saang¹° — 生   (N) *new student.*

50 — saang¹ (ming⁶) — 生 (命)   (N) *new life.* **Lit. & Fig.**

— sau² — 手　(N) *new hand; inexperienced worker; greenhorn.*

— sik¹° — 式　(Adj) *modern; up-to-date. (GRT designs, methods, etc.)*

— — tong⁴ lau⁴* — — 唐樓　(N) *Chinese-style homes incorporating modern architecture. (Lit. modernised Chinese-style building)* (*Cl.* gaan¹ 間 *or* joh⁶ 座)

— sin¹ — 鮮　(Adj) *fresh.* **FE**

55　— — ngau⁴ naai⁵ — — 牛奶　(N) *fresh milk.* (*Bottle:* jun¹ 樽 *or* ji¹ 支; *Cup:* booi¹ 杯)

— tin⁴ dei⁶* — 填地　(N) *reclaimed area. (Lit. newly filled land)* (*Cl.* sue³ 處, daat³ 笪 *or* goh³ 個)

— yan⁴ — 人　(N) *bride/bridegroom. (Lit. new person)*

S— Yeuk³ — 約　(N) *the New Testament.* (*Cl.* bo⁶ 部 *or* boon² 本)

s— yuet⁶ — 月　(N) *new moon.*

san¹ 身　2656　(N) *body.* **SF** ‡

— baai⁶ ming⁴ lit⁶ — 敗名裂　(SE) *down-and-out.*

— lin¹° — 邊　(Adv) *at hand; at one's side.* (PP) *beside sb.*

— cheung⁴ — 長　(N) *height. (RT people)*

— choi⁴ — 材　(N) *figure; physique.* **Coll.** (*Cl.* goh³ 個 *or* jung² 種)

5　— duen⁶ — 段　(N) *ditto.* **Fml.**

— fan⁶* — 份　(N) *personal identity; status.* (*Cl.* goh³ 個 *or* jung² 種)

— — jing³ — — 證　(N) *identity card.* (*Cl.* jeung¹ 張)

— — jing³ ming⁴ sue¹° — — 証明書　(N) *certificate of identity—a Hong Kong term.* (*Cl.* jeung¹ 張)

— ga¹ — 家　(N) *family property; personal property.* (*Cl.* fan⁶ 份)

10　— ga¹ ching¹ baak⁶ — 家清白　(SE) *from a good family; respectable and honest.*

— — sing³ ming⁶ — — 性命　(SE) *one's life and family; all that one owns.*

— sai³ — 世　(N) *family background.*

— — hoh² lin⁴ — — 可憐　(SE) *from a poor family; having had a hard life.*

— seung⁶ — 上　(Adv) *on hand; in one's possession; about one's person.*

15　— tai² — 體　(N) *body; health.*

— — gin⁶ hong¹ — — 健康　(Adj) *healthy.* (N) *health. (No Cl.)*

san¹ 申   2657   (V) *apply for.*   **SF**   ‡

— ching² — 請   (V) *apply for.*

— — biu² (gaak³) — — 表 (格)   (N) *application form.*   (*Cl.* jeung¹ 張 *or* fan⁶ 份)

— — sue¹° — — 書   (N) *application (in the form of a letter).*   (*Cl.* fung¹ 封)

— — sun³ — — 信   (N) *ditto.*

⁵ — — yan⁴ — — 人   (N) *applicant.*

san¹ 伸   2658   (V) *straighten; stretch out.*   **SF**   ‡

— chut¹° hui³ — 出去   (V) *reach out.*

— — lai⁴ — — 嚟   (V) *reach in.*

— jik⁶ — 直   (V) *straighten; stretch out.*

— — geuk³ — — 脚   (V) *stretch out the leg.*

⁵ — geuk³ — 脚   (V) *ditto.*

— jik⁶ sau² — 直手   (V) *stretch out the hand.*

— sau² — 手   (V) *ditto.*

— — bat¹° gin³ ng⁵ ji² — — 不見五指   (SE) *visibility zero; completely invisible.*   (*Lit. stretch out hand not see five fingers*)

— jin² — 展   (V) *expand; develop.*   (*RT enterprises, industries, etc.*)

¹⁰ — laan⁵ yiu¹ — 懶腰   (V) *stretch oneself when yawning.*   (*Lit. stretch lazy waist*)

— lei⁶ — 脷   (V) *put out the tongue.*

— so³ — 訴   (V) *present a complaint.*

— suk¹° — 縮   (V) *expand and contract; be flexible.*

— — sing³ — — 性   (N) *flexibility; elasticity.*   (*Cl.* jung² 種)

¹⁵ — yuen¹ — 冤   (V) *redress a grieve.*

san¹ 呻   2659   (V) *groan.*   **SF**   ‡

— yam⁴ — 吟   (V) *groan.*   **FE**

san¹ 紳   **2660**   (N) *gentry.*   **SF**   ‡
— kam¹ — 衿   (N) *gentry.*   **Coll.**   **FE**
— si⁶* — 士   (N) *ditto.*   **Fml.**

san¹ 娠   **2661**   (Adj) *pregnant.*   **Fml.**   **SF**   ‡
— foo⁵ — 婦   (N) *pregnant woman.*   **Fml.**

san⁴ 晨   **2662**   (N) *morning.*   **Fml.**   **SF**   ‡
— jo² (lau⁴ lau⁴) — 早 (流流)   (Adj) *early (in the morning).*   **Coll.**
— lau¹° — 褸   (N) *dressing gown.*   *(Lit. morning gown)*   (*Cl.* gin⁶件)

san⁴ 神   **2663**   (N) *spirit; deity; fairy; immortal.*   **SF**   ‡
— bei³ — 秘   (Adj) *mysterious; mystic.*
— — jue² yi⁶ — — 主義   (N) *mysticism.*   (*Cl.* jung² 種 *or* goh³個)
— — yan⁴ mat⁶* — — 人物   (N) *mysterious person.*
— cheung¹° sau² — 槍手   (N) *sharpshooter.*
5 — ching⁴ — 情   (N) *bearing; manner; expression.*   (*Cl.* jung²種)
— sik¹° — 色   (N) *ditto.*
— taai³ — 態   (N) *ditto.*
— daan¹ — 丹   (N) *cure-all; elixir of life; remedy.*   **(Fig.)**   *(Lit. immortal pil)*   (*Cl.* nap¹°粒)
— yeuk⁶ — 藥   (N) *ditto.*   (*Cl.* jung² 種)
10 — fa³ — 化   (Adj) *funny; ridiculous.*   *(GRT people)*
— foo⁶ — 父   (N) *father/priest.*   *(ROT Roman Catholic)*
— ging¹ — 經   (Adj) *muddle-headed; crazy; out of one's mind.*   **Coll.** (N) *nerves.*   (*Cl.* tiu⁴條)
— — beng⁶ — — 病   (N) *nervous disease; insanity.*   (*Cl.* jung²種)
— — chim¹ wai⁴ — — 纖維   (N) *ganglion of nerve.*   (*Cl.* tiu⁴條)
15 — — choh³ luen⁶ — — 錯亂   (Adj) *muddle-headed.*   **Fml.**   (N) *mental disorder.*   (*Cl.* jung²種)
— — gwoh³ man⁵ — — 過敏   (Adj) *oversensitive.*
— — hai⁶ (tung²) — — 系 (統)   (N) *nervous system.*

— — jat¹° — — 質   (Adj) *neurotic; nervous; sensitive.*

— — jung¹ sue¹ — — 中樞   (N) *nerve centre.*

20   — — sai³ baau¹° — — 細胞   (N) *nerve cell.*

— — sui¹ yeuk⁶ — — 衰弱   (N) *nervous prostration; neurasthenia.* (*Cl.* jung² 種)

— — tung³ — — 痛   (N) *neuralgia.* (*Cl.* jung² 種)

— gwaai³ — 怪   (Adj) *supernatural; odd; strange.*   (N) *supernatural beings; spirits and demons.*   (*Cl.* jung² 種)

— hei³ — 氣   (Adj) *self-important; self-satisfied; self-confident.*   (N) *pride; self-confidence.*   (*Cl.* jung² 種)

25   — hok⁶ — 學   (N) *theology.*   (*Subject:* foh¹° 科)

— — yuen⁶* — — 院   (N) *theological seminary.*   (*Cl.* gaan¹ 間)

— jeung⁶ — 像   (N) *image/idol.*

— jik¹° — 迹   (N) *miracle.*   (*Cl.* goh³ 個 *or* jung² 種)

— jue² paai⁴* — 主牌   (N) *ancestral tablet; "rubber stamp"* (**Fig.**).

30   — kei⁴ — 奇   (Adj) *miraculous; ingenious.*

— miu⁵ — 妙   (Adj) *ditto.*

— lik⁶ — 力   (N) *superhuman/Herculean strength.*   (*Cl.* jung² 種)

— ling⁴ — 靈   (N) *gods; spirits; deities—a general term.* **Fml. FE**

— ming⁴ — 明   (N) *ditto.*

35   — miu⁶* — 廟   (N) *temple.*   (*Cl.* gaan¹ 間)

— nui⁵ — 女   (N) *goddess; "prostitute"* (**Sl.**).

— sin¹° — 仙   (N) *fairy; immortal.* **FE**

— sing³ — 聖   (N) *sacred; divine.*

— tung¹ — 通   (N) *magical power of the deities; personal ability/ capacity* (**Fig.**).   (*Cl.* jung² 種)

40   — — gwong² daai⁶ — — 廣大   (SE) *have extraordinary ability/ capacity to get such to be done.*

— wa⁶* — 話   (N) *myth* (*Cl.* goh³ 個 *or* pin¹ 篇); *mythology.*   (*Subject:* foh¹° 科) **Lit. & Fig.**

san⁵ 腎   2664   (N) *kidney; human kidney.*

— jong⁶ — 臟   (N) *kidney; human kidney.*   **FE**

— nong⁴ — 囊   (N) *scrotum.*

san⁵蜃 **2665**   (N) *sea-serpent; mirage.* **Fml. SF** ‡

— lau⁴ (hoi² si⁵)   — 樓 (海市)   (SE) *mirage.* (*Cl.* jung² 種)

san⁶慎 **2666**   (Adj) *careful; discrete; cautious.* **SF** ‡

— jung⁶   — 重   (Adj) *careful; discrete; cautious.* **FE** (Adv) *carefully; with discretion; cautiously.* (N) *care; discretion; caution.* (*No Cl.*)

— — haau² lui⁶ — — 考慮   (SE) *think carefully.*

sang¹°僧 **2667**   (N) *monk.* **Fml. SF** ‡ **AP jang¹° SM see 1341.**

sang³擤 **2668**   (V) *blow the nose.* **Coll. SF** ‡

— bei⁶ (tai³)   — 鼻 (涕)   (V) *blow the nose.* **Coll. FE**

sap¹°濕(溼) **2669**   (Adj) *wet; damp; moist; humid.* **SF**

— do⁶   — 度   (N) *humidity; degree of humidity.* (*Degree:* do⁶ 度)

— — biu²   — — 表   (N) *hygrometer.*

— hei³   — 氣   (N) *damp air; moisture.* (*Cl.* jung² 種)

— sap¹° sing¹ sing¹   — 濕星星   (Adj) *trivial; miscellaneous; odds and ends.*

⁵ — sing¹   — 星   (Adj) *ditto.*

— sap¹° sui³   — 濕碎   (Adj) *ditto.*

— — — sui³   — — — 碎   (Adj) *ditto.*

— sui³   — 碎   (Adj) *ditto.*

— tau³   — 透   (V) *wet through.*

sap⁶十(拾) **2670**   (Adj) & (N) *ten.*

— ... baat³ ...   — ... 八 ...   (IC) *9 or 10 ... , about 10 ... ; several.* (*Gen. followed by nouns/classifiers*)

— bo⁶ baat³ bo⁶ (sue¹)   — 部八部 (書)   (SE) *9 or 10 books; about 10 books.*

— fan¹　— 分　(Adv) *very; extremely.* *(Lit. 100%)*

— — ho²　— — 好　(Adj) *very well; extremely good; excellent.*

5 　— fan⁶ ji¹ yat¹°　— 份之一　(N) *one tenth.* *(No Cl.)*

— — yat¹°　— — 一　(N) *ditto.*

— jek³ sau² ji² yau⁵ cheung⁴ duen²　— 只手指有長短　(SE) *it takes all sorts to make a world; men are not all perfect.* *(Lit. 10 fingers some long some short)*

— ji⁶　— 字　(N) *sign of a cross; Chinese character for "ten".*

— — che¹°　— — 車　(N) *ambulance.* *(Cl.* ga³架 *)*

10 S— J— Gwan¹°　— — 軍　(N) *the Crusaders.* **Lit. & Fig.**

s— j— lo⁶　— — 路　(N) *crossroads.* *(Cl.* tiu⁴條 *)*

— — — hau²　— — — 口　(N) *crossroads; intersection; junction.*

— juk¹°　— 足　(Adv) *completely; all.* *(Lit. 100% sufficient)*

— jun³ faat³　— 進去　(N) *metric/decimal system.*

15 — — jai³　— — 制　(N) *ditto.*

— leng⁴ . . .　— 零 . . .　(Adv) *more than/over ten . . .* *(Gen. followed by nouns/classifier)*

— — gaan¹ uk¹°　— — 間屋　(SE) *more than/over 10 houses.*

— — sui³　— — 歲　(SE) *more than/over 10 years of age.*

— na⁴ gau² git³　— 拿九結　(SE) *stand a very good chance.* *(Lit. a 90% chance)* **Coll.**

20 — — — wan²　— — — 穩　(SE) *ditto.* **Fml.**

— saam¹ jeung¹°　— 三張　(N) *card game based on the poker system; "Russian poker"—a term coined by the Chinese in Shanghai; "13-card (game)".* *(Team:* toi⁴ 枱 *)*

— sei³ kei¹°　— 四 K　(SE) *the "14-K" triad society; "14-K" member.*

— — yan⁴ che¹°　— — 人車　(N) *minibus.* *(Lit. 14-people car)* *(Cl.* ga³架*)*

— sing⁴ sap⁶ chek³　— 乘十呎　(SE) *ten feet by ten; 10 feet square.*

25 — waak⁶ do¹° (jung⁶) mei⁶ yau⁵ yat¹° pit³　— 畫都(重)未有一撇　(SE) *it's too soon to know the result.* *(Lit. 10 strokes not yet have the first one)*

S— Yat¹° Yuet⁶　— 一月　(N) *November.*

— Yi⁶ Yuet⁶　— 二月　(N) *December.*

— Yuet⁶　— 月　(N) *October.*

sap⁶ 什   2671   (Adj) *miscellaneous; sundry.*

— mat⁶ — 物   (N) *miscellaneous things; sundries.*   (*Cl.* gin⁶ 件)

— moh¹° — 麼   (Adj) & (Pron) *what?* **Mdn.**

sap⁶ 拾   2672   (V) *pick up.* **Fml. SF** ‡

— chui² — 取   (V) *pick up.* **Fml. FE**

— wai⁴ bat¹° bo³ — 遺不報   (SE) *fail to inform the police that one has found sth lost—an offence.*   (*Lit. pick up left not report*)

— yan⁴ nga⁴ wai⁶ — 人牙慧   (SE) *repeat what sb else has said.*   (*Lit. pick up other people's tooth wisdom*) **Fml.**

sat¹° 膝   2673   (N) *knee.* **SF** ‡

— tau⁴ — 頭   (N) *knee.* **FE**

— — goh¹° — — 哥   (N) *knee-cap.*

— — goi³ — — 蓋   (N) *ditto.*

sat¹° 失   2674   (V) *lose.* **Fml. SF** ‡

— baai⁶ — 敗   (V) *fail; be defeated.* (N) *failure; defeat.*   (*Cl.* chi³ 次)

— — jue² yi⁶ — — 主義   (N) *defeatism.*   (*Cl.* jung² 種)

— chaak³ — 策   (N) *faulty policy; miscalculation.*   (*Cl.* jung² 種 *or* chi³ 次)

— gai³ — 計   (N) *ditto.*

5   — suen³ — 算   (N) *ditto.*

— choh³ — 錯   (N) *fault; mistake.*   (*Cl.* jung² 種 *or* chi³ 次)

— ng⁶ — 悞   (N) *ditto.*

— chung² — 寵   (V) *lose favour.*

— foh² — 火   (V) *have an accidental fire; catch fire.*

10   — haam⁶ — 陷   (V) *fall into the hands of the enemy.*   (*ROT territory*)

— hau² — 口   (V) *make a slip of the tongue; say what shouldn't have been said.*

— yin⁴ — 言   (V) *ditto.*

— hok⁶ — 學   (V) *have no opportunity to go school.*

— huet³ — 血   (V) *lose blood.*

15 — — gwoh³ doh¹ — — 過多   (V) *lose too much blood.*

— jik¹ — 職   (V) *neglect one's duty.*

— jit³ — 節   (V) *lose chastity; be disloyal to one's country.*

— jue² — 主   (N) *loser of property.*

— jung¹ — 踪   (V) *be missing; lose.* (Adj) *missing; lost.*

20 — — siu³ nui⁵ — — 少女   (N) *missing girl.*

— lai⁵ — 禮   (V) *commit a breach of etiquette; behave shamefully.*

— — sei² yan⁴ — — 死人   (SE) *what a shame; cause sb shame.*

— man⁴ sam¹ — 民心   (V) *lose the affection/support of the people; become unpopular.* (*RT Governments*)

— yan⁴ sam¹ — 人心   (V) *ditto.*

25 — mat⁶ — 物   (N) *lost property/article.* (*Cl.* gin⁶ 件)

— min⁴ — 眠   (V) *suffer from insomnia.* (*Lit. lose sleep*) (N) *insomnia.* (*Cl.* chi³ 次)

— ming⁴ — 明   (V) *lose one's eyesight; become blind.* **Fml.**

— mong⁶ — 望   (V) *disappoint; lose hope; be disappointed.* (Adj) *disappointed; disappointing.*

— pooi⁴ — 陪   (SE) *excuse me.* (*Lit. lose companionship*) **PL**

30 — — yat¹° jan⁶ — — 一陣   (SE) *excuse me for a moment.* **PL**

— san¹° — 身   (V) *lose virginity.*

— sau² — 手   (V) *make a slip of the hand.*

— seng¹ — 聲   (V) *lose voice.* (*GRT singers, speakers, etc.*)

— seng⁴ — 常   (Adj) *abnormal.*

35 — — gui² dung⁶ — — 舉動   (N) *abnormal conduct/behaviour.* (*Cl.* jung² 種 *or* chi³ 次)

— si⁶ — 事   (N) *accident.* (*RT cars, airplanes, etc.*) (*Cl.* chi³次)

— sun³ — 信   (V) *break one's word; fail to keep an appointment.*

— yeuk³ — 約   (V) *ditto.*

— toh¹° (lat¹° dai²) — 拖 (甩底)   (V) *break an appointment; break one's word.* **Coll.**

40 — woh⁴ — 和   (V) *quarrel; have difference of opinion.* (*GRT friends*)

— yi³ — 意   (Adj) *disappointed; heartbroken.*

— yi⁴ quk⁶ dak¹°　— 而復得　(SE) *lost and found again.*

— yik¹°　— 憶　(V) *lost memory.*

— — jing³　— — 症　(N) *amnesia.* (*Cl.* goh³ 個 *or* jung² 種)

⁴⁵ — ying⁴　— 迎　(SE) *I owe you a welcome.* (*Lit. lose welcome*) **PL.**

— yip⁶　— 業　(V) *lose one's job; be unemployed.* (Adj) *unemployed; without work.* (N) *unemployment.* (*Cl.* chi³ 次)

— — gau³ jai³　— — 救濟　(N) *unemployment benefit; relief for the unemployed.* (*Cl.* jung² 種)

sat¹° 室 2675　　(N) *room.* **Fml. SF** ‡

— noi⁶　— 內　(Adj) *interior; inside a room.*

— — chit³ gai³　— — 設計　(N) *interior design.* (*Cl.* goh³ 個 *or* jung² 種)

— — jong¹ ji³　— — 裝置　(N) *interior decoration.* (*Cl.* jung² 種)

— — jong¹ sik¹°　— — 裝飾　(N) *ditto.*

sat¹° 虱(蝨) 2676　　(N) *louse; bug; flea.* **SF** ‡ (*Cl.* jek³ 只)

— na²　— 乸　(N) *louse.* **FE Coll.** (*Cl.* jek³ 只)

sat⁶ 實(寔) 2677　　(Adj) *real; actual; hard; solid.* **SF** ‡

— ching⁴　— 情　(N) *real state of affairs.* (*Cl.* jung² 種)

— fong³　— . 況　(N) *ditto.*

— joi⁶ ching⁴ fong³　— 在情況　(N) *ditto.*

— — — ying⁴　— — — 形　(N) *ditto.*

⁵ — dak¹° (ge³)　— 得 (嘅)　(Adj) *absolutely sure; 100% sure.*

— dei⁶　— 地　(Adv) *on the spot.* (*GRT reporting, research work, etc.*)

— — bo³ do⁶　— — 報導　(V) & (N) *report on the spot.* (*RT newspapers, television, radio, etc.*)

— — jik⁶ jip³ luk⁶ boh³　— — 直接錄播　(N) *live broadcasting on the spot.* (*RT radio, television, etc.*)

— — tiu⁴ cha⁴　— — 調查　(V) *investigate on the spot.* (N) *on-the-spot investigation.* (*Cl.* chi³ 次)

¹⁰ — hang⁴　— 行　(V) *put into effect; take effect; become effective.*

— si¹ — 施   (V) *ditto.*

— jaap⁶ — 習   (V) *practise.* *(RT professions)*   (N) *practice.* *(RT professions)*   (*Cl.* chi³ 次 *or* jung²種)

— — yi¹ saang¹° — — 醫生   (N) *intern; junior house-man.*

— jai³ — 際   (Adj) *practical; down-to-earth.*

15   — si⁶ kau⁴ si⁶ — 事求是   (Adj) *ditto.*

— jat¹° — 質   (N) *substance; material substance.*   (*Cl.* jung²種)

— tai² — 體   (N) *ditto.*

— jeng⁶ — 淨   (Adj) *hard.* **Coll.** **FE**

— joi⁶ gong² — 在講   (Adv) *in fact; actually.*

20   — juk¹° nin⁴ ling⁴ — 足年齡   (N) *actual age.*

— lik⁶ — 力   (N) *actual strength/power.*   (*Cl.* jung² 種)

— — jing³ chaak³ — — 政策   (N) *power policy.*   (*Cl.* jung² 種 *or* goh³個)

— sam¹ (ge³) — 心 (嘅)   (Adj) *solid.* **Coll.** **FE**

— sau¹ ji¹ boon² — 收資本   (N) *paid-up capital.*   (*Cl.* bat¹°筆)

25   — wa⁶ — 話   (N) *the truth.*   *(Lit. honest talk)*   (*Cl.* jung²種)

— — sat⁶ suet³ — — 實說   (SE) *tell the truth.*

— yim⁶ — 驗   (V) & (N) *test; experiment.*

— — sat¹° — — 室   (N) *laboratory.*   (*Cl.* gaan¹ 間 *or* goh³個)

— yin⁶ — 現   (V) *realize; come true.*   *(RT ideals, dreams, plans, etc.)* (N) *realization.*   (*Cl.* jung² 種 *or* chi³ 次)

30   — — gai³ waak⁶ — — 計劃   (V) *see a plan materialize.*

— — lei⁵ seung² — — 理想   (SE) *an ideal has been realized/come true.*

— — mung⁶ seung² — — 夢想   (SE) *a dream has been realized/come true.*

— yip⁶ — 業   (N) *industry.*   (*Cl.* jung²種)

— — ga¹° — — 家   (N) *industrialist.*

35   — yung⁶ — 用   (Adj) *usable; practical.*   (N) *practical use.*   *(No Cl.)*

— — min⁶ jik¹° — — 面積   (N) *floor space.*   *(Lit. usable area)*

sau¹修   2678   (V) *repair; revise; amend.*   **SF** ‡

— chap¹° — 葺   (V) *repair; renovate.*   *(RT houses)*   **FE**

— chi⁴ — 詞   (N) *rhetoric; use of proper words.*   (*Cl.* jung²種)

— — hok⁶ — — 學   (N) *rhetoric.* *(as a subject of study)* *(Subject:* foh¹° 科 *)*

— ding³ — 訂   (V) *amend.* **Fml. FE** (N) *amendment.* **Fml. FE** *(Cl.* chi³ 次 *)*

5   — do⁶ — 道   (V) *enter a monastery; confer to a religious regimen.*

— — yuen⁶* — — 院   (N) *monastery.* *(Cl.* gaan¹ 間 *)*

— geuk³ (gaap³) — 脚(甲)   (N) *pedicure; pare toe-nails.*

— goi² — 改   (V) *revise; correct.* **Coll. FE** (N) *revision; correction.* **Coll. FE** *(Cl.* chi³ 次 *or* jung² 種 *)*

— jing³ — 正   (V) *ditto.* **Fml.** (N) *ditto.* **Fml.**

10   — — jue² yi⁶ — — 主義   (N) *revisionism.* *(GRT politics)* *(Cl.* jung² 種 *)*

— hang⁴ — 行   (V) *practise moral teachings; cultivate morality.*

— ji² gaap³ — 指甲   (V) *manicure; pare finger-nails.*

— jing² — 整   (V) *repair; fix; mend.* **Coll. FE**

— lei⁵ — 理   (V) *ditto.* **Fml.**

15   — juk¹° — 築   (V) *construct.* *(RT roads, bridges, dams, etc.)*

— kiu⁴ jing² lo⁶ — 橋整路   (SE) *repair/build bridges and mend roads; do a good deed.*

— kui⁴ jing² lo⁶ — 渠整路   (SE) *repair road/drain.*

— lo⁶ jing² kui⁴ — 路整渠   (SE) *ditto.*

— nui⁵* — 女   (N) *nun; sister.* *(RT Roman Catholic)*

20   — sam¹ yeung⁵ sing³ — 心養性   (SE) *attend to spiritual things; return to a quiet and peaceful life.*

— yeung⁵ — 養   (N) *moral culture/training.* *(Cl.* jung² 種 *)*

— si⁶ — 士   (N) *brother.* *(ROT Roman Catholic)*

— yuen⁶* — 院   (N) *nunnery; hermitage.* *(RT Roman Catholic)* *(Cl.* gaan¹ 間 *)*

sau¹ 脩 2679   (N) *dried meat; tuition fee.* **Fml. SF** ‡

— gam¹° — 金   (N) *tuition fee; salary for tutors/teachers.* **Fml. FE** *(Sum:* bat¹° 筆 *)*

— po² — 脯   (N) *dried meat; tuition fee* (Fig.). **Fml. FE** *(Sum:* bat¹° 筆 *)*

sau¹ 羞   2680

(V) *put to shame.* **SF** ‡   (Adj) *ashamed.* **SF** ‡
(N) *shame.* **SF** ‡

— chaam⁴ — 慚   (Adj) *ashamed; abashed.* **FE**

— kwai³ — 愧   (Adj) *ditto.*

— chi² — 恥   (N) *shame.* **FE**   (*Cl.* jung² 種)

— yuk⁶ — 辱   (V) *put to shame; insult.* **FE**

sau¹ 收（收）   2681

(V) *receive; gather; harvest; enrol.* **SF** ‡

— cheng² tip³* — 請帖   (V) *receive an invitation card; get a "parking ticket"* (Sl.).

— cheung⁴ — 塲   (N) *ending; end.* *(RT events, plays, etc.)* **Lit. & Fig.**

— chin⁴* — 錢   (V) *collect money.* (N) *cashier.* **Coll.**

— ngan⁴* — 銀   (V) *ditto.* (N) *ditto.*

5 — chong⁴ — 藏   (V) *collect (RT curios, paintings, books, etc.); hide sth; harbour sb.*

— — ga¹° — — 家   (N) *collector.* *(RT curios, paintings, books, etc.)*

— chui² — 取   (V) *receive; accept.* **Fml. FE**

— sau⁶ — 受   (V) *ditto.*

— do² — 到   (V) *receive; collect.* *(RT mails, salaries, etc.)* **FE**

10 — dong³ — 檔   (V) *close shop; close (RT hawker's stalls, etc.); "shut up"; "dry up".* **Coll.**

— dui⁶* — 隊   (V) *recall policemen/troops; come off duty.*

— faan¹ — 返   (V) *claim; refund; return; get back.*

— — boon² chin⁴ — — 本錢   (V) *cover one's capital; refund capital.*

— foh¹° — 科   (V) *bring/come to an end.* *(RT events)*

15 — foh³ — 貨   (V) *collect goods.*

— gaang¹ — 更   (V) *come off shift duty.*

— go³ piu³ — 告票   (V) *receive/be served with a summous.*

— got³ — 割   (V) *harvest; reap.* *(RT crops)*

— gui³ — 據   (N) *receipt.* **Fml.** *(Cl.* jeung¹ 張)

20 — tiu⁴ — 條   (N) *ditto.* **Coll.**

— gung¹ — 工   (V) *finish work.*

— gwai¹ gwok³ yau⁵ — 歸國有 (V) *nationalize.* *(RT industries, public utilities, etc.)* (N) *nationalization.* *(RT industries, public utilities, etc.)* *(Cl.* chi³ 次*)*

— haau⁶ — 效 (V) *have effective results.*

— hak¹° chin⁴* — 黑錢 (V) *accept/collect bribes.* **Coll.**

25 — fooi² lo⁶ — 賄賂 (V) *ditto.* **Fml.**

— kwai¹° — 規 (V) *ditto.* **Sl.**

— hok⁶ saang¹° — 學生 (V) *enrol students.* **FE**

— jo¹ — 租 (V) *collect rent.*

— — lo² — — 佬 (N) *rent-collector; bribe-collector* **(Sl.).**

30 — lau⁴ — 留 (V) *accept for care; take in.* *(RT friends/relatives in need)*

— maai⁴ — 埋 (V) *gather; put away; hide; harbour.* **FE**

— mei⁵° — 尾 (Adv) *at the end; in the end; finally.* (Adj) *last; final.*

— — yat¹° foh³ — — 一課 (SE) *the last/final lesson (of a textbook).*

— — — goh³ yan⁴ — — — 個人 (SE) *the last person.*

35 — — — yat⁶ — — — 日 (SE) *the last day.*

— saam¹° — 衫 (V) *collect the washing.*

— sap⁶ — 拾 (V) *tidy up; gather together; "fix".*

— — hang⁴ lei⁵ — — 行李 (V) *pack up one's luggage.*

— — ok³ yan⁴ — — 惡人 (V) *"fix"/deal with evil persons.*

40 — sin³ — 綫 (V) *hang up the telephone receiver; end a phone conversation.*

— tai² — 睇 (V) *turn on; switch on.* *(RT television)*

— teng¹ — 聽 (V) *ditto.* *(RT radio)*

— wok³ — 穫 (N) *harvest (RT crops); attainment/result.* *(RT studies, research work, etc.); gain (RT games, wars, etc.)* *(Cl.* jung² 種*)*

— yam¹ gei¹ — 音機 (N) *radio; wireless set.* *(Cl.* goh³ 個 *or* ga³ 架*)*

45 — yap⁶ — 入 (N) *income.* *(Cl.* bat¹° 筆 *or* jung² 種*)*

— yung⁴ — 容 (V) *arrange a job for sb; arrange accommodations (for people, offices, schools, etc.); look after refugees/victims of disasters.*

sau¹ 搜 2682 (V) *search.* **Fml. SF ‡ AP sau² SM see 2683.**

sau² 搜   **2683**   (V) *search.* **CP SF ‡ AP sau¹ SM see 2682.**

— cha⁴ — 查   (V) & (N) *search; censor.* **FE**

— chut¹° — 出   (V) *search; discover; find out.* **FE**

— loh⁴ — 羅   (V) *recruit; collect; suk; search.* **FE**

— saak³ — 索   (V) *search for; think out; hunt up.* **CP sau² sok³**

5   — — foo¹ cheung⁴ — — 枯腸   (SE) *ransack one's brains.* **CP sau² sok³ foo¹ cheung⁴**

— sau¹ — 身   (V) *search the person.*   *(Lit. search body)*

— wok⁶ — 獲   (V) *seize.*   *(RT drugs, contraband, etc.)*

sau² 守   **2684**   (V) *keep; guard; remain; observe.* **SF ‡**

— bei³ mat⁶ — 秘密   (V) *keep a secret.*

— boon² fan⁶ — 本份   (V) *be content with one's own position in life or one's lot; mind one's own business.*

— dak¹° wan⁴ hoi¹ gin³ yuet⁶ ming⁴ — 得雲開見月明   (sy) *wait till the clouds roll by, then you will see the bright moon; everything will come right in the end.*

— faat³ — 法   (V) *be law-abiding.*

5   — gau⁶ — 舊   (V) *be old-fashioned/conversative.*

— gwa² — 寡   (V) *remain a widow.*

— haau³ — 孝   (V) *he in mourning for a parent.*

— hau² yue⁴ ping⁴ — 口如瓶   (SE) *keep the month closed like a bottle; keep a secret.*

— jue⁶ — 住   (V) *keep watch; stand guard.* **FE**

10   — jung¹ lap⁶ — 中立   (V) *remain neutral; observe neutrality.*

— kwai¹ gui² — 規矩   (V) *be well-behaved; observe the proprieties.*

— lai⁵ baai³ — 禮拜   (V) *go to church on Sunday; observe the Day of Rest.*

— si⁴ — 時   (V) *be punctual.* (Adv) *punctually.*

— sui³ — 歲   (V) *see the old year out and the new year in.*

15   — sun³ (yung⁶) — 信 (用)   (V) *keep one's word; honour one's promise.*

— yeuk³ — 約   (V) *ditto.*

sau² 首   2685   (N) *head.* **Fml.** **SF** ‡

— do¹ — 都   (N) *national capital.*

— foo² — 府   (N) *provincial capital.*

— jik⁶ — 席   (N) *chief place at a feast; head of a committee/board; principal/leading member of a committee/board.*

— kap¹° — 級   (N) *decapitated head.* *(ROT enemies, convicts, animals, etc.)*

— ling⁵ — 領   (N) *leader.* *(Lit. head and neck)* **Der.**

5   — seung³ — 相   (V) *prime minister.*

— sin¹° — 先   (Adv) *first; first of all.*

sau² 手   2686   (N) *hand; arm.* (*Cl.* jek³ 只)

— baan² — 板   (N) *palm.* **Coll.** (*Cl.* jek³ 只)

— jeung² — 掌   (N) *ditto.* **Fml.**

— biu¹° — 錶   (N) *wrist watch.*

— bei³ — 臂   (N) *arm; upper arm.* (*Cl.* jek³ 只)

5   — gwa¹° — 瓜   (N) *ditto.* **Coll.** (*Cl.* goh³ 個)

— booi³ — 背   (N) *back of the hand.*

— cheung¹° — 鎗   (N) *hand gun; pistol; revolver.* (*Cl.* ji¹ 枝)

— din⁶ tung⁴* — 電筒   (N) *hand battery torch; flash-light.* *(Lit. electric tube)* (*Cl.* ji¹ 支)

— duen⁶ — 段   (N) *means, scheme; knack.* **Der.** (*Cl.* jung² 種)

10   — fung¹ kam⁴ — 風琴   (N) *accordion; concertina.*

— gan¹° jai² — 巾仔   (N) *handkerchief.* (*Cl.* tiu⁴ 條)

— gung¹ — 工   (N) *workman-ship; tailor's charge; handwork (as a subject for school children).* *(No Cl.)*

— — ngai⁶ — — 藝   (N) *handicraft.* (*Cl.* jung² 種)

— ha⁶ — 下   (Adj) & (N) *subordinate.* *(RT rank)*

15   — jaang¹° — 睜   (N) *elbow.* **FE Coll.** (*Cl.* goh³ 個 *or* jek³ 只)

— ji² — 指   (N) *finger.* (*Cl.* jek³ 隻)

— — gaap³ — — 甲   (N) *finger nail.* (*Cl.* faai³ 塊)

— — gung¹° — — 公   (N) *thumb.* **Coll.** (*Cl.* goh³ 個 *or* jek³ 只)

— — la³ — — 罅   (N) *space between fingers.*

20 — — mo⁴ — — 模   (*N*) *finger prints.*   (*Cl.* goh³ 個 *or* jung² 種)

— jok³ — 作   (*N*) *manual work.*   **Coll.**   (*Cl.* jung² 種)

— jok³ jai² — 作仔   (*N*) *manual worker.*   **Coll.**

— juk¹° — 足   (*N*) *brothers; fellow-members (ROT secret societies). (Lit. hands and feet)*   **Fig.**

— — ji¹ ching⁴ — — 之情   (*N*) *brotherly affection.*   (*Cl.* jung² 種)

25 — — mo⁴ cho³ — — 無措   (*SE*) *bustling and busy; be ill at ease; behave nervously.*

— mong⁴ geuk³ luen⁶ — 忙脚亂   (*SE*) *ditto.*

— mat⁶ — 襪   (*N*) *gloves.*   **Coll.**   (*Cl.* jek³ 只 ; *Pair:* dui³ 對)

— to³ — 套   (*N*) *ditto.*   **Fml.**

— liu⁴ — 鐐   (*N*) *handcuffs.*   (*Pair:* foo³ 副 ; *or* dui³ 對)

30 — sai³ — 勢   (*N*) *hand gesture.*   (*Cl.* jung² 種 *or* goh³ 個)

— seung⁶ — 上   (*Adv*) *on/in one's hand.*

— sut⁶ — 術   (*N*) *operation (RT surgeny); skill (RT stealing).*   (*Cl.* jung² 種)

— — sat¹° — — 室   (*N*) *operation room/theatre.*   (*Cl.* gaan¹ 間)

— tai⁴ — 提   (*Adj*) *portable.*

— — da² ji⁶ gei¹ — — 打字機   (*N*) *portable typewriter.*   (*Cl.* ga³ 架 *or* goh³ 個)

— — faat³ din⁶ gei¹ — — 發電機   (*N*) *portable generator.*   (*Cl.* ga³ 架)

— — luk⁶ yam¹° gei¹ — — 錄音機   (*N*) *portable tape-recorder.*   (*Cl.* ga³ 架)

— — sau¹ yam¹° gei¹ — — 收音機   (*N*) *portable radio.*   (*Cl.* goh³ 個 *or* ga³ 架)

— yam⁴ — 淫   (*V*) *masturbate.*   (*N*) *masturbation.*   (*Cl.* chi³ 次)

40 — yue⁵ — 語   (*N*) *sign language; speech on the fingers* (**Lit.**).   *(ROT deaf-mutes)*   (*Cl.* jung² 種)

sau³ 秀   2687   (*Adj*) *refined; luxuriant.*   **SF** ‡   (*N*) *elegance.*   **SF** ‡

— choi⁴* — 才   (*N*) *cultivated talent; successful candidate of the former imperial first degree examination; "hsiu ts'ai"* (**Tr.**).

— hei³ — 氣   (*Adj*) *refined; graceful; elegant.*   **FE**   (*N*) *elegance.*   **FE**   (*Cl.* jung² 種)

— lai⁶ — 麗   (*Adj*) *fine-looking; beautiful.*   **FE**

— mau⁶ — 茂   (*Adj*) *luxuriant.*   *(RT vegetation)*   **FE**

sau³ 綉(繡) 2688   (V) *embroider.* **SF** (N) *embroidery.* **SF** ‡

— fa¹° — 花   (V) *embroider.* *(RT needlework)* **FE** (Adj) *embroidered.* *(RT needlework)* **FE** (N) *embroidery.* *(RT needlework)* **FE** (*Cl.* fuk¹° 幅)

— kau⁴ — 球   (N) *embroidered ball* (*Cl.* goh³ 個); *hydrangea* (*Cl.* deuh² *or* doh² 朵).

sau³ 銹(鏽) 2689   (V) & (N) *rust.* **SF** ‡

sau³ 漱 2690   (V) *rinse the mouth.* **Mdn. SF** ‡ **Ap so³ see 2878.**

— hau² — 口   (V) *rinse the mouth.* **Mdn. FE**

sau³ 嗽 2691   (V) *cough.* **Fml. SF** ‡

sau³ 宿 2692   (N) *constellation.* **Fml. SF** ‡ **AP suk¹° see 2951.**

sau³ 獸 2693   (N) *animal; beast.* **SF** ‡

— lui⁶ — 類   (N) *animals/beasts in general.* (*Cl.* jung² 種 *or* jek³ 只)
— yi¹ — 醫   (N) *veterinary surgeon; vet.*
— yuk⁶ — 慾   (N) *animal passion.* (*Cl.* jung² 種)

sau³ 廋 2694   (Adj) *thin; slim; lean.* **SF**

— siu² — 小   (Adj) *thin; slim.* **FE**
— yeuk⁶ (doh¹ beng⁶) — 弱(多病)   (Adj) *wasted away.*
— yuk⁶ — 肉   (N) *lean meat.* *(No Cl.)*

sau³ 狩 2695   (V) *hunt animals.* **Fml. SF** ‡ (N) *hunting-dog.* **Fml. SF** ‡

— lip⁶ — 獵   (V) *hunt animals.* **Fml. FE**
— — tiu⁴ lai⁶ — — 條例   (N) *game laws.* (*Cl.* jung² 種 *or* tiu⁴ 條)

sau⁴ 愁   2696   (Adj) *sad; miserable; anxious.*   **SF**   ‡

— mei⁴ foo² min⁶ — 眉苦面   (SE) *gloomy countenance; woebegone look. (Lit. sad brows painful face)*

— moon⁶ — 悶   (Adj) *sad; miserable.*   **FE**

— wan⁴ chaam² mo⁶ — 雲慘霧   (SE) *heavy clouds and dense fogs; miserable and sad atmosphere.*   **Lit. & Fig.**

— yeung⁴ (moon⁵ min⁶) — 容(滿面)   (SE) *anxious/mournful countenance. (Lit. sad look all over the face)*

sau⁴ 仇（讐）   2697   (N) *enemy, enmity.*   **Coll.**   ‡   **AP chau⁴ SM see 233.**

— dik⁶ — 敵   (N) *enemy; foe; rival.*   **Fml.**   **FE**

— yan⁴ — 人   (N) *ditto.*   **Coll.**

— han⁶ — 恨   (N) *enmity; hatred; spite.*   **Fml.**   **FE**   (*Cl.* jung² 種)

— hau² — 口   (N) *ditto.*   **Coll.**

⁵ — si⁶ — 視   (V) *look at with enmity; regard as an enemy.*

sau⁶ 受   2698   (V) *receive; endure; sustain; suffer. (GRT the passive)*   **SF**   ‡

-- aat³ lik⁶ — 壓力   (V) *endure pressure; be put under pressure.*

— — aat³ lik⁶ — — 壓力   (V) *ditto.*

— do³ — 到   (V) *received. (Gen. followed by abstract nouns)*

— — foon¹ ying⁴ — — 歡迎   (V) *received a welcome; be welcome.*

⁵ — foon¹ ying⁴ — 歡迎   (V) *ditto.*

— foo² — 苦   (V) *suffer; be treated badly.*   **FE**

— tung³ foo² — 痛苦   (V) *ditto.*

— ging¹ — 惊   (V) *receive a fright; suffer a shock.*

— hei⁶ — 氣   (V) *suffer indignity; be abused/ill-treated; be the object of sb's anger.*

¹⁰ — hoi⁶ — 害   (V) *suffer; suffer harm.*   **FE**

— — je² — — 者   (N) *victim.*   **Fml.**

— — yan⁴ — — 人   (N) *ditto.*   **Coll.**

— hui¹ ging¹ — 虛惊   (V) *have a false alarm; receive a shock; suffer from nervous fears.*

15   — jing¹ — 精   (V) *be fertilized.*

— joh⁶ si¹ haau⁶ — 助私校   (N) *aided private school.*   (*Cl.* gaan¹ 間)

— jui⁶ — 罪   (V) *be mentally tortured; suffer mentally.*   (*Lit. receive punishment*)

— lui⁶ — 累   (V) *be/get involved.*

— naan⁶ — 難   (V) *be in difficulties.*

— pin³ — 騙   (V) *be deceived/cheated; be taken in.*

20   — sai² — 洗   (V) *be baptised; receive baptism.*

— sam² — 審   (V) *be judged/tried.*

— san¹ — 薪   (V) *salaried; receive a salary.*   (Adj) *salaried.*

— — bei³ sue¹° — — 秘書   (N) *paid secretary.*

— — gaai¹ kap¹° — — 階級   (N) *employee; office worker; salaried staff.*

25   — seung¹ — 傷   (V) *be wounded/injured.*

— seung² — 賞   (V) *be rewarded.*

— toi¹ — 胎   (V) *become pregnant.*

— yan⁶ — 孕   (V) *ditto.*

— wai² wat¹° — 委屈   (V) *be wronged; be imposed upon.*

30   — wat¹° (ham⁴ yuen¹) — 屈(含冤)   (V) *ditto.*

— yan⁵ yau⁵ — 引誘   (V) *be tempted/induced by.*

— yau⁵ waak⁶ — 誘惑   (V) *ditto.*

— yik¹° — 益   (V) *be benefited.*

— — yan⁴ — — 人   (N) *beneficiary.*

35   — yuk⁶ — 辱   (V) *be disgraced; be shamefully treated; be insulted/humiliated.*

sau⁶ 授   2699   (V) *give; confer.*   **SF** ‡

— foh³ — 課   (V) *give tuition; teach.*   **Fml.**

— jik¹° — 職   (V) *confer a rank/post.*

— kuen⁴ — 權   (V) *authorize; give authority for.*

— yi³ — 意   (V) *hint at; suggest sb to do sth.*

5   — yue⁶ hok⁶ wai⁶* — 予學位   (V) *confer a university degree.*

sau⁶ 壽(壽)   2700   (N) *life; length of life; longevity.*   **SF** ‡

— baan² — 板   (N) *conffin.*   **Fml.**

— muk⁶ — 木   (N) *ditto.*

— him² — 險   (N) *life-insurance.*   (*Cl.* jung² 種)

— jau² — 酒   (N) *birthday dinner/feast.*   (*Cl.* chi³ 次 *or* chaan¹ 餐)

⁵   — meng⁶ — 命   (N) *life; life span; allotted span of a person.*   **FE** *(No Cl.)*

— min⁶ — 麵   (N) *moodles eaten on birthdays—as a symbol of longevity.*

— san⁴ — 辰   (N) *birthday.*   **Fml.**

— yi¹ — 衣   (N) *shroud.*   (*Cl.* gin⁶ 件)

sau⁶ 售   2701   (V) *sell.*   **Fml. SF** ‡

— foh³ yuen⁴ — 貨員   (N) *sales-girl; salesman; shop assistants.*

— ga³ — 價   (V) *selling price.*   **Fml.**

— maai⁶ — 賣   (V) *sell.*   **Fml. FE**

— piu³ chue³ — 票處   (N) *booking/ticket office.*   (*Lit. sell ticket place*)

se¹ 些   2702   (Adj) *a little; a few.*   **SF** ‡   (Adv) *little; a little.*   **SF** ‡

— siu² — 少   (Adj) *a little; a few.*   **FE**   (Adv) *a little.*   **FE**

se¹ 奢   2703   (Adj) *luxurious; extravagant; wasteful.*   **Fml. SP** ‡ **AP Che¹ SM see 243.**

se¹ 賒   2704   (V) *buy/sell on credit.*   **SF** ‡

— foh³ — 貨   (V) *buy/get goods on credit.*   **FE**

— je³ — 借   (V) *get credit; borrow.*   **FE**

— so³ — 數   (N) *credit account.*   (*Cl.* tiu⁴ 條 *or* bat¹° 筆)

se² 寫(寫)   2705   (V) *write.*   **SF**

— choi³ — 菜   (V) *give a waiter an order for a meal; take an order for a meal from a customer.*   (*Lit. write down dishes*)

— daan¹° — 單   (V) *write down an order for a meal; write bills/invoices.*

— dai¹ — 低   **(V)** *write down, jot down.*

— go² — 稿   **(V)** *write sth for publication; write an article for a newspaper.*

5 — ji¹ piu³ — 支票   **(V)** *write a cheque.*

— ji⁶ — 字   **(V)** *write.* **FE** **(N)** *writing; calligraphy.* *(No Cl.)*

— — lau⁴ — — 樓   **(N)** *office.* *(Cl.* gaan¹ 間 *)*

— — toi⁴* — — 枱   **(N)** *writing desk; office desk.* *(Cl.* jeung¹ 張 *)*

— ming⁴ — 明   **(V)** *write clearly; write in simple language.*

10 — sun³ — 信   **(V)** *write letters.*

se² 捨（舍） 2706   **(V)** *abandon; give up.* **SF** ‡

— dak¹° — 得   **(V)** *be willing to give up/part with.*

— hei³ — 棄   **(V)** *abandon; give up.* **FE**

se³ 瀉 2707   **(V)** *have diarrhoea.* **SF** ‡ **(N)** *diarrhoea.* **SF** ‡

— to⁴ — 肚   **(V)** *have diarrhoea.* **FE** **(N)** *diarrhoea.* **FE** *(Cl.* chi³ 次)*

— yau⁴ — 油   **(N)** *castor oil; purgative.* *(Bottle:* jun¹ 樽 *)*

— yeuk⁶ — 葯   **(N)** *purgative; aperient.* *(Cl.* jung² 種 *)*

— yim⁴ — 鹽   **(N)** *Epsom salts.* *(Cl.* nap¹° 粒 *; Package:* baau¹ 包 *)*

se³ 卸 2708   **(V)** *unload; resign* **(Fig.)**. **SF** ‡

— che¹° — 車   **(V)** *unload a train/truck.*

— foh³ — 貨   **(V)** *unload cargo/goods.* **FE**

— jaak³ — 責   **(V)** *evade/lay down responsibility; put the blame on sb.*

— jik¹° — 職   **(V)** *resign from office.* **FE**

5 — yam⁶ — 任   **(V)** *ditto.*

— suen⁴ — 船   **(V)** *unload a ship.*

se³ 舍 2709   **(N)** *cottage; shed.* **Fml.** **SF** ‡ **(P)** *used as a prefix to nouns in polite expressions.*

— chan¹ — 親   **(N)** *my humble relative.* **PL**

— dai⁶* — 弟   **(N)** *my younger brother.* **PL**

— gaam¹° — 監   (N) *dormitory master/warden.*

— ha⁶ — 下   (N) *my house/home.* **PL**   (*Cl.* gaan¹ 間)

⁵ — mooi⁶* — 妹   (N) *my younger sister.* **PL**

se³ 赦   2710   (V) *forgive; pardon.* **SF** ‡

— jui⁶ — 罪   (V) *forgive one's sins; grant pardon/amnesty to criminals*

— min⁵ — 免   (V) *forgive; pardon.* **FE**

se⁴ 蛇   2711   (N) *snake.* (*Cl.* tiu⁴ 條)

— jai² — 仔   (N) *small snake* (*Cl.* tiu⁴ 條); *apprentice in a garage* (**Sl.** *Cl.* goh³ 個)

— mo⁴ tau⁴ bat¹° hang⁴ — 無頭不行   (SE) *a gang cannot operate any more without its leader.* (*Lit. a snake cannot crawl without its head*)

— tau⁴ sue² ngaan⁵ — 頭鼠眼   (SE) *a person having a crafty and wily look.* (*Lit. snake's head rat's eyes*)

se⁵ 社   2712   (N) *society* (**SF**); *brothel* (**Sl.**).

— gaau¹ (saang¹ woot⁶) — 交(生活)   (N) *social life; social activities.* (*Cl.* jung² 種)

— jeung² — 長   (N) *president; managing director.* (*GRT newspapers*)

— lun⁶ — 論   (N) *editorial.* (*Cl.* pin¹ 篇)

— nui⁵* — 女   (N) *call-girl.* **Sl.**

— — daai⁶ boon² ying⁴ — — 大本營   (N) *call-girl centre.* **Sl. FE**

— tuen⁴ — 團   (N) *social organization.*

— wooi⁶* — 會   (N) *society; community.* (*Cl.* goh³ 個) (Adj) *social.*

— — foh¹° hok⁶ — — 科學   (N) *social science.* (*Cl.* jung² 種)

— — fuk¹° lei⁶ — — 福利   (N) *social welfare.* (*Cl.* jung² 種)

— — gok³ gaai³ yan⁴ si⁶ — — 各界人士   (SE) *the public; the general public.*

— — yan⁴ si⁶ — — 人士   (SE) *ditto.*

— — gung¹ jok³ — 工作   (N) *social work.* (*Cl.* jung² 種 *or* gin⁶ 件)

— — — — je² — — — — 者   (N) *social worker.*

— — — — yan⁴ yuen⁴ — — — — 人員   (N) *ditto.*

¹⁵ — — gung¹ lun⁶ — — 公論   (N) *public opinion.* (*Cl.* jung² 種)

— — yue⁴ lun⁶ — — 輿論   (N) *ditto.*

— — hok⁶ — — 學   (N) *sociology.* (*Subject:* foh¹° 科)

— — — ga¹° — — — 家   (N) *sociologist.*

— — jai³ do⁶ — — 制度   (N) *social system.* (*Cl.* jung² 種 *or* goh³ 個)

²⁰ — — Jue² Yi⁶ — — 主義   (N) *socialism.* (*Cl.* jung² 種 *or* goh³ 個)
(Adj) *socialistic.*

— — — — gwok³ ga¹ — — — — 國家   (N) *socialist state/country.*

— — — — je² — — — — 者   (N) *socialist.*

— — man⁶ tai⁴ — — 問題   (N) *social problem.*

— — ming⁴ lau⁴ — — 名流   (SE) *well-known people; the elite of society.*

²⁵ — — san¹ man⁴* — — 新聞   (SE) *local news.* (*Cl.* goh³ 個 *or* gin⁶ 件)

— — — — baan² — — — — 版   (N) *local news colomn/page.* (*Cl.* yip⁶ 頁 *or* goh³ 個)

se⁶ 射 2713   (V) *shoot.* (*RT bullets, arrows, etc.*) **SF** ‡

— gik¹° — 擊   (V) *shoot with a gun/revolver.* **FE** (N) *shooting.* (*GRT bullets, shells, etc.*) (*Cl.* chi³ 次)

— jin³ — 箭   (V) *shoot an arrow.* **FE** (N) *archery.* (*Cl.* chi³ 次)

— jung² — 中   (V) *hit the bull's eye.*

— saat³ — 殺   (V) *shoot to kill.*

se⁶ 麝 2714   (N) *musk* (SF); *musk-deer.*

— heung¹ — 香   (N) *musk.* **FE** (*Cl.* jung² 種)

— ngau⁴ — 牛   (N) *musk-ox.* (*Cl.* jek³ 隻)

— sue² — 鼠   (N) *musk-rat.* (*Cl.* jek³ 隻)

sei² 死   **2715**   (V) *die.* **SF** ‡ (Adj) *dead.* **SF** ‡ (N) *death.* **SF** ‡

— baan² — 板   (Adj) *stereotyped; inflexible; doltish.*

— bat¹° ming⁵ muk⁶ — 不瞑目   (SE) *be unwilling to die. (Lit. die but not close the eyes)*

— dak¹° yan⁴ doh¹ — 得人多   (SE) *disastrous; calamitous. (Lit. too many people die)*

— dong² — 黨   (N) *good friend; faithful partner; "side-kick".* **Sl.**

5   — foh² — 火   (V) *stall; be in trouble. (Lit. dead fire)* **Lit. & Fig.**

— haan¹ sei² dai² — 慳死抵   (SE) *very thrifty and hard-working.*

— hei³ hau⁴ — 氣喉   (N) *exhaust pipe. (Lit. death air pipe)* (*Cl.* tiu⁴ 條)

S— Hoi² — 海   (N) *the Dead Sea.*

s— je² — 者   (N) *the deceased. (Lit. dead person)*

10   — jing³ — 症   (N) *fatal disease; fatal symptom; hopeless condition* (**Fig.**)*. (Lit. death disease)*

— jui⁶ — 罪   (N) *capital crime.* (*Cl.* jung² 種 *or* tiu⁴ 條)

— lo⁶ — 路   (N) *blind alley; dead end; fatal blow. (Lit. death road)* (*Cl.* tiu⁶ 條)

— lok³ — 咯   (Itj) *oh dear! dear me! my goodness!*

— lui⁵ to⁴ saang¹ — 裏逃生   (SE) *have a very narrow escape from death.*

15   — mat⁶ — 物   (N) *inanimate objects/things.* (*Cl.* gin⁶ 件 *or* jung² 種)

— mong⁴ — 亡   (V) *die.* **FE**   (N) *death.* **FE**   (*Cl.* chi³ 次 *or* jung¹ 宗)

— — gung¹ lo⁶ — — 公路   (N) *killer highway; death highway; very dangerous highway.* (*Cl.* tiu⁴ 條)

— — lut⁶* — — 率   (N) *death rate.*

— ngaang⁶ — 硬   (Adj) *bigotted; stubborn; die hard.*

20   — ngau⁴ yat¹° bin⁶ geng² — 牛一便頸   (SE) *as stubborn/obstinate as a mule. (Lit. dead ox with its neck pointing in one direction)*

— si¹ — 屍   (N) *corpse.*

— sing³ bat¹° goi² — 性不改   (SE) *death will not make sb change; be very obstinate.*

— sui² — 水   (N) *stagnant water. (No Cl.)*

— yau⁵ yue⁴ gwoo¹ — 有餘辜   (SE) *death is not sufficient punishment.*

²⁵ — ying⁴ — 刑   **(N)** *death penalty; capital punishment.* (*Cl.* jung² 種 *or* chi³ 次)

— yue¹ fei¹ ming⁶ — 於非命   **(SE)** *die a premature death; death due to unnatural causes.*

sei³ 四 (肆)   2716   (Adj) & (N) *four.*

S— Chuen¹ (Saang²) — 川 (省)   **(N)** *Szechuan; Szechuan Province.* **Tr.**

s— fong¹ — 方   **(Adj)** & **(N)** *square; four corners.*

— — bin¹° deng² — — 辮頂   **(N)** *simpleton; idiot; fool.* **Sl.**

— — muk⁶ tau⁴ — — 木頭   **(N)** *blockhead.* **Lit. & Fig. Coll.** (*Cl.* gau⁶ 礌 *or* goh³ 個)

⁵ — gwai³ — 季   **(Adv)** *all the year round; in the four seasons.* **(N)** *the four seasons.* (*No Cl.*)

— si⁴ — 時   **(Adv)** *ditto.* **(N)** *ditto.*

— gwai³ gaai¹ chun¹ — 季皆春   **(SE)** *it's springtime all the year round; weather is fine in the four seasons.*

— — yue⁴ chun¹ — — 如春   **(SE)** *ditto.*

— heung¹° — 鄉   **(N)** *suburbs (on all sides).* (*No Cl.*)

¹⁰ — hoi² — 海   **(N)** *the whole world.* (*Lit. four seas*) **SF** ‡ (*No Cl.*) **(Adj)** *generous.* **Mdn.**

— — ji¹ noi⁶ gaai¹ hing¹ dai⁶ ya⁵ — — 之內皆兄弟也   **(SE)** *all men are brothers.*

— — wai⁴ ga¹ — — 爲家   **(V)** *find a home anywhere.* (*Lit. be at home anywhere within four seas*)

— jau¹ wai⁴ — 週圍   **(Adv)** *all round; all sides in all directions; here and there; everywhere.*

— wai⁴ — 圍   **(Adv)** *ditto.*

¹⁵ — ji¹ — 肢   **(N)** *the four limbs.* (*No Cl.*)

— ngaan⁵ — 眼   **(Adj)** *wearing glasses/spectacles; pregnant* (**Sl.**).

— — lo² — — 佬   **(N)** *man wearing glasses/spectacles.* **Coll.**

— — poh⁴* — — 婆   **(N)** *woman wearing glasses/spectacles; pregnant woman* (**Sl.**).

— sing¹° — 聲   **(N)** *the four tones in Mandarin.* (*No Cl.*)

²⁰ — woh⁴ choi³ — 和菜   **(SE)** *four set dishes at a special price.*

— yit⁶ fan¹° — 熱葷   **(SE)** *four hot meat dishes.*

S— Yuet⁶ — 月   **(N)** *April.*

sek³錫 **2717** (V) *love; like; be fond of; kiss.* **Coll.** **SF** (N) *tin; pewter.* *(No Cl.)* **AP sek³ see 0000.**

— bok⁶* — 鉑 (N) *tinfoil.* *(Cl.* faai³ 塊)
— hei³ — 器 (N) *pewter article.* *(Cl.* gin⁶ 件)

sek⁶石 **2718** (N) *stone; rock.* *(Cl.* gau⁶ 礵)

— baan¹° — 斑 (N) *grouper; garupa.* *(Cl.* tiu⁴ 條)
— baan² yan³ chaat³ — 版印刷 (N) *lithography.*
— yan³ (baan³) — 印(版) (N) *ditto.*
— chue⁵ — 柱 (N) *stone pillar.* *(Cl.* tiu⁴ 條)
5 — dang³ — 櫈 (N) *stone bench.* *(Cl.* jeung¹ 張)
— go¹° — 膏 (N) *gypsum; plaster of Paris.* *(No Cl.)*
— — jeung⁶ — — 像 (N) *plaster figure/figurine.*
— — mo⁴ ying⁴ — — 模型 (N) *plaster cast.*
— gung¹° — 工 (N) *stone-mason.*
10 — — jeung⁶* — 匠 (N) *ditto.*
— hei³ si⁴ doi⁶ — 器時代 (N) *the stone Age.*
— jai² — 仔 (N) *small stone/gravel.* **Coll.** *(Cl.* nap¹° 粒)
— lau⁴* — 榴 (N) *pomegranate.*
— lau⁴ fa¹° — 榴花 (N) *pomegranate flower.* *(Cl.* deuh² *or* doh² 朵)
15 — mak⁶ — 墨 (N) *graphite.* *(No Cl.)*
— min⁴ — 棉 (N) *asbestos.* *(Cl.* faai³ 塊)
— nui⁵* — 女 (N) *frigid woman.*
— sat¹° — 室 (N) *stone house/building/chamber.* *(Cl.* gaan¹ 間)
— si² — 屎 (N) *concrete.* **Coll.** *(Cl.* dui¹ 堆 ; *carload;* che¹° 車)
20 — tau⁴ — 頭 (N) *stone; rock.* **FE** *(Cl.* gaau⁶ 礵)
— tin⁴ — 田 (N) *stony/barren land; useless thing* **(Fig.).** *(Cl.* faai³ 塊)
— toi⁴* — 枱 (N) *stone table.* *(Cl.* jeung¹ 張)
— yau⁴ — 油 (N) *petroleum.* *(Lit. stone oil)* *(Drum:* tung² 桶 ; *Ton:* dun¹° 噸)
— — chaan² ban² — — 產品 (N) *petroleum product.* *(Cl.* jung² 種)
25 — — hei³ — — 氣 (N) *low pressure gas; liquid petroleum gas.* *(Tin:* gwoon³ 罐)

— — — lo⁴ — — — 爐   (N) *low pressure gas stove.*   (*Cl.* goh³ 個)

— — ngai⁴ gei¹ — — 危機   (SE) *oil crisis.*   (*Cl.* chi³ 次 *or* goh³ 個)

— ying¹° — 英   (N) *quartz.*   (*Cl.* nap¹° 粒)

— — biu¹° — — 錶   (N) *quartz watch.*

sek⁶ 碩   2719   (Adj) *eminent; talented.*   **Fml.**   **SF** ‡

— si⁶ — 士   (SE) *M.A. Degree; Master of Arts.*

— yan⁴ kei⁴ kei⁴ — 人其頎   (SE) *beautiful was she and tall.*   **Fml.**

— yin⁶ — 彥   (Adj) *eminent; talented.*   **Fml.**   **FE**

— yue⁴ — 儒   (N) *eminent scholar.*

seng¹° 星   2720   (N) *star.*   **CP**   (*Cl.* nap¹° 粒)   **AP: (1)** sing¹ see 2812; (2) sing¹° see 2813.

seng¹ 腥   2721   (Adj) *malodorous; stinking; smelly; (RT rotten fish, blood, etc.)*   **Coll.**   **AP** sing¹ **SM** see 2814.

— chau³ — 臭   (Adj) *malodorous; stinking; smelly.*   **Coll.**   **FE**

— moon⁶ — 悶   (Adj) *fussy.*

seng¹ 聲   2722   (N) *voice; sound; noise.*   **Coll.**   (*Cl.* goh³ *or* ba² 把)   **AP: (1)** sing¹ **SM** see 2815; (2) sing¹° see 2816.

— hei³ — 氣   (V) *good news.*   **Coll.**

— yam¹ — 音   (N) *voice; sound; noise.*   **Coll.**   **FE**   (*Cl.* goh³ 個 *or* ba² 把)

seng² 醒   2723   (V) *become conscious/sober.*   **Coll.**   **SF** ‡   (Adj) *awake; conscious; sober.*   **Coll.**   **AP** sing² **SM** see 2824.

— faan¹ — 返   (V) *regain consciousness; become sober.*

seng³ 姓   2724   (V) *be surnamed.*   (N) *surname.*   **AP** sing³ **SM** see 2825.

seng⁴ 成   2725   (Asp) *successfully.*   **AP: (1)** Ching⁴ see 325: (2) sing⁴ see 2828.

seng⁴ 城   2726

(N) *city; walled city; big stone wall.* **Coll.** (*Cl.* goh³ 個 *or* joh⁶ 座) **AP sing⁴ SM see 2829.**

— cheung⁴ — 牆   (N) *city wall.* (*Cl.* do⁶ 道 *or* tiu⁴ 條)

— gei¹ — 基   (N) *base of a city wall.*

— geuk³ — 脚   (N) *foot of a city wall.*

— lau⁴ — 樓   (N) *city gate tower.* (*Cl.* goh³ 個 *or* joh⁶ 座)

5 — moon⁴ — 門   (N) *city gate.* (*Cl.* do⁶ 度 *or* goh³ 個)

— si⁵ — 市   (N) *cities in general.* (*Cl.* goh³ 個 *or* joh⁶ 座)

— — saang¹ woot⁶ — — 生活   (N) *city life.* (*Cl.* jung² 種)

— tau⁴ — 頭   (N) *top of a city wall.*

senk³ 削   2727

(V) *scrape; pare; shave; peel.* **Fml.** **SF** ‡

— bok⁶ — 薄   (V) *scrape/pare thin.*

— faat³ — 髮   (V) *shave the hair to become a Buddhist monk/nun.*

— gaam² — 減   (V) *reduce; diminish.* (*GRT estimates, expenditure, etc.*)

— — ji¹ chut¹° — — 支出   (V) *reduce expenditure; cut back spendings.*

seung¹ 相   2728

(Adj) *mutual; reciprocal.* **SF** ‡ (Adv) *together; each other.* **SF** ‡ **AP: (1) seung³ see 2729; (2) seung³* see 2730.**

— aai³ — 嗌   (V) *quarrel; shout at each other.*

— ma⁶ — 罵   (V) *ditto.*

— chan³ — 稱   (V) *fit/match each other.*

— chi⁵ — 似   (V) *resemble; look alike.*

5 — chue² — 處   (V) *live together; get along with.*

— da² — 打   (V) *fight together.*

— dang² (yue¹) — 等（於）   (Adj) *equal/equivalent to.*

— dong¹ — 當   (Adv) *relatively; considerably; quite.*

— dui³ — 對   (V) *face each other; correspond to.* (Adj) *relative; comparative.* (Adv) *face to face.*

10 — — chuk¹° do⁶ — — 速度   (N) *relative velocity.*

— — lun⁶* — — 論   (N) *Theory of Relativity.* (*Cl.* jung² 種 *or* goh³ 個)

— — sap¹° do⁶ — — 濕度   (N) *relative humidity.*

— faan² — 反   (Adv) *on the contrary; just on the contrary.*

— fung⁴ — 逢   (V) *meet; become acquainted with.*

15 — gin³ — 見   (V) *ditto.*

— yue⁶ — 遇   (V) *ditto.*

— gaak³ — 隔   (Adv) *apart/away from.*

— gon¹ — 干   (N) *relation; connection; concern.* **SF** ‡

— ho² — 好   (V) *love each other; be on good terms; think about each other.*

20 — oi³ — 愛   (V) *ditto.*

— si¹ — 思   (V) *ditto.*

— — beng⁶ — — 病   (N) *lovesickness.* (*Cl.* jung² 種 *or* goh³ 個)

— — dau⁶* — — 豆   (N) *red bean; love-seed.* (*Cl.* nap¹° 粒)

— huen³ — 勸   (V) *advise; exhort.*

25 — jong⁶ — 撞   (V) *collide; collide with.*

— lin⁴ — 連   (V) *connect/link up with.*

— sik¹° — 識   (V) *have known sb very well.*

— suk⁶ — 熟   (V) *have known each other; have met sb. before.*

— sun³ — 信   (V) *believe; trust.*

30 — tok³ — 託   (V) *entrust; confide to the care of.*

— tung⁴ — 同   (V) *coincide/be identical with.*

— yi¹ (wai⁴ ming⁶) — 依 (爲命)   (V) *be mutually dependent; be interdependent.*

— yi⁴ — 宜   (Adj) *cheap; cheap and good.*

— woo⁶ — 互   (Adj) *reciprocal; mutual.* **FE**

— — jok³ yung⁶ — — 作用   (N) *reciprocal action/function.* (*Cl.* jung² 種 *or* goh³ 個)

— wooi⁶ — 會   (V) *meet together; rendezvous.*

— — dei⁶ dim² — — 地點   (N) *meeting place; rendezvous.* (*Cl.* goh³ 個 *or* do⁶ 度)

— — dei⁶ fong¹ — — 地方   (N) *ditto.*

— — si⁴ gaan³ — — 時間   (N) *meeting time.*

40 — yue⁵ — 與   (V) *associate/get along with sb.* **SF** ‡

seung³ 相　2729　　(N) *photograph; appearance*　**SF**　‡　**AP: (1) seung¹** see 2728; **(2) seung³*** see 2730.

— bo⁶*　— 簿　(N) *album; photoalbum.*　(*Cl.* bo⁶ 部 *or* boon² 本)

— faat³　— 法　(N) *physiognomy; technique of physiognomy.*　(*Cl.* jung² 種)

— sut⁶　— 術　(N) *ditto.*

— gei¹　— 機　(N) *camera.*　(*Cl.* goh³ 個 *or* ga³ 架)

5　— maau⁶　— 貌　(N) *appearance; look; countenance.*

— pin³*　— 片　(N) *photograph; picture.*　**FE**

— sing¹°　— 聲　(V) *mimic; perform mimicky.*　(N) *mimicky; satirical dialogue performance.*　(*Cl.* jung² 種)

— sue¹　— 書　(N) *physiognomy text/book.*　(*Cl.* bo⁶ 部 *or* boon² 本)

seung³* 相　2730　　(N) *photograph.*　**Coll.**　(*Cl.* fuk¹° 幅 *or* jeung¹ 張)
AP: (1) seung¹ see 2728; **(2) seung³** see 2729.

— bo⁶*　— 簿　(N) *album; photo album.*　(*Cl.* bo⁶ 部 *or* boon² 本)

— gei¹　— 機　(N) *camera.*　(*Cl.* goh³ 個 *or* ga³ 架)

— pin³*　— 片　(N) *photograph; picture.*　**FE**　(*Cl.* jeung¹ 張 *or* fuk¹° 幅)

seung¹° 箱　2731　　(N) *case; box; trunk.*　**SF**

— lung⁵　— 櫳　(N) *case; box; trunk.*　**FE**

— si¹ on³　— 屍案　(SE) *body-in-trunk case; body-in-box case.*　*(RT homicide)*　(*Cl.* gin⁶ 件)

seung¹ 襄　2732　　(V) *assist.*　**Fml.**　**SF**　‡

— joh⁶　— 助　(V) *assist; give assistance.*　**Fml.**　**FE**

— lei⁵　— 理　(N) *assistant manager.*　*(GRT banks)*

seung¹ 鑲　2733　　(V) *inlay; fix.*　**SF**　‡

— boh¹° lei⁴° cheung¹°　— 玻璃(窗)　(V) *glaze a window.*

— gam¹°　— 金　(V) *inlay with gold.*

— ham³　— 嵌　(V) *inlay; fix.*　**FE**

— nga⁴　— 牙　(V) *fit false teeth.*

seung¹ 商   2734   (V) *discuss.* **SF** ‡   (N) *commerce; business.* **SF** ‡

— bam² — 品   **(N)** *merchandise; goods.* (*Cl.* jung² 種 *or* gin⁶ 件)

— biu¹ — 標   **(N)** *trademark.*

— — faat³ — — 法   **(N)** *trademark legislation.* (*Cl.* jung² 種 *or* tiu⁴ 條)

— cheung⁴ — 塲   **(N)** *commercial circles; commercial market.*

5 — dim³ — 店   **(N)** *shop.* **Fml.** (*Cl.* gaan¹ 間)

— ho⁶ — 號   **(N)** *ditto.*

— faan³* — 販   **(N)** *retail merchant; hawker.* **Fml.**

— fan⁶ — 埠   **(N)** *commercial port.*

— gong² — 港   **(N)** *ditto.*

10 — ga¹ — 家   **(N)** *businessman; merchant; successful businessman.*

— yan⁴ — 人   **(N)** *businessman.*

— gaai³ — 界   **(N)** *commercial world/circles/sectors.*

— hong⁴* — 行   **(N)** *commercial firm; trading firm.* (*Cl.* gaan¹ 間)

— jin³ — 戰   **(N)** *trade war.* (*Cl.* cheung⁴ 塲 *or* chi³ 次)

15 — leung⁴ — 量   **(V)** *discuss.* (*RT personal matters*) **Coll.** **FE**

— yi⁵ — 議   **(V)** *ditto.* (*GRT business matters*) **Fml.**

— mo⁶ — 務   **(N)** *business; commercial affairs/matters.* **Fml.** **FE** (*Cl.* jung² 種)

S— M— Yann³ Sue¹ Gwoon² — — 印書館   **(N)** *the Commercial Press.* (*Cl.* gaan¹ 間)

S— suen⁴ — 船   **(N)** *mercantile marine; merchant navy.* (*Cl.* jek³ 隻; *Fleet:* dui⁶ 隊)

20 — — dui⁶* — — 隊   **(N)** *mercantile marine fleet; merchant navy.* (*Cl.* ji¹ 支 *or* dui⁶ 隊)

— Wooi⁶* — 會   **(N)** *Chamber of Commerce.* (*Cl.* goh³ 個 *or* gaan¹ 間)

— yip⁶ — 業   **(N)** *commerce.* **FE** (*Cl.* jung² 種) (Adj) *commercial.*

— — dang¹ gei³ — — 登記   **(N)** *business registration.* (*Cl.* jung² 種 *or* chi³ 次)

S— Y— Din⁶ Toi⁴ — — 電台   **(N)** *Commercial Radio; Commercial Radio Hong Kong.*

25 s— y— jung¹ sam¹° — — 中心   **(N)** *commercial centre.*

— — sui¹ tui³ — — 衰退   **(N)** *trade recession; recession in business.* (*Cl.* chi³ 次)

seung¹ 雙（双） 2735 (Adj) *double.* **SF** ‡ (Adv) *in pair.* **SF** ‡ (N) *pair; couple.* **SF** ‡ *(No Cl.)*

— baau¹ toi¹ — 胞胎 (N) *twins.* (*Cl.* chi³次 *or* goh³個)

— toi¹ — 胎 (N) *ditto.*

— chan¹ — 親 (N) *both parents.*

— chang⁴ ba¹° si⁶* — 層巴士 (N) *double-decker bus.* (*Cl.* ga³架)

5 — — luk¹° ga³* chong⁴ — — 碌架床 (N) *two-tier/double bunk bed.* (*Cl.* jeung¹張)

— fong¹ — 方 (N) *both sides/parties.* *(No Cl.)*

— — tung⁴ yi³ — — 同意 (SE) *mutual consent/agreement.*

— geuk³ — 脚 (N) *both feet/legs.* *(No Cl.)*

— gwa³ ho⁶ sun³ — 掛號信 (N) *recorded delivery/registered letter with returned receipt.* (*Cl.* fung¹封)

10 — gwaan¹° yue⁵ — 關語 (N) *pun; phrase with a double meaning.* (*Cl.* goh³個 *or* gui³句)

— leung⁴ — 粮 (N) *double pay.* (*Cl.* fan⁶份)

— liu⁶* — 料 (Adj) & (N) *double/better quality.* *(RT people, ware, etc.)*

— — gaai³ laat⁶ — — 芥辣 (N) *thick/strong mustard.* *(No Cl.)*

— — gwoon³ gwan¹° — — 冠軍 (N) *double championship.*

15 — muk⁶ sat¹° ming⁴ — 目失明 (SE) *blind in both eyes.* **Fml.**

— ngaan⁵ — 眼 (N) *both eyes.* *(No Cl.)*

— pooi⁵ — 倍 (Adj) *double; two fold.* *(RT numbers)* **FE**

— sau² — 手 (N) *both hands.* *(No Cl.)*

— sin³ lo⁶ — 線路 (N) *double-white line road; the double white lines.*

20 — sing³ — 姓 (N) *compound/double surname.*

— suk¹° leung¹ chai¹ — 宿双棲 (SE) *cohabit.* *(Lit. sleep together live together)* **Fml.**

— yik⁶ fei¹ gei¹ — 翼飛機 (N) *biplane.* (*Cl.* ga³架)

seung¹ 霜 2736 (N) *frost.* *(No Cl.)*

— suet³ — 雪 (N) *frost and snow.* *(No Cl.)*

seung¹ 孀 2737 (N) *widow.* **Fml.** **SF** ‡

— foo⁵ — 婦 (N) *widow.* **Fml.** **FE**

seung¹ 傷   2738   (V) *wound; injure; hurt.*   **SF** ‡   (N) *wound; scar.*   **SF** ‡

— fung¹ — 風   (V) *have a cold; catch cold.*   (N) *cold; influenza.*   (*Cl.* chi³ 次)

— — baai⁶ juk⁶ — — 敗俗   (SE) *harmful to public morality.*

— — fa³ — — 化   (SE) *ditto.*

— gam² — 感   (Adj) *sentimental; emotional; depressed.*

5   — — ching⁴ — — 情   (V) *hurt the feelings.*

— han⁴ — 痕   (N) *scar.*   **FE**

— hau² — 口   (N) *wound.*   (*Lit. mouth of a wound*)   **FE**

— hoi⁶ — 害   (V) *injure; do harm to.*   **FE**

— hon⁴ — 寒   (N) *typhoid fever.*   (*Cl.* chi³ 次 *or* goh³個)

10   — — beng⁶ — — 病   (N) *ditto.*

— — jing³ — — 症   (N) *ditto.*

— je² — 者   (N) *injured; wounded.*   (*Lit. injured/wounded person*)

— mong⁴ — 亡   (N) *casualties; dead and wounded.*

— — so³ ji⁶ — — 數字   (N) *number of casualties.*

15   — no⁵ gan¹ — 腦筋   (V) *worry over; be troubled about; require a lot of careful thinking.*

— san⁴ — 神   (V) *ditto.*

— sam¹ — 心   (V) *heart-break; be heart-broken/grieved.*   (Adj) *heart-broken/grieved.*

— — dei⁶ — — 地   (N) *place that reminds one of one's heart-broken past.*   (*Cl.* sue³ 處 *or* goh³個)

— — si⁶ — — 事   (N) *heart-break affair.*   (*Cl.* gin⁶件)

20   — — yan⁴ — — 人   (N) *heart-broken person.*

— san¹° — 身   (V) *injure one's body; harm one's health.*

seung² 想   2739   (V) *think; reflect; intend.*   **SF**

— faat³ — 法   (N) *way of thinking; thought.*   (*Cl.* goh³個 *or* jung²種)

— tau⁴ — 頭   (N) *ditto.*

— hei² — 起   (V) *recollect; call to mind.*   **FE**

— nim⁶ — 念   (V) *think about; miss.*   **FE**

5   — tung¹ — 通   (V) *think a matter through.*

seung² 賞   2740   (V) & (N) *reward.*   **SF**   ‡

— chi³ — 賜   (V) *reward; give a reward.*   *(GRT money, jewellery, etc.)* **FE**

— gaak³ — 格   (N) *reward.*   **Fml.**   **FE**   *(Cl.* bat¹° 筆 *)*

— gam¹° — 金   (N) *ditto.*   **Coll.**

— gwong¹ — 光   (SE) *you've kindly come.*   *(Lit. reward me with your coming)*   **Fml.**   **PL**

5 — min⁶* — 面   (SE) *ditto.*   **Coll.**

— yuet⁶* — 月   (V) *enjoy moonlight; watch the moon.*   *(as a custom during the Mid-Autumn Festival)*

seung⁴ 常   2741   (Adj) *regular; common; ordinary.*   **SF**   ‡   (Adv) *constantly; often.*   **SF**   ‡

— chaan¹° — 餐   (N) *set menu of European food.*   *(Lit. ordinary meal —Gen. includes a soup, bread and butter, 2 or 3 courses, and tea or coffee)*

— kwai¹ — 規   (N) *common practice; regular custom; usual procedure.* *(Cl.* jung² 種 *)*

— lai⁶ — 例   (N) *ditto.*

— seung⁴ — 常   (Adv) *constantly; often.*   **FE**

5 — si⁴ — 時   (Adv) *ditto.*

— sik¹° — 識   (N) *common sense; general knowledge.*   *(Cl.* jung² 種 *)*

seung⁴ 嘗   2742   (V) *try; taste.*   **SF**   ‡   (N) *try; attempt.*   **SF**   ‡

— si³ — 試   (V) *try; have a try; make an attempt; taste.*   **FE**   (N) *try; attempt.*   **FE**   *(Cl.* chi³ 次 *)*

seung⁴ 償   2743   (V) *repay; restore.*   **Fml.**   **SF**   ‡

— sam¹ yuen⁶ — 心願   (V) *obtain the desire of one's heart.*

— waan⁴ — 還   (V) *repay; restore.*   **Fml.**   **FE**

seung⁵ 上   2744   (V) *come up; go up; go on board.*   **SF**   **AP seung⁶** see 2745.

— baan¹° — 班   (V) *go to work.*   **Fml.**

— che¹° — 車   (V) *board a bus, tram, etc.; get into a car.*   **FE**

— che³ lo⁶   —   斜路   (V) *ascend a slope.*

— choi³   —   菜   (V) *serve food.*   *(RT waiters at formal Chinese dinners)*

5   — chong⁴   —   床   (V) *go to bed.*

— di¹º   —   啲   (Adv) *higher up.*

— dong³   —   當   (V) *fall into a trap; be deceived; be cheated; be fooled.*

— fei¹ gei   —   飛機   (V) *get on/board a plane.*

— foh³   —   課   (V) *conduct/attend classes.*

10   — gung¹º   —   工   (V) *report for duty/work; commence work; be ready for work.*   *(ROT new jobs/posts/work)*

— haak³   —   客   (V) *let passengers get on board.*   *(RT buses, trains, ships, planes, etc.)*

— hui³   —   去   (V) *go up.*

— lai⁴   —   嚟   (V) *come up.*

— lau⁴ seung⁶   —   樓上   (V) *ditto.*

15   — lau⁴*   —   樓   (V) *go upstairs.*

— lok⁶ haak³   —   落客   (V) *let passengers get on or off.*   *(RT buses, trains, ships, planes, etc.)*

— ma⁵   —   馬   (V) *mount a horse.*

— ma⁵ tau⁴   —   碼頭   (V) *disembark; go ashore.*

— ngon⁶   —   岸   (V) *ditto.*

20   — lin⁶*   —   鏈   (V) *wind up (RT watches/clocks); be hempecked* (Sl.).

— biu¹º lin⁶*   —   錶鏈   (V) *wind up a watch.*

— chung¹º lin⁶*   —   鐘鏈   (V) *wind up a clock.*

— saan¹   —   山   (V) *go up a hill/mountain.*

— suen⁴   —   船   (V) *get on board a ship.*

25   — yan⁵   —   癮   (V) *become addicted to (RT vices); become mad about (RT hobbies).*

— yam⁶   —   任   (V) *take up an official appointment.*

— yin²   —   演   (V) *perform a play, play a part in a drama.*

seung⁶ 上   2745   (Adv) & (PP) *above; on.*   SF ‡   (Adj) *superior; upper.*   AP seung⁵ see 2744.

— bin⁶   —   便   (Adv) & (PP) *above; on.*   FE   (N) *top.*   *(No Cl.)*

— chi³   —   次   (N) *last time; previous occasion.*   *(No Cl.)*

— chun⁴ — 旬   (N) *beginning of a month; the first 10 days of a month.*

— dang² — 等   (Adj) & (N) *first-class.*

5   — — foh³ — — 貨   (N) *first-class goods.*   (*Cl.* jung² 種)

— — yan⁴ — — 人   (N) *first-class people; superior kind of person.* (*sometimes* **Sat.**)   (*Cl.* jung² 種)

— gaau³ — 校   (N) *full colonel.*   (*RT military rank*)

— goh³ lai⁵ baai³ — 個禮拜   (Adv) & (N) *last week.*

— — sing¹ kei⁴ — — 星期   (Adv) & (N) *ditto.*

10   — — yuet⁶ — — 月   (Adv) & (N) *last month.*

— ha⁶* — 下   (Adv) *about; approximately.*

— ha⁶ man⁴ — 下文   (N) *context.*

S— Hoi² — 海   (N) *Shanghai.* **Tr.**

s— jau³ — 晝   (Adv) & (N) *in the morning.*

15   — ng⁵ — 午   (Adv) & (N) *ditto.*

— jeung³ — 將   (N) *full general; 4-star general.*

— joh⁶ — 座   (N) *upper seat; place of honour.*

— jung¹ ha⁶ — 中下   (SE) *top, middle and bottom; best, medium and poor; first, second and third; all classes/grades.*

— kap¹° — 級   (N) *superior grade/rank; "boss".*

20   — si¹° — 司   (N) *ditto.*

— tau⁴ — 頭   (N) *ditto.* **Coll.**

— kei⁴ — 期   (N) *advance payment.*   (*No Cl.*)

— — jo¹ — — 租   (N) *advance rent.*   (*Month:* yuet⁶ 月)

— lau⁴ — 流   (N) *upper reaches of a river.*   (*Cl.* sue³ 處)

25   — yau⁴ — 游   (N) *ditto.*

— lau⁴ — 流   (N) *upper circles of society.* **Fig. SF** (*sometimes* **Sat.**)   (*No Cl.*)

— lau⁴ se⁵ wooi⁶* — — 社會   (N) *ditto.* **FE**

— — yan⁴ — — 人   (N) *ditto.*

— lo⁶ — 路   (SE) *clock-wise route around the New Territories.* (*i.e. starting from Lai Chi Kok, via Tsuen Wan, Tuen Mun, Yuen Long, Sheung Shui, Tai Po, Sha Tin, and back to Lai Chi Kok* (*Lit. upper road*) (*Cl.* tiu⁴ 條).

30   — po¹° — 舖   (N) *upper berth.*   (*RT sleeping cars, ships, bed-room etc.*)

— si⁶ — 士   (N) *first-class sergeant; staff sergeant. (RT military rank)*

— so³ — 訴   (V) & (N) *appeal to a higher court/officer.*

— — kuen⁴ — — 權   (N) *right of appeal. (Cl.* jung² 種 *or* goh³ 個*)*

— tong¹ — 湯   (N) *soup. (Lit. top-quality soup; GRT cooking.) (Bowl:* woon² 碗*)*

35   — — jam³ gai¹° — — 浸雞   (N) *steamed chicken & vegetables.*

— — saang¹ min⁶ — — 生麵   (N) *steamed noodles. (Lit. noodles in soup) (Bowl:* woon² 碗*)*

— — yi¹ min⁶ — — 伊麵   (N) *steamed E-Fu noodles. (Lit. E-Fu noodles in soup) (Course:* goh³ 個 *; Bowl:* woon² 碗*)*

— wai³ — 尉   (N) *captain. (RT military rank)*

si¹ 司   2746   (V) *command; manage.* **SF** ‡

— faat³ — 法   (N) *judicature. (No Cl.)*

— — duk⁶ lap⁶ — — 獨立   (N) *independence of the judiciary. (No Cl.)*

— — gaai³ — — 界   (N) *legal profession.*

— — jai³ do⁶ — — 制度   (N) *judicial system. (Cl.* jung² 種*)*

5   — — kuen⁴ — — 權   (N) *jurisdiction. (Cl.* jung² 種*)*

— — sau² juk⁶ — — 手續   (N) *judicial procedure. (Cl.* jung² 種 *or* goh³ 個*)*

— gei¹ — 機   (N) *chauffeur; driver.*

— — haam⁶ jing⁶ — — 陷阱   (N) *driver's hazard/trap.*

— — wai⁶* — — 位   (N) *driver's seat.*

10   — lei⁵ — 理   (V) *manage; oversee.* **FE** (N) *manager; overseer.*

— — sat¹° — — 室   (N) *manager's office. (Cl.* gaan¹ 間 *or* goh³ 個*)*

— ling⁶ (gwoon¹) — — 令 (官)   (N) *commander; commanding officer.*

— — bo⁶ — — 部   (N) *headquarters. (RT armed forces)*

— yi⁴ — 儀   (N) *master of ceremonies.*

si¹ 思   2747   (V) *think; meditate.* **Fml. SF** ‡   (N) *thought; thinking.* **Fml. SF** ‡

— chiu⁴ — 潮   (N) *flood of ideas; stream of thought; popular ideas. (Cl.* jung² 種*)*

— ga¹ — 家   (V) *think of home; long for home.*

— heung¹ — 鄉   (V) *ditto.*

⁵ — ga¹ beng⁶ — 家病   (N) *homesickness.* (*Cl.* jung² 種)

— heung¹ beng⁶ — 鄉病   (N) *ditto.*

— leung⁴ — 量   (V) *meditate; consider.*

— lo⁶ — 路   (N) *train of thought.* (*Cl.* tiu⁴ 條)

— lui⁶ — 慮   (V) *ponder; consider; brood over.*

— saak³ — 索   (V) *meditate on; think over.* **CP** si¹ sok³

¹⁰ — seung² — 想   (V) *think; meditate.* **Fml.** **FE** (N) *thought; thinking; ideology; idea.* **Fml.** **FE** (*Cl.* jung² 種 *or* goh³ 個)

— — dau³ jaang¹ — — 鬥爭   (N) *ideological struggle.* (*Cl.* jung² 種 *or* chi³ 次)

— — ga¹° — — 家   (N) *thinker.*

— — ji⁶ yau⁴ — — 自由   (N) *freedom of thought.* (*Cl.* jung² 種)

— — jit³ hok⁶ — — 哲學   (N) *speculative/ideological philosophy.* (*Cl.* jung² 種)

¹⁵ — — yau³ ji⁶ — — 幼稚   (Adj) *naive; emotionally/mentally immature.*

— yi⁴ — 疑   (V) *doubt; suspect.* (N) *doubt; suspicion.* (*Cl.* jung² 種 *or* goh³ 個)

si¹ 斯 2748   (Adj) *this; cultured.* **Fml.** **SF** ‡

S— Lei⁵ Laan⁴ Ka¹° — 里蘭卡   (N) *Sri Lanka.* **Tr.**

s— man⁴ — 文   (Adj) *cultured; polished; gentle; genteel.* **FE**

— — baai⁶ lui⁶ — — 敗類   (N) *polished rascal.*

— — chaak⁶ — — 賊   (N) *well-dressed thief.*

⁵ — — yan⁴ — — 人   (N) *educated person.*

— si⁴ — 時   (Adv) *at this time.* **Fml.** (N) *this time/moment.* **Fml.** **FE** (*No Cl.*)

si¹ 嘶 2749   (V) *roar; cry out.* **Fml.** **SF** ‡

— haam³ — 喊   (V) *roar; cry out.* **Fml.** **FE**

si¹ 撕 2750   (V) *tear up.* **SF**

— hoi¹ — 開   (V) *tear/rip open.* **FE**

— laan⁶ — 爛   (V) *tear up.* **FE**

— piu³ — 票   (V) *kill sb after kidnapping him.*

— sui³ — 碎   (V) *tear to pieces.*

5   — wai² tiu⁴ yeuk³ — 毀條約   (V) *annul a treaty. (Lit. tear up treaty)*

si¹ 絲   2751   (N) *silk; raw silk.*   (Cl. tiu⁴ 條)

— chau⁴ — 綢   (N) *silk cloth in general.*   *(No Cl.)*

— faat³ — 髮   (N) *ditto.*

— chong² — 廠   (N) *silk mill.*   (Cl. gaan¹ 間)

— daai³* — 帶   (N) *silk ribbon/braid/sash.*   (Cl. tiu⁴ 條)

5   — gwa¹° — 瓜   (N) *loofah gourd.*   *(Lit. silky gourd)*

— mat⁶ — 襪   (N) *stocking.*   *(Lit. silk stocking)*   (Cl. jek³ 隻 ; *pair:* dui³ 對)

— min⁴ — 棉   (N) *silk wadding.*   *(No Cl.)*

si¹ 私   2752   (Adj) *private; personal; selfish; partial.*   **SF** ‡

— ban¹ — 奔   (V) *elope.* (N) *elopement.*   (Cl. chi³ 次)

— ching⁴ — 情   (N) *private feelings; personal preference; illicit love.* (Cl. jung² 種)

— dak¹° — 德   (N) *personal virtue.*   (Cl. jung² 種)

— foh³ — 貨   (N) *smuggled goods.*   (Cl. pai¹ 批)

5   — ga¹° — 家   (Adj) *private; privately owned.*   **FE**

— yau⁵ — 有   (Adj) *private; privately owned.*   **FE**

— ga¹° che¹° — 家車   (N) *private car.*   (Cl. ga³ 架)

— — dei⁶ (pei⁴) — — 地 (皮)   (N) *private land.*   (Cl. fuk¹° 幅)

— yau⁵ choi⁴ chaan² — 有財產   (N) *private property.*

10   — haau⁶ — 校   (N) *private school.*   (Cl. gaan¹ 間)

— lap⁶ hok⁶ haau⁶ — 立學校   (N) *ditto.*

— jau² — 酒   (N) *smuggled wine/liquor.*   (Cl. pai¹ 批)

— ji⁶ — 自   (Adv) *without authority/permission; arbitrarily.*

— — lei⁴ hoi¹ — — 離開   (SE) *leave without permission.*

15   — lap⁶ — 立   (Adj) *private; privately established.*

— — to⁴ sue¹ gwoon² — — 圖書館   (N) *private library.*   (*Cl.* gaan¹ 間)

— — yi¹ yuen⁶* — — 醫院   (N) *private hospital.*   (*Cl.* gaan¹ 間)

— lei⁶ — 利   (N) *private interests.*   (*Cl.* jung² 種)

— saang¹ ji² — 生子   (N) *illegitimate child; natural child.*

20 — sam¹ — 心   (Adj) *selfish; partial.* **FE**

— sat¹° — 室   (N) *private room.*   (*Cl.* gaan¹ 間 *or* goh³ 個)

— si⁶ — 事   (N) *private affair.*   (*Cl.* gin⁶ 件)

— to⁴ — 逃   (V) *abscond; elope.* (N) *abscondence; elopement.* (*Cl.* chi³ 次)

— tung¹ — 通   (V) *have illicit intercourse with; have treacherous connections with.*

25 — yan⁴ — 人   (Adj) *personal.* (N) *private individual.*

— — bei³ sue¹° — — 秘書   (N) *private secretary.*

— — man⁶ tai⁴ — — 問題   (N) *personal matter/problem.*

— ying⁴ — 刑   (N) *illegal punishment; lynching.*   (*Cl.* jung² 種)

— yuk⁶ — 慾   (N) *lust; desire.*   (*Cl.* jung² 種)

si¹° 詩   **2753**   (N) *poem.*   (*Cl.* sau² 首)

— chi⁴ (goh¹° foo³) — 詞 (歌賦)   (N) *Chinese poetry in general.*   (*Cl.* sau² 首)

— jaap⁶* — 集   (N) *collection of poems.*   (*Cl.* bo⁶ 部 *or* boon² 本)

— tai² — 體   (N) *poetical form.*

— wan⁶ — 韻   (N) *rhyme in poetry.*

5 — yan⁴ — 人   (N) *poet.*

si¹ 師   **2754**   (N) *teacher; master.* **PL   SF   ‡   AP** si¹° **see 2755.**

— faan⁶ — 範   (N) *teacher training.*   (*Lit. teacher modelling*) (*No Cl.*)

— — bat¹° yip⁶ sang¹° — — 畢業生   (N) *graduate from a college of education.*

— — hok⁶ haau⁶ — — 學校   (N) *college of education, normal school.* (*Cl.* gaan¹ 間)

— — hok⁶ yuen⁶* — — 學院   (N) *ditto.*

— — sang¹° — — 生   (N) *student at a college of education.*

— foo⁶* — 傅   (N) *craftsman, master workman.*

— foo⁶* — 父   (N) *master; one's own teacher.* **PL**

— gwoo¹° — 姑   (N) *Buddhist nun.*

— — am¹° — — 庵   (N) *Buddhist nunnery.* (*Cl.* gaan¹ 間)

10   — ji¹ — 資   (N) *teaching qualification.* (*Cl.* jung² 種)

— naai⁵° — 奶   (N) *Mrs.; married woman in conservative Chinese family.* **PL**

— mo⁵ — 母   (N) *teacher's wife.* **PL**

— ye⁴ — 爺   (N) *interpreter in police station or lawyer's office.*

si¹° 師   **2755**   (N) *army division.* **AP** si¹ see 2754.

— jeung² — 長   (N) *divisional commander.* (*RT military rank*)

si¹° 獅   **2756**   (N) *lion.* **SF** ‡

— ji² — 子   (N) *lion.* **FE** (*Cl.* jek³ 只)

— — bok³ to³ — — 搏兔   (SE) *cat and mouse.* (*Lit. lion seizing hare*) **Fig.**

— — daai⁶ hoi¹ hau² — — 大開口   (SE) *greedy; covetous.* (*Lit. the lion opens wide its mouth*)

— — gau² — — 狗   (N) *Pekingese dog.* (*Lit. lion dog*) (*Cl.* jek³ 隻)

si¹ 屍   **2757**   (N) *body; corpse.* **SF**

— haai⁴ — 骸   (N) *body; corpse,* **FE**

— sau² — 首   (N) *ditto.*

— tai² — 體   (N) *ditto.*

si¹ 施   **2758**   (V) *bestow; enforce.* **Fml. SF** ‡

— haang⁴ — 行   (V) *put into effect; enforce.*

— yan¹ — 恩   (V) *show favour; be kind to.*

— se² — 捨   (V) *give alms; practise charity.*

si² 史 2759 (N) *history.* **SF** ‡

— hok⁶ — 學 (N) *history (as an academic subject).* (*Cl.* foh¹ 科)
— — ga¹° — — 家 (N) *historian.*
— — hai⁶ — — 系 (N) *history department (at a university).*

si² 屎 2760 (N) *excreta; ordure.* (*Cl.* duk¹° 篤)

— haang¹° — 坑 (N) *public convenience.*
— tung² — 桶 (N) *commode.*

si² 使 2761 (V) *use.* **Fml. SF** ‡ (N) *mission.* **Fml. SF** ‡ **AP:** (1) sai² see 2633; (2) si³ see 2762.

— ming⁶ — 命 (N) *mission; duty.* **Fml. FE** (*Cl.* jung² 種)
— yung⁶ — 用 (V) *use.* (*RT things*) **Fml. FE**

si³ 使 2762 (N) *envoy; legation.* **SF** ‡ **AP:** (1) sai² see 2633; (2) si³ see 2761.

— gwoon² — 館 (N) *legations; embassies—a general term.* **FE** (*Cl.* goh³ 個 or gaan¹ 間)
— je² — 者 (N) *envoy; official messenger.*
— tuen⁴ — 團 (N) *diplomatic corps.*

si³ 嗜 2763 (V) *be fond of.* **SF** ‡ (N) *bad habit.* **SF** ‡

— ho³ — 好 (V) *be fond of; become addicted to.* **FE** (N) *bad habit; craving; hobby.* (*Cl.* jung² 種)
— huet (ge³) — 血(嘅) (Adj) *blood-thirsty.*
— saat³ (ge³) — 殺(嘅) (Adj) *ditto.*

si³ 試 2764 (V) *try; test; taste.* **SF**

— cheung⁴ — 塲 (N) *examination centre.*
— fan¹ — 婚 (V) *live in sin.* (N) *trial marriage.* (*Cl.* chi³ 次)
— gam¹° sek⁶ — 金石 (N) *touchstone.* **Lit. & Fig.** (*Cl.* gau⁶ 礦)
— guen² — 卷 (N) *examination paper.* (*Cl.* jeung¹ 張 or goh³ 個)

5　— gwoon² — 管　　(N) *test-tube.*　(*Cl.* ji¹ 支)

— san¹° — 身　　(V) *have clothing fitted on; go (to the tailor's) for a fitting.*

— tai⁴* — 題　　(N) *examination question.*　(*Cl.* tiu⁴ 條)

— yim⁶ — 驗　　(V) & (N) *text; experiment.*

— — sat¹° — — 室　　(N) *laboratory.*　(*Cl.* gaan¹ 間 *or* goh³ 個)

10　— yung⁶ — 用　　(V) *be on probation.*

— — kei⁴ gaan³ — — 期間　　(N) *period of probation.*

si⁴ 匙　**2765**　　(N) *key.*　**SF** ‡　(*Cl.* tiu⁴ 條)　**AP chi⁴ see 291.**

si⁴ 時 (旹)　**2766**　　(N) *time; season.*　**SF** ‡

— bat¹° si⁴ — 不時　　(Adv) *from time to time; on and off; off and on.*

— doi⁶ — 代　　(N) *time; age; epoch.*　**Fml.**　**FE**

— — jing¹ san⁴ — — 精神　　(N) *spirit of the age.*　(*Cl.* jung² 種)

— — kuk¹° — — 曲　　(N) *Chinese pop music/song.*　(*Cl.* sau² 首 *or* ji¹ 支)

5　— ga³ — 價　　(N) *current price.*

— gaan³ — 間　　(N) *time; a time.*　**FE**

— hau⁶ — 候　　(N) *ditto.*　**Coll.**

— gaan³ biu² — 間表　　(N) *time-table; time schedule.*　(*Cl.* jeung¹ 張 *or* goh³ 個)

— — man⁶ tai⁴ — — 問題　　(N) *a matter/question of time.*

10　— gei¹ — 機　　(N) *time; opportunity.*

— — man⁶ tai⁴ — — 問題　　(N) *a matter/question of time.*

— — sing⁴ suk⁶ — — 成熟　　(SE) *at the right time; when the opportunity/time is ripe.*

— hak¹° — 刻　　(N) *particular or specific time; moment.*

— hing¹ — 興　　(Adj) *fashionable; trendy; prevailing.*　(*RT customs, dress, etc.*)

15　— mo⁴ — 髦　　(Adj) *ditto.*

— jing³ — 症　　(N) *epidemic.*　(*Cl.* jung² 種)

— yik⁶ — 疫　　(N) *ditto.*

— jit³ — 節   (N) *occasion; time.*

— jong¹° — 裝   (N) *fashion; popular style.*   (Cl. jung² 種 *or* foon² 欵)

20   — — biu² yin² — — 表演   (N) *fashion show.*   (Cl. goh³ 個 *or* chi³ 次)

— ling⁶ — 令   (N) *times and seasons; divisions of time.*

— sai³ — 勢   (N) *times; circumstances; state of affairs.*

— — jo⁶ ying¹ hung⁴ — — 造英雄   (SE) *circumstances make some people heores.*

— seung⁴ — 常   (Adv) *always; very often; from time to time.*

25   — si⁴ — 時   (Adv) *ditto.*

— — seung⁴ seung⁴ — — 常常   (Adv) *ditto.*

— si⁶ — 事   (N) *current events; news of the day.*   *(No Cl.)*

si⁵ 市   2767   (N) *city; town; market.*   **SF** ‡

— cheung⁴ — 塲   (N) *market.*   **FE**

— ga³ — 價   (N) *market price.*   (Cl. goh³ 個)

— jan³ — 鎮   (N) *town.*   **FE**

— jing³ — 政   (N) *urban administration; city administration.*   *(No Cl.)*

5   — — foo² — — 府   (N) *municipal government.*

— jung¹ sam¹° (kui¹) — 中心 (區)   (N) *centre of a city/town.*

— kui¹ — 區   (N) *urban area.*

— kwooi² — 儈   (N) *dishonest merchant; sharp dealer.*   **AL**

— lap⁶ hok⁶ haau⁶ — 立學校   (N) *municipal school.*   (Cl. gaan¹ 間)

10   — man⁴ — 民   (N) *inhabitants of a city; citizen.*

— min⁶ — 面   (N) *market/business conditions.*

— — ching¹ daam⁶ — — 清淡   (N) *depressed market.*

— — m⁴ ho² — — 唔好   (N) *ditto.*

si⁶ 氏   2768   (N) *family; clan.*   **Fml.**   **SF** ‡

— juk⁶ — 族   (N) *family; clan.*   **Fml.**   **FE**

si⁶ 事   **2769**   (N) *matter; affair; business; fact.* **SF** ‡

— boon³ gung¹ pooi⁵ — 半功倍   (SE) *half the work with double the results.*

— chin⁴ — 前   (Adv) *before/prior to the event; beforehand.*

— — jun² bei⁶ — — 準備   (V) *be ready beforehand.*

— ching⁴ — 情   (N) *matter; affair; business.* **FE** (*Cl.* gin⁶ 件 *or* jung² 種)

5 — gon³ — 幹   (N) *ditto.*

— ga³ — 假   (N) *casual leave.* (*Lit. business leave*) (*Cl.* chi³ 次)

— gin⁶* — 件   (N) *incident; accident.* (*Cl.* gin⁶ 件 *or* goh³ 個)

— hau⁶ — 後   (Adv) *after the event.*

— — chung¹ ming⁴ — — 聰明   (SE) *wisdom after the event.*

10 — mo⁶ — 務   (N) *business; affair.* **Fml.** (*Cl.* jung² 種)

— — chue³ — — 處   (N) *office; private office.* (*RT lawyers, accountants; architects, etc.*) (*Cl.* gaan¹ 間 *or* goh³ 個)

— sat⁶ — 實   (N) *fact.* **FE** (*Cl.* gin⁶ 件 *or* goh³ 個)

— — man⁶ tai⁴ — — 問題   (N) *a matter of fact.*

— — seung⁶ — — 上   (Adv) *in fact; actually.*

15 — yip⁶ — 業   (N) *career; enterprise; profession; trade.* (*Cl.* jung² 種 *or* yeung⁶ 樣)

— — sing⁴ gung¹ — — 成功   (N) *success.* (*RT business venture*) (*Cl.* chi³ 次 *or* jung² 種)

— — sun⁶ lei⁶ — — 順利   (N) *ditto.*

si⁶ 示   **2770**   (V) *show.* **Fml. SF** ‡

— wai¹ — 威   (V) *demonstrate; hold a demonstration; awe.* (N) *demonstration.* (*Cl.* chi³ 次 *or* jung² 種)

— — yau⁴ haang⁴ — — 遊行   (N) *demonstration in form of a procession.* (*Cl.* chi³ 次 *or* jung² 種)

— yeuk⁶ — 弱   (V) *show weakness.*

— yi³ — 意   (V) *give a hint.*

si⁶ 視   **2771**   (V) *look at; inspect.* **SF** ‡

— chaat³ — 察   (V) *investigate; look into.*

— gok³ — 覺   (N) *sense of vision/seeing.* (*No Cl.*)

— hok⁶ — 學   (V) *inspect schools.*
— lik⁶ — 力   (N) *power of vision.*   (*Cl.* jung² 種)
5   — sin³ — 綫   (N) *view; line of vision.*   (*No Cl.*)
— ye⁵ — 野   (N) *ditto.* **Fml.**

si⁶ 士   **2772**   (N) *soldier; scholar.* **SF** ‡   (P) *used in transliterations.*

— bing¹ — 兵   (N) *foot soldier; rank and file.* **FE**
— daam¹° — 擔   (N) *postage stamp.* **Tr.**
— dik¹° — 的   (N) *walking stick.* **Tr.**   (*Cl.* ji¹支)
— doh¹° — 多   (N) *provision store.* **Tr.**   (*Cl.* gaan¹ 間)
5   — — fong⁴* — — 房   (N) *store room.* **Tr.**   (*Cl.* goh³ 個 *or* gaan¹ 間)
— hei³ — 氣   (N) *morale; spirit of courage.*   (*Cl.* jung² 種)

si⁶ 是   **2773**   (V) *be.* **Mdn.** (Adv) *yes.* **Mdn.** (Adj) *right.* **Fml.** **SF** ‡

— fei — 非   (SE) *yes and no; right and wrong; positive and negative.* **Fml.** (N) *gossip; scandal.*   (*Cl.* jung² 種)
— — gwai² — — 鬼   (N) *gossip; gossip-monger; wrong-doer.* **Coll.**

si⁶ 豉   **2774**   (N) *fermented/salted bean.* **SF**   (*Cl.* nap¹° 粒)

— yau⁴ — 油   (N) *soy sauce.*   (*No Cl.*)

si⁶ 侍   **2775**   (V) *serve; wait upon.* **SF** ‡

— hau⁶ — 候   (V) *serve; wait upon.* **FE**
— jai² — 仔   (N) *waiter.*   (GRT Western restaurants, bars, hotels etc.)

sik¹° 昔   **2776**   (Adv) *formerly.* **Fml.** **SF** ‡

— yat⁶ — 日   (Adv) *formerly; in olden times.* **Fml.** **FE**

sik¹° 息   **2777**   (V) *rest; put a stop to.*   **SF** ‡

— sam¹ — 心   (V) *set the heart at rest; have no more anxiety about a matter.*

— si⁶ (ning⁴ yan⁴) — 事 (寧人)   (V) *put a stop to a matter (and make peace with people).*

sik¹° 媳   **2778**   (N) *daughter-in-law.*   **Fml.**   **SF** ‡

— foo⁵ — 婦   (N) *daughter-in-law.*   **Fml.**   **FE**

sik¹° 熄   **2779**   (V) *switch/turn off; extinguish.*   **SF** ‡

— dang¹° — 灯   (V) *switch off a light; extinguish a lamp.*   **FE**

— din⁶ si⁶ gei¹ — 電視機   (V) *switch/turn off the TV.*

— foh² — 火   (V) *extinguish a fire.*   **FE**

— sau¹ yam¹ gei¹ — 收音機   (V) *switch/turn off the radio.*

sik¹° 色   **2780**   (N) *colour; sex.*   **SF** ‡

— ching⁴ — 情   (N) *sex.*   **FE**   *(No Cl.)*   (Adj) *dirty; sexy; pornographic.*

— — din⁶ ying² — — 電影   (N) *sex film.*   *(Cl.* chut¹° 齣)

— — ga³ bo⁶ — — 架步   (N) *sex den; vice den; "pleasure den".*

— — hon² mat⁶ — — 刊物   (N) *pornographic publication.*   *(Cl.* bo⁶ 部 *or* boon² 本)

5   — — on³ — — 案   (N) *sexual offence.*   *(Cl.* jung¹ 宗 *or* gin⁶ 件)

— — saang¹ yi³ — — 生意   (N) *sex business.*   *(Cl.* jung² 種)

— — si⁶ yip⁶ — — 事業   (N) *ditto.*

— choi² — 彩   (N) *colour; style.*   *(RT writings, works of art, political viewpoints, etc.)*   *(Cl.* jung² 種)

— maang⁴ — 盲   (Adj) *colour-blind.*

10   — sui² — 水   (N) *colour.*   **Coll.**   **FE**   *(Cl.* jek³ 隻 *or* goh³ 個)

sik¹° 蟋   **2781**   (N) *cricket.*   **SF** ‡

— sut¹° — 蟀   (N) *cricket.*   **FE**   *(Cl.* jek³ 隻)

sik¹° **蜥**   **2782**   (N) *lizard.*   **Fml.**   **SF**   ‡

— yik⁶   —   蜴   (N) *lizard.*   **Fml.**   **FE**   (*Cl.* tiu⁴條)

sik¹° **式**   **2783**   (N) *style; fashion; form.*   (*No Cl.*)

— yeung   —   樣   (N) *pattern; model; fashion.*

sik¹° **釋**   **2784**   (N) *release from custody; explain.*   **SF**   ‡   (P) *used in transliterations.*

— fong³   —   放   (V) *release from custody.*   **FE**

S—Ga¹ Mau⁴ Nei⁴   —   迦牟尼   (N) *Shakyamuni—Buddha.*   **Tr.**

— gaau³   —   教   (N) *Buddhism.*   **Fml.**   **Tr.**

s—yi⁶   —   義   (V) *explain the meaning.*   **Fml.**   **FE**

sik¹° **識**   **2785**   (V) *know.*   **SF**

— chuen¹   —   穿   (V) *reveal; expose.*

— dim² jo⁶ (yan⁴)   —   點做 (人)   (V) *know what to do; know the right way to manage things; how to get sb's favour.*   **Coll.**   **Der.**

— jo⁶ (yan⁴)   —   做 (人)   (V) *ditto.*

— ji⁶   —   字   (V) *be able to read; recognize Chinese characters.*

⁵ — lo¹ (sai³ gaai³)   —   撈 (世界)   (SE) *skilled in the art of dealing with people; experienced in the problems of life; shrewed in the ways of the world.*   **Coll.**   **Der.**

— nam²   —   諗   (V) *have many good ideas; have ideas which spring from careful thought.*

sik¹° **飾**   **2786**   (V) *gloss over; adorn.*   **Fml.**   **SF**   ‡

— chi⁴   —   詞   (V) *trump up a story.*

— fei¹ (man⁶ gwoh³)   —   非 (文過)   (V) *gloss over one's faults/wrongdoings.*

— gwai⁶   —   柜   (N) *show window; display cabinet/counter.*

sik¹° 適   2787   (V) *suit; fit.*   **SF**   ‡

— dong³ — 當   (Adj) *appropriate; suitable; adequate.*

— — fong¹ faat³ — — 方法   (N) *appropriate/suitable method.*   (*Cl.* jung² 種 *or* goh³ 個)

— hap⁶ — 合   (V) *suit; fit.*   **FE**   (Adj) *suitable; appropriate.*

— yi⁴ — 宜   (V) *ditto.* (Adj) *ditto.*

5   — ling⁴ — 齡   (Adj) *at the right age; at the right stage in life.*

— ying³ — 應   (V) *adapt to; be accustomed to.*

— — waan⁴ ging² — — 環境   (V) *adapt to an environment.*

— yung⁶ — 用   (Adj) *applicable.*

— — tiu⁴ lai⁶ — — 條例   (N) *applicable rules/regulations.*   (*Cl.* jung² 種 *or* tiu⁴ 條)

sik¹° 骰   2788   (N) *dice.*   **CP**   **SF**   ‡

— jai² — 仔   (N) *dice.*   **CP**   **FE**   (*Cl.* nap¹° 粒; *Set:* foo³ 副)

sik³ 錫   2789   (V) *bestow; give.*   **Fml.**   **SF**   ‡   **AP sek³ see 2717.**

sik⁶ 食   2790   (V) *eat*

— baau² — 飽   (V) *eat to the full.*

— ban² — 品   (N) *food in general.*   **Fml.**   (*Cl.* jung² 種)

— — bo⁶ — — 部   (N) *food counter.*   (*RT department stores*)

— mat⁶ bo⁶ — 物部   (N) *ditto.*   **Coll.**

5   — beng⁶ — 病   (V) *become ill through overeating.*

— faan⁶ — 飯   (V) *eat rice; have a Chinese meal.*

— — toi⁴* — — 枱   (N) *dining table.*   (*Cl.* jeung¹ 張)

— gaap³ gwan³ — 夾棍   (V) *double-cross.*   **Sl.**

— haak³ — 客   (N) *retainer; hanger on; parasite.*

10   — jaai¹ — 齋   (V) *abstain from meat.*   (*Gen. for religious reasons*) **Coll.**

— so³ — 素   (V) *ditto.*   **Fml.**

— ji² — 指　(N) *forefiner; index finger.*　(*Cl.* jek³ 只)

— leung⁶ — 量　(N) *capacity for food.*

— mai⁵ — 米　(N) *rice; husked rice.*　(*Grain:* nap¹° 粒)

15　— ngai⁵ sau³ — 蟻獸　(N) *ant-eater.*　(*Cl.* jek³ 隻 *or* jung² 種)

— po² — 譜　(N) *diet sheet; recipe.*

— sui² — 水　(V) *draw water (ROT ships); cheat (GRT cooks).*

— yan⁴ — 人　(SE) *cannibalistic; act like cannibals.　(Lit. eat human beings)* **Fig. & Lit.**

— — m⁴ leuh¹ gwat¹° — — 唔碌骨　(SE) *very greedy for gain/money (Lit. eat up sb and not spit out his bones)* **Coll.**

20　— yeuk⁶ — 藥　(V) *take medicine.*

— yim⁴ — 壚　(N) *table-salt.*　(*Cl.* nap¹° 粒 *Bottle;* jun¹ 樽)

— yin¹° — 煙　(V) *smoke.　(RT cigarettes, cigars, etc.)*

— yin⁴ — 言　(V) *eat one's words; go back on a promise.*

— — yi⁴ fei⁴ — — 而肥　(SE) *grow fat through eating one's words; make gain by cheating.*

25　— yuk⁶ — 慾　(N) *appetite.　(No Cl.)*

— yuk⁶ sau³ — 肉獸　(N) *carnivorous animal.*　(*Cl.* jung² 種 *or* jek³ 隻)

— yung⁶ — 用　(N) *food; meals; provisions.　(RT needs of families or boarders with due regard to price and quality)*　(*Cl.* jung² 種)

sim²閃　2791　(V) & (N) *flash.*　**SF**　‡

— bei⁶ — 避　(V) *avoid; dodge.*

— hoi¹ — 開　(V) *ditto.*

— din⁶ — 電　(V) *flash.　(ROT lightening)* **FE**　(N) *lightening.* **FE** (*Cl.* chi³ 次)

— — jin³ — — 戰　(N) *blitzkreig.　(Lit. lightening warfare)* (*Cl.* Chi³ 次 *or* cheung⁴ 塲)

5　— gwong¹ — 光　(V) & (N) *flash.　(RT light)*

— — dang¹° — — 灯　(N) *flash-light.　(RT photography)* (*Cl.* jaan² 蓋 *or* ji¹ 支)

sim²陜　2792　(N) *mountain; pass.*　**Fml. SF**　‡

S— Sai¹ (Saang²) — 西 (省)　(N) *Shensi, Shensi Province.*　**Tr.**

sim⁴*蟬 **2793**　(N) *cicada.* (*Cl.* jek³隻)

— giu³ — 叫　(N) *chirp of the cicada.* (*No Cl.*)

sim⁴禪 **2794**　(N) *meditation.* (*RT Buddhism*) **Fml. SF ‡ AP** sin⁶ **see 2807.**

— lam⁴ — 林　(N) *Buddhist temple.* **Fml.** (*Cl.* goh³個 *or* gaan¹間)

— tong⁴ — 堂　(N) *ditto.*

— yuen⁶* — 院　(N) *ditto.*

sim⁶贍 **2795**　(V) *support; give financial support.* **Fml. SF ‡**

— yeung⁵ — 養　(V) *support; give financial support.* (*RT parents, widows, etc.*) **FE**

— — fai³ — — 費　(N) *alimony; maintenance allowance.* (*ROT divorced women*) (*Cl.* bat¹°筆)

sin¹先 **2796**　(Adv) *first; ago.*

— do³ sin¹ dak¹° — 到先得　(SE) *first come first served.*

— fung¹° — 鋒　(N) *vanguard; pioneer; forerunner.* **Lit. & Fig.**

— gei² yat⁶ — 幾日　(Adv) *a few days ago.*

— — goh³ yuet⁶ — — 個月　(Adv) *several months ago.*

5　— goh³ paai⁴* — 個排　(Adv) *some time ago.*

— yat¹° paai⁴* — 一排　(Adv) *ditto.*

— hau⁶ — 後　(Adv) *one after another.*

— ji¹ — 知　(N) *prophet.* (*Lit. before know*)

— lai⁴ hau⁶ jau² — 嚟後走　(SE) *first in, last out.* (*RT retrenchment of staff*)

10　— saang¹ — 生　(N) *Mr.; sir; gentleman; You* (**PL**)*; husband; teacher.* (*Cl.* wai⁶*位 *or* goh³個)

— siu⁶ — 兆　(N) *omen; sign.* (*Cl.* goh³個 *or* jung²種)

— tin¹ — 天　(N) *physical constitution; natural physical endowments.*

— — bat¹° juk¹° — — 不足　(SE) *weak constitution.*

sin¹° 仙（僊）   2797   (N) *fairy; cent* (Tr.).   SF   ‡

— daan¹ — 丹   (N) *cure-all; elixir of life; remedy* (Fig.). *(Lit. im-mortal pill)* (*Cl.* nap¹° 粒)

— ga¹° — 家   (N) *one who attains to immortality; Taoist* (PT).

— ging² — 境   (N) *fairyland.*

— si⁶* — 士   (N) *cent.* Tr. FE

⁵ — yan⁴ — 人   (N) *fairy; one who attains immortality.*

— — jeung² — — 掌   (N) *cactus.* (*Cl.* poh¹ 䓤)

— — tiu³ — — 跳   (N) *confidence tricks using women as decoys.* (*Cl.* jung² 種)

sin¹ 鮮   2798   (N) *fresh.* SF AP sin² see 2799.

— fa¹° — 花   (N) *freshly-cut flower.* (*Cl.* deuh² *or* doh³ 朵)

— gwoh² — 果   (N) *fresh fruit.*

— gwoo¹° — 菇   (N) *fresh mushroom.* (*Cl.* jek³ 只)

— huet³ — 血   (N) *fresh blood.*

⁵ — hung⁴ — 紅   (Adj) & (N) *bright red.*

— mei⁶ — 味   (N) *fresh flavour.* (*Cl.* jung² 種)

— naai⁵ — 奶   (N) *fresh milk.* (*Bottle:* jun¹ 樽 ; *or* ji¹ 支; *cup:* booi¹ 杯)

— tim⁴ — 甜   (Adj) *tasty; sweet.*

— yuk⁶ — 肉   (N) *fresh meat.* (*Catty:* gan¹ 斤 ; *Pound:* bong⁶ 磅)

sin² 鮮   2799   (Adv) *rarely; seldom.* Fml. SF ‡ (Adj) *rare.* Fml. SF ‡ AP sin¹ see 2798.

sin² 癬   2800   (N) *ringworm.* *(No Cl.)*

— gaai³ — 疥   (N) *ringworm and itch.* Fml. (*Cl.* jung² 種)

— laai³ — 癩   (N) *ditto.* Coll.

sin³ 綫（綫）   2801   (N) *thread; line.* (*Cl.* tiu⁴ 條)

— bo⁶ — 步   (N) *stitches.* (*Cl.* jam¹ 針)

— luk¹° — 碌   (N) *spool/reel of thread.*

— sok³ — 索   (N) *clue; lead.* *(RT criminal cases, detective stories, etc.)* *(Cl.* tiu⁴ 條)

— yan⁴ — 人   (N) *informer; police informer.*

sin³腺 2802   (N) *gland.* **SF** ‡ *(Cl.* tiu⁴ 條)

sin³扇 2803   (N) *fan.* *(Cl.* ba² 把)

— gwat¹° — 骨   (N) *framework of a fan.* *(Lit. fan bones)* *(Cl.* ba² 把)

— min⁶* — 面   (N) *covering of a fan.*

sin³煽 2804   (V) *agitate; incite; instigate.*

— dung⁶ — 動   (V) *agitate; incite; instigate.* **FE**

— fung¹ dim² foh² — 風點火   (SE) *ditto.* *(Lit. fan wind light fire)*

— dung⁶ jin³ jaang¹ — 動戰爭   (V) *incite to war.*

sin⁵鱔 2805   (N) *eel.* **SF** *(Cl.* tiu⁴ 條)

— ʼyue⁴ — 魚   (N) *eel.* **FE** *(Cl.* tiu⁴ 條)

sin⁶羨 2806   (V) *admire.* **SF** ‡

— mo⁶ — 慕   (V) *admire; have a high regard for.* **FE** (Adv) *admiringly.*

sin⁶禪 2807   (V) *abdicate.* **Fml.** **SF** ‡ **AP sim⁴ see 2794.**

— yeung⁶ — 讓   (V) *abdicate.* **Fml.** **FE**

sin⁶善 2808   (Adj) *kind; good.* **SF** ‡

— chaak³ — 策   (N) *good method/plan.*

— faat³ — 法   (N) *ditto.*

— gui² — 舉   (N) *good act; virtuous deed.* *(Cl.* gin⁶ 件)

— si⁶ — 書　(N) *ditto.*

5　— gwan³ — 棍　(N) *person who pretends to do charitable deeds to gain his own ends.　(Lit. charitable crook)*

— gwoh² — 果　(N) *good fruit; outcome of a good life.*　**Fig.**

— hau⁶ — 後　(V) *rehabilitate; reconstruct.　(GRT social conditions)*　(N) *rehabilitation; reconstruction.　(GRT living conditions)*　(Cl. jung² 種)

— ok³ — 惡　(SE) *good and evil.*

— tong⁴* — 堂　(N) *charitable institution.*　(Cl. gaan¹ 間 *or* goh³ 個)

— yau⁵ sin⁶ bo³ — 有善報　(SE) *goodness has a good recompense.*

— yi³ — 意　(N) *goodwill; good intention.*　(Cl. jung² 種)

— yung⁶ — 用　(V) *make good use of.　(RT people and things)*

sin⁶ 繕　2809　(V) *write out; copy.*　**Fml.　SF　‡**

— se² — 寫　(V) *write out; copy.*　**Fml.　FE**

sin⁶ 膳 (饍)　2810　(N) *board.　(ROT meals)*　**SF　‡**

— fai³ — 費　(N) *charge for board.*　(Cl. bat¹° 筆 *or* chi³ 次)

— suk¹° — 宿　(N) *board and lodging.　(No Cl.)*

— — fai³ — — 費　(N) *charge for board and lodging.*　(Cl. bat¹° 筆)

sin⁶ 擅　2811　(Adv) *without authority.*　**SF　‡**　(N) *special skill.*　**SF ‡**

— cheung⁴ — 長　(N) *special skill.*　**FE**　(Cl. jung² 種)

— ji⁶ — 自　(Adv) *without authority, arbitrarily.*　**FE**

— — jok³ jue² — — 作主　(SE) *act without authority.*

sing¹ 星　2812　(N) *star, constellation.*　**Fml.　SF　‡　AP: (1)** seng¹° see 2720; **(2)** sing¹° see 2813.

— foh² liu⁴ yuen⁴ — 火燎原　(SE) *"how great a matter a little fire kindleth".　(Lit. scintilla fire burns prairie)*

S— Ga³ Boh¹° — 加坡　(N) *Singapore.*　**Tr.**

— Jau¹ — 洲　(N) *ditto.*　**Coll.**

s— joh⁶ — 座   (N) *star; constellation; horoscope.* **FE** (*Cl.* nap¹° 粒 or goh³ 個)

5   — sau³ — 宿   (N) *ditto.* **Fml.**

— suk¹° — 宿   (N) *ditto.* **CP**

— kau⁴ — 球   (N) *planet; star.* **FE**

— san⁴ — 辰   (N) *ditto.* **Fml.**

— kei⁴ — 期   (N) *week.*

10   S— K— (Yat⁶) — — (日)   (N) *Sunday.*

— — Luk⁶ — — 六   (N) *Saturday.*

— — Ng⁵ — — 五   (N) *Friday.*

— — saam¹ — — 三   (N) *Wednesday.*

— — Sei³ — — 四   (N) *Thursday.*

15   — — Yat¹° — — 一   (N) *Monday.*

— — Yi⁶ — — 二   (N) *Tuesday.*

sing¹°星   2813   (N) *star.* **Coll.** (*Cl.* nap¹° 粒) **AP: (1) seng¹°** see 2720; **(2) sing¹** see 2812.

sing¹腥   2814   (Adj) *malodorous; smelly.* **Fml. AP: seng² SM** see 2721.

sing¹聲   2815   (N) *voice; sound; noise.* (*Cl.* goh³ 個 or ba² 把) **AP: (1) seng¹ SM** see 2722; **(2) sing¹°** see 2816.

— ching¹ — 稱   (V) *declare; make a verbal statement.*

— ming⁴ — 明   (V) *ditto.*

— daai³ — 帶   (N) *vocal cord.* (*Cl.* tiu⁴ 條)

— gwai² — 軌   (N) *sound track.* (*Cl.* tiu⁴ 條)

5   — long⁶ — 浪   (N) *sound wave.* (*Cl.* jung² 種)

— moon⁴ — 門   (N) *glottis.*

— sai³ — 勢   (N) *threatening force (RT hostile army); domineering posture/attitude.* (*Cl.* jung² 種)

— yam¹ — 音   (N) *voice; sound; noise.* **FE**

sing¹° 聲   **2816**   (N) *tone.* *(RT Mandarin)*   **AP: (1) seng¹ see 2722; (2) sing¹ see 2815.**

— diu⁶ — 調   (N) *tone.* *(RT Chinese language)*   **FE**

— hok⁶ — 學   (N) *acoustics.* (*Subject:* foh¹° 科)

— mo⁵ — 母   (N) *initial in phonetics.*

sing¹ 猩   **2817**   (N) *orang-outang.*   **SF** ‡   (Adj) *scarlet.*   **SF** ‡

— hung⁴ — 紅   (Adj) *scarlet.*   **FE**

— — yit⁶ — — 熱   (N) *scarlet fever.*   (*Cl.* jung² 種)

— sing¹° — 猩   (N) *orang-outang; chimpangee.*   **FE**   (*Cl.* jek³ 隻)

sing¹ 升   **2818**   (V) *promote; ascend; rise.*   **SF** ‡   (N) *"pint"— Chinese measure equivalent to 31.6 cubic inches.* *(No Cl.)*

— baan¹° — 班   (V) *be promoted; be put into a higher class/grade.* *(RT students; racing horses, etc.)*

— kap¹° — 級   (V) *ditto.* *(RT students, civil servants, etc.)*

— daai⁶ si³ — 大試   (N) *matriculation.*   (*Cl.* chi³ 次 or nin⁴ 年)

— go¹ — 高   (V) *promote; go up; soar.*

⁵ — gong³ gei¹ — 降機   (N) *lift; elevator.* *(Lits. ascending decending machine)*   (*Cl.* ga³ 架)

— hok⁶ — 學   (V) *be promoted to or attend a higher school.*

— jo⁶ — 做   (V) *be promoted to.* *(RT positions)*

— jung¹° si³ — 中試   (SE) *Secondary School Entrance Examination; SSEE.*

— kei⁴ — 旗   (V) *hoist a flag.*

sing¹ 昇   **2819**   (V) *ascend.*   **SF** ‡   (Adj) *peaceful.*   **SF** ‡

— ping⁴ — 平   (Adj) *peaceful and tranquil.*   **Fml.**   **SF** ‡

— — sing⁶ sai³ — — 盛勢   (N) *peaceful and tranquil world.*   **Fml.** **FE**

— tin¹ — 天   (V) *ascend to heaven.*   **Fml.**   **FE**

— wa⁴ — 華   (V) *sublimate.*

— — (jok³ yung⁶) — — (作用)   (N) *sublimation.*   (*Cl.* jung² 種)

sing¹ 陞   2820   (V) *promote; ascend.*   **SF** ‡

— gwoon¹ — 官   (V) *be promoted.*   *(ROT officials/officers)*   **FE**

sing¹ 勝   2821   (V) *be capable of; be qualified for.*   **SF** ‡ **AP** sing³ see 2822.

— yam⁶ (yue⁴ faai³) — 任 (愉快)   (V) *be easily capable of doing a job; be (well) qualified for a post/position.*

sing³ 勝   2822   (V) *win.* **SF** ‡ (Adj) *superior.* **SF** ‡ (N) *victory.*   **SF** ‡ **AP** sing¹ see 2821.

— baai⁶ — 敗   (SE) *win or lose; succeed or fail.*

— foo⁶ — 負   (SE) *ditto.*

— dei⁶ — 地   (N) *beautiful place; resort.*   (*Cl.* sue³ 處 *or* do⁶ 度)

⁵ — lei⁶ — 利   (N) *victory.* **FE**   (*Cl.* chi³ 次)

S— L— Yau⁴ Tin⁴ — — 油田   (N) *Shengli Oilfield.* **Tr.**

s— wooi⁶ — 會   (N) *gala; occasion of public merry-making.*   (*Cl.* chi³ 次)

sing² 省   2823   (V) *comprehend.* **Fml. SF** ‡ **AP** saang² see 2619.

— chaat³ — 察   (V) *look into; scrutinize.*

— gok³ — 覺   (V) *comprehend; be sensible of.*

— ng⁶ — 悟   (V) *ditto.*

sing² 醒   2824   (V) *become conscious/sober.* **Fml. SF** ‡ (Adj) *awake; conscious; sober.* **Fml. AP** seng² **SM** see 2723.

— ding⁶ — 定   (Adj) *calm; steady; sober.*

— muk⁶ — 目   (Adj) *sharp; smart; alert.* **(Coll.)**

— si¹° — 獅   (N) *the waking lion—China aroused.* **Fig.** (*Cl.* jek³ 隻)

sing³ 姓   2825   (V) *be surnamed.* (N) *surname.* **AP** seng³ **SM** see 2724.

— ming⁴ — 名   (N) *surname and personal name; full name.*

sing³ 性   **2826**   (Adj) *sexual.* **SF** ‡   (N) *mature; quality; sex.* **SF** ‡   *(No Cl.)*

— beng⁶ — 病   (N) *venereal disease.*   (*Cl.* jung² 種)

— bit⁶ — 別   (N) *sex; male or female.*   **FE**   *(No Cl.)*

— ching⁴ — 情   (N) *natural temperament; habit of mind; disposition; temper.*   (*Cl.* goh³ 個 *or* jung² 種)

— gaak³ — 格   (N) *character; personality; temperament.*   (*Cl.* jung² 種)

5   — gaau¹ — 交   (N) *sexual intercourse.*

— gaau³ yuk⁶ — 教育   (N) *sex education.*   (*Cl.* jung² 種)

— gam² — 感   (Adj) *sexy; appealing to sex.*   (N) *sex appeal.*   (*Cl.* jung² 種)

— gap¹° — 急   (Adj) *impatient; hasty.*

— hei³ (gwoon¹) — 器(官)   (N) *sexual organ.*   (*Cl.* goh³ 個 *or* jung² 種)

10   — jit¹° — 質   (N) *quality (RT minerals; rocks; timber, etc.); classification (RT literature, politics, etc.); nature (RT task, work, duties, organizations, etc.)*   (*Cl.* jung² 種)

— ming⁶ — 命   (N) *life.*   (*Cl.* tiu⁴ 條)

— nang⁴ — 能   (N) *function/potential (RT machines); potency (RT drug).*   (*Cl.* jung² 種 *or* goh³ 個)

— oi³ (haang⁴ wai⁴) — 愛(行爲)   (N) *sexual love.*   (*Cl.* jung² 種)

— yuk⁶ — 慾   (N) *sexual desire.*

— — chung¹ dung⁶ — — 衝動   (N) *sexual impulses.*   (*Cl.* jung² 種)

sing³ 聖   **2827**   (Adj) *holy; sacred.*

S— Chaam¹° — 飡   (N) *Holy Communion; the Lord's supper.*   (*Cl.* chi³ 次)

— Daan³ (Jit³) — 誕(節)   (N) *Christmas.*   (*Cl.* goh³ 個)

s— dei⁶ — 地   (N) *holy place/land.*

S— Ging¹ — 經   (N) *the Bible.*

5   — Ling⁴ — 靈   (N) *the Holy Spirit; the Holy Ghost.*

s— yan⁴ — 人   (N) *sage; saint; "perfect person"*   (**Sat.**).

sing⁴ 成   **2828**   (V) *succeed.* **SF** ‡ (Adj) *successful; whole.* **SF** ‡ (N) *success; one tenth.* **SF** ‡ **AP: (1) ching⁴ see 325; (2) seng⁴ see 2725.**

— boon² — 本   (N) *cost; cost of producing and manufacturing.*

— chan¹ — 親   (V) *take a wife; get married.*

— fan¹ — 婚   (V) *ditto.*

— ga¹ (lap⁶ sat¹°) — 家（立室）   (SE) *ditto.*

⁵ S— Do¹ — 都   (N) *Chengtu.* *(in Szechuan Province)* **Tr.**

  s— fan⁶ — 份   (N) *element; constituent; ingredient.* (*Cl.* jung² 種)

— gin³ — 見   (N) *prejudice.* (*Cl.* jung² 種)

— gung¹ — 功   (V) *succeed in doing sth.* **FE** (Adj) *successful.* (N) *success.* (*Cl.* chi³ 次)

— jik¹° — 績   (N) *result; achievement.* (*Cl.* goh³ 個 *or* jung² 種)

¹⁰ — maan⁵ — 晚   (Adv) *all night long; for a whole night.*

— nin⁴ — 年   (V) *come of (legal) age.* (Adj) *mature.* (Adv) *all the year round.* (N) *legal age.*

— — yan⁴ — — 人   (N) *adult.*

— yan⁴ — 人   (N) *ditto.*

— sai³ — 世   (Adv) *all one's life; for one's whole life.*

¹⁵ — suk⁶ — 熟   (Adj) *mature; ripe; full-grown.*

— yat⁶ — 日   (Adv) *all day long; for a whole day.*

— yeuk⁶ — 藥   (N) *patent medicine.* (*Cl.* jung² 種)

— — bo⁶ — — 部   (N) *medicine counter.* (*RT department stores*)

— yue⁵ — 語   (N) *set expression/phrase.* (*Cl.* gui³ 句 *or* goh³ 個)

sing⁴ 城   **2829**   (N) *city; walled city; big stone wall.* (*Cl.* goh³ 個 *or* joh⁶ 座) **AP: seng⁴ SM see 2726.**

— si⁵ — 市   (N) *cities in general.* (*Cl.* goh³ 個 *or* joh⁶ 座)

— — saang¹ woot⁶ — — 生活   (N) *city life.* (*Cl.* jung² 種)

sing⁴ 誠   **2830**   (Adj) *sincere, honest; earnest; true-hearted.* **SF** ‡

— han² — 懇   (Adj) *earnest; sincere.*

— ji³ — 摯   (Adj) *ditto.*

— ping³ — 聘   (SE) *invite applications to.* (*Lit. earnestly engage or employ*) **PL**

　— sam¹　— 心　　(Adj) *true-hearted; earnest.*

5　—— sing⁴ yi³　—— 誠意　　(Adj) *ditto.*

　— yi³　— 意　　(Adj) *ditto.*　(N) *sincerity; earnestness.*　(Cl. jung² 種)

　— sat⁶　— 實　　(Adj) *honest; sincere.*　**FE**

sing⁴ 承　2831　　(V) *receive; inherit.*　**SF**　‡

　— gai³　— 繼　　(V) *inherit.*　**FE**

　—— kuen⁴　—— 權　　(N) *right of inheritance.*　(Cl. jung² 種 *or* goh³ 個)

　—— yan⁴　—— 人　　(N) *heir.*

　— jip³　— 接　　(V) *receive and carry on.*

5　— nok⁶　— 諾　　(V) & (N) *promise; consent.*　**Fml.**

　— sau⁶　— 受　　(V) *receive; inherit.*　**FE**

　— ying⁶　— 認　　(V) *admit; confess.*

sing⁴ 繩　2832　　(V) *restrain (by law).*　**Fml.　SF**　‡　(N) *string; rope.*　**Fml.　SF**　‡　**AP** sing⁴*　**SM** see 2833.

　— ji¹ yi⁵ faat³　— 之以法　　(SE) *restrain criminals by law.*　**Fml.**

　— sok³　— 索　　(N) *rope; cordange.*　(Cl. tiu⁴ 條)

sing⁴* 繩　2833　　(N) *string.*　**Coll.**　(Cl. tiu⁴ 條)　**AP** sing⁴　**SM** see 2832.

　— jai²　— 仔　　(N) *string.*　**Coll.　FE**　(Cl. tiu⁴ 條)

sing⁴ 盛　2834　　(V) *hold; contain.*　**Fml.　SF**　‡　**AP** sing⁶ see 2835.

　— sui² bat¹° lau⁶　— 水不漏　　(SE) *close-fisted; trustworthy; able to keep a secret.*　(Lit. *hold water not leak*)

sing⁶ 盛　2835　　(Adj) *great; prosperous.*　**SF**　‡　**AP** sing⁴ see 2834.

　— daai⁶　— 大　　(Adj) *great; magnificent.*　**FE**

　— fuk⁶　— 服　　(Adv) *in formal dress; fully dressed.*

　— gik⁶ bit¹° sui¹　— 極必衰　　(SE) *when prosperity reaches its height, it begins to wane.*

— hei³ ling⁶ yan⁴   — 氣凌人   (SE) *put on airs and insult others.*

5 —sai³   — 世   (N) *prosperous age/period.*

— si⁶   — 事   (N) *grand affair; splendid occasion.* (*Cl.* gin⁶件)

— wai⁶   — 惠   (V) *thank you.* (*A polite expression used to customers by waiters/salespeople*)

— — gaap³ doh¹ je⁶ — — 夾多謝   (SE) *thank you very much but . . .; no, thank you!* (*a sarcastic expression used to turn down an unwelcome plan or suggestion*)

sing⁴ 乘   2836   (V) *ride; travel by; multiply.* **Fml. SF ‡ AP sing⁶ see 2837.**

— fung¹ poh³ long⁶ — 風破浪   (SE) *have high ambitions; be well under way.* (*Lit. ride wind break waves*)

— gei¹   — 機   (V) *take advantage of an opportunity.*

— haak³   — 客   (N) *passenger.* **Fml.**

— sai³   — 勢   (V) *seize the right moment.*

5 — so³   — 數   (N) *multiplication (RT arithmetic).* (*Cl.* tiu⁴ 條)

— suen⁴   — 船   (V) *travel by sea/ship.*

sing⁶ 乘   2837   (N) *team of four horses.* **Fml. SF ‡** (*Cl.*) *for carriages, sedan chairs, etc.* **Fml. AP sing⁴ see 2836.**

— ma⁵   — 馬   (N) *team of four hourses.* **Fml. FE** (*No Cl.*)

sing⁶ 剩(賸)   2838   (V) *remain; save.* **SF ‡** (N) *surplus, balance.* **SF ‡**

— chin⁴*   — 錢   (V) *save money; keep saving.*

— faan¹   — 返   (V) *have sth left/remaining.*

— yue⁴   — 餘   (V) *remain.* (*RT things*) (N) *surplus; balance.* (*Cl.* jung² 種 *or* goh³ 個)

— — ga³ jik⁶ — — 價值   (N) *surplus value.* (*Cl.* jung² 種 *or* goh³ 個)

sip³ 攝   2839   (V) *hold; attract; assist.* **SF ‡**

— jing³   — 政   (V) *assist/be associated with sb in state affairs.*

— — wong⁴ — — 王   (N) *prince-regent.*

— jue⁶ — 住   (V) *attract; hold.* **FE**

— lik⁶ — 力   (N) *power of attraction.* (*Cl.* jung²種)

— sek⁶ — 石   (N) *loadstone.* (*Cl.* gau⁶ 礦)

— tit³ — 鐵   (N) *iron magnet.* (*Cl.* gau⁶ 礦 *or* faai³ 塊)

— ying² — 影   (V) *photograph; take pictures.* **Fml.** (N) *photography.* (*RT skill or technique*) **Fml.** (*No Cl.*)

— — dui⁶* — — 隊   (N) *camera crew.* (*Cl.* dui⁶ 隊 *or* goh³ 個)

— — ga¹° — — 家   (N) *photographer.* **Fml.**

10 — — gei¹ — — 機   (N) *camera.* **Fml.** (*Cl.* ga³架)

sip³ 涉   2840   (V) *get involved in; wade through water.* **SF** ‡

— kap⁶ — 及   (V) *get involved in; be connected with.* **FE**

— sui² — 水   (V) *wade through water.* **Fml.** **FE**

sip³ 榫   2841   (V) *wedge.* **Coll.** **SF** ‡

— go¹ (di¹°) — 高 (啲)   (V) *block up.* **Coll.** **FE**

— sat⁶ — 實   (V) *wedge tightly.* **Coll.** **FE**

sit³ 竊(竊)   2842   (V) *steal.* **Fml.** **SF** ‡ (N) *thief; theft.* **Fml.** **SF** ‡

— chaak³ — 賊   (N) *thief.* **Fml.** **FE**

— fai² — 匪   (N) *ditto.*

— chui⁴ — 取   (V) *steal; take by stealth.* **Fml.** **FE**

— do⁶ — 盜   (V) *ditto.*

5 — on³ — 案   (N) *theft case.* (*Cl.* gin⁶ 宗 *or* jung¹ 種)

sit³ 褻(褻)   2843   (V) *blaspheme; profane.* **Fml.** **SF** ‡ (Adj) *dirty.* **Fml.** **SF** ‡

— duk⁶ (san⁴ ming⁴) — 瀆 (神明)   (V) *blaspheme/profane (gods).* **Fml.** **FE**

— fuk⁶ — 服   (N) *underwear.* (*RT women*) **Fml.** (*Cl.* to³ 套 *or* gin⁶ 件)

— wai³ — 穢   (Adj) *dirty; filthy.* **Fml.** **FE**

sit³ 洩（泄） 2844   (V) *leak.* **SF** ‡

— hei³ — 氣   (V) *be frustrated/humiliated.*   (*Lit. leak air*)

— lau⁶ — 漏   (V) *leak; divulge.* **FE**

— lo⁶ — 露   (V) *ditto.*

— lau⁶ bei³ mat⁶ — 漏秘密   (SE) *divulge a secret; a secret leaks out.*

sit³ 楔 2845   (N) *wedge; preface.* **Fml. SF** ‡

— ji² — 子   (N) *wedge; preface.* **Fml. FE**

sit⁶ 舌 2846   (N) *tongue.* **Mdn. SF** ‡ (*Cl.* tiu⁴ 條)

— gan¹ — 根   (N) *root of the tongue.*

— jim¹° — 尖   (N) *papillae of the tongue.*

— jin³ — 戰   (N) *tongue warfare—dispute/argument.* (*Cl.* chi³ 次 or jung² 種)

— tau⁴ — 頭   (N) *tongue.* **Mdn. FE** (*Cl.* tiu⁴ 條)

5   — yam¹° — 音   (N) *lingual sounds; dental plosives and liquids.* (*Cl.* jung² 種 or goh³ 個)

sit⁶ 蝕 2847   (V) *lose.* (*RT business trades, etc.*) **SF** ‡

— boon² — 本   (V) *lose money.* (*RT business, trades, etc.*) **FE** (*Lit. lose capital*)

— dai² — 底   (V) *be swindled.* **Coll.** (Adj) *disadvantageous.* **Coll.**

— kwai¹ — 虧   (V) *ditto.* **Fml.** (Adj) *ditto.* **Fml.**

siu¹ 宵 2848   (N) *night.* **Fml. SF** ‡

— gam³ — 禁   (N) *curfew.* **Fml.** (*Cl.* chi³ 次)

— ye⁶* — 夜   (N) *mid-night snack.* (*Cl.* chaan¹ 飧)

siu¹ 消 2849   (V) *digest; dissipate; destroy.* **SF** ‡

— duk⁶ — 毒   (V) *disinfect; sterilize.* (N) *disinfection; sterilization.* (*Cl.* chi³ 次)

— — jai¹ — — 劑   (N) *disinfectant.* (*Cl.* jung² 種)

— — yeuk⁶   — — 藥   (N) *ditto.*

— fa³ — 化   (V) *digest.* **Lit.** & **Fig.** (N) *digestion.* **Lit.** & **Fig.** *(No Cl.)*

5 — — bat¹° leung⁴   — — 不良   (N) *indigestion.* *(No Cl.)*

— — hai⁶ tung²   — — 系統   (N) *digestive system.* *(Cl.* jung² 種 *or* goh³ 個)

— — kei³ gwoon¹   — — 器官   (N) *digestive organ.*

— fong⁴ — 防   (V) *fight fire.*

— — che¹° — — 車   (N) *fire engine.* *(Cl.* ga³架)

10 — — dui⁶* — — 隊   (N) *fire brigade.* *(Cl.* dui⁶ 隊)

— — guk⁶* — — 局   (N) *fire station.* *(Cl.* gaan¹ 間)

— — yuen⁴ — — 員   (N) *fireman; fire fighter.*

— fai³ — 費   (V) *consume.* *(RT food, petrol, goods, etc.)* (N) *consumption.* *(RT food, petrol, goods, etc.)* *(Cl.* jung² 種)

— — ban²   — — 品   (N) *consumer goods.* *(Cl.* jung² 種)

15 — — je²   — — 者   (N) *consumer.*

— — yan⁴   — — 人   (N) *ditto.*

— gik⁶ — 極   (Adj) *negative; passive; pessimistic.*

— — dai² jai³ — — 抵制   (N) *passive resistance; silent opposition.* *(Cl.* jung² 種)

— — jue² yi⁶ — — 主義   (N) *negative theories; pessisism.* *(Cl.* jung² 種 *or* goh³ 個)

20 — — taai³ do⁶ — — 態度   (N) *negative/passive attitude.* *(Cl.* jung² 種 *or* goh³ 個)

— hin² — 遣   (V) *pass away the time.* (N) *pastime; good time; enjoyment.* *(Cl.* jung² 種)

— joi¹ — 災   (V) *get rid of calamities.*

— — gong³ fuk¹° — — 降福   (SE) *dispel calcamity and bring down blessings.*

— jung² — 腫   (V) *reduce a swelling.*

25 — mit⁶ — 滅   (V) *destroy; annihilate.* (N) *destruction; annihilation.* *(No Cl.)*

— — jui⁶ hang⁴ — — 罪行   (SE) *fight against crime; anti-crime campaign/drive.*

— — taam¹ woo¹ — — 貪污   (SE) *fight against corruption; anti-corruption campaign/drive.*

— moon⁶ — 悶   (V) *drive away care; dissipate grief.*

— sik¹° — 息   (N) *news (RT public and private news).* (*Cl.* goh³ 個 *or* jung² 種)

30   — — ling⁴ tung¹ — — 靈通   (Adj) *well-informed.*

— — — — yan⁴ si⁶ — — — — 人士   (N) *well-informed circles/ sources.*

siu¹硝   **2850**   (V) *tan leather.* **SF** ‡ (N) *nitre.* **SF** ‡

— pei⁴ — 皮   (V) *tan leather.* **FE**

— sek⁶ — 石   (N) *nitre.* **FE** (*Cl.* gau⁶ 礦 *or* jung² 種)

— suen¹° — 酸   (N) *nitric acid.* (*Cl.* jung² 種)

— — yim⁴ — — 塩   (N) *nitrate.* (*Cl.* jung² 種)

siu¹銷   **2851**   (V) *sell; finish.* **Fml. SF** ‡

— ga³ — 假   (V) *terminate/end one's leave.* **FE**

— ho³ — 耗   (V) *waste.* (*GRT energy*)

— lo⁶ — 路   (N) *sales, circulation (RT publications).* (*No Cl.*)

— on³ — 案   (V) *close a law case; quash/drop a case.*

5   — sau⁶ — 售   (V) *sell; put into circulation.* **FE**

— wan⁴ — 魂   (V) *be overwhelmed by.* (*RT beauty, love, etc.*) (Adj) *charming; beautiful.* (*GRT young women*)

siu¹瀟   **2852**   (Adj) *light; ethereal.* **Fml. SF** ‡

— sa² — 灑   (Adj) *light-hearted; above the "crowd's ignoble strife"; unconventional.*

siu¹°簫   **2853**   (N) *flute; flageolet.* (*Cl.* ji¹ 支)

siu¹蕭   **2854**   (Adj) *lonely.* **Fml. SF** ‡

— saak³ — 索   (Adj) *lonely; desolate.* **Fml. FE**

— tiu⁴ — 條   (Adj) *depressed; declining.* (*GRT economy, finance, etc.*)

siu¹ 燒　2855　　(V) *burn; roast.*

— aap³* — 鴨　(N) *roast duck.* (*Cl.* jek³ 只 ; *course:* dip⁶ 碟.)

— beng² — 餅　(N) *baked cake; Chinese style baked cake.*

— cheung¹° — 槍　(V) *fire a shot/gun.* (N) *firing of shot/gun.* (*Cl.* chi³ 次)

— heung¹° — 香　(V) *burn incense.*

5　— jau² — 酒　(N) *Chinese wine; rice wine.* (*Bottle:* ji¹ 支 *or* jun¹ 樽; *Cup or Glass:* booi¹ 杯.)

— jeuk⁶ — 着　(V) *be on fire; be burning; set on fire.*

— jue¹ — 猪　(N) *roast pig; barbecue pig.* (*Cl.* jek³ 隻 ; *course:* dip⁶ 碟.)

— jun¹° — 磚　(V) *burn brick.*

— — yiu⁴* — — 窰　(N) *kiln.*

10　— ngoh⁴* — 鵝　(N) *roast goose.* (*Cl.* jek³ 隻; *course:* dip⁶ 碟.)

— paau³ — 炮　(V) *fire a cannon/big gun.* (N) *firing of cannons/big guns.* (*Cl.* chi³ 次)

— — jeung⁶* — — 仗　(V) *let off firecrackers.*

— saan¹ — 山　(V) *have a hill-fire.* (N) *hill-fire.* (*Cl.* chi³ 次)

— yi⁴ daan⁶* — 夷彈　(N) *incendiary shell/bomb.*

15　— yin¹ foh² — 烟火　(V) *let off fireworks.*

— yue⁵ jue¹° — 乳猪　(N) *roast suckling pig.* (*Cl.* jek³ 隻 ; *course:* dip⁶ 碟.)

— yuk⁶ — 肉　(N) *roast pork.* (*course:* dip⁶ 碟)

siu² 小　2856　　(Adj) *small; trivial; mean.*　**SF**

S— A³ Sai³ A³ — 亞細亞　(N) *Asia Minor.* (*Lit. small Asia*)　**Tr.**

s— ba¹° — 巴　(N) *public light bus; mini-bus.* (*Cl.* ga³ 架)

— ying⁴ ba¹° si⁶* — 型巴士　(N) *ditto.*　**FE**

— bin⁶ — 便　(V) *pass water; urinate.* (N) *urine.* (*Cl.* chi³ 次 *or* duk¹° 篤)

5　— chaak³ ji² — 册子　(N) *pamphlet; booklet.* (*Cl.* bo⁶ 部 *or* boon² 本)

— chaan² — 産　(V) *miscarry; give premature birth.* (N) *miscarriage; premature birth.* (*Cl.* chi³ 次)

— cho² — 草   (N) *small letter.* (*RT writing, printing, typing, etc.*) (*Cl.* jung² 種)

— se² — 寫   (N) *ditto.*

— din⁶ ying² — 電影   (N) *8 m.m. film; pornographic film.* (*Cl.* chut¹° 齣)

10   — ga¹° hei³ — 家氣   (Adj) *mean-spirited.* **AL**

— — jung² — — 種   (N) *mean-spirited manner/person.* **AL**

— — ting⁴ — — 庭   (N) *small/independent family.*

— faan³* — 販   (N) *hawker; peddler.*

— gwong² go³ — 廣告   (N) *classified advertisement.* (*Insertion:* duen⁶ 段)

15   — hei³ — 氣   (Adj) *narrow-minded; mean-spirited.*

— — gwai² — — 鬼   (N) *narrow-minded/mean-spirited person.* **AL**

— hok⁶ (haau⁶) — 學 (校)   (N) *primary school.* (*Lit. small school*) (*Cl.* gaan¹ 間)

— — bat¹° yip⁶ sang¹° — — 畢業生   (N) *student who has completed primary education.*

— — saang¹° — — 生   (N) *primary school pupil.*

20   — hong⁶ — 巷   (N) *narrow lane.* (*Cl.* tiu⁴ 條)

— je² — 姐   (N) *unmarried lady; young girl; miss.* (*Cl.* goh³ 個 *or* wai⁶* 位)

— jit³ — 節   (N) *minor matter of behaviour/deportment.* (*Cl.* jung² 種)

— lo⁶ — 路   (N) *short cut.* (*Lit. small road*) (*Cl.* tiu⁴ 條)

— no⁵ — 腦   (N) *cerebellum.*

25   — sam¹ — 心   (Adj) *careful.* (Adv) *carefully; with care.*

— sau² — 手   (N) *pickpocket.* (*Cl.* goh³ 個)

— tau¹° — 偷   (N) *ditto.*

— si⁶ — 事   (N) *trivial matter.* (*Cl.* gin⁶ 件)

— sing³ — 姓   (SE) *my (humble) name is . . .* **PL**

30   — so³ — 數   (N) *decimal* (*Cl.* goh³ 個); *small amount* (*Cl.* tiu⁴ 條).

— — daai⁶ gai³ — — 大計   (SE) *expenses increase gradually.* (*Lit. small amounts big calculation*)

— — dim² — — 點   (N) *decimal point.*

— — pa³ cheung⁴ gai³ — — 怕長計   (SE) *expenses increase in the course of time.* (*Lit. small amounts afraid of long-term calculation*)

35 — suet³ — 說 (N) *novel.* (*Cl.* bo⁶ 部 *or* boon² 本)
— — ga¹° — — 家 (N) *novelist.*
— tai⁴ daai⁶ jo⁶ — 題大做 (SE) *make a mountain out of a mole-hill.*
— yan⁴* — 人 (N) *wicked person; mean person; crafty person; disloyal person.* (*Lit. small man*)
— — dak¹° ji³ — — 得志 (SE) *crafty and mean people attain their aims—said about unjust and unfair matters.*
— — mat⁶* — — 物 (SE) *"little people"; ordinary people.*
40 — yi⁴ — 兒 (N) *small baby* (**Fml.**)*; my son* (**PL**).
— — foh¹° — — 科 (Adj) *trifle; trivial.* **Fig.** (N) *paediatrics.* (*Subject:* foh¹° 科)

siu²少 2857 (Adj) *few; little; rare.* **SF** (Adv) *seldom.* **SF AP** siu³ see 2858.

— gin³ — 見 (Adj) *rare; hard to find; uncommon.*
— yau⁵ — 有 (Adj) *ditto.*
— gin³ doh¹ gwaai³ — 見多怪 (SE) *things seldom seen are very strange —inexperience.*
— siu² — 少 (Adv) & (Adj) *little; a little.* **FE**
5 — so³ — 數 (N) *minority.*
— — dong² — — 黨 (N) *the minority/opposition party.* (*RT politics*)
— — man⁴ juk⁶ — — 民族 (N) *minority race.* (*RT Chinese peoples*)

siu³少 2858 (Adj) *young.* **Fml. SF ‡ Ap** siu² see 2857.

— foo⁵ — 婦 (N) *young married woman.*
— naai⁵° (naai⁵°) — 奶(奶) (N) *ditto.* **PL**
— gaau³ — 校 (N) *major (in army); lieutenant, commander (in navy).*
— jeung³ — 將 (N) *major-general (in army); rear-admiral (in navy).*
5 — lam⁴ (ji⁶*) — 林(寺) (N) *name of a famous Buddhist monastery whose members often acted as Kung Fu boxers.*
— nui⁵ — 女 (N) *young girl.*
— wai³ — 尉 (N) *second-lieutenant (in army); midshipman (in navy).*
— ye⁵ — 爺 (N) *young gentleman.* (*sometimes* **Sat.**)
— — bing¹ — — 兵 (N) *well-fed soldier who lacks fighting ability/ experience.* **Der.**

763

siu³笑   2859   (V) *laugh; laugh at; smile.*

— hau² seung⁴ hoi¹ — 口常開   (SE) *face wreathed in smiles.*

— min⁶ foo² — 面虎   (SE) *"smiling tiger"; fierce person disguised as an easy-going one.*

— — seung¹ ying⁴ — — 相迎   (SE) *meet people with a smile.*

— siu³ hau² — 笑口   (Adv) *smilingly.*

5 — wa⁶* — 話   (Adj) *ridiculous.* **AL** (N) *joke; funny story.*

— yung⁴ — 容   (N) *smile; smiling face.*

siu⁴韶   2860   (Adj) *beautiful; blooming.* **Fml. SF** ‡

S— Gwaan¹ — 關   (N) *Sheokuan. (a city also known as Chuchiang in North Kwangtung)* **Tr.**

s— gwong¹ — 光   (N) *spring time.* **Fml.**

— sau³ — 秀   (Adj) *beautiful; blooming.* **Fml. FE**

siu⁶紹   2861   (V) *introduce; succeed to.* **SF** ‡

— gaai³ — 介   (V) *introduce.* **Fml. FE** (N) *introduction.* **Fml. FE** *(Cl.* chi³次*)*

— gei¹ kau⁴ — 箕裘   (SE) *carry on one's father's trade/profession.*

— wai⁶ — 位   (V) *succeed to the throne.* **Fml. FE**

siu⁶兆   2862   (N) *omen/sign* (**SF**); *million* (**Fml.**).

— man⁴ — 民   (N) *the people/masses. (Lit. million peoples) (No Cl.)*

— tau⁴ — 頭   (N) *omen/sign.* **FE**

siu⁶肇(肇)   2863   (V) *stir up; commence.* **Fml. SF** ‡

— si⁶ — 事   (V) *stir up/make trouble.* **Fml. FE**

— — je² — — 者   (N) *trouble-maker.* **Fml.**

so¹鬚   2864   (N) *beard. (Cl.* tiu⁴ 條*; Tuft:* jap ¹°執)

— paau⁴* — 刨   (N) *safety razor.*

so¹ 騷 2865   (V) *stir up; disturb; vex.* **SF** ‡

— dung⁶ — 動 (V) *stir up; disturb.* *(RT civil unrest)* (N) *disturbance; riot; disorder.* *(Cl.* jung² 種 *or* chi³ 次 *)*

— yiu⁵ — 擾 (V) *vex; disturb.* *(RT personal matters)*

so¹ 穌(甦) 2866   (V) *regain consciousness.* **Fml.** **SF** ‡

— seng² — 醒 (V) *regain consciousness.* **Fml.** **FE**

so¹ 蘇 2867   (V) *rest; revive.* **Fml.** **SF** ‡ (N) *infant; baby.* **Coll.**
          SF ‡ (P) *used in transliterations.*

S— Gaak³ Laan⁴ — 格蘭 (N) *Scotland.* **Tr.**

s— ha¹° — 蝦 (N) *infant; baby.* *(Gen. under 2 years of age)* **Coll.**
   FE

— — jai² — — 仔 (N) *infant; baby boy.* *(Gen. under 2 years of age)* **Coll.** **FE**

— — mui⁵* — — 女 (N) *infant; baby girl.* *(Gen. under 2 years of age)* **Coll.** **FE**

⁵ S— Hong⁴ — 杭 (N) *Soochow and Hangchow.* *(near Shanghai)*
   Tr. **SF**

— Jau¹ — 州 (N) *Soochow.* *(near Shanghai, in Kiangsu Province)*
   Tr.

— Luen⁴ — 聯 (N) *U.S.S.R.* **Tr.** **SF**

— Ngoh⁴ — 俄 (N) *Soviet Rusia.* **Tr.** **SF**

— Moon⁴ Daap³ Laap⁶ — 門答臘 (N) *Sumatra.* **Tr.**

¹⁰ s— sik¹° — 息 (V) *rest.* **Fml.** **FE**

— woot⁶ — 活 (V) *revive.* **Fml.** **FE**

S— Yi⁴ Si⁶ — 彝士 (N) *Suez.* **Tr.**

— — — Wan⁶ Hoh⁴ — — — 運河 (N) *Suez Canal.* **Tr.** *(Cl.* tiu⁴
   條)

so¹ 繅 2868   (V) *reel silk.* **SF** ‡

— si¹ — 絲 (V) *reel of silk; reel silk from cocoons.*

so¹ 酥 2869   (Adj) *crisp.* *(GRT fried food)* **Coll.** **SF** ‡

— chui³ — 脆 (Adj) *crisp.* *(GRT fried food)* **Coll.** **FE**

so¹ 臊   **2870**   (Adj) *rank-smelling.* **SF** (N) *stench; bad smell.* **SF** ‡ **AP so³ see 2871.**

— hei³ — 氣   (Adj) *rank-smelling.* **FE** (N) *rank; bad smell.* **FE** (*Cl.* jung² 種 *or* jam⁶ 嚜)

— mei⁶ — 味   (Adj) *ditto.* (N) *ditto.*

so³ 臊   **2871**   (Adj) *ashamed;* **Mdn. SF** ‡ **AP so¹ see 2870.**

so² 嫂   **2872**   (N) *sister-in-law (brother's wife); form of polite address to a friend's wife.* **SF** ‡

so² 數   **2873**   (V) *count; scold.* **SF** ‡ **AP so³ see 2874.**

— chau³ — 臭   (V) *scold; curse.* **Sl. FE**

— chin⁴* — 錢   (V) *count money.*

— din² mong⁴ jo² — 典忘祖   (SE) *count the historical records but forget one's own ancestors; be an ungrateful traitor to one's country.*

— ji¹ bat¹° jun⁶ — 之不盡   (SE) *very many; impossible to enumerate them all.*

5   — m⁴ saai³ gam³ doh¹ — 唔哂咁多   (SE) *ditto.*

— so³ — 數   (V) *count.* **FE**

so³ 數   **2874**   (N) *account; sum; mathematics.* **AP so² see 2873.**

— hok⁶ — 學   (N) *mathematics.* **FE** (*Cl.* foh¹ 科)

— — ga¹° — — 家   (N) *mathematician.*

— ji⁶ — 字   (N) *figures; numbers.* (*Lit. number word*)

— — yau⁴ hei³ — — 遊戲   (N) *game of figures; statistics.* **Sat.** (*Cl.* jung² 種 *or* goh³ 個)

5   — leung⁶ — 量   (N) *quantity; number.*

— mei⁵ — 尾   (N) *balance of an account.* (*Cl.* tiu⁴ 條)

— muk⁶ — 目   (N) *account; sum; number.* **FE**

— — ji⁶ — — 字   (N) *numeral; figure.*

so² 掃   **2875**   (V) *sweep.* **Fml.** **AP: (1)** so³ **see 2876; (2)** so³* **see 2877.**

so³ 掃 2876   (V) *sweep; dust; wipe out; mop up.* **CP AP: (1)** so² see 2875; **(2)** so³* see 2877.

— ba² — 把   (V) *drive sb out of ssp.* **Sl.**   (N) *broom.*   (*Cl.* ba² 把)

— dei⁶ — 地   (V) *sweep the ground/floor.*

— dong⁶ — 蕩   (V) *wipe out; mop up.* **FE**

— duk⁶ — 毒   (V) *fight narcotics; wipe out drug traffic.*

5   — gon¹ jeng⁶ — 乾淨   (V) *sweep/dust clean.*

— mo⁶ — 墓   (V) *pay respect at grave of friend/relative during Ching Ming Festival—a traditional Chinese custom.*   *(Lit. sweep graves)*

— toi⁴* — 枱   (V) *dust a table/desk.*

so³* 掃 2877   (N) *broom; duster.* **AP: (1)** so² see 2875; **(2)** so² see 2976.

so³ 漱 2878   (V) *rinse the mouth.* **SF ‡ AP** sau³ see 2690.

— hau² — 口   (V) *rinse the mouth.* **FE**

so³ 素 2879   (Adv) *hitherto.* **SF ‡** (Adj) *plain.*   *(RT colour)*   **SF ‡**

— choi³ — 菜   (N) *vegetarian dishes.* **FE**   (*Cl.* jung² 種 or dip⁶ 碟)

— loi⁴ — 來   (Adv) *hitherto; until now.* **FE**

— sik¹° (ge³) — 色(嘅)   (Adj) *plain.*   *(RT colour)*   **FE**

— sik⁶ — 食   (N) *vegetable diet.*   (*Cl.* jung² 種)

5   — — je² — — 者   (N) *vegetarian.*   *(for health rather than religious reasons)* **Fml.**

so³ 訴 2880   (V) *complain; accuse.* **SF ‡**

— foo² — 苦   (V) *complain; lodge a complaint; state one's grievances.* **FE**

— jung⁶ — 訟   (V) *accuse; file a writ.*

so³ 塑 2881   (V) *make a statue.* **SF ‡** (N) *statue; plastic.* **SF ‡**

— gaau¹° — 膠   (N) *plastic.*   *(No Cl.)*   **CP** sok³ gaau¹°

— — fa¹° — — 花   (N) *plastic flower.*   (*Cl.* deuh² or doh² 朵)   **CP** sok³ gaau¹° fa¹°

— — hap⁶* — — 盒   (N) *plastic box.* **CP sok³ gaau¹° hap⁶***

— jeung⁶ — 像   (V) *make a statue or model in clay.* **FE** (N) *statue.* **FE**

soh¹ 蓑   2882   (N) *raincoat.* **SF** ‡

— yi¹ — 衣   (N) *raincoat made of leaves/grass.* **FE** (*Cl.* gin⁶ 件)

soh¹ 唆   2883   (V) *incite; sow discord.* **SF** ‡

— baai² — 擺   (V) *incite; sow discord.* **FE**

soh¹° 梭   2884   (V) *shuttle to and fro.* **SF** ‡ (N) *weaver's shuttle.* (*Cl.* jek³ 隻)

soh¹ 梳   2885   (V) *comb hair; brush hair; use a comb/brush on the hair.* **SF** ‡ **AP sho¹° see 2886.**

— bin⁶ — 辮   (V) *plait a queue.* **FE**

— jong¹ — 粧   (V) *make ones toilet.* (N) *toilet.* (*ROT women*)

— toi⁴* — — 枱   (N) *dressing table.* (*Cl.* jeung¹ 張)

— sai² — 洗   (V) *comb and wash; make one's toilet.*

5 — tau⁴ — 頭   (V) *comb hair brush hair; use a comb/brush on the hair.* **FE**

soh¹° 梳   2886   (N) *comb.* (*Cl.* jek³ 隻) (P) *used in transliteration.* **AP soh¹ see 2885.**

— da² — 打   (N) *soda.* **Tr.** (*No Cl.*)

— — sui² — — 水   (N) *soda water.* **Tr.** (*Glass:* booi¹ 杯)

— fa³* — 化   (N) *sofa.* **Tr.** (*Cl.* jeung¹ 張 ; *Set:* to³ 套 .)

soh¹ 疏 (疎)   2887   (Adj) *sparse; distant; few; far apart.*

— choi¹ jeung⁶ yi⁶ — 財仗義   (SE) *give grnerously and show devotion to duty.*

— fat¹° — 忽   (V) *neglect; be careless about.* (*RT work, duty etc.*) (Adj) *neglectful; careless.*

— saan³ — 散   (V) *disperse; scatter; evacuate.*   (N) *dispersal; scattering; evacuation.*   (*Cl.* chi³ 次)

— tung¹ — 通   (V) *make matters clear; try and bring about an understanding.*

5 — yuen⁵ — 遠   (V) *become estranged; keep away from.*   (Adj) *distant; estranged*   (*GRT* people)

soh¹ 蔬   2888   (N) *vegetable.* **Fml. SF** ‡

— choi³ — 菜   (N) *vegetable; green vegetables.* **Fml. FE** (*Cl.* poh¹ 莳)

soh² 所   2889   (N) *locality; location.* **SF** ‡ (Cl) *for buildings, houses; for institutes; etc.* (P) *used solely to govern verbs of relative clauses:*

— dak¹° — 得   (N) *what one gets/attains.*

— — sui³ — — 稅   (N) *income tax.* (*Cl.* jung² 種 *or* hong⁶ 項)

— joi⁶ — 在   (N) *place; whereabouts.* **Fml.** *(No Cl.)*

— — dei⁶ — — 地   (N) *locality; location.*

— wai⁴ — 爲   (N) *behaviour; conduct.* (*Cl.* jung² 種)

5 — wai⁶ — 謂   (Adj) *so-called.*

— yau⁵ — 有   (Adj) *All.* **Fml.**

— — kuen⁴ — — 權   (N) *ownership; proprietorship.* (*Cl.* jung² 種)

— yi⁵ — 以   (Conj) *therefore; for this reason, for that reason.*

soh² 鎖   2890   (V) *lock.* (N) *lock; padlock.* (*Cl.* ba² 把)

— jue⁶ — 住   (V) *be/remain locked.*

— lin⁶* — 鍊   (N) *chain.* (*Cl.* tiu⁶ 條)

— si⁴ — 匙   (N) *key.* (*Cl.* tiu⁴ 條)

— — lung¹° — — 窿   (N) *key-hole.*

soh² 瑣   2891   (Adj) *trifling; annoying; vexatious.* **SF** ‡

— sui³ — 碎   (Adj) *triflying; annoying; vexatious.* **FE**

soh⁴ 傻   2892   (Adj) *stupid; foolish; silly.* **Coll.** **SF** ‡

— gaang¹° — 更   (Adj) *stupid; foolish; silly.* **Coll.** **FE**

— soh⁴ gaang¹° gaang¹° — 傻更更   (Adj) *ditto.*

— tau⁴ soh⁴ no⁵ — 頭傻腦   (Adj) *ditto.*

— gwa¹° — 瓜   (N) *fool; simpleton; silly person.* **AL**

5   — hei³ — 氣   (N) *stupidity; foolishness; silliness.* (*Cl.* jung² 種)

— lo² — 佬   (N) *silly man.* **AL**

— si⁶ — 事   (N) *foolish/stupid thing.* (*Cl.* gin⁶ 件)

soi¹ 腮(顋)   2893   (N) *jaw.*

— gwat¹° — 骨   (N) *jawbone.* (*Cl.* faai³ 塊 *or* gau⁶ 礁)

soi¹ 鰓   2894   (N) *fish's gill.* **SF** ‡

sok³ 索   2895   (V) *ask for; extort.* **CP** **SF** ‡ **AP saak³ SM see 2597.**

— chai² — 取   (V) *ask for; demand.* **CP** **FE**

— ja³ — 詐   (V) *extort; squeeze.* **CP** **FE**

— yan² — 隱   (V) *trace hidden meanings on a book.* **CP**

— yan⁵ — 引   (N) *introduction; index.* **CP**

— yin⁴ mo⁴ mei⁶ — 然無味   (SE) *insipid; flavourless.* **CP Lit. & Fig.**

song¹ 喪   2896   (V) *mourn for sb.* **SF** ‡ (N) *funeral.* **SF** ‡ **AP song³ see 2897.**

— fuk⁶ — 服   (N) *funeral garments.* (*Cl.* gin⁶ 件)

— jue² — 主   (N) *chief mourner.*

— lai⁵ — 禮   (N) *funeral rites.* (*Cl.* chi³ 次)

— si⁶ — 事   (N) *funeral affairs/service.* **FE** (*Cl.* chi³ 次)

song³ 喪   2897   (V) *lose; die.* **Fml.** **SF** ‡ **AP song¹ see 2896.**

— daam² — 胆   (V) *be discouraged; lose courage.* **Fml.** **FE**

— hei³ — 氣   (V) *lose morale; lose heart; be downcast.* **Fml.** **FE**

— ji³ — 志   (V) *lost confidence.* **Fml. FE**

— meng⁶ — 命   (V) *lose life; die.* **Fml. FE**

5   — sat¹° — 失   (V) *lose; lose by death.* **Fml. FE**

— — ji⁶ yau⁴ — — 自由   (V) *lose freedom/liberty.*

song¹桑   2898   (N) *mulberry-tree.* **SF** ‡

— jo² — 棗   (N) *mulberry.*

— sue⁶ — 樹   (N) *mulberry-tree.* **FE** (*Cl.* poh¹ 槁)

— tin⁴ — 田   (N) *mulberry-orchard.* (*Cl.* faai³ 塊)

— yuen⁴ — 園   (N) *ditto.* (*Cl.* goh³ 個)

song²嗓   2899   (N) *voice; throat.* **Mdn. SF** ‡

— ji² — 子   (N) *voice.* **Mdn. FE** (*Cl.* ba² 把)

— moon⁴ — 門   (N) *throat.* **Mdn. FE**

song²爽   2900   (V) *fail to keep one's promise.* **Fml. SF** ‡ (Adj) *crisp; brisk; straightforward.* **SF** ‡

— chui³ — 脆   (Adj) *crisp; delicate.* (*GRT fried food*) **Coll. FE**

— faai³ — 快   (Adj) *agreeable; brisk; comfortable.* **FE**

— jik⁶ — 直   (Adj) *straightforward; honest; candid.* **FE**

— sau² — 手   (Adj) *quick; efficient.* (*Lit. brisk hand*)

5   — sun³ — 信   (V) *fail to keep one's promise.* **Fml. FE**

— tim⁴ — 甜   (Adj) *crisp and sweet.* (*GRT fruits*) **Coll. FE**

— yeuk³ — 約   (V) *fail to keep an appointment.* **Fml. FE**

sue¹書   2901   (V) *write.* **Fml. SF** ‡ (N) *book; letter.* **SF** ‡

— boon² — 本   (N) *books in general.* **FE** (*Cl.* bo⁶ 部 *or* boon² 本)

— jik⁶ — 籍   (N) *ditto.*

— boon² ji¹ sik¹° — 本知識   (N) *book knowledge; book-lore.* **Sat.** (*Cl.* jung² 種)

— chim¹° — 簽   (N) *book mark.* (*Cl.* goh³ 個 , jeung¹ 張 *or* tiu⁴ 條)

5   — chung⁴ — 虫   (N) *book worm.* **Lit.** *&* **Fig.** (*Cl.* tiu⁴ 條 *or* goh³ 個)

771

— daai¹ ji² — 獸子　　(N) *ditto.* **Fig.** *(Cl.* goh³ 個)

— daan¹° — 單　　(N) *book list.* *(Cl.* jeung¹張)

— dim³ — 店　　(N) *bookstore; bookshop.* *(Cl.* gaan¹間)

— guk⁶* — 局　　(N) *ditto.*

10　— po³* — 舖　　(N) *ditto.*

— faat³ — 法　　(N) *calligraphy.* *(Cl.* jung² 種)

— — ga¹° — — 家　　(N) *calligraphist.*

— fong⁴* — 房　　(N) *private study/library.* *(Lit. bookroom)* **Coll.** *(Cl.* gaan¹ 間 *or* goh³ 個)

— jaai¹° — 齋　　(N) *ditto.* **Fml.**

15　— ga³* — 架　　(N) *book-stand; bookcase; book-shelf.*

— gwai⁶ — 柜　　(N) *ditto.*

— gei³ — 記　　(N) *clerk (RT offices); secretary (RT political parties).*

— min⁶* — 面　　(Adj) *in written form; in writing.* (N) *front cover of books.*

— — man⁴ ji⁶ — — 文字　　(N) *written language.* *(Cl.* jung² 種)

20　— — sing⁴ ying⁶ — — 承認　　(N) *acknowledgement/confession in writing.* *(Cl.* jung² 種)

— muk⁶ — 目　　(N) *catalogue; index.* *(RT books)*

— se² — 寫　　(V) *write.*

— seung¹ — 薔　　(N) *bookseller; bookman.*

— sun³ — 信　　(N) *letter; mail.* **FE** *(Cl.* fung¹ 封)

25　— taan¹° — 攤　　(N) *bookstall.*

— ting⁴* — 亭　　(N) *ditto.*

— yuen⁶* — 院　　(N) *college; secondary school.* *(GRT English-medium schools)* *(Cl.* gaan¹ 間)

— — jai² — — 仔　　(N) *Chinese schoolboys with a scanty knowledge of Chinese.* **Coll. Der.**

— — nui⁵* — — 女　　(N) *Chinese schoolgirls with a very limited knowledge of Chinese.* **Coll. Der.**

sue¹ 舒 2902　　(V) *expand; express.* **SF** ‡　(Adj) *comfortable.* **SF** ‡

— ching⁴ — 情　　(V) *express one's feelings.* *(GRT in writing of novels, essays, poems, etc.)*

— fuk⁶ — 服   (Adj) *comfortable; easy; well.* **Coll. FE**

— sik¹° — 適   (Adj) *ditto.* **Fml.**

— jin² — 展   (V) *expand; open up.* *(RT places, buildings, etc.)*

sue¹ 輸   2903   (V) *lose (RT bets, games, battles, wars, etc.); transport (RT goods); transfuse (RT blood).* **SF ‡**

— chin⁴* — 錢   (V) *lose money (at gambling).* **FE**

— chut¹° — 出   (V) & (N) *export.*

— do² — 賭   (V) *bet; make a bet.*

— huet³ — 血   (V) *transfuse blood.* **FE**   (N) *blood transfusion.* *(Cl.*
chi³ 次)

5 — joh² — 咀   (V) *lose.* *(RT bets, games, battles, wars, etc.)* **FE**

— sung³ — 送   (V) *transport; deliver.* **FE**

— yap⁶ — 入   (V) & (N) *import.*

— yeng⁴ — 贏   (V) *lose and gain.* (N) *loss and gain.* *(Cl.* chi³ 次)

sue¹ 樞   2904   (N) *pivot; centre.* **Fml. SF ‡**

— nau² — 紐   (N) *pivot/axis; central part on which a machine works; centre.* **Lit. & Fig.**

sue² 鼠   2905   (N) *rat; mouse.* **SF ‡**

— moh¹° — 摸   (N) *burglar; petty thief.* **Coll.**

— sit³ gau² tau¹ — 窃狗偷   (N) *ditto.* **Fml.**

— yik⁶ — 疫   (N) *bubonic plague.* *(Cl.* cheung⁴ 塲 *or* chi³ 次)

sue² 暑   2906   (N) *summer; heat.* **SF ‡**

— ga³ — 假   (N) *summer vacation/holidays.* *(Cl.* chi³ 次 *or* goh³ 個)

— kei⁴ — 期   (N) *ditto.*

— — gung¹° — — 工   (SE) *temporary work for students during summer holidays.* *(Cl.* fan⁶ 份 *or* jung² 種)

— hei³ — 氣   (N) *heat; heat of summer.* *(Cl.* jung² 種)

5 — tin¹° — 天   (N) *hot summer; dog-days.*

sue³ 庶   2907   (N) *general affairs; the masses.*   **SF**   ‡

— man⁴ — 民   (N) *ordinary people; the masses.*

— mo⁶ — 務   (N) *general affairs.*   *(No Cl.)*

sue³ 戍   2908   (V) *guard frontiers.*   **SF**   ‡

— bing¹ — 兵   (N) *soldier guarding frontiers.*

— jut¹° — 卒   (N) *ditto.*

— sau² — 守   (V) *guard frontiers.*   **FE**

sue³ 恕   2909   (V) *forgive.*   **SF**   ‡   (Adj) *considerate; forgiving.*   **SF**   ‡

— do⁶ — 道   (Adj) *considerate; forgiving.*   **FE**

— gwaai³ mo⁴ ching⁴ — 怪無情   (SE) *don't blame me for being inconsiderate.*

— — — lai⁵ — — — 禮   (SE) *don't think me rude.*

— gwoh³ — 過   (V) *forgive a fault.*   **FE**

⁵ — jui⁶ — 罪   (V) *ditto.*

sue³ 處   2910   (N) *place.*   **SF**   ‡   *(Cl. for places, etc.)*   **AP:** (1) chue² see 378; (2) chue³ see 379.

— sue³ — 處   (Adv) *everywhere.*

sue⁴ 殊   2911   (V) *kill.* **Fml.**   **SF**   ‡   (Adj) *different; special.* **Fml.**   **SF**   ‡

— sei jin³ — 死戰   (SE) *fight to the death.*

— to⁴ tung⁴ gwai¹ — 途同歸   (SE) *different roads to the same destination; different approaches to the same end.*   **Lit. & Fig.**

— wing⁴ — 榮   (N) *special honour.*   *(Cl.* jung² 種)

sue⁴ 薯（藷）   2912   (N) *potato; Irish potato.*   **SF**   ‡

— jai² — 仔   (N) *potato; Irish potato.*

— — pin³* — — 片   (N) *potato crisps.*   *(Cl.* pin³ 片 *or* faai³ 塊)

— — tiu⁴* — — 條   (N) *ditto.*

sue⁵ 曙 2913 (N) *light of the rising sun.* **Fml.** **SF** ‡

— gwong¹ — 光 (N) *light of dawn/the rising sun; promising condtionis.* **(Fig.).** (*Cl.* sin³ 綫)

— sik¹° — 色 (N) *light of early dawn.* (*No Cl.*)

— yat⁶ — 日 (N) *morning sun.*

sue⁶ 樹 2914 (V) *plant (RT trees); nature (RT people).* **Fml.** **SF** ‡ (N) *tree.* **SF** (*Cl.* poh¹ 荷)

— a¹° — 丫 (N) *fork of a tree.*

— gaau¹° — 膠 (N) *rubber; natural rubber; gum.* (*No Cl.*)

— gan¹ — 根 (N) *root of a tree.*

— gon³ — 幹 (N) *trunk of a tree.*

⁵ — san¹ — 身 (N) *ditto.* **Coll.**

— ji¹° — 枝 (N) *branch of a tree.* (*Cl.* ji¹ 枝)

— lam⁴ — 林 (N) *forest; woods.*

— muk⁶ — 木 (V) *plant trees.* **Fml.** **FE** (N) *trees in general.* **FE** (*Cl.* poh¹ 荷)

— pei⁴ — 皮 (N) *bark of a tree.* (*Cl.* faai³ 塊)

¹⁰ — sam¹° — 心 (N) *pith.*

— yam¹ — 陰 (N) *shade of a tree.*

— yan⁴ — 人 (V) *nurture men of talents.* **Fml.** **FE**

— yip⁶ — 葉 (N) *leaf of a tree.* **FE** (*Cl.* faai³ 塊)

sue⁶ 豎 (竪) 2915 (V) *erect; set up.* **SF** ‡

— bei¹ — 碑 (V) *erect a monument.*

— hei² — 起 (V) *raise; establish.* **FE**

— lap⁶ — 立 (V) *ditto.*

— kei⁴ — 旗 (V) *set up a flag.*

suen¹° 孫 2916 (N) *grandson.*

— nui⁵* — 女 (N) *granddaughter.*

suen¹ 宣   2917   (V) *promulgate; announce; propagate.*   **SF** ‡

— bo³ — 佈   (V) *promulgate; announce; introduce (RT decrese, new laws, etc.).*

— — faat³ ling⁶ — — 法會   (V) *promulgate decrees/laws.*   **FE**

— chuen⁴ — 傳   (V) *propagate; give publicity.* (N) *propaganda; publicity.* (*Cl.* chi³ 次 *or* goh³ 個)

— duk⁶ — 讀   (V) *read out.* (*RT court sentences, proclamations, etc.*)

5   — go³ — 告   (V) *declare; announce.*

— — ting⁴ jin³ — — 停戰   (V) *declare a truce.*

— — yau¹ jin³ — — 休戰   (V) *ditto.*

— jin³ — 戰   (V) *declare war.*

— sai⁶ — 誓   (V) *take an oath/vow.*

10   — sit³ — 泄   (V) *leak out; drain off; let out; divulge.* (*RT water, unhappy feelings, etc.*) **Lit. & Fig.**

— — jik¹° moon⁶ — — 積悶   (V) *relieve pent-up feelings.*

— — — sui² — — — 水   (SE) *drain off stagnant water.*

— yin⁴ — 言   (N) *declaration; official statement.* (*Cl.* pin¹篇 *or* goh³ 個)

suen¹ 狻   2918   (N) *Tibetan lion.*   **SF** ‡

— ngai⁴ — 猊   (N) *Tibetan lion.*   **FE**   (*Cl.* jek³ 隻)

suen¹ 痠   2919   (Adj) *painful; aching; ticklish.*   **SF** ‡

— tung³ — 痛   (Adj) *painful; aching.*   **FE**

— yuen⁵ — 軟   (Adj) *tingling; ticklish.*   **FE**

suen¹ 酸   2920   (Adj) *sour; acid.*

— cho³ — 醋   (N) *Vinegar.* (*No Cl.*)

— choi³ — 菜   (N) *pickles.* (*Portion:* dip⁶ 碟)

— dam¹ dam¹ — 揪揪   (Adj) *very sour.* **Coll.**

— jat¹° — 質   (Adj) *acid.*

5   — sing³ — 性   (Adj) *ditto.*

— — faan² ying³ — — 反應   (N) *acid reaction.* (*Cl.* jung² 種)

suen²損   2921   (V) *lose; injure; harm; damage.* **SF** ‡   (N) *loss; injury; harm; damage.* **SF** ‡

— hoi⁶ — 害   (V) & (N) *harm (GRT people)*   **FE**

— — cheng¹ nin⁴ — — 青年   (V) *harm/corrupt young people.*

— — san¹ sam¹ — — 身心   (V) *harm/undermine both mind and body.*

— sat¹° — 失   (V) *lose; (RT money, property, etc.).*   (N) *loss.*   *(RT money, property, etc.)*   *(Cl.* bat¹° 筆*)*

5   — — jung² so³ — — 總數   (N) *total amount of loss.*

— seung¹ — 傷   (V) *injure; harm; weaken. (GRT people)*   **FE**   (N) *injury; harm. (RT people)*   **FE**

— — yuen⁴ hei³ — — 元氣   (V) *weaken the constitution/morale.*

— waai⁶ — 坏   (V) & (N) *damage. (GRT & things)*   **FE**

— — gung¹ mat⁶ — — 公物   (V) *damage public property.*

10   — yan⁴ lei⁶ gei² — 人利己   (SE) *injure others in order to benefit oneself.*

— yau⁵ — 友   (N) *injurious/harmful friend.*

suen²選   2922   (V) *select; elect.* **SF** ‡

— gui² — 舉   (V) *elect; vote.* **FE**   (N) *election; voting. (Cl.* chi³ 次*)*

— — kuen⁴ — — 權   (N) *right to vote; suffrage. (Cl.* goh³ 個 *or* jung² 種*)*

— — piu³ — — 票   (N) *vote; ballot-paper. (Cl.* jeung¹ 張*)*

— piu³ — 票   (N) *ditto.*

5   — — yan⁴ — — 人   (N) *voter.*

— man⁴ — 民   (N) *ditto.*

— jaak⁶ — 擇   (V) *select; choose.* **FE**   (N) *selection; choice. (Cl.* goh³ 個 *or* jung² 種*)*

— mei⁵ wooi⁶* — 美會   (N) *beauty contest. (Cl.* goh³個 *or* chi³ 次*)*

— sau² — 手   (N) *person selected to participate in an athletic meeting.*

— — dui⁶* — — 隊   (N) *team selected to participate an athletic meeting.*

suen³算(筭)   2923   (V) *calculate; count; regard as.* **SF** ‡

— dak¹° hai⁶ mat¹° ye⁵ a³?   (SE) *it's nothing at all! (Lit. What can you count it?)*

— dok⁶ — 度   (V) *calculate; estimate; consider; think over.* **FE**

— jo⁶ — 做   (V) *regard as; consider as.* **FE**

— la¹ — 啦   (SE) *it doesn't matter.* (Itj) *forget it!*

⁵   — meng⁶ — 命   (V) *tell fortunes.* (N) *fortune-telling.*   (*Cl.* chi³ 次)

— — sin¹ saang¹ — — 先生   (N) *fortune-teller.* **PL**

— poon⁴ — 盤   (N) *abacus.*

— sut⁶ — 術   (N) *arithmetic.*   (*Subject:* foh¹° 科)

suen³ 蒜   2924   (N) *garlic.* **SF** ‡

— tau⁴ — 頭   (N) *garlic; garlic bulb.*   (*Cl.* nap¹° 粒)

suen³ 渲   2925   (V) *add repeated washes of colour in a drawing.* **Fml.** **SF** ‡

— yim⁵ — 染   (V) *make a certain colour stand out in relief by shading; exaggerate* (**Fig.**).   **FE**

suen⁴ 旋   2926   (V) *revolve; return.* **SF** ‡

— fung¹ — 風   (N) *whirlwind.*   (*Cl.* jan⁶ 陣)

— heung¹ — 鄉   (V) *return to one's native place.* **Fml.** **FE**

— juen³ — 轉   (V) *revolve; move in an orbit.*   **FE**

— — chaan¹ teng¹° — — 餐廳   (N) *revolving restaurant.*   (*Cl.* gaan¹ 間)

— lut⁶ — 律   (N) *melody.*   (*Cl.* goh³ 個 *or* jung² 種)

suen⁴ 漩   2927   (N) *eddy; whirlpool.* **SF** ‡

— woh¹ — 渦   (N) *eddy; whirlpool.*   **FE** **Lit. & Fig.**

suen⁴ 船   2928   (N) *ship; vessel; boat.*   (*Cl.* jek³ 隻)

— bin¹° — 邊   (N) *sides of a ship/boat.*

— chong¹° — 艙   (N) *hold/cabin in a ship.*

— chong² — 廠   (N) *dock; dockyard; shipyard.*

— O³ — 塢   (N) *ditto.* **CP**

⁵   — woo² — 塢   (N) *ditto.* **Fml.** **Mdn.**

— dung¹° — 東   (N) *shipowner.*

— jue² — 主   (N) *ditto.*

— fai³ — 費   (N) *fare; sea passage ticket.* **Fml.**

— fei¹° — 飛   (N) *ditto.* **Coll. Tr.**

10 — piu³ — 票   (N) *ditto.* **Fml.**

— foo¹° — 夫   (N) *boatman.*

— gung¹ si¹° — 公司   (N) *shipping company.* (*Cl.* gaan¹ 間)

— hong⁴* — 行   (N) *ditto.*

— jek³ — 隻   (N) *ships in general; shipping.* (*Cl.* jek³ 只)

15 — jeung² — 長   (N) *captain of a ship/boat.*

— mei⁵ — 尾   (N) *stern of a ship/boat.*

— min⁶* — 面   (N) *deck of a ship/boat.*

— san¹° — 身   (N) *hull of a ship/boat.*

— tau⁴ — 頭   (N) *prow of a ship/boat.*

20 — taai⁵ — 軚   (N) *rudder.* **Coll.**

— toh⁴ — 舵   (N) *ditto.* **Fml.**

— wai⁴ — 桅   (N) *mast.* (*Cl.* ji¹ 支)

— yuen⁴ — 員   (N) *seaman; sailor; crew of a ship/boat.*

suen⁵ 吮   2929   (V) *suck; lick.*

— gon¹ jeng⁶ — 乾淨   (V) *suck/lick clean.*

suen⁶ 篆   2930   (N) *seal character.* **SF ‡**

— ji⁶ — 字   (N) *seal character. (a form of Chinese writing used on seals)*

— man⁴ — 文   (N) *ditto.*

suen⁶ 鑴   2931   (V) *carve; engrave; cut in stone.* **SF ‡**

— hak¹° — 刻   (V) *carve; engrave; cut in stone.* **FE**

— sek⁶ — 石   (V) *engrave on stone.* **FE**

suet³ 雪   **2932**   (V) *clear; wipe out.* **SF Fig.** (N) *snow; ice (a mis-nomer in Cantonese). (No Cl.)*

— baak⁶ — 白   (Adj) *snow-white.*

— chi² — 耻   (V) *wipe out a disgrace; avenge an insult.* **FE**

— fa¹° — 花   (N) *snow-flake.* *(Cl.* nap¹° 粒)

— pin³* — 片   (N) *ditto.*

5 — ga¹ — 茄   (N) *cigar.* **Tr.** *(Cl.* hau² 口 *or* ji¹ 支)

— ging² — 景   (N) *snowy scene.*

— go¹° — 糕   (N) *ice cream.* *(cup* booi¹ 杯)

— gwai⁶ — 櫃   (N) *refrigerator; ice-box. (Lit. snow cabinet)*

— haai⁴ — 鞋   (N) *snowshoe. (Cl.* jek³ 隻; *Pair:* dui³ 對.)

10 — kau⁴ — 球   (N) *snowball.*

— kek⁶ — 屐   (N) *roller skate. (Cl.* jek³ 隻; *pair:* dui³ 對.)

— lei⁴ — 梨   (N) *pear; fine pear.*

— sui² — 水   (N) *iced water.* **Coll.** *(Glass:* booi¹ 杯)

— tiu⁴* — 條   (N) *ice-lolly. (Cl.* tiu⁴ 條)

15 — yan⁴ — 人   (N) *snowman.*

— yuen¹° — 冤   (V) *clear sb of a false charge.*

suet³ 說   **2933**   (V) *speak; talk.* **Mdn.** (N) *spoken word.* SF ‡ AP sui³ see 2940.

— gaau³ — 敎   (V) *sermonize; indoctrinate. (Lit. talk teaching)* (N) *sermon; indoctrination. (Cl.* chi³ 次)

— loi⁴ wa⁶ cheung⁴ — 來話長   (SE) *it's/that's a long story.*

— ming — 明   (V) *explain; clear up.* (N) *explanation. (No Cl.)*

— wa⁶ — 話   (N) *spoken words; verbal message. (Cl.* gui³ 句)

sui¹ 雖   **2934**   (Conj) *although; though.* SF ‡

— yin⁴ — 然   (Conj) *although; though.* **FE**

— — hai⁶ gam² — — 係嗽   (SE) *in spite of this/that; nevertheless.*

— — — — wa⁶ jek¹° — — — — 話喞   (SE) *ditto.*

— — — je¹° — — — 嗜   (SE) *ditto.*

5 — — — jek¹° — — — 喞   (SE) *ditto.*

sui¹ 需   2935   (V) & (N) *need.*   SF   ‡

— kau⁴ — 求   (V) & (N) *demand; need.*   FE

— yue³ — 要   (N) *need; require.*   FE   (N) *need; requirement.*   FE

sui¹ 衰   2936   (Adj) *bad.*   SF   ‡

— lo⁵ — 老   (Adj) *feeble; decaying.*

— lok⁶ — 落   (V) *recede.*   (N) *recession.*   (*Cl.* chi³ 次)

— tui³ — 退   (V) *ditto.*   (N) *ditto.*

— yeuk⁶ — 弱   (Adj) *failing; declining.*

sui² 水   2937   (N) *water; money* (Sl.).   *(No Cl.)*

— aap³* — 鴨   (N) *teal.*   (*Cl.* jek³ 隻)

— biu¹° — 錶   (N) *water meter.*

— boh¹ (man⁶) — 波 (紋)   (N) *ripple; wave.*   (*Cl.* tiu⁴ 條 *or* jung² 種)

— booi¹° — 杯   (N) *glass, tumbler.*   (*Cl.* jek³ 隻 *or* goh³ 個)

5 — che¹° — 車   (N) *water-wheel for irrigating; water-cart; fire-engine* (Coll.).   (*Cl.* ga³ 架)

— chi³ — 厠   (N) *flush-toilet; water-closet.*

— chi⁴ — 池   (N) *pond; pool.*

— cho² — 草   (N) *water-plant.*   (*Cl.* tiu⁴ 條)

— cho⁴ — 槽   (N) *trough; water-trough.*   FE   (*Cl.* tiu⁴ 條)

10 — choi² — 彩   (N) *water-colour.*   (*Cl.* jung² 種)

— — wa⁶* — — 画   (N) *water-colour painting.*   (*Cl.* fuk¹° 幅)

— dau⁶* — 痘   (N) *water-pox.*   (*Cl.* nap¹° 粒 *or* chi³ 次)

— fai³ — 費   (N) *water rates.*   *(No Cl.)*

— fong¹ — 荒   (N) *water shortage.*   (*Cl.* chi³ 次)

15 — geuk³ — 脚   (N) *freight/passage money.*   (*Cl.* bat¹° 筆)

— gong¹ — 缸   (N) *large earthware vessel for holding water.*

— ung³ — 甕   (N) *ditto.*

— gwoh² — 菓   (N) *fresh fruit.*   **Mdn.**

— gwoon² — 管   (N) *water pipe.*   **Fml.**   (*Cl.* tiu⁶ 條)

20 — hau⁴ — 喉   (N) *water pipe (Cl.* tiu⁴ 條*); running water (No Cl.).* **Coll.**

— jaap⁶ — 閘   (N) *sluice-gate. (Cl.* do⁶ 度*)*

— jeung³ — 漲   (SE) *the water is rising; flood tide.*

— — suen⁴ go¹ — — 船高   (SE) *when the water rises, the boat is higher—a rise in cost demands higher prices.*

— jik¹° — 漬   (N) *water damage. (No Cl.)*

25 — — foh³ — — 貨   (N) *water-damaged cargo. (Cl.* pai¹ 批 *or* jung² 種*)*

— jing¹° — 晶   (N) *crystal.*

— jing¹ hei³ — 蒸氣   (N) *steam/vapour. (No Cl.)*

— joi¹ — 災   (N) *floods; imundations. (Cl.* chi³ 次*)*

— juk⁶ — 族   (N) *aquatic animal. (Cl.* jung² 種*)*

30 — — gwoon² — — 館   (N) *aquarium. (Cl.* gaan¹ 間*)*

— jun² — 準   (N) *standard; level.*

— ping⁴ — 平   (N) *ditto.*

— jung² — 腫   (N) *dropsy. (No Cl.)*

— kau⁴ — 球   (N) *water polo. (Cl.* goh³ 個 *; Game:* cheung⁴ 塲 *.)*

35 — kui⁴ — 渠   (N) *drain; nullah. (Cl.* tiu⁴ 條*)*

— lei⁶ — 利   (N) *water conservancy; irrigation. (Cl.* jung² 種*)*

— lik⁶ — 力   (N) *water power. (Cl.* jung² 種*) (Adj) hydraulic.*

— — faat³ din⁶ jaam⁶ — — 發電站   (N) *hydro-electric plant.*

— — hok⁶ — — 學   (N) *hydraulics. (Subject:* foh¹° 科*)*

40 — lo⁶ — 路   (N) *waterway. (Cl.* tiu⁴ 條*)*

— lok⁶ sek⁶ chut¹° — 落石出   (SE) *the truth (of sth) has become crystal clear; the truth has been made known to all. (Lit. water goes down stone comes out)*

— lui⁴ — 雷   (N) *submarine mine; torpedoes.*

— lung⁴ (tau⁴) — 龍 (頭)   (N) *hydrant. (Cl.* tiu⁴ 條*)*

— min⁶* — 面   (N) *surface of the water.*

45 — nai⁴ — 泥   (N) *cement; concrete. (No Cl.)*

— ngan⁴ — 銀   (N) *mercury. (No Cl.)*

— ngau⁴ — 牛   (N) *water-buffalo. (Cl.* jek³ 隻*)*

— pei⁴ — 皮   (Adj) *inferior bad. (RT skill, quality, etc.)* **Coll.**

— ping⁴ sin³ — 平綫 **(N)** *horizon.* *(Lit. water level line)* *(Cl.* tiu⁴ 條)

50 — po⁵ — 泡 **(N)** *life-belt; buoy.* **Coll.**

— sau² — 手 **(N)** *sailor.*

— se⁴ — 蛇 **(N)** *water-snake.* *(Cl.* tiu⁴ 條)

— sin¹° (fa¹°) — 仙 (花) **(N)** *narcissus; daffodil.* *(Cl.* deuh² *or* doh² 朵)

— sin³ — 綫 **(N)** *water-line; water-level.* *(Cl.* tiu⁴條)

55 — taap³ — 塔 **(N)** *water-tower.*

— tam⁵ — 氹 **(N)** *cesspool; puddle.* *(Lit. water cesspool)*

— tau⁴ — 頭 **(N)** *money.* **Sl.** *(No Cl.)*

— — juk¹° — — 足 **(SE)** *plenty of money.* **Sl.**

— to² — 土 **(N)** *climate.* *(Cl.* jung² 種)

60 — — bat¹° fuk⁶ — — 不服 **(SE)** *the climate is not suitable; be unused to a place.*

— tong⁴ — 塘 **(N)** *reservoir; pool.*

— tui³ — 退 **(SE)** *the water is falling; ebb-tide.*

— tung² — 桶 **(N)** *water bucket.*

— wong¹ wong¹ — 汪汪 **(Adj)** *watery (RT food); unreliable (RT people).* **Coll.**

65 — yik⁶ suen⁴ — 翼船 **(N)** *hydrofoil.* *(Cl.* jek³隻)

sui³ 歲 (崴)   **2938**   **(N)** *year of age.* *(No Cl.)*

— chut¹° — 出 **(N)** *annual expenditure.* *(Cl.* bat¹°筆)

— so³ — 數 **(N)** *age.* **Fml. FE**

— sau¹ — 收 **(N)** *annual income/revenue.* **Fml.** *(Cl.* bat¹°筆)

— yap⁶ — 入 **(N)** *ditto.*

5 — yuet⁶ — 月 **(N)** *times and seasons; years and months.* **Fml.**

— — chui¹ yan⁴ (lo⁵) — — 催人 (老) **(SE)** *the months and years hasten people into old age; time wears people out with age.*

— — yue⁴ lau⁴ — — 如流 **(SE)** *the months and years glide past like a stream; time passes very quickly.*

sui³ 碎   **2939**   **(Adj)** *broken to pieces.* **SF** ‡   **(N)** *fragment; small piece.* **SF** ‡

— ji² — 紙 **(N)** *money/banknote of small denomination; small note.* *(Cl.* jeung¹ 張)

— lit⁶ — 裂   (Adj) *broken to pieces.* **FE**

— ngan⁴* — 銀   (N) *small charge/coin.*

sui³ 說   2940   (V) *pursuade.* **Fml.** **SF** ‡ **AP** suet³ see 2933.

— fuk⁶ — 服   (V) *persuade; convince.* **Fml.** **FE**

— haak³ — 客   (N) *persuasive politician; intriguing-person.*

sui³ 稅   2941   (N) *tax; duty on goods.* **SF** ‡

— daan¹° — 單   (N) *income-tax, return.* (*Cl.* jeung¹ 張)

— foon² — 欵   (N) *revenue; duties.* (*Cl.* bat¹° 筆)

— heung² — 餉   (N) *ditto.*

— hong⁶ — 項   (N) *ditto.*

5   — guk⁶* — 局   (N) *revenue office.* (*Cl.* gaan¹ 間 *or* goh³ 個)

sui³ 帥   2942   (N) *commander-in-chief; field-marshal.* **SF** ‡

— kei⁴ — 旗   (N) *commander-in-chief's flag.* (*Cl.* ji¹ 支)

sui⁴ 誰   2943   (Pron) *who? whose?* **Mdn.**

— bat¹° ji¹ — 不知   (SE) *to everyone's surprise; unexpectedly; believe it or not.*

— ji¹ — 知   (SE) *ditto.*

— ga¹ — 家   (N) *whose family?* **Fml.** **FE**

— yan⁴ — 人   (Pron) *Who?* **Fml.** **FE**

sui⁴ 垂   2944   (V) *hang down.* **SF** ‡ (Adj) *vertical; perpendicular.* **SF** ‡

— ching¹ — 青   (V) *glance approvingly at; show special favour to.*

— dai¹ — 低   (V) *hang down.* **FE**

— — sau² — — 手   (V) *let the hands hang down.*

— sau² — 手   (V) *ditto.*

5   — — hoh² dak¹° — — 可得   (SE) *drop the hands and get what one wants; acquire sth easily.*

— dai¹ tau⁴ — 低頭   (V) *drop the head.*

— tau⁴ — 頭   (V) *ditto.*

— — song³ hei³ — — 喪氣   (SE) *downcast; crestfallen.*   (*Lit. drooped head lost morale)*

— diu³ — 釣   (V) *fish with a hook and line.*   **Fml.**

10   — jik⁶ — 直   (Adj) *vertical/perpendicular.*   **FE**

— — sin³ — — 綫   (N) *vertical/perpendicular line.*   (*Cl.* tiu⁴條)

— yeung⁴ (lau⁵) — 楊 (柳)   (N) *weeping willow.*   **FE**   (*Cl.* poh¹ 槲)

sui⁶ 隧 (墜)   2945   (N) *tunnel; underground passage.*   **SF**

— do⁶ — 道   (N) *tunnel; underground passage.*   **FE**   (*Cl.* tiu⁴條)

— — ba¹° si⁶* — — 巴士   (N) *tunnel bus.*   (*Cl.* ga³架)

— — gwoh³ hoi² ba¹° si⁶* — — 過海巴士   (N) *ditto.*

sui⁶ 瑞   2946   (Adj) *suspicious.*   **Fml.**   **SF**   ‡   (P) *used in transliteration.*

S— Din³ — 典   (N) *Sweden.*   **Tr.**

s— hei³ — 氣   (N) *suspiciousness.*   **Fml.**   **FE**   (*Cl.* jung²種)

S— Si⁶ — 士   (N) *Switzerland.*   **Tr.**

sui⁶ 睡   2947   (V) & (N) *sleep.*   **Fml.**   **SF**   ‡

— min⁴ — 眠   (N) & (N) *sleep.*   **Fml.**   **FE**

— po⁴ — 袍   (N) *dressing gown.*   (*Cl.* gin⁶ 件)

— yi¹ — 衣   (N) *pyjamas.*   (*Cl.* to³ 套)

suk¹° 叔   2948   (N) *uncle (i.e. father's younger brother); polite form of address to middle-aged men.*   **Fml.**   **SF**   ‡

— foo⁶ — 父   (N) *uncle (father's younger brother).*   **Fml.**   **FE**

— gung¹ — 公   (N) *father's uncle.*

— jat⁶ — 姪   (N) *uncle and nephew.*

— suk¹° — 叔   (N) *polite term of address to middle-aged men.*   **FE**

suk¹° 倏（倏） 2949   (Adv) *suddenly.* **Fml. SF** ‡

— fat¹° — 忽   (Adv) *suddenly.* **Fml. FE**

— yi⁵ — 爾   (Adv) *ditto.*

— — bat¹° gin³ — — 不見   (V) *disappear/vanish suddenly.* **Fml.**

suk¹° 肅 2950   (Adj) *respectful; reverent.* **SF** ‡

— ching¹ — 清   (V) *liquidate; suppress.* *(GRT evil influences, revolts, etc.)*

— ging³ — 敬   (Adj) *respectful; reverent.* **FE**

— jing⁶ — 靜   (Adj) *reverent and silent.*

— lap⁶ — 立   (V) *stand in attitude of reverence.*

suk¹° 宿 2951   (V) & (N) *lodge.* **SF** ‡ (Adj) *old; stale.* **SF** ‡ AP sau³ see 2692.

— fai³ — 費   (N) *rent for dormitory.* *(GRT boarding students)* *(Cl.* bat¹° 筆)

— han⁶ — 恨   (N) *old enmity; old grudge carried over from a previous life; inherited grievance/hatred.* *(Cl.* jung² 種)

— yuen³ — 怨   (N) *ditto.*

— hang¹ hang¹ — 哼哼   (Adj) *stale; musty.* **FE**

5   — ming⁶ lun⁶* — 命論   (N) *fatalism.* *(Cl.* jung² 種)

— — — je² — — — 者   (N) *fatalist.*

— se³ — 舍   (N) *dormitory; living quarters; hostel.* *(Cl.* gaan¹ 間)

— ying⁴ — 營   (V) *camp.* (N) *camping.* *(Cl.* chi³ 次)

suk¹° 縮 2952   (V) *shrink; reduce; shrug (ROT shoulders).*

— baan¹° — 班   (SE) *decrease/reduce the number of classes.* *(RT schools)*

— bok³ tau⁴ — 膊頭   (V) *shrug the shoulders.* **FE**

— duen² — 短   (V) *shorten.*

— — kei⁴ haan⁶ — — 期限   (SE) *shorten a specified period of time; advance a deadline.*

5 — — kui⁵ lei⁴ — — 距離 (SE) *shorten the distance between two places; bring people closer together.*

— gwat¹° — 骨 (Adj) *collapsible/folding (RT umbrellas); tricky/cunning (Fig. RT people).*

— — je¹° — — 遮 (N) *collapsible/folding umbrella.* (*Cl.* ba² 把)

— sai³ — 細 (V) *shrink; reduce. (RT area/size)*

— sau² — 手 (V) *withdraw/pull in one's hand; decline to get involved in a matter.*

10 — se² — 寫 (V) *abbreviate.* (N) *abbreviation.*

— sui² — 水 (V) *shrink through wetting (GRT cloth); reduce (Sl. GRT expenditure).*

suk¹° 粟 2953   (N) *corn.* **SF** ‡

— mai⁵ — 米 (N) *corn; sweet corn.* (*Cl.* gau⁶ 磽)

suk⁶ 屬（属） 2954   (V) *belong; belong to.* **SF** ‡

— dei⁶ — 地 (N) *colony.*

— gwok³ — 國 (N) *tributary state.*

— yue¹ — 于 (V) *belong; belong to.* **FE**

suk⁶ 贖 2955   (V) *redeem; ransom.* **SF**

— dong³ — 當 (V) *get a pledge out of pawn.* **Fml.**

— ye⁵ — 嘢 (V) *ditto.* **Coll.**

— faan¹ — 返 (V) *redeem; ransom.* **FE**

— meng⁶ — 命 (V) *redeem one's life.*

5 — sam¹° — 參 (V) *pay ransom. (RT kidnapping)*

— san¹° — 身 (V) *ransom/redeem oneself.*

suk⁶ 淑 2956   (Adj) *virtuous.* **SF** ‡

— nui⁵ — 女 (N) *virtuous woman; lady.*

suk⁶熟 2957   (Adj) *acquainted; familiar; ripe; cooked.* **SF** ‡

— dei⁶ fong¹ — 地方   (N) *familiar place.* (*Cl.* sue³ 處 *or* do⁶ 度)
— gwoh³ tau⁴ — 過頭   (Adj) *overdone; overcooked.*
— jaap⁶ — 習   (Adj) *conversant with; expert/well—trained in; accustomed to.* **Fml.**
— lin⁶ — 練   (Adj) *ditto.*
⁵ — lo⁶ — 路   (N) *familiar road.* (*Cl.* tiu⁴ 條)
— m⁴ tau³ — 唔透   (Adj) *underdone; undercooked.*
— sau³ — 手   (N) *old hand; experienced person.*
— sek⁶ fooi¹ — 石灰   (N) *slaked lime.* *(No Cl.)*
— sik¹° — 識   (V) *know well; be well-acquainted with (RT people); be familiar with (RT roads, places, etc.); be very learned in (RT language).* **FE**
¹⁰ — sik⁶ — 食   (N) *cooked food.* *(No Cl.)*
— — dong³ — — 檔   (N) *cooked-food stall.*
— sui⁶ — 睡   (V) *sleep soundly; be in sound sleep.* **Fml.**
— tau³ — 透   (Adj) *thoroughly ripe; well-cooked.* **FE**
— tit³ — 鐵   (V) *wrought iron.* *(No Cl.)*
— tung⁴ — 銅   (N) *wrought brass/copper.* *(No Cl.)*
— yan⁴ — 人   (N) *familiar acquaintance; person one knows well.*

sun¹徇 2958   (V) *follow; accord with.* **SF** ‡

— ching⁴ — 情   (V) *follow/fall in with others; show favour; be influenced by feelings in making decisions.* **Fml. FE**
— si¹ — 私   (V) *ditto.*
— jung³ yiu¹ kau⁴ — 衆要求   (SE) *in response to public request/demand. (GRT second run of performances, film shows, etc.)*

sun¹殉(旬) 2959   (V) *die; be killed.* **Fml. SF** ‡

— chin⁴ (ji⁶ saat³) — 情 (自殺)   (V) *commit suicide for love.* **Fml.** ‡
— gwok³ — 國   (V) *die for one's country.* **Fml. FE**
— jong³ — 葬   (V) *bury sb/sth/with a dead person.* **Fml. FE**
— naan⁶ — 難   (V) *commit suicide to elude/escape from an enemy; be killed in a revolt/riot.* **Fml. FE**

sun¹ 詢   2960   (V) *inquire; interrogate.* **Fml. SF** ‡

— man⁶ — 問   (V) *inquire; interrogate; ask for information.*

— — chue³ — — 處   (N) *inquiry/information counter.*

sun² 筍（笋）   2961   (N) *spout; shoot.*   (*Cl.* jek³ 隻)

— ha¹° — 虾   (N) *salted prawn.*   (*Cl.* jek³ 隻)

— nga⁴ — 芽   (N) *bamboo-shoot.*   (*Cl.* jek³ 隻)

sun³ 榫（㮼）   2962   (N) *tenon; mortise.*   **SF** ‡

— nga⁴ (bin¹°) — 牙(邊)   (N) *dovetail; dovetailed edge.*   (*Cl.* tiu⁴ 條)

— ngaan⁵ — 眼   (N) *mortise.*   **FE**

— tau⁴ — 頭   (N) *tenon.*   **FE**

sun³ 信   2963   (V) *believe; trust.* (N) *letter; note; message.* (*Cl.* fung¹ 封)

— chaai¹ — 差   (N) *postman; messenger.*

— fung¹° — 封   (N) *envelope.*   (*Cl.* goh³ 個)

— pei⁴ — 皮   (N) *ditto.*

— to³* — 套   (N) *ditto.*

5   — fung⁶ — 奉   (V) *believe and serve.*   *(GRT gods)*

— gaau³ — 教   (V) *believe in a regligion.* (N) *religious belief.* (*Cl.* jung² 種)

— — ji⁶ yau⁴ — — 自由   (N) *religious toleration/freedom.*   (*Cl.* jung² 種)

— ho⁶ — 號   (N) *signal.*

— — bing¹ — — 兵   (N) *signalman.*

10   — — yuen⁴ — — 員   (N) *ditto.*

— — cheung¹° — — 槍   (N) *signal gun.*   (*Cl.* ji¹ 支)

— — paau² — — 砲   (N) *ditto.*

— — jaam⁶ — — 站   (N) *signal station.*

— — kei⁴ — — 旗   (N) *signal flag.*   (*Cl.* ji¹ 支)

15   — ji² — 紙   (N) *letter-paper; note-paper.*   (*Pad:* boon² 本 ; *sheet:* jeung¹ 張.)

— jin¹° — 箋   (N) *ditto.*

— sam¹ — 心   (N) *confidence; faith.*   *(Lit. trust heart)*   *(Cl.* jung² 種 *or* goh³ 個)

— seung¹° — 箱   (N) *letter-box; mail box.*

— to⁴ — 徒   (N) *follower; believer.*   *(RT politics, religion, etc.)*

20   — tok³ — 託   (V) *entrust to.*

— — ngan⁴ hong⁴ — — 銀行   (N) *trust bank.*   *(Cl.* gaan¹ 間)

— yeung⁵ — 仰   (V) *believe; believe in; have faith in; follow.*   *(RT great men/leaders, politics, religion, etc.)* **FE**   (N) *belief; faith.*   *(RT leaders, politics, theories, religions, etc.)* **FE**   *(Cl.* jung² 種 *or* goh² 個)

— — ji⁶ yau⁴ — — 自由   (N) *freedom of religion.*   *(Cl.* jung² 種)

— yung⁶ — 用   (N) *promise; good faith; credit.*   *(No Cl.)*

25   — — je³ foon² — — 借歀   (N) *fiduciary loan; open credit.*   *(Cl.* bat¹° 筆)

— — kaat¹° — — 咭   (N) *credit card.* **Tr.**   *(Cl.* jeung¹ 張)

sun³ 訊   **2964**   (V) *interrogate; hear.*   *(RT court cases)* **SF** ‡   (N) *news; information.* **Fml. SF** ‡

— man⁶ — 問   (V) *interrogate; hear.*   *(RT court cases)* **FE**

— sik¹° — 息   (N) *news; information.* **Fml. FE**   *(No Cl.)*

sun³ 迅   **2965**   (Adj) *quick; swift.* **Fml. SF** ‡   (Adv) *quickly; swiftly.* **Fml. SF** ‡

— chuk¹° — 速   (Adj) *quick; swift.* **Fml. FE**   (Adv) *quickly; swiftly.* **Fml. FE**

sun⁴ 脣(唇)   **2966**   (N) *lip.* **SF**   *(Cl.* tiu⁴ 條)

— go¹° — 膏   (N) *lipstick.*   *(Cl.* ji¹ 支)

— yam¹° — 音   (N) *labial.*   *(RT phonetics)*

sun⁴ 純   **2967**   (Adj) *pure.* **SF** ‡

— ban² — 品   (Adj) *honest; simple.*

— ching⁴ — 情   (Adj) *pure; without evil/sin.* **FE**   (N) *purity.*   *(No Cl.)*

— git³ — 潔   (Adj) *ditto.*   (N) *ditto.*

— jing³ — 正   (Adj) *unadulterated; unmixed; pure.*   **FE**

⁵ — jing⁶ — 淨   (Adj) *ditto.*

— sui⁵ — 粹   (Adj) *ditto.*

— jung² (ge³) — 種 (嘅)   (Adj) *pure-bred.*

— sik¹° — 色   (Adj) *of one colour; unspotted.*

— yik¹° — 益   (N) *net profit.*   (*Cl.* jung² 種 or bat¹°筆)

sun⁴ 醇（酖）   2968   (Adj) *rich (RT wine); mild (RT tobacco).*   **SF**

— jau² — 酒   (N) *rich/good wine.*   **FE**   *(No Cl.)*

— yin¹° — 烟   (N) *mild tobacco.*   **FE**   *(No Cl.)*

sun⁶ 順   2969   (V) *obey.*   **SF**   ‡   (Adj) *favourable; prosperous.*   **SF** ‡

— bin⁶* — 便   (Adv) *at one's own convenience.*

— lo⁶ — 路   (Adv) *ditto.*

— chi³ — 次   (Adv) *in proper sequence/order.*

— jui⁶ — 序   (Adv) *ditto.*

⁵ — chung⁴ — 從   (V) *obey; comply with.*   **FE**

— fung¹ — 風   (N) *favourable wind.*   **FE**   (*Cl.* jan⁶ 陣)

— — che¹° — — 車   (N) *car that picks up a hitch-hiker.*   (*Lit. favourable wind car)*   (*Cl.* chi³ 次 or ga³ 架)

— ging² — 境   (Adj) *lucky; prosperous.*   **FE**

— lei⁶ — 利   (Adj) *prosperous; no trouble with; easy to manage.*   **FE**

¹⁰ — sau² — 手   (Adv) *by the way; at one's convenience.*

— sui² — 水   (N) *fair/favourable tide.*   **FE**   *(No Cl.)*

— yin⁴ — 延   (V) *postpone/proceed in due sequence.*

sung¹ 從   2970   (Adj) *easy; leisurely; dignified.*   **Fml.**   **SF**   ‡   **AP:** (1) chung⁴ see 437; (2) jung⁶ see 1640.

— yung⁴ — 容   (Adj) *easy; leisurely; dignified.*   **FE**   (Adv) *without fuss; with dignity.*

— — baan⁶ lei⁵ — — 辦理   (SE) *attend to a matter without fuss.*

— — jau⁶ yi⁶ — — 就義   (SE) *die in a righteous cause; die to maintain one's dignity/honour.*

sung¹ 鬆 2971   (V) *loosen.* **SF** ‡   (Adj) *loose; crisp.* **SF** ‡

— bong² — 綁   (V) *loosen; untie.* **Fml. FE**

— hoi¹ — 開   (V) *ditto.* **Coll.**

— — sau² geuk³ — — 手脚   (V) *untie hands and feet.*

— chui³ — 脆   (Adj) *doughy and crisp.*   *(RT fried food)*

⁵ — dung⁶ — 動   (Adj) *indifferent; slack.*   *(RT financial situations)* **FE**

— sau² — 手   (V) *let go.*

sung² 聳 2972   (V) *raise up; excite; stir up.* **SF** ‡

— bok³ tau⁴ — 膊頭   (V) *shrug the shoulders.*   *(Lit. raise shoulders)* **FE**

— dung⁶ (yat¹° si⁴) — 動 (一時)   (V) *stir up; egg on.*

— ting³ — 听   (V) *urge sb to listen.*

sung² 慫 2973   (V) *egg on.* **SF** ‡

— yung² — 恿   (V) *egg on.* **FE**

sung² 悚(憟) 2974   (Adj) *terrified; afraid.* **Fml. SF** ‡

— gui⁶ — 懼   (Adj) *terrified; afraid.* **Fml. FE**

— yin⁴ — 然   (Adj) *ditto.*

sung³ 送 2975   (V) *accompany; see sb off; deliver (RT goods); give a present; be eaten together with (RT food, drinks, etc.).* **SF** ‡

— ban³ — 殯   (V) *attend a funeral.*

— song¹ — 喪   (V) *ditto.*

— bit⁶ — 別   (V) *see sb off; bid farewell to sb.* **Fml.**

— haang⁴ — 行   (V) *ditto.* **Coll.**

⁵ — fa¹° huen¹° — 花圈   (V) *send a wreath.*

— — laam⁴* — — 籃   (V) *send a basket of flowers (on some special occasion).*

— faan⁶ ge³ choi³ — 飯嘅菜   (SE) *side dishes that go with rice.*

— foh³ — 貨   (V) *deliver goods.* **FE**

— haak³ — 客   (V) *see a guest/visitor off; say good-bye to guests after a banquet.* **FE**

¹⁰ — jau² ge³ ye⁵ — 酒嘅嘢   (SE) *things that go with drinks.*

— — ye⁵ — — 嘢   (SE) *ditto.*

— lai⁵ — 禮   (V) *give a gift/present.* **FE**

— sung³ — 信   (V) *deliver a letter/message; pass information* (**Fig.**).

sung³ 餸 2976 (N) *food or "side dishes" for a meal.* *(No Cl.)* (N)
CC *side dishes/food to go with rice.* **Coll.**

— choi³ — 菜   (N) *general term for side dishes before cooking to go with rice.* **Coll.** **FE** *(No Cl.)*

sung⁴ 崇 2977   (V) & (M) *workship.* **SF** ‡ (Adj) *sublime.* **SF** ‡

— baai³ — 拜   (V) & (N) *worship.* **FE**

— go¹ — 高   (Adj) *sublime; lofty; exalted.* **FE**

sut¹° 恤 (卹) 2978   (V) *pity.* *(RT widows, orphans, etc.)* **SF** ‡
(P) *used in transliterations.*

— faat³ — 髮   (V) *set/dress hair.* **Tr.** (N) *hair-dressing; hair-set.*
Tr. *(Cl.* chi³ 次*)*

— gwa² — 寡   (V) *pity and assist widows.* **FE**

— gwoo¹ — 孤   (V) *pity and assist orphans.* **FE**

— saam¹° — 衫   (N) *shirt.* **Tr.** *(Cl.* gin⁶ 件*)*

sut¹° 率 2979   (V) *lead; take the lead.* **SF** ‡ **AP:** lut⁶ see 2029.

— bing¹ — 兵   (V) *lead troops.* **Coll.**

— si¹ — 師   (V) *ditto.* **Fml.**

— jik⁶ — 直   (Adj) *straight-forward; honest.*

— ling⁵ — 領   (V) *lead; take the lead.* **FE**

⁵ — sin¹ — 先   (V) *take the initiative.* (Adv) *initially.*

— sing³ — 性   (V) *follow one's natural inclinations/desires.*

sut¹° **摔**   2980   (V) *wrestle; be thrown/fall down.*   **SF** ‡

— dai¹ — 低   (V) *be thrown/fall down.*   **Mdn.**   **FE**

— do² — 倒   (V) *ditto.*

— gok³ — 角   (V) & (N) *wrestle.*   **Coll.**   **FE**

— lik⁶ — 力   (V) & (N) *ditto.*   **Fml.**

⁵   — gok³ sau² — 角手   (N) *wrestler.*   **Coll.**

sut¹° **梻**   2981   (V) *fasten; bar; bolt.* *(RT doors, gates, etc.)*   **Coll.**
               CC   **SF** ‡   (N) *bar; bolt.* *(RT doors, gates, etc.)*   **Coll.**
                       (*Cl.* tiu⁴ 條)

— jaap⁶ — 閘   (V) *fasten/bar a gate.*   **Coll.**   **FE**

— moon⁴ — 門   (V) *fasten/bar a door.*   **Coll.**   **FE**

sut⁶ **術**   2982   (N) *technique; magic; trick.*   **SF** ‡

— si⁶ — 士   (N) *magician; conjurer.*   **Fml.**   **FE**

— yue⁵ — 語   (N) *technical term; terminology.*   (*Cl.* jung² 種 *or* goh³ 個)

T

ta¹ 他   **2983**   (Pron) *he; him.*   **Mdn.**

— dik¹° — 的   (Pron) & (Adj) *his.*   **Mdn.**

— moon⁴ — 們   (Pron) *they; them.*   *(ROT masculine or common gender)*   **Mdn.**

— — dik¹° — — 的   (Pron) & (Adj) *their; theirs.*   *(ROT masculine or common gender)*   **Mdn.**

ta¹ 她   **2984**   (Pron) *she; her.*   **Mdn.**

— dik¹° — 的   (Pron) & (Adj) *her; hers.*   **Mdn.**

— moon⁴ — 們   (Pron) *they; them.*   *(ROT feminine gender)*   **Mdn.**

— — dik¹° — — 的   (Pron) & (Adj) *their; theirs.*   *(ROT feminine gender)*   **Mdn.**

ta¹ 它(牠)   **2985**   (Pron) *it.*   **Mdn.**

— dik¹° — 的   (Pron) & (Adj) *its.*   **Mdn.**

— moon⁴ — 們   (Pron) *they; them.*   *(RT animals or abstract things)*   **Mdn.**

— — dik¹° — — 的   (Pron) & (Adj) *their; theirs.*   *(RT animals or abstract things)*   **Mdn.**

taai¹° 呔   **2986**   (N) *tyre; tube; neck-tie.*   **Tr.**   **SF**   ‡   *(Cl.* tiu⁴ 條*)*   **CC**

taai³ 軑   **2987**   (N) *steering wheel.*   **Coll.**   **SF**   ‡

— poon⁴* — 盤   *steering wheel.*   **Coll.**   **FE**

taai³ 太   **2988**   (Adv) *too; to excess; extremely.*   **SF**   ‡   (N) *Mrs.*   **SF**   ‡   **AP taai³* see 2989.**

— daai⁶ — 大   (SE) *too big/large.*

— doh¹ — 多   (SE) *too much/many.*

— gaam³ — 監   (N) *eunuch.*

— gung¹° — 公   (N) *great-grand father; ancestor.*

⁵ — gwai³ — 貴   (SE) *too dear/expensive.*

— gwoh³ — 過   (Adv) *too; to excess; extremely.* **FE**

— — . . . dak¹° di¹° — — . . . 得啲   (IC) *much too . . . (Gen. with adjectives).*

— — . . . dak¹° jai⁶ — — — . . . 得滯   (IC) *ditto.*

— — di¹° gwa³ — — 啲啩   (SE) *isn't it for too much?*

¹⁰ — ho² (lak³) — 好 (嘞)   (SE) *even better than I could wish for; wonderful!*

— hung¹ — 空   (N) *outer-space.*

— — lau¹° — — 褸   (N) *car-coat. (Lit. outer space overcoat)* (*Cl.* gin⁶ 件)

— — suen⁴ — — 船   (N) *spaceship.* (*Cl.* jek³ 隻)

— — yan⁴ — — 人   (N) *spaceman; astronaunt.*

¹⁵ — ji² — 子   (N) *prince; crown prince.*

— peng⁴ — 平   (SE) *too cheap.*

— ping⁴ — 平   (Adj) *peaceful; safe.* (N) *peace; safety. (No Cl.)*

— — moon⁴ — — 門   (N) *emergency door/exit; fire escape. (RT public buildings)* (*Cl.* do⁶ 度)

— — tai¹ — — 梯   (N) *safety ladder; fire escape.* (*Cl.* do⁶ 度)

²⁰ T— P— Yeung⁴ — — 洋   (N) *the Pacific Ocean.*

t— poh⁴* — 婆   (N) *great-grandmother.*

— sai³ — 細   (SE) *too small.*

— siu² — 少   (SE) *too little/few.*

— suk⁶ — 熟   (Adj) *overdone; over cooked.*

²⁵ — taai³* — 太   (N) *Mrs.; Madam; married woman; wife.* **PL** (*Cl.* goh³ 個 *or* wai⁶* 位)

— yam¹ — 陰   (N) *the moon.* **Fml.**

— yeung⁴ — 陽   (N) *the sun.* **Fml.**

— — ngaan⁵ geng³* — — 眼鏡   (N) *sun glasses.* (*Cl.* dui³ 對 *or* foo³ 副)

taai³* 太   2989   (N) *Mrs. (Gen followed by a surname).* **Coll. SF AP taai³ see 2988.**

taai³泰 2990   (Adj) *calm and composed.* **Fml.** **SF** ‡ (N) *Thai-land.* **Tr.** **SF** ‡

T— Gwok³ — 國   (N) *Thailand.* **Tr.** **FE**

t— yin⁴ — 然   (Adj) *calm and composed.* **Fml.** **FE**

taai³態 2991   (N) *manner; attitude; voice/tense (Gr.).* **SF** ‡

— do⁶ — 度   (N) *manner; attitude.* **FE**

taai³貸 2992   (V) *borrow; lend.* **Fml.** **SF** ‡ (N) *loan.* **Fml.** ‡

— chut¹° — 出   (V) *lend.* **Fml.** **FE**

— foon² — 欵   (N) *loan/credit.* **Fml.** **FE** (*Cl.* bat¹°筆)

— yap⁶ — 入   (V) *borrow.* **Fml.** **FE**

taam¹貪 2993   (V) *covet; be greedy.*

— booi¹ ho³ jau² — 杯好酒   (V) *become addicted to strong drink; be an alcoholic.*

— jau² — 酒   (V) *ditto.*

— chin⁴* — 錢   (V) *be covetous; be greedy (for money).*

— dak¹° yi³ — 得意   (V) *do sth for the fun of it.* (Adv) *for fun; jokingly.*

⁵ — fan³ — 瞓   (V) *be too fond of sleep.*

— gwoon¹ (woo¹ lei⁶) — 官 (汚吏)   (SE) *corrup government officials.* (*Cl.* goh³ 個 *or* jung² 種)

— hau² song² — 口爽   (V) *say something with one's tongue in one's cheek; be given to smooth speech.*

— ho² teng¹ — 好听   (V) *talk plausibly; render mere lip service.*

— laam⁴ — 婪   (Adj) *avaricious; covetous.* (N) *avarice; covetousness.* (*Cl.* jung² 種)

¹⁰ — sam¹ — 心   (Adj) *ditto.* (N) *ditto.*

— laan⁵ — 懶   (V) *seek nothing but ease; be lazy and greedy.*

— leng³ — 靚   (V) *have a desire for beautiful things.* *(GRT dresses)*

— meng⁴* — 名   (Adj) *greedy for fame.*

— nui⁵ sik¹° — 女色　　(V) *be given to sexual indulgence; be sexually debauched.*

15　— sik¹° — 色　(V) *ditto.*

— pin⁴ yi⁴ — 便宜　(V) *covet; be greedy of gain.*　**FE**

— sik⁶ — 食　(Adj) *gluttonous.*

— waan² — 玩　(V) *have a desire for excitement and fun; want to have a good time.*

— woo¹ — 汚　(Adj) *corrupt.* *(RT government officials)* (N) *corruption.* *(RT government officials)* *(Cl.* jung² 種 *or* chi³ 次 *)*

taam¹ 探　2994　　(V) *try; tempt; feel.* **Fml. SF ‡ AP** taam³ see **2995.**

— foo² hau² — 虎口　(V) *venture into a very dangerous place.* *(Lit. tempt tiger's mouth)*

— long⁴ chui² mat⁶ — 囊取物　(SE) *do sth that gives little trouble/difficulty.* *(Lit. feel in bag and take things out)*

taam³ 探　2995　　(V) *see/visit a person; call on; explore.* **SF AP** taam¹ see **2994.**

— beng⁶ — 病　(V) *see/visit a sick person.* **FE**

— chaak¹° — 測　(V) *survey; explore; prospect.* **FE** (N) *survey; exploration.* *(Cl.* chi³ 次)

— chan¹ — 親　(V) *visit sb's own relatives.*

— fong² — 訪　(V) *visit a person.* **PL FE**

5　— him² — 險　(V) *go on an adventure.* (N) *adventure.* *(Cl.* chi³ 次)

— — ga¹° — — 家　(N) *adventurer; explorer (in the good sense).*

— hoi² dang¹° — 海灯　(N) *searchlight.* *(Cl.* ji¹ 支 *or* jaan² 盞)

— jiu³ dang¹° — 照灯　(N) *ditto.*

— se⁶ dang¹° — 射灯　(N) *ditto.*

10　— mong⁶ — 望　(V) *see/visit (a person); call on.* **Fml. FE**

— ting³ — 聽　(V) *try to get information about sb/sth.*

taam² 毯　2996　　(N) *blanket; carpet; rug.* **Mdn. SF ‡**

— ji² — 子　(N) *blanket; carpet; rug.* **Mdn. FE** *(Cl.* jeung¹ 張)

taam⁴ 談 (譚)   2997   (V) *talk; discuss.* **Fml.** **SF** ‡

— hoh⁴ yung⁴ yi⁶ — 何容易   (SE) *it's easy to talk; it's easier said than done.* **Fml.**

— lun⁶ — 論   (V) *discuss; talk about.* **FE**

— poon³ — 判   (V) *negotiate; discuss.* **FE**   (N) *negotiations; discussion.* (*Cl.* chi³ 次)

— to³ — 吐   (N) *style of conversation.* **Fml.**   (*Cl.* jung² 種)

5 — wa⁶ — 話   (N) *conversation; interview.* *(with reporters)*

— — wooi⁶* — — 會   (N) *conversazione, seminar.* (*Cl.* chi³ 次)

taam⁴ 痰   2998   (N) *phlegm.* (*Cl.* daam⁶ 唥)

— gwoon³ — 罐   (N) *spittoon.*

— seung⁵ geng² — 上頸   (SE) *phlegm blocking the windpipe; have the death-rattle in the throat.*

— yung² — 湧   (SE) ditto.

taam⁴ 燂   2999   (V) *singe; heat.* **Coll.** **SF**
CC

— gon¹ — 乾   (V) *dry by heating.*

— nung¹ — 燶   (V) *scorch; singe; overheat.*

taam⁵ 淡   3000   (Adj) *insipid/tasteless (RT food); weak (RT tea, coffee, etc.); mild (RT liquor, tobacco, etc.).* **SF** **AP daam⁶ see 457.**

— cha⁴ — 茶   (N) *weak tea.* (*cup:* booi¹ 杯)

— jau² — 酒   (N) *weak/mild wine.* (*Cup:* booi¹ 杯)

— mau⁴ mau⁴ — 茂茂   (Adj) *very insipid/tasteless/weak/mild.*

— sik¹° — 色   (N) *light colour.* (*Cl.* goh³ 個 *or* jung² 種)

5 — sui² — 水   (N) *fresh water; sweat water; river water.* (Adj) *local.* **Sl.** *(Lit. insipid water)*

— — daai⁶ ngok⁶ — — 大鱷   (N) *local crook/swindler/speculator.* **Sl.** (*Cl.* tiu⁴ 條 *or* goh³ 個)

— — ngok⁶ yue⁴ — — 鱷魚   (N) ditto.

— — woo⁴ — — 湖   (N) *fresh-water lake.*

— — yue⁴* — — 魚   (N) *fresh-water fish.* (*Cl.* tiu⁴ 條)

10 — yin¹° — 烟   (N) *mild tobacco.* *(No Cl.)*

taan¹攤   3001   (V) *open and spread out.*   **SF**   **AP taan¹°** see **3002.**

— chin⁴*   —   錢   (V) *divide/allot money; apportion; share.*

— fan⁶*   —   份   (V) *ditto.*

— paai³   —   派   (V) *ditto.*

— hoi¹   —   開   (V) *unfold; spread out.*   *(RT cards, troops, etc.)*   **FE**

5   — paai⁴*   —   牌   (N) *showdown.*   **Lit.** *&* **Fig.**   *(Cl.* chi³ 次*)*

— waan⁴   —   還   (V) *repay by instalments.*   *(RT loans, debts, etc.)*

taan¹°攤   3002   (N) *stall; "Fantan".*   **SF**   ‡   **AP taan¹** see **3001.**

— dong³   —   檔   (N) *stall.*

— wai⁶*   —   位   (N) *ditto.*

— gwoon²   —   館   (N) *gambling den.*   *(ROT "Fantan" games)*   **FE**
(Cl. gaan¹ 間*)*

taan¹灘   3003   (N) *beach; sand-bank.*   **SF**   ‡

— tau⁴ bo²   —   頭堡   (N) *beachhead.*   *(RT warfare)*

— — jan⁶ dei⁶   — —   陣地   (N) *ditto.*

taan¹癱   3004   (V) *paralyze.*   **Fml.**   **SF**   ‡   (N) *paralysis; palsy; numbness.*   **Fml.**   **SF**   ‡   **AP taan²** **SM** see **3005.**

— woon⁶   —   瘓   (V) *paralyze.*   **Fml.**   **FE**   **Lit.** *&* **Fig.**   (N) *paralysis; palsy; numbness.*   **Fml.**   **FE**   **Lit.** *&* **Fig.**   *(Cl.* jung² 種 *or* chi³ 次*)*

taan²癱   3005   (V) *paralyze.*   **CP**   **SF**   ‡   (N) *paralysis; palsy; numbness.*   **CP**   **SF**   ‡   **AP taan¹** **SM** see **3004.**

— woon⁶   —   瘓   (V) *paralyze.*   **CP**   **FE**   **Lit.** *&* **Fig.**   (N) *paralysis; palsy; numbness.*   **CP**   **FE**   **Lit.** *&* **Fig.**   *(Cl.* jung² 種 *or* chi 次*)*

taan¹坍   3006   (V) *&* (N) *collapse.*   **Mdn.**

— do²   —   倒   (V) *&* (N) *collapse/fall.*   *(RT buildings)*   **Mdn.**   **FE**

— toi⁴   —   台   (V) *collapse; fail.*   *(RT people)*   **Fig.**   **FE**

taan²袒(襢)   3007   (V) *lay bare; screen.* **SF** ‡

— bei² — 庇   (V) *screen; cover up; protect sb in the wrong.* **FE**

— woo⁶ — 護   (V) *ditto.*

— sik³ loh² ching⁴ — 裼課程   (SE) *with naked arms and bare body.* **Fml.** **CP taan² tik¹° loh² ching⁴.**

taan²坦   3008   (Adv) *frankly; straightforward.* **SF** ‡ (Adj) *frank; straightforward.* **SF** ‡ (P) *used in transliterations.*

— baak⁶ — 白   (Adv) *frankly; straight forwardly.* **FE** (Adj) *frank; straightforward.* **FE**

— jik⁶ — 直   (Adv) *ditto.* (Adj) *ditto.*

— hak¹° (che¹°) — 克 (車)   (N) *tank; armoured vehicle.* **Tr.** (*Cl.* ga³ 架)

taan²疸(癉)   3009   (N) *jaundice; erysipelas.* **SF** ‡

— jui¹ — 疽   (N) *erysipelas.* **FE** (*Cl.* jung² 種 *or* goh³ 個)

taan³忐   3010   (Adj) *vacillating; uneasy.* **Fml.** **SF** ‡

— tik¹° (bat¹° on¹) — 忐 (不安)   (SE) *vacillating; uneasy; timid; nervous.* **Fml.** **FE**

taan³炭   3011   (N) *charcoal.* (*Cl.* gau⁶ 礁)

— bat¹° — 筆   (N) *charcoal pencil for drawing.* (*Cl.* ji¹ 支)

— foh² — 火   (N) *charcoal fire.*

— lo⁴ — 爐   (N) *charcoal stove.*

— wa⁶* — 畫   (N) *charcoal drawing.* (*Cl.* fuk¹° 幅)

taan³碳   3012   (N) *carbon.* **SF** ‡ (*No Cl.*)

— jeng¹° — 精   (N) *pure carbon.* (*Cl.* ji¹ 支)

— suen¹° — 酸   (N) *carbonic acid.* (*Bottle:* jun¹ 樽)

taan³ 歎(嘆) 3013   (V) *enjoy; bewail; sigh.*

— hei³ — 氣   (V) *sigh.* **Coll. FE**

— meng⁶ — 命   (V) *bewail one's fate.* **FE**

— sai³ gaai³ — 世界   (V) *enjoy life; lead a comfortable and easy life.* (*Lit. enjoy world*)

— sik¹° — 息   (V) *ditto.* **Fml.**

⁵ — yat¹° hau² daai⁶ hei³ — 一口大氣   (SE) *give/heave a sigh.*

taan⁴ 彈 3014   (V) *play on stringed instruments; accuse; press down.* press down. **AP (1) daan⁶ see 464; (2) daan⁶* see 465.**

— aat³ — 壓   (V) *press down; repress.* **FE**

— git⁶ tai¹ — 結他   (V) *play the guitar.* **FE Tr.**

— gong³ kam⁴ — 鋼琴 (V) *play the piano.* **FE**

— hat⁶ — 劾   (V) *impeach.* (N) *impeachment.* (*Cl.* chi³ 次)

⁵ — — kuen⁴ — — 權   (N) *power of impeachment.*

— kam⁴ — 琴   (V) *play (the harp, piano, organ, etc.).* **FE**

taan⁴ 壇 3015   (N) *alter; platform.* **SF ‡**

taan⁴ 檀 3016   (N) *sandalwood.* **SF ‡**

— heung¹ (muk⁶) — 香 (木)   (N) *sandalwood.* **FE** (*Cl.* gau⁶ 碓)

T— H— Saan¹ — — 山   (N) *Honolulu.* (*Lit. sandalwood hill*)

taap³ 塔 3017   (N) *pagoda.* **SF**

taap³ 塌 3018   (V) *collapse.* (*RT buildings*) **Mdn. SF ‡**

— lau⁴* — 樓   (V) *collapse.* (*RT buildings*) **FE**

— uk¹° — 屋 (V) *ditto.*

taat³ 撻   3019   (V) *punish; repudiate.* **Fml. SF ‡ AP daat³ see 470.**

— fat⁶ — 伐   (V) *punish.* *(RT punitive expedition)* **Fml. FE**

— jeung³ — 賬   (V) *be a had debtor; repudiate a debt.* **Coll.**

— so³ — 數   (V) *ditto.*

— sa¹° — 沙   (N) *sole.* **Coll.** *(Cl.* tiu⁴ 條)

tai¹ 梯   3020   (N) *ladder; stair; staircase; steps.* **SF ‡**

— kap¹° — 級   (N) *stair-step.* *(No Cl.)*

tai¹° 銻   3021   (N) *antimony.* **Tr.** *(No Cl.)*

— sa¹° — 砂   (N) *antimony ore.* **Tr.** *(Cl.* jung² 種)

tai² 體   3022   (V) *sympathize.* **SF ‡** (N) *body; substance.* **SF ‡** (Adj) *physical.* **SF ‡**

— cho² — 操   (N) *drill; physical exercise.* *(Cl.* jung² 種 *or* chi³ 次)

— fat⁶ — 罰   (N) *corporal punishment.* *(Cl.* jung² 種 *or* chi³ 次)

— gaak³ — 格   (N) *physique.*

— hai⁶ — 系   (N) *system.* *(RT organizations, theories, etc.)*

⁵ — jat¹° — 質   (N) *substance; physical constitution.* **FE** *(Cl.* jung² 種 *or* goh³ 個)

— jik¹° — 積   (N) *volume; cubic contents of sth.*

— sut¹° — 恤   (V) *sympathize; pity.* **FE**

— tip³ — 貼   (V) *show consideration for.* **FE**

— tung² — 統   (N) *decorum; dignity.* *(No Cl.)*

¹⁰ — wan¹ — 溫   (N) *body temperature.*

— yuk⁶ — 育   (N) *physical education.* *(Cl.* jung² 種)

— — baan² — — 版   (N) *sports page of a newspaper.* *(Cl.* goh³ 個 *or* jeung¹ 張)

— — gaau³ yuen⁴ — — 教員   (N) *sports master.*

— — wooi⁶* — — 會   (N) *athletic club.*

tai² 睇   **3023**   (V) *look at; see; read; watch.*   **SF**   ‡
         CC

— bo³ ji² — 報紙   (V) *read newspaper.*   **FE**

— ching¹ choh² — 清楚   (V) *see clearly.*

— jan¹ — 眞   (V) *ditto.*

— dai¹ — 低   (V) *look down on; under-estimate.*

5   — heng¹ — 輕   (V) *ditto.*

— m⁴ hei² — 唔起   (V) *ditto.*

— siu² — 小   (V) *ditto.*

— din⁶ si⁶ — 電視   (V) *watch television.*   **FE**

— ding⁶ ji³ yuk¹° sau² — 定至郁手   (SE) *see which way the cat jumps; wait for the cat to jump.*

10   — gin³ — 見   (V) *be in sight of; see.*   **FE**

— goh³ yeung⁶* — 個樣   (SE) *it seems that; it looks as though.*

— hei² seung⁵ lai⁴ — 起上嚟   (SE) *ditto.*

— gwoh³ sin¹ la¹ — 過先啦   (SE) *that depends.*

— ha⁵ sin¹ la¹ — 吓先啦   (SE) *ditto.*

15   — lai⁴ chau³ la¹ — 嚟湊啦   (SE) *ditto.*

— hei³ — 戲   (V) *see a film; go to the cinema.*

— jung³ — 中   (V) *find sb/sth suitable.*

— ngaam¹° — 啱   (V) *ditto.*

— m⁴ gwoh³ ngaan⁵ — 唔過眼   (V) *cannot bear/endure/put up with.*

20   — lung⁴ suen⁴ — 龍船   (V) *watch dragon boat races.*

— paau² ma⁵ — 跑馬   (V) *gamble at horses; watch horse races.*

— sat⁶ — 實   (V) *look at sb/sth with fixed attention. (Lit. look hard)*

— siu² suet³ — 小說   (V) *read novels.*

— sue¹ — 書   (V) *read books; do some reading.* (N) *reading.* *(No Cl.)*

25   — sung³ sik⁶ faan⁶ — 餸食飯   (SE) *cut your coat according to the cloth. (Lit. look side-dishes eat rice)*

— tau⁴ tai² mei⁵ — 頭睇尾   (SE) *supervise; look after everything. (Lit. look head look tail)*

— uk¹° — 屋   (V) *have a look at a flat.*

tai³ 替 3024　(V) *change; replace.* **SF** (Prep) *for.* (*RT sympathy or pity*)

— doi⁶ — 代　(V) *take the place of; act on behalf of.*

— gung¹° — 工　(N) *replacement; temporary worker.*

— san¹° — 身　(N) *substitute; stand-in.*

— sei² gwai² — 死鬼　(N) *substitute for a sentenced criminal; scapegoat.*

5　— woon⁶ — 換　(V) *change; replace.* **FE**

— yan⁴ chit³ seung² ha⁵ — 人設想吓　(V) *be considerate about; act on the best interests of.*

— — jeuk⁶ seung² ha⁵ — — 着想吓　(V) *ditto.*

— — jo⁶ si⁶ — — 做事　(V) *do sth for sb.*

tai³ 剃(鬀) 3025　(V) *shave; shave off.*

— do¹° — 刀　(N) *razor; cut-throat razor.* (*Cl.* ba² 把)

— gwong¹ tau⁴ — 光頭　(V) *shave off one's hair.*

— so¹ — 鬚　(V) *shave; shave one's beard.*

tai³ 涕鰓 3026　(V) *weep.* **SF** ‡ (N) *mucus.* **SF** ‡

— lui⁶ — 淚　(V) *shed tears.* (*Lit. mucus tears*)

— yap¹° — 泣　(V) *weep.* **Eml. FE**

tai³ 嚏 3027　(V) *sneeze.* **Mdn. SF** ‡ (N) *sneezing.* **Mdn. SF** ‡

tai³ 屜(屉) 3028　(N) *drawer (of a desk).* **Mdn. SF** ‡

tai³ 締 3029　(V) *join closely.* **SF** ‡

— git³ — 結　(V) *ally with.*

— — tiu⁴ yeuk³ — — 條約　(V) *make a treaty.*

— yeuk³ — 約　(V) *ditto.*

— mang⁴ — 盟　(V) *form an alliance.* **FE**

tai⁴ 題 3030   (N) *theme; subject.* **SF** ‡

— muk⁶ — 目   (N) *theme; subject. (RT compositions, articles, thesis, etc.)* **FE**

— ngoi⁶ ge³ suet³ wa⁶ — 外嘅說話   (N) *digression. (Lit. outside subject speech) (Cl.* gui³ 句 *or* faan¹ 番)

tai⁴ 堤 3031   (N) *embankment; bank; dyke.* **SF** ‡

— ngon⁶ — 岸   (N) *embankment; bank; dyke. (Cl.* tiu⁴ 條 *or* do⁶ 度)

tai⁴ 提 3032   (V) *promote; suggest; remind; remind of·mention/bring up a subject; draw money from a bank.*

— bat⁶ — 拔   (V) *help on; give a helping hand.* **Fig.**

— kwai⁴ — 携   (V) *ditto.*

— cheung¹ — 倡   (V) *promote; encourage. (RT movements, compaigns, etc.)*

— chin⁴* — 錢   (V) *draw money from a bank.* **FE**

⁵ — foon² — 欵   (V) *ditto.*

— — bo⁶* — — 簿   (N) *pass-book. (Cl.* boon² 本)

— chut¹° — 出   (V) *suggest; propose.* (N) *suggestion; proposal.*

— yi⁵ — 議   (V) *ditto.* (N) *ditto.*

— daan¹° — 單   (N) *bill of lading. (Cl.* jeung¹ 張)

¹⁰ — foh³ daan¹° — 貨單   (N) *ditto.*

— dim² — 點   (N) *give advice.* **PL**

— fong⁴ — 防   (V) *beware of; take precaution against.*

— — siu² sau² — — 小手   (SE) *beware of pickpockets.*

— go¹ — 高   (V) *increase (RT prices); promote; raise; improve. (RT people's salaries, wages, work, jobs, etc.)*

¹⁵ — gung¹ — 供   (V) *offer; provide, supply.*

— — fuk⁶ mo⁶ — — 服務   (V) *offer a service.*

— hei² — 起   (V) *mention/bring up a subject.*

— kap⁶ — 及   (V) *ditto.*

— seng² — 醒   (V) *remind; remind sb of.* **FE**

tai4 啼(嗁) 3033 (V) *cry; lament; crow (RT cocks).* **SF** ‡

— huk1° — 哭 (V) *cry; lament.* **FE**

— siu3 gaai fei1 — 笑皆非 (SE) *make sb very embarrassed; be between tears and laughter. (Lit. cry laugh both wrong)* **Fml.**

tai4 蹄(蹏) 3034 (N) *hoof.* **SF** ‡

tam3 啉 3035 CC (V) *induce; cajole; deceive.* **Coll.**

— gwai2 sik6 dau6 foo6 — 鬼食豆腐 (SE) *cajole sb into doing a foolish thing; tempt sb into a trap; deceive sb by smooth-talk. (Lit. induce ghost eat bean curd)*

tam5 氹 3036 CC (N) *cesspool; puddle; hole.*

tan1 吞 3037 (V) *swallow.* **SF.**

— bing3 — 併 (V) *annex; usurp; swallow* **(Fig.)**.

— chim3 — 佔 (V) *ditto.*

— duet6 — 奪 (V) *ditto.*

— moot6 gung1 foon2 — 沒公欵 (V) *embezzle public funds.*

5 — sik6 — 食 (V) *swallow.* **FE**

— tan1 to3 to3 — 吞吐吐 (V) *hum and haw; speak hesitatingly.*

tan3 褪 3038 (V) *reverse. (GRT cars)* **SF** ‡

— hau6 (haang4) — 後(行) (V) *reverse. (GRT cars)* **FE**

— — boh1° — — 波 (N) *reverse gear.*

tang4 籐(藤) 3039 (N) *rattan; cane. (Cl.* tiu4 條)

— jek6 — 蓆 (N) *rattan mat. (Cl.* jeung1 張)

— paai4 — 牌 (N) *cane shield.*

— si¹° — 絲   (N) *rattan shavings.*   (*Cl.* tiu⁴條)

— tiu⁴* — 條   (N) *cane; split rattan.*   (*Cl.* tiu⁴ 條 *or* ji¹支)

⁵ — yi² — 椅   (N) *cane chair.*   (*Cl.* jeung¹ 張)

tang⁴ 謄   3040   (V) *copy; transcribe.*   **Fml.**   **SF**   ‡

— chaau¹ — 抄   (V) *copy; transcribe.*   **Fml.**   **FE**

— luk⁶ — 錄   (V) *ditto.*

— se² — 寫   (V) *ditto.*

tang⁴ 騰 (鶄)   3041   (V) *bounce; mount.*   **Fml.**   **SF**   ‡   (Adj) *expensive.*   **Fml.**   **SF**   ‡

— gwai³ — 貴   (Adj) *expensive; costly.*   **Fml.**   **FE**

— tiu³ — 跳   (V) *bounce; jump up and down.*   **Fml.**   **FE**

tang⁴ 疼   3042   (Adj) *painful; aching.*   **Fml.**   **SF**   ‡

— tung³ — 痛   (Adj) *painful; aching.*   **Fml.**   **FE**

tau¹ 偷 (媮)   3043   (V) *steal.*   **SF**

— laan⁵ — 懶   (V) *be idle on a job; loaf around.*

— ak¹° gwaai² pin³ — 呃拐騙   (SE) *a general term for non-violent crimes.*   (*Lit.* steal, cheat, hidnap, swindle)

— sit³ — 窃   (V) *steal.*   **Fml.**   **FE**

— ye⁵ — 嘢   (V) *ditto.*   **Coll.**

— tai² — 睇   (V) *peep; steal a glance.*

— teng¹ — 听   (V) *overhear; eavesdrop.*

tau² 唞 (抖)   3044   (V) *rest; take a rest.*   **Coll.**   **SF**   ‡
CC

— ha⁵ — 吓   (V) *rest; take a rest.*   **Coll.**   **FE**

— hei³ — 氣   (V) *breathe; take a breath.*   (N) *breathing.*   (*Cl.* chi³ 次)

tau³透   **3045**   (V) *pass through.* **SF** ‡   (Adv) *thoroughly.* **SF** ‡
              (Adj) *transparent.*   **SF** ‡

   — gwoh³   — 過   (V) *pass through.*   **FE**

   — gwong¹   — 光   (Adj) *transparent.*   **FE**

   — — geng³   — — 鏡   (N) *lens.*   (*Cl.* faai³塊)

   — geng³   — 鏡   (N) *ditto.*

5   — lo⁶   — 露   (N) *disclose; reveal; leak out.*   **FE**

   — ming⁴   — 明   (Adj) *transparent.*   **FE**

   — — yue⁵ lau¹°   — — 雨褸   (N) *nyl⁄ rain-coat.*   *(Lit. transparent rain-coat)*   (*Cl.* gin⁶ 件)

   — chit³   — 徹   (Adj) *thorough.*   (Adv) *thoroughly.*

   — ji¹   — 支   (V) *over draw.*   *(GRT bank accounts)*   **Lit. & Fig.**

10   — sam¹ leung⁴   — 心涼   (Adj) *ice-cold.*

   — si⁶   — 視   (Adj) & (N) *perspective.*

   — — jong¹°   — — 裝   (N) *see-through dress.*   (*suit:* to³ 套 ; *Cl.* gin⁶ 件.)

tau⁴頭   **3046**   (V) *hear; beginning.*   **SF** ‡   (Adj) *first.*   **SF** ‡

   — chek³   — 刺   (V) *have a headache.*   (N) *headache.*   *(No Cl.)*

   — tung³   — 痛   (V) *ditto.*   (N) *ditto.*

   — dang²   — 等   (N) *first class (RT seats, cabins, etc.); superior quality (RT goods).*   *(No Cl.)*

   — faat³   — 髮   (N) *hair (on the head).*   (*Cl.* tiu⁴ 條 ; *Lock:* ba² 把 *or* jap¹° 執.)

5   — fong⁴*   — 房   (N) *bedroom nearest verandah or in front of living room; master bedroom.*   *(Lit. first room)*   (*Cl.* gaan¹ 間 *or* goh³ 個)

   — hok³   — 壳   (N) *head; skull.*   **Coll.**   **FE**

   — lo⁴   — 顱   (N) *ditto.*   **Fml.**

   — lo⁶   — 路   (N) *ways and means.*   *(Lit. Head and road)*

   — no⁵   — 腦   (N) *mind; brain.*   *(No Cl.)*

10   — — gaan² daan¹   — — 簡單   (Adj) *foolishly simple; simple-minded.*

   — sin¹°   — 先   (Adv) *a moment ago; just before.*

   — tiu⁴ san¹ man⁴*   — 條新聞   (N) *headline news.*   (*Cl.* tiu⁴ 條)

   — wan⁴   — 暈   (Adj) *dizzy.*

   — yat¹° chi³   — 一次   (Adv) *for the first time.*

tau⁴ 投 3047　(V) *put in; drop; throw down; submit a tender for sth.* SF ‡

— biu¹° — 標　(V) *put in a tender for sth.*

— gei¹ — 機　(V) *speculate.* **Fml.**

— — fan⁶ ji² — — 份子　(N) *speculator.* **Fml.** *(Lit. speculation element)*

— go² — 稿　(V) *contribute/send in an article. (RT newspapers, magazines, etc.)*

5　— hong⁴ — 降　(V) *surrender; give up.* (N) *surrender.* (*Cl.* chi³ 次)

— ji¹ — 資　(V) *invest.* (N) *investment.* (*Cl.* jung² 種)

— — ga¹° — — 家　(N) *investor.*

— — je² — — 者　(N) *ditto.*

— — yan⁴ — — 人　(N) *ditto.*

10　— piu³ — 票　(V) *cast a vote; ballot.* (N) *ballot.* (*Cl.* chi³ 次)

— — kuen⁴ — — 權　(N) *franchise; right to vote.*

— — seung¹° — — 箱　(N) *ballot-box.*

— — yan⁴ — — 人　(N) *voter.*

— so³ — 訴　(V) *complain.* **Fml.** (N) *complaint.* **Fml.** (*Cl.* chi³ 次 or goh³ 個)

15　— sue² gei⁶ hei³ — 鼠忌器　(Sy) *refrain from doing sth drastic for fear of harming the innocent. (Lit. throw at a rat avoid the vase)*

tek³ 踢 3048　(V) *kick.*

— boh¹° — 波　(V) *play football.* **Coll.**

— juk¹° kau⁴ — 足球　(V) *ditto.*

— dau³ — 竇　(V) *raid the house of a husband's mistress. (Lit. kick nest)* **Sl.**

— dong³ — 檔　(V) *raid a vice den.* **Coll.** (N) *police raid on a den.* **Coll.**

5　— hoi¹ — 開　(V) *kick out; knock off.*

— yan⁴ — 人　(V) *kick sb.*

— — yap⁶ wooi⁶* — — 入會　(V) *recruit sb by force into a triad society.*

teng¹ 聽 (听)   3049   (V) *listen; hear.* **AP: (1) ting¹ see 3061; (2) ting³ see 3062.**

— gong² — 講   (SE) *I've heard that . . .; I was told that . . .; it is said that. . .*

— yan⁴ gong² — 人講   (SE) *ditto.*

— wa⁶ — 話   (Adj) *obedient; well-behaved.*

teng¹° 廳   3050   (N) *room (RT living/dining rooms); hall; government office.* **SF ‡**

— fong⁴* — 房   (N) *rooms in general. (ROT residential flats)* (*Cl.* goh³ 個 *or* gaan¹ 間)

teng⁵ 艇   3051   (N) *small boat; Chinese-style sampan.* (*Cl.* jek³ 隻)

— ga¹° — 家   (N) *person living and working in a small boat; floating family; "boat people".*

— jai² — 仔   (N) *small boat; (Chinese-style sampan).* **FE** (*Cl.* jek³ 隻)

— woo⁶ — 戶   (N) *floating family; "boat people".*

ti¹° T   3052   (P) *English letter "T" used in transliterations.* **FW**

— gwat¹° ngau⁴ pa⁴* — 骨牛扒   (N) *T-bone steak.* **Tr. FW.** (*Cl.* faai³ 塊 *or* dip⁶ 碟)

— sut¹° — 恤   (N) *T-shirt.* **Tr. FW.** (*Cl.* gin⁶ 件)

tik¹° 剔   3053   (V) *tick off; reject.* **Fml. SF ‡**

— chui⁴ — 除   (V) *tick off; reject.* **Fml. FE**

tik¹° 倜   3054   (Adj) *free and easy of manner.* **Fml. SF**

— tong² (fung¹ lau⁴) — 儻 (風流)   (Adj) *free and easy of manner.* **FE**

tim¹ 添   3055   (V) *add to; increase.* **SF ‡** (FP) *expresses idea of "addition" or "regret".*

— faan⁶ — 飯   (V) *fill a bowl with rice; put rice into an empty bowl.*

— sik⁶ — 食   (V) *do sth once again; repeat what has been done before. (Lit. add food)* **Sl.**

tim⁴ 甜 3056 (Adj) *sweet.* **Lit. & Fig.**

— ban² — 品 (N) *dessert. (Lit. sweet thing) (No Cl.)*

— sam¹° — 心 (N) *sweetheart.* **FW**

— suen¹ — 酸 (Adj) *"sweet-and-sour". (ROT Chinese dishes)*

— — jeung³ — — 醬 (N) *sweet-and-sour sauce. (No Cl.)*

5   — — paai⁴ gwat¹° — — 排骨 (N) *fried spare rib with sweet-and-sour sauce. (Cl.* goh³ 個 *or* dip⁶ 碟)

— — yue⁴* — — 魚 (N) *sweet and sour fish. (Cl.* dip⁶ 碟 *or* goh³個)

— tim⁴* dei⁶* — 甜地 (Adj) *sweetish.*

— ye⁴ ye⁴ — 椰椰 (Adj) *sugary; saccharine-tasting.*

— yin⁴ mat⁶ yue⁵ — 言蜜語 (SE) *smooth-talking methods.*

tin¹ 天 3057 (N) *sky; weather; heaven; God.* **SF**

— choi⁴ — 才 (N) *genius; flair. (No Cl.)*

— — gaau³ yuk⁶ — — 教育 (SE) *education specially designed for geniuses.* **Sat.**

— — hok⁶ saang¹° — — 學生 (N) *student of outstanding ability; prodigy.* **Sat.**

— dei⁶ — 地 (N) *the world. (Lit. heaven and earth)*

5   — ha⁶ — 下 (N) *ditto.*

— fa¹ — 花 (N) *small-pox. (Cl.* chi³ 次)

— fan⁶ — 份 (N) *gift; natural edowment/ability. (No Cl.)*

— ji¹ — 資 (N) *ditto.*

— geuk³ (dai²) — 脚(底) (N) *horizon; the ends of the earth.* **Coll.**

10   — ngaai⁴ (hoi² gok³) — 涯(海角) (N) *ditto.* **Fml.**

T— Gon¹ — 干 (N) *the "Decimal Cycle"; the "Heavenly Stems". (Gen known as the 10 "Heavenly Stems".   i.e.* gaap³甲, yuet³乙, bing²丙, ding¹丁, mo⁶戊, gei²己, gang¹庚, san¹辛, yam⁴壬, gwai³癸, *these used in calculations with "Dei⁶ Ji¹°"* 地支 *the "Earthly Branches"— see 516/29)*

— Gwok³ — 國 (N) *the Kingdom of Heaven.*

t— gwong¹ — 光 (N) *dawn; daybreak. (No Cl.)*

— hak¹° — 黑 (N) *dusk; dark. (No Cl.)*

15   — hei³ — 氣 (N) *weather; climate.* **FE** (*Cl.* jung² 種 *or* goh³ 個)

— hung¹ — 空   (N) *sky.* **FE**

— jan¹ — 眞   (Adj) *naive (RT adults); innocent (RT small children).*

— — woot⁶ poot³ — — 活潑   (Adj) *ditto.*

— — laan⁶ maan⁶ — — 爛漫   (Adj) *very lovely and lively.*

20 — jeng² — 井   (N) *light-well; (inside building); courtyard.*

— joi¹ — 災   (N) *nature disaster; act of God.*   (*Cl.* jung² 種 *or* chi³次)

T— Jue² — 主   (N) *God.* (*R.C. terminology*) **FE**

— — Gaau³ — — 敎   (N) *the Roman Catholic Church; Roman Catholicism; a Roman Catholic.*

— — to⁴ — — 徒   (N) *a Roman Catholic; a Catholic.*   (*Cl.* goh³個)

25 T— Jun¹ — 津   (N) *Tientsin.* **Tr.**

t— kiu⁴ — 橋   (N) *fly-over.* (*Lit. sky bridge*) (*Cl.* tiu⁴條 *or* do 度)

— laang⁵ — 冷   (N) *winter; Cold weather.* (*No Cl.*)

— lei⁵ leung⁴ sam¹ — 理良心   (SE) *justice; fairness; conscience.*

— leung⁴ — 良   (N) *ditto.*

30 — man⁴ (hok⁶) — 文 (學)   (N) *astronomy.* (*Subject:* foh¹°科)

— — foi⁴ — — 台   (N) *observatory.*

— ping⁴ — 平   (N) *balance (for weighing); scale.*

— se³ — 使   (N) *angel.*

— si⁴ — 時   (N) *seasons.*

35 — sin³ — 線   (N) *aerial; antenna.*   (*Cl.* ti⁴ 條)

T— Sing¹° Gwoh³ Hoi² Suen⁴ — 星過海船   (N) *the Star Ferry.* (*Cl.* jek³ 隻)

— — Ma⁵ Tau⁴ — — 碼頭   (N) *the Star Ferry Pier.*

t— sing³ — 性   (N) *natural disposition.*

T— Taan⁴ — 擅   (N) *the Altar of Heaven at Peking.*

40 t— toi⁴* — 台   (N) *roof.*

— tong⁴ — 堂   (N) *heaven; paradise.*

— yam¹ — 陰   (N) *overcast weather; dull day.* (*No. Cl.*)

— yi³ — 意   (N) *the will of God; the decree of Heaven.*

— yin⁴ — 然   (N) *nature; material nature.* (*No Cl.*) (Adj) *natural.*

45 — — to⁴ taai³ — — 淘汰   (N) *natural selection.* (*Cl.* jung² 種)

— yin² lun⁶* — 演論   (N) *theory of evolution.* (*Cl.* goh³個 *or* jung² 種)

tin⁴ 田 3058   (N) *field; paddy field; land.*   (*Cl.* faai³ 塊; *Acre:* mau⁵ 畝.)

— dei⁶   — 地   (N) *cultivated field/land.*   (*Cl.* faai³ 塊; *Acre:* mau⁵ 畝.)

— gai¹°   — 鷄   (N) *frog.*   (*Lit. field chichen*)   **Coll.**   (*Cl.* jek³ 只)

— — dung¹°   — — 東   (SE) *Dutch treat; go Dutch.*

— gei¹   — 基   (N) *field dike.*   (*Cl.* tiu⁴ 條)

tin⁴ 塡 3059   (V) *fill in; fill up; stuff.* **SF** ‡

— aap³*   — 鴨   (N) *Peking duck.*   (*Lit. stuffed duck*)   (*Cl.* jek³ 隻)

— biu²   — 表   (V) *fill in a form.* **FE**

— bo²   — 補   (V) *fill a vacant post; make up a loss.*

— hoi²   — 海   (V) *reclaim (land from the sea).*   (*Lit. fill up sea*) **FE**
(N) *reclamation.* **FE**   (*Cl.* chi³ 次)

5   — se²   — 寫   (V) *fill in.*   (*RT forms*) **FE**

tin⁴ 滇 3060   (N) *Yunnan Province.* **CP Fml. SF** ‡ **AP Din¹ SM**
see 543.

— chi⁴   — 池   (N) *Yunnan Lake (south of Kunming City).* **CP Coll.**

— Saang²   — 省   (N) *Yunnan Province.* **CP Fml. FE**

ting¹ 聽（听） 3061   (Adv) & (N) *to-morrow.* **Coll. SF** ‡ **AP:**
(1) teng¹ see 3049; (2) ting³ see 3062.

— jiu¹°   — 朝   (Adv) & (N) *to-morrow morning.*

— yat⁶ jiu¹ jo²   — 日朝早   (Adv) & (N) *ditto.*

— maan⁵   — 晚   (Adv) & (N) *to-morrow evening.*

— yat⁶   — 日   (Adv) & (N) *tomorrow.*

5   — — aan³ jau³   — — 晏晝   (Adv) & (N) *to-morrow afternoon.*

— — ha⁶ ng⁵   — — 下午   (Adv) & (N) *ditto.*

ting³ 聽（听） 3062   (V) *obey; listen; hear.* **Fml. SF** ‡ **AP: (1)**
teng¹ see 3049; (2) ting¹ see 3061.

— chung⁴   — 從   (V) *obey; follow.* **Fml. FE**

— ming⁶   — 命   (V) *ditto.*

— hau⁶   — 候   (V) *wait for* **Fml.**

— — chaai¹ hin² — — 差遣　(SE) *wait for instructions/orders.*

5　— — ming⁶ ling⁶ — — 命令　(SE) *ditto.*

— jung³ — 衆　(N) *listener; audience. (RT radio broadcasts concerts, lectures, etc.)*

ting⁴* 亭　3063　(N) *arbor; pavilion.*　**Coll.**　**SF**

ting⁴ 停　3064　(V) *stop; cease.*　**SF**　‡

— che¹° — 車　(V) *stop a car.*

— — cheung⁴ — — 場　(V) *car park.*

— foh² — 火　(V) *cease fire.*　(N) *cease-fire; truce.*　(*Cl.* chi³ 次)

— jin³ — 戰　(V) *ditto.*　(N) *ditto.*

— gung¹ — 工　(V) *cease from work.*

— hau² — 口　(V) *cease speaking; stop eating.*

— hok⁶ — 學　(V) *stop studies.*

— ji² — 止　(V) *stop; cease.*　**FE**

— lau⁴ — 留　(V) *remain; stay; stand still.*　(*Lit. stop remain*)

10　— sau² — 手　(V) *stop work.*　(*Lit, stop hands*)

— — ting⁴ hau² — — 停口　(SE) *live from hand-to-mouth.*　(*Lit. stop hand stop mouth*)

ting⁴ 挺　3065　(V) *straighten.*　**Fml.**　**SF**　‡　(Adj) *erect; straight.*　**SF**　‡　**CP ting⁵**.

— hung¹ — 胸　(V) *stick out one's chest.*　**CP ting⁵ hung¹.**

— lap⁶ — 立　(V) *stand up straight.*　**Fml.**　**CP ting⁵ lap⁶.**

— san¹ — 身　(V) *straighten the body; thrust oneself forward.*　**FE**　**CP ting⁵ san¹.**

— — yi⁴ chut¹° — — 而出　(SE) *stand forth; fulfil one's duties bravely.*　**CP ting⁵ san¹ yi⁴ chut¹°.**

tip³* 帖　3066　(N) *invitation card.*　**Fml.**　**SF**　(*Cl.* jeung¹ 張)

tip³ 貼   3067

(V) *affix; post (up); paste (up).* **SF** ‡ (Prep) *close by/to.* **SF AP tip³°** see **3068.**

— gan⁶ — 近   (Prep) *close to.* **FE**

— jue⁶ — 住   (Prep) *ditto.*

— go³ baak⁶ — 告白   (V) *post up bills/notices.*

— gwong² go³ — 廣告   (V) *ditto.*

5 — go³ si⁶ — 告示   (V) *post up notices.*

— si⁶ daam¹° — 士担   (V) *put/stick on post stamps.*

— yau⁴ piu³ — 郵票   (V) *ditto.*

tip³° 貼   3068

(N) *tips (to waiters, porters, etc).* **Tr. SF AP tip³** see **3067.**

— si⁶* — 士   (N) *tips.* **FE** *(No Cl.)*

tit³ 鐵（鉄）   3069

(N) *iron.* *(No Cl.)*

— baan² — 板   (N) *iron plate/sheet.* *(Cl.* faai³ 塊)

— chong² — 廠   (N) *ironworks.* *(Cl.* gaan¹ 間)

— chong⁴ — 床   (N) *iron bed.* *(Cl.* jeung¹ 張)

— — ga³* — — 架   (N) *iron bedstead.*

5 — gaap³ — 甲   (N) *armour plate.* *(Cl.* faai³ 塊)

— — che¹° — — 車   (N) *armoured car.* *(Cl.* ga³ 架)

— — yan⁴ — — 人   (N) *person wearing armour.*

— — maan⁶ — — 萬   (N) *safe; iron safe.*

— gwai⁶ — 櫃   (N) *ditto.*

10 — gung¹° — 工   (N) *iron-worker; blacksmith.*

— jeung⁶* — 匠   (N) *ditto.*

— hei³ — 器   (N) *iron tools; hardware.* *(Cl.* gin⁶ 件)

T— H— Si⁴ Doi⁶ — — 時代   (N) *the Iron Age.*

t— hon³ — 漢   (N) *strong/determined person; iron man; tough guy.* **Fig.**

15 — yan⁴ — 人   (N) *ditto.*

— jaap⁶ — 閘   (N) *metal shutter; iron gate; iron door.* *(Cl.* do⁶ 度)

— moon⁴ — 門   (N) *ditto.*

— kwoo¹ — 箍　(N) *iron hoop.*
— laan⁴ gon¹° — 欄杆　(N) *iron railing.* (*Cl.* do⁶ 度)
20　— lin⁶* — 鍊　(N) *iron chain.* (*Cl.* tiu⁴ 條)
— lo⁶ — 路　(N) *railway; railroad.* (*Lit. iron road*) (*Cl.* tiu⁴ 條)
— — gon³ sin³ — — 幹綫　(N) *trunk railway/railroad.* (*Cl.* tiu⁴ 條)
— — guk⁶* — — 局　(N) *railway/railroad office.* (*Cl.* goh³ 個 *or* gaan¹ 間*)
— seung¹° — 箱　(N) *iron box/trunk.*
25　— si¹° — 絲　(N) *iron wire.* (*Cl.* tiu⁴ 條)
— sin³ — 綫　(N) *ditto.*
— si¹° mong⁵ — 絲網　(N) *wire netting.*
— sin³ mong⁵ — 綫網　(N) *ditto.*
— tiu⁴* — 條　(N) *rod-iron.* (*Cl.* ji¹ 支)

tiu¹ 挑　3070　(V) *select; choose; stir up.*　**SF**　‡

— boot⁶ — 撥　(V) *stir up trouble.*　**FE**
— suen² — 選　(V) *select; choose.*　**FE**　(N) *choice.* (*Cl.* goh³ 個 *or* jung² 種)
— tik¹° — 剔　(Adj) *hypercritical; critical; hair-splitting.*

tiu¹ 佻　3071　(Adj) *impudent; frivolous.*　**Fml.**　**SF**　‡

— bok⁶ — 薄　(Adj) *impudent; frivolous.*　**Fml.**　**FE**
— taat³ — 撻　(Adj) *ditto.*

tiu³ 跳　3072　(V) *dance; jump; skip.*　**SF**　‡

— baan² — 板　(N) *gang way; gang plank.* (*Cl.* faai³ 塊)
— cho⁴ — 槽　(V) *change one's employer.*　**Sl.**　**Fig.**　(*Lit. ump manger*)
— go¹ — 高　(N) *high jump.* (*Cl.* jung² 種 *or* chi³ 次)
— hoi² — 海　(V) *jump into the sea and drown oneself.*　**FE**
5　— jo² — 蚤　(N) *flea.*　**Mdn.**　(*Cl.* jek³ 只)
— sat¹° — 虱　(N) *ditto.*

— lau⁴* — 樓　(V) *jump from a building and kill oneself.*

— — foh³ — — 貨　(N) *goods sold below cost price; sacrifice sale.* **Coll.** (*Cl.* pai¹ 批)

— mo⁵ — 舞　(V) *dance.* **FE** (N) *dancing.* (*No Cl.*)

10　— — wooi⁶* — — 會　(N) *dancing party; dance.* (*Cl.* goh³ 個 *or* chi³ 次)

— seung⁵ tiu³ lok⁶ — 上跳落　(SE) *jump up and down.*

— sing⁴* — 繩　(V) *skipping rope.* **FE**

— sui² — 水　(V) & (N) *dive.* (*RT swimming*) **FE**

— yuen⁵ — 遠　(N) *long jump.* (*Cl.* jung² 種 *or* chi³ 次)

tiu³ 糶 3073　(V) *sell rice.* **SF** ‡

— mai⁵ — 米　(V) *sell rice.* **FE**

tiu⁴ 條 3074　(N) *conditions/terms; regulation; treaty.* **SF** ‡ (Cl) *for ribbons, tapes, strings, ties; for hair, feathers, bones; for keys, roads, fish; etc.*

— gin⁶* — 件　(N) *terms; conditions.* **FE** (*Cl.* jung² 種 *or* goh² 個)

— hei³ m⁴ sun⁶ — 氣唔順　(SE) *feel that one has been mis-understood/ wronged; be conviced that one is not at fault or in the wrong.* (*Lit. breathing not smooth*) **Sl.**

— lai⁶ — 例　(N) *regulation; rule; law.* **FE** (*Cl.* jung² 種 *or* goh³ 個)

— yeuk³ — 約　(N) *treaty; pact.* **FE** (*Cl.* jung² 種 *or* tiu⁴ 條)

tiu⁴ 調 3075　(V) *mediate; adjust.* **SF** ‡ **AP diu⁶ see 565.**

— ching⁴ — 情　(V) *flint; dally with.* **FE**

— hei³ — 戲　(V) *ditto.*

— chue² — 處　(V) *mediate; arbitrate.* **FE**

— gaai² — 解　(V) *ditto.*

5　— ting⁴ — 停　(V) *ditto.*

— jai¹ — 劑　(V) *even off; regulate; adjust; diversify.* (*GRT market conditions, pattern of life, etc.*)

— jing² — 整　(V) *adjust; revise.* **FE** (N) *adjustment; revision.* (*Cl.* chi³ 次)

— mei⁶ — 味   (V) *season; blend flavours.*

— — ban² — — 品   (N) *seasoning.*   (*Cl.* jung²種)

10 — siu³ — 笑   (V) *ridicule; provoke.*

— woh⁴ — 和   (V) *harmonize.*

to¹ 滔   3076   (V) *overflow; rush.*   *(RT streams)*   **Fml.**   **SF**   ‡

— tin¹ daai⁶ woh⁶ — 天大禍   (SE) *terrible disaster.* **Fml.** (*Cl.* cheung⁴ 塲)

— to¹ bat¹° duen⁶ — 滔不斷   (SE) *an unceasing torrent of water.* *(GRT speeches)* **Fig.**

to¹ 韜 (弢)   3077   (V) *hide.* **Fml.** **SF** ‡ (N) *military tactics/ strategy.* **Fml.** **SF** ‡

— fooi³ — 晦   (V) *hide one's light; live in retirement.* *(GRT capable/ talented persons)* **Fml.** **FE**

— gwong¹ (yeung⁵ fooi³) — 光 (養晦)   (V) *ditto.*

— leuk⁶ — 略   (N) *military tactics/strategy.* **Fml.** **FE** (*Cl.* jung² 種)

to¹ 叨   3078   (V) *receive.* **Fml.** **SF** ‡

— gwong¹ — 光   (SE) *I feel bad about getting so many favours; I'm sorry to have put you to such trouble.* **PL**

— yiu⁵ — 擾   (V) *ditto.*

to¹ 饕   3079   (Adj) *avaricious and gluttonous.* **Fml.** **SF** ‡

— tit³ (sing⁴ sing³) — 餮 (成性)   (Adj) *avaricious and gluttonous.* **Fml.** **FE**

to² 土   3080   (N) *land; earth; soil.* **Fml.** **SF** ‡

— chaan² — 產   (N) *native products; locally-made goods.* (*Cl.* pai¹ 批 or jung² 種)

— foh³ — 貨   (N) *ditto.*

— chaan² gung¹ si¹° — 產公司   (N) *Chinese goods emporium.* (*Lit. Chinese native products company)*

— dei⁶ — 地   (N) *land; earth.* **FE** (*Cl.* fuk¹° 幅 *or* faai³ 塊)

5   — — goi² gaak³   — — 改革   (N) *land reform.* **FE** (*Cl.* chi³ 次)

— goi² — 改   (N) *ditto.* **SF**

— fei² — 匪   (N) *local robber/bandit.*

— fung¹ mo⁵ — 風舞   (N) *folk dance.* (*Cl.* jek³ 只)

— hei³ — 氣   (Adj) *rustic; countrified.* **Der.**

10   — tau⁴ to² no⁵ — 頭土腦   (Adj) *ditto.*

— ho⁴ luet³ san¹ — 豪劣紳   (SE) *local rascals and oppressive gentry.*

— jue³ — 著   (N) *aborigines; local people.* **Fml.**

— yan⁴ — 人   (N) *ditto.* **Coll.**

— leng⁴ yue⁴* — 鯪魚   (N) *carp.* (*Cl.* tiu⁴ 條)

15   — paau³ — 砲   (N) *native wine; rice wine made in Hong Kong.* **Sl.** (*Bottle:* jun¹ 樽 *or* ji¹ 支)

— saang¹ — 生   (N) *locally-born foreigner.* (Adj) *born locally.*

— — to² jeung² — — 土長   (SE) *born and brought up in ssp.*

— — wa⁴ kiu⁴ — — 華僑   (SE) *Chinese born in a foreign country.*

— wa⁶* — 話   (N) *local dialect; aboriginal language.* (*Cl.* jung² 種)

20   — yeung⁶ — 壤   (N) *soil; earth.* **FE** (*Cl.* jung² 種)

T— Yi⁵ Kei⁴ — 耳其   (N) *Turkey.* **Tr.**

— — — yuk⁶ — — — 浴   (N) *Turkish bath.* **Tr.** (*Cl.* jung² 種 *or* chi³ 次)

— — — yuk⁶ sat¹° — — — 浴室   (N) *bathroom equipped for Turkish baths.* **Tr.** (*Cl.* gaan¹ 間)

to² 討 3081   (V) *get bored; dun; beg for; toady; discuss.* **SF** ‡

— faan⁶ — 飯   (V) *beg for food.* **Mdn. FE**

— fat⁶ — 伐   (V) *reduce to submission; punish.* **Fml.**

— ho² — 好   (V) *toady to; get advantages from; ingratiate oneself.* **FE**

— jaai³ — 債   (V) *dun; demand payment of a debt.* **Mdn. FE**

5   — lun⁶ — 論   (V) *discuss.* **FE** (N) *discussion.* (*Cl.* chi³ 次)

— yim³ — 厭   (V) *get bored; be sick of; be fed up with; be disgusted with/at.* **FE** (Adj) *disgusting; annoying; boring; bored.*

to² 禱   3082   (V) *pray.*   **SF**   ‡

— go³ — 告   (V) *pray.*   **FE**   (N) *prayer.*   (*Cl.* chi³ 次)

to³ 吐   3083   (V) *spit out; spit.*   **SF**   ‡

— foo² sui² — 苦水   (V) *complain; make complaint.*   (*Lit. spit bitter water*)

— hau² sui² — 口水   (V) *spit.*   (N) *spitting.*   (*Cl.* chi³ 次)

— taam⁴ — 痰   (V) *ditto.*   (N) *ditto.*

— hei³ — 氣   (V) *give vent to one's feelings.*   **Fig.**   (*Lit. emit breath*)

5   — hei³ yeung⁴ mei⁴ — 氣揚眉   (SE) *get over one's temper and smooth out one's frowns.*   **Fig.**

— huet³ — 血   (V) *spit blood.*

— se³ — 瀉   (SE) *vomiting and diarrhea.*

to³ 套   3084   (V) *harness a horse.*   **SF**   ‡   (PN) *set (RT tea-sets, cutlery, furniture, etc.), suit (RT clothes), suite (RT rooms), etc.*

— fong⁴* — 房   (N) *suite.*   (*ROT rooms*)   (*Cl.* gaan¹ 間)

— ma⁵ — 馬   (V) *harness a horse.*   **FE**

— tau⁴ sai¹ jong¹° — 頭西裝   (N) *lounge suit.*   (*Cl.* to³ 套)

to³ 兔 (兎)   3085   (N) *hare; rabbit.*   (*Cl.* jek³ 隻)

to⁴ 徒   3086   (Adv) *in vain.*   **Fml.**   **SF**   ‡   (Adj) *empty/bare.*   **Fml.**   **SF**   ‡   (N) *apprentice; disciple.*   **SF**   ‡

— dai² — 弟   (N) *apprentice.*   **FE**

— lo⁴ mo⁵ gung¹ — 勞無功   (SE) *labour without reward; make vain efforts.*

— sau² — 手   (Adj) *empty-handed; bare-handed; unarmed.*   **FE**

— yin⁴ — 然   (Adv) *in vain.*   **FE**

5   — ying⁴ — 刑   (N) *imprisonment; penal servitude.*   **Fml.**   (*Cl.* jung² 種 *or* chi³ 次)

to⁴ 圖   3087   (V) *plot; plan.* **SF** ‡   (N) *map; painting.* **SF** ‡

— gaai² — 解   (N) *illustration; diagram.*   *(RT books, languages, etc.)* (*Cl.* jung² 種)

— jeung¹ — 章   (N) *seal; chop.*

— mau⁴ (bat¹° gwai¹) — 謀 (不軌)   (V) *plot/plan evil against.* **FE**

— on³ — 案   (N) *design; pattern.*

⁵ — yeung⁶* — 樣   (V) *ditto.*

— sue¹ gwoon² — 書館   (N) *library; public library.*   (*Cl.* gaan¹ 間)

— wa⁶* — 畫   (N) *painting; drawing.* **FE**   (*Cl.* fuk¹° 幅 *or* jeung¹ 張)

to⁴ 桃   3088   (N) *peach.* **AP** to⁴* **SM** see **3089.**

— fa¹ — 花   (N) *peach-blossom.*   (*Cl.* deuh² *or* doh² 朵)

— — wan⁶ — — 運   (N) *good luck in adventures with women.* **Coll.**

to⁴* 桃   3089   (N) *peach.* **Coll. AP** to⁴ **SM** see **3088.**

to⁴ 逃   3090   (V) *run away; escape; flee; abscond.* **SF** ‡

— bei⁶ — 避   (V) *shirk; hide from; keep out of sight.*

— bing¹ — 兵   (N) *deserter.*

— hok⁶ — 學   (V) *play truant.*

— jau² — 走   (V) *run away; escape; flee; abscond.* **Coll. FE**

⁵ — mong⁴ — 亡   (V) *ditto.* **Fml.**

— meng⁶ — 命   (V) *fly/escape for one's life.*

— saang¹ — 生   (V) *ditto.*

— naan⁶ — 難   (V) *flee from calamity/war.*

to⁴ 途   3091   (N) *path; road.* **Fml. SF** ‡

— ging⁶ — 徑   (N) *path; road; way; approach.* **Fig. FE**

— jung¹ — 中   (Adv) *on/along the road.*

to⁴ 塗 3092   (V) *smear; erase; alter.* **SF** ‡

— goi² — 改   (V) *erase; alter; blot out.* **FE**

— taan³ saang¹ ling⁴ — 炭生靈   (SE) *oppress the people/masses.*

— woo¹ — 污   (V) *smear; besmirch.*

to⁴ 荼 3093   (V) *poison; harm.* **Fml. SF** ‡ (Adj) *poisonous; bitter.*
Fml. SF ‡

— cho² — 草   (N) *bitter grass.* **Fml.** (*Cl.* poh¹ 薄)

— duk⁶ — 毒   (V) *poison; harm.* **Fml. FE** (Adj) *poisonous/bitter.*
Fml.

— — ching¹ nin⁴ — — 青年   (SE) *poison the minds of the youth;
corrupt the youth.* (*GRT drugs, prostitution, pornography, etc.*)

— mei⁴ (fa¹°) — 蘼(花)   (N) *white/yellow rose.* (*Cl.* deuh² *or* doh²
朵)

to⁴ 陶(匋) 3094   (V) *mould; educate.* **Fml. SF** ‡ (N) *pottery/
earthware.* **Fml. SF** ‡

— hei³ — 器   (N) *pottery; earthenware.* **FE** (*Cl.* gin⁶ 件)

— jue³ — 鑄   (V) *smelt; mould and fashion.* **Fml. FE**

— yung⁴ — 熔   (V) *ditto.*

— lin⁶ — 煉   (V) *mould; refine.* **Fig. Fml. FE**

⁵ — ye⁵ — 冶   (V) *ditto.*

— — sing³ ching⁴ — — 性情   (V) *refine/improve one's character on
disposition.* **FE**

to⁴ 掏(搯) 3095   (V) *take out; bale out.* **Mdn. SF** ‡

— chin⁴* — 錢   (V) *take out money; pay a bill/price.* **Mdn. FE**

— sui² — 水   (V) *bale out water.* **Mdn. FE**

— yiu¹ baau¹° — 腰包   (V) *pay a bill/price.* **Mdn. FE**

to⁴ 淘 3096   (V) *scour; wash/clean out.* **SF** ‡

— gam¹° sa¹° — 金沙   (V) *pan for gold.* **FE**

— hei³ — 氣   (Adj) *naughty; annoying.* (*GRT small children*)

— gwoo² jeng² — 古井　(V) *marry a rich widow. (Lit. scour an old well)* **Sl. Der.**

— jeng² — 井　(V) *clean out a well.*

5　— mai⁵ — 米　(V) *wash rice.*

— taai³ — 汰　(V) *select; make a selection; weed out superfluous/inferior elements.* (N) *selection.* **Fml.** (*Cl.* jung² 種)

to⁴ 屠 3097　(V) & (N) *slaughter; massacre.* **SF** ‡

— cheung⁴ — 塲　(N) *slaughter-house.* (*Cl.* goh³ 個 *or* gaan¹ 間)

— do¹ — 刀　(N) *butcher's knife.* **Fml.** (*Cl.* ba² 把 *or* jeung¹ 張)

— foo¹ — 夫　(N) *butcher.* **Fml.**

— joi² — 宰　(V) & (N) *slaughter. (ROT animals)* **Fml. FE**

5　— — sui³ — — 税　(N) *tax per head on slaughtered animals.*

— saat³ — 殺　(V) & (N) *massacre. (ROT people)* **FE**

to⁵ 肚 3098　(N) *stomach; belly.*

— baau² — 飽　(Adj) *full; satisfied; enough. (RT eating)*

— chi⁴ — 臍　(N) *navel.*

— ngoh⁶ — 餓　(Adj) *hungry.*

— oh¹ — 疴　(V) *have a loose stool; have diarrhea.*

5　— se³ — 瀉　(V) *ditto.*

— tung³ — 痛　(V) *have a stomach trouble.* (N) *stomach ache; stomach trouble.* (*Cl.* chi³ 次)

toh¹ 拖 3099　(V) *take sb by the hand; lead.* **SF** ‡ *(Gen. ref. to a dog.)*

— che¹° — 車　(N) *car on tow.* **FE** (*Cl.* ga³ 架)

— daai³ — 帶　(V) *tug; tow.*

— haai⁴* — 鞋　(N) *slipper.* (*Cl.* jek³ 只; *pair:* dui³ 對.)

— jue⁶ — 住　(V) *take sb by the hand; lead a dog.* **FE**

5　— laai¹° sau² — 拉手　(Adv) *hand in hand.*

— lui⁶ — 累　(V) *implicate; involve.*

— naam⁴ daai³ nui⁵ — 男帶女　(SE) *have to look after several people when walking. (Lit. lead male take female)*

— suen⁴ — 船　(N) *tugboat.* (*Cl.* jek³ 只)

toh³ 唾 3100 (V) *spit.* **Fml. SF** ‡ (N) *spittle.* **Fml. SF** ‡

— ma⁶ — 罵 (V) *spit on and revile.* **Fml. Fig.**

— moot³ — 沫 (N) *spittle; saliva.* **Fml. FE** (*Cl.* daam⁶ 啖)

toh⁴ 鴕 3101 (N) *ostrich.* **SF** ‡

— niu⁵ — 鳥 (N) *ostrich.* **FE** (*Cl.* jek³ 只)

toh⁵ 妥 3102 (Adj) *satisfactory; all right.* **SF** ‡

— dong3 — 當 (Adj) *satisfactory; all right.* **FE**

— hip³ — 協 (V) & (N) *compromise.*

toi¹ 胎 3103 (N) *womb; pregnant; womb.* **SF** ‡

— duk⁶ — 毒 (N) *congenital disease.* (*Cl.* jung² 種)

— gaau³ — 教 (N) *pre-natal influence.* (*Cl.* jung² 種)

— poon⁴* — 盤 (N) *placenta.*

— yi¹° — 衣 (N) *ditto.*

⁵ — yi⁴ — 兒 (N) *embryo.*

toi⁴ 台（臺） 3104 (Adj) *eminent; exalted.* **Fml. SF** ‡ (N) *terrace; platform (RT railway stations, tram stops, lectures, etc.); network or station (RT TV/radio broadcasts, etc.); platform/pulpit/stage (RT meetings, performances, etc.).* **SF** ‡

— chin⁴ — 前 (Adv) *on the stage.* (*RT performances*) **FE**

— duen¹ — 端 (Pron) *you; your Honour.* **PL**

— ga³ — 駕 (Pron) *ditto.*

— hau⁶ — 後 (Adv) *behind the stage.* (*RT performances*) **FE**

— po¹ — 甫 (N) *your name? your honourable given name?* **PL**

T— Waan¹ — 灣 (N) *Taiwan.* **Tr.**

toi⁴ 抬（擡） 3105 (V) *carry; lift up; raise; carry a load on the shoulder (of two or more persons).* **SF** ‡

— go¹ mat⁶ ga³ — 高物價 (V) *raise prices without justification.*

— — san¹ ga³ — — 身價 (V) *put a high value on oneself.*

— kui² — 舉   (V) *recommend; extol.* **Fig.**

— hei² — 起   (V) *lift up; be able to carry on the shoulder (two or more persons).* **FE**

5   — jau² — 走   (V) *carry away (two or more persons).* **FE**

— kiu⁶* — 轎   (V) *carry a sedan chair.*

— — lo² — — 佬   (N) *sedan-chair carrier.*

— tau⁴ — 頭   (V) *raise one's head; become popular in one's profession* **(Fig.).**

toi⁴ 枱（檯）   3106   (N) *table; desk;* **(Fml.);** *a foursome (RT playing mahjong).* **SF ‡ AP toi⁴* see 3107.**

— yi² — 椅   (N) *furniture. (GRT tables, desks, chairs and stools)* (*Cl.* jeung¹ 張)

toi⁴* 枱（檯）   3107   (N) *table; desk.* **Coll.** (*Cl.* jeung¹ 張) **AP toi⁴ see 3106.**

— bo³ — 布   (N) *table cloth.* (*Cl.* jeung¹ 張)

— boh¹° — 波   (N) *billiard ball.* **Coll.**

— dang¹° — 燈   (N) *desk light; table lamp.* (*Cl.* jaan² 盞 *or* ji¹ 支)

toi⁵ 怠   3108   (Adj) *lazy.* **CP Fml. SF ‡ AP doi⁶ SM see 593.**

— gung¹ — 工   (V) & (N) *"go slow"; sabotage.*

— laan⁵ — 懶   (Adj) *lazy; idle.* **Fml. FE**

— maan⁶ — 慢   (V) *treat sb rudely; be disrespectful.*

tok³ 托（拓）   3109   (V) *carry on the shoulder/palm of the hand.* **SF ‡**

— daai⁶ geuk³ — 大脚   (V) *flatter; toady; creep. (Lit. carry big foot)* **Sl.**

T— Lok⁶ Si¹ Gei¹ Paai³ — 洛斯基派   (N) *Trotskyist; Trotskyite.* **Tr. FE**

T— Paai³ — 派   (N) *ditto.* **SF**

t— paai³ — 派   (N) *flatterer; toady.* **Pun Sat.**

5   — poon⁴* — 盤   (N) *tea-tray.*

tok³ 託　3110　　(V) *entrust; request.*　**SF**　‡

— mung⁶　—　夢　　(V) *appear in a dream.*

— fuk¹°　—　福　　(SE) *"I'm very well, thank you"; "many thanks".*　**PL Mdn.**

— laai⁶　—　賴　　(SE) *ditto.*　**PL　Coll.**

— yan⁴ ching⁴　—　人情　　(V) *request sb's help; seek the good office of sb.*

— saang¹　—　生　　(V) *be reincarnated.*　(N) *reincarnation.*　(Cl. chi³ 次)

— sai³　—　世　　(V) *ditto.*　(N) *ditto.*

tong¹ 湯　3111　　(N) *soup.*　(*Bowl:* woon² 碗)

— chi⁴　—　匙　　(N) *soup-spoon.*　**Mdn.**

— gang¹°　—　羹　　(N) *soup-spoon.*　**Coll.**

— lik⁶*　—　力　　(N) *tonic.*　**Tr.**　(*Bottle:* jun¹ 樽 *or* ji¹ 支)

— min⁶　—　麵　　(N) *noodles in soup.*　(*Bowl:* woon² 碗)

⁵　— sui²　—　水　　(N) *soups in general.*　(*Bowl:* woon² 碗)

— yeuk⁶　—　藥　　(N) *medicine in liquid form* (Cl. jung² 種); *compensation paid to the injured* (Cl. bat¹° 筆).

— yuen⁴*　—　丸　　(N) *dumpling.*

tong² 倘 (儻)　3112　　(Conj) *if.*　**Fml.**　**SF**　‡

— waak⁶　—　或　　(Conj) *if.*　**Fml.**　**FE**

— yeuk⁶　—　若　　(Conj) *ditto.*

tong³ 趟　3113　　(N) *time.*　(*RT occasions, events, etc.*)　(*No Cl.*)

tong³ 熨　3114　　(V) *iron; scald.*　**SF**　‡

— dau²　—　斗　　(N) *flat-iron.*

— saam¹°　—　衫　　(V) *iron clothes.*　**FE**

— yi¹ fuk⁶　—　衣服　　(V) *ditto.*

tong³ 撒 3115
CC

(V) *open or close by sliding.* **Coll.** **SF** ‡

— hoi¹ — 開   (V) *slide open.* *(RT doors, windows, drawers, etc.)* **Coll.** **FE**

— maai⁴ — 埋   (V) *slide in/to; close by sliding.* *(RT doors, windows, drawers, etc.)* **Coll.** **FE**

tong⁴ 唐 3116

(Adj) *rude.* **Fml.** **SF** ‡   (N) *Chinese; Chinese surname; the T'ang dynasty.* **SF** ‡

T— Chaan¹° — 餐   (N) *Chinese meal; Chinese food.* *(Cl.* chaan¹ 餐 *)*

— — gwoon² — — 館   (N) *Chinese restaurant (ROT ones outside China and Hong Kong).* **Coll.** *(Cl.* gaan¹ 間 *)*

— Chiu⁴ — 朝   (N) *the T'ang dynasty.* **FE**

t— dat⁶ — 突   (Adj) *rude; unceremonious; arrogant; abrupt.* **Fml.** **SF**

⁵ T— jong¹° (saam¹° foo³) — 裝 (衫袴)   (N) *Chinese-style jacket and trousers.* *(Cl.* to³ 套 *)*

— Saang¹ — 山   (N) *China.* *(Lit. T'ang's mountain—a term commonly used by Chinese in the U.S.A.)*

— yan⁴ — 人   (N) *Chinese people; the Chinese.*

— — Gaai¹° — — 街   (N) *Chinatown.* *(Lit. China Street)* **Coll.** *(Cl.* tiu⁴ 條 *)*

— — Nin⁴ — — 年   (N) *the Chinese New Year.*

tong⁴ 塘 3117   (N) *pool; pond; reservoir.* **SF** ‡

tong⁴ 糖 3118   (N) *sugar.* *(Lump:* nap¹° 粒 *)* **AP** tong⁴* see 3119.

— gwoh² — 果   (N) *preserved fruit; sweets; candy.* *(No Cl.)*

— — hap⁶* — — 盒   (N) *chocolate box; candy box.*

— jeung¹ — 漿   (N) *syrup; molasses.* *(No Cl.)*

— sui² — 水   (N) *ditto.*

⁵ — jing¹° — 精   (N) *saccharin.* *(Cl.* nap¹° 粒 *)*

— niu⁶ beng⁶ — 尿病   (N) *diabetes.* *(Cl.* jung² 種 *)*

tong⁴* 糖   3119   (N) *sweets; candy.*   **Coll.**   (*Cl.* nap¹° 粒）   **AP tong⁴**
see 3118.

tong⁴ 螳   3120   (N) *mantis.*   **SF**   ‡

— bei³ dong² gui¹   —   臂當車   (SE) *be very angry but powerless—unable
to do what one wants.   (Lit. mantis feelers stop chariot)*
— long⁴   —   螂   (N) *mantis.*   **FE**   (*Cl.* jek³ 隻）

tong⁴ 堂   3121   (N) *hall.*   **SF** ‡   (P) *used as a prefix to denote family
connections through one's father's brothers.*

— daai⁶ ji²   —   大姊   (N) *older female cousins through one's father's
brothers.*
— ga¹ je²°   —   家姐   (N) *ditto.*
— daai⁶ lo²   —   大佬   (N) *older male cousins through one's father's
brothers.*   (*Cl.* goh³ 個)
— haak³   —   客   (N) *lady; female guest/visitor.*   **Fml.**
5 — hing¹ dai⁶   —   兄弟   (N) *male cousins who are the children of one's
father's brothers.*
— ji² mooi⁶*   —   姊妹   (N) *female cousins through one's father's brothers.*
— mooi⁶*   —   妹   (N) *younger female cousins through one's father's
brothers.*
— sai³ lo²   —   細佬   (N) *younger male cousins through one's father's
brothers.*
— suk¹° baak³   —   叔伯   (N) *father's cousins of the same surname.*

tuen⁴ 團   3122   (N) *group; organised body; regiment (ROT army).*

— git³   —   結   (V) *unit; be closely united.*   (N) *unity.*   (*Cl.* jung² 種)
— — jau⁶ si⁶ lik⁶ leung⁶   — — 就是力量   (SE) *unity is strength.*
— jeung²   —   長   (N) *regiment commander (in army).*
— jui⁶   —   聚   (V) *get together; unite.*   (N) *union.*   (*Cl.* chi³ 次)
5 — yuen⁴   —   圓   (V) *unite; reunite.   (GRT husband and wife)* (N)
reunion.   (*Cl.* chi³ 次)
— tai²   —   體   (N) *civil organization; group.*   **FE**
— — seung³*   — — 相   (N) *group photograph.*   (*Cl.* fuk¹° 幅 or
jeung¹ 張)

tuen⁴ 囤（笔） 3123

(V) *hoard up.*   CP   SF   ‡   AP dun⁶ SM see 628.

— jik¹° (gui¹ kei⁴) — 積（居奇） (V) *hoard up.*   CP   FE

tuen⁴ 臀 3124

(N) *buttocks.*   Fml.   SF   ‡

— bo⁶ — 部   (N) *buttocks.*   Fml.   FE

tuen⁵ 斷 3125

(V) *cut off; break off; sever.*   CP   SF   ‡   (Adj) *broken; unterrupted.*   CP   SF   ‡   AP: (1) duen³ see 606; (2) duen⁶ SM see 607.

— gan¹ — 根   (V) *cure completely.*   *(RT chronic illness, bad habits, etc.)*   CP

— hei³ — 氣   (V) *draw one's last breath; die.*   CP

— jit³ — 折   (V) *break off.*   CP   FE

— juet⁶ — 絕   (V) *cut off; break off; sever.*   CP   FE

⁵ — — bong¹ gaau¹ — — 邦交   (V) *sever diplomatic ties/relations.*   CP

— — gwaan¹ hai⁶ — — 關係   (V) *break off relations with.*   CP

— — wong⁵ loi⁴ — — 往來   (V) *break off social relations with; cut off communications.*   CP

— naai⁵ — 奶   (V) *wean.*   *(ROT mother's milk)*   CP

— tau⁴ toi⁴ — 頭台   (N) *guillotine.*   CP

tuet³ 脫 3126

(V) *take off; undress.*

— haau³ — 孝   (V) *leave off mouning.*

— him² — 險   (V) *survive danger; be out of danger.*

— jit³ — 節   (V) *dislocate a joint; lack teamwork/coordination* **(Fig.)**.

— lei⁴ — 離   (V) *cast/cut off; disconnect.*

⁵ — — gwaan¹ hai⁶ — — 關係   (V) *discontinue relationship with.*

— mo⁶* — 帽   (V) *raise/remove one's hat.*

— saam¹° — 衫   (V) *undress; strip; take off clothes.*

— yi¹ fuk⁶ — 衣服   (V) *ditto.*

— — mo⁵ — — 舞   (N) *striptease.*   *(Cl. jung² 種)*

¹⁰ — — — neung⁴ — — — 娘   (N) *striptease dancer.*

— — — nui⁵　— — — 女　　(N) *striptease dancer.*

— san¹　— 身　　(V) *escape; slip away.*

— — ji¹ gai³　— — 之計　　(N) *plan of escape.*　(*Cl.* tiu⁴ 條 *or* jung² 種)

tui¹ 推　3127　　(V) *push; refuse with thanks (GRT offers, invitations, etc.).*　**SF** ‡

— chaak¹°　— 測　　(V) *conjecture; guess; assume.* (N) *conjecture; guess; assumption.*　(*Cl.* goh³ 個 *or* jung² 種)

— chi⁴　— 辭　　(V) *refuse; excuse oneself.*　**FE**

— tok³　— 托　　(V) *ditto.*

— do²　— 倒　　(V) *overthrow; push over.*　**Lit. & Fig.**

5　— faan¹　— 翻　　(V) *ditto.*

— — jing³ foo²　— — 政府　　(V) *overthrow a government.*

— gui²　— 舉　　(V) *recommend; nominate.*

— jin³　— 荐　　(V) *ditto.*

— hoi¹　— 開　　(V) *push away; push open.*　**FE**

10　— lun⁶　— 論　　(V) *infer; deduce.* (N) *inference; deduction.*　(*Cl.* jung² 種 *or* goh³ 個)

— seung²　— 想　　(V) *ditto.* (N) *ditto.*

— yin⁴　— 延　　(V) *put back; postpone.*

tui² 腿　3128　　(N) *leg; thigh.*　**Mdn.**　**SF**　‡

tui³ 退　3129　　(V) *go back; retreat; reverse (RT driving).*　**SF**　‡

— bing¹　— 兵　　(V) *withdraw troops; retreat from a battle-field.*

— bo⁶　— 步　　(V) *retrogress; step backwards; backslide.*　**Lit. & Fig.**　(N) *retrogression.*　(*Cl.* jung² 種)

— chan¹　— 親　　(V) *break off an engagement.*

— fan¹　— 婚　　(V) *ditto.*

5　— foh³　— 貨　　(V) *return goods.* (N) *returned goods.*　(*Cl.* pai¹ 批)

— hau⁶　— 後　　(V) *go back; retreat; reverse (RT driving).*　**FE**

— — boh¹°　— — 波　　(N) *reverse gear.*

— hok⁶　— 學　　(V) *withdraw from a school.*

— jik⁶ — 席   (V) *withdraw from a meeting.*

10 — ng⁵ — 伍   (V) *retire from military service.*

— — gwan¹ yan⁴ — — 軍人   (N) *retired serviceman.*

— siu¹ — 燒   (V) *subside. (ROT fever)*

— yit⁶ — 熱   (V) *ditto.*

— yau¹ — 休   (V) *retire from business/service.* (N) *retirement.* (*Cl.* chi³ 次)

tui⁴ 頹   3130   (Adj) *decadent; ruined; beaten.* **SF** ‡

— fai³ — 廢   (Adj) *decadent; ruined; beaten.* **FE**

— — ching¹ min⁴ — — 青年   (N) *degenerate youth; "beatnik".*

tuk¹° 禿   3131   (Adj) *bald-headed.* **Fml. SF** ‡

— tau⁴ — 頭   (Adj) *bald-headed.* **Fml. FE**

tung¹ 通   3132   (V) *go/pass through.* **SF** ‡ (Adj) *through (RT roads, telephone lines, etc.); correct; right.* **SF** ‡

— foh³ — 貨   (N) *currency.* (*Lit. circulating goods*) (*Cl.* jung² 種)

— — paang⁴ jeung³ — — 膨脹   (N) *inflation.* (*RT currencies*) **Fml.** (*Cl.* chi³ 次)

— — sau¹ suk¹° — — 收縮   (N) *deflation.* (*RT currencies*) **Fml.** (*Cl.* chi³ 次)

— gaan¹ — 姦   (V) *commit adultery with.* (N) *adultery.* (*Cl.* chi³ 次)

5 — gwoh³ — 過   (V) *go/pass through.* **FE**

— hui³ — 去   (V) *lead to; go through to.* (*RT traffic*)

— ji¹ — 知   (V) *inform; notify.*

— — sue¹° — — 書   (N) *notice; information.* (*Cl.* jeung¹ 張)

— juk⁶ — 俗   (Adj) *popular; simple; plain.*

10 — — man⁶ ji⁶ — — 文字   (N) *simple/plain language.* (*Cl.* jung² 種)

— — yam¹ ngok⁶ — — 音樂   (N) *popular music.* (*Cl.* jung² 種)

— sam¹ fan² — 心粉   (N) *macaroni.* (*Cl.* tiu⁴ 條; *Portion:* goh³ 個.)

— seung⁴ — 常   (Adv) *usually; generally.*

— siu¹ — 宵 (Adv) *throughout the night; round-the-clock.*

15 — sun³ — 訊 (V) *be in correspondence with communicate by letter.*

— — ji² — — 址 (N) *address; correspondence address.*

— sun³ se⁵ — — 社 (N) *news agency.* (*Cl.* gaan¹ 間)

— — yuen⁴ — — 員 (N) *correspondent; reporter.* *(RT newspapers, news agencies, etc.)*

— yung⁴ — 融 (V) & (N) *compromise.*

tung² 統 3133 (Adj) *overall; whole.* SF ‡

— gai³ — 計 (N) *statistics.* *(Lit. overall calculation)*

— — so³ ji⁶ — — 數字 (N) *statistics.* *(Lit. statistical figures)*

— yat¹° — — (V) *unify.* (N) *unification.* (*Cl.* chi³ 次)

tung² 桶 3134 (N) *drum; bucket; barrel.* (*Cl.* goh³ 個 *or* jek³ 只)

tung³ 痛 3135 (V) *love; be fond of; treasure.* SF ‡ (Adj) *painful; aching.* (N) *pain; ache.* SF ‡ *(No Cl.)*

— faai³ — 快 (Adj) *outspoken; frank.*

— foo² — 苦 (N) *pain; ache; suffering (GRT mind).* FE (*Cl.* jung² 種)

— han⁶ — 恨 (V) *hate; have a deep-seated hatred for.*

— sam¹ — 心 (Adj) *pained in heart.*

5 — sek³ — 錫 (V) *love; be fond of; treasure.* FE

tung⁴ 同 (仝) 3136 (Adj) *same; similar.* SF ‡ (Adv) *for; on behalf of.* (Prep) *for; with; from.* (Conj) *and.*

— — (tung⁴ hok⁶) — — (同學) (N) *class-mate.*

— baau¹ — 胞 (N) *fellow-countryman; compatriot.*

— — hing¹ dai⁶ — — 兄弟 (N) *brother; one's own brother.*

— — ji² mooi⁶ — — 姊妹 (N) *sister; one's own sister.*

5 — ching⁴ — 情 (V) *sympathize with; have compassion for.* (Adj) *sympathetic; compassionate.*

— — (sam¹)   — — (心)   (N) *sympathy; compassion.*   *(Cl.* jung²種)

— ... da² gwoon¹ si¹   — ... 打官司   (IC) *go to law against sb; take legal action against sb.*   *(Lit. fight law-suit with sb.)*

— ... daai³   — ... 帶   (IC) *take/bring sth for sb.*

— ... ning¹   — ... 擰   (IC) *ditto.*

10   — ... ding³ fan¹   — ... 訂婚   (IC) *be engaged/betrothed to sb.*

— ... fan¹ jo¹   — ... 分租   (IC) *rent a part of premises from (a principal tenant).*

— fong⁴*   — 房   (N) *room-mate.*

— gaai¹°   — 街   (N) *persons living in the same street.*

— ... gaau¹ gaai³   — ... 交界   (V) *adjoin to ssp; border on ssp; be contiguous to ssp.*

15   — gung¹   — 工   (N) *colleague; fellow-worker.*

— si⁶   — 事   (N) *ditto.*

— haau⁶   — 校   (N) *school-mate; fellow student.*

— hok⁶   — 學   (N) *ditto.*

— heung¹   — 鄉   (N) *person from the same part of one's village, area, district, city or province.*

20   — ... hoi¹ waan⁴ siu³   — ... 開玩笑   (V) *pull sb's leg; play a joke on sb.*

— hong⁴   — 行   (N) *people in the same trade/business.*

— ... je³   — ... 借   (IC) *borrow sth from sb.*

— ji³   — 志   (N) *comrade.*

— jik⁶ (ge³)   — 席 (嘅)   (N) *people sitting at the same table. (RT formal Chinese dinners)*

25   — toi⁴* (ge³)   — 枱 (嘅)   (N) *ditto.*

— ... jo¹   — ... 租   (IC) *rent sth from sb.*

— lau⁴ hap⁶ woo¹   — 流合污   (SE) *associate oneself with undesirable elements or trends. (Lit. go with the stream and become dirty)*

— maai⁴   — 埋   (Conj) *and.*   **FE**

— ... maai⁵   — ... 買   (IC) *buy sth on behalf of sb.*

30   — mang⁴   — 盟   (N) *ally.*

— — gwok³   — — 國   (N) *allied nation.*

— nin⁴   — 年   (Adv) & (N) *the same year.*

— si⁴   — 時   (Adv) *at the same time; in the meantime; meanwhile.*

— — gung⁶ jue⁶* — — 共住 (SE) *live under the same roof.*

35 — — jue⁶* — — 住 (N) *residents of the same flat; people sharing/living in the same flat.*

— yam¹° yi⁶ yi⁶ ji⁶ — 音異義字 (N) *homonym. (Lit. same sound different meaning word)*

— yat¹° tiu⁴ jin³ sin³ — 一條戰綫 (Adv) *on the same front; in line with.*

— yeung⁶* — 樣 (Adj) *same; of the same kind.* **FE**

— yi³ — 意 (V) *agree to; agree with; approve of.* (N) *approval; agrument. (No Cl.)*

40 — yi⁶ ji⁶ — 義字 (N) *synonym.*

tung⁴桐 **3137** (N) *"Tung oil"; wood oil.* **SF** ‡

— yau⁴ — 油 (N) *"Tung oil"; wood oil.* **FE** *(No Cl.)*

— — fooi¹ — — 灰 (N) *putty; wood-oil putty. (No Cl.)*

tung⁴筒 **3138** (N) *pipe; tube; duct; holder.* **Fml. SF** ‡ **AP** tung⁴* **SM see 3139.**

tung⁴*筒 **3139** (N) *pipe; tube; duct; holder.* **Coll. SF** ‡ **AP** tung⁴ **SM see 3138.**

tung⁴童 **3140** (N) *boy; girl; child.* **Fml. SF** ‡

— gung¹ — 工 (N) *juvenile worker; under-age employee. (Lit. child worker)*

— ji² — 子 (N) *boy.* **Fml. FE**

— naam⁴ — 男 (N) *ditto.*

— ji² gwan¹° — 子軍 (N) *boy scout.*

5 — jong¹° — 裝 (N) *children's wear/clothing. (Cl. jung² 種 or gin⁶ 件)*

— — bo⁶ — — 部 (N) *children's wear counter. (RT department stores)*

— nin⁴ (saang¹ woot⁶) — 年 (生活) (N) *childhood.*

— nui⁵ — 女 (N) *girl.* **Fml. FE**

tung⁴ 銅 3141　　(N) *brass; bronze; copper.　(No Cl.)*

— hei³ — 器　(N) *brass/copper vessel.　(Cl.* gin⁶ 件)

— — si⁴ doi⁶ — — 時代　(N) *the Bronze Age.*

— jeung⁶ — 像　(N) *bronze statue; brazen image.*

— loh⁴* — 鑼　(N) *brass gong.*

⁵ T— L— Waan⁴ — — 灣　(N) *Causeway Bay.*　**CP Tung⁴ Loh⁴ Waan⁴.**

— — — Bei⁶ Fung¹ Tong⁴ — — — 避風塘　(N) *Causeway Bay Typhoon Shelter.*

t— luk⁶* — 綠　(N) *verdigris.　(No Cl.)*

U

uk¹° 屋   3142   (N) *house, building.* (*Cl.* gaan¹ 間)

— booi³   — 背   (N) *roof.*

— deng²   — 頂   (N) *ditto.*

— ga³   — 價   (N) *price of flats/apartments/buildings.*

— jai²   — 仔   (N) *cottage; hut.* (*Lit. small house*) (*Cl.* gaan¹ 間)

5 — jo¹   — 租   (N) *rent; rent for a flat/house.* (*Cl.* bat¹° 筆)

— jue²   — 主   (N) *landlord or landlady; house owner.*

— kai³   — 契   (N) *title deed of a house.* (*Cl.* jeung¹ 張)

— kei²   — 阹   (N) *home; house; family.* **Coll.** (*No Cl.*)

— — yan⁴   — — 人   (N) *family; member of family.*

10 — lau⁶   — 漏   (V) & (N) *leak.* (*ROT houses/buildings*)

— — gim¹ fung⁴ lin⁴ ye⁶ yue⁵, haang⁴ suen⁴ pin¹ yue⁶ ding² tau⁴ fung¹ — — 兼逢連夜雨，行船偏遇頂頭風 (SE) *it never rains, but it pours; trouble never comes alone.* (*Lit. house leaking also successive nights of rain, going sailing adversely meet head-wind*)

— yue⁵   — 宇   (N) *houses and buildings in general.* **Fml. FE** (*Cl.* gaan¹ 間)

ung¹ 雍   3143   (V) *cover up.* **CP Coll. SF ‡**

— maai⁴   — 埋   (V) *cover up.* **CP Coll. FE**

ung² 擁   3144   (V) *push.* **CP Coll. AP** yung² see 3590.

— do²   — 倒   (V) *push over; be pushed over.* **Coll. FE**

— seung⁵ chin⁴   — 上前   (V) *crowd forward.* **Coll. FE**

— yan⁴   — 人   (V) *crowd in on top of one another; push one another.* **Coll. FE**

— yap⁶   — 入   (V) *push into.*

ung³ 甕 (瓮)   3145   (N) *earthen jar/urn.*

— gong¹   — 缸   (N) *earthen jar/urn.* **FE**

W

wa¹ 嘩(譁) 3146   (V) & (N) *shout.* **SF** ‡

— kuen⁴* — 拳   (V) *play at guessing-fingers.* **Mdn.**

— siu³ — 笑   (V) *shout and laugh.*

— yin⁴ — 然   (V) *give a sudden shout.*

wa¹ 哇 3147   (V) *vomit.* **Mdn. SF** ‡

— to³ — 吐   (V) *vomit; spit out.* **Mdn. FE**

— yat¹° seng¹ — 一聲   (V) *make the noise of vomiting.*

wa¹ 娃 3148   (N) *baby; doll.* **Mdn. SF** ‡

— wa¹ — 娃   (B) *baby; doll.* **Mdn. FE**

— — lim⁵* (ge³) — — 臉(嘅)   (Adj) *baby-faced.* **Mdn.**

wa¹ 窪 3149   (N) *marsh; swamp.* **SF** ‡

— dei⁶ — 地   (N) *marsh land.* (*Cl.* fuk⁶ 幅 *or* faai 塊)

— tin⁴ — 田   (N) *ditto.*

wa¹ 蛙 3150   (N) *frog.* **SF** ‡

— yan⁴ — 人   (N) *frogman.*

wa⁴ 華 3151   (Adj) *Chinese; variegated; expensive.* **SF** ‡ (N) *China.* **SF** ‡ **AP wa⁶ see 3152.**

— dang¹° — 灯   (N) *multi-coloured/variegated lantern light.* (*Cl.* jaan² 盞 *or* ji¹ 支)

— — choh¹ seung⁵ — — 初上   (SE) *in the early evening; when coloured lights are being lit.* **Fml.**

W— Dung¹° — 東   (N) *East China.* (*Lit. China east*) **FE**

— Fau⁶ — 埠   (N) *Chinatown (in the States).* (*Lit. China Port*) **FE**

5   W— gaai³ — 界   (N) *Chinese border/territory.*   (*Cl.* tiu⁴ 條 *or* sue³ 處)

     w— gwai³ — 貴   (Adj) *expensive; splendid; ornamental.*

     W— juk⁶ — 族   (N) *Chinese; Chinese people.*

     — man⁴ — 民   (N) *ditto.*

     — yan⁴ — 人   (N) *ditto.*

10   — — se⁵ wooi⁶* — — 社會   (N) *Chinese community.*

     — Jung¹° — 中   (N) *Central China.* *(Lit. China central)* **FE**

     — Kiu⁴ — 僑   (N) *overseas Chinese in general.*

     — — se⁵ wooi⁶* — — 社會   (N) *overseas Chinese community.*

     w— lai⁶ — 麗   (Adj) *elegant; beautiful; variegated.*

15   W— man⁴ — 文   (N) *Chinese; Chinese language.* (*Cl.* jung² 種)

     — — bo³ ji² — — 報紙   (N) *Chinese language newspaper.* (*Cl.* jeung¹ 張 *or* fan⁶ 份)

     — Naam⁴ — 南   (N) *South China.* *(Lit. China south)* **FE**

     — Sai¹ — 西   (N) *West China.* *(Lit. China West)* **FE**

     — Sing⁶ Dun⁶ — 盛頓   (N) *Washington.* **Tr.**

20   — yui⁶ — 裔   (Adj) *of Chinese origin.* (N) *Chinese descendant.*

     — — Mei⁵ Gwok³ yan⁴ — — 美國人   (N) *American-Chinese; American of Chinese origin.*

wa⁶ 華   **3152**   (N) *Chinese surname; name of a Chinese mountain.* **AP** wa⁴ see 3151.

     W— Saan¹ — 山   (N) *Huashan.* (*also known as* Sai¹ Ngoh⁶ (西嶽) *the Western Sacred Mountain in Shensi Province*) **Tr.**

wa⁶ 話   **3153**   (V) *say; be of the opinion; scold; reproach.* **AP** wa⁶* see 3154.

     — daai⁶ m⁴ daai⁶, wa⁶ sai³ m⁴ sai³ — 大唔大，話細唔細   (SE) *between two extremes; not very old and not young; not too big or too small.*

     — dak¹° ding⁶ — 得定   (SE) *to say for sure.* *(usually in a negative context)* (V) *say for sure.*

     — hau² mei⁶ yuen⁴ — 口未完   (SE) *when sb is still speaking; when sb hasn't finished speaking.*

     — hei² jau⁶ hei² — 起就起   (V) *get up right away.*

5   — jau² jau⁶ jau² — 走就走   (V) *leave a place immediately.*

— jek¹° — 唧   (SE) *in spite of this/that; even though it is so.*

— meng⁴* — 名   (Adv) *in name; superficially.*   (*Lit. say name*)

— ngoh⁵ ji¹ — 我知   (IC) *inform/tell me.*

wa⁶* 話   **3154**   (N) *dialect; spoken language.* (*Cl.* jung² 種) **AP wa⁶** see 3153.

wa⁶ 畫   **3155**   (N) *painting/picture.* **Fml. SF ‡ AP:** (1) **wa⁶*** see 3156; (2) **waak⁶** see 3162.

— fong² — 舫   (N) *showboat; floating restaurant.* **Fml. FE**

wa⁶* 畫   **3156**   (N) *painting/picture.* **Coll.** (*Cl.* fuk¹° 幅) **AP:** (1) **wa⁶** see 3155² (2) **waak⁶** see 3162.

— bo³ — 報   (N) *pictorial.* (*Lit. picture newspaper*) (*Cl.* bo⁶ 部 or boon² 本)

— ga¹° — 家   (N) *painter.* (*RT artists*)

— jin² — 展   (N) *exhibition of paintings.* (*Cl.* chi³ 次 or goh³ 個)

— long⁴ — 廊   (N) *picture-gallery.* (*Cl.* gaan¹ 間 or goh³ 個)

5 — sat¹° — 室   (N) *painter's studio.* (*Cl.* gaan¹ 間 or goh³ 個)

waai¹ 歪   **3157**   (V) *twist.* (*RT words, facts, etc.*) **Fml. SF ‡ AP me²** see 2122.

— kuk¹° — 曲   (V) *twist.* (*RT words, facts, etc.*) **Fml. FE**

— — si⁶ sat⁶ — — 事實   (V) *twist facts.*

— nim⁶ tau⁴ — 念頭   (N) *depraved thinking.* **Mdn.**

— sam¹ — 心   (N) *unjust heart.* **Fml.**

waai⁴ 懷(怀)   **3158**   (V) *think of; cherish.* **Fml. SF ‡** (N) *bosom.* **Fml. SF ‡**

— han⁶ (joi⁶ sam¹) — 恨 (在心)   (V) *cherish resentment; bear ill-will.*

— nim⁶ — 念   (V) *think of; remember; long for; miss.* **FE**

— seung² — 想   (V) *ditto.*

— po⁵ — 抱   (V) *nurse in the arms; carry in the bosom.* **FE** (N) *bosom.* **FE**

5 — toi¹ — 胎   (V) *be pregnant.*

— yan⁶ — 孕   (V) *be pregnant.*

— yi⁴ — 疑   (V) *doubt; suspect.*   (N) *doubt; suspicion.*   (*Cl.* jung² 種)

waai⁴ 槐   3159   (N) *locust tree/flower.*   **SF** ‡

— fa¹° — 花   (N) *locust flower.*   (*Cl.* deuh² *or* doh² 朵)

— sue⁶ — 樹   (N) *locust tree.*   (*Cl.* poh¹ 葡)

waai⁶ 壞   3160   (Adj) *out of order, damaged (internally); bad (in quality or character).*

— chue³ — 處   (N) *shortcoming; bad point.*   (*RT people or things*) (*Cl.* jung² 種 *or* goh³ 個)

— daan⁶* — 蛋   (N) *bad egg; bad man.*   **Coll. AL Fig.**

— joh² — 咗   (Adj) *out of order; broken down; damaged (internally).*

— wa⁶* — 話   (N) *slander; gossip.*   (*Lit. bad word*)   (*Cl.* jung² 種)

⁵ — yan⁴ — 人   (N) *bad man.*

waak⁶ 或   3161   (Adv) *perhaps.*   **SF** ‡   (Conj) *or.*   **SF** ‡

— je² — 者   (Conj) *or.*   **FE**   (Adv) *perhaps.*   **FE**

waak⁶ 畫   3162   (V) *draw a line/picture.*   **SF** ‡   (N) *line/stroke in Chinese writing.*   (*No Cl.*)   **AP: (1)** wa⁶ see **3155;** **(2)** wa⁶* see **3156.**

— sin³ — 綫   (V) *draw a line.*   **FE**

— wa⁶* — 畫   (V) *draw/paint a picture.*   **FE**

waak⁶ 劃   3163   (V) *strike (a match); demarcate.*   **SF** ‡

— foh² chaai⁴* — 火柴   (V) *strike a match.*   **FE**

— gaai³ — 界   (V) *demarcate.*   (N) *demarcation.*   (*Cl.* chi³ 次)

— gwai² geuk³ — 鬼脚   (SE) *decide by lot the shares to be paid (for a meal).*   (*Lit. draw ghost legs*)   **Coll.**

— sin³ — 線   (V) *mark/draw lines with chalk.*   (*RT position of vehicles in traffic accidents*)

⁵ — yat¹° — 一   (V) *uniform; make uniform; standardize.*   (*RT prices, measures, etc.*)

waan¹彎   3164   (V) *bend.* **SF** ‡   (Adj) *crooked; winding.* **SF** ‡

— kuk¹°   —   曲   (V) *bend.* **FE**   (Adj) *crooked; winding.*   **FE**

— lo⁶   —   路   (N) *winding road.*   (*Cl.* tiu⁴條)

— yiu¹   —   腰   (V) *stoop; bend down.*   *(Lit. bend waist)*

waan¹灣   3165   (V) *lie at/cast anchor.*   **SF** ‡   **AP waan¹° see 3166.**

— sui²   —   水   (V) *lie at/cast anchor* **(FE)***; be at a standstill* **(Fig.).**

waan¹°灣   3166   (N) *bend; corner; bay.*   **AP waan¹ see 3165.**

W— Jai²   —   仔   (N) *Wanchai.*   *(Lit. small bay)*   **Tr.**

— — Gaai¹ Si⁵   — —   街市   (N) *Wanchai Market.*   **Tr.**

waan⁴玩   3167   (N) *joke; jest.*   **SF** ‡   **AP: (1) waan⁴* see 3168; (2) woon⁶ see 3298.**

— siu³   —   笑   (N) *joke; jest.*   **FE**

waan⁴*玩   3168   (V) *play with sth; spend a holiday; have fun.*   **SF** ‡   **AP: (1) waan⁴ see 3167; (2) woon⁶ see 3298.**

— dei⁶ fong¹   —   地方   (V) *spend a holiday somewhere; make a pleasure trip to ssp.*   **FE**

— foh²   —   火   (V) *play with fire.*   **Lit. & Fig.**

— ge³ ye⁵   —   嘅嘢   (N) *plaything; toy.*   **Coll.**   (*Cl.* gin⁶ 件 *or* jung² 種)

— nui⁵ yan⁴*   —   女人   (V) *play around/dally with women.*   **Coll.**   **FE**

⁵ — yam¹ ngok⁶   —   音樂   (V) *play music.*   **FE**

waan⁴還   3169   (V) *repay; return.*

— chin⁴*   —   錢   (V) *repay money.*

— faan¹   —   返   (N) *return/give back (what has been borrowed); repay (debt).*   **FE**

— ga³   —   價   (V) *offer a price in bargaining.*   *(Lit. respond with a price)*

— hau²   —   口   (V) *talk back; argue.*

5
— heung¹ — 鄉   (V) *return home; go back to one's home town.*
— jaai³ — 債   (V) *repay a debt.* **FE**
— juk⁶ — 俗   (V) *return to the laity; quit religious orders.*
— sau² — 手   (V) *retaliate; strike back.*
— yuen⁶ — 願   (V) *redeem/fulfil a vow.*

waan⁴ 環   3170   (V) *encircle.* **SF** ‡   (N) *environment.* **SF** ‡

— ging² — 境   (N) *environment; background; surroundings.* **FE**
— kau⁴ — 球   (Adv) *throughout the whole world.* **Fml. FE**   (N) *the whole world.* **Fml. FE**
— tau⁴ waan⁴ mei⁵ — 頭環尾   (SE) *off the Central District of Hong Kong Island. (Lit. head and tail of Central—GRT the less prosperous districts on Hong Kong Island, such as Shau Kei Wan, Western District, etc.)*
— yiu⁵ — 繞   (V) *encircle.* **FE**

waan⁴ 頑   3171   (Adj) *obstinate; naughty.* **SF** ‡

— gwoo³ — 固   (Adj) *obstinate; stubborn; bigoted; reactionary.* **FE**
— luet⁶ — 劣   (Adj) *good for nothing. (RT people, animals etc.)*
— pei⁴ — 皮   (Adj) *naughty. (RT children)* **FE**
— tung⁴ — 童   (N) *naughty boy.* **Fml.**

waan⁵ 挽   3172   (V) *lift/hold/carry sth by the handle; regain; retain.* **SF** ‡

— gau³ — 救   (V) *rescue; save.*
— jue⁶ — 住   (V) *lift/hold/carry sth by the handle.* **FE**
— — gung¹ si⁶ baau¹° — — 公事包   (V) *carry a briefcase.*
— lau⁴ — 留   (V) *retain (employees, officials, etc.); detain (visitors. friends, etc.).* **FE**
5 — wooi⁴ lei⁶ kuen⁴ — 回利權   (V) *regain economic rights.* **FE**

waan⁵ 輓   3173   (V) *draw a hearse.* **Fml. SF** ‡

— goh¹ — 歌   (N) *dirge; elegy. (Cl.* sau² 首*)*
— luen⁴ — 聯   (N) *funeral scrolls. (Cl.* foo³ 副 *or* dui³ 對*)*

waan⁶ 幻 3174   (N) *magic; dream.* **SF** ‡

— dang¹° — 灯   (N) *magic-lantern.* (*Cl.* jaan² 盞 *or* ji¹ 支)

— ging² — 境   (N) *dreamland.*

— mung⁶ — 夢   (N) *dream; vision.* **FE**

— seung² — 想   (N) *imagination; illusion.*

⁵ — sut⁶ — 術   (N) *magical art; magic.* **FE** (*Cl.* jung² 種)

waan⁶ 宦 3175   (N) *eunuch; official.* **Fml. SF** ‡

— gwoon¹ — 官   (N) *eunuch.* **Fml. FE**

— to⁴ — 途   (N) *ups and downs of official life.* **Fml. FE** (*No Cl.*)

waan⁶ 患 3176   (V) *suffer; suffer from.* **Fml. SF** ‡ (N) *calamity.* **Fml. SF** ‡

— beng⁶ — 病   (V) *suffer from illness; fall sick.* **Fml. FE**

— naan⁶ — 難   (N) *difficulty; hardship; calamity.* **Fml. FE** (*No Cl.*)

— — ji¹ gaau¹ — — 之交   (SE) *friend in need; friendship formed during adversity.*

waang⁴ 橫 3177   (Adj) *horizontal.* (Adv) *horizontally.*

— che⁴ — 斜   (Adv) & (Adj) *crisscross.*

— choi⁴ — 財   (N) *windfall; money gained by a lucky chance or in a game of some kind; unexpected profit.* (*Cl.* Bat¹° 筆)

— chung¹ jik⁶ jong⁶ — 衝直撞   (V) *break all the rules of the road; wind/weave in and out; tear about (RT driving).* (*Lit. horizontally charge vertically bump against*)

— dim⁶ — 掂   (Adv) *one way or another; anyhow; eventually.* (*Lit. horizontal or vertical*) **Coll.**

⁵ — gaai¹° — 街   (N) *side street.* (*Cl.* tiu⁴ 條)

— hong⁶ — 巷   (N) *ditto.*

— gaak³ mok⁶* — 膈膜   (N) *diaphragm.*

— gwoh³ — 過   (V) *go across ssp; go crosswise.*

— haang⁴ (ba³ do⁶) — 行 (霸道)   (V) *act contrary to reason; act in an overbearing/tyrannical manner.*

10   — lo⁶ — 路   (N) *side street; minor road.*   (*Cl.* tiu⁴條)

— man⁴ chaai⁴ — 紋柴   (N) *cross-grained firewood; difficult person* **(Fig.).**   (*Cl.* tiu⁴條)

— moon⁴* — 門   (N) *side-door.*   (*Cl.* do⁶道)

— saan¹° — 閂   (N) *crossbar of a door.*   (*Cl.* tiu⁴條)

— sin³ — 綫   (N) *horizontal line/stripe.*   (*Cl.* tiu⁴條)

waat³ 挖   3178   (V) *dig; dig out.*   **SF** ‡

— foo² yan⁴ — 苦人   (V) *ridicule sb.*

— lung¹° — 窿   (V) *dig a hole; dig through.*

— yi⁵ — 耳   (V) *clean the ears.*

waat⁶ 滑   3179   (V) *slip.* **SF** ‡   (Adj) *smooth; slippery; cunning.* **SF** ‡

— bing¹ — 冰   (V) *skate; roller-state.*   (*Lit. slip ice*)   **Mdn.**

— che¹° — 車   (N) *pulley.*   **Fml.**   (*Cl.* ga³架 *or* goh³個)

— kai¹ — 稽   (Adj) *humorous; funny; witty.*

— — hei³ — — 戲   (N) *farce.*   **Coll.**   (*Cl.* chut¹°齣)

5   — suet³ — 雪   (V) *ski.*   (*Lit. slip snow*)

— sui² — 水   (V) *water-ski.*   (*Lit. slip water*)

— tau⁴* — 頭   (Adj) *cunning; crafty.*

— — ge³ yan⁴ — — 嘅人   (N) *cunning/crafty person.*

wai¹ 威   3180   (Adj) *fancy (RT colour); beautiful (RT clothes); smart (RT appearance); imposing (RT people).*   **SF** ‡

— bik¹° — 逼   (V) *threaten.*

— hip³ — 脅   (V) *ditto.*

— fung¹ — 風   (N) *awe-inspiring reputation.*   (*Cl.* jung²種)

— lik⁶ — 力   (N) *power.*   (*RT weapons, ammunition, etc.*)   (*Cl.* jung²種)

5   — ming⁴ — 名   (N) *acknowledged authority; prestige.*   (*Cl.* jung²種)

— mong⁶ — 望   (N) *ditto.*

— si⁶ gei⁶* — 士忌   (N) *whiskey.*   (*Bottle:* ji¹ 支 *or* jun¹ 樽; *cup or glass:* booi¹ 杯.)

— sui² — 水   (Adj) *smart; proud; well-dressed.*   *(GRT people)*   **Coll. FE**

— sun³ — 信   (N) *good faith/reputation.*   (*Cl.* jung² 種)

10   — yim⁴ — 嚴   (Adj) *imposing; impressive; dignified; aweful; stern.* *(RT people)* **Fml. FE**   (N) *dignity; severe manner.* *(RT people)* **Fml. FE**   (*Cl.* jung² 種)

wai¹ 喂   3181   (Itj) *Hello; Hey.*   **AP: (1)** wai² **SM** see **3182; (2)** wai³ **SM** see **3183; (3)** wai⁶ **SM** see **3184.**

wai² 喂   3182   (Itj) *ditto.*   **AP: (1)** wai¹ **SM** see **3181; (2)** wai³ **SM** see **3183; (3)** wai⁶ **SM** see **3184.**

wai³ 喂   3183   (Itj) *ditto.*   **AP: (1)** wai¹ **SM** see **3181; (2)** wai² **SM** see **3182; (3)** wai⁶ **SM** see **3184.**

wai⁶ 喂   3184   (Itj) *ditto.*   **AP: (1)** wai¹ **SM** see **3181; (2)** wai² **SM** see **3182; (3)** wai³ **SM** see **3183.**

wai¹ 委   3185   (V) *stoop; wrong sb.* **SF** ‡   (N) *wrong; grievance.* **SF** ‡   **AP** wai² see **3186.**

— kuk¹° kau⁴ chuen⁴ — 曲求全   (SE) *stoop in order to accomplish sth; do the best thing possible under the circumstances.*   **FE**

— wat¹° — 屈   (V) *wrong sb.* **FE**   (N) *wrong; grievance.* **FE**   (*Cl.* jung² 種)

wai² 委   3186   (V) *entrust; commission; put in charge of.* **SF** ‡ **AP** wai¹ see **3185.**

— tok³ — 託   (V) *entrust; commission.*

— — sue¹° — — 書   (N) *letter of authorisation.*   (*Cl.* fung¹ 封 *or* jeung¹ 張)

— yam⁶ — 任   (V) *commission; appoint.*   **FE**

— — jong⁶ — — 狀   (N) *certificate/letter of appointment.*   (*Cl.* jeung¹ 張)

5   — — tung² ji⁶ dei⁶ — — 統治者   (SE) *mandated territory.*

— yuen⁴ — 員   (N) *committee member.*

— — wooi⁶* — — 會   (N) *committee; commission; group of persons entrusted with some special duties/functions.*

wai² 毀   3187   (V) *destroy*.   **SF**   ‡

— laan⁶ — 爛   (V) *damage; ruin.*
— waai⁶ — 壞   (V) *ditto.*
— mit⁶ — 滅   (V) *destroy; exterminate.*   **FE**
— — laam⁶ — — 艦   (N) *destroyer.*   *(RT warships)*   *(Cl.* jek³ 只)

wai² 燬（毀）   3188   (V) *destroy/ruin by fire.*   **Fml.   SF**   ‡

wai² 譭   3189   (V) & (N) *slander; backbite.*   **SF**   ‡

— pong³ — 謗   (V) & (N) *ditto.*   **FE**

wai² 萎   3190   (V) *wither; recede.*   **SF**   ‡

— suk¹° — 縮   (V) *wither; recede.*   **Fig.   FE**   (N) *recession.*   **Fig. FE**   *(Cl.* chi³ 次)

wai² 喟   3191   (V) *sigh; breathe deeply.*   **Fml.   SF**   ‡

— taan³ — 嘆   (V) *sigh; breathe deeply.*   **Fml.   FE**

wai³ 畏   3192   (V) & (N) *fear; dread.*   **SF**   ‡

— bei⁶ — 避   (V) *skulk.*
— gui⁶ — 懼   (V) & (N) *fear; dread.*   **FE**
— jui⁶ — 罪   (V) *be afraid of punishment.*
— naan⁴ — 難   (V) *be afraid of difficulties.*
⁵ — sau¹ — 羞   (V) *be bashful/sensitive.*   **Fml.**
— suk⁶ — 縮   (V) *hesitate; be timid; shrink* **(Fig.).**

wai³ 餵（餧）   3193   (V) *feed (with food).*

— gau² — 狗   (V) *feed dogs.*
— lo⁵ foo² gei¹ — 老虎機 (V) *insert coins into a parking meter.*
— naai⁵ — 奶   (V) *feed babies with milk.*

wai³ 慰   3194   (V) *console; comfort.* **SF ‡**

— lo⁴ — 勞   (V) *console sb with kind words and gifts.*   *(GRT wounded soldiers)*

— man⁶ — 問   (V) *make inquiries after sb's health.*   *(GRT refugees, disaster victims. etc.)*

— yin⁶ — 唁   (V) *console; comfort.* **FE**

wai³ 穢   3195   (Adj) *dirty; unclean.* **Fml. SF ‡**

— juk⁶ — 濁   (Adj) *foul; dirty.* **FE**

— si² — 史   (N) *personal history concentrating on obsceen affairs.* (*Cl.* jung² 種)

— si⁶ — 事   (N) *disgraceful affairs; improper things.* (*Cl.* gin⁶ 件)

wai⁴ 爲   3196   (V) *do; practice; make.* **Fml. SF ‡ AP wai⁶ see 3197.**

— fei¹ jok³ daai² — 非作歹   (V) *do evil.* **Fml. FE**

— haan⁶ — 限   (PP) *as far as …; until… (RT time or place).*

— ji² — 止   (PP) *ditto.*

— naan⁴ — 難   (V) *make things difficult for sb; make trouble for sb; be hard on sb.* **Fml. FE**

5 — sin⁶ — 善   (V) *practise virtue; do good.* **Fml. FE**

wai⁶ 爲   3197   (Adv) *because of; for the sake of.* **SF ‡ AP wai⁴ see 3196.**

— joh² — 啊   (Adv) *because of; for the sake of.* **FE**

— mat¹° si⁶ — 乜事   (Adv) *why? what for? for what reason?*

— — ye⁵ — — 嘢   (Adv) *ditto.*

— — seung¹ no⁵ gan¹ — 傷腦筋   (IC) *worry about…; be troubled by…; be troubled about…*

wai⁴ 圍   3198   (V) *enclose; surround.* **SF ‡** (PN) *number of tables at a formal Chinese dinner* (wai⁴ 圍)

— bo⁶ — 捕   (V) *surround and capture.*

— juk³° — 捉   (V) *ditto.*

— cheung⁴ — 牆   **(N)** *stone/brick wall surrounding a house/garden/ castle (Lit. surrounding wall).*   *(Cl.* do⁶ 度 *or* fuk¹° 幅*)*

— gan¹° — 巾   **(N)** *muffler; scarf.*   *(Cl.* tiu⁴ 條*)*

5   — gung¹ — 攻   **(V)** *encircle and attack.*

— jue⁶ — 住   **(V)** *enclose; surround.*   **FE**

— kwan³ — 困   **(V)** *besiege.*

— kwan⁴* — 裙   **(N)** *apron.*   *(Cl.* tiu⁴ 條*)*

— sing⁴ — 城   **(V)** *besiege a city.*   **(N)** *besieged city.*   *(Cl.* joh⁶ 座*)*

10   — so³° — 數   **(V)** *calculate; settle accounts.*   *(Gen. after transactions or a day's business)*

wai⁴ 違   3199

— booi³ — 背   **(V)** *violate; disobey.*   **FE**

— faan² — 反   **(V)** *ditto.*

— faat³ — 法   **(Adj)** *illegal.*   *(RT serious charges)*

— lai⁶ — 例   **(Adj)** *ditto.*

5   — — paak³ che¹° — — 泊車   **(N)** *illegal parking.*   *(Cl.* chi³ 次*)*

— gam³ — 禁   **(V)** *do what is forbidden; offend against contraband regulations.*

— — ban² — — 品   **(V)** *contraband goods.*   *(Cl.* jung² 種 *or* gin⁶ 件*)*

— ling⁶ — 令   **(V)** *disobey orders.*

wai⁴ 桅   3200   **(V)** *mast.*   **Fml.**   **SF**   ‡   **AP wai⁴* SM see 3201.**

— gon¹° — 竿   **(N)** *mast.*   **FE**   *(Cl.* ji¹ 支*)*

— saau¹ — 梢   **(N)** *mast-head.*

wai⁴* 桅   3201   **(N)** *mast.*   **Coll.**   *(Cl.* ji¹ 支*)*   **AP wai⁴ SM see 3200.**

wai⁴ 遺   3202   **(V)** *hand down; leave behind.*   **Fml.**   **SF**   ‡   **AP wai⁶ see 3203.**

— chaan² — 產   **(N)** *inherited property.*

— — sui³ — — 稅   **(N)** *estate duty.*   *(Cl.* jung² 種*)*

—— chuen⁴   傳   (Adj) *hereditary.*   (N) *heredity.*   (*Cl.* jung² 種)

—— —— beng⁶   —— —— 病   (N) *hereditary disease.*   (*Cl.* jung² 種)

5   —— fuk¹° ji²   —— 腹子   (N) *posthumous child.*

—— ha⁶   —— 下   (V) *hand down; leave behind.*   **Fml. FE**

—— lau⁴   —— 留   (V) *ditto.*

—— hei³   —— 棄   (V) *abandon; discard.*   *(GRT one's wife, children, etc.)*

—— juk¹°   —— 囑   (N) *will; dying command.*   (*Cl.* jeung¹ 張)

10   —— lau⁶   —— 漏   (V) *omit; miss out.*

—— sat¹°   —— 失   (V) *lose; lose sight to/possession of.*

wai⁶ 遺   3203   (V) *give/send a present.* **Fml. SF ‡ AP wai⁴ see 3202.**

—— jang⁶   —— 贈   (V) *give/send a present.* **Fml. FE**

wai⁴ 唯   3204   (Adj) & (Adv) *only.* **Fml. SF ‡ AP wai⁶* see 3205.**

—— mat⁶ lun⁶*   —— 物論   (N) *materialism.*   (*Cl.* jung² 種 *or* goh³ 個)

—— —— —— je²   —— —— —— 者   (N) *materialist; one who believes in materialism.*

—— sam¹ lun⁶*   —— 心論   (N) *idealism.*   (*Cl.* jung² 種 *or* goh³ 個)

—— —— —— ji²   —— —— —— 者   (N) *idealist; one who believes in idealism.*

—— yat¹°   —— 一   (Adj) *only; one and only; unique.* **Fml. FE**

—— yau⁵   —— 有   (Adv) *only; can only.* **Fml. FE**

wai⁴* 唯   3205   (V) *answer yes; consent.* **Fml. SF ‡ AP wai⁴ see 3204.**

—— nok⁶   —— 諾   (V) *answer yes; consent.* **Fml. FE**

—— wai⁴*   —— 唯   (V) *give a prompt and respectful answer.* **Fml.**

wai⁴ 惟   3206   (Conj) *only; but.* **Fml. SF ‡**

—— duk⁶ si⁶   —— 獨是   (Conj) *only; but.* **Fml. FE**

wai⁴ 維   3207   (V) *maintain.*   **SF** ‡

— chi⁴ — 持   (V) *maintain; survive; exist.*   **FE**   (P) *used in transliterations.*

— — dit⁶ jui⁶ — — 秩序   (V) *maintain law and order.*

— — ji⁶ on¹ — — 治安   (V) *ditto.*

— — saang¹ meng⁶ — — 生命   (V) *survive; exist.*   *(Lit. maintain life)*   **FE**

5   W— Doh¹ Lei⁶ A³ Gung¹° Yuen⁴* — 多利亞公園   (V) *Victoria Park.* **Tr. FE**

— Yuen⁴* — 園   (N) *ditto.*   **Tr. SF**

— Ng⁴ Yi⁵ — 吾爾   (N) *Uighur.*   *(one of China's minority nationalities)*   **Tr.**

w— ta¹ ming⁶ — 他命   (N) *vitamin.*   **Tr.**   *(Cl.* jung² 種)

W— Ya⁵ Naap⁶ — 也納   (N) *Vienna.*   **Tr.**

wai⁵ 偉   3208   (Adj) *great; magnificent.*   **SF** ‡

— daai⁶ — 大   (Adj) *great; magnificient.*   **FE**

— yan⁴ — 人   (N) *great man.*

wai⁵ 瑋   3209   (N) *red jade; jasper.*   **Fml. SF** ‡   (Adj) *valuable and rare.*   **Fml. SF** ‡

— jung⁶ — 重   (Adj) *valuable and rare.*   **Fml. FE**

wai⁵ 緯   3210   (N) *degree/parallel of latitude.*   **SF** ‡

— do⁶ — 度   (N) *degree/parallel of latitude..*   *(Cl.* do⁶ 度)

— sin³ — 綫   (N) *ditto.*

wai⁶ 位   3211   (N) *place; position; locality; location.*   **SF** ‡   **AP** wai⁶* see 3212.

— ji³ — 置   (N) *place; position; locality; location.*   **FE**

wai⁶* 位   3212   (N) *seat; space.*   (Cl) *for person.*   **PL AP** wai⁶ see 3211.

wai⁶ 胃   3213   (N) *stomach.*

— beng⁶ — 病   (N) *stomach ache; stomach trouble.*
— tung³ — 痛   (N) *ditto.*
— hau² — 口   (N) *appetite; ambition.* **(Fig.)**
— kwooi² yeung⁴ — 潰瘍   (N) *gastric ulcer.* (*Cl.* jung² 種 *or* goh³ 個)
⁵ — ngaam⁴ — 癌   (N) *cancer of the stomach.* (*Cl.* jung² 種 *or* goh³ 個)
— suen¹° — 酸   (N) *gastric juice.* (*Cl.* jung² 種)
— yeuk⁶ — 藥   (N) *medicine for stomach trouble.* (*Cl.* jung² 種)

wai⁶ 衞（衛）   3214   (V) & (N) *guard.* SF ‡

— bing¹ — 兵   (N) *guard; bodyguard.*
— dui⁶* — 隊   (N) *ditto.*
— saang¹° — 生   (V) *take care of one's health; sanitate.* (*Lit. guard life*) (Adj) *sanitary.* (N) *sanitation; health; hygiene.* (*No Cl.*)
— — yuen⁶* — — 院   (N) *health centre.* (*Cl.* gaan¹ 間 *or* goh³ 個)
⁵ — sing¹° — 星   (N) *satellite.* (*Lit. guard star*) (*Cl.* nap¹° 粒 *or* goh³ 個)
— — gwok³ — — 國   (N) *satellite state.*
— — sing⁴ si⁵ — — 城市   (N) *satellite town.*

wai⁶ 彙   3215   (V) *collect.* **Fml.** SF ‡ (N) *glassary; vocabulary.* **Fml.** SF ‡ *(see 1446/13)* **AP:** (1) lui⁵ **SM** *see* 1997; (2) Wooi⁶ **SM** *see* 3293.

— bo³ — 報   (V) *make a collective report.* **Fml.**
— jaap⁶ — 集   (V) *collect.* **Fml.** FE

wan¹ 溫   3216   (V) *revise lessons.* SF ‡ (Adj) *warm; genial.* SF ‡

— baau² — 飽   (N) *level of subsistence; warm and full.*
— chuen⁴ — 泉   (N) *hot spring.*
— daai³ — 帶   (N) *temperate zone.*
— do⁶ — 度   (N) *temperature.* (*Degree:* do⁶ 度)
⁵ — jaap⁶ (gung¹ joh³) — 習（功課）   (V) *revise lessons.*

— sue¹ — 書   (V) *revise lessons.*

— nuen⁵ — 暖   (Adj) *warm.* (N) *warmth.* (*Cl.* jung² 種)

— sat¹° — 室   (N) *green-house.* (*Cl.* gaan¹ 間 *or* goh³ 個)

— woh⁴ — 和   (Adj) *amiable; good-natured; genial; mild* (*RT medicine*). **FE**

10 — yau⁴ — 柔   (Adj) *genial; meek; compliant.* **FE**

wan¹ 瘟 3217   (N) *plague; epidemic.* **SF** ‡

— san⁴ — 神   (N) *god of plagues; one who causes mishaps; a Jonah.* **AL**

— yik⁶ — 疫   (N) *plague; epidemic.* (*Cl.* jung² 種 *or* chi³ 次)

wan² 穩 3218   (Adj) *moderate; secure.* **SF** ‡

— gin⁶ — 健   (Adj) *moderate; reserved in manner; steady and reliable.* (*RT people*)

— jung⁶ — 重   (Adj) *ditto.*

— gwoo³ — 固   (Adj) *secure; safe.* (*RT buildings, business concerns, etc.*)

— jan⁶ — 陣   (Adj) *ditto.*

wan² 搵 3219   (V) *look for; search; visit sb; find.* **Coll. SF** ‡ **CC**

— ban⁶ — 笨   (V) *deceive; cheat.* (*Lit. find a fool*) **Coll. FE**

— ding¹° — 丁   (V) *ditto.*

— lo⁵ chan³ — 老襯   (V) *ditto.* **Sl.**

— chin⁴* — 錢   (V) *earn money.*

5 — do² — 倒   (V) *find sth which has been lost; find what one has been looking for.* **FE**

— lau⁴* — 樓   (V) *have a look at a flat; look for a flat; find a flat.*

— uk¹° — 屋   (V) *ditto.*

— ngaam¹° — 啱   (V) *find sth or sb suitable.*

— pang⁴ yau⁵ — 朋友   (V) *visit/see a friend.*

10 — sik⁶ — 食   (V) *earn one's daily bread; make a living.*

— yan⁴ — 人   (V) *visit/see sb; look for sb.* **FE**

— — chut¹° hei³ — — 出氣   (V) *vent one's spleen on sb.*

wan³韞 3220   (V) *confine; pen in.* **Coll. SF** ‡

— jue⁶ — 住   (V) *keep confined; keep penned up.* **Coll. FE**

— maai⁴ — 埋   (V) *ditto.*

wan³醖 3221   (V) *brew; ferment.* **SF** ‡

— yeung⁶ — 釀   (V) *brew; ferment.* (*RT liquid; storms, riots, etc.*) **FE Lit. & Fig.**

wan⁴魂 3222   (N) *soul; spiritual part of man.* **SF** ‡

— fei¹ paak³ saan³ — 飛魄散   (SE) *out of one's senses.* (*Gen. after a shock, accident or disturbance*)

— paak³ — 魄   (N) *soul.* (*Buddhist term*) **Fml.**

— tau⁴ — 頭   (N) *ditto.* **Coll.**

wan⁴雲 3223   (N) *cloud.* **SF** ‡

— choi² — 彩   (N) *cloud.* **Fml.** (*Cl.* deuh² 朵 *or* døh² 朵)

— tau⁴ — 頭   (N) *ditto.* **Coll.**

— hoi² — 海   (N) *sea of clouds.*

W— Naam⁴ (Saang²) — 南(省)   (N) *Yunnan; Yunnan Province.* **Tr.**

⁵ w— sek⁶* — 石   (N) *marble.* (*named after Yunnan, its place of origin*) (*Cl.* gau⁶ 礦 *or* faai³ 塊)

— tai¹ — 梯   (N) *scaling-ladder.* (*Cl.* ba² 把 *or* do⁶ 度)

— tan¹° — 吞   (N) *"Wan Tan"; stuffed dumpling.* **CC Tr.** (*Cl.* jek³ 隻; *Bowl:* woon² 碗.)

— — min⁶ — — 麵   (N) *"Wan Tan"/stuffed dumplings with noodles.* **CC Tr.** (*Bowl:* woon² 碗)

wan⁴餛 3224   (N) *"Wan Tan"; stuffed dumpling.* (**Fml.** *character*) **Tr. SF** ‡

— tan¹° — 飩   (N) *"Wan Tan"; stuffed dumpling.* (**Fml.** *characters*) **Tr. FE** (*Cl.* jek³ 只; *Bowl:* woon² 碗.)

— — min⁶ — — 麵   (N) *"Wan Tan"/stuffed dumplings with noodles.* (**Fml.** *characters*) **Tr. FE** (*Bowl:* woon² 碗)

wan⁴量   **3225**   (Adj) *dizzy; faint.*   **SF**   ‡

— che¹°   車   (V) *be car-sick.* (Adj) *car-sick.* (N) *car-sickness.* *(No Cl.)*

— fei¹ gei¹ — 飛機   (V) *be airsick.* (Adj) *airsick.* (N) *airsickness.* *(No Cl.)*

— long⁶ — 浪   (V) *be seasick; be infatuated with beautiful women* **(Fig.)**.

— suen⁴ — 船   (N) *be seasick.* (Adj) *seasick.* (N) *sea-sickness.* *(No Cl.)*

⁵ — toh⁴ toh⁴ — 酡酡   (Adj) *very dizzy.*

— wan⁴* dei⁶* — 量地   (Adj) *quite/somewhat dizzy.*

wan⁴勻   **3226**   (Adv) *thoroughly. (Gen. with verbs)* **SF** ‡ (Adj) *equal; in equal parts.* **SF** ‡ (N) *time. (RT occasions, events, etc.) (No Cl.)*

— chun⁴ — 巡   (Adj) *equal; in equal parts; properly behaved.* **Coll.** **FE**

wan⁵允   **3227**   (V) *consent; assent; permit.* **Fml.** **SF** ‡

— hui² — 許   (V) *consent; assent; permit.* **Fml.** **FE** **PL**

— jun² — 准   (V) *ditto.*

— nok⁶ — 諾   (V) *ditto.*

wan⁶運   **3228**   (V) *transport; more.* **SF** ‡ (N) *fate; luck; movement; sports.* **SF** ‡

— chut¹° — 出   (V) *export.*

— hui³ ngoi⁶ gwok³ — 去外國   (V) *ditto.*

— dung⁶ — 動   (V) *more; do physical exercise; influence; work for private ends.* **FE** (N) *movement; campaign; physical exercise; field sports.* **FE** *(Cl.* jung² 種 *or* chi³ 次 *)*

— — cheung⁴ — — 場   (N) *playground; athletic field; arena.*

— — ga¹° — — 家   (N) *athlete; sportsman.* **PL**

— — yuen⁴ — — 員   (N) *ditto.* **Coll.**

— — — jing¹ san⁴ — — — 精神   (N) *sportsmanship.* *(Cl.* jung²種 *)*

— — gwoo¹° neung⁶ — — 姑娘   (N) *physiotherapist.* **Coll.**

— — leung⁶ — — 量   (N) *momentum.* (*Cl.* jung² 種 *or* goh³ 個)

10 — — wooi⁶* — — 會   (N) *athletic meeting; sports meeting.*

— fai³ — 費   (N) *freight (charges).* (*Cl.* bat¹° 筆)

— hei³ — 氣   (N) *luck.* **FE** (*Cl.* jung² 種)

— hoh⁴ — 河   (N) *canal.* (*Cl.* tiu⁴ 條)

— mong⁶ — 命   (N) *fate; desting.* **FE** (*Cl.* jung² 種 *or* goh³ 個)

15 — so³ — 數   (N) *ditto.*

— sue¹ — 輸   (V) *transport; convey.* (*RT passengers or goods*) **FE** (N) *transportation; conveyance.* (*Cl.* jung² 種)

— — gei¹ — — 機   (N) *transport plane.* (*Cl.* ga³ 架)

— — laam⁶ — — 艦   (V) *transport.* (*ROT navel vessels*) (*Cl.* jek³ 隻)

— — sin³ — — 綫   (N) *transportation line.* (*Cl.* tiu⁴ 條)

— yap⁶ — 入   (V) *import.*

— yung⁶ — 用   (V) *use; put to use; carry out; apply.* **Fml.** **FE**

wan⁶ 隕 (磒)   3229   (V) *fall; fall down.* **SF** ‡ (N) *meteorite.* **SF** ‡

— lok⁶ — 落   (V) *fall; fall down.* **Fml.** **FE** **Lit. & Fig.**

— sek⁶ — 石   (N) *meteorite.* **FE** (*Cl.* nap¹° 粒 *or* gau⁶ 礔)

— sing¹° — 星   (N) *ditto.*

— yuet⁶ — 越   (V) *lapse; make errors/mistakes.* **Fml.** **FE**

wan⁶ 韻 (韵)   3230   (N) *rhyme; rhythm; final sound in Chinese syllables.* **SF** ‡

— geuk³ — 脚   (N) *rhyme.* (*RT poetry*)

— lut⁶ — 律   (N) *rhythm.* (*RT music*)

— mo⁵ — 母   (N) *final sound in Chinese syllables.*

wan⁶ 混   3231   (V) *infiltrate; sneak into.* **SF** ‡ (Adj) *mixed; turbid; confused.* **SF** ‡

— hap⁶ — 合   (Adj) *mixed; combined.* **FE**

— jaap⁶ — 雜   (Adj) *ditto.*

— jeung³ (dung¹ sai¹°) — 帳 (東西)   (SE) *you villian/scoundrel!* **AL Mdn.**

— juk⁶ — 濁   (Adj) *turbid; muddy.* **FE**

— luen⁶ — 亂   (Adj) *confused; in confusion.* **FE**

— sui² — 水   (N) *turbid/muddy water.* *(No Cl.)*

— — moh¹ yue⁴ — — 摸魚   (SE) *fish in troubled waters.* *(Lit. turbid water catch fish)*

— yap⁶ — 入   (V) *infiltrate; sneak into.* **FE** (N) *infiltration.* *(No Cl.)*

wang⁴ 宏   3232   (Adj) *spacious; vast; huge.* **SF** ‡

— wai⁵ — 偉   (Adj) *spacious; vast; huge.* *(GRT buildings, construction, etc.)* **FE**

wat¹° 屈   3233   (V) *bend.* **SF** ‡

— jau⁶ — 就   (V) *condescend to.* *(GRT taking an inferior position or job)*

— san¹° — 身   (V) *bend the body.* **FE**

— sat¹° — 膝   (V) *bend the knee; cringe; crouch.* **FE** **Lit. & Fig.**

wat⁶ 核   3234   (N) *kernel; fruit stone.* **Coll.** *(Cl.* nap¹° 粒*)* **AP hat⁶ see 1142.**

— dat⁶ — 突   (Adj) *unpleasant (RT taste); ugly (RT appearance).* **Sl.** **FE**

wan¹° 軚   3235   (N) *van.* **Tr. Coll. SF** ‡
       CC

— jai² — 仔   (N) *van.* **Tr. Coll. FE** *(Cl.* ga³ 架*)*

wing¹ 拚   3236   (V) *throw; throw away; throw/drop down.* **SF** ‡

— dai¹ — 低   (V) *throw/drop down.* **FE**

— lok⁶ — 落   (V) *ditto.*

— hoi¹ — 開   (V) *throw; throw away.* **FE**

— joh² — 咗   (V) *ditto.*

wing⁴榮 3237   (N) *honour; glory.* **SF** ‡

— gwai¹ — 歸   (V) *return home with honours.* **FE**

— yiu⁶ — 耀   (N) *glory; splendour.* **FE** (*Cl.* jung² 種)

— yue⁶ — 譽   (N) *honour; honours.* **FE** (*Cl.* jung² 種)

— — hok⁶ wai⁶* — — 學位   (N) *honours degree.*

wing⁵永 3238   (Adj) *eternal; permanent.* **SF** ‡

— bat¹° — 不   (Adv) *never.* *(Gen. used with verb)* **Fml.** **SF** ‡

— — fan¹ lei⁴ — — 分離   (SE) *never to be separated.* **Fml.**

— gau² — 久   (Adj) *permanent.* **FE** (Adv) *permanently.* **FE**

— — woh⁴ ping⁴ — — 和平   (N) *permanent/lasting peace.* *(No Cl.)*

⁵ — saang¹ — 生   (N) *eternal life.* *(No Cl.)*

— yuen⁵ — 遠   (Adj) *eternal; perpetual.* **FE** (Adv) *eternally; perpetually; for ever.* **FE.**

wing⁶泳 3239   (V) *swim.* **Fml.** **SF** ‡

— chi⁴ — 池   (N) *swimming pool.* **Fml.**

— jong¹° — 裝   (N) *swimming costume/suit.* **Fml.** (*Cl.* gin⁶ 件 ; *suit:* to³ 套.)

— yi⁵ — 衣   (N) *ditto.*

— jong¹° bo⁶ — 裝部   (N) *swimming costumes counter.* *(RT department stores)*

⁵ — yi¹ bo⁶ — 衣部   (N) *ditto.*

woh¹窩 3240   (V) *harbour.* **SF** ‡ (N) *nest.* **SF**

— chaau⁴ — 巢   (N) *nest.* **Fml.** **FE**

— cheung¹ jui⁶ do² — 娼聚賭   (SE) *harbour prostitutes and operate gaming dens—a criminal ring.*

— chong⁴ — 藏   (V) *harbour.* **FE**

— — do⁶ fei² — — 盜匪   (V) *harbour thieves or robbers.*

⁵ — ga¹° — 家   (N) *receives of stolen property.*

— jue² — 主   (N) *ditto.*

woh¹°窠   3241   (N) *nest.*   **CP**   **Fml.**   **AP foh¹° SM see 702.**

— kau⁵ — 臼   (N) *ready-made pattern/mould; old ways and manner* **(Fig.).**

woh¹倭   3242   (N) *dwarf; Japanese* **(Der.).**   **Fml.**   **SF** ‡

— chaak³ — 賊   (N) *Japanese pirates/bandits.*   **Der.**   **Fml.**   **FE**

— do⁶ — 盗   (N) *ditto.*

— kau³ — 寇   (N) *ditto.*

— no⁴ — 奴   (N) *dwarf; Japanese* **(Der.).**   **Fml.**   **FE**

5 — — gwok³ — — 國   (N) *land of dwarfs; Japan.*   **(Der.)**

woh⁴禾   3243   (N) *paddy; growing rice.*   **SF** ‡   (*Cl.* poh¹ 荷)

— gon² — 稈   (N) *rice straw.*   (*Cl.* tiu⁴ 條 ; *Bundle:* chuk¹° 束 .)

— mai⁵ — 米   (N) *paddy.*   **FE**   *(No Cl.)*

— miu⁴ — 苗   (N) *growing rice.*   **FE**   (*Cl.* poh¹ 荷)

— tin⁴ — 田   (N) *paddy/rice field.*   (*Cl.* faai³ 塊 ; *Acre:* mau⁶ 畝 .)

woh⁴和(龢，咊)   3244   **AP woh⁶ see 3245.**

— choi³ — 菜   (N) *table d'hôte dishes; set menu.*   (*Lit. well-combined dishes)*

— fuk⁶ — 服   (N) *Japanese dress.*   (*Cl.* to³ 套 *or* gin⁶ 件)

— gaai² — 解   (V) *compromise; come to a peaceful settlement; reconcile.*

— ho² (yue⁴ choh¹) — 好 (如初)   (V) *ditto.*

5 — gaan¹ — 姦   (N) *adultery.*   (*Cl.* chi³ 次)

— haai⁴ — 諧   (Adj) *harmonious; concordant.*   (N) *harmony; concord.* (*Cl.* jung² 種)

— hei³ — 氣   (Adj) *affable; peaceful; agreeable; friendly.*

— muk⁶ — 睦   (Adj) *ditto.*

— woh⁴ hei³ hei³ — 和氣氣   (Adj) *ditto.*

10 — — muk⁶ muk⁶ — — 睦睦   (Adj) *ditto.*

— mei⁶ — 味   (Adj) *tasty (RT food); more than enough (RT income or revenue,* **Sl.***).*

— nuen⁵ — 暖   (Adj) *warm; mild.* *(RT weather)*

— ping⁴ — 平   (N) *peace.* (*Cl.* chi³ 次)

— — si³ je² — — 使者   (N) *peace-maker.* **Fml.**

15   — si⁶ lo⁵ — 事老   (N) *ditto.* **Coll.**

— ping⁴ wooi⁶ yi⁵ — 平會議   (N) *peace conference.* (*Cl.* chi³ 次)

— wooi⁶* — 會   (N) *ditto.*

— seung⁶* — 尙   (N) *Buddhist monk.*

— — ji⁶* — — 寺   (N) *Buddhist monastery.* (*Cl.* gaan¹ 間)

20   — yeuk³ — 約   (N) *peace treaty.* (*Cl.* tiu⁴ 條 *or* fan⁶ 份)

woh⁶ 和（龢，咊）   3245   (V) *respond to one another in singing; blend; mix.* **SF** ‡ **AP** woh⁴ **see 3244.**

— cheung³ — 唱   (V) *sing responsively; sing in chorus.*

— sing¹ hap⁶ cheung³ — 聲合唱   (V) *ditto.*

— wan⁴ — 勻   (V) *blend/mix well.*

woh⁴ 喎   3246   **CC**   (FP) *expresses idea of discontent and/or astonishment.* **AP: (1)** woh⁵ **see 3247; (2)** woh⁶ **see 3248.**

woh⁵ 喎   3247   **CC**   (FP) *indicates the end of a quotation (direct or indirect).* **AP: (1)** woh⁴ **see 3246; (2)** woh⁶ **see 3248.**

woh⁶ 喎   3248   **CC**   (FP) *expresses idea of contradicating or objecting in the form of a question.* **AP: (1)** woh⁴ **see 3246; (2)** woh⁵ **see 3247.**

woh⁵ 搲   3249   (V) *spoil; ruin.* **Coll. SF** ‡ (Adj) *spoiled; ruined.* **Coll. SF** ‡

— daan⁶* — 蛋   (N) *spoiled/rotten egg.* (*Cl.* jek³ 只 *or* goh³ 個)

— saai³ — 嗮   (V) *be completely spoiled/ruined.* *(RT schemes, eggs, etc.)*

woh⁶禍   **3250**   (N) *misfortune; calamity; disaster.*   **SF**   ‡

— bat¹° daan¹ hang⁴   —   不單行   (SE) *troubles never come alone.*
— gan¹   —   根   (N) *root of evil; seeds of misfortune.*
— hoi⁶   —   害   (N) *calamity; disaster.*   **FE**   (*Cl.* jung² 種)
— sau²   —   首   (N) *ringleader; cause of trouble.*

wok⁶鑊   **3251**   (N) *cooking pan.*   (*Cl.* jek³ 只)

wok⁶獲   **3252**   (V) *obtain; seize.*   **SF**   ‡

— dak¹°   —   得   (V) & (N) *gain.*
— lei⁶   —   利   (V) *gain; make profit.*   **FE**
— — wooi⁴ to³   — —   回吐   (SE) *profit-taking tactics/policy in stocks.*   **FE**
— yik¹   —   益   (V) *benefit by/from.*

wong¹汪   **3253**   (N) *an expanse of water.*   **Fml.**   **SF**   ‡

— wong¹   —   汪   (SE) *broad and deep—of water.*   **Fml.**
— yeung⁴ (daai⁶ hoi²)   —   洋 (大海)   (N) *open sea.*   **Fml.**   **FE**

wong²枉   **3254**   (Adv) *in vain.*   **Fml.**   **SF**   ‡

— fai³ sam¹ gei¹   —   費心機   (SE) *have had all one's pains for nothing.*
— yin⁴   —   然   (Adv) *in vain; uselessly.*   **Fml.**   **FE**

wong⁴皇   **3255**   (N) *emporor.*   **SF**   ‡

— dai³   —   帝   (N) *emperor.*   **FE**
— gung¹   —   宮   (N) *palace.*   (*Cl.* joh⁶ 座 *or* goh³ 個)
— hau⁶   —   后   (N) *empress.*   **FE**

wong⁴惶   **3256**   (V) *fear; doubt.*   **Fml.**   **SF**   ‡

— hung²   —   恐   (V) *fear; be alarmed.*   **Fml.**   **FE**
— waak⁶ (bat¹° on¹)   —   惑 (不安)   (V) *doubt; be agitated and nervous.*   **Fml.**   **FE**

wong⁴ 蝗   3257   (N) *locust.*   **SF** ‡

— chung⁴ — 虫   (N) *locust.*   (*Cl.* jek³ 只)

wong⁴ 遑   3258   (Adj) *disturbed and pressed.*   **Fml.**   **SF** ‡

— gap¹° — 急   (Adj) *disturbed and pressed.*   **Fml.**   **FE**

— wong⁴ — 遑   (Adj) *ditto.*

wong⁴ 黃   3259   (Adj) & (N) *yellow.*

— baak⁶ hak¹° — 白，黑   (SE) *sex, narcotic and triad societies— a general term for vices.* *(Lit. yellow, white and black)*   **Fig.**

— dang¹° — 燈   (N) *amber light.* *(Lit. yellow light)* *(Cl.* jaan² 盞 *or* ji¹ 支*)*

— fung¹° — 蜂   (N) *wasp; hornet.* *(Cl.* jek³ 只*)*

— gam¹° ¡ — 金   (N) *gold.* *(No Cl.)*

⁵ — gwa¹° — 瓜   (N) *loofah gourd.*

W— Hoh⁴ — 河   (N) *the Yellow River.* *(Cl.* tiu⁴ 條*)*

— Hoi² — 海   (N) *the Yellow Sea.*

w— jung² (yan⁴) — 種人   (N) *yellow race.*

— kam⁴ kam⁴ — 噖噖   (Adj) *as yellow as the ripening grain.*

— lo⁵ ng⁵ — 老五   (N) *bachelor (regardless of age).*   **Mdn.**

— luk⁶ yi¹ saang¹° — 綠醫生   (N) *quack.* *(Lit. yellow green doctor)*

— nga⁴ baak⁶ — 芽白   (N) *Tientsin cabbage.* *(Cl.* poh¹ 疴*)*

— sik¹° — 色   (Adj) *yellow; dirty; sexy; pornographic.*   **FE**   **Lit.** & **Fig.**   (N) *yellow; yellow colour.*   **FE**   *(Cl.* jung² 種 *or* goh³ 個*)*

— — bo³ ji² — — 報紙   (N) *sexy/obscene newspaper; the yellow press.* *(Cl.* jeung¹ 張; *copy:* fan⁶ 份.)

¹⁵ — — din⁶ ying² — — 電影   (N) *smutty film; obscene film; pornographic film; "blue film".* *(Cl.* chut¹° 齣*)*

— — ga³ bo⁶ — — 架步   (N) *sex den; vice den; "pleasure den".*

— — hon² mat⁶ — — 刊物   (N) *pornographic publication.* *(Cl.* bo⁶ 部 *or* boon² 本*)*

— — siu² suet³ — — 小說   (N) *smutty novel; obscene novel; pornographic novel.* *(Cl.* bo⁶ 部 *or* boon² 本*)*

— — wa⁶* bo³ — — 畫報   (N) *pornographic magazine/pictorial.*   (*Cl.* bo⁶ 部 *or* boon² 本)

20 — tung⁴ — 銅   (N) *brass.*   **FE**   *(No Cl.)*

— wong⁴* dei⁶* — 黃地   (Adj) *yellowish.*

wong⁴ 王   3260   (N) *king.*   **SF** ‡

— dai³ — 帝   (N) *king.*   **FE**

— gung¹ — 宮   (N) *palace.*   (*Cl.* joh⁶ 座 *or* goh³ 個)

— gwok³ — 國   (N) *kingdom.*

— hau⁶ — 后   (N) *queen (as consort of a king).*   **FE**

— ji² — 子   (N) *prince.*   *(Lit. king's son)*

— wai⁶ — 位   (N) *throne.*

wong⁵ 往(徃)   3261   (V) *go.*   **Fml.** ‡

— faan² — 返   (SE) *go and return; go to and fro.*

— loi⁴ — 來   (SE) *come and go; to and from ssp; return trip.*

— nin⁴* — 年   (Adv) *in the past few years; several years ago.*

— si⁴* — 時   (Adv) *previously; formerly.*

— wong⁵ — 往   (Adv) *often; frequently; off and on.*

wong⁶ 旺   3262   (Adj) *prosperous; busy.*   *(RT business)*   **SF** ‡

— dei⁶ — 地   (N) *properous/busy place.*   (*Cl.* sue⁶ 處 *or* do⁶ 度)

— sing⁶ — 盛   (Adj) *prosperous; busy.*   *(RT business)*   **FE**

woo¹ 烏   3263   (Adj) *dark; black.*

— a¹ — 鴉   (N) *crow; raven.*   **FE**   (*Cl.* jek³ 只)

— dang¹° hak¹° foh² — 燈黑火   (SE) *lights are all out; in complete darkness.*   *(Lit. dark lamp black fire)*

— gwai¹° — 龜   (N) *black tortoise.*   (*Cl.* jek³ 只); *cuckold/pimp.*   (*Cl.* goh³ 個)

— hap⁶ ji¹ jung³ — 合之衆   (SE) *disorderly and undisciplined mob.* *(Lit. crows assemble crowd)*

⁵ — jo² — 棗　　(N) *black date.*

— lung⁴* — 龍　　(Adj) *muddled; stupid; wrong. (Lit. black dragon)* **Coll.** (N) *black dragon. (Cl.* tiu⁴ 條); *stupid mistake; careless error. (Cl.* goh³ 個)

— — cha⁴ — — 茶　　(N) *Oolong tea.* **Tr.** (*Cup:* booi¹ 杯)

— — wong⁴ — — 王　　(N) *one who always makes stupid mistakes.* **Coll.** **Joc.**

— ma¹ ma¹ — 嗎嗎　　(Adj) *very dark/black.*

¹⁰ — seuh⁴ seuh⁴ — 垂垂　　(Adj) *ignorant; completely in the dark about sth.*

— wan⁴ — 雲　　(N) *black cloud; storm cloud; nimbus. (Cl.* deuh² or doh² 朵)

— yin¹ — 煙　　(N) *lampblack. (No Cl.)*

— ying⁴° — 蠅　　(N) *fly; house fly. (Cl.* jek³ 只)

— — paak³* — — 拍　　(N) *fly-swat.*

— yue⁴* — 魚　　(N) *black fish. (Cl.* tiu⁴ 條)

woo¹ 污(汙)　　**3264**　　(Adj) *dirty; filthy.* **SF** ‡

— dim² — 點　　(N) *blot; stain; stigma; blemish.* **Lit. & Fig.**

— gau³ — 垢　　(N) *filth; dirt.* **Fml.** *(No Cl.)*

— jo¹ — 糟　　(Adj) *dirty; filthy.* **Coll. FE**

— juk⁶ — 濁　　(Adj) *ditto. (GRT air, water, etc.)*

⁵ — wai³ — 穢　　(Adj) *ditto.* **Fml.**

— lei⁶ — 吏　　(N) *corrupt official.* **Fml.**

— yim⁵ — 染　　(V) *pollute; contaminate; be stained with evil.* (N) *pollution; contamination. (Cl.* jung² 種)

— — hung¹ hei³ — — 空氣　　(V) *pollute the air.* (N) *air pollution; polluted air. (Cl.* jung² 種)

— yuk⁶ — 辱　　(V) *insult; defame.*

woo¹° 鎢　　**3265**　　(N) *wolfram; tungsten.* **Tr.** *(No Cl.)*

woo² 滸　　**3266**　　(N) *river bank.* **Fml. SF** ‡

woo^{2} 塢(隖) **3267** (N) *dock; entrenchment; low wall.* **SF ‡**

woo^{3} 惡 **3268** (V) *hate; dislike.* **Fml. SF ‡ AP ok^{3} see 2428.**

— lo^{4} — 勞 (V) *dislike hard work.* **Fml.**
— ok^{3} — 惡 (V) *hate evil.* **Fml.**

woo^{3} 軀 **3269** (V) *stoop.* **Coll. SF ‡**
CC

— dai^{1} tau^{4} — 低頭 (V) *stoop; stoop down.* **Coll. FE**
— luen^{1} yiu^{1} — 攣腰 (V) *stoop/bend down.*

woo^{4} 壺 **3270** (N) *pot; jug.* **SF ‡ AP woo^{4*} SM see 3271.**

woo^{4*} 壺 **3271** (N) *pot; jug.* **Coll. AP woo^{4} SM see 3270.**

woo^{4} 胡 **3272** (Adj) *confused; discrderly; reckless.* **SF ‡**

— jiu^{1} — 椒 (N) *black pepper.* (*Cl.* nap$^{1°}$ 粒)
— — fan^{2} — — 粉 (N) *pepper; powdered pepper.* (*Bottle:* jun^{1} 樽)
— — moot^{6*} — — 末 (N) *ditto.*
— kam^{4} — 琴 (N) *Chinese fiddle/violin with two strings between which the bow is passed.* (*Cl.* goh^{3} 個 *or* ba^{3} 把)
5 — luen^{6} — 亂 (Adj) *confused; disorderly; careless; at random.* **FE**
— naau^{6} — 鬧 (V) *act recklessly.* (Adj) *reckless; naughty.* **FE**
— si^{1} luen^{6} seung^{2} — 思亂想 (SE) *let the mind run wild; have stupid thoughts. (Lit. vainly imagine disorderly think)*
— suet^{3} (baat^{3} do^{6}) — 說(八道) (V) *talk rubbish; talk folly.* **Mdn.**
— wan^{6} — 混 (V) *loaf around; be a good-for-nothing person; be a never-do-well.*

woo^{4} 湖 **3273** (N) *lake.*

W— Bak$^{1°}$ (Saang^{2}) — 北(省) (N) *Hupei; Hupei Province.* **Tr.**
— Naam^{4} Saang^{2} — 南省 (N) *Hunan; Hunan Province.* **Tr.**

woo⁴糊 3274   (V) & (N) *paste.*

— biu² — 裱   (V) *paste; mount.*   *(RT paintings, scrolls, etc.)*

— hau² — 口   (V) *barely make a living; earn a mere subsistence.* *(Lit. paste the mouth)* **PL**

— to⁴ — 塗   (Adj) *muddled; stupid; foolish.*

— — chung⁴ — — 虫   (N) *simpleton; fool.* **Coll.**

woo⁴葫 3275   (N) *bottle-gourd.* **SF** ‡

— lo⁴* (gwa¹°) — 蘆(瓜)   (N) *bottle-gourd.* **FE**

woo⁴蝴 3276   (N) *butterfly.* **SF** ‡

— dip⁶* — 蝶   (N) *butterfly.* **FE**   *(Cl.* jek³ 只*)*

woo⁴鬍 3277   (N) *beard.* **SF** ‡

— so¹ — 鬚   (N) *beard; full beard.*   *(Cl.* ba² 把 *or* jap¹° 執*)*

woo⁴弧 3278   (N) *arc; crescent; bow.* **SF** ‡

— gwong¹ — 光   (N) *electric arc; arc light.*   *(No Cl.)*

— — dang¹° — — 燈   (N) *arc lamp.*   *(Cl.* jaan² 盞 *or* ji¹ 支*)*

— ying⁴ — 形   (Adj) *bow-shaped.*   (N) *bow; bow-shape.* **FE**

woo⁴狐 3279   (N) *fox.* **SF** ‡

— chau³ — 臭   (N) *odour from the armpits.* **Mdn.**   *(Cl.* jam⁶ 㝵 *or* bung⁶ 嗙*)*

— ga² foo² wai¹ — 假虎威   (SE) *pretend to be a powerful person; petty officials acting like high-ranking ones.*   *(Lit. fox borrow tiger's terror)* **Ctmp.**

— kwan⁴ gau² dong² — 羣狗黨   (N) *set/group of rogues.*   *(Cl.* baan¹ 班*)*

— lei⁴* — 狸   (N) *fox.* **FE**   *(Cl.* jek³ 只*)*

⁵ — lei⁴ jing¹ — — 精   (N) *elf; fox in disguise; bewitching woman* **(AL)**. *(Cl.* jek³ 只*)*

— yi⁴ — 疑   (Adj) *suspicious; distrustful; doubtful.* **Fml.**   (N) *suspicion; distrust; doubt.* **Fml.**   *(Cl.* jung² 種*)*

woo⁶戶 3280 (N) *door; family; population.* **SF** ‡

— hau² — 口 (N) *population; household.* **FE**

— — tiu⁴ cha⁴ — — 調查 (N) *census.* (*Cl.* chi³次)

— jik⁶ — 籍 (N) *record/registration of the population; census lists.*

woo⁶護 3281 (V) *protect; escort.* **SF** ‡

— cheung⁴ hoh⁴ — 牆河 (N) *moat.* *(Lit. protect wall river)* (*Cl.* do⁶ 度 *or* tiu⁴條)

— sing⁴ ho⁴ — 城濠 (N) *ditto.* *(Lit. protect city ditch)*

— foo⁴ — 符 (N) *a charm to protect the body from evil cover; protection.* **Lit. & Fig.** (*Cl.* do⁶道)

— san¹ foo⁴ — 身符 (N) *ditto.* **FE**

5 — hong⁴ — 航 (V) *escort; convoy.* *(RT naval ships)* **FE**

— sung³ — 送 (V) *ditto.* *(RT people, ships, etc.)*

— hong⁴ dui⁶* — 航隊 (N) *escort.* *(RT naval ships)*

— — gei¹ — — 機 (N) *escort plane.* (*Cl.* ga³架)

— — laam⁶ — — 艦 (N) *escorting ship/warship.* (*Cl.* jek³ 只)

10 — — suen⁴ — — 船 (N) *ditto.*

— jiu³ — 照 (N) *passport.*

— si⁶ — 士 (N) *nurse.* **Fml.**

— — jeung² — — 長 (N) *matron.* *(Lit. nurse chief)*

woo⁶互 3282 (Adj) *mutual; reciprocal.* **SF** ‡ (Adv) *mutually; reciprocally.* **SF** ‡

— bat¹° cham¹ faan⁶ — 不侵犯 (N) *mutual non-aggression.* (*Cl.* jung² 種)

— — — — tiu⁴ yeuk³ — — — — 條約 (N) *treaty of non-aggression.* (*Cl.* jung² 種 *or* goh³ 個)

— joh⁶ hap⁶ jok³ — 助合作 (N) *mutual assistance and co-operation.* (*Cl.* jung² 種)

— — jing¹ san⁴ — — 精神 (N) *spirit of mutual assistance.* (*Cl.* jung² 種)

15 — seung¹ — 相 (Adj) *mutual; reciprocal.* **FE** (Adv) *mutually; reciprocally.* **FE**

— — biu¹ bong⁶ — — 標榜　(N) *mutual praise/admiration.* **Der.** (*Cl.* jung² 種)

— — bong¹ joh⁶ — — 幫助　(V) *render mutual assistance.* (N) *mutual assistance.* (*Cl.* jung² 種)

— — juen¹ jung⁶ — — 尊重　(V) *render mutual respect.* (N) *mutual respect.* (*Cl.* jung² 種)

— — yi¹ laai⁶ — — 依賴　(N) *inter dependence.* (*Cl.* jung² 種)

10 — wai⁶ — 惠　(Adj) *reciprocal; mutually beneficial.* **FE** (N) *reciprocity; mutual benefit.* (*Cl.* jung² 種)

— — jue² yi⁶ — — 主義　(N) *reciprocality; reciprocal principle.* (*Cl.* jung² 種 *or* goh³ 個)

— — tiu⁴ yeuk³ — — 條約　(N) *reciprocal treaty.* (*Cl.* goh³ 個 *or* jung² 種)

— — yuen⁴ jak¹° — — 原則　(N) *principle of reciprocity.* (*Cl.* goh³ 個 *or* jung² 種)

woo⁶ 芋 3283　(N) *taro; taro root.* **SF** ‡

— tau⁴* — 頭　(N) *taro; taro root.* **FE**

wooi¹ 偎 3284　(V) *walk closely together; cuddle/snuggle together.* **Fml. SF** ‡

— bong⁶ — 傍　(V) *walk closely together.* **Fml. FE**

— tip³ — 貼　(V) *cuddle/snuggle together.* **Fml. FE**

— yi¹ — 依　(V) *ditto.*

wooi¹ 煨 3285　(V) *roast in ashes.*

— faan¹ sue⁴* — 番薯　(V) *roast sweet potatoes in ashes.*

wooi⁴ 回 (囘 , 囬) 3286　(V) *return; reply.* **Fml. SF** ‡ (N) *reply; Muslim.* **Fml. SF** ‡

— daap³ — 答　(V) *reply; answer.* **FE**

— fuk¹° — 覆　(V) *ditto.*

W— Gaau³ — 教　(N) *Islam.*

— wooi⁴* — 回　(N) *ditto.*

5 — Gaau³ to⁴ — 教徒　(N) *Muslim.*

w— hap⁶ — 合   (N) *round.* *(RT boxing, fightings, meetings, etc.)*
W— Juk⁶ — 族   (N) *Hui.* *(RT China's minority nationalities)* **Tr.**
w— seng¹ — 聲   (N) *echo.* *(Lit. returning sound)* *(Cl.* goh³個 *or* jung²種 *)*
— sun³ — 信   (N) *reply; answer.* **FE** *(Cl.* fung¹封 *)*
— yam¹ — 音   (N) *ditto.*
— tau⁴ — 頭   (V) *turn the head; repent.* **(Fig.)**
— yik¹° — 憶   (V) *recollect; recall.* (N) *memory.* *(Cl.* jung²種 *)*
— — luk⁶* — — 錄   (N) *memoir.* *(Cl.* pin 篇, bo⁶ 部 *or* boon²本.)
— yung⁶* — 佣   (N) *sales commission; broker's commission.* **Coll.** **FE** *(Sum:* bat¹筆 *; percent:* goh³個 .)

wooi⁴ 迴(廻) 3287   (V) *turn round; avoid meeting.* **Fml. SF** ‡

— bei⁶ — 避   (V) *avoid meeting sb; shun.* **FE**
— suen⁴ — 旋   (V) *turn round; turn about.* **Fml. FE**
— — chue³ — — 處   (N) *roundabout.* *(RT traffic)*

wooi⁵ 會 3288   (AV) *would; will.* **CP** (V) *be able to do sth; know how to do sth.* **CP AP:** (1) kwooi² see 1748; (2) wooi⁶ see 3289; (3) wooi⁶* see 3290.

— gong² Ying¹ Man⁴ — 講英文   (V) *know how to/can speak English.* **FE**
— ja¹ fei¹ gei¹ — 揸飛機   (V) *be able to/can fly a plane.* **FE**
— lok⁶ yue⁵ — 落雨   (AV) *would/will rain.* **FE**

wooi⁶ 會 3289   (V) *meet; assemble.* **SF** ‡ (N) *meeting; conference; society; club.* **SF** ‡ **AP:** (1) kwooi² see 1748; (2) wooi⁵ see 3288; (3) wooi⁶* see 3290.

— choh³ yi³ — 錯意   (V) *misunderstand; get the wrong idea.* *(Lit. meet wrong ideas)*
— gai³ — 計   (V) *calculate.* **CP** (N) *accountancy.* **CP** *(Cl.* jung² 種)
— — (yuen⁴) — — (員)   (N) *accountant.* **CP**
— — nin⁴ do⁶ — — 年度   (N) *fiscal year.* **CP**
5 — — si¹° — — 師   (N) *chartered accountant.* **CP**
— haau² — 考   (V) *sit for/take the school-leaving certificate examination.* (N) *school-leaving certificate examination.* *(Cl.* chi³ 次)

— min⁶ — 面   (V) *meet sb.*   **Coll.**   **FE**
— ng⁶ — 晤   (V) *ditto.*   **Fml.**
— wa⁶* — 話   (N) *conversation; dialogue.*   (*Cl.* chi³ 次)
— yi³ — 意   (V) *understand; take a hint.*   (*Lit. meet ideas*)
— yi⁵ — 議   (N) *conference; meeting.*   (*Cl.* chi³ 次)
— — luk⁶* — — 錄   (N) *record/minute of a conference/meeting.*
— — sat¹° — — 室   (N) *conference room.*   (*Cl.* gaan¹ 間 *or* goh³ 個)

wooi⁶* 會 3290   (N) *club; organization; society.*   **AP: (1)** kwooi² see 1748; **(2)** wooi⁵ see 3288; **(3)** wooi⁶ see 3289.

— fai³ — 費   (N) *membership fee.*   (*Cl.* chi³ 次)
— jeung¹° — 章   (N) *rules/regulations of a club/civil organization/ society.*
— jeung² — 長   (N) *head of a club/organization/society.*
— yuen⁴ — 員   (N) *member of a club/organization/society.*

wooi⁶ 燴 3291   (V) *stew.*

— ngau⁴ yuk⁶ — 牛肉   (V) *stew beef.*

wooi⁶ 滙(匯) 3292   (V) *remit money.*   **SF** ‡   (N) *remittance.* **SF** ‡

— chin⁴* — 錢   (V) *remit money.*   **FE**   **Coll.**
— dui³ — 兌   (N) *remittance.*   **Fml.**   (*Cl.* bat¹° 筆)
— foon² — 欵   (N) *ditto.*
— daan¹° — 單   (N) *money order; draft; letter of credit.*   (*Cl.* jeung¹ 張)
— piu³ — 票   (N) *ditto.*
⁵ W— Fung¹° Ngan⁴ Hong⁴ — 豐銀行   (N) *the Hong Kong & Shanghai Banking Corporation.*   (*Cl.* gaan¹ 間)

wooi⁶ 彙 3293   (V) *collect.*   **SF** ‡   (N) *glossary; vocabulary.* **SF** ‡   *(See 1446/13)* **AP: (1)** lui⁵ SM see 1997; **(2)** wai⁶ SM see 3215.

— bo³ — 報   (V) *make a collective report.*
— jaap⁶ — 集   (V) *collect.*   **FE**

woon² 碗(盌)   3294   (N) *bowl.*   (*Cl.* jek³ 只 *or* goh³ 個)

— dip⁶ —   碟   (N) *eating utensils in general; dishes.* (*Lit. bowls and plates)* (*Set:* to³ 套)

— gwai⁶ —   櫃   (N) *cupboard.*

— jai² chi³ —   仔翅   (N) *shark's fin soup in a small bowl—a Cantonese delicacy.* (*Bowl:* woon² 碗)

woon² 腕   3295   (N) *wrist.*   **Fml.**   **SF**   ‡

— bin¹° —   錶   (N) *wrist watch.*   **Fml.** (*Cl.* goh³ 個 *or* jek³ 只)

— gwat¹° —   骨   (N) *bone of the wrist.*   **Fml.** (*Cl.* tiu⁴ 條)

woon⁴ 援   3296   (V) *rescue; assist; help; lend a hand.*   **CP**   **SF**   ‡
                             AP: (1) yuen⁴ SM see 3555; (2) yuen⁶ SM see 3556.

— bing¹ —   兵   (N) *reinforcement.* (*Lit. rescue troops)*   **CP** (*Cl.* ji¹ 支 *or* dui⁶ 隊)

— gau³ —   救   (V) *rescue; assist; help; lend a hand.*   **FE**   **CP**

— joh⁶ —   助   (V) *ditto.*

— sau² —   手   (V) *ditto.*

woon⁶ 換   3297   (V) *change; replace.*   **SF**   ‡

— baan¹° —   班   (V) *change a shift.* (*GRT policemen, troops, etc.)*

— che¹° —   車   (V) *change/trade in a car.*

— chin⁴* —   錢   (V) *change money.*

— din⁶ chi⁴ —   電池   (V) *change a battery; put in a new battery.* (*GRT motor vehicles)*   **FE**

5   — — sam¹° — —   芯   (V) *ditto.* (*GRT flash-lights)*   **Coll.**

— gui³ suet³ wa⁶ gong² —   句說話講   (Adv) *in other words.*

— yin⁴ ji¹ —   言之   (Adv) *ditto.*   **Fml.**

— gwai³ —   季   (V) *change into summer/winter clothes.*

— ma⁵ —   馬   (V) *change horses; replace sb.*   **Lit. & Fig.**

10   — yan⁴ —   人   (V) *ditto.*

— saam¹° —   衫   (V) *change clothes.*

— tong¹ bat¹° woon⁶ yeuk⁶ —   湯不換藥   (SE) *prescription using the same medicine as before; use of an ineffective medicine; a useless remedy.* (*Lit. change water not change herb)*

woon⁶ 玩 3298

(V) *play/trifle with.* **Fml. SF** ‡   (N) *play thing.* **Fml. SF** ‡   **AP: (1) waan⁴ see 3167; (2) waan⁴* see 3168.**

— gui⁶ — 具   (N) *plaything; toy.* **Fml. FE**

— lung⁶ — 弄   (V) *play/trifle with.* **Fml. FE**

— — nui⁵ sing³ — — 女性   (V) *play/trifle with women.* **Fml. FE**

woon⁶ 緩 3299

(V) *delay; moderate.* **Fml. SF** ‡   (Adj) *slow; tardy.* **Fml. SF** ‡

— bing¹ ji¹ gai³ — 兵之計   (SE) *the strategy of delaying the advance of the enemy; gains made by delaying.*

— maan⁶ — 慢   (Adj) *slow; tardy.* **Fml. FE**

— woh⁴ — 和   (V) *moderate; allay.* **FE**

— ying⁴ — 刑   (V) *suspend punishment.* *(Lit. delay punishment)*

woot⁶ 活 3300

(Adj) *living; lively; active; moveable.* **SF** ‡

— dik¹° — 的   (Adj) *living.* **Fml. SF** ‡

— — yan⁴ mat⁶ — — 人物   (N) *living person.*

— yan⁴ — 人   (N) *ditto.*

— dik¹° yue⁵ yin⁴ — 的語言   (N) *living language.* *(Cl.* jung² 種 *)*

5   — dung⁶ — 動   (Adj) *active; moveable; portable.* **FE**   (N) *activity; movement.* *(Cl.* jung² 種 *)*

— — din⁶ ying² — — 電影   (N) *motion picture; cinema; film.* *(Cl.* to³ 套 *or* chut¹° 齣 *)*

— — faan⁶ wai⁴ — — 範圍   (N) *sphere of activities.*

— — faat³ din⁶ gei¹ — — 發電機   (N) *moveable generator.* *(Cl.* ga³ 架 *)*

— — sip³ ying² gei¹ — — 攝影機   (N) *cine-camera.* *(Cl.* ga³ 架 *)*

10   — hau² — 口   (N) *evidence of a survivor.*

— kei⁴ chuen⁴ foon² — 期存欵   (N) *current account.* *(Cl.* jung² 種 *)*

— kek⁶ — 劇   (N) *moving scene; farce.* *(Cl.* mok⁶ 幕 *or* chuk¹° 齣 *)*

— ming⁶ — 命   (V) *maintain a livelihood.* **Mdn.**

— — chin⁴* — — 錢   (N) *money to maintain a livelihood.* **Mdn.**

10   — poot³ — 潑   (Adj) *lively; active; energetic; full of life.* *(GRT children)* **FE**

— — tin¹ jan¹ — — 天眞   (Adj) *very lovely/lively.* *(GRT children)* **FE**

— sak¹° — 塞   (N) *piston.*

Y

ya¹° 吔 **3301**
CC
(N) *cry of pain.* **Tr. SF** ‡

— ya¹° seng¹ — 吔聲   (N) *cry of pain.* **Tr. FE**

ya⁵ 也 **3302**   (Adv) & (Conj) *also.* **Mdn. SF** ‡

— chang⁴ — 曾   (Adv) *already.* **Mdn. FE**

— hui² — 許   (Adv) *also; perhaps.* **Mdn. FE**

ya⁶ 廿 **3303**
CC
(Adj) *twenty.* *(Gen. followed by nouns, classifiers or numbers)* **Coll. SF** ‡ **AP ye⁶ SM see 3379.**

— gaan¹ uk¹° — 間屋   (SE) *20 houses.*

— man¹° — 文   (SE) *20 dollars.* *(No Cl.)*

— sei³ — 四   (Adj) & (N) *twenty-four.*

yaai² 踹 **3304**   (V) *step on; trample on.* **CP AP chaai² SM see 170.**

— daan¹° che¹° — 單車   (V) *ride a bicycle.* **CP**

— sei² — 死   (V) *trample to death.* **CP**

— suet³ kek⁶ — 雪屐   (V) *roller-skate.* **CP**

— yau⁴* — 油   (V) *accelerate.* *(RT driving cars, etc.)* **CP**

yaak³ 吃(喫) **3305**   (V) *eat.* **CP Coll. SF AP hek³ SM see 1162.**

— faan⁶ — 飯   (V) *eat; eat rice; take food; have a Chinese meal.* **CP Coll. FE**

yai⁴ 呤 **3306**
CC
(Adj) *inferior (RT goods); naughty (RT children).* **AP yai⁵ SM see 3307.**

yai⁵ 呤 **3307**
CC
(Adj) *inferior (RT goods); naughty (RT children).* **AP yai⁴ SM see 3306.**

yam¹ 音   3308   (N) *sound; music.*   **SF** ‡   **AP yam¹°** see **3309.**

— biu¹ — 標   (N) *phonetic sign; pitch of a sound.*

— boh¹° — 波   (N) *sound-wave.*

— cha¹ — 叉   (N) *tuning-fork.*

— chuk¹° — 速   (N) *speed of sound.*

5 — diu⁶ — 調   (N) *tone; tune.*   *(GRT phonetics)*   **FE**

— foo⁴ — 符   (N) *musical note.*

— gaai¹ — 階   (N) *musical scale.*

— ngok⁶ — 樂   (N) *music.*   **FE**   *(Cl.* jung² 種*)*

— — ga¹° — — 家   (N) *musician.*

10 — — teng¹° — — 廳   (N) *"music parlour".*   *(RT vice dens)*   *(Cl.* gaan¹ 間*)*

— — toi⁴ — — 台   (N) *stage; platform.*   *(ROT floor shows/performances by orchestras, bands, etc.)*

— — wooi⁶* — — 會   (N) *concert.*

— wan⁶ — 韻   (N) *rhyme; phonology.*   *(Cl.* jung² 種 *or* goh³ 個*)*

yan¹° 音   3309   (N) *tone.*   *(GRT the Cantonese dalect)*   **AP yam¹** see **3308.**

yam¹ 陰（陰）   3310   (Adj) *mysterious; secret; dark; female; negative.*   **Fml. SF** ‡   (N) *moon; female/negative principle in nature.*   *(Opp. of* "yeung⁴" 陽 *see 3398.)*   **Fml. SF** ‡

— am³ — 暗   (Adj) *dark; gloomy; dismal.*   **FE**

— bo⁶ — 部   (N) *private parts.*   *(RT both sexes)*   **Fml.**

— dak¹° — 德   (Adj) *meritorious; conscientious.*   **Fml. FE**   (N) *secret merit; merit acquired by ancestors for their offspring; conscience.*   **Fml. FE**   *(Cl.* jung² 種*)*

— gung¹ — 功   (Adj) *ditto.*   (N) *ditto.*

5 — din⁶ — 電   (N) *negative electricity.*   *(Cl.* jung² 種*)*

— duk⁶ — 毒   (Adj) *wicked; evil-minded.*

— sap¹° — 濕   (Adj) *ditto.*

— gaan¹ — 間   (N) *Hades; the afterlife.*   **Fml.**

— sai³ — 世   (N) *Hades; the afterlife.*

10 — gik⁶ — 極   (N) *negative pole; cathode.*

— hei³ — 氣   (N) *female/negative element in nature.* **FE** (*Cl.* jung²種)

— leung⁴ — 涼   (Adj) *shady and cool.*

— lik⁶ — 曆   (N) *lunar calendar.*

— long⁴ — 囊   (N) *scrotum.*

15 — mau⁴ — 謀   (N) *secret scheme/plot.*

— — ga¹° — — 家   (N) *conspirator.*

— mo⁴ — 毛   (N) *pubic hair.* **Fml.** (*Cl.* tiu⁴條)

— tin¹° — 天   (N) *cloudy sky; overcast weather.*

— woo⁶ — 戶   (N) *female organ; vagina.* **Fml.**

yam¹ 欽   3311   (V) *respect; admire.* **Fml. SF** ‡

— ging³ — 敬   (V) *respect; admire.* **Fml. FE** (N) *respect; admiration.* **Fml. FE** (*Cl.* jung²種)

— pooi³ — 佩   (V) *ditto.* (N) *ditto.*

yam² 飲   3312   (V) *drink.* **AP** yam³ see 3313.

— aan³ cha⁴ — 晏茶   (V) *have lunch at a Chinese restaurant/tea house.*

— ban² — 品   (N) *drinks; soft drinks.* (*Cl.* jung²種)

— booi¹ — 杯   (SE) *"cheers!"* (*Lit. drink cups*)

— cha⁴ — 茶   (V) *drink tea; have breakfast/lunch at a Chinese restaurant/tea house.*

5 — cha⁴ la¹ — 茶啦   (SE) *have some tea, please.* **PL**

— dak¹° (ge³) — 得(嘅)   (Adj) *drinkable.*

— hei² jau² — 喜酒   (V) *go to/attend a formal Chinese dinner for some kind of celebration.*

— jo² cha⁴ — 早茶   (V) *have breakfast at a Chinese restaurant/tea house.*

— jui³ (jau²) — 醉(酒)   (V) *drink oneself drunk.*

10 — saam¹° — 衫   (N) *one's best clothes; "Sunday best".* (*Cl.* to³套)

— san¹ po⁵ cha⁴ — 新抱茶   (V) *drink tea offered by a new daughter-in-law (in accordance with Chinese traditional custom).*

— sing³ — 勝   (SE) *"bottoms up!"* (*Lit. drink victory*)

— sing⁶ — 剩   (SE) *"to health!"* (*Lit. drink and remain*)

— sui² si¹ yuen⁴ — 水思源   (SE) *remember the person from whom one has received favours.* (*Lit. drink water think of fountain*)

15 — tong¹ — 湯   (V) *drink/take soup.*

— yam² sik⁶ sik⁶ — 飲食食   (SE) *eat out together; invite one another to tea/dinner.*

yam³ 飲 3313

(V) *dip* (**Coll.**); *give a drink to* (**Fml.**). **SF** ‡ **AP** yam² see **3312.**

— laap⁶ juk¹° — 臘燭   (V) *dip candles.* **Coll.** **FE**

— ma⁵ tau⁴ chin⁴ — 馬投錢   (SE) *pay for what one has got.* (*Lit. water horse throw money*)

yam⁴ 淫 3314

(Adj) *obscene; immoral; licentious; lewd.* **SF** ‡

— dong⁶ — 蕩   (Adj) *licentious; lewd; profligate.* **FE**

— mooi⁴ — 媒   (N) *procuress.*

— sue¹ — 書   (N) *obscene/immoral publication.* **FE** (*Cl.* bo⁶ 部 or boon² 本)

— wa⁶* — 畫   (N) *obscene picture/film.* (*Cl.* fuk¹° 幅 or chut¹° 齣)

yam⁴ 吟 3315

(V) *hum; chant.* **SF** ‡

— si¹° — 詩   (V) *hum poetry.* **FE**

— wing⁶ — 咏   (V) *chant/recite poetry.* **FE**

yam⁶ 任 3316

(V) *permit; appoint.* **SF** ‡

— chung⁴ — 從   (V) *permit; allow.* **FE**

— yau⁴ — 由   (V) *ditto.*

— hoh⁴ — 何   (Adj) *any.*

— ming⁶ — 命   (V) *appoint; employ.* **Fml.** **FE** (N) *appointment.* (*Cl.* chi³ 次 or goh³ 個)

5 — yung⁶ — 用   (V) *ditto.* (N) *ditto.*

— mo⁶ — 務   (N) *duty; mission.* **Fml.** (*Cl.* jung² 種 or chi³ 次)

— sing³ — 性   (Adj) *headstrong.*

— yi³ — 意   (Adj) *random; voluntary.*

yan¹ 因   **3317**   (Conj) *because; for.* **SE** ‡   (Prep)*for.*   **SF** ‡   (Adv) *because of.*

— chi² — 此   (Adv) *for this reason; because of this.*

— gwoh² — 果   (SE) *cause and effect.*

— — lut⁶* — —   律   (SE) *the law of cause and effect.*   (*Cl.* jung² 種 or tiu⁴ 條)

— oi³ sing⁴ sau⁴ — 愛成仇   (SE) *hatred caused by unrequited love. (Lit. because of love become hatred)*

5   — wai⁶ — 爲   (Conj) *because; for.* **FE**   (Prep) *for.* **FE**   (Adv) *because of.* **FE**

— woh⁶ dak¹° fuk¹° — 禍得福   (SE) *get good out of misfortune; a blessing in disguise. (Lit. because of misfortune get happiness)*

— yan⁴ sing⁴ si⁶ — 人成事   (SE) *make gains from the hard work of others; be very incompetent by oneself and dependent on other people. (Lit. depend on others accomplish job)*

yan¹ 姻   **3318**   (N) *relations by marriage.* **Fml.**   **SF** ‡

— chan¹ — 親   (N) *wife's relatives.* **Fml.**   **FE**

— yuen⁴ — 緣   (N) *fate or the influence which brings lovers together.* (*Cl.* duen⁶ 段 or chi³ 次)

yan¹ 恩   **3319**   (N) *kindness; favour; benefit; grace.* **SF** ‡

— dai¹° — 德   (N) *kindness; favour; benefit; grace.* **FE**   (*Cl.* jung² 種)

— din² — 典   (N) *ditto.*

— jaak⁶ — 澤   (N) *ditto.*

— wai⁶ — 惠   (N) *ditto.*

5   — jeung¹ sau⁴ bo³ — 將仇報   (SE) *requite kindness with a grudge; return evil for good.*

— oi³ — 愛   (N) *affection; love between sexes.* (*Cl.* jung² 種)

— — foo¹ chai¹ — —   夫妻   (N) *affectionate couple.* (*Cl.* dui³ 對)

— yan⁴ — 人   (N) *benefactor.*

yan¹ 湮   3320   (V) *be hidden; be buried.* **Fml.** **SF** ‡

— mit⁶ — 滅   (V) *be buried; be destroyed.* **Fml.** **FE**

— moot⁶ mo⁴ man⁴ — 沒無聞   (SE) *be hidden in obscurity.* *(GRT talents)*

yan¹ 欣(忻)   3321   (N) *delight; joy.* **SF** ‡

— seung² — 賞   (V) *delight/find pleasure in; admire; appreciate.* *(RT literature, music, etc.)*

— wai³ — 慰   (Adj) *contented; satisfied; comforted.* **FE**

yan¹ 甄   3322   (V) *distinguish; qualify.* *(RT people)*

— bit⁶ — 別   (V) *distinguish; qualify.* **FE**

— — si³ — — 試   (N) *qualifying examination.* *(Cl.* jung² 種 *or* chi³ 次)

yan¹ 殷   3323   (Adj) *reliable; well-off.* **SF** ‡

— sat⁶ — 實   (Adj) *reliable; well-off.* **FE**

— seung¹ — 商   (N) *well-to-do businessman.*

yan¹ 慇   3324   (Adj) *attentive; diligent.* **SF** ‡

— kan⁴ — 勤   (Adj) *attentive; diligent.* **FE**

yan² 隱   3325   (V) *hide; conceal.*

— bei⁶ — 避   (V) *hide/seclude oneself.* **FE**

— nik¹° — 匿   (V) *ditto.*

— gui¹ — 居   (V) *dwell in seclusion.*

— jat⁶ — 疾   (N) *venereal disease.* *(Lit. hidden disease)* *(Cl.* jung² 種)

⁵ — sau¹ si⁶ — 修士   (N) *recluse; hermit.*

— si⁶ — 士   (N) *recluse; hermit.*

— sing³ maai⁴ ming⁴ — 姓埋名   (V) *conceal one's real name.*

— yan² — 忍   (V) *bear suffering in patience.*

— yau¹ — 憂   (N) *secret sorrow; hidden problem; "time bomb".*

yan² 忍   3326   (V) *be patient with; put up with; bear; endure.*   **SF**   ‡   (N) *patience.*   **SF**   ‡

— hei³ (tan¹ sing¹) — 氣(吞聲)   (V) *restrain one's anger.*

— m⁴ jue⁶ — 唔住   (V) *lose one's patience with; be unable to endure any longer.*

— noi⁶ — 耐   (V) *be patient with; put up with; bear; endure.*   **FE**

— sau⁶ — 受   (V) *ditto.*

5 — noi⁶ (lik⁶) — 耐(力)   (N) *patience.*   **FE**   (*Cl.* jung² 種)

— sam¹ — 心   (Adj) *hard-hearted; unfeeling.*

yan³ 印   3327   (V) *print.* (N) *printing; stamp; chop; seal.*   **SF**   ‡   (P) *used in transliterations.*

— chaat³ — 刷   (V) *print.*   **FE**   (N) *printing.*   (*Cl.* jung² 種)

— — ban² — — 品   (N) *printed matter.*   (*Cl.* jung² 種)

— — mat⁶ — — 物   (N) *ditto.*

— — chong² — — 廠   (N) *printing-works; printing-house; printing-office.*   (*Cl.* gaan¹ 間)

5 — — soh² — — 所   (N) *ditto.*

— — fai³ — — 費   (N) *printing expense.*   (*Cl.* bat¹° 筆)

— — gei¹ — — 機   (N) *printing-machine.*   (*Cl.* ga³ 架)

— — gung¹ yan⁴ — — 工人   (N) *printer; person who does printing work.*

Y— Do⁶ — 度   (N) *India.*   **Tr.**

10 — — daai⁶ ma⁴ — — 大麻   (N) *Indian hemp; hemp; marijuana.* (*Plant:* poh¹ 蔀; *Leaf:* faai³ 塊.)

— — Nei⁴ Sai¹ A³ — — 尼西亞   (N) *Indonesia.*   **Tr.**

— Nei⁴ — 尼   (N) *ditto.*   **SF**

y— fa¹° (piu³) — 花(票)   (N) *revenue stamp.*

— — bo³ — — 布   (N) *printed cottons.*   (*Bolt:* pat¹° 疋)

¹⁵ — — sui³   — — 稅   (N) *stamp-duty.*   (*Cl.* jung² 種)

   — jeung¹°   — 章   (N) *seal; chop.*   **FE**

   — jeung⁶   — 象   (N) *impression; mental impression; mental image.*

   — — jue² yi⁶   — — 主義   (N) *impressionism.*   (*Cl.* goh³ 個 *or* jung² 種)

   — — paai³   — — 派   (N) *impressionist; impressionist school.*

²⁰ — sik¹°   — 色   (N) *ink used for seals; stamp-pad ink.*   (*Cl.* jung² 種)

   — sue¹   — 書   (V) *print books.*

   — sui² ji²   — 水紙   (N) *blotting paper.*   (*Cl.* jung¹ 張)

yan⁴ 人   3328   (Adj) *human.*   **SF** ‡   (N) *people; person.*   **SF** ‡

   — ban²   — 品   (N) *disposition; moral/intellectual standing.*

   — ching⁴   — 情   (N) *human feelings; favour; kindness; gift.*

   — — mei⁶   — — 味   (N) *consideration; sophistication.*   *(No Cl.)*

   — choi⁴   — 材   (N) *talented person.*

⁵ — — ngoi⁶ lau⁴   — — 外流   (SE) *brain drain.*   (*Lit. talented persons drift out*)

   — dei⁶   — 哋   (Pron) *they; them.*   **Coll.**   (N) *people in general.*   **Coll.** *(No Cl.)*

   — do⁶   — 道   (N) *principle of humanity; moral law.*   *(No Cl.)*

   — fan³ sam¹ seng²   — 瞓心醒   (SE) *half asleep; not entirely asleep.*   *(Lit. person asleep heart awake)*

   — fau⁴ yue¹ si⁶   — 浮於事   (SE) *too few jobs for too many people.*   *(Lit. people float on job)*

¹⁰ — ga¹   — 家   (N) *dwelling house; sb else's home.*   (*Cl.* woo⁶ 戶)

   — gaak³   — 格   (N) *personality; stature; character.*

   — — fa³   — — 化   (V) *personify.*   (N) *personification.*   (*Cl.* jung² 種)

   — gung¹   — 工   (Adj) *artificial; man-made.*   (N) *wage* (*Cl.* fan⁶ 份); *human effort* (*Cl.* jung² 種).

   — — foo¹ kap¹°   — — 呼吸   (N) *artificial respiration.*   (*Cl.* chi³ 次)

¹⁵ — — lau⁴ chaan²   — — 流產   (N) *induced abortion.*   (*Cl.* chi³ 次)

   — — sau⁶ jing¹   — — 受精   (N) *artificial insemination.*   (*Cl.* chi³ 次)

   — — sau⁶ yan⁶   — — 受孕   (N) *ditto.*

   — haak³   — 客   (N) *visitor; guest.*

— hau² — 口   (N) *population.* *(No Cl.)*

20 — — baau³ ja³ — — 爆炸   (N) *rapid growth of population; population explosion.* *(No Cl.)*

— — tiu⁴ cha⁴ — — 調查   (N) *census; census taking.* (*Cl.* chi³ 次)

— — tung² gai³ — — 統計   (N) *ditto.*

— jai² sai³ sai³ — 仔細細   (SE) *young in age.* **Coll.**

— ji³ — 質   (N) *hostage.* **Coll. FE**

25 — jing³ — 証   (N) *testimony of a witness; evidence.*

— jo⁶ (ge³) — 造 (嘅)   (Adj) *artificial; man-made.*

— — bing¹ — — 冰   (N) *artificial ice.* (*Cl.* gau⁶ 礁)

— — chim¹ wai⁴ — — 纖維   (N) *man-made/artificial fibres.* (*Cl.* jung² 種)

— — si¹ — — 絲   (N) *artificial silk; rayon.*

30 — jung² — 種   (N) *races; ethnic groups.*

— — hok⁶ — — 學   (N) *ethnology.* (*Subject:* foh¹° 科)

— kuen⁴ — 權   (N) *human rights.* (*Cl.* jung² 種)

— lei⁴ heung¹ jin⁶; mat⁶ lei⁴ heung¹ gwai³ — 離鄉賤物離鄉貴 (Sy) *home is the best place for people, but not for merchandise.* *(Lit. people having left their home encounter sufferings, merchandise having left its place of origin may be sold at a high price.)*

— lik⁶ — 力   (N) *human strength; man power.*

35 — lui⁶ — 類   (N) *mankind; human beings.*

— — hok⁶ — — 學   (N) *anthropology.* (*Subject:* foh¹° 科)

— man⁴ — 民   (N) *people; masses.* **Fml.** *(No Cl.)*

— — gung¹ se⁵ — — 公社   (N) *people's commune.*

— mat⁶* — 物   (N) *character (in a play or novel); personage.* *(Lit. person and thing)*

40 — meng⁶ — 命   (N) *human life; a life.* (*Cl.* tiu⁴ 條)

— — gwoon¹ si¹ — — 官司   (N) *murder/manslaughter case.* (*Cl.* gin⁶ 件)

— moon⁵ — 滿   (Adj) *full of people; full.*

— — ji¹ waan⁶ — — 之患   (N) *danger of being overcrowded/over-populated.*

— saan¹ yan⁴ hoi² — 山人海   (SE) *crowded conditions.* *(Lit. people mountain people sea)*

45 — saang¹ — 生   (N) *life. (in terms of philosophy)* (*Cl.* jung² 種)

— — gwoh³ ching⁴ — — 過程   (N) *the course of life.*

— — jit³ hok⁶　— — 哲學　(N) *philosophy of life.*　(*Cl.* jung²種)

— — lo⁶ bat¹° suk⁶　— — 路不熟　(SE) *a perfect stranger.*　(*Lit. people unknown road unfamiliar*)

— san¹　— 身　(N) *human body.*

50　— — bo² woo⁶　— — 保護　(N) *habeas corpus.*　(*Cl.* jung²種)

— — ji⁶ yau⁴　— — 自由　(N) *ditto.*

— — bo² woo⁶ ling⁶　— — 保護令　(N) *writ of habeas corpus.*　(*Cl.* jeung¹張 *or* goh³個)

— ji⁶ yau⁴ ling⁶　— —　自由令　(N) *ditto.*

— sau⁶ bo² him²　— 壽保險　(N) *life insurance.*　(*Cl.* jung²種)

55　— — yin³ soh¹°　— — 燕梳　(N) *ditto.* **Tr. Coll.**

— sik⁶ yan⁴　— 食人　(SE) *cruel; savage; cannibalistic.*　(*Lit. man eat man*) **Fig.**

— sing³　— 性　(N) *human nature.*　(*Cl.* jung²種)

— so³　— 數　(N) *number of persons.*

— tau⁴ jue¹ no⁵　— 頭猪腦　(N) *stupid person; silly ass.*　(*Lit. man head pig brain*) **AL**

60　— wai⁴ (ge³)　— 爲(嘅)　(Adj) *artificial; man-made.*

— wai⁴ joi¹ naan⁶　— 爲災難　(N) *man-made disaster.*　(*Cl.* chi³次)

— — to⁴ taai³　— — 淘汰　(N) *artificial selection.*　(*Cl.* jung²種)

— yan⁴　— 人　(Pron) *everybody.*

— yin¹　— 烟　(N) *population; habitation.*　(*Lit. people smoke*) **Fml.** (*No Cl.*)

65　— — chau⁴ mat⁶　— — 稠密　(Adj) *densely populated.*　(*Lit. people smoke crowded dense*)

— yuen⁴　— 員　(N) *staff; personnel.*

— yuen⁴　— 緣　(N) *relations with other people.*　(*No Cl.*)

— — ho² ho²　— — 好好　(Adj) *popular; having good relations with others.*

yan⁴ 仁　3329　(N) *benevolence; humanity; mercy; kindness.* **SF** ‡

— dak¹°　— 德　(N) *benevolence; humanity; mercy; kindness.* **FE** (*Cl.* jung²種)

— oi³　— 愛　(V) *ditto.*

— yi⁶　— 義　(N) *mercy and righteousness; principle of love and its manisfestation in conduct.*　(*Cl.* jung²種)

yan⁵ 引   **3330**   (V) *lead to; cause; tempt.* **SF** ‡

— do⁶ (gwai¹ on³) — 渡 (歸案)   (V) *extradite.*   (N) *extradition.*   (*Cl.* chi³ 次)

— ging¹ gui³ din² — 經據典   (SE) *quote from classic.*   (*Lit. quote classics base on history)*

— hei² — 起   (V) *cause; give rise to.* **FE**

— — jin³ jaang¹ — — 戰爭   (V) *cause a war; lead to war.*

5   — ji³ — 致   (V) *lead to; be conducive to.*

— — wan¹ yik⁶ — — 瘟疫   (V) *lead to/cause a plague.*

— jing³ — 証   (V) *quote as proof; bring in as evidence.*

— king⁴ — 擎   (N) *engine.* **Tr. Mdn.** (*Cl.* foo³ 副)

— lik⁶ — 力   (N) *gravitation; attraction.* (*Cl.* jung² 種)

10   — yau⁵ — 誘   (V) *tempt; induce.*   (N) *temptation; inducement.*   (*Cl.* goh³ 個 *or* jung² 種)

— sin³ — 線   (N) *fuse of a bomb, mine, etc.*   (*Cl.* tiu⁴ 條)

yan⁵ 癮   **3331**   (N) *craving; bad habit; hobby.*   (*Cl.* yeung⁶ 樣)

yan⁶ 孕   **3332**   (Adj) *pregnant.* **Fml. SF** ‡   (N) *pregnancy.* **Fml. SF** ‡

— foo⁵ — 婦   (N) *pregnant woman.* **Fml. FE**

yan⁶ 韌 (靭)   **3333**   (N) *flexibility; clasticity; perseverance.* **Fml. SF** ‡ **AP: (1)** ngan⁶ **see 2337; (2)** ngan⁶° **see 2338.**

— lik⁶ — 力   (N) *flexibility; elasticity; perseverance.* **Fml. FE** (*Cl.* jung² 種)

— sing³ — 性   (N) *ditto.*

yap¹° 邑   **3334**   (N) *city; district.* **Fml. SF** ‡

yap¹° 挹   **3335**   (V) *bale out.* **Fml. SF**

— jue³ — 注   (V) *draw from one to make good the deficits in another.*

yap¹° 揖   3336   (V) *bow; salute.* **Fml. SF** ‡

— bit⁶ — 別   (V) *bow and part.* **Fml. FE**

yap¹° 泣   3337   (V) *weep.* **Fml. SF** ‡

— huk¹° — 哭   (V) *weep.* **Fml. FE**

yap¹° 熠   3338   (Adj) *bright and sparkling.* **Fml. SF** ‡

— yap¹° ying¹° gwong¹ — 熠星光   (SE) *brightness of sparkling stars.* **Fml. FE Lit. & Fig.**

yap¹° 翕   3339   (V) *wink one's eyes.* **Coll. SF** ‡   (Adj) *harmonious.* **Fml. SF** ‡

— ngaan⁵ — 眼   (V) *wink one's eyes.* **Coll. FE**

yap⁶ 入   3340   (V) *enter; admit.* **SF** ‡

— bat¹° foo¹ chut¹° — 不敷出   (SE) *live beyond one's means.* *(Lit. income not enough for expenditure)*

— bin⁶ — 便   (Adv) & (PP) *inside; in.*

— cheung⁴ — 塲   (V) *enter; admit.* *(RT theatres, auditoria, stadia, examination rooms, etc.)* **FE**

— — fai³ — — 費   (N) *admission; admission fee.* *(Cl.* bat¹° 筆*)*

⁵ — — huen³ — — 券   (N) *admission, ticket.* *(Cl.* jeung¹ 張*)*

— di¹° — 啲   (Adv) *further in.*

— din⁶ yau⁴ — 電油   (V) *refill with petrol.*

— foh² — 伙   (V) *move into a new flat/house.*

— — jau² — — 酒   (N) *house-warming party.* *(Lit. moving-in party)* *(Cl.* chi³ 次 *or* chaan¹ 餐*)*

¹⁰ — gaau³ — 敎   (V) *become a church member; believe in a religion.*

— hak¹° — 黑   (N) *dusk.* *(No Cl.)*

— hau² — 口   (V) *enter the mouth; eat; drink; import.* (N) *imports.* *(Cl.* jung² 種*)*

— — (foh³) — — (貨)   (N) *imports; imported goods.* *(Cl.* jung² 種*)*

— heung¹ chui⁴ juk⁶ — 鄉隨俗   (Sy) *when in Rome do as Rome does. (Lit. enter village follow customs)*

15 — huen¹ to³ — 圈套   (V) *fall into a trap.*

— hui³ — 去   (V) *go in.*

— jik⁶ — 籍   (V) *become a naturalized citizen; acquire citizenship.*

— jik⁶ — 席   (V) *start a formal dinner.*

— lai⁴ — 嚟   (V) *come in.*

20 — Mei⁵ jik⁶ — 美籍   (V) *become a naturalized American citizen.*

— ng⁵ — 伍   (V) *enlist for military service.*

— paak³ che¹° biu¹° — 泊車錶   (V) *put coins into a parking meter; feed a parking meter.* **CP**

— san⁴ — 神   (V) *go into a trance; be absent-minded; be lost in oneself.*

— sik¹° — 息   (N) *income.* (*Cl.* bat¹° 筆 *or* jung² 種)

25 — — sui³ — — 稅   (N) *income tax.* (*Cl.* jung² 種)

— wooi⁶* — 會   (V) *admit or be admitted. (RT clubs, organizations, societies, etc.)*

— yi¹ yuen⁶* — 醫院   (V) *be admitted to hospital.*

— yuen⁶* — 院   (V) *ditto.*

— Ying¹ jik⁶ — 英籍   (V) *become a naturalized British subject.*

yat¹° 一（弍，壹） 3341   (Adj) & (N) *one.* (Conj) *once; as soon as.*

— baak³ maan⁶ — 百萬   (Adj) & (N) *one million.*

— — sui³ m⁴ sei² do¹° yau⁵ san¹ man⁴* — — 歲唔死都有新聞   (SE) *there is always something new to learn; one is never too old to learn.*

— bin⁶ . . ., yat¹° bin⁶ . . . — 便 . . ., 一便 . . .   (IC) *do one thing while doing another at the same time; one side is . . ., while the other is . . .*

— boon¹ — 般   (Adj) *general; ordinary.* (Adv) *in general; generally.*

5 — boon¹ yan⁴ — 般人   (N) *all the people; the people in general. (No Cl.)*

— boon² jing³ ging¹ — 本正經   (Adj) *serious; business-like.*

— boon³ — 半   (N) *one half. (No Cl.)*

— chai¹ doh¹ foo¹ jai³ — 妻多夫制   (SE) *polyandry. (Lit. one wife many husbands)* (*Cl.* jung² 種)

— foo¹ doh¹ chai¹ jai³ — 夫多妻制   (SE) *polygamy. (Lit. one husband many wives)* (*Cl.* jung¹ 種)

10 — — yat¹° chai¹ jai³ — — 一妻制   (SE) *monogamy.* (*Cl.* jung² 種)

— chai³ — 切   (Adv) *all; everything.*

— chai⁴ — 齊   (Adv) *together; all at the same time.*

— chi³ gwoh³ — 次過   (Adv) *once for all.*

— daai³ — 帶   (Prep) *along; in the neighbourhood of.*

15 — daai⁶ baan¹ . . . — 大班 . . .   (IC) *a large group of . . . (ROT people)*

— — kwan⁴ . . . — — 群 . . .   (IC) *ditto.*

— di¹° — 啲   (Adj) *some; little; few.*

— — yan⁵ do¹° mo⁵ — — 癮都冇   (SE) *very boring; absolutely fed-up.*

— lei⁴ mei⁶ do⁶ do¹° mo⁵ — 厘味道都冇   (SE) *ditto.*

20 — ding⁶ — 定   (Adv) *certainly; definitely; surely.*

— fong¹ min⁶ . . ., yat¹° fong¹ min⁶ . . . — 方面 . . ., 一方面 . . .   (IC) *on the one hand . . ., on the other hand . . .*

— ga¹ . . . hau² — 家 . . . 口   (IC) *a family of . . . (followed by a number).*

— — luk⁶ hau² — — 六口   (SE) *a family of six. (Lit. one family six mouths)*

— — m⁴ ji¹ yat¹° ga¹ si⁶ — — 唔知一家事   (SE) *every family has its own problem.*

25 — gai¹° sei², yat¹° gai¹° ming⁴ — 雞死，一雞鳴   (Sy) *the king is dead; long live the king. (Lit. one cock dies, one cock crows)*

— goh¹° — 哥   (N) *leader; "chief".* **Sl.**

— goh³ giu¹°, leung⁵ goh³ miu⁶, saam¹ goh³ hek³ bat¹° siu¹, sei³ goh³ tuen⁵ daam³ tiu¹° — 一個嬌，兩個妙，三個吃不消，四個斷担挑。   (SE) *one child is beautiful, two should be wonderful, three could bend Ma's back, four would break Pa's neck—a local slogan to promote family planning.*

— goh³ ngan⁴ chin⁴* — 個銀錢   (N) *one dollar.*

— man¹° — 文   (N) *ditto.*

30 — yuen⁴ — 元   (N) *ditto.* **Fml.**

— goh³ woh⁴ seung⁶* daam¹ sui² sik⁶, leung⁵ goh³ woh⁴ seung⁶* toi⁴ sui² sik⁶, saam¹ goh³ woh⁴ seung⁶* mo⁵ sui² sik⁶ — 一個和尚担水食，兩個和尚抬水食，三個和尚冇水食。   (SE) *pass the buck.*

— — yan⁴ — — 人   (N) *one person.*

— — yan⁴° — — 人   (Adj) & (Adv) *alone.*

— — yi⁶ goh³ — — 二個   (SE) *everyone of you/them.*

35 — gui² leung⁵ dak¹° — 舉兩得   (SE) *kill two birds with one stone. (Lit. one move, two gains)*

— gung⁶ — 共   (Adv) *totally; altogether. (ROT numbers)*

— hai⁶ . . . yat¹° hai⁶ . . . — 係 . . . 一係 . . .   (IC) *either . . . or . . .*

— hei³ — 氣   (Adv) *in succession; continuously; one after another; once for all; all at once.*

— heung³ — 向   (Adv) *hitherto; until now.*

40 — jan⁶ — 陣   (Adv) *for a while.*

— jau¹ nin⁴ (gei² nim⁶) — 週年 (紀念)   (N) *the 1st anniversary.*

— . . ., jau⁶ (jik¹° hak¹°) . . . — . . ., 就 (即刻) . . .   (IC) *as soon as . . .; once . . .*

— jik⁶ — 直   (Adv) *straight; straight on.*

— — haang⁴ — — 行   (V) *go straight (on).*

45 — jo² — 早   (Adv) *for a long while; long ago; very early; extremely early.*

— jek³ yi⁶ jek³ ye⁵ — 只二只嘢   (SE) *you naughty little things; you rascals.* **Joc.**

— ji¹ boon³ gaai² — 知半解   (SE) *know very little about sth.*

— joi³ — 再   (Adv) *repeatedly; once and again.*

— laat⁶ cheung¹° — 列窗   (SE) *a line of windows.*

50 — lo⁶ — 路   (SE) *the whole journey.* **Fml.**

— — ping⁴ on¹ — — 平安   (SE) *happy journey! happy landing!* **PL**

— — sun⁶ fung¹ — — 順風   (SE) *ditto.*

— lo⁶ haang⁴ yat¹° lo⁶ . . . — 路行一路 . . .   (IC) *do sth while walking at the same time.*

— lok⁶ chin¹ jeung⁶ — 落千丈   (SE) *remarkable decline or fall; sharp decrease. (Lit. one fall one thousand 10-feet)*

55 — lut⁶ — 律   (Adv) *without exception; uniformly.*

— maan⁶ — 萬   (Adj) *ten-thousand.* (N) *ten thousands. (No Cl.)*

— ngaan⁵ gin³ do² — 眼見到   (SE) *see sb or sth at the first glance; as soon as sb or sth has been seen.*

— pin³ ping⁴ jing⁶ — 片平靜   (SE) *extremely quiet.*

— saang¹ — 生   (Adv) *all one's life.*

60 — sai³ — 世   (Adv) *ditto.*

— sam¹ (yat¹° yi³) — 心 (一意)   (Adv) *whole-heartedly; with all one's heart.*

— san¹ do¹° hang¹ saai³ — 身都輕哂 (SE) *be completely relieved. (GRT liability or burden)*

— — — sung¹ saai³ — — — 都鬆哂 (SE) *ditto.*

— si⁴ mat⁶ yat¹° si⁴ soh¹ — 時密一時疏 (SE) *sometimes there's a lot of traffic, sometimes not; sometimes very frequent, sometimes not. (RT social visits, planes, trains, etc.)*

⁶⁵ — si⁴ yin⁶ jeung⁶ — 時現象 (SE) *passing phase. (Lit. one time phenomenon)*

— tai¹ leung⁵ foh² — 梯兩伙 (SE) *small Chinese-style domestic premises having 2 flats only, one on either side of the stairway. (Lit. one stairway two flats)*

— teng¹° saam¹ fong⁴* — 廳三房 (N) *a 4-room flat. (Lit. 1 living room and 3 bed rooms) (Cl.* chang⁴ 層)

— yan⁴ gai³ duen², yi⁶ yan⁴ gai³ cheung⁴ — 一人計短，二人計長 (Sy) *two heads are better than one.*

— . . ., yat¹° . . . — . . ., 一 . . . (IC) *one . . ., the other . . .; one . . ., another . . .*

⁷⁰ — yeung⁶ — 樣 (Adj) *same; same as.*

— — gam³ . . . — — 咁 . . . (IC) *as . . . as; equally . . .*

— yin⁴ naan⁴ jun⁶ — 言難盡 (SE) *it's a long story.* **Fml.**

Y— Yuet⁶ — 月 (N) *January.*

yat⁶ 日 3342   (N) *day (No Cl.); the sun* **(SF).**

— baan¹° — 班 (N) *day duty; day shift. (Cl.* chi³ 次)

— gaang¹° — 更 (N) *ditto.*

Y— Boon² — 本 (N) *Japan.*

— — Jai² — — 仔 (N) *"Jap"; Japanese. (Lit. little Japanese)* **Der.** *(Cl.* goh³ 個)

⁵ — — yan⁴ — — 人 (N) *Japanese; Japanese people.* **Fml.**

— — wa⁶* — — 話 (N) *Japanese; Japanese language. (Cl.* jung² 種)

— man⁴ — 文 (N) *ditto.*

y— chin⁴ — 前 (Adv) *several days ago; sometime before; formerly.*

— chut¹° — 出 (N) *sunrise. (Cl.* chi³ 次)

10 — ching⁴ (biu²) — 程 (表)   (N) *itinerary, agenda.*

  — gei³ — 記   (N) *diary (for keeping record of daily events).*   (*Cl.* bo⁶ 部 *or* boon² 本)

  — — bo⁶* — — 簿   (N) *ditto (for writing down appointments).*

  — gwong¹° — 光   (N) *the sun.* **FE**

  — — yuk⁶ — — 浴   (N) *sunbath.* (*Cl.* chi³ 次)

15 — hau⁶ — 後   (Adv) *in the future; sometime later; later on.*

  — hon² — 刊   (N) *daily publication.* (*Cl.* jung² 種)

  — ji² — 子   (N) *day (of special significance).*

  — kei⁴ —期   (N) *date; a fixed date; deadline.*

  — lik⁶ — 歷   (N) *calendar.* (*Cl.* goh³ 個 *or* boon² 本)

20 — lok⁶ — 落   (N) *sunset.* (*Cl.* chi³ 次)

  — seung⁴ — 常   (Adj) *every day.* *(followed by nouns)*

  — — bin⁶ fuk⁶ — — 便服   (SE) *everyday clothes.* *(No Cl.)*

  — si⁵ — 市   (N) *business by day.* *(Lit. day market)* (*Cl.* goh³ 個)

  — sik⁶ — 蝕   (N) *solar eclipse.* (*Cl.* chi³ 次)

25 — tau⁴* — 頭   (Adv) *in the daytime.* (N) *the sun.* **FE**

  — yat⁶ — 日   (Adv) *always; every day.*

  — ye⁶ — 夜   (Adv) *day and night; round the clock.*

  — yung⁶ — 用   (Adj) *daily; everyday.* (N) *daily use.* *(No Cl.)*

  — — ban² — — 品   (N) *daily necessity; necessity.* *(Lit. daily-use thing)* (*Cl.* jung² 種)

30 — — bit¹° sui¹ ban² — — 必需品   (N) *ditto.* *(Lit. daily-use necessary thing)*

yat⁶ 溢 3343   (V) *overflow.* **Fml.** **SF** ‡ (Adj) *full.* **Fml.** **SF** ‡

  — chut¹° — 出   (V) *overflow; be in excess.* **Fml.** **FE**

  — lei⁶ — 利   (N) *profit; net profit.* **Fml.** **FE** *(No Cl.)*

  — — sui³ — — 稅   (N) *profit tax.* (*Cl.* jung² 種)

  — moon⁵ — 滿   (Adj) *full; abundant.* **Fml.** **FE**

yau¹ 憂 3344   (V) *worry about; be worried about.*

  — lui⁶ — 慮   (V) *be anxious.* (N) *anxiety.* (*Cl.* jung² 種)

  — sam¹ — 心   (V) *worry about; be worried about.*

— wat¹° — 鬱   (Adj) *depressed and melancholy; dismal.*

— — (jing³) — — (症)   (N) *hypochondria.* (*Cl.* jung² 種)

yau¹優 **3345**   (Adj) *excellent; distinguished.* **SF** ‡ (N) *distinction.* *(RT examination results)*

— doi⁶ — 待   (V) *treat well; give preference to; give favourable terms to.* (N) *preference; favourable terms.* *(Lit. good treatment)* (*Cl.* jung² 種)

— sin¹ — 先   (N) *first choice; first consideration; precedence.* *(No Cl.)*

— — gwoo² — — 股   (N) *preference shares.* (*Cl.* gwoo² 股)

— — kuen⁴ — — 權   (N) *priority; precedence; the right of the road.*

yau¹休 **3346**   (V) *rest, cease.* **SF** ‡ (N) *rest.* **SF** ‡

— ga³ — 假   (V) *have a vacation/leave; be on home leave.* (N) *vacation leave; home leave.* (*Cl.* chi³ 次)

— jin³ — 戰   (V) *truce; cease fighting.* (N) *truce; armistice.* (*Cl.* chi³ 次)

— sik¹° — 息   (V) *rest; take a rest.* **FE** (N) *rest.* **FE** (*Cl.* chi³ 次)

— — sat¹° — — 室   (N) *rest room (RT theatres); common room (RT schools).* (*Cl.* goh³ 個 *or* gaan¹ 間)

⁵ — yeung⁵ — 養   (V) *convalesce.* *(Lit. rest and nourish)* (N) *convalescence.* (*Cl.* chi³ 次)

yau¹蚯 **3347**   (N) *earthworm.* **Fml.** **SF** ‡

— yan⁵ — 蚓   (N) *earthworm.* **Fml.** **FE** (*Cl.* tiu⁴ 條)

yau¹幽 **3348**   (Adj) *dark; retired.* **Fml.** **SF** ‡ (N) *humour; Hades; ghost.* **Fml.** **SF**

— a⁵ — 雅   (Adj) *retired and tasteful.* **Fml.** **FE**

— am³ — 暗   (Adj) *dark; gloomy; obscure.* **Fml.** **FE**

— gwai² — 鬼   (N) *ghost.* **Fml.** **FE** (*Cl.* jek³ 只)

— jing⁶ — 靜   (Adj) *retired; lonely; quiet.* **Fml.** **FE**

⁵ — mak⁶ — 默   (Adj) *humorous.* (N) *humour.* **FE** (*Cl.* jung² 種)

— — gam² — — 感   (N) *sense of humour.* (*Cl.* jung² 種)

— ming⁴ — 冥   (N) *Hades.* **Fml.** **FE**

— wan⁴ — 魂   (N) *soul.* **Fml.** **FE**

yau² 黝 3349   (Adj) *black; blue-black.* **Fml.** **SF** ‡

— hak¹° — 黑   (Adj) *black; blue-black.* **Fml.** **FE**

yau³ 幼 3350   (Adj) & (N) *juvenile.* **SF** ‡

— chung⁴ — 蟲   (N) *larvae of insects.* (*Cl.* tiu⁴ 條)

— ji⁶ — 稚   (Adj) *naive; immature; juvenile.*

— — yuen⁴* — — 園   (N) *kindergarten.* (*Cl.* gaan¹ 間)

— nin⁴ — 年   (Adj) & (N) *juvenile.* **FE**

⁵ — sai³ — 細   (Adj) *delicate; slender.*

— tung⁴ — 童   (N) *small boy; lad.*

yau⁴ 由 3351   (V) *let; permit.* **SF** ‡ (Prep) *from; by.*

— dak¹° kui⁵ la¹ — 得佢啦   (SE) *let him/her alone; let well alone.*

— — nei⁵ la¹ — — 你啦 (SE) *as you please.*

— gam¹ yat⁶ hei² — 今日起   (SE) *commencing to-day; with effect from to-day.*

— naam⁴ heung³ bak¹° — 南向北   (SE) *northwards; northbound; towards the north.*

⁵ — ni¹° sue³ hui³ goh² sue³ — 呢處去嗰處   (SE) *go there from here.*

— sui² lo⁶ lai⁴ — 水路嚟   (V) *come by water/sea.*

— Yi⁶ Yuet⁶ do³ Sei³ Yuet⁶ — 二月到四月   (SE) *from February to April.*

— yue¹ — 於   (Adv) *because of; due to; arising from.* **Fml.**

yau⁴ 油 3352   (V) *paint.* **SF** ‡ (N) *oil; petrol; fuel; fat.* **SF** ‡ AP yau⁴* see 3353.

— bo³ — 布   (N) *oiled cloth.* (*Cl.* faai³ 塊 or fuk¹° 幅)

— chat¹° — 漆   (N) *oil paint; varnish.* (*Tin:* gwoon³ 罐)

— — lo² — — 佬   (N) *painter (a craftsman).*

— choi³ — 菜   (N) *fried green vegetables.* (*Course:* dip⁶ 碟)

5 — gai¹° — 鷄   (N) *baked chicken.* (*Cl.* jek³ 隻 ; *Course:* dip⁶ 碟.)

— ja³ gawi² — 炸鬼   (N) *fritters of twisted dough.* **Coll.** (*Cl.* tiu⁶ 條)

— tiu⁴* — 條   (N) *ditto.* **Mdn.**

— jaam⁶ — 站   (N) *petrol station.*

— ting⁴* — 亭   (N) *ditto.*

10 — jam¹° — 針   (N) *accelerator.* (*Lit. petrol needle*) **Coll.** (*Cl.* ji¹ 支)

— moon⁴ — 門   (N) *ditto.* (*Lit. petrol door*) **Mdn.**

— jeng² — 井   (N) *oil-well.*

— jik¹° — 跡   (N) *oil stain; grease spot.* (*Cl.* dim² 點)

— kwong³ — 礦   (N) *oil mine.*

15 — seung¹ — 商   (N) *oil merchant.*

— tin⁴ — 田   (N) *oil field.*

— wa⁶* — 畫   (N) *oil-painting.* (*Cl.* fuk¹° 幅)

— yau⁴* — 油   (V) *paint sth with varnish/paint.*

yau⁴* 油 3353   (N) *varnish; oil paint.* **Coll.** (*Tin:* gwoon³ 罐) **AP yau⁴ see 3352.**

— muk⁶ — 木   (N) *teakwood.* (*Cl.* faai³ 塊 *or* tiu⁴ 條)

yau⁴ 鈾 3354   (N) *uranium.* **SF** ‡ **AP yan⁴ SM see 3355.**

yau⁴* 鈾 3355   (N) *uranium.* **Coll.** (*Cl.* jung² 種) **AP yau⁴ SM see 3354.**

— kwong³ mat⁶ — 礦物   (N) *uranite.* (*Cl.* jung² 種)

yau⁴ 尤 3356   (Adv) *especially; particularly.* **SF** ‡

— kei⁴ si⁶ — 其是   (Adv) *especially; particularly.* **FE**

yau⁴ 酋 3357   (N) *chief; headman.* **CP SF** ‡ **AP chau⁴ SM see 236.**

— jeung² — 長   (N) *chief; headman.* (*ROT tribesmen*) **CP FE**

yau⁴ 猶   **3358**   (V) *hesitate; be undecided.* **Fml. SF** ‡ (Conj) *as if.* **Fml. SF** ‡ (P) *used in transliterations.*

Y— Taai³ — 太   (N) *Judea.* **Tr.**

— — yan⁴ — — 人   (N) *Israelite; Jew.* **Tr.**

y— yi⁴ — 疑   (V) *hesitate; be undecided.* **Fml. FE**

— — bat¹° ding⁶ — — 不定   (V) *ditto.*

5   — — — kuet³ — — — 決   (V) *ditto.*

— yue⁴ — 如   (Conj) *as if.* **Fml. FE**

yau⁴ 鰌(魷)   **3359**   (N) *squid.* **Coll. SF** ‡ **CC**

— yue⁴* — 魚   (N) *squid.* **Coll. FE** (*Cl.* jek³ 只)

yau⁴ 悠   **3360**   (Adj) *long (in time); distant.* **Fml. SF** ‡

— gau² — 久   (Adj) *long (in time).* **Fml. FE**

— yuen⁵ — 遠   (Adj) *distant; far away.* **Fml. FE**

yau⁴ 游   **3361**   (V) *swim; play about; float about; drift.* **SF** ‡

— gik¹° dui⁶* — 擊隊   (N) *guerrillas.* (*Cl.* ji¹ 支 *or* dui⁶ 隊)

— — jin³ — — 戰   (N) *guerrilla warfare.* (*Cl.* jung² 種 *or* chi³ 次)

— hei³ — 戲   (V) *play about; play game; play for fun.* **FE** (N) *game for fun; group game.* (*Cl.* jung² 種 *or* goh³ 個)

— ji¹ — 資   (N) *idle capital.* (*Cl.* bat¹° 筆)

5   — man⁴ — 民   (N) *unemployed people; vagabonds.*

— muk⁶ — 牧   (N) *lead a nomad's life; be a nomad.*

— — man⁴ juk⁶ — — 民族   (N) *nomadic tribe.*

— — saang¹ woot⁶ — — 生活   (N) *nomadism.* (*Cl.* jung² 種)

— ngai⁶ (jit³ muk⁶) — 藝(節目)   (N) *pastime; amusement; entertainment.* (*Cl.* jung² 種)

10   — — wooi⁶* — — 會   (N) *social party with amusements.*

— sau² ho³ haan⁴ — 手好閒   (SE) *loaf about/around.* (*Lit. unemployed hand likes to be lazy*)

— sui² — 水   (V) *swim.* **FE** (N) *swimming; swim.* (*Cl.* chi³ 次)

— wing⁶ — 泳   (V) *ditto.* (N) *ditto.*

— sui² chi⁴ — 水池   (N) *swimming pool.*

15 — — foo³ — — 褲   (N) *swimming trunks.* *(Lit. swimming pants)* (*Cl.* tiu⁴ 條)

— — saam¹° — — 衫   (N) *swimming costume; swimming suit.* (*Cl.* gin⁶ 件)

— sui³ — 說   (V) *persuade; sell an idea to interested parties.*

— yik⁶ — 弋   (V) *cruise.* *(RT naval fleets)*

yau⁴ 遊   3362   (V) *travel; tour; play about; float about; drift.* **SF** ‡

— che¹° hoh⁴* — 車河   (V) *motor about; go motoring.*

— dong⁶ — 蕩   (V) *loaf/wander/ramble about.*

— fau⁶ — 埠   (V) *travel/tour abroad; take a pleasure trip abroad; have an overseas sight-seeing tour.* *(Lit. tour sea ports)* **Coll.** **FE**

— lik⁶ — 歷   (V) *ditto.* **Fml.**

5 — gei³ — 記   (N) *travel sketch.* (*Cl.* pin¹ 篇 *or* boon² 本)

— haak³ — 客   (N) *tourist.*

— haang⁴ — 行   (V) *hold a procession/demonstration.*

— hei³ — 戲   (V) *play about; play game; play for fun.* **FE** (N) *game for fun; group game.* (*Cl.* jung² 種 *or* chi³ 次)

— woon⁶ — 玩   (V) *ditto.* **Fml.**

10 — hoh⁴* — 河   (V) *cruise about at sea.*

— suen⁴ hoh⁴* — 船河   (V) *ditto (in a yacht).*

— teng⁵ hoh⁴* — 艇河   (V) *ditto (in a small boat).*

— hok⁶ — 學   (V) *study abroad.*

— ji² — 子   (N) *traveller far away from home.* **Fml.**

15 — — si¹ chan¹ — — 思親   (SE) *travellers miss their parents.* **Fml.**

— laam⁵ — 覽   (V) *visit a place.* *(RT scenic spots)* **FE**

— — che¹° — — 車   (N) *tourist coach/bus.* (*Cl.* ga³ 架)

— — suen⁴ — — 船   (N) *tourist boat.* (*Cl.* jek³ 只)

— lok⁶ — 樂   (V) *enjoy oneself.*

20 — — cheung⁴ — — 塲   (N) *amusement park.*

— sau² ho³ haan⁴ — 手好閒   (SE) *loaf about/around.* *(Lit. unemployed hand likes to be lazy)*

— sui³ — 說   (V) *persuade; sell an idea to interested parties.*

— teng⁵ — 艇   (N) *yacht; pleasure boat.* (*Cl.* jek³ 只)

yau⁴ 柔   **3363**   (Adj) *soft; gentle.*   **SF** ‡

— do⁶ — 道   (N) *judo.*   **Tr.**   (*Cl.* jung² 種)

— sut⁶ — 術   (N) *ditto.*

— sun⁴ — 順   (Adj) *agreeable; yielding.*   *(RT people)*

— woh⁴ — 和   (Adj) *soft; gentle.*   *(GRT lighst, voices, etc.)*

5 — yuen⁵ — 軟   (Adj) *soft; meek.*   *(RT things)*

—— tai² cho¹ —— 體操   (N) *physical exercise.*   (*Cl.* jung² 種)

yau⁴ 蹂   **3364**   (V) & (N) *trample.*   **SF** ‡

— lun⁶ — 躪   (V) *trample under foot; oppress* **(Fig.)**.   **FE**   (N) *trample; pillaging devastation by the military.*   **FE**   (*Cl.* chi³ 次 *or* jung² 種)

yau⁴ 郵   **3365**   (V) *post; send by post.*   **SF** ‡   (Adj) *postal.*   **SF** ‡   (N) *post; post-matter; mail.*   **SF** ‡

— chaai¹° — 差   (N) *postman.*

— che¹° — 車   (N) *postal van.*   (*Cl.* ga³ 架)

— fai³ — 費   (N) *postage.*   (*Cl.* bat¹° 筆)

— ji¹ — 資   (N) *ditto.*   **Fml.**

5 — fai³ yi⁵ foo⁶ — 費已付   (SE) *post paid.*

— gei³ — 寄   (V) *send by post; post.*   **FE**

— gin⁶* — 件   (N) *mail-matter; mail; post.*   **FE**   (*Cl.* pai¹ 批)

— jing³ — 政   (N) *postal administration.*   *(No Cl.)*

—— baau¹ gwoh² —— 包裹   (N) *postal parcel.*   **FE**

10 — baau¹° — 包   (N) *ditto.*   **SF**

— jing³ guk⁶* — 政局   (N) *post office.*   (*Cl.* gaan¹ 間)

—— sun³ seung¹° —— 信箱   (N) *letter-box; P.O. Box.*   **FE**

— seung¹° — 箱   (N) *ditto.*   **SF**

— jing³ wooi⁶ piu³ — 政滙票   (N) *postal money-order.*   (*Cl.* jeung¹ 張)

15 — kei⁴ — 期   (N) *mail-date; date of closing the mail.*

— mo⁶ — 務   (N) *postal business.*   *(No Cl.)*

— piu³ — 票   (N) *postage stamp.*   **Fml.**

— suen⁴ — 船   (N) *mail-boat.*   (*Cl.* jek³ 只)

— tung⁴* — 筒   (N) *pillar-box.*

20 — wooi⁶ — 滙   (V) *remit by a postal money-order.*

yau⁵友   3366   (Adj) *friendly.* **SF** ‡   (N) *friendship; friendliness; fraternity.* **SF** ‡

— bong¹ — 邦   (N) *friendly country.* **Fml. FE**

— ching⁴ — 情   (N) *fraternity; friendliness.* **Fml. FE** *(Cl.* jung² 種)

— oi³ — 愛   (N) *ditto.*

— ho² — 好   (N) *friendship; friendliness.* **Fml. FE** *(No Cl.)*

5   — yi⁴ — 誼   (N) *ditto.* *(Cl.* jung² 種)

— ho² fong² man⁶ — 好訪問   (N) *friendly visit (to foreign countries).* *(Cl.* chi³ 次)

— yi⁴ bei² choi³ — 誼比賽   (N) *friendly/informal competition/match.* *(Cl.* chi³ 次)

— — choi³ — — 賽   (N) *ditto.* **SF**

— — dai⁶ yat¹°, bei² choi³ dai⁶ yi⁶ — — 第一，比賽第二   (SE) *friendship first, competition second.*

10   — yan⁴ — 人   (N) *friend.* **Fml. FE**

yau⁵誘   3367   (V) *tempt; induce; entice.* **SF** ‡   (N) *temptation; inducement; entirement.* **SF** ‡

— gaan¹ — 姦   (V) *entice into adultery.* **FE**

— gwaai² — 拐   (V) *entice away; kidnap.* **FE**

— waak⁶ — 惑   (V) *tempt; induce; entice.* **FE** (N) *temptation; inducement; enticement.* **FE** *(Cl.* goh³ 個 or jung² 種)

yau⁵有   3368   (V) *have.*

— beng⁵ — 病   (V) *be ill; fall ill.* (Adj) *ill; sick.*

— chang⁴ chi³ — 層次   (Adj) *systematic.*

— tiu⁴ lei⁵ — 條理   (Adj) *ditto.*

— che¹° gaai¹ kap¹° — 車階級   (N) *car owner.* **Joc.**

5   — — ji¹ yan⁴ — — 之人   (N) *ditto.*

— chin⁴* — 錢   (V) *have money.* (Adj) *wealthy; rich.*

— — lo² — — 佬   (N) *wealthy/rich person.* **Coll.**

— — yan⁴ — — 人   (N) *ditto.* **Fml.**

— — sai² dak¹° gwai² tui¹ che¹° — — 使得鬼推車   (SE) *money makes the mare go (Lit. have money can order ghost push cart).* **Coll.**

10　— — mo⁵ deng⁶ sai² — — 有揼使　(SE) *have too much money; have no much money that one can't find a place to spend it.*

— — yan⁴ ga¹° — — 人家　(SE) *rich family.*

— chin⁴ to⁴ — 前途　(Adj) *promising.*

— chui³ (mei⁶) — 趣(味)　(Adj) *interesting. (RT personal curiosity)*

— daam² yau⁵ sik¹° — 胆有色　(SE) *be very courageous and calm (in undertaking dangerous tasks). (Lit. have guts have colour)*

15　— dak¹° jan³, mo⁵ dak¹° fan³ — 得震，冇得瞓　(SE) *be seized with a panic. (Lit. have something to fear, no time to sleep)* **Coll.**

— — jo⁶, mo⁵ dak¹° sik⁶ — — 做，冇得食　(SE) *hard labour; work like a slave. (Lit. have work to do; nothing to eat.)*

— di¹° — 啲　(Adv) *quite; rather; a little.* (Adj) **&** (Pron) *some.*

— fan¹ so³ — 分數　(SE) *know what to do; know the right way to manage things.*

— fan⁶* — 份　(V) *be involved in; be concerned with. (Lit. have share)*

20　— gaau¹ yik⁶ — 交易　(V) *do business; "make a deal".* **Sl.**

— gam³ ngaam¹° dak¹° gam³ kiu² — 咁啱得咁嬌　(SE) *by a curious coincidence.*

— gei¹ fa³ hok⁶ — 機化學　(N) *organic chemistry. (Subject:* foh¹° 科)

— ging¹ yim⁶ (ge³) — 經驗(嘅)　(Adj) *experienced.*

— gwaan¹ dong¹ guk⁶ — 關當局　(N) *authorities concerned.*

25　— — fong¹ min⁶ — — 方面　(N) *ditto.*

— gwat¹° lok⁶ dei⁶ — 骨落地　(SE) *meal served with poultry; a good meal. (Lit. have bone fall ground)* **Coll.**

— haan⁶ — 限　(V) *have a limit.* (Adj) *limited.*

— — gung¹ si¹° — — 公司　(N) *business concern with limited liabilities; "Co. Ltd.". (Cl.* gaan¹ 間)

— haau⁶ — 效　(Adj) *valid; effective.*

30　— — kei⁴ — — 期　(N) *the term of validity.*

— — kui⁵ lei⁴ — — 距離　(N) *effective range. (RT shooting)*

— — se⁶ ching⁴ — — 射程　(N) *ditto.*

— hing³ chui³ — 興趣　(V) *take interest; be interested in.* (Adj) *keen; interested.*

— ho² doh¹ ye⁵ gan¹ mei⁵ — 好多嘢跟尾　(SE) *many things follows as a result. (GRT liability of some kind)*

35 —— gwoh³ mo⁵ —— 過冇   (SE) *half a loaf is better than no bread. (Lit. have better than have not)*

—— siu¹ sik¹° —— 消息   (V) *have good news.*

— seng¹ hei³ — 聲氣   (V) *ditto.*

— hong⁴ — 行   (Adj) *hopeful; successful.*

— jau¹ kei⁴ sing³ — 週期性   (Adj) *periodic.*

40 — ji¹ gaak³ — 資格   (Adj) *qualified; eligible.*

— jiu¹ yat¹° yat⁶ — 朝一日   (GE) *some day; sooner or later. (RT determinations to do sth)*

— lai⁵ (maau⁶) — 禮 (貌)   (Adj) *polite; courteous; well-mannered.*

— lei⁵ yau⁴ — 理由   (V) *justify; be justified; to have reasons.*

— lei⁶ dei⁶ wai⁶ — 利地位   (N) *vantage point/position. (Cl. goh³ 個 or sue³處)*

45 —— jan⁶ dei⁶ —— 陣地   (N) *ditto.*

— loi⁴ yau⁵ wong⁵ — 來有往   (SE) *get along very well; enjoy the company of each other. (Lit. have come have go)*

— mat¹° gwai³ gon³ a³? 乜貴幹呀 ?   (SE) *what can I do for you? (Lit. have what honourable business?)* **PL**

—— ji² gaau³ a³? —— 指教呀?   (SE) *ditto. (Lit. have what instructions?)* **PL**

—— si⁶ a³? —— 事呀 ?   (SB) *what's the matter? what's up? (Lit. what business?)* **Der.**

50 —— ye⁵ m⁴ toh⁵ a³? —— 嘢唔妥呀 ?   (SE) *what's wrong with sth/ab?*

— meng⁴* — 名   (Adj) *famous; well-known; renowned.*

— mo⁵ dak¹° maai⁶ a³? — 冇得賣呀 ?   (SE) *is it available? can it be obtained? (RT merchandise)*

—— jo⁶ si⁶ a³? —— 做事呀 ?   (SE) *is he/she working?*

—— lei⁵ yau⁴ a³? —— 理由呀 ?   (SE) *is there any reason? is it justified? does it justify?*

55 — nam² tau⁴ — 諗頭   (V) *have many good ideas; have ideas which result from careful consideration.*

— sai³ lik⁶ (ge³) — 勢力 (嘅)   (Adj) *influential.*

— sam¹ — 心   (SE) *thank you (for regards).* **PL**

— san¹ yan⁶ — 身孕   (V) *be pregnant.*

— san⁴ mo⁵ hei³ — 神冇氣   (Adj) *listless.*

⁶⁰ — si⁴ — 時   (Adv) *sometimes.*

— si⁶ — 事   (V) *be occupied/engaged; be busy.* (Adj) *occupied/ engaged; busy.*

— so³ dak¹° gai³ — 數得計   (SE) *statistics reveal; according to statistics. (Lit. have figure to calculate)*

— sui³ fuk⁶ lik⁶ — 說服力   (Adj) *convincing; persuasive.*

— tau⁴ mo⁵ mei⁵ — 頭冇尾   (SE) *begin sth with zeal but end up with a slack. (Lit. have head not have tail)*

⁶⁵ — tin¹ choi⁴ — 天才   (Adj) *gifted.*

— tiu⁴ gin⁶* (ge³) — 條件(嘅)   (Adj) *conditional.*

— wai⁴ ching¹ nin⁴ — 爲青年   (N) *promising young man.*

— yan⁴ ching⁴ (mei⁶) — 人情(味)   (Adj) *kind-hearted; considerate; sophisticated; friendly.*

— yat¹° paai⁴ dang² — 一排等   (SE) *have a long wait.*

⁷⁰ — yeuk³ — 約   (V) *have an appointment/engagement.*

— yi⁵ si³ — 意思   (Adj) *meaningful (RT speach); interesting (RT people); significant (RT actions).*

— ying³ chau⁴ — 應酬   (V) *be invited to dinner; have a social engagement.*

— yit⁶ (do⁶) — 熱(度)   (V) *have a temperature/fever.*

— yung⁶ — 用   (Adj) *useful.*

yau⁶ 又   3369   (Adv) *also; again.* **SF** ‡   (Conj) *and.* **SF** ‡

— dim² woh⁶? — 點喎 ？   (SE) *so what?*

— ging¹ yau⁶ hei² — 驚又喜   (SE) *be pleasantly surprised. (Lit. both scared and happy)*

— ho² hau¹ yau⁶ ho² siu³ — 好嬲又好笑   (SE) *put sb into a very embarrassing situation; be between tears and laughter. (Lit. both very annoyed and very amused)* **Coll.**

— m⁴ . . . yau⁶ m⁴ . . . — 唔 . . . 又唔 . . .   (IC) *neither . . . nor . . . (Gen. used with verbs or adjectives)*

⁵ — m⁴ yam² jau² yau⁶ m⁴ sik⁶ yin¹° — 唔飲酒又唔食煙   (SE) *neither drink nor smoke.*

— mo⁵ . . . yau⁶ mo⁵ . . . — 冇 . . . 又 冇. . .   (IC) *have neither . . . nor . . . (Gen. used with verbs or nouns)*

— mo⁵ che¹° yau⁶ mo⁵ uk¹° — 有車又有屋   (SE) *have neither a car nor a house.*

— si² — 試   (Adv) *again; once again.* **FE.**

— yat¹° nin⁴ lak³ — — 一年嘞 (SE) *still another year.*

¹⁰ — — yat⁶ lak³ — — 日嘞   (SE) *still another day.*

— ... yau ... — ... ... 又 (IC) *both ... and ... (Gen. used with verbs, adjectives or nouns)*

— yim⁴ ni¹° yeung⁶, you⁶ yim⁶ goh² yeung⁶ — 嫌呢樣又嫌嗰樣 (SE) *be unhappy about all kinds of things. (Lit. dislike both this and that)*

yau⁶右 3370   (Adj) *right. (RTO directions)* SF ‡ (N) *the right hand.* SF ‡

— bin⁶ — 便   (Adj) *right. (ROT directions)* **FE** (Adv) & (PP) *on/to the right-hand side.* (N) *the right-hand side. (No Cl.)*

— paai³ (fan⁶ ji²) — 派(份子)   (N) *the right wing; the rightist.*

— sau² — 手   (N) *the right hand. (Cl. jek³只)*

— — bin⁶ — — 便   (Adj) *right. (ROT directions)* **FE** (Adv) & (PP) *on/to the right.* **FE** (N) *the right-hand side. (No Cl.)*

ye⁴耶 3371   (P) *used in transliterations.* (FP) *transforms statements into questions that indicate doubt or surprise—literany particle, similar to the Cantonese "me¹°".*

Y— Ga¹ Daat⁶ — 加達   (N) *Djakarta.* **Tr.**

— Lo⁶ Saat³ Laang⁵ — 路撒冷   (N) *Jerusalem.* **Tr.**

— So¹° — 穌   (N) *Jesus; the Saviour; saviour—***Tr.**

— — Daan³ — — 誕   (N) *Christmas.*

ye⁴揶(揶) 3372   (V) *mimic; ridicule.* **Fml. SF** ‡

— yue⁴ — 揄   (V) *mimic; ridicule.* **Fml. FE**

ye⁴椰(梛) 3373   (N) *coconut; cabbage.* **SF** ‡

— choi³ — 菜   (N) *cabbage; savoy cabbage. (Cl. poh¹ 稐)*

— — fa¹° — — 花   (N) *cauliflower. (Cl. goh³ 個 or gau⁶ 礁)*

— ji² — 子   (N) *coconut.* **FE**

— — sue⁶ — — 樹   (N) *coconut palm; coconut tree. (Cl. poh¹ 稐)*

ye⁴ 爺   **3374**   (N) *grandfather; old gentlemen.*   **SF** ‡

ye⁵ 野(埜)   **3375**   (Adj) *wild; barbaric; illicit; illegitimate.*   **SF** ‡
(N) *wilderness; suburb.*   **SF** ‡

— chaan¹° — 飱   (N) *picnic.*   (*Cl.* chi³ 次)

— gai¹° — 雞   (Adj) *profit-making; of bad reputation.*   **Coll.**   (N) *wild chicken* (*Cl.* jek³ 只); *street girl* (**Sl.** *Cl.* goh³ 個).

— — hok⁶ haau⁶ — — 學校   (N) *profit-making school.*   **Coll.**   (*Cl.* gaan¹ 間)

— hap⁶ — 合   (N) *illicit connection.*   **FE**   (*Cl.* jung² 種 *or* chi³ 次)

5   — jai² — 仔   (N) *illegitimate child.*   **FE** **AL**

— jung² — 種   (N) *ditto.*

— jin³ — 戰   (N) *field battle.*   (*Cl.* cheung⁴ 塲 *or* chi³ 次)

— — paau³ — — 炮   (N) *field gun.*   (*Cl.* ham² 坎 *or* moon⁴ 門)

— — yi¹ yuen⁶* — — 醫院   (N) *field hospital.*   (*Cl.* gaan¹ 間)

10   — maam⁴ — 蠻   (Adj) *barbaric; savage; uncivilized; wild.*   **FE**

— — yan⁴ — — 人   (N) *barbaric/savage/uncivilized people.*

— yan⁴ — 人   (N) *ditto.*

— ngoi⁶ — 外   (N) *wilderness; suburb.*   **FE**   (*Cl.* sue² 處 *or* do⁶ 度)

— sam¹ — 心   (N) *ambition; mad ambition.*

15   — — ga¹° — — 家   (N) *ambitious/covetous person.* *(GRT politicians, businessmen, etc.)*

— sau³ — 獸   (N) *beast; wild beast.*   (*Cl.* jek³ 只)

— si² — 史   (N) *fictitious historical romance; fiction.*   (*Cl.* boon² 本 *or* jung² 種)

— sing³ — 性   (N) *savage disposition; wild nature.*   (*Cl.* jung² 種)

ye⁵ 嘢   **3376**   (N) *disgusting fellow; annoying person; naughty child.*
CC   **Sl. AL SF** ‡ (*Cl.* jek³ 只 *or* goh³ 個) (N) *a thing/ matter.*   **Coll.**   (*Cl.* yeung² 樣 *or* gin⁶ 件)

ye⁵ 惹   **3377**   (V) *stir up; cause.*   **SF** ‡

— foh² — 火   (V) *stir up a fire.*   **FE**   (Adj) *fascinating; enchanting; sexy.* *(ROT women)*   **Sl.**

— — nui⁵ long⁴ — — 女郎   (N) *fascinating/sexy girl.*

— — yau⁴ mat⁶ — — 尤物   (N) *ditto.*

— — siu¹ san¹ — — 燒身   (SE) *stir up a fire and burn oneself; bring trouble upon oneself.*

5   — si⁶ — 事   (V) *cause trouble (needlessly).* **FE**

— — je² — — 者   (N) *trouble-maker.* **Fml.**

— woh⁶ — 禍   (V) *bring evil on oneself.*

ye⁶ 夜   **3378**   (Adj) & (Adv) *late (at night).* **SF** ‡

— foh³ — 課   (N) *homework. (No Cl.)*

— gaang¹° — 更   (N) *night duty/shift. (Cl.* chi³ 次)

— haau⁶ — 校   (N) *evening college/school.*

— jung¹ hok⁶ — 中學   (N) *ditto.*

5   — jung² wooi⁶* — 總會   (N) *night club. (Cl.* gaan¹ 間)

— lai⁵ fuk⁶ — 禮服   (N) *dress suit (Cl.* to³ 套); *dinner jacket (Cl.* gin⁶ 件).

Y— Long⁴ — 郎   (N) *name of a small state in the Han Dynasty.*

y— — ji⁶ daai⁶ — — 自大   (SE) *extremely self-important; as self-important as the chieftain of Yeh-Long.* **Fml.**

y— maan⁵* — 晚   (Adv) *at night; in the nighttime.*

10   — si⁵ — 市   (N) *business at night. (Lit. night market)*

ye⁶ 廿   **3379**   (Adj) *twenty. (Gen. followed by nouns, classifiers or*
     CC   *numbers)* **Coll. SF** ‡ **AP** ya⁶ **SM see 3303.**

— gau² — 九   (Adj) & (N) *twenty-nine.*

— ji¹ bat¹° — 支筆   (SE) *20 pens.*

— yat⁶ — 日   (SE) *20 days.*

yeng⁴ 贏   **3380**   (V) *win; gain. (RT games; wars, etc.)* **SF** ‡
     AP ying⁴ see 3495.

— boh¹° — 波   (V) *win a ball match.* **FE**

— chin⁴* — 錢   (V) *win/gain money (at gambling).* **FE.**

yeuk³ 約   **3381**   (V) *discipline; make an appointment with.* **SF** ‡
     (Adv) *approximately.* **SF** ‡ (N) *provisional constitution.* **SF** ‡

— chuk¹° — 束   (V) *discipline; bind; restrain. (RT soldiers, children etc.)*

— ding⁶ — 定 (V) *appointment with; agree to an appointment; promise to keep an appointment.* **FE**

— ho² — 好 (V) *ditto.*

— ding⁶ dei⁶ dim² — 定地點 (N) *appointed place.* (*Cl.* goh³ 個 *or* sue³ 處)

⁵ — — si⁴ gaan³ — — 時間 (N) *appointed time.*

— faat³ — 法 (N) *provisional constitution; treaty stipulation.* **FE** (*Cl.* jung² 種 *or* tiu⁴ 條)

— jeung¹° — 章 (N) *ditto.*

— mok⁶* — 莫 (Adv) *approximately; about.* **FE**

— wooi⁶ — 會 (N) *appointment; "date".* **FE**

yeuk⁶若 3382 (Conj) *if.* **SF** ‡

— gon¹ — 干 (SE) *a certain amount; so much.* **Fml.**

— gwoh² — 果 (Conj) *if.* **FE**

— yin⁴ — 然 (Conj) *ditto.* **Fml.**

yeuk⁶鑰 3383 (N) *key.* **Mdn. SF** ‡

— si⁴ — 匙 (N) *key.* **Mdn. FE** (*Cl.* tiu⁴ 條)

yeuk⁶顲(籲) 3384 (V) *implore.* **Fml. SF** ‡

— ching² — 請 (V) *implore.* **Fml. FE AP** yue⁶ **SM see 3542.**

yeuk⁶虐 3385 (V) *ill-treat.* **SF** ‡ (Adj) *tyrannical.* **SF** ‡ (N) *ill-treatment.* **SF** ‡

— doi⁶ — 待 (V) *ill-treat; ill-use.* **FE** (N) *ill-treatment; ill-usage.* **FE** (*Cl.* jung² 種 *or* chi³ 次)

— jing³ — 政 (N) *tyrannical government.* (*Cl.* jung² 種)

yeuk⁶瘧 3386 (N) *malaria.* **SF** ‡

— jat⁶ — 疾 (N) *malaria; intermittent/remittent fevers.* (*Cl.* jung² 種)

— — man¹° — — 蚊 (N) *Anopheles mosquito.* (*Cl.* jek³ 只)

— man¹° — 蚊 (N) *ditto.*

yeuk⁶ 弱   3387   (Adj) *weak.*   **SF**   ‡

— dim² — 點   (N) *weakness; weak/vulnerable point; point of deficiency.*

— yeuk⁶ keung⁴ sik⁶ — 肉強食   (SE) *the weak are the prey of the strong.*

yeuk⁶ 藥(葯)   3388   (N) *medicine; drug.*   **Coll.**   (*Cl.* jung² 種)

— ban² — 品   (N) *medicine; drug.*   **Fml.**   **FE**   (*Cl.* jung² 種)

— mat⁶ — 物   (N) *ditto.*

— beng² — 餅   (N) *tablet; medicine in tablet form.*

— choi⁴ — 材   (N) *medicinal herbs.*   (*Cl.* jung² 種; *Dose:* jai¹ 劑.)

5   — — po³*   — —   舖   (N) *old style herb shop.*   (*Cl.* gaan¹ 間)

— daan¹° — 單   (N) *prescription.*   (*Cl.* jeung¹ 張)

— fong¹° — 方   (N) *ditto.*

— fan² — 粉   (N) *medicinal powder.*   (*Package:* baau¹° 包)

— moot⁶* — 末   (N) *ditto.*

10   — saan² — 散   (N) *ditto.*

— fong⁴ — 房   (N) *dispensary; drug store.*   (*Cl.* gaan¹ 間)

— go¹° — 膏   (N) *ointment.*   (*Tube:* ji¹ 支; *Bottle:* jun¹ 樽.)

— yau⁴ — 油   (N) *ditto.*

— jai¹ si¹° — 劑師   (N) *pharmacist.*

15   — jau² — 酒   (N) *medicated wine/spirits.*   (*Bottle:* jun¹ 樽)

— lik⁶ — 力   (N) *power of a drug.*   (*Cl.* jung² 種)

— sing³ — 性   (N) *nature of a drug.*   (*Cl.* jung² 種)

— sue¹ — 書   (N) *medical works/books.*   (*Cl.* bo² 部, boon² 本 *or* jung² 種)

— sui² — 水   (N) *lotion; liquid medicine.*   (*Bottle:* jun¹ 樽)

yeuk⁶ 躍   3389   (V) & (N) *leap; jump.*   **SF**   ‡   **CP yeuk³**

— jun³ — 進   (V) *leap forward.*   **CP yeuk³ jun³**

yeung¹ 央   3390   (V) *entreat.*   **Fml.**   **SF**   ‡   (Adj) *central.*   **SF**   ‡

— ching² — 請   (V) *entreat; beg; beseech.*   **Fml.**   **FE**

— kau⁴ — 求   (V) *ditto.*

yeung¹ 殃   3391   (N) *calamity.*   **SF**   ‡

— woh⁶ — 禍   (N) *calamity.*   **FE**   (*Cl.* jung² 種)

yeung¹ 秧   3392   (N) *young plants.*   (*Cl.* poh¹ 飦)

— goh¹° — 歌   (N) *folk song sung when transplanting rice; "yang ko"* (**Tr.**).   (*Cl.* sau² 首 *or* ji¹ 支)

— — mo⁵ — — 舞   (N) *folk dance originated with farmers in Shensi Province; "yang ko" dance* (**Tr.**).   (*Cl.* jung² 種 *or* jek³ 只)

— miu⁴ — 苗   (N) *sprouting grain.*   (*Cl.* poh¹ 飦)

— tin⁴ — 田   (N) *seed-bed where rice is sown for transplanting.*   (*Cl.* faai³ 塊)

yeung⁴ 羊   3393   (N) *sheep; goat; lamb.*   **SF**   ‡

— diu³ — 吊   (N) *epilepsy.*   (*Cl.* jung² 種)

— kwan⁴ — 羣   (N) *flock of sheep; herd of goats.*

— mo⁴ — 毛   (N) *wool.*   (*Cl.* tiu⁴ 條)

— — chut¹° joi⁶ yeung⁴ san¹ seung⁶ — — 出在羊身上   (SE) *it's the consumer who eventually has to bear the burden of increased production costs.   (Lit. fleece come out from sheep)*

5   — — saam¹° — — 衫   (N) *cardigan; pull-over; woolen sweater.*   (*Cl.* gin⁶ 件)

Y— Sing⁴ — 城   (N) *a name for Canton.*

y— yuk⁶ — 肉   (N) *mutton.*   *(No Cl.)*

yeung⁴ 佯   3394   (V) *pretend; feign.*   **Fml. SF**   ‡

— beng⁶ — 病   (V) *feign illness—as an excuse.*   **Fml. FE**

— jui³ — 醉   (V) *feign drunkenness.*   **Fml. FE**

— siu³ — 笑   (V) *pretend laugh.*   **Fml. FE**

— yin⁴ — 言   (V) *speak falsely.*   **Fml. FE**

yeung⁴ 洋   3395   (Adj) *foreign.*   **SF**   ‡   (N) *ocean.*   **SF**   ‡

— chung¹° (tau⁴) — 葱(頭)   (N) *onion; European onion.*

— foh² — 火   (N) *matches.*   **Mdn.**   (*Cl.* ji¹ 支 ; *Box:* hap⁶ 盒 .)

— foh³ — 貨   (N) *foreign-made goods; imported merchandise.*   (*Cl.* pai¹ 批)

— — po³* — — 舖   (N) *shop selling imported goods.*   (*Cl.* gaan¹間)

5   — fuk⁶ — 服   (N) *European style clothes.*   *(GRT lounge suits)*   (*Cl.* to³套)

— — dim³ — — 店   (N) *tailor's shop.*   *(GRT European style clothes)* (*Cl.* gaan¹間)

— hong⁴* — 行   (N) *foreign firm.*   (*Cl.* gaan¹ 間)

— — jai² — — 仔   (N) *clerk working in a foreign firm.*   **Der.**

— juk¹° — 燭   (N) *foreign candle.*   (*Cl.* ji¹支)

10   — laap⁶ — 蠟   (N) *ditto.*   **Mdn.**

— jau² — 酒   (N) *imported wine.*   (*Bottle:* ji¹ 支 *or* jun¹樽)

— lau⁴* — 樓   (N) *European style building.*   (*Cl.* joh⁶座 ; *Flat:* chang⁴層 .)

— yan⁴ — 人   (N) *foreigner; European.*

— yat⁶ — 溢   (V) *widespread; overspread; be full of.*

15   — yeung⁴ ji⁶ dak¹° — 洋自得   (Adj) *conceited; self-satisfied.*

yeung⁴揚   3396   (V) *raise; spread.*   **SF** ‡

— faan⁴ — 帆   (V) *hoist sails.*

Y— Ji² Gong¹ — 子江   (N) *the Yangtze; the Yangtze River.*   **Tr.** (*Cl.* tiu⁴條)

y— ming⁴ (sing¹) — 名 (聲)   (V) *become celebrated.*   **Fml.**

— sau² — 手   (V) *raise the hand.*

5   — sing¹ — 聲   (V) *cry out; raise the voice.*

— — hei³ — — 器   (N) *loudhailer.*

yeung⁴楊   3397   (N) *willow.*   **SF** ‡

— lau⁵ (sue⁶) — 柳(樹)   (N) *willow; willow tree.*   **FE** (*Cl.* poh¹荷)

— mooi⁴ — 梅   (N) *arbutus.*

— — chong¹° — — 瘡   (N) *syphilitic sores.*

yeung⁴ 陽   3398

(Adj) *bright; clear; male; positive.* **Fml.**   **SF** ‡
(N) *sun; male/positive element in nature.* (*Opp. of* "yam¹" 陰 *see 3310*)   **Fml.**   **SF** ‡

— dim⁶ — 電   (N) *positive electricity.*   (*Cl.* jung² 種)
— gaan¹ — 間   (N) *this world of sense; this life.*   **Fml.**
— sai³ — 世   (N) *ditto.*
— gik⁶ — 極   (N) *positive pole.*
⁵ — gui⁶ — 具   (N) *male organ; penis.*   **Fml.**
— gwong¹ — 光   (N) *sunshine; light of the sun.*   (*Cl.* do⁶ 道)
— hei³ — 氣   (N) *male/positive element in nature.*   **FE**   (*Cl.* jung² 種)
— lik⁶ — 曆   (N) *solar calendar.*

yeung⁵ 養   3399

(V) *keep; support; bring up.*   **SF** ‡

— beng⁶ — 病   (V) *seek a cure for an illness; convalesce.*
— foo⁶ mo⁵ — 父母   (V) *support one's parents.*   **FE**
— ga¹ — 家   (V) *support one's family.*   **FE**
— gau² — 狗   (V) *keep a dog/puppy.*   **FE**
⁵ — jai² nui⁵* — 仔女   (V) *bring up/bear one's children.*   **Coll.**   **FE**
— yi⁴ nui⁵ — 兒女   (V) *ditto.*   **Fml.**
— meng⁶ — 命   (V) *sustain one's life.*
— san¹° — 身   (V) *care for the health.*
— seung¹ — 傷   (V) *care for injury received; nurse one's wound.*

yeung⁵ 氧   3400

(N) *oxygen.*   **SF** ‡

— fa³ — 化   (V) *oxidize.* (N) *oxidation.*   (*Cl.* jung² 種)
— — mat⁶ — — 物   (N) *oxidized object.*   (*Cl.* jung² 種)
— hei³ — 氣   (N) *oxygen.*   (*Cl.* jung² 種)

yeung⁵ 癢   3401

(Adj) *itching; ticklish.*   **Mdn.**   **SF** ‡

yeung⁵ 仰   3402

(V) *look up; look up to.*   **Fml.**   **SF** ‡   (P) *used in transliterations.*

Y— Gwong¹° — 光   (N) *Rangoon.*   **Tr.**
y— gwoon¹ — 觀   (V) *look up.*   **Fml.**   **FE**

— mo⁶ — 慕   (V) *look up to; respect.* **Fml. FE**

— mong⁶ — 望   (V) *look up; look up to; respect.* **Fml. FE**

yeung⁵ 恙 3403   (N) *illness; indisposition.* **CP SF ‡ AP yeung⁶ SM see 3404.**

yeung⁶ 恙 3404   (N) *illness; indisposition.* **Fml. SF ‡ AP yeung⁵ SM see 3403.**

yeung⁶ 讓 3405   (V) *offer (RT seats); give in (RT rights or privileges); buy or sell (RT personal effects).* **PL SF ‡**

— bo⁶ — 步   (V) *give in; yield.* **FE**

— hoi¹ — 開   (V) *make way; yield the road.* **FE PL**

— lo⁶ — 路   (V) *give way to other road users; make way for sb else.*

— maai⁵ — 買   (V) *buy sth from a friend.* **FE PL**

5 — maai⁶ — 賣   (V) *sell one's personal effects.* **FE PL**

— wai⁶* — 位   (V) *offer seats; give a position to sb else; abdicate.* **FE Lit. & Fig.**

yeung⁶ 樣 3406   (N) *kind; sort.* *(No Cl.)* *(Cl) for languages; for matters, affairs, business; etc.* **AP yeung⁶* see 3407.**

— boon² — 本   (N) *specimen; sample.*

— ji² — 子   (N) *appearance/look/face of sb; fashion/style/shape/condition of sth.* **Fml. FE**

— yeung⁶ — 樣   (Adj) *every kind of; all sorts of; every (RT languages).*

— — do¹° chut¹° chai⁴ — — 都出齊   (SE) *do whatever comes into one's head. (Gen. used in the bad sense)*

yeung⁶* 樣 3407   (N) *appearance/look/face of sb; fashion/style/shape/condition of sth.* **Coll. AP yeung⁶ see 3406.**

yeung⁶ 釀 3408   (V) *ferment.* **SF ‡**

— jau² — 酒   (V) *ferment wine.* **FE**

— mat⁶ — 蜜   (V) *make honey—by bees.*

— sing⁶ — 成   (V) *cause; bring about.* **Fig. SF** ‡

— — bei¹ kek⁶ — — 悲劇   (V) *cause/bring about a tragedy.*

⁵   — — chaam² kek⁶ — — 慘劇   (V) *ditto.*

yi¹ 衣   **3409**   (N) *clothing; clothes.* **SF** ‡

— chaat³* — 刷   (N) *clothes-brush.*

— che¹° — 車   (N) *sewing-machine.* (*Cl.* ga³架)

— fuk⁶ — 服   (N) *clothing; clothes.* (*Cl.* gin⁶件 ; *Suit:* to³套 .)

— saam¹° — 衫   (N) *ditto.* **Fml.**

⁵   — seung⁴ — 裳   (N) *ditto.* **Fml.**

— ga³* — 架   (N) *clothes-horse; clothes-tree.*

— gwai⁶ — 櫃   (N) *wardrobe.*

— liu⁶* — 料   (N) *material for clothing.* (*Cl.* jung² 種 ; *Length:* fuk¹° 幅.)

— mat⁶ — 物   (SE) *clothes and other effects.* (*No Cl.*)

¹⁰   — seung¹° — 箱   (N) *trunk; suitcase.*

yi¹ 依   **3410**   (V) *base upon; depend upon.* **SF** ‡   (Adv) *in accordance with; according to.* **SF** ‡

— chi³ jui⁶ — 次序   (Adv) *in order; in sequence.*

— gau⁶ — 舊   (Adv) *still; as usual; as before.* **Fml.**

— yin⁴ — 然   (Adv) *ditto.*

— jiu³ — 照   (V) *base upon; accord with.* **FE**   (Adv) *in accordance with; according to.* **FE**

⁵   — kaau³ — 靠   (V) *depend upon; trust in.* **FE**

— laai⁶ — 賴   (V) *ditto.*

— — sing³ — — 性   (N) *dependent/submissive disposition.* (*Cl.* jung² 種)

— kei⁴ — 期   (Adv) *according to the specified time.*

— si⁴ — 時   (Adj) *punctual.* (Adv) *punctually.*

¹⁰   — sun⁶ — 順   (V) *agree with; obey.* **Fml.** (Adj) *agreeable; obedient.* **FE**

yi¹ 醫   **3411**   (V) *cure; heal.*   **SF**   ‡

— foh¹° — 科   (N) *department of medicine.*

— hok⁶ — 學   (N) *science of medicine.*   (*Subject:* foh¹° 科)

— ji⁶ — 治   (V) *cure; heal.*   **FE**

— liu⁴ — 療   (V) *ditto.*

5   — saang¹° — 生   (N) *doctor; medical doctor.*

— si¹ — 師   (N) *ditto.*   **PL**

— saang¹° jai² — 生仔   (N) *intern; junior houseman.*   **Coll.**

— sut⁶ — 術   (N) *methods of treatment.*   (*Cl.* jung² 種)

— yuen⁶* — 院   (N) *hospital.*   (*Cl.* gaan¹ 間)

10   — — suen⁴ — — 船   (N) *hospital ship.*   (*Cl.* jek³ 只)

yi¹ 伊   **3412**   (Pron) *she; he; her; him.*   **Fml.**   **SF**   ‡   (P) *used in transliterations or onomatopoeia.*

— foo² min⁶ — 府麵   (N) *"E-Fu" noodles; noodles preserved by means of frying.*   (*Course:* goh³ 個; *Bowl:* woon² 碗.)

— min⁶ — 麵   (N) *ditto.*

Y— Lei⁶ Sa¹ Baak³ Yi¹ Yuen⁶* — 利沙伯醫院   (N) *Queen Elizabeth Hospital.*   **Tr.**   (*Cl.* gaan¹ 間)

— Long⁵ — 朗   (N) *Iran.*   **Tr.**

5   y— ya¹ gwai² giu³ — 吔鬼叫   (SE) *scream; make loud noise.*   (*Lit. ghost scream*)   **Ono.**

— yan⁴ — 人   (Pron) *she; he; her, him.*   **Fml.**   **FE**

yi² 倚   **3413**   (V) *rely on; depend upon.*   **SF**   ‡

— chi⁵ — 恃   (V) *rely on; take advantage of.*   **FE**

— jeung⁶ — 仗   (V) *ditto.*

— kaau³ — 靠   (V) *depend upon; trust in.*   **FE**

— laai⁶ — 賴   (V) *ditto.*

5   — — sing³ — — 性   (N) *dependent/submissive disposition.*   (*Cl.* jung² 種)

— sai³ — 勢   (V) *presume on power/authority.*

— — hei¹ yan⁴ — — 欺人   (SE) *presume on authority to browbeat other people.*

yi² 椅   **3414**   (N) *chair.* (*Cl.* jung¹ 張)

din⁶* — 墊   (N) *cushion.*

yi³ 意   **3415**   (N) *idea; opinion; meaning.*   **SF** ‡

   Y— Daai⁶ — 大利   (N) *Italy.*   **Tr.**

   — Gwok³ — 國   (N) *ditto.*

   — Daai⁶ Lei⁶ fan² — 大利粉   (N) *spaghetti.* (*Lit. Italian noodles*) (*Portion:* dip⁶ 碟 *or* goh³ 個)

   — fan² — 粉   (N) *ditto.*   **SF**

5   y— gin³ — 見   (N) *opinion.*   **FE**

   — ji³ — 志   (N) *will; purpose; determination.* (*Cl.* goh³ 個 *or* jung² 種)

   — — bok⁶ yeuk⁶ — — 薄弱   (Adj) *weak-willed.*

   — — gin¹ keung⁴ — — 堅強   (Adj) *strong-willed.*

   — — lik⁶ — — 力   (N) *willpower.* (*Cl.* jung² 種)

10   — jung¹ yan⁴ — 中人   (N) *person of sb's heart; dream lover.*

   — ngoi⁶ — 外   (Adj) *unexpected; unforeseeable; unpredictable.* (N) *accident; unforeseen circumstance.* (*Cl.* goh³ 個 *or* chi³ 次)

   — — bo² him² — — 保險   (N) *accident insurance.* (*Cl.* jung² 種)

   — si³ — 思   (N) *meaning; idea.*   **FE**

   — sik¹° — 識   (V) *be aware of.* (N) *conciousness.* (*Cl.* jung² 種)

15   — — do³ — — 到   (V) *sense; realize.*

   — — lau⁴ — — 流   (N) *stream of consciousness.* (*Cl.* goh³ 個 *or* jung² 種)

   — — ying⁴ taai³ — — 形態   (N) *ideology.* (*Cl.* jung² 種)

   — yi⁶ — 義   (N) *significance; meaning.*

   — — jung⁶ daai⁶ — — 重大   (Adj) *extremely significant; of great significance.*

yi³ 薏   **3416**   (V) *pearl barley.*   **SF** ‡

   — mai⁵ — 米   (N) *pearl barley.* (*Cl.* nap¹° 粒)

yi⁴ 而   **3417**   (Adv) *moreover; now.*   **Fml. SF** ‡

— che² — 且 (Adv) *moreover; furthermore.* **FE**

— ga¹° — 家 (Adv) *now; at present.* **FE**

yi⁴ 姨 3418   (N) *maternal aunt; sister-in-law.* **SF ‡ AP yi⁴° see 3419.**

— jeung⁶ — 丈 (N) *uncle.* *(husbands of mother's sisters)*

— ma¹° — 媽 (N) *aunt.* *(mother's elder sister)*

— saang¹° — 甥 (N) *nephew.* *(sons of wife's sisters)*

yi⁴° 姨 3419   (N) *aunt.* *(mother's younger sisters)* **AP yi⁴ see 3418.**

— jai² — 仔 (N) *sister-in-law.* *(wife's younger sister)*

yi⁴ 疑 3420   (V) *suspect.* **SF ‡** (N) *suspicion.* **SF ‡**

— hung¹ — 兇 (N) *suspected murderer.*

— sam¹ — 心 (V) *suspect; be in doubt.* **FE** (N) *suspicion; doubt.* **FE**

— — sang¹ am³ gwai² — — 生暗鬼 (SE) *suspicions create fears.* *(Lit. suspicions heart creates invisible ghosts)*

— san⁴ yi⁴ gwai² — 神疑鬼 (SE) *imagine all sorts of things.* *(Lit. suspect gods suspect ghosts)*

yi⁴ 移 3421   (V) *move.* **SF ‡**

— gui¹ — 居 (V) *move.* **SF ‡**

— — ngoi⁶ gwok³ — — 外國 (V) *emigrate to a foreign country.*

— man⁴ — 民 (V) *ditto.* (N) *immigrant.*

— hoi¹ — 開 (V) *move; move sth away.* **FE**

⁵ — — yi⁴ maai⁴ — — 移埋 (SE) *move around; move to and fro.*

yi⁴ 兒 3422   (N) *son; child.* **Mdn. SF ‡**

— foh¹° — 科 (N) *paediatrics.* *(No Cl.)*

— — juen¹ ga¹° — — 專家 (N) *paediatrician; paediatrist.*

— — yi¹ saang¹° — — 醫生 (N) *ditto.*

— ji¹ — 子 (N) *son.* **Mdn. FE**

⁵ — nui⁵ — 女 (N) *children; one's own children.* **Fml.**

— suen¹ — 孫   (N) *children and grandchildren; posterity.* **Fml.**

— tung⁴ — 童   (N) *children.* **Fml.**

— — fuk⁶ jong¹° — — 服裝部   (N) *children's wear counter. (RT department stores)*

yi⁴ 儀   **3423**   (N) *posture; demeanour; ceremonies.* **SF** ‡

— biu² — 表   (N) *outward appearance.* (*Cl.* jung² 種)

— yung⁴ — 容   (N) *ditto.*

— jai³ — 制   (N) *ceremonies.* **Fml. FE** (*Cl.* jung² 種)

— sik¹° — 式   (N) *ditto.*

5   — jeung⁶ dui⁶* — 仗隊   (N) *guard of honour.* (*Cl.* dui⁶ 隊)

— taai³ — 態   (N) *posture; manner.* (*Cl.* jung² 種)

yi⁵ 以   **3424**   (Prep) *with; by.* **Fml. SF** ‡   (P) *used with other words to form some set expressions.*

— chin⁴ — 前   (Conj) & (Prep) *before.* (Adv) *ago; previously, formerly.*

— ha⁶ — 下   (Prep) *below; beneath; under.*

— hau⁶ — 後   (Conj) & (Prep) *after.* (Adv) *since; from them; from now on; later; later on; afterwards.*

— noi⁶ — 內   (Prep) *within; inside.*

5   — ngoi⁶ — 外   (Prep) *beyond; outside.*

— seung⁶ — 上   (Prep) *above.*

Y— Sik¹° Lit⁶ — 色列   (N) *Israel.* **Tr.**

y— wai⁴ — 爲   (V) *think; be of the opinion.*

— yuen³ bo³ dak¹° — 怨報德   (SE) *requite kindness with ingratitude.*

yi⁵ 已   **3425**   (Adv) *already.* **SF** ‡

— ging¹ — 經   (Adv) *already.* **FE**

yi⁵ 耳   **3426**   (N) *ear.* (*Cl.* jek³ 只)

— deuh² — 朶   (N) *ear.* **FE** (*Cl.* jek³ 只)

— jai² — 仔   (N) *ditto.* **Coll.**

— lung⁴ (ge³) — 聾 (嘅)   (Adj) *deaf.*

yi⁵ 議 3427 (V) *discuss.* **Fml. SF** ‡ (N) *discussion.* **Fml. SF** ‡

— kuet³ — 決 (V) *decide by vote.* (N) *resolution.*

— lun⁶ — 論 (V) *discuss; criticise.* **Fml. FE** (N) *discussion; criticism.* **Fml. FE** (*Cl.* jung² 種)

— on³ — 案 (N) *proposal; motion; bill.*

— tai⁴ — 題 (N) *subject of debate.*

⁵ — wooi⁶* — 會 (N) *Parliament; Congress.*

— yuen⁴ — 員 (N) *Member of the Parliament/Congress.*

yi⁶ 二(弍) 3428 (Adj) & (N) *two.*

— baat³ gaai¹ yan⁴ — 八佳人 (SE) *beautiful maiden of sixteen.*

— — nin⁴ wa⁴ — — 年華 (SE) *sixteen years of age; "sweet sixteen".*

— — tin¹ (si⁴) — — 天(時) (SE) *mild weather in February and August; the best weather of the year (in China).*

— — — si⁴ luen⁶ chuen¹ yi¹ — — — 時亂穿衣 (SE) *one can wear anything in nice weather.*

⁵ — fong⁴ dung¹° — 房東 (N) *principal tenant; tenant who sublets a room to sb else. (Lit. second landlord)* **Fml.**

— ga¹° je²° — 家姐 (N) *sister; one's second oldest sister.*

— je² foo¹° — 姐夫 (N) *second brother-in-law. (husband of one's second oldest sister)*

— so² — 嫂 (N) *wife of one's second son/brother.*

— yan⁴ sai³ gaai³ — 人世間 (SE) *a world of Romeo and Juliet; a utopia for two lovers. (Lit. two persons world)*

¹⁰ Y— Yuet⁶ — 月 (N) *February.*

yi⁶ 異 3429 (Adj) *different; strange.* **Fml. SF** ‡

— fuk⁶ kei⁴ jong¹° — 服奇裝 (SE) *different and strange clothes. (Cl.* jung² 種)

— gaau³ — 教 (N) *heretical sect; heresy. (Cl.* jung² 種 *or* goh³ 個)

— — to⁴ — — 徒 (N) *heretics.*

— hau² tung⁴ sing¹ — 口同聲 (SE) *say sth in unison; give the same story. (Lit. different mouths same voice)*

⁵ — seung⁴ — 常 (Adj) *exceptional; unusual.*

— yan⁴ — 人 (N) *strange/extraordinary person.*

914

yi⁶ 易   **3430**   (Adj) *easy.* **AP yik⁶ see 3440.**

— laan⁶ (ge³) — 爛(嘅)   (Adj) *fragile; easily damaged.*

— nau¹ (ge³) — 嬲(嘅)   (Adj) *prone to anger.*

— yue⁴ faan² jeung² — 如反掌   (SE) *as easy as turning over the palm of the hand.*

yi⁶ 義   **3431**   (Adj) *righteous; faithful.* **SF** ‡ (N) *righteousness; good faith.* **SF** ‡

— chung² — 塚   (N) *public/free cemetary.* (*Cl.* joh⁶ 座 *or* goh³ 個)

— saan¹ — 山   (N) *ditto.*

— gui² — 舉   (N) *movement in public interests; good deed; charity.* (*Cl.* jung² 種 *or* gin⁶ 件)

— hei³ — 氣   (N) *righteous indignation; uprightness; personal by loyalty; good faith.* **FE** (*Cl.* jung² 種)

5   — hok⁶* — 學   (N) *free school.* (*Cl.* gaan¹ 間)

— huen² — 犬   (N) *faithful dog.* **Fml.** (*Cl.* jek³ 只)

— lei⁵ — 理   (N) *righteousness.* (*Cl.* jung² 種)

— mo⁶ — 務   (Adj) *free of charge.* (N) *duty; responsibility; obligation.* (*Cl.* jung² 種)

— — gaau³ yuk⁶ — — 教育   (N) *free/compulsory education.* (*Cl.* jung² 種)

10   — si⁶ — 士   (N) *righteous/fair-minded man.*

— yung⁵ gwan¹° — 勇軍   (N) *volunteers.* (*Cl.* ji¹ 支 *or* dui⁶ 隊)

yi⁶ 肄   **3432**   (V) *study; learn.* **Fml. SF** ‡

— yip⁶ — 業   (V) *study at a school; learn a profession/trade.* **Fml. FE**

yik¹° 益   **3433**   (Adj) *advantageous; useful.* **Fml. SF** ‡ (N) *advantage; benefit.* **Fml. SF** ‡

— chue³ — 處   (N) *advantage; benefit.* **FE** (*Cl.* jung² 種 *or* goh³ 個)

— chung⁴ — 蟲   (N) *insects which both directly and indirectly are advantageous to man.*

— ji³ din⁶ ying² — 智電影   (N) *educational film; porno* **(Sl.).** *(Lit. benefit to wisdom film)* (*Cl.* chut¹° 齣 *or* to³ 套)

yik¹° 億   3434   (Adj) & (N) *100 million.*

— maan⁶ — 萬   (Adj) *numberless.*

yik¹° 憶   3435   (V) *recall; remember; think of.*   **Fml.**   **SF**   ‡

— hei² — 起   (V) *recall; recollect.*   **Fml.**   **SF**   ‡
— nim⁶ — 念   (V) *remember; think of.*   **Fml.**   **FE**

yik¹° 臆   3436   (V) *guess; concoct.*   **Fml.**   **SF**   ‡

— chaak¹° — 測   (V) *guess; form one's own opinion of.*   **Fml.**   **FE**
— dok⁶ — 度   (V) *ditto.*
— jo⁶ — 造   (V) *concoct; trump up.*   **Fml.**   **FE**

yik¹° 抑   3437   (V) *curb; press down.*   **Fml.**   **SF**   ‡   (Conj) *or; or else.*   **Fml.**   **SF**   ‡

— jai³ — 制   (V) *press down; restrain.*   **Fml.**   **FE**   (*Cl.* jung² 種)
— — gam² ching⁴ — — 感情   (V) *suppress one's emotions.*
— keung⁴ foo⁴ yeuk⁶ — 強扶弱   (SE) *curb the strong/violent and support the weak/innocent.*
— waak⁶ — 或   (Conj) *or; or else.*   **Fml.**   **FE**

yik⁶ 亦   3438   (Adv) *also; neither.*   **SF**   ‡

— do¹° — 都   (Adv) *also.*   **FE**
— m⁴ — 唔   (Adv) *neither.*   **FE**

yik⁶ 譯   3439   (V) *translate; interpret.*   **SF**   ‡   (N) *translation.*   **SF** ‡

— din⁶ bo³ — 電報   (V) *decode a telegram.*
— jo⁶ — 做   (V) *be translated into/as.*
— man⁴ — 文   (N) *translated text; a translation.*   (*Cl.* pin¹ 篇)
— meng⁴* — 名   (N) *translated name; name in translation.*   (*Cl.* goh³ 個)

⁵ — yam¹° — 音   (V) *render a transliteration.*   (N) *transliteration.*   (*Cl.* jung² 種)

— yi³ — 意   (V) *render a free translation.*   (N) *free translation.*   (*Cl.* jung² 種)

— yuen⁴ — 員   (N) *translator; interpreter.*

yik⁶ 易 3440   (V) & (N) *change.* **Fml. SF** ‡ **AP** yi⁶ see **3430.**

Y— Ging¹° — 經   (N) *the Book of Changes.*   (*Cl.* bo⁶ 部 *or* boon² 本)

y— jue² — 主   (V) *change owners.*

— sau² — 手   (V) *change hands; pass from one to another.*

yik⁶ 液 3441   (Adj) & (N) *liquid.* **SF** ‡

— tai² — 體   (Adj) & (N) *liquid.* **FE** (*Cl.* jung² 種)

yik⁶ 疫 3442   (N) *epidemic.* **SF** ‡

— jing³ — 症   (N) *epidemic.* (*Cl.* jung¹ 宗 *or* chi³ 次)

yik⁶ 逆 3443   (Adj) *contrary; opposing.* **Fml. SF** ‡

— fung¹ — 風   (N) *head-wind; contrary/unfavourable wind.* **Fml.** (*Cl.* jan⁶ 陣)

— sui⁶ — 水   (N) *contrary/unfavourable tide of current.* **Fml.** *(No Cl.)*

yik⁶ 翼 3444   (N) *wing.* *(RT birds, buildings, troops, political parties, etc.)* **SF** ‡

yim¹ 憸 3445 CC   (Adj) *fussy; arrogant; too particular about sb/sth.* **Coll. SF** ‡

— jim¹ (seng¹ moon⁶) — 尖 (腥悶)   (Adj) *fussy; arrogant; too particular about sb/sth.* **Coll. FE**

— moon⁶ — 悶   (Adj) *ditto.*

yim¹ 淹 3446   (V) *drown; flood.* **Fml. SF** ‡

— moot⁶ — 沒   (V) *drown; flood.* **Fml. FE**

yim¹ 閹(奄刂)   **3447**   (V) *castrate; caponize.*   **Coll.**   **SF**   ‡

— chung¹° — 春   (V) *castrate.*   **CP**   **FE**   (Adj) *cheating.*   **Fig.**   **Sl.**

— yan⁴ — 人   (V) *ditto.*

— dau⁶* — 痘   (V) *vaccinate.*

— gai¹° — 雞   (V) *caponize.*   **FE**

5   — got³ — 割   (V) *castrate.*   **FE**

— jue¹° — 豬   (V) *castrate a boar.*

— waan⁶ — 宦   (N) *eunuch.*   **Fml.**

yim² 掩(揜)   **3448**   (V) *cover; stop; close.*   **SF**   ‡

— bei⁶ — 鼻   (V) *cover one's nose.*   **FE**

— moon⁴ — 門   (V) *close the door.*   **FE**

— sik¹° — 飾   (V) *gloss over.*   (*Lit. cover polish*)

— woo⁶ — 護   (V) *cover; protect; harbour.*   **FE**   (N) *cover; protection; shield.* **(Fig.)**   (*Cl.* jung² 種)

— yi⁵ do⁶ ling⁶ — 耳盜鈴   (V) *befool oneself.*   *(Lit. cover the ears steal a bell)*

yim³ 厭   **3449**   (V) *reject; abominate.*   **SF**   ‡   (Adj) *worn-out; fatigued.*   **SF**   ‡

— guen⁶ — 倦   (Adj) *worn-out; fatigued; weary.*   **FE**

— moon⁶ — 悶   (Adj) *ditto.*

— woo³ — 惡   (V) *abominate; loathe.*   **FE**

yim⁴ 鹽(塩)   **3450**   (N) *salt.*   (*Cl.* nap¹° 粒)

— guk⁶ — 焗   (V) *bake in salt.*

— — gai¹° — — 雞   (N) *chicken baked in salt.*   (*Cl.* jek³ 只)

— jeng² — 井   (N) *salt-well.*

— kwong³ — 礦   (N) *salt-mine.*

5   — tin⁴ — 田   (N) *nitrous soil.*   (*Cl.* faai³ 塊)

yim⁴炎   3451

(Adj) *hot.* **Fml. SF** ‡ (N) *heat; fever; symbol of power/authority.* **Fml. SF** ‡

— jing³ — 症   (N) *fever; inflammatory disease.* **FE**

— leung⁴ sai³ taai³ — 凉世態   (SE) *fickleness of friends; changeable aspects of emotions; down-to-earth attitudes to ups and down. (Lit. hot cold worldly attitudes)*

— yit⁶ — 熱   (Adj) *hot. (ROT weather)* **Fml. FE**

yim⁴閻   3452

(N) *village hamlet; the Chinese Pluto.* **SF** ‡

— loh⁴ wong⁴ — 羅王   (N) *the Chinese Pluto; the King of Hell. (Lit. the Yama of the Hindus)* **FE**

— wong⁴ — 王   (N) *ditto.* **SF**

yim⁴嚴   3453

(Adj) *strict; severe; serious; dignified.* **SF** ‡

— foo⁶ chi⁴ mo⁵ — 父慈母   (SE) *stern father and comparsionate mother—a Chinese tradition.*

— gaak³ — 格   (Adj) *narrow; strict.*

— jung⁶ — 重   (Adj) *serious; grave; critical; momentous.* **FE**

— — au² da² (on³) — — 毆打 (案)   (N) *serious assault (case). (Cl.* jung¹ 宗 *or* gin⁶ 件)

5   — lai⁶ — 厲   (Adj) *strict; peremptory; stern.* **FE**

— mat⁴ — 密   (Adj) *strict; close; secret; well-kept.* **FE**

— sau² bei³ mat⁶ — 守秘密   (SE) *preserve strict screcy; be strictly confidential.*

— — jung¹ laap⁶ — — 中立   (SE) *strict observance of neutrality.*

— suk¹° — 肅   (Adj) *dignified; solemn; grave.*

10   — ying⁴ (jun³ faat⁶) — 刑 (峻法)   (N) *severe punishment (and peremptory laws). (Cl.* jung² 種)

yim⁴ 嫌   3454

(V) *dislike. (Gen. followed by words/expressions denoting the cause of dislike)*

— chin⁴* seng¹ — 錢腥   (V) *be not interested in money; be not money-conscious. (Lit. dislike money smell)* **Coll.**

— hei³ — 棄   (V) *dislike; despise; reject.* **FE**

— yi⁴ — 疑   (V) *suspect.* (N) *suspicion. (No Cl.)*

— — faan⁶* — — 犯   (N) *suspected criminal; a suspect.*

yim⁵ 染   **3455**   (V) *dye; pollute; be stained.* **SF** ‡

— beng⁶ — 病   (V) *catch a disease.* **Fml.**

— bo³ — 布   (V) *dye cloth.*

— faat³ — 髮   (V) *dye hair.*

— liu⁶* — 料   (N) *dye-stuff.*   (*Cl.* jung² 種)

5 — ok³ jaap⁶ — 惡習   (V) *be stained by evil habits/customs.* **Fig.** **FE**

— sik¹° — 色   (V) *dye.* **FE**

— woo¹ — 污   (V) *pollute; soil; get a bad name.* **FE** (N) *pollution.* (*Cl.* jung² 種 *or* chi³ 次)

yim⁶ 驗(驗)   **3456**   (V) *examine; test.* (N) *examination; test.* (*Cl.* chi³ 次)

— sau¹ — 收   (V) *examine and receive.*

— seung¹ — 傷   (V) *examine injuries.*

— si¹ — 屍   (V) *conduct a postmortem; examine the dead body; hold an inquest.* (N) *postmortem; examination of the dead body; inquest.* (*Cl.* chi³ 次)

— — gwoon¹ — — 官   (N) *forensic pathologist.* **Coll.**

yim⁶ 豔(艷)   **3457**   (V) *admire; desire.* **Fml.** **SF** ‡ (Adj) *beautiful; glamourous; bright.* **Fml.** **SF** ‡ (N) *beauty; love.* **Fml.** **SF** ‡

— goh¹° — 歌   (V) *love-song.* **FE** (*Cl.* ji¹ 支 *or* sau² 首)

— kuk¹° — 曲   (N) *ditto.*

— jong¹° — 粧   (Adj) *handsomely dressed.*

— lai⁶ (dung⁶ yan⁴) — 麗 (動人)   (Adj) *beautiful; glamourous; captivating.* **FE**

5 — si¹° — 詩   (N) *love-poem.* (*Cl.* sau² 首)

— sik¹° — 色   (N) *beauty; feminine beauty.* **FE** (*Cl.* jung² 種)

— sin⁶ — 羨   (V) *admire; desire.* **Fml.** **FE**

— yeung⁴ — 陽   (N) *bright sun; fine weather.* **FE**

— — tin¹° — — 天   (N) *ditto.*

yin¹ 烟（煙）   3458   (V) & (N) *smoke.*   **AP** yin¹° see **3459.**

— chan⁴ — 塵   (N) *dust.*   *(No Cl.)*

— mok⁶ — 幕   (N) *smoke screen.*   **Lit. & Fig.**   *(Cl.* jung² 種*)*

Y— Toi⁴ — 台   (N) *Yentai.*   *(Formerly know as Chefoo)*   **Tr.**

y— tung¹ — 通   (N) *chimney.*   *(Cl.* ji¹ 支*)*

5   — yuk⁶ — 肉   (N) *bacon; smoked meat.*   *(No Cl.)*

yin¹° 烟（煙）   3459   (N) *tobacco.*   **SF**   ‡   **AP** yin¹ see **3458.**

— dau² — 斗   (N) *smoking pipe.*

— — doi⁶* — — 袋   (N) *tobacco-pouch.*

— dau³ — 竇   (N) *opium den.*

— gaak³ — 格   (N) *ditto.*

5   — foh² — 火   (N) *fireworks.*   *(No Cl.)*

— fooi¹ — 灰   (N) *ashes; cigarette ashes.*   *(No Cl.)*

— — dip⁶* — — 碟   (N) *ash tray.*

— — gong¹ — — 缸   (N) *ditto.*

— — jung¹° — — 盅   (N) *ditto.*

10   — jai² — 仔   (N) *cigarette.*   *(Cl.* hau² 口 *or* ji¹ 支 *; Package:* baau¹ 包.*)*

— — hap⁶* — — 盒   (N) *cigarette box.*

— — tau⁴* — — 頭   (N) *cigarette end.*

— tau⁴* — 頭   (N) *ditto.*

— jui² — 咀   (N) *cigarette holder.*

yin¹ 胭（臙）   3460   (N) *rouge.*   **SF** ‡

— fan² — 粉   (N) *rouge and powder; cosmetics.*   *(No Cl.)*

— ji¹ — 脂   (N) *rouge.*   **FE**   *(Box:* hap⁶ 盒*)*

yin¹ 咽   3461   (N) *throat.*   **Fml. SF** ‡ **AP:** (1) yin³ see **3462;** (2) yit³ see **3503.**

— hau⁴ — 喉   (N) *throat.*   **Fml. FE**   *(Cl.* tiu⁴ 條 *or* goh³ 個*)*

— — ji¹ dei⁶ — — 之地   (SE) *important strategical place. (Lit. throat place)*   *(Cl.* sue³ 處 *or* goh³ 個*)*

yin³ 咽（嚥） 3462 (V) *gulp; swallow.* **Fml. SF** ‡ **AP: (1)** yin¹ see 3461; (2) yit³ see 3503.

— hei³ — 氣 (V) *expire; give up the ghost.* **Fml.**

— tau¹ — 吞 (V) *gulp; swallow.* **Fml. FE**

— yap¹° — 泣 (V) *sob; gulp down sobs.*

yin² 衍 3463 (V) *overflow; spread out.* **Fml. SF** ‡ (Adj) *rich; fertile.* **Fml. SF** ‡

— yat⁶ — 溢 (V) *overflow; spread out.* **Fml. FE**

— yuk¹° — 沃 (Adj) *rich; fertile.* *(RT high and low lands)* **Fml. FE**

yin² 演 3464 (V) *perform.* **SF** ‡ (N) *performance; speech; lecture; evolution development.* **SF** ‡

— bin³ — 變 (N) *development; change.* **FE** *(Cl.* jung² 種 *or* chi³ 次)

— cheung³ — 唱 (V) *perform.* *(RT singing)* **FE** (N) *performance.* *(RT singing)* **FE** *(Cl.* chi³ 次)

— chut¹° — 出 (V) *ditto.* *(RT plays)* (N) *ditto.* *(RT plays)* *(Cl.* chi³ 次)

— jau³ — 奏 (V) *ditto.* *(RT music)* (N) *ditto.* *(RT music)* *(Cl.* chi³ 次)

5 — gong² — 講 (V) *give a lecture.* (N) *lecture; academic lecture.* **FE** *(Cl.* pin¹ 篇)

— hei³ — 戲 (V) *act/perform a play.* **FE**

— hek⁶ — 劇 (V) *ditto.*

— jun³ — 進 (N) *evolution; progressive change.* **FE** *(Cl.* jung² 種 *or* chi³ 次)

— suet³ — 說 (V) *make a speech.* (N) *speech; political speech.* **FE** *(Cl.* pin¹ 篇)

10 — yi⁶ — 義 (N) *expanded version of a popular historical romance/legend.* *(Cl.* bo⁶ 部 *or* boon² 本)

— yik⁶ — 繹 (V) *deduce.* *(ROT thinking)* (N) *deduction.* *(ROT thinking)* *(Cl.* jung² 種)

— — faat³ — — 法 (N) *deductive method.* *(Cl.* jung² 種 *or* goh³ 個)

— yuen⁴ — 員 (N) *actor; actress.*

yin³ 燕   3465   (N) *swallow.*   **SF**   ‡

— ji² — 子   (N) *swallow.*   **FE**   (*Cl.* jek³ 只)

— mei⁵ fuk⁶ — 尾服   (N) *swallow-tail; swallow-tailed coat.*   (*Cl.* gin⁶ 件)

— soh¹° — 梳   (N) *insurance.*   **Tr.**   (*Cl.* jung² 種)

— woh¹° — 窩   (N) *bird's nest soup.*   (*Course:* goh³ 個; *Bowl:* woon² 碗.)

yin³ 宴(讌)   3466   (N) *banquet; feast; formal dinner.*   **SF**   ‡

— ching² — 請   (V) *invite to dinner; invite guests.*   **Fml.**

— haak³ — 客   (V) *ditto.*

— wooi⁶* — 會   (N) *banquet; feast; formal dinner.*   **FE**   (*Cl.* goh³ 個 *or* chi³ 次)

yin³* 毽   3467   (N) *shuttle-cock.*   **CP**   **Coll.**   **AP gin³ SM see 912.**

— ji² — 子   (N) *shuttle-cock.*   **CP**   **Coll.**   **FE**

yin⁴ 言   3468   (V) *talk; speak.*   **Fml.**   **SF**   ‡   (N) *language; speech; words.*   **SF**   ‡

— chut¹° bit¹° hang⁴ — 出必行   (SE) *always honour one's word/ promise.*

— — jik¹° hang⁴ — — 即行   (SE) *no sooner said than done.*   **Fml.**

— doh¹ bit¹° sat¹° — 多必失   (SE) *much talk leads to error.*   **Fml.**

— gwoh³ kei⁴ sat⁶ — 過其實   (N) *exaggerates.*   **Fml.**   (N) *exaggeration.*   **Fml.**   *(No Cl.)*

⁵ — lun⁶ — 論   (N) *opinion; criticism.*   (*Cl.* jung² 種)

— — ji⁶ yau⁴ — — 自由   (SE) *freedom of speech.*

— yue⁵ — 語   (N) *language; speech; words.*   **FE**   (*Cl.* jung² 種)

yin⁴ 絃   3469   (N) *string of a musical instrument.*   (*Cl.* tiu⁴ 條)

— sok³ — 索   (N) *Chinese stringal instruments.*   *(No Cl.)*

yin⁴ 延 **3470**   (V) *extend; delay; postpone.* **SF** ‡

— cheung⁴ — 長   (V) *extend.* *(RT time and space)* **SF**

— — jin³ sin³ — — 戰線   (V) *extend a fighting line.*

— — yat¹° goh³ yuet⁶ — — 一個月   (V) *extend for one month; have an extention of one month.*

— chi⁴ — 遲   (V) *delay; procrastinate.* **FE**

5 — woon⁶ — 緩   (V) *ditto.*

— kei⁴ — 期   (V) *postpone; put back a date.* **FE**

yin⁴ 筵 **3471**   (N) *feast; banquet.* **Fml.** **SF** ‡

— jik⁶ — 席   (N) *feast; banquet.* (*Cl.* chi³ 次)

yin⁴ 然 **3472**   (Adv) *afterwards; hence; however.* **Fml.** **SF** ‡

— hau⁶ — 後   (Adv) *afterwards; and then.* **Fml.** **FE**

— jak¹° — 則   (Adv) *hence; then.* **Fml.** **FE**

— yi⁴ — 而   (Adv) *however; notwithstanding.* **Fml.** **FE**

yin⁴ 燃 **3473**   (V) *burn.* **Fml.** **SF** ‡

— liu⁶* — 料   (N) *fuel.* *(Lit. burn stuff)* (*Cl.* jung² 種)

— siu¹ — 燒   (V) *burn.* **Fml.** **FE**

— — daan⁶* — — 彈   (N) *incendiary shell/bomb.*

— yau⁴ — 油   (N) *fuel oil.* *(Lit. burn oil)* **Fml.** (*Cl.* jung² 種)

5 — — duen² kuet³ — — 短缺   (N) *fuel oil shortage.* (*Cl.* chi³ 次)

— — kuet³ fat⁶ — — 缺乏   (N) *ditto.*

yin⁴ 研 **3474**   (N) *do research work; study/examine seriously.* **SF** ‡

— gau³ — 究   (V) *do research work; study/examine seriously.* **FE**

— — soh² — — 所   (N) *research institute; post-graduate institute.* (*Cl.* gaan¹ 間 or goh³ 個)

— — yuen⁶* — — 院   (N) *ditto.*

— to² wooi⁶* — 討會   (N) *seminar.* *(Lit. study discuss meeting)* (*Cl.* chi³ 次)

yin⁶ 現   **3475**   (Adv) *at present; now.*   **SF** ‡

— cheung⁴ — 場   (N) *scene.*   *(ROT accidents, crime, etc.)*

— chin⁴* — 錢   (N) *cash; ready money.*   *(Cl.* bat¹° 筆*)*

— gam¹° — 金   (N) *ditto.*

— ngan⁶* — 銀   (N) *ditto.*

5 — doi⁶ — 代   (Adj) *modern.*   (N) *modern age.*

— — mo⁵ — — 舞   (N) *modern dance.*   *(Cl.* jung² 種 *or* jek³ 只 *)*

— — wa⁶* — — 畫   (V) *modern painting.*   *(Cl.* fuk¹° 幅*)*

— gam¹ — 今   (Adv) *at present; now.*   **FE**

— joi⁶ — 在   (Adv) *ditto.*

10 — si⁴ — 時   (Adv) *ditto.*

— jeung⁶ — 象   (N) *phenomenon.*

— jong⁶ — 狀   (N) *present condition; existing state of affairs.*   *(Cl.* jung² 種)*

— maai⁵ (ge³) — 買 (嘅)   (Adj) *ready-made.*   *(GRT clothing)*

— sing⁶* (ge³) — 成 (嘅)   (Adj) *ditto.*

15 — sat⁶ — 實   (Adj) *realistic; practical; pragmatic; down-to-earth.* (N) *reality.*

— — jue² yi⁶ — — 主義   (N) *realism; pragmatism.*   *(Cl.* goh³ 個 *or* jung² 種)*

— — — — je² — — — — 者   (N) *realist; pragmatist.*

— yik⁶ — 役   (N) *active service.*   *(GRT military personnel)*   *(No Cl.)*

— — gwan¹ gwoon¹ — — 軍官   (N) *military officer on active service.*

yin⁶ 硯   **3476**   (N) *ink stone.*   **SF** ‡

yin⁵ 諺   **3477**   (N) *common saying; proverb.*   **SF** ‡

— yue⁵ — 語   (N) *common saying; proverb.*   **FE**   *(Cl.* gui³ 句*)*

yin⁶ 唁 (嗲)   **3478**   (V) *console with.*   **SF** ‡

— diu³ — 吊   (V) *console with.*   **FE**

ying¹ 英   3479

(Adj) *heroic; brave.* **SF** ‡ (N) *hero.* (P) *used in transliterations.*

Y— Bong⁶* — 鎊   (N) *Pound Sterling.* *(No Cl.)*

— chek³ — 尺   (N) *foot.* *(ROT English (imperial) measure of length) (No Cl.)*

— Gwok³ — 國   (N) *English; Great Britain; the United Kingdom.* **Tr.**

— — yan⁴ — — 人   (N) *English; British.* **Tr.**

5   y— hung⁴ — 雄   (N) *hero; brave man.* **FE**

— jun³ — 俊   (Adj) *handsome; healthy (in appearance).* *(GRT men)*

Y— lei⁵ — 哩   (N) *mile.* *(No Cl.)*

— Luen⁴ Bong¹ — 聯邦   (N) *the British Commonwealth of Nations; the British Commonwealth.*

— man⁴ — 文   (N) *English; English language.* (Cl. jung² 種)

10   — — yik⁶ meng⁶* — — 譯名   (N) *transliterated English name.*

y— nin⁴ — 年   (N) *day of youthful vigour.* *(No Cl.)*

— wai⁵ — 偉   (Adj) *great; powerful.*

— yung⁵ — 勇   (Adj) *heroic; brave.* **FE**

ying¹° 嬰   3480

(N) *baby; infant.* **SF** ‡

— hoi⁴ — 孩   (N) *baby; infant.* **FE** **CP ying¹° haai⁴.**

— yi⁴ — 兒   (N) *ditto.*

ying¹ 櫻   3481

(N) *cherry.* **Fml.** **SF** ‡

— fa¹ — 花   (N) *cherry blossom.* (Cl. deuh² *or* doh² 朵)

— to⁴ — 桃   (N) *cherry.* **FE**

ying¹ 鸚   3482

(N) *parrot.* **SF** ‡

— mo⁵ — 鵡   (N) *parrot.* **FE** (Cl. jek³ 只)

ying¹° 鷹   3483

(N) *eagle; falcon; hawk.* **SF** ‡

— huen¹ — 犬   (N) *hired ruffians.* *(Lit. falcons and dogs)* **Fig.** (Cl. baan¹ 班)

— jaau² — 爪   (N) *rapacious underlings.* *(Lit. hawk talons)* **Fig.** (Cl. baan¹ 班)

ying¹ 應   **3484**   (AV) *should; ought.*   **SF**   ‡   **AP ying³ see 3485.**

— dong¹ —   當   (AV) *should; ought.*   **FE**

— fan⁶ —   份   (AV) *ditto.*

— goi¹ —   該   (AV) *ditto.*

— sing¹ —   承   (V) & (N) *promise.*

ying³ 應   **3485**   (V) *answer; respond.*   *(RT calls, greetings, etc.)*   **AP ying¹ see 3484.**

— bin³ —   變   (V) *adapt oneself to circumstances.*

— chau⁴ —   酬   (V) *reluctantly do sth to please sb.*   (N) *invitation to dinner; social engagement.*   (*Cl.* jung² 種 *or* chi³ 次)

— — gung¹ sik¹° — —   公式   (SE) *general practice in social etiquette; formalities of social intercourses.*   (*Cl.* jung² 種)

— — suet³ wa⁶ — —   說話   (N) *polite remarks said to sb on a social occasion.*   (*Cl.* gui³ 句)

5   — foo⁶ —   付   (V) *cope with; deal with.*

— gaai³ bat¹° yip⁶ sang¹° —   屆畢業生   (N) *candidate for graduation this year.*

— jing¹ —   徵   (V) *apply for a position; be drafted/conscripted for military service.*

— — yan⁴ — —   人   (N) *applicant for a job; military conscript.*

— jiu⁶ —   召   (V) *go into prostitution; act as a call-girl.*   *(Lit. answer call)*   **Coll.**

10   — — nui⁵ long⁴ — —   女郎   (N) *call-girl.*

— — — — daai⁶ boon² ying² — — — —   大本營   (N) *call-girl centre.*

— sing¹ chung⁴ —   聲蟲   (SE) *"yes-man"; a very easy-going person.*   *(Lit. respond echo insect)*   **Der.**

— wan⁵ —   允   (V) *assent; accord.*

— yung⁶ —   用   (Adj) *applied; practical.*

15   — — ban² — —   品   (N) *necessities; practical things.*   (*Cl.* jung² 種)

— — mat⁶ ban² — —   物品   (N) *ditto.*   **FE**

— — fa³ hok⁶ — —   化學   (N) *applied chemistry.*   (*Subject:* foh¹° 科)

— — yue⁵ yin⁴ hok⁶ — —   語言學   (N) *applied linguistics.*   (*Subject:* foh¹° 科)

ying² 影   3486   (V) *take photos; photostat.* **SF** ‡   (N) *shadow; movie.* **SF** ‡

— hei³ — 戲   (N) *film; movie; motion-picture.* **Coll. FE** (*Cl.* chut¹°齣 *or* to³套)

— — yuen⁶* — — 院   (N) *cinema; theatre.* **Coll.** (*Cl.* gaan¹ 間)

— heung² — 响   (V) *influence; affect.* (N) *influence; effect.* (*Cl.* goh³ 個 *or* jung² 種)

— se⁶ — 射   (V) *counterfeit.* *(GRT trademarks)*

5   — sung³* — 相   (V) *take photos.* **FE**

— — gei¹ — — 機   (N) *camera.* (*Cl.* goh³ 個 *or* ga³ 架)

— — lo² — — 佬   (N) *photographer.* **Der.**

— yan³ — 印   (V) *photocopy.* **FE**

— — boon² — — 本   (N) *photostat copy/version.* (*Cl.* fan⁶ 份)

10   — — gei¹ — — 機   (N) *photo-copying machine.* (*Cl.* ga³ 架)

ying² 映   3487   (Adj) *dazzling.* **SF** ‡

— ngaan⁵ — 眼   (Adj) *dazzling; glaring.* **FE**

— saan¹ hung⁴ — 山紅   (N) *red azalea.* (*Cl.* deuh² *or* doh² 朵)

— — wong⁴ — — 黃   (N) *yellow azalea.* (*Cl.* deuh² *or* doh² 朵)

ying⁴ 仍   3488   (Adv) *still; without any change.* **SF** ‡

— yin⁴ — 然   (Adv) *still; without any change.* **FE**

ying⁴ 刑   3489   (V) *punish.* **SF** ‡   (N) *punishment; criminal case.* **SF** ‡

— fat⁶ — 罰   (V) *punish.* **FE** (N) *punishment.* **FE** (*Cl.* jung² 種 *or* chi³ 次)

— si⁶ (on³) — 事(案)   (N) *criminal case.* (*Cl.* gin⁶ 件 *or* jung¹ 宗)

— — faat³ — — 法   (N) *criminal law.* (*Cl.* jung² 種 *or* tiu⁴ 條)

ying⁴ 形   3490   (V) *take shape; form.* **SF** ‡   (N) *shape; form.* **SF** ‡

— jong⁶ — 狀   (N) *shape; form; appearance.*

— sai³ — 勢   (N) *condition; situation.* (*Cl.* goh³ 個 *or* jung² 種)

— sik¹° — 式   (N) *formality; form; model; external aspect.*

— — jue² yi⁶ — — 主義   (N) *formalism.* (*Cl.* jung² 種)

5 — — seung⁶ (ge³) — — 上 (嘅)   (SE) *as a matter of formality.*

— sing⁴ — 成   (V) *take shape; form.* **FE**

— yung⁴ — 容   (V) *describe; qualify.* (N) *facial appearance.*

— — chi⁴ — — 詞   (N) *adjective.* **Gr.**

ying⁴ 型 3491   (N) *type or model (RT machines, etc.); class or style (RT people).* **SF** ‡

— foon² — 欵   (N) *class or style.* (*RT people*) (*Cl.* jung² 種)

— gaak³ — 格   (N) *ditto.*

— sik¹° — 式   (N) *type or model.* (*RT machines, aeroplanes, warships, etc.*) **FE** (*Cl.* jung² 種)

ying⁴ 螢 3492   (N) *glow-worm; firefly.* **SF** ‡

— foh² chung⁴ — 火蟲   (N) *glow-worm; firefly.* **FE** (*Cl.* jek³ 只)

— gwong¹ — 光   (N) *fluorecence.* (*No Cl.*)

— — dang¹° — — 燈   (N) *fluorescent lamp.* (*Cl.* jaan² 盞 *or* ji¹ 支)

— — mok⁶ — — 幕   (N) *TV screen.*

ying⁴ 營 3493   (V) *manage; build.* **SF** ‡ (N) *barracks; camp; battallion; business.* **SF** ‡

— dei⁶ — 地   (N) *camp; garrison.* **FE**

— fong⁴ — 房   (N) *barracks.* **FE**

— poon⁴ — 盤   (N) *ditto.*

— jeung² — 長   (N) *battallion commander (in army).*

5 — jo⁶ — 造   (V) *build; construct.* **FE**

— — gung¹ si¹° — — 公司   (N) *building/construction company.* (*Cl.* gaan¹ 間)

— si¹ mo⁵ bai⁶ — 私舞弊   (SE) *get private advantages from public interests; plan or scheme one's own gains.*

— yeung⁵ — 養   (V) *nourish (the health).* (N) *nourishment; nutrition.*

— — bat¹° juk¹° — — 不足   (N) *malnutrition.* (*No Cl.*)

10 — — — leung⁴ — — — 良   (N) *ditto.*

— yip⁶ — 業   (V) *manage commercial business.* **FE**   (N) *business; trade.* **FE**   (*Cl.* jung² 種)

— — ngaak⁶*   — — 額   (N) *turn-over; business turn-over.*

— — si⁴ gaan³   — — 時間   (N) *business hours.*

ying⁴ 迎   3494   (V) *welcome; meet.*   **SF**   ‡

— chan¹   — 親   (V) *go to meet the bride.*

— jip³   — 接   (V) *welcome; receive.*

— min⁶   — 面   (Adv) *face to face; from the opposite direction. (Lit. meet face)*

— — lai⁴ ge³   — — 嚟嘅   (SE) *on-coming; approaching from the opposite direction. (GRT cars, ships, etc.)*

5   — — sai² lai⁴ ge³   — — 使嚟嘅   (SE) *ditto.*

— san¹ sung³ gau⁶   — 新送舊   (SE) *welcome the coming, speed the parting—official practice.*

ying⁴ 贏   3495   (N) *profit; gain; surplus.*   **SF**   ‡   **AP yeng⁴ see 3380.**

— lei⁶   — 利   (N) *profit; gain (at business).*   **Fml.**   **FE**   (*Cl.* jung² 種 *or* bat¹° 筆)

— yue⁴   — 餘   (N) *surplus; abundance.*   **Fml.**   **FE**   (*Cl.* jung² 種 *or* bat¹° 筆)

ying⁴ 蠅   3496   (N) *fly; house-fly.*   **SF**   ‡

— tau⁴ siu² ji⁶   — 頭小字   (N) *small characters in writing. (Lit. fly head small characters)*

— — — lei⁶   — — — 利   (N) *petty profits.*   (*Cl.* jung² 種)

ying⁴ 凝   3497   (V) *freeze; congeal.*   **SF**   ‡   **CP king⁴**

— git³   — 結   (V) *freeze; congeal.*   **FE**

— gwoo³   — 固   (V) *ditto.*

— git³ din²   — 結點   (N) *freezing point.*

ying⁶ 認 3498   (V) *admit; confess; recognize.* **SF** ‡

— choh³ — 錯   (V) *admit one's fault.* **FE**

— — yan⁴ — — 人   (V) *mistake sb; take sb for.*

— dak¹° — 得   (V) *recognize; identify.* **FE**

— jan¹ — 眞   (Adv) *extremely; really; seriously.*   (Adv) *serious; strict.*

5   — jui⁶ — 罪   (V) *plead guilty; admit one's guilt.* **FE**

— lek¹° — 叻   (V) *boast about; boast oneself.*

— si¹ — 屍   (V) *identify a dead body.*

— sik¹° — 識   (V) *get to know sb.*

— wai⁴ — 爲   (V) *consider; be considered.*

yip³ 醃 3499   (V) *preserve; pickle; salt.* **CP** **Coll.** **SF** ‡

— choi³ — 菜   (V) *preserve/pickle vegetables.*   (N) *pickles; preserved vegetables.*   (*Portion:* dip⁶ 碟)

— jue¹ yuk⁶ — 豬肉   (V) *preserve/salt pork.*   (N) *salt pork.*   *(No Cl.)*

yip⁶ 葉 3500   (N) *leaf; leaf of a tree.* **SF** ‡   (*Cl.* faai³ 塊)

yip⁶ 頁(葉) 3501   (N) *page; page of a book.*   *(No Cl.)*

— so³ — 數   (N) *folio number; total number of pages.*

yip⁶ 業 3502   (Adv) *already.* **SF** ‡   (N) *career; enterprise; profession; trade; learning; study.* **SF** ‡

— ging¹ — 經   (Adv) *already.* **FE**

— jing¹ yue¹ kan⁴ — 精於勤   (Sy) *practice makes perfect.* *(Lit. profession expert by deligence)*

— jue² — 主   (N) *house owner; landlord/landlady.* **Coll.**

— si¹ — 師   (N) *my esteemed tutor/teacher.* **PL** **Fml.**

yit³ 咽 3503   (V) *choke; block up.* **Fml.** **SF** ‡ **AP:** (1) yin¹ see 3461; (2) yin³ see 3462.

— sak¹° — 塞   (V) *have difficulties in breathing; choke; gasp.* **Fml.** **FE**

— sik⁶ — 食   (V) *be unable to swallow food.* **Fml.** **FE**

— — beng⁶ — — 病   (N) *stricture of the oesophagus.*   (*Cl.* jung² 種)

yit⁶ 熱(熱) **3504**   (Adj) *hot (in temperature); warm.* **SF** ‡

— ching⁴ — 情 (Adj) *warm and friendly; hot and passionate.* (N) *warmth; warm sentiment; impulse of passion.* (Cl. jung²種)

— daai³ — 帶 (N) *the tropics.*

— do⁶ — 度 (N) *degree of heat; temperature/fever.*

— fan¹° — 葷 (N) *hot meat courses (Gen. served at the beginning of a formal Chinese dinner); hors d'oeuvres.*

5 — foo³ — 褲 (N) *hot pants.* (*Pair:* tiu⁴條)

— laat⁶ laat⁶ — 辣辣 (Adj) *very hot; sweltering hot.*

— leung⁶ — 量 (N) *quantity of heat.* (Cl. goh³ 個 *or* jung²種)

— lit⁶ — 烈 (Adj) *red-hot; warm (ROT welcomes).*

— — foon¹ ying⁴ — — 歡迎 (N) *warm welcome.* (Cl. chi³次)

10 — — jaang¹ bin⁶ — — 爭辯 (N) *red-hot arguement.* (Cl. chi³次)

— naau⁶ — 鬧 (Adj) *hilarious; gay; bustling.*

— sam¹ — 心 (Adj) *enthusiastic; zealous; earnest.*

— — yan⁴ (si⁶) — — 人(士) (N) *enthusiast.*

— sin³ — 綫 (N) *heat ray; hot line (ROT telephone connections).* (*Cl.* tiu⁴條)

15 — sui² lo⁴ — 水爐 (N) *water heater.* (*Lit. heat water stove*)

— — ping⁴ — — 瓶 (N) *hot-water bottle; thermos flask.*

— tin¹° — 天 (N) *summer.* **Coll.**

— — saam¹° — — 衫 (N) *summer clothes.* (*Cl.* gin⁶件 ; *Suit:* to³ 套.)

— yit⁶* dei⁶* — 熱地 (Adj) *hottish; lukewarm.*

yit⁶ 孽 **3505**   (N) *retribution.* **SF** ‡ **CP yip⁶.**

— jaai³ — 債 (N) *retribution in kind; curses come home to roast.* (*Cl.* bat¹°筆) **CP yip⁶ jaai³.**

— jung² — 種 (N) *illegitimate child.* **Fml.** **CP yip⁶ jung².**

— yuen⁴ — 緣 (N) *predestined connection.* (*Cl.* jung²種) **CP yip⁶ yuen⁴.**

yiu¹妖 **3506** (Adj) *enchanting.* **SF** ‡ (N) *spook.* **SF** ‡ **CP yiu².**

— gwaai³ — 怪 (N) *spook; apparition; bogey.* **FE** (*Cl.* goh³ 個 *or* jek³ 只) **CP yiu² gwaai³.**

— jing¹ — 精 (N) *ditto.* **CP yiu² jing¹.**

— moh¹ (gwai² gwaai³) — 魔 (鬼怪) (N) *ditto.* **CP yiu² moh¹ gwai² gwaai³.**

— mei⁶ — 媚 (Adj) *enchanting; fascinating; coquettish.* **CP yiu² mei⁶**

5 — ye⁵ — 冶 (Adj) *ditto.* **CP yiu² ye⁵.**

— sut⁶ — 術 (N) *black arts.* (*Cl.* jung² 種) **CP yiu² sut⁶.**

yiu¹腰 **3507** (N) *waist; loins; kidney (not including human kidneys).* **SF** ‡

— daai³* — 帶 (N) *waistband; waist-belt.* (*Cl.* tiu⁴ 條)

— gwat¹° — 骨 (N) *waist.* **FE** (*Cl.* tiu⁴ 條 *or* goh³ 個)

— — tung³ — — 痛 (V) *have a lumbago or backache.* (N) *lumbago; backache.* (*Cl.* jung² 種)

— suen¹ booi³ tung³ — 酸背痛 (N) *ditto.* **FE**

5 — gwoh² — 果 (N) *cashew.* (*Lit. kidney fruit*) (*Cl.* nap¹° 粒)

— ji¹ — 肢 (N) *loins.* **FE**

— san¹° — 身 (N) *waist size.* (*RT garments*)

— wai⁴ — 圍 (N) *waistline.* (*RT measurements*)

— yun⁶* juk¹° — 膶粥 (N) *congee with pig's kidney and liver— Cantones delicacies.* (*Bowl:* woon² 碗)

yiu¹要 **3508** (V) *demand; request.* **SF** ‡ (N) *crux; request.* **SF** ‡ **AP yiu³ see 3509.**

— hip⁶ — 挾 (V) *demand; extort.* **FE** (N) *demand; extortion.* (*Cl.* jung² 種)

— kau⁴ — 求 (V) *request; beseech.* **FE** (N) *request.* **FE**

— ling⁵ — 領 (N) *crux; essentials.* (*Lit. neck and loins*) (*No Cl.*)

yiu³要 **3509** (V) *want (sb/sth); take (time); cost (money).* **SF** ‡ (AV) *must; should (used with verbs).* (Adj) *important.* **SF** ‡ **AP yiu¹ see 3508.**

— choi³ — 塞 (N) *fort; fortress.*

— chung¹ — 衝 (N) *strategic point; important place.* **Fml.** (*Cl.* sue² 處 *or* goh³ 個)

— dei⁶ — 地   (N) *strategic point; important place.* **Coll.**

— gan² — 緊   (Adj) *important; necessary.* **FE**

5 — hoi⁶ — 害   (Adj) *strategic.* (N) *vulnerable organ (of the body).*

— — bo⁶ wai⁶ — — 部位   (N) *vulnerable position/organ.*

— hoi⁶ ji¹ dei⁶ — 害之地   (N) *strategic place.* (Cl. sue³ 處 or goh³個)

— jik¹° hak¹° hui³ — 即刻去   (V) *must go at once.*

— kuet⁶ — 訣   (N) *the secret/knack of.* (RT *success, fame, safety, etc.*)

10 — maai⁶ che¹° — 賣車   (V) *should sell (your) car.*

— saam¹ yat⁶ — 三日   (V) *take 3 days.*

— sei³ goh³ yan⁴ — 四個人   (V) *want 4 persons.*

— sei³ — 事   (N) *important matter/business.* (Cl. gin⁶件)

— so³ — 素   (N) *factor; essential element.*

15 — ya⁶ man¹° — 廿文   (V) *cost 20 dollars.*

— yan⁴ — 人   (N) *very important person; "VIP".*

— yat¹° ji¹ bat¹° — 一支筆   (V) *want a pen.*

— yi⁶ — 義   (N) *essential meaning; main thought.*

yiu⁴ 饒   3510   (V) *forgive; gossip.* **SF** ‡

— sit⁶ — 舌   (V) *gossip; complain; wrangle.* **Mdn.** **FE**

— sue³ — 恕   (V) *forgive.* **FE**

yiu⁴ 搖   3511   (V) *shake; wag; wave.*

— baai² — 擺   (V) *swag.* (Lit. *wag and wave*)

— — ngoh⁶ — — 樂   (SE) *rock-n-roll.* (RT *the music*) (Cl. jung² 種 or jek³ 只)

— — yam¹ ngoh⁶ — — 音樂   (SE) *ditto.*

— — mo⁵ — — 舞   (N) *ditto.* (RT *the dance*)

5 — kei⁴ — 旗   (V) *wave a flag.*

— lo⁵ — 櫓   (V) *scull from the stern of a boat.*

— mei⁵ — 尾   (V) *wag the tail.*

— suen⁴ — 船   (V) *scull a boat with one oar.*

— tau⁴ — 頭   (V) *shake/wag one's head.*

10 — yi² — 椅   (N) *rocking-chair.* (Cl. jeung¹ 張)

yiu⁴ 謠   **3512**   (N) *rumour.*   **SF** ‡

— chuen⁴ — 傳   (N) *rumour; unfounded story; false report.* (*Cl.* jung² 種 *or* goh³ 個)

— yin⁴ — 言   (N) *ditto.*

yiu⁴ 遙   **3513**   (Adj) *distant; remote.*   **SF** ‡

— yuen⁵ — 遠   (Adj) *distant; remote.*   **FE**

— — hung³ jai³ — — 控制   (N) *remote control.*   (*Cl.* jung² 種)

yiu⁵ 繞   **3514**   (V) *wind round; make a detour.*   **SF** ‡

— gwoh³ — 過   (V) *wind round.*   (*RT passages*)   **FE**

— — Ho² Mong⁶ Gok³ — — 好望角   (V) *wind round Cape of Good Hope.*

— lo⁶ — 路   (V) *make a detour.*   **FE**

yiu⁵ 舀   **3515**   (V) *dish out; bale out.*   **Coll.**   **SF** ‡

— faan⁶ — 飯   (V) *dish out rice.*   **Coll.**   **FE**

— sui² — 水   (V) *bale out water.*   **Coll.**   **FE**

yiu⁵ 擾   **3516**   (V) *disturb.*   **SF** ‡

— luen⁶ — 亂   (V) *disturb; give trouble; annoy.*   **FE**

— — ji⁶ on¹ — — 治安   (V) *disturb the law and peace.*

yue¹ 於(扵，于)   **3517**   (Prep) *in; on; at.*   **SF** ‡   (P) *used with other words to form some set expressions.*

— si⁶ — 是   (Adv) *then; so.*

— — mo⁴ bo² — — 無補   (SE) *it's useless for this matter now.*

yue² 嫗   **3518**   (N) *old woman.*   **Fml.**   **SF** ‡

yue³ 淤   **3519**   (V) *silt up.*   **SF**   ‡   (N) *silt.*   **SF**   ‡

   — jik¹°   —   積   (V) *silt up.*   **FE**

   — sa¹°   —   沙   (N) *silt.*   (*Heap:* dui¹ 堆)

yue³ 瘀   **3520**   (N) *extravasated blood; contusion; bruise.*   **Fml. SF**   ‡   **AP yue³* SM see 3521.**

yue³* 瘀   **3521**   (N) *extravasated blood; contusion; bruise.*   **CP**   **Coll. SF**   ‡   **AP yue³ SM see 3520.**

   — han³   —   痕   (N) *bruise; contusion.*   (*Cl.* tiu⁴ 條 *or* do⁶ 道)

   — seung¹   —   傷   (N) *ditto.*

   — huet³   —   血   (N) *extravasated blood.*   **Coll.**   **FE**   (*No Cl.*)

   — yuk⁶   —   肉   (N) *proud flesh; gangrenous flesh.*   (*Cl.* daat³ 笪)

yue³ 酗   **3522**   (V) *get drunk.*   **Fml.**   **SF**   ‡   (Adj) *drunk.*   **Fml.**   **SF**   ‡

   — jau²   —   酒   (V) *get drunk.*   **Fml.**   **FE**

   — — hang⁴ hung¹   — —   行兇   (SE) *get drunk and violent.*

   — — ji¹ si⁶   — —   滋事   (SE) *get drunk and make trouble.*

yue⁴ 如   **3523**   (V) *like; resemble.*   **Fml.**   **SF**   ‡   (Conj) *if.*   **SF**   ‡

   — gwoh²   —   果   (Conj) *if.*   **FE**

   — — m⁴ hai⁶ ne¹°   — —   唔係呢   (SE) *otherwise; or else.*

   — lam⁴ daai⁶ dik⁶   —   臨大敵   (SE) *like dealing with a dangerous enemy.*

yue⁴ 餘   **3524**   (N) *surplus; balance; remainder.*   **SF**   ‡

   — chin⁴*   —   錢   (N) *surplus money.*   (*Cl.* bat¹° 筆)

   — hing³ (jit³ muk⁶)   —興 (節目)   (N) *extra entertainment at the close of a party/gathering.*

   — ngaak⁶*   —   額   (N) *balance; remainder.*   (*GRT accounts*)   **Fml. FE**

   — so³   —   數   (N) *ditto.*   **Coll.**

yue⁴魚   **3525**   (N) *fish.*   **Fml.**   **SF**   ‡   **AP yue⁴ SM see 3526.**

— chi³   —   翅   (N) *shark's fin soup.* (*Course:* goh³ 個; *Bowl:* woon² 碗.)

— chi⁴   —   池   (N) *fish-pond.*

— tong⁴   —   塘   (N) *ditto.*

— daan⁶*   —   蛋   (N) *fish ball—Chiu Chow speciality.* (*Lit. fish egg*) (*Cl.* goh³ 個; *Bowl:* woon² 碗.)

5   — — fan² — — 粉   (N) *fish ball with vermicelli.* (*Bowl:* woon² 碗)

— gon¹°   —   竿   (N) *fishing-rod.* (*Cl.* ji¹ 支)

— gon¹ yau⁴   —   肝油   (N) *cod-liver oil.* (*Bottle:* jun¹ 樽)

— lui⁴ — 雷   (N) *torpedo.*

— — teng⁵ — — 艇   (N) *torpedo-boat.* (*Cl.* jek³ 只)

10   — lun⁴ — 鱗   (N) *fish scale.* (*Cl.* pin³ 片 *or* faai³ 塊)

— miu⁴ — 苗   (N) *small fry; minnow.* (*Cl.* tiu⁴ 條)

— ngau¹ — 鈎   (N) *fish-hook.*

— pei⁴ — 皮   (N) *fish-skin.* (*Cl.* faai³ 塊)

— pin³* — 片   (N) *fillets of fish.* (*Cl.* faai³ 塊)

15   — saang¹ — 生   (N) *raw fish (a kind of Cantonese food).* (*Lit. fish raw*) (*Portion:* dip⁶ 碟)

— — juk¹° — — 粥   (N) *raw fish congee—a Cantonese speciality.* (*Bowl:* woon² 碗)

— — — gan² gan² suk⁶ — — — 僅僅熟   (SE) *just made; just up to what is required.* (*Lit. raw fish congee—not well cooked*)

— si¹° — 絲   (N) *fishing-line.* (*Cl.* tiu⁴ 條)

— to⁵ — 肚   (N) *fish maw.* (*Lit. fish stomach*) (*Cl.* goh³ 個 *or* faai³ 塊)

20   — yuk⁶ — 肉   (V) *oppress.* **Fig. SF** ‡ (N) *meat in general.* (*Lit. fish and meat*) (*No Cl.*)

— — gwa¹ choi³ — — 瓜菜   (SE) *meat and vegetables.*

— — yan⁴ man⁴ — — 人民   (SE) *make fish and flesh of the people* (**Lit.**)*; oppress the people* (**Fig.**).

yue⁴* 魚   **3526**   (N) *fish.*   **Coll.** (*Cl.* tiu⁴ 條)   **AP yue⁴ SM see 3525.**

yue⁴漁   3527   (V) *fish; catch fish.*

— foo¹ — 夫   (N) *fisherman.*   **Fml.**

— yan⁴ — 人   (N) *ditto.*

— yung¹° — 翁   (N) *ditto.*

— suen⁴ — 船   (N) *fishing-junk.*   (*Cl.* jek³ 只)

5   — teng⁵ — 艇   (N) *ditto.*

— yip⁶ — 業   (N) *fishing industry; fishery.*   (*Cl.* jung² 種)

yue⁴儒   3528   (N) *Confucianism.*   **SF** ‡

— ga¹° — 家   (N) *Confucian scholar/follower of Confucianism.*

— gaau³ — 教   (N) *Confucianism.*   (*Cl.* jung² 種)

— hok⁶ — 學   (N) *ditto.*

yue⁴娛   3529   (V) *amuse; entertain.*   **SF** ‡   (N) *amusement; entertainment.*   **SF** ‡

— lok⁶ — 樂   (V) *amuse; entertain.*   **FE**   (N) *entertainment; amusement.*   (*Cl.* jung² 種)

— — cheung⁴ soh² — — 場所   (N) *place of amusement.*   (*Cl.* goh³ 個 *or* gaan¹ 間)

— — si⁶ yip⁶ — — 事業   (N) *show business.*   (*Cl.* jung² 種)

— — siu¹ sik¹° — — 消息   (N) *entertainment page/news.*   (*RT newspapers, magazines, etc.*)

yue⁴愚   3530   (Adj) *foolish; stupid.*   **SF** ‡

— chun² — 蠢   (Adj) *foolish; stupid.*   **FE**

— mooi⁶ — 昧   (Adj) *ditto.*   **Fml.**

yue⁴愉   3531   (Adj) *contented; happy.*   **Fml.**   **SF** ‡

— faai¹ — 快   (Adj) *contented; happy.*   **FE**

yue⁴瑜   3532   (N) *lustre of gems; excellence.*   **Fml.**   **SF** ‡

yue⁴ 逾   3533   (V) *exceed; pass.* **Fml. SF** ‡

— kei⁴ — 期   (V) *exceed the time-limit/deadline.* **FE**

— si⁴ — 時   (V) *ditto.*

— yuet⁶ — 越   (V) *exceed; pass.* **Fml. FE**

Y— Yuet⁶ Jit³ — 越節   (N) *the Passover.*

5   y— y— kuen⁴ haan⁶ — — 權限   (V) *exceed one's authority.*

yue⁵ 雨   3534   (N) *rain.* (*Cl.* jan⁶ 陣 *or* cheung⁴ 場)

— gwai³ — 季   (N) *rainy season.* (*Cl.* goh³ 個 *or* chi³ 次)

— je¹° — 遮   (N) *umbrella.* (*Cl.* ba² 把)

— lam⁴ — 淋   (V) *get soaked in rain.*

— lau¹° — 褸   (N) *rain coat.* (*Cl.* gin⁶ 件)

5   — yi¹° — 衣   (N) *ditto.*

— leung⁶ — 量   (N) *rainfall; rain water.* (*Millimetre:* ho⁴ mai⁵ 毫米)

— sui² — 水   (N) *ditto.*

— mo⁶* — 帽   (N) *hat; cap.* (*Gen. made of nylon and used in the rain*) (*Lit. rain-hat or rain-cap*) (*Cl.* gin⁶ 件 *or* deng³ 頂)

yue⁵ 語   3535   (N) *language; dialect; phrase.* **SF** ‡

— beng⁶ — 病   (N) *speech defect; word with possible unintended meanings.* (*Cl.* goh³ 個 *or* jung² 種)

— diu⁶ — 調   (N) *the tone of one's voice; speech intonation.* (*Cl.* jung² 種)

— hei³ — 氣   (N) *ditto.*

— faat³ — 法   (N) *grammar; construction of sentences.* (*Cl.* jung² 種)

5   — gui³ — 句   (N) *phrase; sentence; wording.* (*Cl.* jung² 種)

— tai² man⁴ — 體文   (N) *writing in the style of spoken Chinese; Chinese vernacular literature.* (*Cl.* jung² 種)

— yam¹° — 音   (N) *enunciation; sound and tone of a word/syllable.* (*Cl.* jung² 種 *or* goh³ 個)

— — hok⁶ — — 學   (N) *phonetics.* (*Subject:* foh¹° 科)

— — — ga¹° — — — 家   (N) *phonetician.*

10   — yin⁴ — 言   (N) *language/dialect* (*Cl.* jung² 種); *phrase/expression* (*Cl.* gai³ 句).

— — hok⁶ — — 學   (N) *linguistics*. (*Subject*: foh¹° 科)

— — — ga¹° — — — 家   (N) *linguist*.

— — sat⁶ yim⁶ sat¹° — — 實驗室   (N) *language laboratory*. (*Cl.* goh³ 個 *or* gaan¹ 間)

— yuen⁴ hok⁶ — 源學   (N) *etymology*. (*Subject*: foh¹° 科)

yue⁵ 與   **3536**   (Conj) *and*.   **Bk.**

yue⁵ 羽   **3537**   (N) *feather; plume*.   **SF** ‡

— mo⁴ — 毛   (N) *feather; plume*.   **FE**   (*Cl.* tiu⁴ 條)

— — kau⁴ — — 球   (N) *badminton*. *(Lit. feather ball)* (*Cl.* goh³ 個)

yue⁵ 乳   **3538**   (N) *milk; breast*.   **Fml.**   **SF** ‡

— chi² — 齒   (N) *milk-teeth*.   (*Cl.* jek³ 只)

— fong⁴ — 房   (N) *breast*.   **Fml.**   **FE**   (*Cl.* jek³ 只 *or* goh³ 個)

— heung¹° — 香   (N) *obcbanum; frankincense*. *(No Cl.)*

— jap¹° — 汁   (N) *milk; human milk*. (*Drop:* dik⁶ 滴)

5   — jue¹° — 豬   (N) *roasted suckling pig*.   (*Cl.* jek³ 只)

— meng⁴* — 名   (N) *pet name given to children*.

— neung⁴ — 娘   (N) *wet-nurse*.   **Mdn.**

— mo⁵ — 母   (N) *ditto*.

— ngaam⁴ — 癌   (N) *cancer of the breast*.   (*Cl.* jung² 種)

10   — tau⁴ — 頭   (N) *nipple*.   (*Cl.* goh³ 個 *or* nap¹° 粒)

yue⁶ 豫(預)   **3539**   (V) *prepare; make ready; prevent*.   **SF** ‡
            (Adv) *beforehand; in advance*.   **SF** ‡

— bei⁶ — 備   (V) *prepare; get ready*.   **FE**   (N) *preparation*. (*Cl.* jung² 種 *or* chi³ 次)

— — gam¹° — — 金   (N) *reserve funds; appropriations*. (*Cl.* bat¹° 筆)

— deng⁶ — 定   (V) *make an advance booking/appointment; book/ subscribe to sth in advance*.   *(RT seats, books, visits to doctors, etc.)*

— yeuk⁶ — 約   (V) *ditto*.

⁵ — foh¹° — 科 (SE) *matriculation class; A-level course. (Lit. preparatory course, i.e. for university-entrance)* (*Cl.* baan¹° 班)

— fong⁴ — 防 (V) *prevent; take precautions against.* FE (Adj) *preventive; preventive against.* (N) *prevention.* (*Cl.* jung² 種)

— — fok³ luen⁶ jam¹° — — 霍亂針 (N) *anti-cholera innoculation.* (*Cl.* hau² 口 *or* ji¹ 支)

— — yik⁶ jing³ jam¹° — — 疫症針 (N) *anti-epidemic innoculation.* (*Cl.* hau² 口 *or* ji¹ 支)

— gam² — 感 (V) *notice an omen; have a premonition of sth.*

¹⁰ — — do³ — — 到 (V) *sense; realize.*

— je³ — 借 (V) *borrow/draw money in advance; take an advance of salary/wage.*

— ji¹ — 支 (V) *ditto.*

— jo² — 早 (Adv) *beforehand; in advance.*

— sin¹ — 先 (Adv) *ditto.*

¹⁵ — jo² ji¹ do³ — 早知道 (V) *anticipate; know beforehand.*

— sin¹ ji¹ do³ — 先知道 (V) *ditto.* FE

— jo² tung¹ ji¹ — 早通知 (V) *give an advance notice.*

— sin¹ tung¹ ji¹ — 先通知 (V) *ditto.*

— liu⁶ — 料 (V) *expect; predict.* (N) *expectation; prediction.* (*Cl.* jung² 種 *or* chi³ 次)

²⁰ — suen³ — 算 (V) & (N) *estimate.*

yue⁶寓 3540 (V) *lodge in; dwell; reside.* **Fml. SF** ‡

— gui¹ — 居 (V) *lodge in; dwell; reside.* **Fml. FE**

— soh² — 所 (N) *lodging; residence.* **Fml.** (*Cl.* sue³ 處 *or* goh³ 個)

— yin⁴ — 言 (N) *fable; allegory.* (*Cl.* goh³ 個 *or* pin¹ 篇)

yue⁶遇 3541 (V) *meet; happen; occur.* **Fml. SF** ‡

— do² — 倒 (V) *happen to meet sb; occur or happen.* (*RT accidents, events, etc.*)

— gin³ — 見 (V) *happen to meet sb.*

— him² — 險 (V) *meet with danger/distress/accident.*

   — naam⁶ — 難   (V) *meet with danger/distress/accident.*

⁵ — si⁶ — 事   (V) *ditto.*

   — naan⁶ je² — 難者   (N) *victim of distress/accident.*

   — ngaam¹° — 啱   (V) *happen by chance; happen to meet sb; it happens that . . .*

yue⁶ 籲(籲) 3542   (V) *implore.* **Fml. SF ‡ AP yeuk⁶ SM see 3384.**

   — ching² — 請   (V) *implore.* **Fml. FE**

yuen¹ 寃(冤) 3543   (V) *wrong/be wronged.* **SF ‡** (N) *enmity; enemy; fake charge.* **SF ‡**

   — ga¹ — 家   (N) *opponent; enemy; lover* (**Joc.**).   **FE**

   — — lo⁶ jaak³ — — 路窄   (SE) *the road of enemies is narrow—they will be sure to meet again.*

   — sau⁴ — 仇   (N) *enmity.* **FE** (*Cl.* jung² 種)

   — wong² — 枉   (V) *wrong; be wronged; do wrong to sb.* **FE** (N) *a wrong; a grievance; an injustice; a fake charge.* **FE** (*Cl.* jung² 種)

yuen¹ 淵 3544   (Adj) *profound; deep.* **Fml. SF ‡** (N) *ocean/sea.* **Fml. SF ‡**

   — bok³ — 博   (Adj) *profound and extensive in learning.* **Fml. FE**

   — hoi² — 海   (N) *ocean/sea.* **Fml. FE**

   — yuen⁴ — 源   (N) *source, origin.* **Fml.** (*Cl.* jung² 種 *or* goh³ 個)

yuen² 婉 3545   (Adj) *agreeable; genial, kindly disposed.* **Fml. SF ‡**

   — juen² — 轉   (Adj) *agreeable; genial; kindly disposed.* **Fml. FE**

yuen² 惋 3546   (V) *be disappointed/grieved.* **Fml. SF ‡**

   — sik¹° — 惜   (V) *be disappointed/grieved.* **Fml. FE**

yuen³ 怨 3547   (V) *complain; repine.*

   — meng⁶ — 命   (V) *murmur at one's lot in life.*

   — ngau⁶ — 偶   (N) *unhappy couple.* (*Cl.* dui³ 對)

— tin¹ yau⁴ yan⁴ — 天尤人   (SE) *murmur against gods and repine at people; nurse one's hatred against the whole world.*

— yin⁶ — 言   (N) *complaint; spiteful words.* (*Cl.* jung² 種)

yuen⁴元 3548   (N) *the first; the head/chief; dollar.* **Fml. SF** ‡

— daan³ — 旦   (N) *New Year's Day.*

— lo⁵ — 老   (N) *elder statesman; elder member of an institution.*

— sau² — 首   (N) *head of state.*

— siu¹ — 宵   (N) *the 15th of the 1st lunar month; Lantern Festival.*

⁵ — sui³ — 帥   (N) *marshal.* (*ROT military rank*)

yuen⁴完 3549   (V) & (N) *finish; end.* **SF** ‡

— cheung⁴ — 塲   (V) & (N) *end; finish.* (*RT shows, performances, matches, etc.*) **FE**

— gung¹ — 工   (V) & (N) *ditto.* (*RT jobs, assignments of work, etc.*)

— chuen⁴ — 全   (Adv) *completely; entirely.* (Adj) *complete; entire.*

— mei⁵ — 美   (Adj) *perfect; satisfactory.*

⁵ — sin⁶ — 善   (Adj) *ditto.*

— sing⁴ — 成   (V) *finish; complete.* **FE** (N) *finish; completion.* **FE** (*No Cl.*)

yuen⁴原 3550   (Adj) *original.* **SF** ‡ (N) *cause; reason; atom.* **SF** ‡

— boon² — 本   (Adv) *originally.* (N) *original copy.* (*Cl.* fan⁶ 份)

— chi² — 始   (Adj) *original; primaeval.*

— — choi⁴ liu⁶* — — 材料   (N) *original material.* (*Cl.* jung² 種)

— — se⁵ wooi⁶* — — 社會   (N) *primitive society.*

⁵ — dung⁶ lik⁶ — 動力   (N) *motivation; originating force.* (*Cl.* jung² 種)

— go² — 稿   (N) *original manuscript.* (*Copy:* fan⁶ 份)

— go³ — 告   (N) *plaintiff.*

— jak¹° — 則   (N) *principle; guiding rule.*

— — seung⁶ — — 上   (Adv) *in principle.*

10 — ji² — 子   (N) *atom.* **FE** (*Cl.* nap¹° 粒 *or* jung² 種)

   — — bat¹° — — 筆   (N) *ball-pen; biro.* (*Lit. atom pen*) (*Cl.* ji¹支)

   — — daan⁶* — — 彈   (N) *atomic bomb.*

   — — dung⁶ lik⁶ — — 動力   (N) *atomic power.* (*Cl.* jung² 種)

   — — faan² ying³ dui¹° — — 反應堆   (N) *atomic pile/reactor.*

15 — — nang⁴ — — 能   (N) *atomic energy.* (*Cl.* jung² 種)

   — — nap¹° — — 粒   (N) *transister.*

   — — — sau¹ yam¹ gei¹ — — — 收音機   (N) *transister radio.* (*Cl.* goh³ 個 *or* ga³ 架)

— jue² — 主   (N) *original/rightful owner.*

— leung⁶ — 諒   (V) *forgive; pardon.* (N) *forgiveness; pardon.* (*Cl.* chi³ 次)

20 — liu⁶* — 料   (N) *raw material.* (*Cl.* jung² 種)

— loi⁴ — 來   (Adj) *original; previous.* (Adv) *originally; to my surprise.*

— man⁴ — 文   (N) *original text.* (*Copy:* fan⁶份)

— yan¹ — 因   (N) *reason; cause.* **FE**

yuen⁴源 3551   (N) *resource; origin; fountainhead; springhead.* **SF** ‡

— chuen⁴ — 泉   (N) *springhead; fountainhead.* **FE**

— tau⁴ — 頭   (N) *ditto.*

yuen⁴圓 3552   (Adj) *round; tactful; smooth.* **SF** ‡ (N) *circle; ring.* **SF** ‡

— huen¹° — 圈   (N) *circle; ring.* **FE**

— jau¹ — 週   (N) *circumference of a circle.*

— kwai¹° — 規   (N) *compass.*

— moon⁵ — 滿   (Adj) *successful; satisfactory.*

5 — — gaai² kuet³ — — 解決   (N) *satisfactory solution; happy ending.*

— sam¹° — 心   (N) *centre of a circle.*

— waat⁶ — 滑   (Adj) *tactful; smooth.* **FE**

— ying⁴ — 形   (Adj) *round; circular.* **FE**

yuen⁴ 園   **3553**   (N) *garden.*   **SF**   ‡

— ding¹° — 丁   (N) *gardener.*   **Fml.**
— ngai⁶ — 藝   (N) *gardening.*   (*Cl.* jung² 種)
— yau⁴ wooi⁶* — 遊會   (N) *garden party.*   (*Cl.* goh³ 個 *or* chi³ 次)

yuen⁴ 猿   **3554**   (N) *ape.*   **SF**   ‡

— hau⁴ — 猴   (N) *apes and monkeys.*   (*Cl.* jek³ 只)

yuen⁴ 援   **3555**   (V) *rescue; assist; help; lend a hand.*   **Fml.**   **SF**   ‡
                       AP: (1) woon⁴ SM see 3296; **(2)** yuen⁶ SM see 3556.

— bing¹ — 兵   (N) *reinforcement. (Lit. rescue troops)*   **Fml.**   (*Cl.* ji¹ 支 *or* dui⁶ 隊)
— gau³ — 救   (V) *rescue; assist; help; lend a hand.*   **Fml.**   **FE**
— joh⁶ — 助   (V) *ditto.*
— sau² — 手   (V) *ditto.*

yuen⁶ 援   **3556**   (V) *rescue; assist; help; lend a hand.*   **Fml.**   **SF**   ‡
                       AP: (1) woon⁴ SM see 3296; **(2)** yuen⁴ SM see 3555.

— bing¹ — 兵   (N) *reinforcement. (Lit. rescue troops)*
— gau³ — 救   (V) *rescue; assist; help; lend a hand.*   **Fml.**   **FE**
— joh⁶ — 助   (V) *ditto.*
— sau⁶ — 手   (V) *ditto.*

yuen⁴ 緣   **3557**   (N) *affinity; cause; reason.*   **SF**   ‡

— fan⁶ — 分(份)   (N) *affinity; the fate by which persons are brought together.*   (*Cl.* jung² 種)
— gwoo³ — 故   (N) *cause/reason.*   **FE**   (*Cl.* jung² 種 *or* goh³ 個)
— yan¹ — 因   (N) *ditto.*

yuen⁴ 懸(縣)   **3558**   (V) *hang up.*   **SF**   ‡

— gwa³ — 掛   (V) *hang up.*   **FE**
— ngaai⁴ — 崖   (N) *cliff; overhanging cliff.*

yuen⁴ 沿 3559 (Prep) *along; by.* SF ‡

— gong¹ — 江 (Adv) *along the river; by the riverside.*

— ngon⁶ — 岸 (Adv) *ditto.*

— hoi² — 海 (Adj) *coastal.* (Adv) *along the coast; by the sea-shore.*

— — goh³ dei⁶ — — 各地 (N) *the whole coastal region.* *(No Cl.)*

⁵ — — yat¹° daai³ — — 一帶 (N) *ditto.*

— — sing⁴ si⁵ — — 城市 (N) *coastal city.*

— lo⁶ — 路 (Adv) *along the road.* (N) *the whole way.* *(No Cl.)*

— to⁴ — 途 (Adv) *ditto.* (N) *ditto.*

yuen⁴ 鉛 3560 (N) *lead.* *(No Cl.)*

— bat¹° — 筆 (N) *pencil; lead pencil.* (Cl. ji 支)

— — wa⁶* — — 画 (N) *pencil drawing.* (Cl. fuk¹° 幅)

— fan² — 粉 (N) *white lead; ceruse.* *(No Cl.)*

yuen⁵ 遠 3561 (Adj) *far; far away; distant; long (in distance).*

— chan¹ — 親 (N) *distant relative.*

— — bat¹° yue⁴ gan⁶ lun⁴ — — 不如近鄰 (Sy) *near neighbours are more helpful than relative living too far away.*

Y— Dung¹° — 東 (N) *the Far East.*

y— geng³ tau⁴ — 鏡頭 (N) *telephoto lens.*

⁵ — kui⁵ lei⁴ geng³ tau⁴ — 距離鏡頭 (N) *ditto.* FE

— gin³ — 見 (N) *farsightedness.* Fig. (Cl. jung² 種)

— se⁶ paau³ — 射炮 (N) *long-range gun.* (Cl. ham² 坎 or moon⁴ 門)

— yan¹ — 因 (N) *remote course.*

yuen⁵ 輭（軟） 3562 (Adj) *soft; weak; pliable.* SF ‡

— hok³ daan⁶* — 壳蛋 (N) *soft-shelled egg.* (Cl. jek³ 只 or goh³ 個)

— ngaang⁶ gim¹ si¹ — 硬兼施 (SE) *by smooth approach or rough; by carrot and stick.*

— pei⁴* — 皮 (N) *soft leather/skin.* (Cl. faai³ 塊)

— pei⁴ se⁴ — 皮蛇 (N) *slow and cunning person.* *(Lit. soft-skinned snake)* *(Cl.* goh³ 個 *or* tiu⁴ 條)

⁵ — sui² — 水 (N) *soft water.* *(No Cl.)*

— suk⁶ — 熟 (Adj) *pliable.* FE

— tong⁶* — 糖 (N) *toffee; toffy.* *(Cl.* nap¹° 粒)

— yeuk⁶ — 弱 (Adj) *weak; weak-willed; sickly.* FE

yuen⁶ 願 3563

(V) *hope for;. wish; desire; vow.* SF ‡ (Adj) *willing.* SF ‡ (N) *hope; desire; wish; vow.* SF ‡

— mong⁶ — 望 (V) *hope for; wish; desire.* FE (N) *hope; wish; desire.* FE

— yi⁶ — 意 (Adj) *willing.* FE

yuen⁶ 炫 3564

(V) *show off; dazzle.* Fml. SF ‡

— muk⁶ — 目 (V) *dazzle the eyes.* Fml. FE

— ngaan⁵ — 眼 (V) *ditto.*

— yiu⁶ (yue¹ yan⁴) — 耀 (於人) (V) *show off (before others).* Fml. FE

yuen⁶ 院 3565

(N) *courtyard.* SF ‡ AP yuen⁶* see 3566.

— ji² — 子 (N) *courtyard.* Mdn. FE

— lok⁶ — 落 (N) *ditto.*

yuen⁶* 院 3566

(N) *public building; college; institute.* SF ‡ AP yuen⁶ see 3565.

yuen⁶ 縣 3567

(N) *district; country district; "hsien"* (Tr.).

— seng⁴ — 城 (N) *chief town of a country district/"hsien".*

yuet³ 乙 3568

(N) *one* (Bk.); *the second of the ten "Chinese Heavenly Stems" commonly used to denote the second in a series like "B" in English.*

— sun⁴ — 醇 (N) *ethyl alcohol.* *(Lit. B-type alcohol)* *(No Cl.)*

yuet⁶ 月   **3569**   (N) *moon; month.* **SF** ‡

— beng² — 餅   (N) *moon cake.*

— choh¹° — 初   (N) *beginning of a month.* (Adv) *in the first 10 days of a month.*

— tau⁴ — 頭   (N) *ditto.* (Adv) *ditto.*

— fan⁶ — 份   (N) *month; period for a month.*

5 — ha⁶ foh³ — 下貨   (N) *merchandise out of season.* *(Lit. end of month goods)* *(Cl.* pai¹ 批*)*

— gwong¹° — 光   (N) *moon; moonlight.* **Coll.** **FE**

— leung⁶ — 亮   (N) *ditto.* **Mdn.**

— jung¹° — 中   (N) *middle of a month.* (Adv) *in the middle of a month.*

— mei⁵ — 尾   (N) *end of month.* (Adv) *in the last ten days of a month.*

10 — toi⁴ — 台   (N) *platform.* *(RT railway stations, tram stops, etc.)*

yuet⁶ 越   **3570**   (V) *encroach; overpass.* **SF** ‡ (Adv) *more.* *(used with adjectives or verbs)* **SF** ‡

— cheung² yuet⁶ go¹ — 搶越高   (SE) *prices become higher and higher because of a rush in buying.*

— — — gwai³ — — — 貴   (SE) *ditto.*

— doh¹ yuet⁶ ho² — 多越好   (SE) *the more the better.*

— faai³ yuet⁶ ho² — 快越好   (SE) *the faster/quicker the better.*

5 — faat³ — 發   (Adv) *more.* *(used with adjectives or verbs)* **FE**

— gaai³ — 界   (V) *encroach on a territory/border.*

— ging² — 境   (V) *ditto.*

— jo² yuet⁶ ho² — 早越好   (SE) *the earlier/sooner the better.*

— lai⁴ yuet⁶ . . . — 嚟越 . . .   (IC) *become/get more and more . . . (Gen. followed by adjectives)*

10 Y— Naam⁴ — 南   (N) *Vietnam.* **Tr.**

y— . . . yuet⁶ . . . — . . . 越 . . .   (IC) *the more . . . the more.*

— yuk⁶ — 獄   (V) *break prison.*

yuet⁶ 閱   3571   (V) *review; inspect.*   **SF**   ‡

— bing¹ — 兵   (V) *review/inspect troops.*   **FE**

— bo³ sat¹° — 報室   (N) *reading room.*   (*Cl.* gaan¹ 間 *or* goh³ 個)

— lik⁶ — 歷   (V) *undergo.*   (N) *experience.*   (*Cl.* jung² 種 *or* chi³ 次)

yuet⁶ 粵   3572   (N) *provinces of Kwangtung and Kwangsi.*   **Fml.**   **SF**
‡

Y— Dung¹ — 東   (N) *Kwangtung (Province).*   **Fml.**   **FE**

— Saang² — 省   (N) *ditto.*

— Sai¹ — 西   (N) *Kwangsi (Province).*   **Fml.**   **FE**

— Ying¹ chi⁴ din² — 英詞典   (N) *Cantonese-English dictionary.*   (*Cl.* bo⁶ 部 *or* boon² 本)

5   — — ji⁶ din² — — 字典   (N) *ditto.*

— yue⁵ — 語   (N) *Cantonese dialect.*   **Fml.**   (*Cl.* jung² 種)

— — baan¹° — — 班   (N) *Cantonese class/course.*   (*Cl.* baan¹° 班)

— — foh³ boon² — — 課本   (N) *Cantonese textbook.*   (*Cl.* bo⁶ 部 *or* boon² 本)

— — gaau³ foh³ sue¹ — — 教科書   (N) *ditto.*

10   — — si⁴ doi⁶ kuk¹° — — 時代曲   (N) *pop song in Cantonese; Cantonese pop music.*   (*Cl.* sau² 首 *or* ji¹ 支)

yuet⁶ 穴   3573   (N) *cave; spot.*   (*ROT acupuncture*)   **SF**   ‡

— do⁶ — 道   (N) *spot (ROT acupuncture)* (*Cl.* goh³ 個); *underground channel* (*Cl.* tiu⁴ 條).

— gui¹ — 居   (V) *dwell in caves.*   **Fml.**   **FE**

yui⁶ 銳   3574   (Adj) *sharp-pointed; ardent; acute.*   **SF**   ‡

— gok³ — 角   (N) *acute angle.*

— hei³ — 氣   (N) *ardent spirit.*   **FE**   (*Cl.* jung² 種)

— lei⁶ — 利   (Adj) *sharp-pointed.*   **FE**

yuk¹° 郁   3575   (V) *shake; disturb.* **Coll. SF ‡** (Adj) *elegant; refined.* **Bk.**

— jue⁶ — 住   (V) *shake sth; keep disturbing sb by shaking sth.*

— — jeung¹ toi⁴* — — 張柏   (SE) *keep shaking the table to annoy sb.*

— sau² — 手   (V) *begin to act or work; touch sth.*

— — yuk¹° geuk³ — — 郁脚   (V) *annoy/tease sb incessantly.*

yuk⁶ 玉   3576   (N) *jade.* **Fml. SF ‡ AP yuk⁶* SM see 3577.**

— aak⁶* — 鈪   (N) *jade bracelet.* (*Cl.* jek³ 只 ; *Pair:* dui³ 對.)

— daai³* — 帶   (N) *jade girdle.* (*Cl.* tiu⁴ 條)

— dau⁶* — 荳   (N) *beans; French beans.* (*Cl.* tiu⁴ 條)

— hei³ — 器   (N) *jade ornaments.* (*Cl.* gin⁶ 件)

5   — jaam¹° — 簪   (N) *jade hairpin.* (*Cl.* ji¹ 支)

— — fa¹° — — 花   (N) *tuberose.* (*Cl.* deuh² *or* doh² 朵)

— mai⁵ — 米   (N) *maize.* (*Grain:* nap¹° 粒 ; *Plant:* poh¹ 衯.)

— suk⁶ sue² — 蜀黍   (N) *ditto.*

— nui⁵ — 女   (N) *teenage girl; innocent girl.*

10   — pooi³ — 佩   (N) *jade pendant to a girdle.* (*Cl.* gin⁶ 件 *or* faai³ 塊)

— yi⁵ waai⁴* — 耳環   (N) *jade earring.* (*Cl.* jek³ 只 ; *Pair:* dui³ 對.)

yuk⁶* 玉   3577   (N) *jade.* **Coll.** (*Cl.* nap¹° 粒 *or* faai³ 塊) **AP yuk⁶ SM see 3576.**

yuk⁶ 欲   3578   (V) *wish; desire.* **Fml. SF ‡**

— ba⁶ bat¹° nang⁴ — 罷不能   (SE) *wish to stop but unable to do so;* "*held over by popular request*" (*ROT film advertisements*).

— chuk¹° bat¹° daat⁶ — 速不達   (Sy) *more haste, less speed.* (*Lit. wish speed not reach*)

yuk⁶ 慾   3579   (N) *desire; lust; passion.* **SF ‡**

— mong⁶ — 望   (N) *desire; lust; passion.* **FE** (*Cl.* jung² 種)

yuk⁶ 浴   3580   (V) *bathe; wash.*   **SF**   ‡   (N) *bath.*   **SF**   ‡

— chi⁴ — 池   (N) *bathroom; public bathroom.*   (*Cl.* gaan¹ 間)

— sat¹° — 室   (N) *ditto.*

— tong⁴ — 堂   (N) *ditto.*   **Mdn.**

— gong¹ — 缸   (N) *bath-tub.*

5   — poon⁴ — 盆   (N) *ditto.*

— huet³ — 血   (V) *bathe in blood; go through a bloody battle.*

yuk⁶ 肉   3581   (N) *meat; flesh.*   **SF**   ‡

— beng² — 餅   (N) *meat-cake.*

— lau⁴* — 瘤   (N) *fleshy tumour.*

— lui⁶ — 類   (N) *meat.*   **FE**   (*Cl.* jung² 種)

— sik⁶ — 食   (N) *ditto.*

5   — gung¹ si¹° — 公司   (N) *butcher's shop.*   (*Lit. meat company*)   (*Cl.* gaan¹ 間)

— pin³* — 片   (N) *sliced pork; sliced meat.*   (*Cl.* pin³ 片)

— san¹ — 身   (N) *mortal frame.*

— si¹° — 絲   (N) *shredded pork; meat shreds.*   (*Cl.* tiu⁴ 條)

— sik¹° — 色   (N) *flesh-colour.*   (*Cl.* goh³ 個 *or* jung² 種)

10   — tai² — 體   (N) *the body.*

— toi⁴* — 枱   (N) *meat stall (in a market).*   (*Cl.* dong³ 檔)

— yuk⁶ — 慾   (N) *sensuality; sensual lust.*   (*Cl.* jung² 種)

yuk⁶ 辱   3582   (V) *dishonour; curse.*   **SF**   ‡

— gwok³ — 國   (V) *bring shame on a nation—as high officials who only seek their own ends.*

— ma⁶ — 罵   (V) *curse and revile.*

— ming⁶ — 命   (V) *dishonour one's commission.*

yuk⁶ 育   3583   (V) *bring up; nourish.*   **Fml.**   **SF**   ‡

— ying¹° tong⁴* — 嬰堂   (N) *foundling hospital.*   (*Cl.* gaan¹ 間)

yuk⁶ 獄   3584   (N) *prison.* **Fml. SF ‡**

— ging² — 警   (N) *warder; jailer.*   *(Lit. prison police)*

yun⁶ 閏   3585   (N) *intercalary period.* **SF ‡**

— nin⁴ — 年   (N) *leap year.*   *(RT foreign calendar)* **FE**

— yuet⁶ — 月   (N) *extra month added every three years.*   *(RT lunar calendar)* **FE**

yun⁶ 潤   3586   (V) *lubricate.* **SF ‡**

— waat⁶ — 滑   (V) *lubricate.* **FE**   (Adj) *smooth; glossy.*

— — yau⁴ — — 油   (N) *lubrication oil.*   *(No Cl.)*

— — yeuk⁶ — — 藥   (N) *demulcent medicine.*   (*Cl.* jung² 種)

yun⁶* 膶   3587   (N) *liver (not including human liver).*
        CC

yung¹° 翁   3588   (N) *old man; husband's father; title of respect (when preceded by surnames).* **Fml. SF ‡**

— gwoo¹ — 姑   (N) *husband's father and mother.*

yung¹° 癰   3589   (N) *ulcer; cancer; abscess.* **SF ‡**

— chong¹° — 瘡   (N) *abscess.* **FE**

— jui¹ — 疽   (N) *ulcer; cancer.* **FE**   (*Cl.* daat³ 笪)

yung² 擁   3590   (V) *push; support; back up.* **Fml. SF ‡ AP** ung² see 3144.

— po⁵ — 抱   (V) *embrace; hug.*

— seung⁵ chin⁴ — 上前   (V) *push forward.* **FE**

— woo⁶ — 護   (V) *support; back up.* **FE**

— — je² — — 者   (N) *supporter.*

⁵ — yap⁶ — 入   (V) *push into.*

yung² 湧   **3591**   (V) *bubble up; gush forth.*   **CP**   **SF** ‡

— chuen⁴ — 泉   (N) *bubbling spring.*

— chut¹° — 出   (V) *gush forth.*   **FE**

— seung⁵ lai⁴ — 上嚟   (V) *bubble up.*   **FE**

yung² 踊（踴）   **3592**   (V) *leap; jump.*   **CP** **Fml.** **SF** ‡

— yeuk³ — 躍   (Adj) *full of activity; enthusiastic.*   *(Lit. leap & jump)*

yung² 冗   **3593**   (Adj) *busy; redundant.*   **CP** **SF** ‡

— faan⁴ — 繁   (Adj) *busy with many different matters; having no leisure.*   **FE**

— mong⁴ — 忙   (Adj) *ditto.*

— yuen⁴ — 員   (N) *redundant staff.*   **FE**

yung⁴ 容   **3594**   (V) *allow; bear; contain; indulge.*   **SF** ‡ (Adj) *easy.*   **SF** ‡ (N) *appearance; look.*   **SF** ‡

— hui² — 許   (V) *allow; permit.*   **Fml.**   **FE**

— jung³ — 縱   (V) *indulge; spoil.*   **Fml.**   **FE**

— maau⁶ — 貌   (N) *appearance; look.*   **FE**

— ngaan⁴ — 顏   (N) *ditto.*

⁵ — mat¹° yi⁶ (a¹°) — 乜易（吖）   (SE) *how easy! extremely easy!*

— naap⁶ — 納   (V) *contain; be kind to; arrange a job for sb; arrange accommodation (RT people, offices, schools, etc.); look after refugees/ victims of disasters.*   **FE**

— yan⁵ — 忍   (V) *bear with; put up with; endure.*   **FE**

— yi⁶ — 易   (Adj) *easy.*   **FE**

— — siu¹ jeuk⁶ — — 燒着   (Adj) *inflammable; combustible.*   *(Lit. easy to burn)*

yung⁴ 榕   **3595**   (N) *banian tree; banyan tree.*   **SF** ‡

— sue⁶ — 樹   (N) *banian tree; banyan tree.*   **FE**   *(Cl. poh¹ 簿)*

yung⁴ 熔(鎔) 3596 (V) *smelt; fuse.* **SF** ‡

— fa³ — 化 (V) *smelt; fuse.* (*ROT metals*)

— hap⁶ — 合 (V) *ditto.*

— gaai² — 解 (V) *ditto.*

— jue³ — 鑄 (V) *pour molten metal into a mould; cast.*

yung⁴ 庸 3597 (Adj) *common; ordinary; simple.* (*GRT people*) **SF** ‡

— choi⁴ — 才 (N) *ordinary ability; mediocre talents.*

— luk¹° — 碌 (Adj) *common; ordinary; simple.* (*GRT people*) **FE**

— — ji¹ booi³ — — 之輩 (N) *commonplace/simple person.*

— yan⁴ — 人 (N) *ditto.*

⁵ — yi¹ — 醫 (N) *quack doctor.*

yung⁴ 融 3598 (V) *blend with; understand each other.* **SF** ‡

— hap¹° — 洽 (V) *blend with* (**Fig.**)*; understand each other.* **FE**

yung⁴ 濃 3599 (Adj) *strong; heavy; dense.* **SF** ‡ **AP** nung⁴ **SM see 2412.**

— cha⁴ — 茶 (N) *strong tea.* (*Cup:* booi¹ 杯)

— mat⁶ — 密 (Adj) *dense.* (*RT hair, trees, etc.*) **FE**

— mei⁴ — 眉 (N) *heavy eyebrows.* (*Cl.* fo⁶ 道)

— yue⁵ — 雨 (N) *heavy rain.* (*Cl.* jau⁶ 陣 *or* cheung⁴ 塲)

⁵ — yuk¹° — 郁 (N) *strong.* (*RT tea, wine, etc.*) **FE**

yung⁴ 絨 3600 (Adj) *woolen.* **Fml. SF** ‡ (N) *wool; woolen cloth.* **Fml. SF AP** yung⁴* **see 3601.**

— sin³ — 線 (N) *woolen yarn.* **Mdn.** (*Cl.* tiu⁴ 條)

yung⁴* 絨 3601 (N) *woolen cloth.* **Coll.** (*Bolt:* pat¹° 疋) **AP** yung⁴ **see 3600.**

— saam¹° — 衫 (N) *woolen coat.* (*Cl.* gin⁶ 件)

yung⁵ 勇   **3602**   (Adj) *brave; courageous; daring.* **SF** ‡   (N) *bravery; courage.* **SF** ‡

— gam² — 敢   (Adj) *brave; courageous; daring.* **FE**

— maang⁵ — 猛   (Adj) *ditto.*

— hei³ — 氣   (N) *bravery; courage.* **FE**

— si⁶ — 士   (N) *brave man.* **Fml.**

yung⁶ 用   **3603**   (V) & (N) *use.* **SF** ‡ (Prep) *with.*

— ban² — 品   (N) *tools; appliances; article for use.*   (*Cl.* jung² 種)

— gui⁶ — 具   (N) *ditto.*

— chue³ — 處   (N) *use; the use of; usefulness.* **FE**   (*Cl.* jung² 種)

— to⁴ — 途   (N) *ditto.*

5 — faat³ — 法   (N) *directions for use; the way to use sth.*

— gung¹ — 功   (V) *study diligently; work hard.* **Mdn.**

— joh² sau² se² ji⁶ — 左手寫字   (V) *write with the left hand.*

— saai³ chin⁴* — 嗮錢   (V) *use/spend all one's money.* **FE**

— sam¹ — 心   (V) *give heed/attention to.*

10 — yi³ — 意   (N) *purpose; aim; intention.*

yung⁶* 佣   **3604**   (N) *sales commission; broker's commission.* **CP** **SF**   (*Sum:* bat¹° 筆; *Percent:* goh³ 個.)

— chin⁴ — 錢   (N) *sales commission; broker's commission.* **FE** (*Sum:* bat¹° 筆; *Percent:* goh³ 個.)

— gam¹° — 金   (N) *ditto.*

— ngan⁴ — 銀   (N) *ditto.*

INDEX OF CHINESE CHARACTERS

(Characters are arranged alphabetically in order of their pronunciation.
See "Explanatory Notes" on p. xix for further remarks.)

A   1 – 64   **B**

Characters	Pronunciation	Word No.
	A	
丫	$a^{1\circ}$	1
吖	$a^{1\circ}$	2
鴉	a^1	3
啞	a^2	4
阿	a^3	5
	(oh^1	2420)
亞	a^3	6
呀	a^3	7
呀	a^4	8
呀	a^6	9
挨	aai^1	10
	($ngaai^4$	2304)
埃	aai^1	11
	(oi^1	2425)
欸	aai^3	12
嗌	aai^3	13
晏	aan^3	14
鴨	$aap^{3}*$	15
壓	aat^3	16
拗	aau^2	17
拗	aau^3	18
哎	ai^1	19
哎	ai^6	20
矮	ai^2	21
呃	$ak^{1\circ}$	22
呃	ak^3	23
握	$ak^{1\circ}$	24
暗	am^3	25
歐	Au^1	26
毆	au^2	27
嘔	au^2	28

	B	
巴	ba^1	29
吧	ba^1	30
爸	ba^1	31
爸	ba^4	32
把	ba^2	33
罷	ba^6	34
罷	$ba^{6}*$	35
擺	$baai^2$	36
拜	$baai^3$	37
敗	$baai^6$	38
迫	$baak^{1\circ}$	39
伯	$baak^3$	40
百	$baak^3$	41
白	$baak^6$	42
班	$baan^1$	43
班	$baan^{1\circ}$	44
斑	$baan^1$	45
版	$baan^2$	46
板	$baan^2$	47
辦	$baan^6$	48
辦	$baan^{6}*$	49
扮	$baan^6$	50
八	$baat^3$	51
包	$baau^1$	52
包	$baau^{1\circ}$	53
鮑	$baau^6$	54
飽	$baau^{1\circ}$	55
飽	$baau^2$	56
胞	$baau^1$	57
爆	$baau^3$	58
跛	bai^1	59
閉	bai^3	60
弊	bai^6	61
幣	bai^6	62
北	$bak^{1\circ}$	63
泵	$bam^{1\circ}$	64

賓	ban¹	65	兵	bing¹	102
品	ban²	66	冰	bing¹	103
儐	ban³	67	乒	bing¹	104
殯	ban³	68		**(ping¹**	**2507)**
笨	ban⁶	69	病	bing⁶	105
崩	bang¹	70		**(beng⁶**	**88)**
繃	bang¹	71	并	bing⁶	106
	(maang¹	**2062)**	必	bit¹°	107
不	bat¹°	72	別	bit⁶	108
筆	bat¹°	73	標	biu¹	109
畢	bat¹°	74	標	biu¹°	110
啤	be¹°	75	鏢	biu¹°	111
	(bi¹°	**89)**	鏢	biu¹°	112
	(bi⁴	**90)**	表	biu²	113
碑	bei¹	76	褒	bo¹	114
悲	bei¹	77	煲	bo¹	115
俾	bei²	78	煲	bo¹°	116
彼	bei²	79	寶	bo²	117
比	bei²	80	補	bo²	118
秘	bei³	81	保	bo²	119
被	bei⁶	82	報	bo³	120
	(pei⁵	**2490)**	布	bo³	121
被	bei⁶*	83	佈	bo³	122
	(pei⁵	**2490)**	暴	bo⁶	123
避	bei⁶	84	部	bo⁶	124
鼻	bei⁶	85	簿	bo⁶	125
餅	beng²	86	簿	bo⁶*	126
柄	beng³	87	步	bo⁶	127
病	beng⁶	88	捕	bo⁶	128
	(bing⁶	**105)**	波	boh¹	129
啤	bi¹°	89	波	boh¹°	130
啤	bi⁴	90	菠	boh¹	131
	(be¹°	**75)**	玻	boh¹°	132
逼	bik¹°	91	播	boh³	133
邊	bin¹	92	嶓	boh³	134
邊	bin¹°	93	博	bok³	135
辮	bin¹°	94	駁	bok³	136
鞭	bin¹	95	膊	bok³	137
蝙	bin¹	96	搏	bok³	138
扁	bin²	97	薄	bok⁶	139
	(pin¹	**2498)**	邦	bong¹	140
貶	bin²	98	幫	bong¹	141
變	bin³	99	綁	bong²	142
便	bin⁶	100	榜	bong²	143
	(pin⁴	**2506)**	磅	bong⁶	144
辯	bin⁶	101	磅	bong⁶*	145

襯	chan³	216	丨 請	cheng²	254
陳	chan⁴	217		(ching²	315)
塵	chan⁴	218	丨 灼	cheuk³	255
丨 曾	chang⁴	219		(jeuk³	1381)
	(jang¹	1340)	丨 芍	cheuk³	256
層	chang⁴	220		(jeuk³	1382)
輯	chap¹°	221	丨 桌	cheuk³	257
緝	chap¹°	222		(jeuk³	1383)
七	chat¹°	223	丨 鵲	cheuk³	258
漆	chat¹°	224		(jeuk³	1384)
秋	chau¹	225	槍	cheung¹°	259
抽	chau¹	226	窗	cheung¹°	260
鞦	chau¹	227	娼	cheung¹	261
醜	chau²	228	猖	cheung¹	262
丑	chau²	229	丨 搶	cheung²	263
臭	chau³	230		(chong³	374)
嗅	chau³	231	唱	cheung³	264
湊	chau³	232	暢	cheung³	265
丨 仇	chau⁴	233	腸	cheung⁴	266
	(sau⁴	2697)	腸	cheung⁴*	267
稠	chau⁴	234	丨 長	cheung⁴	268
囚	chau⁴	235		(jeung²	1398)
丨 酋	chau⁴	236	牆	cheung⁴	269
	(yau⁴	3357)	場	cheung⁴	270
籌	chau⁴	237	祥	cheung⁴	271
躊	chau⁴*	238	詳	cheung⁴	272
綢	chau⁴	239	丨 差	chi¹	273
綢	chau⁴*	240		(cha¹	164)
丨 車	che¹	241		(chaai¹	168)
丨 車	che¹°	242	黐	chi¹	274
	(gui¹	979)	笞	chi¹	275
丨 奢	che¹	243	疵	chi¹	276
	(se¹	2703)	癡	chi¹	277
丨 扯	che²	244	雌	chi¹	278
	(chi²	280)	此	chi²	279
且	che²	245	丨 扯	chi²	280
斜	che³	246		(che²	244)
斜	che⁴	247	始	chi²	281
邪	che⁴	248	恥	chi²	282
尺	chek³	249	丨 刺	chi³	283
呎	chek³	250		(chik³	298)
丨 赤	chek³	251	廁	chi³	284
	(chik³	297)	次	chi³	285
瘌	chek³	252	持	chi⁴	286
丨 青	cheng¹	253	慈	chi⁴	287
	(ching¹	312)	磁	chi⁴	288

瓷	chi⁴	289		切	chit³	327
詞	chi⁴	290			(chai³	200)
匙	chi⁴	291		徹	chit³	328
	(si⁴	2765)		撤	chit³	329
辭	chi⁴	292		設	chit³	330
遅	chi⁴	293		掣	chit³	331
池	chi⁴	294			(jai³	1317)
祠	chi⁴	295		超	chiu¹	332
似	chi⁵	296		鼇	chiu¹	333
赤	chik³	297		朝	chiu⁴	334
	(chek³	251)			(jiu¹	1516)
刺	chik³	298		潮	chiu⁴	335
	(chi³	283)		樵	chiu⁴	336
簽	chim¹°	299		粗	cho¹	337
簽	chim¹	300		操	cho¹	338
纖	chim¹	301		操	cho³	339
殲	chim¹	302		草	cho²	340
潛	chim⁴	303		醋	cho³	341
千	chin¹	304		措	cho³	342
千	chin¹°	305		噪	cho³	343
遷	chin¹	306		燥	cho³	344
淺	chin²	307		躁	cho³	345
錢	chin⁴	308		糙	cho³	346
錢	chin⁴*	309		造	cho³	347
前	chin⁴	310			(jo⁶	1536)
清	ching¹	311		錯	cho³	348
青	ching¹	312			(choh³	356)
	(cheng¹	253)			(chok³	368)
稱	ching¹	313		嘈	cho⁴	349
稱	ching³	314		槽	cho⁴	350
	(chan³	214)		初	choh¹	351
請	ching²	315		磋	choh¹	352
	(cheng²	254)		剉	choh³	353
拯	ching²	316		銼	choh³	354
秤	ching³	317		挫	choh³	355
情	ching⁴	318		錯	choh³	356
晴	ching⁴	319			(cho³	348)
呈	ching⁴	320			(chok³	368)
程	ching⁴	321		鋤	choh⁴	357
醒	ching⁴	322		坐	choh⁵	358
懲	ching⁴	323			(joh⁶	1541)
澄	ching⁴	324		彩	choi²	359
成	ching⁴	325		採	choi²	360
	(seng⁴	2725)		睬	choi²	361
	(sing⁴	2828)		荣	choi³	362
妾	chip³	326		賽	choi³	363

才	choi⁴	364	趣	chui¹	399
材	choi⁴	365	吹	chui¹	400
財	choi⁴	366	吹	chui³	401
裁	choi⁴	367	取	chui²	402
∣錯	chok³	368	娶	chui²	403
	(cho³	348)	娶	chui³	404
	(choh³	356)	趣	chui³	405
倉	chong¹°	369	脆	chui³	406
艙	chong¹°	370	隨	chui⁴	407
瘡	chong¹°	371	搥	chui⁴	408
艙	chong¹°	372	槌	chui⁴	409
廠	chong²	373	鎚	chui⁴	410
∣搶	chong³	374	∣廚	chui⁴	411
	(Cheung²	263)		(chue⁴	380)
∣藏	chong⁴	375	∣廚	chui⁴*	412
	(jong⁶	1563)		(chue⁴*	381)
牀	chong⁴	376	∣櫥	chui⁴	413
∣撞	chong⁴	377		(chue⁴	382)
	(jong⁶	1562)	∣除	chui⁴	414
∣處	chue²	378		(chue⁴	383)
∣處	chue³	379	促	chuk¹°	415
	(sue³	2910)	速	chuk¹°	416
∣廚	chue⁴	380	蓄	chuk¹°	417
	(chui⁴	411)	畜	chuk¹°	418
∣廚	chue⁴*	381	束	chuk¹°	419
	(chui⁴*	412)	春	chun¹	420
∣櫥	chue⁴	382	蠢	chun²	421
	(chui⁴	413)	巡	chun⁴	422
∣除	chue⁴	383	循	chun⁴	423
	(chui⁴	414)	旬	chun⁴	424
儲	chue⁵	384	馴	chun⁴	425
署	chue⁵	385	蔥	chung¹°	426
村	chuen¹°	386	涌	chung¹°	427
穿	chuen¹	387	怱	chung¹°	428
喘	chuen²	388	聰	chung¹	429
寸	chuen³	389	充	chung¹	430
吋	chuen³	390	冲	chung¹	431
串	chuen³	391	衷	chung¹	432
全	chuen⁴	392	衝	chung¹	433
荃	chuen⁴	393	衝	chung³	434
存	chuen⁴	394	寵	chung²	435
∣傳	chuen⁴	395	叢	chung⁴	436
	(juen⁶	1584)	∣從	chung⁴	437
催	chui¹	396		(jung⁶	1640)
摧	chui¹	397		(sung¹	2970)
摧	chui⁴	398	松	chung⁴	438

蟲	chung⁴	439	諟	dai²	476
｜蟲	chung⁴	440	帝	dai³	477
	(fooi¹	744)	諦	dai³	478
｜重	chung⁴	441	弟	dai⁶	479
｜重	chung⁵	442	第	dai⁶	480
	(jung⁶	1639)	｜逮	dai⁶	481
齣	chut¹°	443		(doi⁶	594)
出	chut¹°	444	遞	dai⁶	482
			得	dak¹°	483
	D		德	dak¹°	484
			特	dak⁶	485
打	da¹°	445	｜柔	dam¹	486
打	da²	446		(bam¹°	64)
｜獃	daai¹	447	揉	dam²	487
	(ngoi⁴	2359)	紾	dam³	488
歹	daai²	448	踩	dam⁶	489
帶	daai³	449	蕁	dan²	490
帶	daai³*	450	｜燉	dan⁶	491
戴	daai³	451		(dun⁶	626)
大	daai⁶	452	登	dang¹	492
擔	daam¹	453	燈	dang¹°	493
擔	daam³	454	等	dang²	494
軌	daam¹	455	櫈	dang³	495
膽	daam²	456	噔	dang⁶	496
｜淡	daam⁶	457	嗒	dap¹°	497
	(taam⁵	3000)	唼	dap⁶	498
啖	daam⁶	458	凸	dat⁶	499
單	daan¹	459	突	dat⁶	500
單	daan¹°	460	兜	dau¹	501
丹	daan¹	461	篼	dau¹°	502
蛋	daan⁶*	462	斗	dau²	503
誕	daan³	463	抖	dau²	504
｜彈	daan⁶	464	抖	dau³	505
｜彈	daan⁶*	465	鬥	dau³	506
	(taan⁴	3014)	竇	dau³	507
但	daan⁶	466	竇	dau⁶	508
答	daap³	467	豆	dau⁶	509
搭	daap³	468	豆	dau⁶*	510
踏	daap⁶	469	痘	dau⁶	511
｜撻	daat³	470	痘	dau⁶*	512
	(taat³	3019)	逗	dau⁶	513
筐	daat³	471	｜爹	de¹°	514
達	daat⁶	472		(dek¹°	518)
低	dai¹	473	嗲	de²	515
底	dai²	474	地	dei⁶	516
抵	dai²	475	哋	dei¹	517

｜	爹	dek¹°	518	訂	ding³	555
		(de¹°	**514)**	定	ding⁶	556
	笛	dek⁶*	519		**(deng⁶**	**525)**
	糴	dek⁶	520	碟	dip⁶*	557
｜	釘	deng¹	521	跌	dit³	558
｜	釘	deng¹°	522	秩	dit⁶	559
		(ding¹	**552)**	雕	diu¹	560
｜	頂	deng²	523	刁	diu¹	561
		(ding²	**554)**	弔	diu³	562
	掟	deng³	524	釣	diu³	563
	定	deng⁶	525	掉	diu⁶	564
		(ding⁶	**556)**	｜ 調	diu⁶	565
	矴	deng⁶	526		**(tiu⁴**	**3075)**
｜	朵	deuh²	527	刀	do¹°	566
		(doh³	**586)**	都	do¹	567
	啄	deuk³	528	都	do¹°	568
	哟	di¹°	529	島	do²	569
	的	dik¹°	530	搗	do²	570
	嫡	dik¹°	531	賭	do²	571
	滴	dik¹°	532	倒	do²	572
	滴	dik⁶	533	倒	do³	573
	敵	dik⁶	534	到	do³	574
	战	dim¹	535	妒	do³	575
	點	dim²	536	道	do⁶	576
	店	dim³	537	導	do⁶	577
	掂	dim³	538	｜ 度	do⁶	578
	掂	dim⁶	539	｜ 度	do⁶*	579
	顛	din¹	540		**(dok⁶**	**595)**
	巔	din¹	541	渡	do⁶	580
	癲	din¹	542	鍍	do⁶	581
｜	滇	Din¹	543	杜	do⁶	582
		(Tin⁴	**3060)**	稻	do⁶	583
	碘	din¹°	544	盗	do⁶	584
	碘	din²	545	多	doh¹	585
	典	din²	546	｜ 朵	doh²	586
	墊	din³	547		**(deuh²**	**527)**
	墊	din⁶	548	躲	doh²	587
	墊	din⁶*	549	墮	doh⁶	588
	墊	din⁶	550	代	doi⁶	589
	電	din⁶	551	袋	doi⁶	590
｜	奠	ding¹	552	袋	doi⁶*	591
	釘	**(deng¹**	**521)**	待	doi⁶	592
		(deng¹°	**522)**	｜ 怠	doi⁶	593
	汀	ding¹	553		**(toi⁵**	**3108)**
｜	頂	ding²	554	｜ 逮	doi⁶	594
		(deng²	**523)**		**(dai⁶**	**481)**

| 度	dok^6	595
	(do^6	**578)**
	(do^6*	**579)**
渡	dok^6	596
當	dong^1	597
當	dong^3	598
擋	dong^2	599
黨	dong^2	600
檔	dong^2	601
檔	dong^3	602
蕩	dong^6	603
端	duen^1	604
短	duen^2	605
| 斷	duen^3	606
| 斷	duen^6	607
	(tuen^5	**3125)**
鍛	duen^3	608
段	duen^6	609
嗲	duet$^{1°}$	610
奪	duet^6	611
堆	dui^1	612
堆	dui$^{1°}$	613
對	dui^3	614
對	dui^{3}*	615
兑	dui^3	616
隊	dui^6	617
隊	dui^6*	618
督	duk$^{1°}$	619
攜	duk$^{1°}$	620
讀	duk^6	621
獨	duk^6	622
毒	duk^6	623
敦	dun^1	624
噸	dun$^{1°}$	625
燉	dun^6	626
	(dan^6	**491)**
| 鈍	dun^6	627
| 囤	dun^6	628
	(tuen^4	**3123)**
冬	dung^1	629
東	dung^1	630
懂	dung^2	631
董	dung^2	632
凍	dung^3	633
動	dung^6	634
洞	dung^6	635

F

花	fa$^{1°}$	636
化	fa^3	637
快	faai^3	638
筷	faai^3	639
| 傀	faai^3	640
	(gwai^1	**1026)**
塊	faai^3	641
| 番	faan^1	642
	(poon^1	**2566)**
繙	faan^1	643
翻	faan^1	644
返	faan^2	645
返	faan^1	646
反	faan^2	647
汎	faan^3	648
販	faan^3	649
販	faan^3*	650
凡	faan^4	651
帆	faan^4	652
繁	faan^4	653
煩	faan^4	654
飯	faan^6	655
犯	faan^6	656
範	faan^6	657
法	faat^3	658
發	faat^3	659
髮	faat^3	660
揮	fai^1	661
輝	fai^1	662
費	fai^3	663
沸	fai^3	664
廢	fai^3	665
肺	fai^3	666
吠	fai^6	667
分	fan^1	668
分	fan^6	669
份	fan^6*	670
吩	fan^1	671
芬	fan^1	672
昏	fan^1	673
婚	fan^1	674
熏	fan^1	675
勳	fan^1	676
葷	fan^1	677

粉	fan²	678	夫	foo¹	723
訓	fan³	679	呼	foo¹	724
糞	fan³	680	俘	foo¹	725
詗	fan³	681	枯	foo¹	726
墳	fan⁴	682	敷	foo¹	727
憤	fan⁵	683	虎	foo²	728
忿	fan⁵	684	府	foo²	729
奮	fan⁵	685	斧	foo²	730
忽	fat¹°	686	苦	foo²	731
佛	fat⁶	687	富	foo³	732
罰	fat⁶	688	副	foo³	733
否	fau²	689	庫	foo³	734
浮	fau⁴	690	褲	foo³	735
非	fei¹	691	扶	foo⁴	736
飛	fei¹	692	婦	foo⁵	737
飛	fei¹°	693	父	foo⁶	738
菲	fei¹	694	付	foo⁶	739
菲	fei²	695	腐	foo⁶	740
匪	fei²	696	附	foo⁶	741
誹	fei²	697	輔	foo⁶	742
肥	fei⁴	698	負	foo⁶	743
翡	fei⁶	699	蟲	fooi¹	744
翡	fei⁶*	700	|	**(chung⁴**	**440)**
科	foh¹°	701	灰	fooi¹	745
窠	foh¹°	702	灰	fooi¹°	746
|	**(woh¹°**	**3241)**	恢	fooi¹	747
	foh¹°	703	詼	fooi¹	748
棵	foh²	794	賄	fooi²	749
棵	foh²	705	悔	fooi³	750
火	foh²	706	歡	foon¹	751
伙	foh²	707	寬	foon¹	752
夥	foh²	708	款	foon²	753
顆	foh³	709	闊	foot³	754
課	foh³	710	福	fuk¹°	755
貨	fok³	711	腹	fuk¹°	756
霍	fong¹	712	複	fuk¹°	757
方	fong¹	713	覆	fuk¹°	758
芳	fong¹	714	服	fuk⁶	759
荒	fong¹	715	復	fuk⁶	760
慌	fong²	716	峯	fung¹°	761
紡	fong²	717	蜂	fung¹°	762
訪	fong³	718	豐	fung¹	763
放	fong⁴	719	風	fung¹	764
房	fong⁴*	720	瘋	fung¹	765
房	fong⁴	721	封	fung¹	766
防	fong⁴	722	| 捧	fung²	767

	(pung²	2580)
諷	fung³	768
逢	fung⁴	769
奉	fung⁶	770
鳳	fung⁶	771
	G	
加	ga¹	772
枷	ga¹	773
袈	ga¹	774
嘉	ga¹	775
家	ga¹	776
傢	ga¹	777
假	ga²	778
假	ga³	779
嫁	ga³	780
架	ga³	781
駕	ga³	782
價	ga³	783
咖	ga³	784
㗎	ga³	785
㗎	ga⁴	786
佳	gaai¹	787
街	gaai¹°	788
皆	gaai¹	789
階	gaai¹	790
解	gaai²	791
介	gaai³	792
界	gaai³	793
芥	gaai³	794
戒	gaai³	795
革	gaak³	796
隔	gaak³	797
格	gaak³	798
咯	gaak³	799
監	gaam¹	800
監	gam³	801
鑑	gaam³	802
緘	gaam¹	803
減	gaam²	804
間	gaan¹	805
間	gaan³	806
艱	gaan¹	807
奸	gaan¹	808
姦	gaan¹	809

揀	gaan²	810
鹼	gaan²	811
簡	gaan²	812
耕	gaang¹	813
更	gaang¹°	814
│	(gang¹	853)
	(gang³	854)
夾	gaap³	815
甲	gaap⁶	816
胛	gaat⁶	817
交	gaau¹	818
郊	gaau¹	819
膠	gaau¹°	820
攪	gaau²	821
│ 姣	gaau²	822
	(haau⁴	1111)
狡	gaau²	823
教	gaau³	824
│ 校	gaau³	825
	(haau⁶	1113)
較	gaau³	826
│ 覺	gaau³	827
	(gok³	950)
雞	gai¹°	828
計	gai³	829
繼	gai³	830
髻	gai³	831
金	gam¹°	832
今	gam¹	833
甘	gam¹	834
柑	gam¹°	835
感	gam²	836
敢	gam²	837
錦	gam²	838
噉	gam²	839
咁	gam³	840
禁	gam³	841
禁	gam¹	842
撳	gam⁶	843
巾	gan¹°	844
斤	gan¹	845
根	gan¹	846
跟	gan¹	847
筋	gan¹	848
僅	gan²	849
緊	gan²	850

｜ 近	gan⁶	851		妓	gei⁶	890
	(kan⁵	1659)		技	gei⁶	891
羹更	gang¹°	852		｜ 驚	geng¹	892
｜ 更	gang¹	853			(ging¹	915)
｜	gang³	854		頸	geng²	893
	(gaang¹°	814)		鏡	geng³	894
梗	gang²	855		腳	geuk³	895
急	gap¹°	856		疆	geung¹	896
鴿	gap³*	857		殭	geung¹	897
吉	gat¹°	858		韁	geung¹	898
桔	gat¹°	859		薑	geung¹	899
刮	gat¹°	860		僵	geung¹	900
溝	gau¹	861		擊	gik¹°	901
	(kau¹	1667)		激	gik¹°	902
｜ 勾	gau¹	862		極	gik⁶	903
	(ngau¹	2343)		兼	gim¹	904
｜ 鈎	gau¹°	863		檢	gim²	905
	(ngau¹	2344)		劍	gim³	906
九	gau²	864		儉	gim⁶	907
久	gau²	865		堅	gin¹	908
狗	gau²	866		肩	gin¹	909
韭	gau²	867		見	gin³	910
糾	gau²	868		建	gin³	911
救	gau³	869		毽	gin³	912
｜ 構	gau³	870			(yin³	3467)
	(kau³	1668)		件	gin⁶	913
｜ 購	gau³	871		健	gin⁶	914
	(kau³	1669)		｜ 驚	ging¹	915
够	gau³	872			(geng¹	892)
究	gau³	873		京	ging¹	916
舊	gau⁶	874		經	ging¹	917
嘅	ge³	875		警	ging²	918
基	gei¹	876		竟	ging²	919
機	gei¹	877		境	ging²	920
譏	gei¹	878		景	ging²	921
饑	gei¹	879		敬	ging³	922
几	gei¹°	880		競	ging⁶	923
幾	gei¹	881		唸	gip¹°	924
幾	gei²	882		劫	gip³	925
己	gei²	883		狹	gip⁶	926
紀	gei²	884		｜ 狹	gip⁶*	927
紀	gei³	885			(haap⁶	1105)
寄	gei³	886		結	git³	928
旣	gei³	887		潔	git³	929
記	gei³	888		嬌	giu¹	930
忌	gei⁶	889		驕	giu¹	931

｜	繳	giu²	932	割	got³	970
		(jeuk³	1385)	捐	guen¹	971
	叫	giu³	933	捲	guen²	972
｜	撬	giu⁶	934	卷	guen²	973
		(hiu³	1192)	眷	guen³	974
	轎	giu⁶*	935	絹	guen³	975
	高	go¹	936	倦	guen⁶	976
	糕	go¹°	937	橛	guet⁶	977
	膏	go¹°	938	居	gui¹	978
	膏	go³	939	車	gui¹	979
	稿	go²	940	｜	(che¹	241)
	告	go³	941		(che¹°	242)
｜		(guk¹°	991)		gui²	980
	哥	goh¹°	942	舉	gui³	981
	歌	goh¹°	943	句	gui³	982
	嗰	goh²	944	鋸	gui³	983
	個	goh³	945	據	gui⁶	984
	該	goi¹	946	巨	gui⁶	985
	改	goi²	947	鉅	gui⁶	986
｜	蓋	goi³	948	距	(kui⁵	1721)
		(koi³	1707)	｜	gui⁶	987
	角	gok³	949	具	gui⁶	988
	覺	gok³	950	颶	gui⁶	989
		(gaau³	827)	懼	guk¹°	990
	各	gok³	951	穀	guk¹°	991
	閣	gok³	952	告	(go³	941)
	擱	gok³	953	｜	guk¹°	992
	干	gon¹	954	菊	guk¹°	993
	杆	gon¹°	955	峪	guk⁶	994
	竿	gon¹°	956	局	guk⁶	995
	肝	gon¹	957	焗	gung¹	996
	乾	gon¹	958	公	gung¹	997
｜		(kin⁴	1695)	弓	gung¹°	998
	趕	gon²	959	工	gung¹	999
	幹	gon³	960	攻	gung¹	1000
	崗	gong¹°	961	功	gung¹	1001
	江	gong¹	962	恭	gung¹	1002
	缸	gong¹	963	宮	gung¹	1003
	肛	gong¹	964	供	gung³	1004
	鋼	gong¹	965	供	gung²	1005
	鋼	gong³	966	拱	gung²	1006
	港	gong²	967	鞏	gung⁶	1007
	講	gong²	968	共	gung¹	1008
｜	降	gong³	969	共		
		(hong⁴	1233)			

		GW					gwong³	1052
				礦		(kwong³	**1742)**
瓜	gwa¹°	1009		姑		gwoo¹	1053
寡	gwa²	1010		咕		gwoo¹°	1054
褂	gwa³*	1011		沽		gwoo¹	1055
卦	gwa³	1012		菇		gwoo¹	1056
掛	gwa³	1013		辜		gwoo¹	1057
啩	gwa³	1014		孤		gwoo¹	1058
乖	gwaai¹	1015		古		gwoo²	1059
拐	gwaai²	1016		鼓		gwoo²	1060
枴	gwaai²	1017		股		gwoo²	1061
怪	gwaai³	1018		蠱		gwoo²	1062
摑	gwaak³	1019		估		gwoo²	1063
關	gwaan¹	1020		估		gwoo³	1064
鰥	gwaai¹	1021		故		gwoo³	1065
慣	gwaan³	1022		固		gwoo³	1066
瞶	gwaan³	1023		雇		gwoo³	1067
逛	gwaang⁶	1024		顧		gwoo³	1068
刮	gwaat³	1025		膾		gwooi⁶	1069
傀	gwai¹	1026		官		gwoon¹	1070
	(faai³	**640)**		棺		gwoon¹	1071
歸	gwai¹	1027		觀		gwoon¹	1072
龜	gwai¹°	1028		觀		gwoon³	1073
鬼	gwai²	1029		管		gwoon²	1074
詭	gwai²	1030		冠		gwoon³	1075
貴	gwai³	1031		灌		gwoon³	1076
桂	gwai³	1032		罐		gwoon³	1077
季	gwai³	1033					
跪	gwai⁶	1034				**H**	
櫃	gwai⁶	1035					
君	gwan¹	1036		哈		ha¹	1078
軍	gwan¹	1037		蝦		ha¹°	1079
昆	gwan¹	1038		蝦		ha⁴	1080
滾	gwan²	1039		嗄		ha¹	1081
棍	gwan³	1040		吓		ha⁵	1082
轟	gwang¹	1041		下		ha⁶	1083
骨	gwat¹°	1042		夏		ha⁶	1084
橘	gwat¹°	1043		廈		ha⁶	1085
掘	gwat⁶	1044		揩		haai¹	1086
果	gwoh²	1045		鞋		haai⁴	1087
菓	gwoh²	1046		膎		haai⁴	1088
過	gwoh³	1047		蟹		haai⁵	1089
國	gwok³	1048		械		haai⁶	1090
擴	gwok³	1049		嚇		haak³	1091
光	gwong¹	1050		客		haak³	1092
廣	gwong²	1051		餡		haam⁶*	1093

喊	haam³	1094
鹹	haam⁴	1095
銜	haam⁴	1096
陷	haam⁶	1097
慳	haan¹	1098
閒	haan⁴	1099
限	haan⁶	1100
坑	haang¹°	1101
行	haang⁴	1102
|	**(hang⁴**	**1132)**
	(hang⁶	**1133)**
	(hong⁴	**1234)**
	(hong⁴*	**1235)**
呷	haap³	1103
俠	haap⁶	1104
狹	haap⁶	1105
|	**(gip⁶**	**926)**
	(gip⁶*	**927)**
敲	haau¹	1106
哮	haau¹	1107
巧	haau²	1108
考	haau²	1109
孝	haau³	1110
|	haau⁴	1111
姣	**(gaau²**	**822)**
效	haau⁶	1112
|	haau⁶	1113
校	**(gaau³**	**825)**
喺	hai²	1114
系	hai⁶	1115
係	hai⁶	1116
克	hak¹°	1117
黑	hak¹°	1118
刻	hak¹°	1119
硆	ham²	1120
壈	ham³	1121
含	ham⁴	1122
憾	ham⁶	1123
撼	ham⁶	1124
很	han²	1125
狠	han²	1126
痕	han⁴	1127
恨	han⁶	1128
肯	hang²	1129
恒	hang⁴	1130
衡	hang⁴	1131

| 行	hang⁴	1132
| 行	hang⁶	1133
	(haang⁴	**1102)**
	(hong⁴	**1234)**
	(hong⁴*	**1235)**
幸	hang⁶	1134
杏	hang⁶	1135
洽	hap⁶°	1136
瞌	hap⁶°	1137
盒	hap⁶*	1138
合	hap⁶	1139
乞	hat¹°	1140
瞎	hat⁶	1141
| 核	hat⁶	1142
	(wat⁶	**3234)**
吼	hau¹	1143
口	hau²	1144
喉	hau⁴	1145
厚	hau⁵	1146
厚	hau⁶	1147
侯	hau⁶	1148
後	hau⁶	1149
希	hei¹	1150
稀	hei¹	1151
嬉	hei¹	1152
欺	hei¹	1153
犧	hei¹	1154
喜	hei²	1155
起	hei²	1156
氣	hei³	1157
汽	hei³	1158
器	hei³	1159
戲	hei³	1160
棄	hei³	1161
| 吃	hek³	1162
	(yaak³	**3305)**
| 輕	heng¹	1163
	(hing¹	**1180)**
靴	heuh¹	1164
香	heung¹	1165
鄉	heung¹	1166
享	heung²	1167
響	heung²	1168
响	heung²	1169
向	heung³	1170
謙	him¹	1171

險	him²	1172		唅	hon¹°	1216
欠	him³	1173		看	hon¹	1217
牽	him¹	1174		看	hon³	1218
遣	hin²	1175		刊	hon¹	1219
譴	hin²	1176		漢	hon³	1220
顯	hin²	1177		寒	hon⁴	1221
憲	hin³	1178		韓	hon⁴	1222
獻	hin³	1179		旱	hon⁵	1223
輕	hing¹	1180		汗	hon⁶	1224
	(heng¹	**1163)**		框	hong¹°	1225
兄	hing¹	1181		眶	hong¹°	1226
興	hing¹	1182		筐	hong¹°	1227
興	hing³	1183		康	hong¹	1228
慶	hing³	1184		糠	hong¹	1229
歡	hip³	1185		腔	hong¹°	1230
怯	hip³	1186		炕	hong³	1231
協	hip⁶	1187		航	hong⁴	1232
歇	hit³	1188		降	hong⁴	1233
囂	hiu¹	1189			**(gong³**	**969)**
曉	hiu²	1190		行	hong⁴	1234
燹	hiu³	1191		行	hong⁴*	1235
撬	hiu³	1192			**(haang⁴**	**1102)**
	(giu⁶	**934)**			**(hang⁴**	**1132)**
好	ho²	1193		項	hong⁶	1236
好	ho³	1194		巷	hong⁶	1237
豪	ho⁴	1195		巷	hong⁶*	1238
濠	ho⁴	1196		喝	hot³	1239
蠔	ho⁴	1197		渴	hot³	1240
毫	ho⁴	1198		圈	huen¹°	1241
號	ho⁴	1199		喧	huen¹	1242
號	ho⁶	1200		犬	huen²	1243
苛	hoh¹	1201		勸	huen³	1244
可	hoh²	1202		券	huen³	1245
何	hoh⁴	1203		血	huet³	1246
河	hoh⁴	1204		虛	hui¹	1247
荷	hoh⁴	1205		墟	hui¹°	1248
荷	hoh⁶	1206		許	hui²	1249
賀	hoh⁶	1207		去	hui³	1250
開	hoi¹	1208		哭	huk¹°	1251
海	hoi²	1209		空	hung¹	1252
凱	hoi²	1210		空	hung³	1253
孩	hoi⁴	1211		凶	hung¹	1254
害	hoi⁶	1212		兜	hung¹	1255
殼	hok³	1213		胸	hung¹	1256
鶴	hok⁶*	1214		孔	hung²	1257
學	hok⁶	1215		恐	hung²	1258

控	hung³	1259
紅	hung⁴	1260
虹	hung⁴	1261
洪	hung⁴	1262
雄	hung⁴	1263
熊	hung⁴	1264
哄	hung⁶	1265
汞	hung⁶	1266

J

揸	ja¹	1267
渣	ja¹°	1268
喳	ja²	1269
榨	ja³	1270
詐	ja³	1271
炸	ja³	1272
咋	ja³	1273
咋	ja⁴	1274
拃	ja⁶	1275
齋	jaai¹	1276
債	jaai³	1277
寨	jaai⁶	1278
窄	jaak³	1279
責	jaak³	1280
磧	jaak³	1281
擇	jaak⁶	1282
宅	jaak⁶	1283
宅	jaak⁶*	1284
摘	jaak⁶	1285
斬	jaam²	1286
站	jaam⁶	1287
暫	jaam⁶	1288
盞	jaan²	1289
贊	jaan³	1290
讚	jaan³	1291
撰	jaan⁶	1292
賺	jaan⁶	1293
爭	jaang¹	1294
猙	jaang¹	1295
掙	jaang¹°	1296
踭	jaang¹°	1297
劄	jaap³	1298
肶	jaap³	1299
閘	jaap⁶	1300
雜	jaap⁶	1301

集	jaap⁶	1302
習	jaap⁶	1303
襲	jaap⁶	1304
扎	jaat³	1305
嘲	jaau¹	1306
爪	jaau²	1307
找	jaau²	1308
罩	jaau³	1309
櫂	jaau⁶	1310
擠	jai¹	1311
仔	jai²	1312
	(ji²	**1430)**
濟	jai³	1313
際	jai³	1314
祭	jai³	1315
制	jai³	1316
掣	jai³	1317
	(chit³	**331)**
製	jai³	1318
滯	jai⁶	1319
則	jak¹°	1320
側	jak¹°	1321
鍼	jam¹°	1322
斟	jam¹	1323
砧	jam¹	1324
怎	jam²	1325
枕	jam²	1326
枕	jam³	1327
浸	jam³	1328
浸	jam⁶	1329
喉	jam⁶	1330
眞	jan¹	1331
珍	jan¹	1332
診	jan²	1333
	(chan²	**212)**
疹	jan²	1334
	(chan²	**213)**
振	jan³	1335
賑	jan³	1336
震	jan³	1337
鎭	jan³	1338
陣	jan⁶	1339
曾	jang¹	1340
	(chang⁴	**219)**
僧	jang¹°	1341
	(sang¹°	**2667)**

增	jang¹	1342
憎	jang¹	1343
贈	jang⁶	1344
執	jap¹°	1345
汁	jap¹°	1346
｜質	jat¹°	1347
	(ji³	1438)
疾	jat⁶	1348
嫉	jat⁶	1349
姪	jat⁶	1350
窒	jat⁶	1351
週	jau¹	1352
舟	jau¹	1353
州	jau¹	1354
洲	jau¹	1355
酒	jau²	1356
走	jau²	1357
咒	jau³	1358
晝	jau³	1359
縐	jau³	1360
就	jau⁶	1361
袖	jau⁶	1362
遮	je¹	1363
遮	je¹°	1364
嗜	je¹°	1365
姐	je²	1366
者	je²	1367
借	je³	1368
蔗	je³	1369
鷓	je³	1370
這	je³	1371
這	je⁵	1372
唧	jek¹°	1373
隻	jek³	1374
脊	jek³	1375
｜蓆	(jik³	1458)
	jek⁶	1376
	(jik⁶	1459)
｜精	jeng¹	1377
	(jing¹	1490)
｜井	jeng²	1378
	(jing²	1499)
｜正	jeng³	1379
	(jing¹	1494)
	(jing³	1495)
｜淨	jeng⁶	1380

	(jing⁶	1505)
｜灼	jeuk³	1381
	(cheuk³	255)
｜芍	jeuk³	1382
	(cheuk³	256)
｜桌	jeuk³	1383
	(cheuk³	257)
｜鵲	jeuk³	1384
	(cheuk	258)
｜繳	jeuk³	1385
	(giu²	932)
｜著	jeuk³	1386
	(jue³	1574)
｜嚼	jeuk³	1387
	(jiu⁶	1525)
着	jeuk⁶	1388
將	jeung¹	1389
將	jeung¹	1390
漿	jeung¹	1391
張	jeung¹	1392
章	jeung¹	1393
樟	jeung¹	1394
槳	jeung²	1395
獎	jeung²	1396
掌	jeung²	1397
｜長	jeung²	1398
	(cheung⁴	268)
醬	jeung³	1399
漲	jeung²	1400
漲	jeung³	1401
帳	jeung³	1402
瘴	jeung³	1403
障	jeung³	1404
仗	jeung³	1405
仗	jeung⁶	1406
丈	jeung⁶	1407
杖	jeung⁶	1408
杖	jeung⁶*	1409
匠	jeung⁶	1410
象	jeung⁶	1411
像	jeung⁶	1412
橡	jeung⁶	1413
滋	ji¹	1414
姿	ji¹	1415
資	ji¹	1416
吱	ji¹	1417

支	ji¹	1418
枝	ji¹	1419
知	ji¹	1420
知	ji³	1421
蜘	ji¹	1422
之	ji¹	1423
芝	ji¹	1424
肢	ji¹	1425
脂	ji¹	1426
祇	ji¹	1427
祗	ji²	1428
子	ji²	1429
仔	ji²	1430
|	(jai²)	1412)
姊	ji²	1431
紫	ji²	1432
止	ji²	1433
址	ji²	1434
趾	ji²	1435
指	ji²	1436
紙	ji²	1437
質	ji³	1438
至	ji³	1439
致	ji³	1440
志	ji³	1441
痣	ji³	1442
智	ji³	1443
置	ji³	1444
自	ji⁶	1445
字	ji⁶	1446
寺	ji⁶	1447
伺	ji⁶	1448
飼	ji⁶	1449
治	ji⁶	1450
痔	ji⁶	1451
即	jik¹°	1452
積	jik¹°	1453
蹟	jik¹°	1454
績	jik¹°	1455
織	jik¹°	1456
職	jik¹°	1457
脊	jik³	1458
|	(jek³)	1375)
|	jik⁶	1459
|	(jek⁶)	1376)
蓆	jik⁶	1460
席		

夕	jik⁶	1461
籍	jik⁶	1462
藉	jik⁶	1463
寂	jik⁶	1464
直	jik⁶	1465
值	jik⁶	1466
植	jik⁶	1467
殖	jik⁶	1468
尖	jim¹	1469
沾	jim¹	1470
漸	jim⁶	1471
占	jim¹	1472
占	jim³	1473
沾	jim¹	1474
瞻	jim¹	1475
譫	jim¹	1476
氈	jin¹°	1477
氈	jin¹	1478
箋	jin¹°	1479
煎	jin¹	1480
展	jin²	1482
輾	jin²	1483
箭	jin³	1484
薦	jin³	1485
餞	jin³	1486
戰	jin³	1487
賤	jin⁶	1488
晶	jing¹	1489
精	jing¹	1490
|	(jeng¹)	1377)
晴	jing¹	1491
貞	jing¹	1492
偵	jing¹	1493
正	jing¹	1494
正	jing³	1495
|	(jeng³)	1379)
征	jing¹	1496
蒸	jing¹	1497
徵	jing¹	1498
井	jing²	1499
|	(jeng²)	1378)
整	jing²	1500
政	jing³	1501
症	jing³	1502
證	jing³	1503
靜	jing⁶	1504

淨	jing⁶	1505
	(jeng⁶	**1380)**
囁	jip¹°	1506
接	jip³	1507
摺	jip³	1508
嘀	jit¹°	1509
節	jit³	1510
折	jit³	1511
哲	jit³	1512
浙	jit³	1513
截	jit⁶	1514
捷	jit⁶	1515
ǀ 朝	jiu¹	1516
	(chiu⁴	**334)**
招	jiu¹	1517
焦	jiu¹	1518
礁	jiu¹	1519
蕉	jiu¹°	1520
椒	jiu¹	1521
沼	jiu²	1522
照	jiu³	1523
召	jiu⁶	1524
嚼	jiu⁶	1525
	(jeuk⁶	**1387)**
租	jo¹	1526
遭	jo¹	1527
早	jo²	1528
祖	jo²	1529
組	jo²	1530
澡	jo²	1531
棗	jo²	1532
蚤	jo²	1533
竈	jo³	1534
做	jo⁶	1535
ǀ 造	jo⁶	1536
	(cho³	**347)**
左	joh²	1537
阻	joh²	1538
咀	joh²	1539
佐	joh³	1540
ǀ 坐	joh⁶	1541
	(choh⁵	**358)**
座	joh⁶	1542
助	joh⁶	1543
栽	joi¹	1544
災	joi¹	1545

載	joi³	1546
再	joi³	1547
在	joi⁶	1548
作	jok³	1549
昨	jok⁶	1550
鑿	jok⁶	1551
鑿	jok⁶*	1552
妝	jong¹	1553
裝	jong¹	1554
裝	jong¹°	1555
樁	jong¹	1556
莊	jong¹	1557
臟	jong¹	1558
壯	jong³	1559
葬	jong³	1560
狀	jong⁶	1561
ǀ 撞	jong⁶	1562
	(chong⁴	**377)**
ǀ 藏	jong⁶	1563
	(chong⁴	**375)**
臟	jong⁶	1564
朱	jue¹	1565
珠	jue¹°	1566
侏	jue¹	1567
豬	jue¹°	1568
主	jue²	1569
煮	jue²	1570
注	jue³	1571
蛀	jue³	1572
註	jue³	1573
著	jue³	1574
	(jeuk³	**1386)**
住	jue⁶	1575
專	juen¹	1576
磚	juen¹	1577
ǀ 尊	juen¹	1578
	(jun¹	**1613)**
ǀ 遵	juen¹	1579
	(jun¹	**1614)**
鑽	juen¹	1580
鑽	juen³	1581
轉	juen³	1582
轉	juen³*	1583
傳	juen⁶	1584
	(chuen⁴	**395)**
啜	juet³	1585

輆	juet³	1586
絕	juet⁶	1587
追	jui¹	1588
狙	jui¹	1589
嘴	jui²	1590
醉	jui³	1591
最	jui³	1592
序	jui⁶	1593
序	jui⁶*	1594
敍	jui⁶	1595
罪	jui⁶	1596
聚	jui⁶	1597
嶼	jui⁶	1598
竹	juk¹°	1599
築	juk¹°	1600
燭	juk¹°	1601
觸	juk¹°	1602
噣	juk¹°	1603
祝	juk¹°	1604
粥	juk¹°	1605
足	juk¹°	1606
捉	juk³	1607
逐	juk⁶	1608
濁	juk⁶	1609
俗	juk⁶	1610
族	juk⁶	1611
續	juk⁶	1612
尊	jun¹	1613
	(juen¹	**1578)**
遵	jun¹	1614
	(juen¹	**1579)**
樽	jun¹	1615
津	jun¹	1616
准	jun²	1617
準	jun²	1618
進	jun³	1619
盡	jun⁶	1620
中	jung¹	1621
中	jung³	1622
忠	jung¹	1623
盅	jung¹°	1624
終	jung¹	1625
鍾	jung¹	1626
鐘	jung¹°	1627
宗	jung¹	1628
踪	jung¹	1629

棕	jung¹	1630
縱	jung¹	1631
縱	jung³	1632
總	jung²	1633
粽	jung²	1634
種	jung²	1635
種	jung³	1636
綜	jung³	1637
眾	jung³	1638
｜重	jung⁶	1639
	(chung⁴	**441)**
	(chung⁵	**442)**
｜從	jung⁶	1640
	(chung⁴	**437)**
	(sung¹	**2970)**
卒	jut¹°	1641

K

卡	ka¹	1642
楷	kai²	1643
咭	kaat¹°	1644
靠	kaau³	1645
稽	kai¹	1646
稽	kai²	1647
溪	kai¹	1648
啟	kai²	1649
契	kai³	1650
襟	kam¹	1651
唥	kam¹	1652
冤	kam²	1653
｜噙	kam⁴	1654
	(cham⁴	**209)**
琴	kam⁴	1655
妗	kam⁵	1656
勤	kan⁴	1657
芹	kan⁴	1658
｜近	kan⁵	1659
	(gan⁶	**851)**
梢	kang³	1660
吸	kap¹°	1661
級	kap¹°	1662
給	kap¹°	1663
及	kap⁶	1664
咳	kat¹°	1665
摳	kau¹	1666

丨	溝	kau1	1667
		(gau1	**861)**
丨	構	kau3	1668
		(gau3	**870)**
丨	購	kau3	1669
		(gau3	**871)**
	扣	kau3	1670
	叩	kau3	1671
	求	kau4	1672
	球	kau4	1673
	舅	kau5	1674
	茄	ke1	1675
	茄	ke3*	1676
丨	騎	ke4	1677
		(kei4	**1679)**
	⿰足企	kei2	1678
丨	騎	kei4	1679
		(ke4	**1677)**
	其	kei4	1680
	旗	kei4	1681
	期	kei4	1682
	棋	kei4	1683
	琪	kei4	1684
	奇	kei4	1685
	祈	kei4	1686
	企	kei5	1687
	屐	kek6	1688
	劇	kek6	1689
	卻	keuk3	1690
	强	keung4	1691
	强	keung5	1692
	鏹	keung5	1693
	鉗	kim4	1694
	鉗	kim4*	1695
丨	乾	kin4	1696
		(gon1	**958)**
	虔	kin4	1697
	傾	king1	1698
	頃	king2	1699
	鯨	king4	1700
	揭	kit3	1701
	竭	kit3	1702
	嘺	kiu2	1703
	橋	kiu4	1704
	橋	kiu4*	1705
	僑	kiu4	1706
丨	蓋	koi3	1707
		(goi3	**948)**
	確	kok3	1708
	慷	kong2	1709
	抗	kong3	1710
	拳	kuen4	1711
	權	kuen4	1712
	顴	kuen4	1713
	決	kuet3	1714
	缺	kuet3	1715
	區	kui1	1716
	驅	kui1	1717
	拘	kui1	1718
	俱	kui1	1719
	渠	kui4	1720
丨	距	kui5	1721
		(gui6	**986)**
	拒	kui5	1722
	佢	kui5	1723
	曲	kuk1°	1724
	窮	kung4	1725

KW

	誇	kwa1	1726
	框	kwaang1°	1727
	⿰口隙	kwaat1°	1728
	規	kwai1	1729
	規	kwai1°	1730
	窺	kwai1	1731
	虧	kwai1	1732
	葵	kwai4	1733
	攜	kwai4	1734
	坤	kwan1	1735
	捆	kwan2	1736
	菌	kwan2	1737
	困	kwan3	1738
	窘	kwan3	1739
	羣	kwan4	1740
	裙	kwan4	1741
丨	礦	kwong3	1742
		(gwong3	**1052)**
	擴	kwong3	1743
	曠	kwong3	1744
	箍	kwoo1	1745
	箍	kwoo1°	1746

潰	kwooi²	1747
會	kwooi²	1748
	(wooi⁵	**3288)**
	(wooi⁶	**3289)**
	(wooi⁶*	**3290)**
劊	kwooi²	1749
繪	kwooi³	1750
括	kwoot³	1751
豁	kwoot³	1752

L

拉	la¹	1753
	(laai¹	**1757)**
啦	la¹°	1754
喇	la³	1755
嚹	la⁴	1756
拉	laai¹	1757
	(la¹	**1753)**
攋	laai¹°	1758
瓹	laai²	1759
瓹	laai⁵	1760
癩	laai³	1761
賴	laai⁶	1762
嬾	laai⁶	1763
攬	laam²	1764
欖	laam²	1765
颭	laam³	1766
籃	laam⁴	1767
籃	laam⁴*	1768
藍	laam⁴	1769
覽	laam⁵	1770
濫	laam⁶	1771
艦	laam⁶	1772
纜	laam⁶	1773
躝	laan¹	1774
闌	laan⁴	1775
欄	laan⁴	1776
蘭	laan⁴	1777
懶	laan⁵	1778
爛	laan⁶	1779
呤	laang¹°	1780
冷	laang⁵	1781
冷	laang⁵°	1782
臘	laap⁶	1783
蠟	laap⁶	1784

拹	laap⁶	1785
擸	laap⁶	1786
立	laap⁶	1787
辣	laat⁶	1788
列	laat⁶	1789
	(lit⁶	**1908)**
撈	laau⁴	1790
	(lo¹	**1925)**
	(lo⁴	**1926)**
犂	lai⁴	1791
嚟	lai⁴	1792
禮	lai⁵	1793
麗	lai⁶	1794
荔	lai⁶	1795
例	lai⁶	1796
嘞	lak³	1797
勒	lak⁶	1798
肋	lak⁶	1799
菻	lam¹°	1800
檁	lam³	1801
檁	lam⁶	1802
林	lam⁴	1803
淋	lam⁴	1804
痳	lam⁴	1805
臨	lam⁴	1806
凜	lam⁵	1807
笠	lap¹°	1808
立	lap⁶	1809
	(laap⁶	**1787)**
	lat¹°	1810
甩	lau¹	1811
摟	lau⁴	1812
摟	lau⁵	1813
褸	lau¹°	1814
留	lau⁴	1815
榴	lau⁴	1816
瘤	lau⁴	1817
瘤	lau⁴*	1818
劉	lau⁴	1819
樓	lau⁴	1820
樓	lau⁴*	1821
流	lau⁴	1822
琉	lau⁴	1823
硫	lau⁴	1824
柳	lau⁵	1825
漏	lau⁶	1826

陋	lau⁶	1827	良	leung⁴	1866
溜	lau⁶	1828	糧	leung⁴	1867
咧	le³	1829	涼	leung⁴	1868
咧	le⁵	1830	樑	leung⁴	1869
咧	le⁶	1831	量	leung⁴	1870
梨	lei⁴	1832	量	leung⁶	1871
梨	lei⁴*	1833	兩	leung⁵	1872
籬	lei⁴	1834	諒	leung⁶	1873
離	lei⁴	1835	瀝	lik⁶	1874
離	lei⁶	1836	力	lik⁶	1875
鰲	lei⁴	1837	曆	lik⁶	1876
罹	lei⁴	1838	歷	lik⁶	1877
里	lei⁵	1839	廉	lim⁴	1878
哩	lei⁵	1840	簾	lim⁴	1879
浬	lei⁵	1841	簾	lim⁴*	1880
俚	lei⁵	1842	鎌	lim⁴	1881
理	lei⁵	1843	臉	lim⁵	1882
｜裏	lei⁵	1844	臉	lim⁵*	1883
	(lui⁵	**1995)**	殮	lim⁵	1884
｜履	lei⁵	1845	殮	lim⁶	1885
	(lui⁵	**1996)**	連	lin⁴	1886
鯉	lei⁵	1846	蓮	lin⁴	1887
鯉	lei⁵	1847	鏈	lin⁶	1888
李	lei⁵	1848	鏈	lin⁶*	1889
李	lei⁵*	1859	煉	lin⁶	1890
利	lei⁶	1850	練	lin⁶	1891
痢	lei⁶	1851	憐	lin⁴	1892
脷	lei⁶	1852	嶺	ling¹°	1893
蒞	lei⁶	1853	｜靚	ling³	1894
叻	lek¹°	1854		**(leng³**	**1855)**
｜靚	leng³	1855		**(leng³°**	**1856)**
｜靚	leng³°	1856	｜零	ling⁴	1895
	(ling³	**1894)**		**(leng⁴**	**1857)**
｜零	leng⁴	1857	｜靈	ling⁴	1896
	(ling⁴	**1895)**		**leng⁴**	**1858**
｜靈	leng⁴	1858	｜領	ling⁵	1897
	(ling⁴	**1896)**		**leng⁵**	**1860**
鱗	leng⁴	1859	｜嶺	ling⁵	1898
｜領	leng⁵	1860		**leng⁵**	**1861**
	(ling⁵	**1897)**	羚	ling⁴	1899
｜嶺	leng⁵	1861	綾	ling⁴	1900
	(ling⁵	**1898)**	菱	ling⁴	1901
碌	leuh¹	1862	凌	ling⁴	1902
略	leuk⁶	1863	另	ling⁶	1903
掠	leuk⁶	1864	令	ling⁶	1904
両	leung²	1865	嚦	lip¹°	1905

獵	lip⁶	1906	攞	loh²	1948
纈	lit³	1907	裸	loh²	1949
列	lit⁶	1908	爛	loh³	1950
	laat⁶	**1789**	羅	loh⁴	1951
烈	lit⁶	1909	籮	loh⁴	1952
裂	lit⁶	1910	鑼	loh⁴	1953
撩	liu¹	1911	鑼	loh⁴*	1954
撩	liu²	1912	蘿	loh⁴	1955
撩	liu⁴	1913	螺	loh⁴	1956
燎	liu⁴	1914	螺	loh⁴*	1957
潦	liu⁴	1915	邏	loh⁴	1958
	(lo⁵	**1942)**	邏	loh⁶	1959
瞭	liu⁴	1916	來	loi⁴	1960
瞭	liu⁵	1917	來	loi⁶	1961
療	liu⁴	1918	倈	loi⁴	1962
遼	liu⁴	1919	崍	loi⁶	1963
鐐	liu⁴	1920	咯	lok³	1964
寥	liu⁴	1921	洛	lok³	1965
了	liu⁵	1922	烙	lok³	1966
料	liu⁶	1923	絡	lok³	1967
料	liu⁶*	1924	駱	lok³	1968
撈	lo¹	1925	落	lok⁶	1969
撈	lo⁴	1926	樂	lok⁶	1970
	(laau⁴	**1790)**		**(ngaau⁶**	**2324)**
佬	lo²	1927		**(ngok⁶**	**2367)**
勞	lo⁴	1928	哴	long¹	1971
勞	lo⁶	1929	哴	long²	1972
癆	lo⁴	1930	晾	long³	1973
爐	lo⁴	1931	晾	long⁶	1974
爐	lo⁴*	1932	郎	long⁴	1975
蘆	lo⁴	1933	狼	long⁴	1976
鸕	lo⁴	1934	朗	long⁵	1977
牢	lo⁴	1935	浪	long⁶	1978
盧	lo⁴	1936	孿	luen¹	1979
老	lo⁵	1937	聯	luen⁴	1980
擄	lo⁵	1938	戀	luen⁵	1981
櫓	lo⁵	1939	亂	luen⁶	1982
魯	lo⁵	1940	捋	luet³	1983
鹵	lo⁵	1941	劣	luet³	1984
潦	lo⁵	1942	雷	lui⁴	1985
	(liu⁴	**1915)**	擂	lui⁴	1986
路	lo⁶	1943	鐳	lui⁴	1987
露	lo⁶	1944	驢	lui⁴	1988
囉	loh¹°	1945	累	lui⁴	1989
囉	loh³	1946	累	lui⁵	1990
囉	loh⁴	1947	累	lui⁶	1991

鋁	lui⁵	1992		**M**	
屢	lui⁵	1993			
旅	lui⁵	1994	唔	m⁴	2032
| 裏	lui⁵	1995	| 五	m⁵	2033
	(lei⁵	**1844)**		**(ng⁵**	**2337)**
| 履	lui⁵	1996	孖	ma¹	2034
	(lei⁵	**1845)**	媽	ma¹°	2035
| 彙	lui⁵	1997	媽	ma⁴	2036
	(wai⁶	**3215)**	嬤	ma¹°	2037
	(wooi⁶	**3293)**	嬤	ma⁵	2038
類	lui⁶	1998	嬤	ma⁶	2039
淚	lui⁶	1999	嗎	ma³	2040
慮	lui⁶	2000	嗎	ma⁵°	2041
轆	luk¹°	2001	蔴	ma⁴	2042
碌	luk¹°	2002	麻	ma⁴	2043
六	luk⁶	2003	麻	ma⁴*	2044
陸	luk⁶	2004	痳	ma⁴	2045
綠	luk⁶	2005	蔬	ma⁴	2046
氯	luk⁶	2006	馬	ma⁵	2047
錄	luk⁶	2007	瑪	ma⁵	2048
鹿	luk⁶	2008	碼	ma⁵	2049
鹿	luk⁶*	2009	罵	ma⁶	2050
漉	luk⁶	2010	埋	maai⁴	2051
倫	lun⁴	2011	買	maai⁵	2052
淪	lun⁴	2012	賣	maai⁶	2053
輪	lun⁴	2013	擘	maak³	2054
隣	lun⁴	2014	蠻	maan⁴	2055
鱗	lun⁴	2015	饅	maan⁴	2056
卵	lun⁵	2016	晚	maan⁵	2057
卵	lun⁵*	2017	萬	maan⁶	2058
論	lun⁶	2018	曼	maan⁶	2059
客	lun⁶	2019	慢	maan⁶	2060
紊	lun⁶	2020	蔓	maan⁶	2061
	(man⁶	**2099)**	| 繃	maang¹	2062
隆	lung¹°	2021		**(bang¹**	**71)**
龍	lung⁴	2022	盲	maang⁴	2063
龍	lung⁴*	2023	猛	maang⁵	2064
籠	lung⁴	2024	錳	maang⁵	2065
聾	lung⁴	2025	錳	maang⁵°	2066
隆	lung⁴	2026	蜢	maang⁵	2067
槓	lung⁵	2027	蜢	maang⁵*	2068
弄	lung⁶	2028	| 抹	maat³	2069
牽	lut⁶	2029		**(moot³**	**2220)**
	(sut¹°	**2979)**	貓	maau¹°	2070
律	lut⁶	2030	矛	maau⁴	2071
栗	lut⁶	2031	茅	maau⁴	2072

	錨	maau⁴	2073		某	mau⁵	2114
		(naau⁴	2258)		畝	mau⁵	2115
	牡	maau⁵	2074		牡	mau⁵	2116
		(mau⁵	2116)			(maau⁵	2074)
	貌	maau⁶	2075		貿	mau⁶	2117
	咪	mai¹	2076		茂	mau⁶	2118
	咪	mai¹°	2077		謬	mau⁶	2119
	咪	mai⁵	2078		咩	me¹°	2120
		(mei¹°	2123)		俱	me¹	2121
	迷	mai⁴	2079		歪	me²	2122
	米	mai⁵	2080		咪	mei¹°	2123
	嘜	mak¹°	2081			(mai¹	2076)
	墨	mak⁶	2082			(mai¹°	2077)
	默	mak⁶	2083			(mai⁵	2078)
	麥	mak⁶	2084		微	mei⁴	2124
	脈	mak⁶	2085		眉	mei⁴	2125
	陌	mak⁶	2086		美	mei⁵	2126
	文	man⁴	2087		鎂	mei⁵	2127
	文	man⁶	2088		尾	mei⁵	2128
	紋	man⁴	2089		尾	mei⁵°	2129
	蚊	man⁴	2090		未	mei⁶	2130
	蚊	man⁴°	2091		味	mei⁶	2131
	民	man⁴	2092		媚	mei⁶	2132
	聞	man⁴	2093		名	meng⁴*	2133
	聞	man⁶	2094			(ming⁴	2143)
	敏	man⁵	2095		命	meng⁶	2134
	繁	man⁵	2096			(ming⁶	2147)
	吻	man⁵	2097		乜	mi¹°	2135
	問	man⁶	2098			(mat¹°	2135)
	紊	man⁶	2099		覓	mik⁶	2136
		(lun⁶	2020)		棉	min⁴	2137
	摱	mang¹	2100		免	min⁵	2138
	摱	mang³	2101		勉	min⁵	2139
	恾	mang²	2102		面	min⁶	2140
	盟	mang⁴	2103		面	min⁶*	2141
	萌	mang⁴	2104		麵	min⁶	2142
	乜	mat¹°	2105		名	ming⁴	2143
		(mi¹°	2135)			(meng⁴*	2133)
	勿	mat⁶	2106		明	ming⁴	2144
	物	mat⁶	2107		鳴	ming⁴	2145
	密	mat⁶	2108		螟	ming⁴	2146
	蜜	mat⁶	2109		命	ming⁶	2147
	襪	mat⁶	2110			(meng⁶	2134)
	踎	mau¹	2111		搣	mit¹°	2148
	謀	mau⁴	2112		滅	mit⁶	2149
	牟	mau⁴	2113		蔑	mit⁶	2150

篾	mit⁶	2151		忘	mong⁴	2195
喵	miu¹°	2152		忙	mong⁴	2196
呦	miu²	2153		杧	mong⁴	2197
苗	miu⁴	2154		杧	mong⁴°	2198
描	miu⁴	2155		茫	mong⁴	2199
瞄	miu⁴	2156		網	mong⁵	2200
秒	miu⁵	2157		莽	mong⁵	2201
渺	miu⁵	2158		蟒	mong⁵	2202
藐	miu⁵	2159		妄	mong⁵	2203
妙	miu⁶	2160		望	mong⁶	2204
廟	miu⁶	2161		梅	mooi⁴	2205
廟	miu⁶*	2162		霉	mooi⁴	2206
無	mo⁴	2163		媒	mooi⁴	2207
毛	mo⁴	2164		煤	mooi⁴	2208
巫	mo⁴	2165		枚	mooi⁴	2209
誣	mo⁴	2166		玫	mooi⁴	2210
模	mo⁴	2167		每	mooi⁵	2211
母	mo⁵	2168		妹	mooi⁶	2212
冇	mo⁵	2169		妹	mooi⁶*	2213
舞	mo⁵	2170		昧	mooi⁶	2214
侮	mo⁵	2171		門	moon⁴	2215
武	mo⁵	2172		們	moon⁴	2216
冒	mo⁶	2173		瞞	moon⁴	2217
帽	mo⁶	2174		滿	moon⁵	2218
帽	mo⁶*	2175		悶	moon⁶	2219
募	mo⁶	2176		抹	moot³	2220
墓	mo⁶	2177		**(maat³**		**2069)**
務	mo⁶	2178		末	moot⁶	2221
霧	mo⁶	2179		茉	moot⁶	2222
摩	moh¹	2180		沒	moot⁶	2223
魔	moh¹	2181		木	muk⁶	2224
嚤	moh¹°	2182		沐	muk⁶	2225
麼	moh¹°	2183		目	muk⁶	2226
摸	moh²	2184		牧	muk⁶	2227
(mok³		**2190)**		睦	muk⁶	2228
蘑	moh⁴	2185		蒙	mung⁴	2229
磨	moh⁴	2186		矇	mung⁴	2230
磨	moh⁶	2187		懵	mung⁵	2231
磨	moh⁶*	2188		懵	mung⁵*	2232
剝	mok¹°	2189		夢	mung⁶	2233
摸	mok³	2190				
(moh²		**2184)**		**N**		
莫	mok⁶	2191				
幕	mok⁶	2192		瘴	na¹°	2234
漠	mok⁶	2193		嗱	na²	2235
亡	mong⁴	2194		拿	na⁴	2236

984

嗱	na⁴	2237		鈕	nau²	2278
那	na⁵	2238		繡	nau⁶	2279
那	na⁶	2239	ǀ	呢	ne¹°	2280
哪	na⁵	2240			**(nei⁴**	**2281)**
孻	naai²	2241			**(nei⁴°**	**2282)**
叨	naai³	2242	ǀ	呢	nei⁴	2281
奶	naai⁵	2243	ǀ	呢	nei⁴°	2282
奶	naai⁵°	2244			**(ne¹°**	**2280)**
奶	naai⁴	2245		尼	nei⁴	2283
南	naam⁴	2246		彌	nei⁴	2284
喃	naam⁴	2247		你	nei⁵	2285
男	naam⁴	2248		膩	nei⁶	2286
孻	naan³	2249		餌	nei⁶	2287
難	naan⁴	2250		娘	neung⁴	2288
難	naan⁶	2251		哼	ng¹	2289
赧	naan⁵	2252		吾	ng⁴	2290
納	naap⁶	2253		蜈	ng⁴	2291
衲	naap⁶	2254	ǀ	五	ng⁵	2292
ǀ 鈉	naap⁶	2255			**(m⁵**	**2033)**
	(naat³	**2256)**		伍	ng⁵	2293
ǀ 鈉	naat³	2256		午	ng⁵	2294
	(naap⁶	**2255)**		仵	ng⁵	2295
捺	naat⁶	2257		忤	ng⁵	2296
ǀ 錨	naau⁴	2258		悟	ng⁶	2297
	(maau⁴	**2073)**		誤	ng⁶	2298
撓	naau⁵	2259		牙	nga⁴	2299
撓	naau⁵*	2260		芽	nga⁴	2300
鬧	naau⁶	2261		衙	nga⁴	2301
泥	nai⁴	2262		瓦	nga⁵	2302
齷	nak¹°	2263		崖	ngaai⁴	2303
諗	nam²	2264	ǀ	捱	ngaai⁴	2304
腍	nam⁴	2265			**(aai⁴**	**10)**
稔	nam⁵	2266		艾	ngaai⁶	2305
喼	nam⁶	2267		刈	ngaai⁶	2306
ǀ 揗	nan²	2268		噯	ngaak⁶	2307
	(nin²	**2380)**		額	ngaak⁶	2308
襟	nang³	2269		額	ngaak⁶*	2309
能	nang⁴	2270		喦	ngaam¹°	2310
粒	nap¹°	2271		巖	ngaam⁴	2311
凹	nap¹°	2272		癌	ngaam⁴	2312
溚	nap⁶	2273		顏	ngaan⁴	2313
ǀ 吶	nat⁶	2274		孻	ngaan⁴	2314
	(nut⁶	**2414)**		眼	ngaan⁵	2315
嫲	nau¹	2275		雁	ngaan⁶	2316
扭	nau²	2276		贗	ngaan⁶	2317
紐	nau²	2277		硬	ngaang⁶	2318

齧	ngaat⁶	2319	我	ngoh⁵	2357
鮨	ngaau⁴	2320	餓	ngoh⁶	2358
淆	ngaau⁴	2321	｜獃	ngoi⁴	2359
｜熬	ngaau⁴	2322		(daai¹	447)
	(ngo⁴	2350)	外	ngoi⁶	2360
咬	ngaau⁵	2323	礙	ngoi⁶	2361
｜樂	ngaau⁶	2324	咢	ngok⁶	2362
	(lok⁶	1970)	腭	ngok⁶	2363
	(ngok⁶	2367)	鱷	ngok⁶	2364
啱	ngai¹	2325	愕	ngok⁶	2365
危	ngai⁴	2326	岳	ngok⁶	2366
霓	ngai⁴	2327	｜樂	ngok⁶	2367
蟻	ngai⁵	2328		(lok⁶	1970)
毅	ngai⁶	2329		(ngaau⁶	2324)
藝	ngai⁶	2330	岸	ngon⁶	2368
偽	ngai⁶	2331	戇	ngong⁶	2369
啥	ngam⁴	2332	ni¹°	ni¹°	2370
夭	ngan¹	2333	聞	ni¹	2371
夭	ngan³	2334	匿	nik¹°	2372
銀	ngan⁴	2335	暱	nik¹°	2373
銀	ngan⁴*	2336	搦	nik¹°	2374
｜韌	ngan⁶	2337	溺	nik⁶	2375
｜韌	ngan⁶°	2338	拈	nim¹	2376
	(yan⁶	3333)	黏	nim¹	2377
嗧	ngap¹°	2339	念	nim⁶	2378
嗧	ngap³	2340	乳	nin¹°	2379
抓	ngat¹°	2341	｜撚	nin²	2380
兀	ngat⁶	2342		(nan²	2268)
｜勾	ngau¹	2343	年	nin⁴	2381
	(gau¹	862)	碾	nin⁵	2382
｜鈎	ngau¹°	2344	擰	ming¹	2383
	(gau¹	863)	擰	ning⁶	2384
牛	ngau⁴	2345	寧	ning⁴	2385
偶	ngau⁵	2346	檸	ning⁴	2386
藕	ngau⁵	2347	捏	nip⁶	2387
吽	ngau⁶	2348	鑷	nip⁶	2388
｜齧	ngit⁶	2349	鑷	nip⁶°	2389
	(ngaat⁶	2319)	林	niu¹	2390
｜熬	ngo⁴	2350	鳥	niu⁵	2391
	(ngaau⁴	2322)	尿	niu⁶	2392
撒	ngo⁴	2351	奴	no⁴	2393
遨	ngo⁴	2352	努	no⁵	2394
傲	ngo⁶	2353	腦	no⁵	2395
俄	ngoh⁴	2354	怒	no⁶	2396
鵝	ngoh⁴	2355	挪	noh⁴	2397
鵝	ngoh⁴*	2356	糯	noh⁶	2398

懦	noh⁶	2399
內	noi⁶	2400
奈	noi⁶	2401
耐	noi⁶	2402
諾	nok⁶	2403
囊	nong⁴	2404
瓤	nong⁴	2405
暖	nuen⁵	2406
嫩	nuen⁶	2407
女	nui⁵	2408
女	nui⁵*	2409
爐	nung¹	2410
農	nung⁴	2411
濃	nung⁴	2412
｜ 膿	(yung⁴	3599)
｜ 呐	nung⁴	2413
	nut⁶	2414
	(nat⁶	2274)

O

澳	o¹	2415
襖	o²	2416
奧	o³	2417
懊	o³	2418
澳	o³	2419
｜ 阿	oh¹	2420
	(a³	5)
屙	oh¹	2421
疴	oh¹	2422
哦	oh⁴	2423
啊	oh⁶	2424
｜ 埃	oi¹	2425
	(aai¹	11)
哀	oi¹	2426
愛	oi³	2427
｜ 惡	ok³	2428
	(woo³	3268)
安	on¹	2429
鞍	on¹	2430
案	on³	2431
按	on³	2432
盎	ong³	2433

P

耙	pa¹	2434
怕	pa³	2435
扒	pa⁴	2436
爬	pa⁴	2437
耙	pa⁴	2438
派	paai³	2439
派	paai³°	2440
排	paai⁴	2441
牌	paai⁴	2442
牌	paai⁴*	2443
拍	paak³	2444
拍	paak³*	2445
拍	paak³°	2446
魄	paak³	2447
泊	paak³	2448
攀	paan¹	2449
盼	paan³	2450
膨	paang⁴	2451
彭	paang⁴	2452
棚	paang⁴	2453
棒	paang⁵	2454
抛	paau¹	2455
｜ 泡	paau¹°	2456
｜ 泡	paau³	2457
	(po⁵	2540)
	(pok¹°	2547)
跑	paau²	2458
炮	paau³	2459
砲	paau³	2460
豹	paau³	2461
刨	paau⁴	2462
鉋	paau⁴	2463
鉋	paau⁴*	2464
批	pai¹	2465
噴	pan³	2466
貧	pan⁴	2467
頻	pan⁴	2468
嬪	pan⁴	2469
｜ 嶺	(ping⁴	2514)
牝	pan⁵	2470
朋	pang⁴	2471
硼	pang⁴	2472
憑	pang⁴	2473
匹	pat¹°	2474

乒	pat¹°	2475	｜蘋	ping⁴	2514
剖	pau²	2476		**(pan⁴**	**2469)**
披	pei¹	2477	｜瓶	ping⁴	2515
砒	pei¹	2478		**(peng⁴***	**2492)**
劇	pei¹	2479	｜平	ping⁴	2516
鄙	pei²	2480		**(peng⁴**	**2493)**
譬	pei³	2481	萍	ping⁴	2517
皮	pei⁴	2482	評	ping⁴	2518
皮	pei⁴*	2483	屏	ping⁴	2519
疲	pei⁴	2484	撇	pit³	2520
枇	pei⁴	2485	瞥	pit³	2521
琵	pei⁴	2486	飄	piu¹	2522
貔	pei⁴	2487	漂	piu¹	2523
脾	pei⁴	2488	漂	piu³	2524
裨	pei⁴	2489	票	piu³	2525
被	pei⁵	2490	嫖	piu⁴	2526
｜	**(bei⁶**	**82)**	剽	piu⁵	2527
	(bei⁶*	**83)**	鋪	po¹	2528
劈	pek³	2491	鋪	po¹°	2529
｜瓶	peng⁴	2492	鋪	po³	2530
	(ping⁴	**2515)**	鋪	po³*	2531
｜平	peng⁴	2493	普	po²	2532
	(ping⁴	**2516)**	甫	po²	2533
僻	pik¹°	2494	甫	po³	2534
闢	pik¹°	2495	袍	po⁴	2535
癖	pik¹°	2496	菩	po⁴	2536
霹	pik¹°	2497	葡	po⁴	2537
｜扁	pin¹	2498	蒲	po⁴	2538
	(bin²	**97)**	抱	po⁵	2539
偏	pin¹	2499	｜泡	po⁵	2540
篇	pin¹	2500		**(paau¹°**	**2456)**
編	pin¹	2501		**(paau³**	**2457)**
翩	pin¹	2502		**(pok¹°**	**2547)**
片	pin³	2503	奇	poh¹	2541
片	pin³*	2504	頗	poh¹	2542
騙	pin³	2505	頗	poh²	2543
｜便	pin⁴	2506	叵	poh²	2544
	(bin⁶	**100)**	破	poh³	2545
｜乒	ping¹	2507	婆	poh⁴	2546
	(bing¹	**104)**	｜泡	pok¹°	2547
拼	ping¹	2508		**(paau¹°**	**2456)**
姘	ping¹	2509		**(paau³**	**2457)**
拌	ping¹	2510		**(po⁵**	**2540)**
砰	ping¹	2511	撲	pok³	2548
砰	ping⁴	2512	樸	pok³	2549
聘	ping³	2513	朴	pok³	2550

謗	pong³	2551
旁	pong⁴	2552
膀	pong⁴	2553
龐	pong⁴	2554
彷	pong⁴	2555
蚌	pong⁵	2556
坯	pooi¹	2557
胚	pooi¹	2558
配	pooi³	2559
佩	pooi³	2560
培	pooi⁴	2561
賠	pooi⁴	2562
陪	pooi⁴	2563
徘	pooi⁴	2564
倍	pooi⁵	2565
丨	poon¹	2566
番	**(faan¹**	**642)**
判	poon³	2567
拌	poon³	2568
胖	poon³	2569
胖	poon⁴	2570
磐	poon⁴	2571
蟠	poon⁴	2572
盆	poon⁴	2573
盤	poon⁴	2574
盤	poon⁴*	2575
伴	poon⁵	2576
丨	**(boon⁶**	**155)**
潑	poot³	2577
撥	poot³	2578
仆	puk¹°	2579
丨	pung²	2580
捧	**(bung²**	**161)**
	(fung²	**767)**
碰	pung³	2581
篷	pung⁴	2582
蓬	pung⁴	2583

S

卅	sa¹	2584
沙	sa¹	2585
痧	sa¹°	2586
砂	sa¹°	2587
紗	sa¹°	2588
鯊	sa¹°	2589

灑	sa²	2590
耍	sa²	2591
挀	saai¹	2592
徙	saai²	2593
曬	saai³	2594
哂	saai³	2595
舐	saai⁵	2596
索	saak³	2597
	(sok³	**2895)**
揀	saak³	2598
三	saam¹	2599
三	saam³	2600
三	saam¹°	2601
衫	saam¹	2602
杉	**(chaam³**	**176)**
舢	saam¹	2603
山	saan¹	2604
删	saan¹	2605
珊	saan¹	2606
閂	saan¹	2607
閂	saan¹°	2608
散	saan²	2609
散	saan³	2610
傘	saan³	2611
疝	saan³	2612
訕	saan³	2613
涮	saan³	2614
孱	saan⁴	2615
生	saang¹	2616
牲	saang¹	2617
甥	saang¹	2618
省	saang²	2619
	(sing²	**2823)**
擋	saang²	2620
霉	saap³	2621
撒	saat³	2622
殺	saat³	2623
煞	saat³	2624
筲	saau¹	2625
稍	saau²	2626
哨	saau³	2627
西	sai¹	2628
犀	sai¹	2629
篩	sai¹	2630
篩	sai¹°	2631
洗	sai²	2632

使	sai²	2633	失	sat¹°	2674
	(si²	2761)	室	sat¹°	2675
	(si³	2762)	虱	sat¹°	2676
駛	sai²	2634	實	sat⁶	2677
細	sai³	2635	修	sau¹	2678
婿	sai³	2636	脩	sau¹	2679
世	sai³	2637	羞	sau¹	2680
勢	sai³	2638	收	sau¹	2681
誓	sai⁶	2639	搜	sau¹	2682
逝	sai⁶	2640	搜	sau²	2683
塞	sak¹°	2641	守	sau²	2684
心	sam¹°	2642	首	sau²	2685
森	sam¹	2643	手	sau²	2686
深	sam¹	2644	秀	sau³	2687
參	sam¹	2645	綉	sau³	2688
	(chaam¹	174)	銹	sau³	2689
	(cham¹	204)	漱	sau³	2690
審	sam²	2646		(so³	2878)
嬸	sam²	2647	嗽	sau³	2691
瀋	sam²	2648	宿	sau³	2692
渗	sam²	2649		(suk¹°	2951)
滲	sam³	2650	獸	sau³	2693
甚	sam⁶	2651	瘦	sau³	2694
辛	san¹	2652	狩	sau³	2695
鋅	san¹	2653	愁	sau⁴	2696
薪	san¹	2654	仇	sau⁴	2697
新	san¹	2655		(chau⁴	233)
身	san¹	2656	受	sau⁶	2698
申	san¹	2657	授	sau⁶	2699
伸	san¹	2658	壽	sau⁶	2700
呻	san¹	2659	售	sau⁶	2701
紳	san¹	2660	此	se¹	2702
娠	san¹	2661	奢	se¹	2703
晨	san⁴	2662		(che¹	243)
神	san⁴	2663	賒	se¹	2704
腎	san⁵	2664	寫	se²	2705
蜃	san⁵	2665	捨	se²	2706
慎	san⁶	2666	瀉	se³	2707
僧	sang¹°	2667	卸	se³	2708
	(jang¹°	1341)	舍	se³	2709
擤	sang³	2668	赦	se³	2710
濕	sap¹°	2669	蛇	se⁴	2711
十	sap⁶	2670	社	se⁵	2712
什	sap⁶	2671	射	se⁶	2713
拾	sap⁶	2672	麝	se⁶	2714
膝	sat¹°	2673	死	sei²	2715

四	sei³	2716
錫	sek³	2717
	(sik³	**2789)**
石	sek⁶	2718
碩	sek⁶	2719
星	seng¹°	2720
	(sing¹	**2812)**
	(sing¹°	**2813)**
腥	seng¹	2721
	(sing¹	**2814)**
聲	seng¹	2722
	(sing¹	**2815)**
	(sing¹°	**2816)**
醒	seng²	2723
	(sing²	**2824)**
姓	seng³	2724
	(sing³	**2825)**
成	seng⁴	2725
	(ching⁴	**325)**
	(sing⁴	**2828)**
城	seng⁴	2726
	(sing⁴	**2829)**
削	seuk³	2727
相	seung¹	2728
相	seung³	2729
相	seung³*	2730
箱	seung¹°	2731
襄	seung¹	2732
鑲	seung¹	2733
商	seung¹	2734
雙	seung¹	2735
霜	seung¹	2736
孀	seung¹	2737
傷	seung¹	2738
想	seung²	2739
賞	seung²	2740
常	seung⁴	2741
嘗	seung⁴	2742
償	seung⁴	2743
上	seung⁵	2744
上	seung⁶	2745
司	si¹	2746
思	si¹	2747
斯	si¹	2748
嘶	si¹	2749
撕	si¹	2750

絲	si¹	2751
私	si¹	2752
詩	si¹°	2753
師	si¹	2754
師	si¹°	2755
獅	si¹°	2756
屍	si¹	2757
施	si¹	2758
史	si²	2759
屎	si²	2760
使	si²	2761
使	si³	2762
	(sai²	**2633)**
嗜	si³	2763
試	si³	2764
匙	si⁴	2765
	(chi⁴	**291)**
時	si⁴	2766
市	si⁵	2767
氏	si⁶	2768
事	si⁶	2769
示	si⁶	2770
視	si⁶	2771
士	si⁶	2772
是	si⁶	2773
豉	si⁶	2774
侍	si⁶	2775
昔	sik¹°	2776
息	sik¹°	2777
媳	sik¹°	2778
熄	sik¹°	2779
色	sik¹°	2780
蟋	sik¹°	2781
蜥	sik¹°	2782
式	sik¹°	2783
釋	sik¹°	2784
識	sik¹°	2785
飾	sik¹°	2786
適	sik¹°	2787
骰	sik¹°	2788
錫	sik³	2789
	(sek³	**2717)**
食	sik⁶	2790
閃	sim²	2791
陝	sim²	2792
蟬	sim⁴*	2793

｜禪	sim⁴	2794		(seng⁴	**2726)**
	(sin⁶	**2807)**	誠	sing⁴	2830
贍先	sim⁶	2795	承	sing⁴	2831
先	sin¹	2796	繩	sing⁴	2832
仙	sin¹°	2797	繩	sing⁴*	2833
鮮	sin¹	2798	盛	sing⁴	2834
鮮	sin²	2799	盛	sing⁶	2835
癬	sin²	2800	乘	sing⁴	2836
線	sin³	2801	乘	sing⁶	2837
腺	sin³	2802	剩	sing⁶	2838
扇	sin³	2803	攝	sip³	2839
煽	sin³	2804	涉	sip³	2840
鱔	sin⁵	2805	稴	sip³	2841
羨	sin⁶	2806	竊	sit³	2842
｜禪	sin⁶	2807	褻	sit³	2843
	(sim⁴	**2794)**	洩	sit³	2844
善	sin⁶	2808	楔	sit³	2845
繕	sin⁶	2809	舌	sit⁶	2846
膳	sin⁶	2810	賒	sit⁶	2847
擅	sin⁶	2811	宵	siu¹	2848
星	sing¹	2812	消	siu¹	2849
｜星	sing¹°	2813	硝	siu¹	2850
	(seng¹°	**2720)**	銷	siu¹	2851
｜腥	sing¹	2814	瀟	siu¹	2852
	(seng¹	**2721)**	簫	siu¹°	2853
｜聲	sing¹	2815	蕭	siu¹	2854
｜聲	sing¹°	2816	燒	siu¹	2855
	(seng¹	**2722)**	小	siu²	2856
猩	sing¹	2817	少	siu²	2857
升	sing¹	2818	少	siu³	2858
昇	sing¹	2819	笑	siu³	2859
陞	sing¹	2820	韶	siu⁴	2860
勝	sing¹	2821	紹	siu⁶	2861
勝	sing³	2822	兆	siu⁶	2862
｜省	sing²	2823	肇	siu⁶	2863
	(saang²	**2619)**	鬚	so¹	2864
｜醒	sing²	2824	騷	so¹	2865
	(seng²	**2723)**	穌	so¹	2866
｜姓	sing³	2825	蘇	so¹	2867
	(seng³	**2724)**	繰	so¹	2868
性	sing³	2826	酥	so¹	2869
聖	sing³	2827	臊	so¹	2870
｜成	sing⁴	2828	臊	so³	2871
	(ching	**325)**	嫂	so²	2872
	(seng⁴	**2725)**	數	so²	2873
｜城	sing⁴	2829	數	so³	2874

掃	so²	2875	宣	suen¹	2917
掃	so³	2876	狻	suen¹	2918
掃	so³*	2877	痠	suen¹	2919
漱	so³	2878	酸	suen¹	2920
	(sau³	2690)	損	suen²	2921
素	so³	2879	選	suen²	2922
訴	so³	2880	算	suen³	2923
塑	so³	2881	蒜	suen³	2924
蓑	soh¹	2882	渲	suen³	2925
唆	soh¹	2883	旋	suen⁴	2926
梭	soh¹°	2884	漩	suen⁴	2927
梳	soh¹	2885	船	suen⁴	2928
梳	soh¹°	2886	吮	suen⁵	2929
疏	soh¹	2887	篆	suen⁶	2930
蔬	soh¹	2888	鐫	suen⁶	2931
所	soh²	2889	雪	suet³	2932
鎖	soh²	2890	說	suet³	2933
瑣	soh²	2891		(sui³	2940)
傻	soh⁴	2892	雖	sui¹	2934
腮	soi¹	2893	需	sui¹	2935
鰓	soi¹	2894	衰	sui¹	2936
索	sok³	2895	水	sui²	2937
	(saak³	2597)	歲	sui³	2938
喪	song¹	2896	碎	sui³	2939
喪	song³	2897	說	sui³	2940
桑	song¹	2898		(suet³	2933)
嗓	song²	2899	稅	sui³	2941
爽	song²	2900	帥	sui³	2942
書	sue¹	2901	誰	sui⁴	2943
舒	sue¹	2902	垂	sui⁴	2944
輸	sue¹	2903	隧	sui⁶	2945
樞	sue¹	2904	瑞	sui⁶	2946
鼠	sue²	2905	睡	sui⁶	2947
暑	sue²	2906	叔	suk¹°	2948
庶	sue³	2907	倏	suk¹°	2949
戍	sue³	2908	蕭	suk¹°	2950
恕	sue³	2909	宿	suk¹°	2951
處	sue³	2910		(sau³	2692)
	(chue²	378)	縮	suk¹°	2952
	(chue³	379)	粟	suk¹°	2953
殊	sue⁴	2911	屬	suk⁶	2954
薯	sue⁴	2912	贖	suk⁶	2955
曙	sue⁵	2913	淑	suk⁶	2956
樹	sue⁶	2914	熟	suk⁶	2957
豎	sue⁶	2915	徇	sun¹	2958
孫	suen¹	2916	殉	sun¹	2959

詢	sun¹	2960
筍	sun²	2961
樺	sun²	2962
信	sun³	2963
訊	sun³	2964
迅	sun³	2965
脣	sun⁴	2966
純	sun⁴	2967
醇	sun⁴	2968
順	sun⁶	2969
從	sung¹	2970
	(chung⁴	437)
	(jung⁶	1640)
鬆	sung¹	2971
聳	sung²	2972
慫	sung²	2973
悚	sung²	2974
送	sung³	2975
餸	sung³	2976
崇	sung⁴	2977
恤	sut¹°	2978
率	sut¹°	2979
	(lut⁶	2029)
捽	sut¹°	2980
棒	sut¹°	2981
術	sut⁶	2982

T

他	ta¹	2983
她	ta¹	2984
它	ta¹	2985
吔	taai¹°	2986
軚	taai³	2987
太	taai³	2988
太	taai³*	2989
泰	taai³	2990
態	taai³	2991
貸	taai³	2992
貪	taam¹	2993
探	taam¹	2994
探	taam³	2995
毯	taam²	2996
談	taam⁴	2997
痰	taam⁴	2998
燂	taam⁴	2999

淡	taam⁵	3000
	(daam⁶	457)
攤	taan¹	3001
攤	taan¹°	3002
灘	taan¹	3003
癱	taan¹	3004
癱	taan²	3005
坍	taan¹	3006
袒	taan²	3007
坦	taan²	3008
疸	taan²	3009
忐	taan²	3010
炭	taan³	3011
礦	taan³	3012
歎	taan³	3013
殫	taan⁴	3014
	(daan⁶	464)
	(daan⁶*	465)
壇	taan⁴	3015
檀	taan⁴	3016
塔	taap³	3017
塌	taap³	3018
撻	taat³	3019
	(daat³	470)
梯	tai¹	3020
銻	tai¹°	3021
體	tai²	3022
睇	tai²	3023
替	tai³	3024
剃	tai³	3025
涕	tai³	3026
嚏	tai³	3027
屜	tai³	3028
締	tai³	3029
題	tai⁴	3030
堤	tai⁴	3031
提	tai⁴	3032
啼	tai⁴	3033
蹄	tai⁴	3034
冰	tam³	3035
氹	tam⁵	3036
吞	tan¹	3037
褪	tan³	3038
籐	tang⁴	3039
謄	tang⁴	3040
騰	tang⁴	3041

疼	tang⁴	3042
偷	tau¹	3043
吽	tau²	3044
透	tau³	3045
頭	tau⁴	3046
投	tau⁴	3047
踢	tek³	3048
聽	teng¹	3049
	(ting¹	3061)
	(ting³	3062)
廳	teng¹°	3050
艇	teng⁵	3051
丁	ti¹°	3052
剔	tik¹°	3053
倜	tik¹°	3054
添	tim¹	3055
甜	tim⁴	3056
天	tin¹	3057
田	tin⁴	3058
塡	tin⁴	3059
滇	Tin⁴	3060
	(Din¹	543)
聽	ting¹	3061
聽	ting³	3062
	(teng¹	3049)
亭	ting⁴*	3063
停	ting⁴	3064
挺	ting⁴	3065
帖	tip³*	3066
貼	tip³	3067
貼	tip³°	3068
鐵	tit³	3069
挑	tiu¹	3070
佻	tiu¹	3071
跳	tiu³	3072
糶	tiu³	3073
條	tiu⁴	3074
調	tiu⁴	3075
	(diu⁶	565)
滔	to¹	3076
韜	to¹	3077
叨	to¹	3078
饕	to¹	3079
土	to²	3080
討	to²	3081
禱	to²	3082

吐	to³	3083
套	to³	3084
兔	to³	3085
徒	to⁴	3086
圖	to⁴	3087
桃	to⁴	3088
桃	to⁴*	3089
逃	to⁴	3090
途	to⁴	3091
塗	to⁴	3092
荼	to⁴	3093
陶	to⁴	3094
掏	to⁴	3095
淘	to⁴	3096
屠	to⁴	3097
肚	to⁵	3098
拖	toh¹	3099
唾	toh³	3100
駝	toh⁴	3101
妥	toh⁵	3102
胎	toi¹	3103
台	toi⁴	3104
抬	toi⁴	3105
枱	toi⁴	3106
枱	toi⁴*	3107
怠	toi⁵	3108
	(doi⁶	593)
托	tok³	3109
託	tok³	3110
湯	tong¹	3111
倘	tong²	3112
趟	tong²	3113
熨	tong³	3114
攩	tong³	3115
唐	tong⁴	3116
塘	tong⁴	3117
糖	tong⁴	3118
糖	tong⁴*	3119
螳	tong⁴	3120
堂	tong⁴	3121
團	tuen⁴	3122
囤	tuen⁴	3123
	(dun⁶	628)
臀	tuen⁴	3124
斷	tuen⁵	3125
	(duen³	606)

	(duen⁶	607)	畫	waak⁶	3162
脫	tuet³	3126		(wa⁶	3155)
推	tui¹	3127		(wa⁶*	3156)
腿	tui²	3128	劃	waak⁶	3163
退	tui³	3129	彎	waan¹	3164
頹	tui⁴	3130	灣	waan¹	3165
禿	tuk¹°	3131	潡	waan¹°	3166
通	tung¹	3132	玩	waan⁴	3167
統	tung²	3133	玩	waan⁴*	3168
桶	tung²	3134		(woon⁶	3298)
痛	tung³	3135	還	waan⁴	3169
同	tung⁴	3136	環	waan⁴	3170
桐	tung⁴	3137	頑	waan⁴	3171
筒	tung⁴	3138	挽	waan⁵	3172
筒	tung⁴*	3139	輓	waan⁵	3173
童	tung⁴	3140	幻	waan⁶	3174
銅	tung⁴	3141	宦	waan⁶	3175
			患	waan⁶	3176
	U		橫	waang⁴	3177
			挖	waat³	3178
屋	uk¹°	3142	滑	waat⁶	3179
甕	ung¹	3143	威	wai¹	3180
擁	ung²	3144	喂	wai¹	3181
	(yung²	3590)	喂	wai²	3182
甕	ung³	3145	喂	wai³	3183
			喂	wai⁶	3184
	W		委	wai¹	3185
			委	wai²	3186
嘩	wa¹	3146	毀	wai²	3187
哇	wa¹	3147	燬	wai²	3188
娃	wa¹	3148	諉	wai²	3189
窪	wa¹	3149	萎	wai²	3190
蛙	wa¹	3150	喟	wai²	3191
華	wa⁴	3151	畏	wai³	3192
華	wa⁶	3152	餵	wai³	3193
話	wa⁶	3153	慰	wai³	3194
話	wa⁶*	3154	穢	wai³	3195
畫	wa⁶	3155	爲	wai⁴	3196
畫	wa⁶*	3156	爲	wai⁶	3197
	(waak⁶	3162)	圍	wai⁴	3198
歪	waai¹	3157	違	wai⁴	3199
	(me²	2122)	桅	wai⁴	3200
懷	waai⁴	3158	桅	wai⁴*	3201
槐	waai⁴	3159	遺	wai⁴	3202
壞	waai⁶	3160	遺	wai⁶	3203
或	waak⁶	3161	唯	wai⁴	3204

唯	wai⁴*	3205		喎	woh⁵	3247
惟	wai⁴	3206		喎	woh⁶	3248
維	wai⁴	3207		撾	woh⁵	3249
偉	wai⁵	3208		禍	woh⁶	3250
瑋	wai⁵	3209		鑊	wok⁶	3251
緯	wai⁵	3210		獲	wok⁶	3252
位	wai⁶	3211		汪	wong¹	3253
位	wai⁶*	3212		枉	wong²	3254
胃	wai⁶	3213		皇	wong⁴	3255
衛	wai⁶	3214		惶	wong⁴	3256
彙	wai⁶	3215		蝗	wong⁴	3257
	(lui⁵	1997)		遑	wong⁴	3258
	(wooi⁶	3293)		黃	wong⁴	3259
温	wan¹	3216		王	wong⁴	3260
瘟	wan¹	3217		往	wong⁵	3261
穩	wan²	3218		旺	wong⁶	3262
搵	wan²	3219		烏	woo¹	3263
韞	wa³	3220		污	woo¹	3264
醖	wan³	3221		鎢	woo¹°	3265
魂	wan⁴	3222		滸	woo²	3266
雲	wan⁴	3223		塢	woo²	3267
觬	wan⁴	3224		惡	woo³	3268
暈	wan⁴	3225			(ok³	2428)
勻	wan⁴	3226		嗚	woo³	3269
允	wan⁵	3227		壺	woo⁴	3270
運	wan⁶	3228		壺	woo⁴*	3271
隕	wan⁶	3229		胡	woo⁴	3272
韻	wan⁶	3230		湖	woo⁴	3273
混	wan⁶	3231		糊	woo⁴	3274
宏	wang⁴	3232		葫	woo⁴	3275
屈	wat¹°	2333		蝴	woo⁴	3276
核	wat⁶	3234		鬍	woo⁴	3277
	(hat⁶	1142)		弧	woo⁴	3278
軏	wen¹°	3235		狐	woo⁴	3279
揻	wing¹	3236		戶	woo⁶	3280
榮	wing⁴	3237		護	woo⁶	3281
永	wing⁵	3238		互	woo⁶	3282
泳	wing⁶	3239		芋	woo⁶	3283
窩	woh¹	3240		偎	wooi¹	3284
窠	woh¹°	3241		煨	wooi¹	3285
	(foh¹°	702)		回	wooi⁴	3286
倭	woh¹	3242		廻	wooi⁴	3287
禾	woh⁴	3243		會	wooi⁵	3288
和	woh⁴	3244		會	wooi⁶	3289
和	woh⁶	3245		會	wooi⁶*	3290
喎	woh⁴	3246			(kwooi²	1748)

燴	wooi⁶	3291		隱	yan²	3325
滙	wooi⁶	3292		忍	yan²	3326
｜彙	wooi⁶	3293		印	yan³	3327
	(lui⁵	1997)		人	yan⁴	3328
	(wai⁶	3215)		仁	yan⁴	3329
碗	woon²	3294		引	yan⁵	3330
腕	woon²	3295		癮	yan⁵	3331
｜援	woon⁴	3296		孕	yan⁶	3332
	(yuen⁴	3555)		｜韌	yan⁶	3333
	(yuen⁶	3556)			(ngan⁶	2337)
換	woon⁶	3297			(ngan⁶°	2338)
｜玩	woon⁶	3298		邑	yap¹°	3334
	(waan⁴	3167)		挹	yap¹°	3335
	(waan⁴*	3168)		揖	yap¹°	3336
緩	woon⁶	3299		泣	yap¹°	3337
活	woot⁶	3300		熠	yap¹°	3338
				翕	yap¹°	3339
	Y			入	yap⁶	3340
				一	yat¹°	3341
吔	ya¹°	3301		日	yat⁶	3342
也	ya⁵	3302		溢	yat⁶	3343
｜廿	ya⁶	3303		憂	yau¹	3344
	(ye⁶	3379)		優	yau¹	3345
｜踹	yaai²	3304		休	yau¹	3346
	(chaai²	170)		蚯	yau¹	3347
｜吃	yaak³	3305		幽	yau¹	3348
	(hek³	1162)		勠	yau²	3349
吟	yai⁴	3306		幼	yau³	3350
吟	yai⁵	3307		由	yau⁴	3351
音	yam¹	3308		油	yau⁴	3352
音	yam¹°	3309		油	yau⁴*	3353
陰	yam¹	3310		鈾	yau⁴	3354
欽	yam¹	3311		鈾	yau⁴*	3355
飲	yam²	3312		尤	yau⁴	3356
飲	yam³	3313		｜酋	yau⁴	3357
淫	yam⁴	3314			(chau⁴	236)
吟	yam⁴	3315		猶	yau⁴	3358
任	yam⁶	3316		鮋	yau⁴	3359
因	yan¹	3317		悠	yau⁴	3360
姻	yan¹	3318		游	yau⁴	3361
恩	yan¹	3319		遊	yau⁴	3362
湮	yan¹	3320		柔	yau⁴	3363
欣	yan¹	3321		蹂	yau⁴	3364
甄	yan¹	3322		郵	yau⁴	3365
殷	yan¹	3323		友	yau⁵	3366
慇	yan¹	3324		誘	yau⁵	3367

有	yau⁵	3368		醫	yi¹	3411
叉	yau⁶	3369		伊	yi¹	3412
右	yau⁶	3370		倚	yi²	3413
耶	ye⁴	3371		椅	yi²	3414
揶	ye⁴	3372		意	yi³	3415
揶	ye⁴	3373		薏	yi³	3416
爺	ye⁴	3374		而	yi⁴	3417
野	ye⁵	3375		姨	yi⁴	3418
嘢	ye⁵	3376		姨	yi⁴°	3419
惹	ye⁵	3377		疑	yi⁴	3420
夜	ye⁶	3378		移	yi⁴	3421
廿	ye⁶	3379		兒	yi⁴	3422
丨	**(ya⁶**	**3303)**		儀	yi⁴	3423
丨	yeng⁴	3380		以	yi⁵	3424
贏	**(ying⁴**	**3495)**		已	yi⁵	3425
約	yeuk³	3381		耳	yi⁵	3426
若	yeuk⁶	3382		議	yi⁵	3427
鑰	yeuk⁶	3383		二	yi⁶	3428
龥	yeuk⁶	3384		異	yi⁶	3429
	(yue⁶	**3542)**		易	yi⁶	3430
虐	yeuk⁶	3385		丨	**(yik⁶**	**3440)**
瘧	yeuk⁶	3386		義	yi⁶	3431
弱	yeuk⁶	3387		肄	yi⁶	3432
藥	yeuk⁶	3388		益	yik¹°	3433
躍	yeuk⁶	3389		億	yik¹°	3434
央	yeung¹	3390		憶	yik¹°	3435
殃	yeung¹	3391		臆	yik¹°	3436
秧	yeung¹	3392		抑	yik¹°	3437
羊	yeung⁴	3393		亦	yik⁶	3438
佯	yeung⁴	3394		譯	yik⁶	3439
洋	yeung⁴	3395		易	yik⁶	3440
揚	yeung⁴	3396		丨	**(yi⁶**	**3430)**
楊	yeung⁴	3397		液	yik⁶	3441
陽	yeung⁴	3398		疫	yik⁶	3442
養	yeung⁵	3399		逆	yik⁶	3443
氣	yeung⁵	2400		翼	yik⁶	3444
癢	yeung⁵	3401		俺	yim¹	3445
仰	yeung⁵	3402		淹	yim¹	3446
恙	yeung⁵	3403		閹	yim¹	3447
恙	yeung⁶	3404		掩	yim²	3448
讓	yeung⁶	3405		厭	yim³	3449
樣	yeung⁶	3406		鹽	yim⁴	3450
樣	yeung⁶*	3407		炎	yim⁴	3451
釀	yeung⁶	3408		閻	yim⁴	3452
衣	yi¹	3409		嚴	yim⁴	3453
依	yi¹	3410		嫌	yim⁴	3454

染	yim⁵	3455	認	ying⁶	3498
驗	yim⁶	3456	醃	yip³	3499
豓	yim⁶	3457	葉	yip⁶	3500
烟	yin¹	3458	頁	yip⁶	3501
烟	yin¹°	3459	業	yip⁶	3502
胭	yin¹	3460	｜ 咽	yit³	3503
｜ 咽	yin¹	3461	**(yin¹**	**3461)**
｜ 咽	yin³	3462	**(yin³**	**3462)**
(yit³	**3502)**	熱	yit⁶	3504
衍演	yin²	3463	孽	yit⁶	3505
演	yin²	3464	妖	yiu¹	3506
燕	yin³	3465	腰	yiu¹	3507
宴	yin³	3466	要	yiu¹	3508
｜ 氈	yin³*	3467	要	yiu³	3509
(gin³	**912)**	饒	yiu⁴	3510
言	yin⁴	3468	搖	yiu⁴	3511
絃	yin⁴	3469	謠	yiu⁴	3512
延	yin⁴	3470	遙	yiu⁴	3513
筵	yin⁴	3471	繞	yiu⁵	3514
然	yin⁴	3472	咨	yiu⁵	3515
燃	yin⁴	3473	擾	yiu⁵	3516
研	yin⁴	3474	於	yue¹	3517
現	yin⁶	3475	嫗	yue²	3518
硯	yin⁶	3476	淤	yue³	3519
諺	yin⁶	3477	瘀	yue³	3520
唁	yin⁶	3478	瘀	yue³*	3521
英	ying¹	3479	醞	yue³	3522
嬰	ying¹°	3480	如	yue⁴	3523
櫻	ying¹	3481	餘	yue⁴	3524
鸚	ying¹	3482	魚	yue⁴	3525
鷹	ying¹°	3483	魚	yue⁴*	3526
應	ying¹	3484	漁	yue⁴	3527
應	ying³	3485	儒	yue⁴	3528
影	ying²	3486	娛	yue⁴	3529
映	ying²	3487	愚	yue⁴	3530
仍	ying⁴	3488	愉	yue⁴	3531
刑	ying⁴	3489	｜ 瑜	yue⁴	3532
形	ying⁴	3490	逾	yue⁴	3533
型	ying⁴	3491	雨	yue⁵	3534
螢	ying⁴	3492	語	yue⁵	3535
營	ying⁴	3493	與	yue⁵	3536
迎	ying⁴	3494	羽	yue⁵	3537
｜ 贏	ying⁴	3495	乳	yue⁵	3538
(yeng⁴	**3380)**	豫	yue⁶	3539
蠅	ying⁴	3496	寓	yue⁶	3540
凝	ying⁴	3497	遇	yue⁶	3541

顥	yue⁶	3542	銳	yui⁶	3574
	(yeuk⁶	**3384)**	郁	yùk¹°	3575
寃	yuen¹	3543	玉	yuk⁶	3576
淵	yuen¹	3544	玉	yuk⁶*	3577
婉	yuen²	3545	欲	yuk⁶	3578
惋	yuen²	3546	慾	yuk⁶	3579
元	yuen³	3547	浴	yuk⁶	3580
完	yuen⁴	3548	肉	yuk⁶	3581
	yuen⁴	3549	辱	yuk⁶	3582
原	yuen⁴	3550	育	yuk⁶	3583
源	yuen⁴	3551	獄	yuk⁶	3584
圓	yuen⁴	3552	閏	yun⁶	3585
園	yuen⁴	3553	潤	yun⁶	3586
猿	yuen⁴	3554	膶	yun⁶*	3587
援	yuen⁴	3555	翁	yung¹°	3588
援	yuen⁶	3556	癰	yung¹°	3589
	(woon⁴	**3296)**	擁	yung²	3590
緣	yuen⁴	3557		**(ung²**	**3144)**
懸	yuen⁴	3558	湧	yung²	3591
沿	yuen⁴	3559	踴	yung²	3592
鉛	yuen⁴	3560	冗	yung²	3593
遠	yuen⁵	3561	容	yung⁴	3594
蝡	yuen⁵	3562	榕	yung⁴	3595
願	yuen⁶	3563	熔	yung⁴	3596
炫	yuen⁶	3564	庸	yung⁴	3597
院	yuen⁶	3565	融	yung⁴	3598
院	yuen⁶*	3566	濃	yung⁴	3599
縣	yuen⁶	3567		**(nung⁴**	**2412)**
乙	yuet³	3568	絨	yung⁴	3600
月	yuet⁶	3569	絨	yung⁴*	3601
越	yuet⁶	3570	勇	yung⁵	3602
閱	yuet⁶	3571	用	yung⁶	3603
粵	yuet⁶	3572	佣	yung⁶*	3604
穴	yuet⁶	3573			